La CULTURE GÉNÉRALE de A à Z

CATHERINE ROUX-LANIER
ancienne élève de l'ENS,
professeur agrégé de philosophie,
enseignant en classes préparatoires aux grandes écoles

DANIEL PIMBÉ
ancien élève de l'ENS,
professeur agrégé de philosophie,
enseignant en classes préparatoires aux grandes écoles

FRANK LANOT
professeur agrégé de lettres modernes,
enseignant en classes préparatoires aux grandes écoles

ANDRÉ ROPERT
ancien élève de l'ENS,
professeur agrégé d'histoire,
ayant enseigné en classes préparatoires aux grandes écoles

HATIER

Cartographie : Noël Meunier
Mise en pages : Paris PhotoComposition

© Hatier, septembre 1998 – ISBN : 978-2-218-74620-8

AVANT-PROPOS

L'ESPRIT DE LA CULTURE GÉNÉRALE

Le terme *culture générale* peut sembler lui-même bien... général ! On dira, pour simplifier, qu'il s'agit fondamentalement de *culture*, c'est-à-dire de l'art de rendre sa tête « bien pleine » et surtout « bien faite ». C'est ainsi qu'il faut comprendre l'adjectif *général* : il ne s'agit pas de s'en tenir à des généralités, mais de sortir du cadre étroit de connaissances spécialisées, c'est-à-dire de décloisonner et de faire circuler les savoirs.

Le but de la culture générale n'est pas d'orner notre esprit, mais de nous rendre capables de mieux penser. Elle exige donc des connaissances historiques, littéraires, esthétiques, scientifiques, philosophiques fondamentales, mais surtout un certain état d'esprit à l'égard de ces connaissances : il s'agit de saisir les multiples dimensions des problèmes, leurs racines historiques, leurs enjeux contemporains. C'est pourquoi on rencontre des épreuves de culture générale dans de nombreux concours et examens : écoles de commerce (ECE), instituts d'études politiques (IEP), concours administratifs, brevets de technicien supérieur (BTS). De même, la culture générale est très souvent un critère déterminant lors des épreuves orales et des entretiens de recrutement.

Pour préparer à ce type d'épreuves, l'équipe des auteurs de cet ouvrage s'est voulue très largement interdisciplinaire : elle comporte un historien, deux philosophes, un professeur de lettres ; des spécialistes ont été chargés des rubriques scientifiques et musicales. De plus, chaque entrée a été l'occasion d'une étroite collaboration entre les auteurs.

Ce dictionnaire de la *culture générale de A à Z* convient donc à tous les étudiants qui préparent des concours comportant une épreuve de culture générale. Cependant, vu son caractère interdisciplinaire et la richesse de son contenu, il sera aussi d'un grand intérêt pour le lycéen, l'étudiant et l'« honnête homme » du XXe siècle.

LE CONTENU DE L'OUVRAGE

Vous trouverez, dans ce dictionnaire, **plus de 200 entrées**, historiques, artistiques, littéraires, philosophiques ou scientifiques. Elles couvrent intégralement le programme de la première année de préparation ECE, dont le caractère large et compréhensif donne une bonne idée de ce qu'on entend par culture générale. Nous avons aussi pensé à la préparation aux IEP, en proposant un riche contenu historique et politique. Plus généralement, cet ouvrage fait le point sur les connaissances qu'un lycéen devrait maîtriser pour aborder ses études de façon sereine et intelligente : les bases du secondaire sont ainsi rassemblées, consolidées et approfondies.

Le panorama historique complet, depuis l'Antiquité jusqu'au XXe siècle, vous permettra de resituer les courants de pensée dans leur contexte, et d'acquérir une vision plus complète de l'Histoire, ce qui est indispensable dans les études commerciales et politiques, et également très apprécié dans les études littéraires.

- Dix **cartes** et quinze **chronologies** synthétiques (*liste p. 415*) facilitent le repérage et la mémorisation.
- L'**index détaillé**, en fin d'ouvrage, vous permet de circuler aisément dans le dictionnaire et, en particulier, de savoir où rechercher les informations sur les thèmes, les auteurs ou les personnages qui ne font pas l'objet d'une entrée.

• Le **tableau synoptique des entrées** (*p. 416*) montre ce qui a guidé le choix de nos entrées : à chaque grand moment de l'histoire apparaissent des courants d'idées, des genres littéraires et des mouvements artistiques, des événements et des faits de civilisation décisifs.

La structure des entrées

Classées par ordre alphabétique, les différentes entrées vous apporteront les références indispensables pour bâtir votre réflexion personnelle.

• Pour chaque entrée, une brève introduction fournit les premiers éléments d'analyse : étymologie, définition, éventuellement premier usage du mot, différence entre sens usuel et sens technique...

• Les paragraphes, brefs, sont annoncés par un titre clair, éventuellement accompagné d'une date.

• En fin d'article, un encadré **« Enjeux contemporains »** replace le thème, quand il s'y prête, dans la perspective des grands débats d'idées actuels.

• Des indications bibliographiques vous sont données systématiquement : la rubrique **« À consulter »** renvoie aux ouvrages critiques de référence ; **« À lire »** conseille les principales œuvres littéraires ou philosophiques ; enfin – et c'est là une originalité de notre ouvrage –, **« À voir »** et **« À écouter »** suggèrent des pistes cinématographiques ou musicales, souvent insuffisamment exploitées par les étudiants.

• Des **« Corrélats »** récapitulent les principaux mots, signalés par des astérisques dans le texte, qui font l'objet d'une entrée dans le dictionnaire : afin d'enrichir et de préciser l'approche d'une question, il est vivement recommandé de se reporter aux articles mentionnés. Le système des corrélats participe pleinement au projet de décloisonnement et de circulation des savoirs.

Nous demanderons à nos lecteurs de comprendre que, vu l'immensité de notre propos, nous avons été amenés à faire des choix concernant, en particulier, le nombre d'entrées, leur contenu et leur longueur. Dans ces choix – souvent difficiles –, nous avons cherché à être fidèles à l'esprit de l'enseignement de la culture générale et à son utilisation dans les différentes épreuves où elle intervient. Ce dictionnaire de culture générale doit donc être considéré comme un ouvrage d'initiation. Nous souhaitons qu'il donne à son lecteur le désir d'approfondir et de compléter ses connaissances ; il se propose, en toute modestie, de lui montrer dans quel esprit il faut travailler et orienter ses recherches.

Les auteurs.

Nous remercions chaleureusement pour leur collaboration éclairée Philippe Boutibonnes (biologie), Brigitte Lacourbas (physique), Denis Lanier (mathématiques), Denis Lehman (musique) et Pascal Jolivet (musique).

ABSOLUTISME

● **ÉTYM. :** Dérivé de l'adjectif *absolu*, issu du latin d'Église *absolutus* (« délié, affranchi »). En ancien français, le mot passe, au XIIe siècle, de ce sens premier à « achevé, parfait ». ● **DÉF. :** Type de gouvernement monarchique spécifique de l'Europe, du XVIe au XVIIIe siècle, et où la totalité du pouvoir est concentrée entre les mains du souverain. Le terme *absolutisme* apparaît tardivement (1830) pour désigner le régime de la monarchie absolue, soit étymologiquement la forme « parfaite » de la monarchie.

L'apparition progressive de l'absolutisme

XVIe-XVIIIe siècles

Comme beaucoup de systèmes politiques, l'absolutisme a été une pratique avant de devenir une doctrine, et son établissement peut être compris comme l'aboutissement de la progressive réduction du fractionnement féodal par un pouvoir royal de plus en plus assuré. Son émergence est à mettre d'autre part en relation avec la redéfinition de l'idée d'État* par la pensée politique de la Renaissance* (*cf.* Machiavel). Il doit également beaucoup à la Contre-Réforme* catholique, qui voit dans une monarchie centralisée et puissante un barrage efficace aux progrès de la Réforme* : en ce sens, l'absolutisme est beaucoup plus un fait de l'Europe catholique (Espagne, France) que de l'Europe protestante, où il a généralement été contesté (Angleterre, Suède).

La première monarchie absolue caractérisée se met en place pendant la seconde moitié du XVIe siècle, dans l'Espagne de Philippe II (1556-1598). En France, l'évolution vers l'absolutisme, sensible dès les règnes de François Ier (1515-1547) et de Henri II (1547-1559), est contrariée par la crise des guerres de Religion*. Elle reprend sous Henri IV, mais c'est au cardinal de Richelieu, ministre de Louis XIII de 1624 à 1642, qu'on doit l'institution définitive de l'État absolutiste. Pendant son long règne personnel, de 1661 à 1715, Louis XIV donnera une forme achevée à cet « Ancien Régime » qui durera jusqu'en 1789. Il offrira ainsi un modèle de gouvernement que tenteront d'imiter, avec plus ou moins de bonheur, la plupart des souverains européens jusqu'à la fin du XVIIIe siècle.

Les caractères de l'absolutisme

Dans sa pratique, l'absolutisme se caractérise par une concentration de tous les attributs de la puissance entre les seules mains du souverain. Il n'y a pas de séparation des pouvoirs. Le roi s'identifie à l'État : il fait et applique la loi, il est justicier et chef des armées, il a le contrôle des finances publiques. Il n'a de comptes à rendre à personne et tout procède de sa décision et de sa volonté ; cependant – les juristes insistent sur ce point – il ne s'agit pas de tyrannie car, d'une part, l'action du roi ne peut être motivée que par l'intérêt de l'État (qui est donc considéré comme au-dessus de lui) et, d'autre part, en tant que chrétien, il est personnellement responsable de ses actes devant Dieu, ce qui engage son propre Salut.

L'absolutisme est en effet, dans sa version originelle, inséparable d'une légitimité fondée et garantie par la religion. Le roi est de droit divin, son pouvoir procède de Dieu, ce que souligne en France la cérémonie du Sacre, à Reims, qui inaugure chaque règne. Bossuet, dans *La Politique tirée des propres paroles de l'Écriture sainte* (1709), poussera très loin cette définition théologique de l'absolutisme, présentant les dynasties comme des lignées élues de Dieu et les rois comme ses ministres sur Terre.

L'évolution de l'absolutisme

C'est ce concept du droit divin qui sera contesté au XVIIIe siècle. Dans un monde où la mise en cause des dogmes et les progrès du scepticisme disqualifient les références religieuses, l'absolutisme doit se trouver de nouvelles légitimations. Déjà au XVIIe siècle, l'Anglais Hobbes ne l'avait justifié que par la nécessité d'un État fort, indispensable pour assurer la protection et la sécurité des individus.

C'est dans une perspective voisine que la philosophie des Lumières* développe la théorie du despotisme éclairé : seul un pouvoir absolu est en mesure de mettre en œuvre le progrès contre les forces de réaction et d'obscurantisme. Instruit par la raison et les conseils des philosophes, le souverain fonde son pouvoir et sa légitimité non sur un illusoire droit divin, mais sur le consensus qui s'établit autour de son action bienfaisante et son souci du bien public. Les gouvernements de Frédéric II de Prusse (1740-1786), de l'empereur autrichien Joseph II (1780-1790) et de Catherine II de Russie (1762-1796) se veulent l'expression de cette version laïcisée de l'absolutisme.

Mais même dépouillé de sa légitimité religieuse, l'absolutisme est de plus en plus contesté à la fin du XVIIIe siècle. La concentration du pouvoir, l'inexistence de règles juridiques précisant ses limites, l'absence de tout contrôle qu'exerceraient les gouvernés sont assimilées à l'arbitraire. On lui oppose l'État de droit régi par des institutions contractuelles (*cf.* Contrat social), comme la monarchie britannique ou, plus audacieuse encore, la jeune démocratie* américaine, modèles qui récusent toutes les formes de monarchie absolue, y compris le despotisme éclairé.

La Révolution française* de 1789 porte en ce sens un coup fatal à l'absolutisme même si les théoriciens de la Contre-Révolution* et, en 1815, les vainqueurs de Napoléon* réunis au congrès de Vienne tentent d'en sauver le principe. En fait, il a fait son temps : utile lors du passage de la société féodale à l'État moderne, l'absolutisme est dépassé quand les structures de cet État sont en place et que le fondement de la légitimité politique cesse d'être la volonté divine pour devenir la souveraineté populaire.

ENJEUX CONTEMPORAINS

Systèmes politiques

L'absolutisme monarchique n'a rien de commun avec les dictatures totalitaires* du XXe siècle, même si elles y font penser par la concentration du pouvoir entre les mains du chef. L'État totalitaire n'est en réalité qu'une falsification du principe démocratique : le dictateur prétend incarner à lui seul la volonté du peuple, collectivité organique et unanime qui le porte et l'approuve par l'adhésion massive qu'elle est censée apporter aux thèses et à l'action du parti unique.

● **À CONSULTER :** R. Bonney, *L'Absolutisme*, PUF (1994). P. Goubert, *L'Ancien Régime*, Armand Colin (1969). F. Bluche, *Le Despotisme éclairé*, Hachette (1985). J. Meyer, *Le Despotisme éclairé*, PUF (1991).
● **À VOIR :** R. Rossellini, *La prise du pouvoir par Louis XIV.*
● **CORRÉLATS :** contrat social ; Contre-Réforme ; démocratie ; État ; Lumières ; Napoléon ; Renaissance ; Révolution française ; Révolutions anglaises ; totalitarisme.

ABSURDE

● **ÉTYM. :** Emprunté au latin *absurdus* (de *ab-* et *surdus*, « sourd », « inaudible ») signifiant au sens propre « dissonant », « discordant », « qui n'est pas dans le ton », et au sens figuré « hors de propos ».
● **DÉF. :** En français, *absurde* désigne communément ce qui est déraisonnable, contraire au bon sens.

Comme le remarque le philosophe allemand Husserl (1859-1938) dans ses *Recherches logiques* (IV, § 12), l'absurde ne doit pas être confondu avec le pur et simple non-sens : l'expression absurde « un carré rond » a bien un sens, selon lequel il est évident qu'aucun objet ne peut lui correspondre ; en revanche, l'expression « rond un où » est strictement dépourvue de sens, parce qu'elle ne respecte pas la forme grammaticale de la signification. Ce n'est donc pas le sens absent que manifeste l'absurde, mais le sens qui se dérobe, l'espoir de sens déçu.

Le raisonnement par l'absurde

D'un point de vue purement logique, est absurde ce qui se contredit. Puisque deux propositions contradictoires sont telles que la vérité de l'une entraîne la fausseté de l'autre et réciproquement, il est possible d'utiliser une méthode indirecte pour démontrer la vérité d'une proposition : prendre comme hypothèse la proposition contradictoire, et en démontrer la fausseté en prouvant que ses conséquences sont contradictoires avec telle ou telle proposition admise. C'est ce qu'on appelle « démonstration par l'absurde », ou, en généralisant, « raisonnement par l'absurde ». Dans la mesure où elle est indirecte, cette façon de démontrer se borne, selon Leibniz (1646-1716), à « contraindre sans éclairer ».

Absurde, mystère et foi

Credo quia absurdum (« Je le crois parce que c'est absurde ») : faussement attribué à saint Augustin (354-430), probablement inspiré de Tertullien (155-225), ce mot exprime la justification paradoxale de la foi chrétienne : c'est parce que les mystères de la foi sont incompréhensibles qu'il faut les croire. Malebranche (1638-1715) voit dans l'absurdité de ces mystères la preuve qu'ils n'ont pas été inventés par les hommes. Selon Pascal (1623-1662), c'est le caractère incompréhensible de la doctrine du péché originel qui la rend susceptible d'éclairer les contradictions humaines : « Certainement rien ne nous heurte plus rudement que cette doctrine. Et cependant sans ce mystère, le plus inconcevable de tous, nous sommes incompréhensibles à nous-mêmes » (*Pensées*, 131).

Mais c'est chez Kierkegaard (1813-1855) que le paradoxe est présenté comme la définition même de la foi. Dans *Crainte et tremblement* (1843), le penseur danois médite sur le personnage biblique d'Abraham, qu'il appelle « le chevalier de la foi » : Abraham accepte d'offrir à Dieu le sacrifice de son fils Isaac, sacrifice complètement absurde, sans savoir si c'est vraiment Dieu qui le lui a commandé. L'absurde est alors le signe de la distance infinie entre la subjectivité humaine et la transcendance inaccessible de Dieu. Cette distance infinie ne peut être vécue que dans un silence angoissé.

La philosophie de l'absurde

Les grands systèmes de la métaphysique* du XVIIe siècle (par exemple celui de Descartes*) prétendaient répondre à la question suprême, au « pourquoi » concernant le fondement de l'existence. L'effondrement de ces systèmes, sous les coups de la critique de Kant* (1724-1804), laisse en confrontation l'exigence de poser cette question suprême et l'impossibilité reconnue de lui apporter une réponse. Cette confrontation sans issue peut être nommée absurde. L'idée apparaît chez Schopenhauer (1788-1860), qui la développe dans son principal ouvrage *Le monde comme volonté et comme représentation* (1818).

Plus près de nous, on la retrouve chez Camus (1913-1960) : dans le roman *L'Étranger* ainsi que dans l'essai *Le Mythe de Sisyphe* (datant tous deux de 1942), l'absurde se manifeste comme étrangeté et épaisseur d'un monde qui se dérobe à notre exigence de sens. Pour l'existentialisme* de Sartre (1905-1980), l'absurde résulte plutôt du conflit entre le fait que notre existence est injustifiable, et le fait que nous devons, malgré cela, en assumer la pleine responsabilité.

La littérature de l'absurde

Que la recherche du sens soit à la fois nécessaire et vaine, aucune œuvre littéraire du XXe siècle ne l'exprime mieux que *Le Procès* de Kafka (1883-1924) : objet d'une accusation sans motif connu, le héros y poursuit obstinément sa demande d'un chef d'inculpation compréhensible, demande incongrue dans un monde régi par le seul souci de l'organisation.

L'appel de Camus, dans *Le Mythe de Sisyphe*, en faveur d'un « art absurde », semble avoir surtout trouvé un écho, autour des années 1950, dans le domaine du théâtre*, à travers les œuvres d'Adamov, Beckett et Ionesco.

Ces trois auteurs mêlent, à une bouffonnerie grotesque héritée de Jarry (*Ubu roi* date de 1896), la tradition du « *nonsense* » de Lewis Carroll, et procèdent à une subversion de la forme théâtrale, qui devient le lieu de manifestation de l'incommunicabilité. La formule « théâtre de l'absurde » n'en est pas moins superficielle, eu égard aux différences entre ces auteurs, et surtout à leur évolution. Après des premières pièces à l'absurdité déconcertante (*Le Professeur Taranne*, 1951), Adamov s'oriente vers un théâtre politique, proche du parti communiste ; Beckett abandonne le type du « clown métaphysique » des personnages d'*En attendant Godot* (1953) pour aller jusqu'aux limites du dépouillement théâtral et de l'extinction du sujet dans *Fin de partie* (1957) et *Oh ! les beaux jours* (1962) ; quant au théâtre de Ionesco, d'abord fondé sur la destruction ludique du langage (*La Cantatrice chauve*, 1950), il évolue dans le sens d'un renouveau du tragique (*Le roi se meurt*, 1962).

● **À CONSULTER :** R. Benayoun, *Les Dingues du nonsense*, Seuil (1986). ● **À LIRE :** A. Camus, *Le Mythe de Sisyphe*, Gallimard (1942). ● **À VOIR :** O. Welles, *Le Procès* (1962), d'après l'œuvre de F. Kafka.
● **CORRÉLATS :** Descartes ; existentialisme ; Kant ; métaphysique ; théâtre.

AFFECTIVITÉ

● **ÉTYM. :** Du verbe latin *afficere*, qui signifie « mettre quelqu'un dans une certaine disposition, le toucher, en mal particulièrement ». Ce verbe produit *affectus*, qui correspond en latin au grec *pathos* (« affection », « passion », « maladie »), et *affectio* (« manière d'être », « disposition »). ● **DÉF. :** D'usage récent en français (1865), le mot *affectivité* rassemble ces deux significations, mais se trouve lui-même traversé par une dualité : il met l'accent sur la capacité, l'aptitude à être affecté et, en même temps, il désigne la totalité des émotions, sentiments ou passions qui résultent de cette aptitude.

La classification traditionnelle des facultés psychiques

Il est traditionnel, en philosophie, de diviser les phénomènes psychiques selon trois catégories : représentation, volonté et affectivité, cette dernière englobant les émotions, les passions et les sentiments. Les phénomènes affectifs sont ainsi mis à part, sans confusion possible avec l'activité intellectuelle (fondée sur la représentation, c'est-à-dire sur la distance que prend l'homme avec le monde pour pouvoir le juger), ni avec la vie morale (fondée sur la volonté, c'est-à-dire la capacité de l'homme à suivre la loi qu'il reconnaît bonne).

Pourtant, si l'on remonte à l'origine de cette division tripartite de l'âme, c'est-à-dire à la philosophie de Platon* (427-347 av. J.-C.), on découvre un tableau plus nuancé. Dans *La République*, Platon justifie la tripartition en soutenant que la partie irascible de l'âme (le *thymos* : à la fois « colère » et « courage ») a pour mission de servir la raison dans sa lutte contre les désirs concupiscents : la fonction volontaire n'est donc pas totalement étrangère à l'affectivité. D'autre part, *Le Banquet* et *Phèdre* identifient la quête du Bien en soi à une forme supérieure d'amour : il entre donc de l'affectivité dans la fonction représentative.

Platon n'en présente pas moins l'affectivité en général comme une menace de perturbation pour l'activité intellectuelle ou la vie morale : thèse que l'on retrouve, durcie, chez les stoïciens*. On ne s'écarte d'ailleurs pas de cette tradition si l'on soutient la thèse exactement inverse : de même que nos passions, par l'excès qu'elles impliquent, brouillent notre regard sur le vrai ou le bien, de même notre raison, par sa lenteur analytique, risque de compromettre les accommodements vitaux que le sentiment guide sans effort. Ces deux idées se trouvent dans le traité des *Passions de l'âme* de Descartes* (1596-1650), et la deuxième y inspire l'affirmation que les passions « sont toutes bonnes de leur nature ».

Il n'y a de véritable rupture avec la tripartition traditionnelle que si, suivant une démarche réductrice, on s'efforce de montrer que les fonctions apparemment représentatives ou volontaires sont en réalité des fonctions affectives ; ou bien si, à l'inverse, on tente de dégager la portée cognitive ou morale de l'affectivité. La première démarche peut être illustrée par la psychanalyse* de Freud (1856-1939) ; la seconde est commune à certains penseurs formés par la phénoménologie*, comme Scheler (1874-1928) et surtout Heidegger* (1889-1976). Dans *Le Formalisme en éthique* (1913), Scheler attribue aux sentiments la fonction de révéler *a priori* les valeurs ; dans *Nature et formes de la sympathie* (1923), il analyse la sympathie comme étant une compréhension primaire d'autrui. Heidegger généralise la thèse de l'affectivité-révélation dans *Être et temps* (1927). Il la nomme *Befindlichkeit* (« aptitude à être disposé relativement à une certaine situation ») et y voit une entente de l'être, antérieure par principe à tout entendement. Au sein de l'affectivité ainsi comprise, il privilégie (comme Kierkegaard avant lui, et comme Sartre après lui) le sentiment d'angoisse, qui « révèle le monde comme monde ».

La littérature et la passion

La littérature « a donné sa langue à la passion », remarque Denis de Rougemont (1906-1985) dans *L'Amour et l'Occident* (1939), développant et affinant une idée que l'on trouve déjà chez La Rochefoucauld (1613-1680) : « Il y a des gens qui n'auraient jamais été amoureux s'ils n'avaient jamais entendu parler de l'amour. » Car il est de la nature de la passion, spécialement de la passion amoureuse, de ne pouvoir vivre sans se raconter elle-même, sans s'entretenir, aux deux sens du terme. Les figures littéraires de la rhétorique amoureuse ne sont pas, selon Denis de Rougemont, des reflets stylisés de la réalité, mais des modèles auxquels la passion doit se conformer pour échapper à son indétermination, et être reconnue dans sa nécessité. Le modèle de ces modèles est en Occident le récit de *Tristan et Iseult*, dont la première phrase, l'appel, contient le secret de toute l'illusion romanesque : « Seigneurs, vous plaît-il d'entendre un beau conte d'amour et de mort ?.. »

Dans le mythe* de Tristan*, l'amour-passion (Éros) est indissolublement lié à la mort (Thanatos), car il est amour de l'amour, ne pouvant survivre qu'en se nourrissant perpétuellement des obstacles auxquels il se heurte. Ces obstacles, à la fois opposés et nécessaires à la quête d'absolu des amants, forment la trame de tous les « romans d'amour », jusqu'aux plus grands : *La Princesse de Clèves* de Mme de La Fayette (1634-1693), ou *Le Lys dans la vallée* de Balzac (1799-1850). Si la littérature, surtout la littérature française, évolue par rapport au mythe originel, c'est en intériorisant l'obstacle, en le transformant en une donnée morbide logée au sein de la passion, et livrée à une analyse quasi médicale (dans *Madame Bovary* de Flaubert), ou plus psychologique (dans *Un amour de Swann* de Proust).

Une des thèses essentielles de l'esthétique* occidentale est que la représentation artistique – et particulièrement littéraire – des passions a pour effet de nous en délivrer. Cette délivrance est présentée par Aristote* (384-322 av. J.-C.) dans la *Poétique*, comme une *catharsis* (« purgation ») : le spectateur de la tragédie* en éprouve les passions, mais sans en être affecté, sur un mode distancié. Sartre retrouve cette intuition, dans son essai *Qu'est-ce que la littérature ?* (1948), lorsqu'il remarque que les émotions ressenties par le lecteur d'un roman sont en quelque sorte librement consenties, prêtées sans être données : on peut certes parler de « passion » à cet égard, mais au sens chrétien du terme, c'est-à-dire comme une liberté qui accepte de se mettre en état de passivité.

● **À CONSULTER :** D. de Rougemont, *L'Amour et l'Occident*, Plon (1972). ● **À LIRE :** A. Ernaux, *Passion simple*, Gallimard (1994). ● **À VOIR :** I. Bergman, *Sourires d'une nuit d'été*, *Persona*, *Une passion*, *Cris et chuchotements*.
● **CORRÉLATS :** Aristote ; Descartes ; esthétique ; Heidegger ; mythe ; phénoménologie ; Platon ; psychanalyse ; roman ; stoïcisme ; tragédie ; Tristan.

AIRE CULTURELLE

● **ÉTYM. :** Terme d'anthropologie apparu au XXe siècle, traduit de l'anglais *(cultural area)* et à rapprocher de l'allemand *Kulturkreis* (« cercle de civilisation »), créé par les ethnologues allemands et autrichiens au début du XXe siècle.
● **DÉF. :** Le concept d'aire culturelle, d'origine américaine, vise à regrouper en vastes zones, au-delà des particularismes locaux, différentes sociétés* marquées par une certaine homogénéité de culture.

Le concept d'aire culturelle

L'expression *aire culturelle* désigne, pour des historiens contemporains, un espace géographique étendu dont les populations, quelle que soit leur diversité, ont en commun une série de modèles culturels fondamentaux (religion, langue, écriture, modes de production...). Ces modèles culturels induisent un sentiment général d'identité et apparentent entre elles les formes de civilisation qui s'y développent. Ainsi peut-on parler, par exemple, d'aires culturelles chinoise, européo-atlantique, arabo-musulmane, indienne.

Produits de l'Histoire, la constitution et l'évolution des aires culturelles sont le reflet direct de l'adéquation et de la puissance d'attraction des schèmes culturels qui les fondent, mais aussi des conditions qui ont permis leur diffusion. Ainsi, dans l'Antiquité*, la formation de l'aire culturelle hellénistico-romaine est indissociable de la création de l'Empire romain*, donc d'une expansion conquérante dont la phase initiale – l'intégration du monde hellénistique* – a produit la synthèse culturelle que Rome* a ensuite diffusée dans l'Europe atlantique.

À l'intérieur d'une aire culturelle, les facteurs de diversité et les particularismes demeurent ; ils tendent à être de plus en plus marqués au fur et à mesure qu'on s'éloigne du centre vers la périphérie. Il n'existe pas en effet de véritables frontières entre les aires culturelles, mais plutôt des espaces de transition, zones de confins où se rencontrent les influences venues de foyers différents. Dans le Sud-Est asiatique, par exemple, l'Indonésie mêle des traits propres aux mondes chinois ou indien à une pratique de l'islam* qui la rattache fondamentalement à l'aire culturelle arabo-musulmane.

Aires culturelles actuelles et « village planétaire »

Au XVIe siècle, les voyages des Grandes Découvertes* et les entreprises occidentales de colonisation* ont inauguré la fin du cloisonnement planétaire, achevée au XXe siècle par le progrès* technique et la mondialisation des échanges. Ce décloisonnement a considérablement réduit le nombre des aires culturelles et a pu, un moment, être interprété comme l'annonce d'une occidentalisation générale du monde, devenu « village planétaire » selon l'expression du Canadien McLuhan (1962).

En fait, la décolonisation, la réaction anti-occidentale et les replis identitaires de la fin du XXe siècle ont largement montré les limites d'une telle analyse. Certes, les emprunts et les échanges culturels se sont multipliés dans le sens d'une homogénéisation, voire d'une uniformisation des modes de vie, mais sans remettre en cause les options et les identités de base. Les réponses apportées aux questions qui fondent l'organisation de la société varient encore considérablement d'un espace culturel à un autre, et font naître des malentendus qui ne sont pas forcément des prétextes de nature politique. Ainsi, la valeur universelle de certaines notions, jugée « évidente » pour un Occidental, ne l'est pas nécessairement pour un Indien, un Chinois ou un Africain musulman : on peut le constater à propos des droits de l'homme*, du statut de la femme dans la société ou du refus des hiérarchies héréditaires. Le rôle essentiel accordé à l'individu* dans le monde occidental reste étranger à la conception que les civilisations d'Extrême-Orient se font du système social.

ENJEUX CONTEMPORAINS

Relations internationales

Au vu de la persistance des aires culturelles, il semble douteux – serait-ce d'ailleurs immédiatement souhaitable ? – qu'on s'achemine vers une sorte d'identité commune universelle. Reste à faire en sorte que cette diversité demeure source de richesse, et non de conflits. Certains auteurs, comme l'Américain Samuel P. Huntington (1996), voient, dans la permanence des aires culturelles et les incompréhensions mutuelles qu'elles génèrent, la matrice d'affrontements futurs, que le rejet actuel des valeurs* occidentales et la montée des fondamentalismes religieux annonceraient.

● **À CONSULTER :** M.-J. Herskovits, *Les Bases de l'anthropologie culturelle*, Payot (1967). F. Braudel, *Grammaire des civilisations*, Flammarion (1993). R. Breton, *Géographie des civilisations*, PUF (2e éd., 1991). S. P. Huntington, *Le Choc des civilisations*, Odile Jacob (1997).

● **CORRÉLATS :** colonisation ; Découvertes (Grandes) ; droits de l'homme ; ethnologie ; hellénistique (monde) ; individu ; islam ; romain (Empire) ; Rome ; société ; valeurs.

ANARCHISME

● **ÉTYM.** : Du grec *anarkhia* (« sans commandement »), qui donne en français, dès la fin du Moyen Âge, *anarchie* au sens de « sans gouvernement ». ● **DÉF.** : Le dérivé *anarchisme*, employé péjorativement pendant la Révolution française*, finit par désigner au XIXe siècle la doctrine politique prônant une organisation de la société* libérée des contraintes étatiques.

Individualisme et association

L'anarchisme en tant que doctrine se constitue dans les années 1840-1860 autour de personnalités comme l'Allemand Stirner (1806-1856), le Français Proudhon (1809-1865), le Russe Bakounine (1814-1876). Il ne représente pas un système homogène et il existe de grandes divergences entre les auteurs, spécialement au plan de l'organisation économique de la société ; mais tous se retrouvent dans la condamnation sans appel de l'État* et dans l'exigence d'une liberté absolue qui a fait accoler l'épithète *libertaire* à la pensée anarchiste.

Par l'exaltation de l'individu-souverain, du « moi » unique chez Stirner *(L'Unique et sa propriété*, 1844), l'anarchisme dérive de la philosophie hégélienne*. En revanche, le libre contrat qui fonde la société sans État et que Proudhon imagine sous les formes de la fédération et de la mutualité, procède bien d'une théorie du contrat social*, même si celle-ci s'inscrit à l'opposé de Rousseau*.

Au plan économique, les anarchistes hésitent entre la libre association de petits producteurs indépendants propriétaires (Proudhon) et le collectivisme prôné par Bakounine. Finalement, c'est plutôt à cette seconde option que se rallieront les théoriciens de la seconde génération, l'Italien Malatesta (1853-1932) et le Russe Kropotkine (1842-1921). En ce sens, une certaine contradiction apparaît entre l'affirmation de la primauté de l'individu* et la réalisation d'un communisme, serait-il fondé sur la solidarité.

L'anarchisme face à la démocratie et au socialisme

Dès le XIXe siècle, les anarchistes ont vivement critiqué les principes de 1789 et la démocratie* représentative. Ils ont fait de celle-ci un leurre, l'électeur abdiquant sa souveraineté au profit d'une oligarchie dirigeante qui impose alors, par le biais de l'État, sa propre autorité. Ils prônent en conséquence l'abstention et opposent aux mécanismes parlementaires la nécessité de la révolution*, l'émancipation du peuple étant préparée par une éducation qui est la tâche première des intellectuels.

Tout en acceptant la critique que le socialisme* fait du capitalisme, ils ont de la même façon récusé le socialisme, spécialement sous sa forme marxiste*, voyant en lui la forme la plus redoutable de l'étatisme, plus oppressif encore que celui qui accompagne le capitalisme libéral.

En revanche, ils ont fait du syndicalisme* à la fois un instrument d'éveil de la conscience politique populaire et une structure d'organisation du prolétariat en vue de la révolution. Passé la tentation du terrorisme – qui caractérise les deux dernières décennies du XIXe siècle et se solde par des assassinats de chefs d'État et des attentats spectaculaires –, l'anarcho-syndicalisme est devenu, dans la première moitié du XXe siècle, la forme essentielle de l'action politique anarchiste. Il a joué un rôle important en France (au moins jusqu'en 1914), en Italie et surtout en Espagne, précisément en Catalogne, où la puissante Confédération Nationale du Travail (CNT), dirigée par les militants de la Fédération Anarchiste Ibérique (FAI), sera jusqu'à la guerre civile de 1936-1939 la première organisation syndicale.

La portée historique de l'anarchisme

D'un point de vue pratique, le bilan de l'anarchisme est mince : à part quelques expériences de collectivisation en Espagne, au début de la guerre civile, les idées anarchistes n'ont guère été expérimentées. Il faut dire qu'elles ont coalisé contre elles à peu près tous les autres courants politiques : pendant la guerre d'Espagne, les anarchistes n'eurent pas d'ennemis plus acharnés que les communistes staliniens qui, bien qu'étant théoriquement leurs alliés face au fascisme* franquiste, consacrèrent parfois plus d'efforts à les exterminer qu'à combattre l'adversaire commun.

La vraie portée historique de la pensée anarchiste est ailleurs. En combattant à gauche le centralisme et l'étatisme, en insistant sur la valeur de l'individu et l'importance de la liberté, elle a contribué à l'émergence d'idées nouvelles et à la percée de principes que l'héritage des Lumières* avait négligés ou ignorés. Le féminisme, le pacifisme, l'écologie* politique lui doivent beaucoup. Dans le sillage des révoltes étudiantes des années 1960 (et spécialement de mai 68* en France), elle a influencé les courants intellectuels qui ont affranchi une opinion de gauche longtemps abusée par le communisme soviétique*. Même si les résultats n'ont pas été à la hauteur des espérances, elle a participé au renouvellement du syndicalisme en introduisant des thèmes nouveaux, comme l'autogestion ouvrière.

ENJEUX CONTEMPORAINS

Idéologie et société

Plus qu'un mouvement politique au sens propre, l'anarchisme est un état d'esprit. Au-delà de sa dimension utopique*, il représente, dans les sociétés technocratiques modernes constamment menacées par le conformisme et l'uniformisation, un ferment de liberté et de démocratie réelle : la société est une somme de destins individuels ; l'économie a pour but l'amélioration de la condition humaine et non l'accumulation des profits ; le citoyen est une personne majeure et responsable ; l'éducation demeure le principal vecteur de l'émancipation...

● **À CONSULTER :** H. Arvon, *L'Anarchisme*, PUF (11e éd., 1994). D. Guérin, *L'Anarchisme*, Gallimard (1987). J. Maîtron, *Le Mouvement anarchiste*, Gallimard (1992). ● **À VOIR :** G. Montaldo, *Sacco et Vanzetti*. K. Loach, *Terre et liberté*.
● **CORRÉLATS :** contrat social ; démocratie ; droit ; droite-gauche ; État ; Hegel ; individu ; libéralisme ; mai 68 ; Marx ; révolution ; Rousseau ; socialisme ; syndicalisme ; utopie.

ANTIGONE

Héroïne de la mythologie grecque, Antigone est la fille du mariage incestueux d'Œdipe* et de Jocaste. Le mythe* d'Antigone nous a été transmis par les tragiques grecs Sophocle, Eschyle et Euripide, au Ve siècle avant J.-C.

La piété filiale et la légitime révolte

Lorsque Œdipe, objet de la réprobation et de la répulsion de tous, se crève les yeux et quitte Thèbes, c'est Antigone qui le guide jusqu'à Athènes. Ainsi incarne-t-elle une figure hautement morale : la fidélité sans faille, la piété filiale.
Mais l'époque moderne a surtout retenu un autre épisode du mythe : Antigone défie ensuite son oncle Créon, lequel a interdit d'enterrer Polynice, frère d'Antigone coupable de s'être levé contre Thèbes. Dans la faiblesse de sa jeunesse et de sa féminité, la fille d'Œdipe représente alors la légitime révolte. Elle dénonce la « démesure » *(hubris)* de Créon. Nul en effet n'a le droit, affirme Antigone, de se substituer aux dieux, d'interdire à un humain de se présenter au jugement des Enfers. Antigone se fait le champion de la loi divine, laquelle l'emporte sur la loi des hommes.
Antigone est condamnée à être enterrée vivante. Les Érinyes punissent Créon : son fils Hémon, amoureux d'Antigone, se tue après avoir découvert sa fiancée pendue dans son tombeau ; et Eurydice, sa mère, femme de Créon, le suit dans la mort. Créon reste seul.

La figure moderne

La moderne Antigone interroge surtout la souveraineté du droit*, la légitimité du pouvoir, en confrontant légalité et légitimité. Existe-t-il un devoir de désobéissance civile lorsque les lois sont iniques ? Pendant la Seconde Guerre mondiale*, la question est posée avec une particulière acuité dans le contexte de l'État français confronté à l'Occupation nazie : Antigone alors était à Londres ; Créon s'appelait Pétain. Dans les *Écrits de Londres* (1942), Simone Weil peint une Antigone qui accepte son sacrifice comme un martyre, luttant contre le totalitarisme* au nom de sa conscience religieuse. La résistance au nazisme* s'écrit aussi comme un mythe de la conscience contre la démesure.
Le mythe prend parfois cependant une tournure qui s'éloigne fort de la représentation antique. Ainsi Cocteau en 1922, adaptant une version tronquée de Sophocle, l'avait-il peinte en allégorie de l'anarchie*, comme « celle qui dit non » à la loi, à toute loi.
Cette image domine aussi la version d'Anouilh de 1944, dont l'idéal politique est au plus loin de la pensée anarchiste : le refus d'Antigone se réduit ici à l'expression d'un caprice d'enfant entêté.

Anouilh défend un Créon-Pétain soumis à la raison d'État contre une résistante qui ignore tout de la dure nécessité de mettre un peu d'ordre parmi les hommes. En ces dernières années d'Occupation, on se pressait à cette représentation où l'on voulait voir une moderne Jeanne d'Arc défiant le pouvoir nazi. Le public refusait de comprendre ; le mythe, vivant, se laissait tuer.

ENJEUX CONTEMPORAINS

Mythe et société

La figure recréée par Anouilh a continué de séduire la génération suivante qui a vu dans cette « petite noiraude » l'image de la jeunesse qui refuse, au nom d'un rêve d'absolu, le monde adulte, ses compromissions et son piètre idéal, le confort bourgeois : Antigone porte les idéaux étudiants de mai 68*.

● **À CONSULTER :** G. Steiner, *Les Antigones*, Gallimard (1986). P. Brunel, *Dictionnaire des mythes littéraires*, Rocher (1988). ● **À LIRE :** Eschyle, *Les Sept contre Thèbes*.
● **CORRÉLATS :** droit ; mythe ; Œdipe ; tragédie.

ANTIQUITÉ

● **ÉTYM. :** Du latin *antiquitas* (« temps très ancien »). ● **DÉF. :** Depuis la Renaissance*, il est d'usage de diviser l'Histoire* en grandes périodes de longue durée. La plus ancienne est dénommée *Antiquité* : elle remonte au IVe millénaire avant notre ère et s'achève au Ve siècle après J.-C.

La période la plus ancienne de l'Histoire

Il n'est pas aisé de fixer le commencement de l'Antiquité : cette date, qui correspond à l'apparition des premières cultures historiques, varie considérablement selon les peuples concernés, du IVe au IIe millénaire avant J.-C., le critère restant l'usage de l'écriture et l'appartenance à un type avancé d'organisation sociale, politique et économique. L'Antiquité s'achève quand s'effondre l'Empire romain* d'Occident, à la fin du Ve siècle après J.-C. Né en Europe, le concept d'Antiquité est déterminé en fonction de l'histoire du Proche-Orient et du monde méditerranéen, mais il peut être étendu à d'autres aires culturelles* : ainsi parle-t-on d'une Antiquité chinoise ou d'une Antiquité indienne qui s'inscrivent environ dans les mêmes limites de temps.

Les phases de l'Antiquité

■ La haute Antiquité

IVe millénaire - VIIIe siècle av. J.-C.

La haute Antiquité*, période d'émergence, s'étale du IVe millénaire au VIIIe siècle avant J.-C. Ces dizaines de siècles voient d'abord se dégager, puis s'affirmer en Égypte et en Mésopotamie (l'actuel Irak), deux grands modèles de civilisation agraire autour desquels s'organisent progressivement des foyers-satellites : Syrie, Asie Mineure, îles de la mer Égée, plateau iranien, plus tardivement Grèce continentale.

■ L'Antiquité classique

VIIIe siècle av. J.-C. - IIIe siècle ap. J.-C.

Dans le courant du Ier millénaire avant J.-C., l'essor de la civilisation grecque, puis la constitution de l'Empire romain* intègrent à l'aire des civilisations de l'écrit la totalité du Bassin méditerranéen, puis une large part de l'Europe occidentale. C'est alors l'apogée de l'Antiquité, période parfois qualifiée de « classique » car il s'y constitue l'essentiel du legs que le monde ancien transmettra aux civilisations futures (*cf.* Grèce antique). Cela dit, les modèles culturels antiques y révèlent à terme leurs limites et l'épuisement progressif de leurs formules.

■ La basse Antiquité

≈ IIIe - Ve siècles ap. J.-C.

La crise qui secoue le monde romain, à la fin du IIIe siècle après J.-C., ouvre la basse Antiquité* ou Antiquité tardive (IIIe-Ve siècles). C'est une période de transition où les bouleversements politico-sociaux, le triomphe du christianisme* et la pression constante des peuples de l'extérieur (les Barbares) préludent à la chute de l'Empire romain d'Occident (476), événement qui marque le début du Moyen Âge*.

● **À CONSULTER :** J. Delorme, *Les Grandes Dates de l'Antiquité*, PUF (8e éd., 1992).
● **CORRÉLATS :** Antiquité (basse) ; Antiquité (haute) ; Athènes ; christianisme ; Grèce antique ; hellénistique (monde) ; romain (Empire) ; Rome ; Sparte.

Haute Antiquité

	Histoire	*Philosophie, sciences*	*Littérature, arts*
≈ 4000-3000 av. J.-C.	Premières civilisations en Égypte et Mésopotamie	Apparition de l'écriture (≈ 3000 av. J.-C.)	
≈ 2800-2200 av. J.-C.	**Ancien Empire égyptien**		*Pyramides* (≈ 2600-2500 av. J.-C.)
≈ 2000 av. J.-C.	• Début des migrations des Indo-Européens • Apogée de la civilisation sumérienne		*Art cycladique*
≈ 2000-1800 av. J.-C.	**Moyen Empire égyptien**		
≈ 1700 av. J.-C.	Installation des Achéens en Grèce		
≈ 1600-1100 av. J.-C.	• **Nouvel Empire égyptien** • Civilisation mycénienne		*Tombes royales de Mycènes*
≈ 1300-1250 av. J.-C.	• Exode des Hébreux* vers la Palestine • Règne de Ramsès II • Empire assyrien • Guerre de Troie (?)		*Temples de Karnak, Louxor*
≈ 1000 av. J.-C.	• **Royaume hébreu*** • Extension de l'invasion dorienne en Grèce		
≈ 800 av. J.-C.	Naissance des cités grecques • Jeux olympiques (– 776)		• Homère (?), Hésiode • *Temples grecs en pierre*
≈ 753 av. J.-C.	Fondation de Rome*		

Antiquité classique

≈ 600-500 av. J.-C.	• Empire perse • Réformes de Solon à Athènes*	Thalès, Pythagore, Parménide, Héraclite	Ésope, *Fables*
490-478 av. J.-C.	Guerres médiques entre la Grèce et l'Empire perse	Hérodote (Histoire*)	*Apogée de l'art classique grec* • Eschyle, Sophocle, Euripide (tragédie*) • Myron, Phidias *(Parthénon)*
431-404 av. J.-C.	Guerres du Péloponnèse entre Athènes* et Sparte*	• Thucydide, Xénophon (Histoire*) • Sophistes*, Socrate • Hippocrate (médecine)	• Aristophane (comédie*)
387 av. J.-C.		Platon*	• Isocrate (rhétorique*) • Praxitèle (sculpture)
359-336 av. J.-C.	Règne de Philippe II de Macédoine	Diogène le cynique, Aristote*	
332-323 av. J.-C.	Conquêtes d'Alexandre le Grand	Pyrrhon (scepticisme*)	

Périodes hellénistique et romaine			
321 av. J.-C.	**Formation des royaumes hellénistiques***		
≈ 300 av. J.-C.		• Zénon de Cittium (ancien stoïcisme*), Épicure* • Euclide (mathématiques*), Archimède (physique*)	*Bibliothèque et musée d'Alexandrie*
264-146 av. J.-C.	• Guerres puniques • Début de la conquête romaine	Ératosthène, Hipparque	• *Bible des Septante* • *Autel de Pergame, Vénus de Milo* • *Phare d'Alexandrie*
88 av. J.-C.	Début des troubles civils à Rome*	Cicéron (moyen stoïcisme*), Lucrèce	
58-51 av. J.-C.	Conquête de la Gaule		
44 av. J.-C.	Assassinat de Jules César		
30 av. J.-C.	Mort de Cléopâtre		
27 av. J.-C.	**Début de l'Empire romain*** • Règne d'Auguste		Virgile, Horace, Ovide
Ère chrétienne	Début du christianisme*	• Pline l'Ancien (biologie*) • Plutarque, Tacite (Histoire*)	*Pompéi, Colisée*
≈ 100-193	Apogée de l'Empire romain* *(Pax romana)*	• Sénèque, Épictète, Marc Aurèle (stoïcisme* impérial) • Ptolémée	*Colonne Trajane, Villa Hadriana*
193-235	Dynastie des Sévères		• Apulée (conte*) • *Thermes de Caracalla*
235-284	Période d'anarchie militaire • Pressions barbares au *limes*	Plotin, Porphyre	
284-305	Règne de Dioclétien • Réorganisation de l'Empire • Persécutions des chrétiens		*Palais de Dioclétien à Split*
Basse Antiquité			
312-337	Règne de Constantin • Édit de Milan autorisant le christianisme (313) • Fondation de Constantinople (330)		*Basiliques de Maxence et Constantin à Rome*
361	Réaction antichrétienne sous Julien		*Portraits du Fayoum*
364	Avènement de Valentinien • Christianisation de l'Empire romain	Saint Augustin	
392	Interdiction des cultes païens par Théodose		
395	Mort de Théodose : **partage de l'Empire romain**		*Basiliques Sainte-Marie-Majeure, Sainte-Sabine à Rome*
406	Début des Grandes Invasions*		*Vulgate*
476	**Chute de l'empire d'Occident**		

ANTIQUITÉ (BASSE)

● **DÉF. :** Expression d'historiens modernes qui désigne la dernière partie de l'Antiquité*, aussi appelée *Antiquité tardive*, et qui s'étend de la fin du IIIe siècle après J.-C. aux environs de 500.

La crise de l'Empire romain

IIIe siècle ap. J.-C.

La crise qui, au IIIe siècle de notre ère, secoue un monde ancien politiquement unifié par l'Empire romain* ouvre la phase de la basse Antiquité. Les causes de cette crise sont complexes. Subissant la pression croissante des peuples barbares qui l'entourent et contraint à une défensive permanente, l'Empire romain* s'est enfoncé dans un marasme économique et financier qui l'épuise et qui compromet ses fragiles équilibres politiques. Les ambitions rivales des généraux, forts de leur prestige et du soutien des troupes, mettent à bas les institutions et plongent l'État dans le chaos : pendant un demi-siècle, de 235 à 284, les soldats font et défont les empereurs. Les frontières n'étant plus gardées, les Barbares multiplient les incursions, ravagent les provinces occidentales et menacent un moment Rome*. Après deux siècles de stabilité et de « paix romaine », la succession des désastres, l'effondrement des normes et des certitudes engendrent une profonde angoisse, à tous les niveaux de la société.

Décadence ou mutation ?

À la fin du IIIe siècle, c'est bien un monde dévasté et désorienté qu'il convient de relever, au-delà de cette tempête, et si les apparences d'une continuité ou d'une restauration rassurent, le contenu du monde qui en ressort est en réalité absolument nouveau. Ainsi s'explique que cette période ait longtemps été présentée comme un temps de décadence. S'il est vrai qu'elle comporte, au plan économique, démographique, politique même, des signes de régression par rapport aux siècles précédents, il n'est pas juste de la réduire à ce constat négatif. En fait, les modèles culturels hérités du passé n'ayant plus prise sur les problèmes multiples qu'affronte une époque particulièrement difficile, il faut en réinventer d'autres, dans l'urgence : une véritable mutation s'opère.

Les caractères de la basse Antiquité

Période de transition typique, l'Antiquité tardive correspond à un changement progressif, mais radical, de civilisation, qui va déboucher sur le Moyen Âge*.

Le premier signe de cette mutation est le retour en force du religieux : la connaissance rationnelle incarnée par les philosophes de l'Antiquité classique s'efface devant la Révélation, la foi, l'illumination, le recours à la pensée symbolique. Face à l'angoisse et à la perte des repères, la quête du salut personnel devient le refuge. Elle explique tant le succès des religions orientales que l'orientation néo-platonicienne chez Plotin, puis Porphyre. La rapide progression du christianisme* s'inscrit dans ce contexte : bien structurée et, à partir de Constantin (empereur en 312), soutenue par l'État romain, l'Église chrétienne finit par s'imposer.

Le domaine politique n'échappe pas à ce mouvement. À la formule du Haut-Empire, associant sous l'égide impériale une souple fédération de cités autonomes, succède une monarchie absolue centralisée et bureaucratique dont le souverain est de nature sacrée, d'abord dieu lui-même puis, après la christianisation, « vicaire du Christ », lieutenant terrestre de Dieu. Dans tous les cas, l'essence de la légitimité politique devient surnaturelle.

Au plan culturel, l'art porte la marque de ces changements en profondeur et il s'écarte progressivement des canons séculaires fixés par le classicisme grec. Contraints, dans un monde appauvri, de renoncer au marbre et de construire en briques ou en mortier, les architectes privilégient l'arc et la coupole et masquent la pauvreté du matériau par la richesse des plaquages décorés de mosaïques. Surtout, la rupture se manifeste par l'abandon du réalisme dans la représentation au profit d'une expression subjective et symbolique qui vise à rendre compte, non de l'apparence, mais de l'invisible. À l'exaltation de la beauté physique des corps se substitue une volonté de traduire l'intériorité, comme l'attestent la représentation des personnages de face et l'importance accordée au regard.

La fracture entre Orient et Occident

L'autre trait marquant de la basse Antiquité est l'écart grandissant entre la partie occidentale de l'Empire romain et sa

partie orientale, dont l'importance ne cesse de croître.
L'Orient, très anciennement civilisé, doté d'une solide armature urbaine, moins exposé aux Barbares, résiste mieux que l'Occident fragilisé et tardivement intégré par la colonisation romaine. À partir de la crise du IIIe siècle, les solutions, dans tous les domaines, viennent d'Orient : innovations religieuses, concepts politiques, formules artistiques. L'État romain semble en prendre acte quand, en 330, Constantin crée une nouvelle capitale sur le site de l'antique Byzance : Constantinople. Non seulement Rome n'est plus unique, mais le centre de gravité de l'Empire se déplace à l'est, vers le monde grec. La fracture sera complète quand, en 395, à la mort de Théodose, l'ensemble romain éclatera en deux États distincts, l'empire d'Orient et l'empire d'Occident.
L'empire d'Orient va survivre plus de mille ans, jusqu'en 1453, et, prolongeant sans rupture la civilisation basse-antique, fonder la civilisation byzantine*.
L'empire d'Occident va disparaître sitôt né (476), emporté par les Grandes Invasions* barbares mais, avant même cet événement, son évolution annonçait la naissance du Moyen Âge. Ses villes désertées étaient en ruines, abandonnées des riches dominants venus s'installer à la campagne, sur leurs grands domaines fonciers. Là, ils commandaient au peuple des paysans à qui, en échange de leur travail, ils assuraient la protection qu'un État moribond ne pouvait plus garantir.
Avant même que l'Empire romain* ne disparaisse, l'évolution vers la future féodalité* était déjà en germe. Dans la mesure où l'histoire de la basse Antiquité et la fin de l'Empire romain ont pu apparaître comme l'archétype de la crise de civilisation, leur étude a suscité, depuis deux siècles, des débats passionnés qui sont loin d'être clos.

● **À CONSULTER :** A. Chastagnol, *Le Bas-Empire*, A. Colin (1991). R. Rémondon, *La Crise de l'Empire romain*, PUF (1994). P. Brown, *Genèse de l'Antiquité tardive*, Gallimard (1978). H.-I. Marrou, *Décadence romaine ou Antiquité tardive ?*, Seuil (1977). A. Grabar, *Le Premier Art chrétien*, Gallimard (1966).
● **CORRÉLATS :** Antiquité ; byzantin (Empire) ; christianisme ; Europe (idée d') ; Invasions (Grandes) ; Moyen Âge ; romain (Empire) ; Rome ; systèmes économiques.

ANTIQUITÉ (HAUTE)

● **DÉF. :** Terme d'historiens modernes qui désigne la première partie de l'Antiquité* et qui s'étend du IVe au Ier millénaire avant J.-C.

Les premières civilisations

C'est au Proche-Orient que l'humanité a progressivement émergé de la préhistoire*. Autour de 9000/8000 avant J.-C., des populations néolithiques ont commencé à pratiquer l'élevage, puis l'agriculture en Syrie, en Palestine, en Asie Mineure. Elles se sont sédentarisées et groupées en importants villages, se dotant d'une organisation sociale. Ces pratiques se sont lentement diffusées et perfectionnées dans les vallées alluviales du Nil, du Tigre et de l'Euphrate. C'est dans ces régions (Égypte, basse Mésopotamie) qu'apparaissent les premières formes d'écriture et les premières ébauches d'États, entre 4000 et 3000 avant J.-C.
Alors que se répandent les premières techniques métallurgiques, celles du cuivre d'abord, puis du bronze, la monarchie pharaonique se met en place, en Égypte, vers 2800 avant J.-C. Les pyramides sont élevées autour de 2600/2500 avant J.-C. Au même moment, en Mésopotamie, se développe la civilisation sumérienne, prélude à la constitution de l'empire de Babylone, rival potentiel de l'Égypte et second foyer de rayonnement culturel vers le plateau iranien, l'Asie Mineure et les îles de la mer Égée. Les Hébreux*, en Palestine, se trouvent à l'articulation des deux aires culturelles*.
Les progrès réalisés en Orient ont diffusé par la Méditerranée. En Europe occidentale, les acquis néolithiques se répandent à partir de 6500/6000 avant J.-C. L'âge du bronze n'y commence que vers 2000/1800. C'est entre 3000 et 1700 avant J.-C. que sont érigés les monuments mégalithiques (dolmens, menhirs, allées couvertes), nombreux sur la façade atlantique de l'Europe.

Les Indo-Européens

À partir de 2000 avant J.-C., la lente migration des peuples indo-européens, venus d'Asie, affecte les vieilles civilisations agricoles du Proche-Orient. Les nouveaux venus s'imprègnent de leurs acquis, mais ils apportent aussi les leurs (élevage du cheval, métallurgie du fer).

HAUTE ANTIQUITÉ

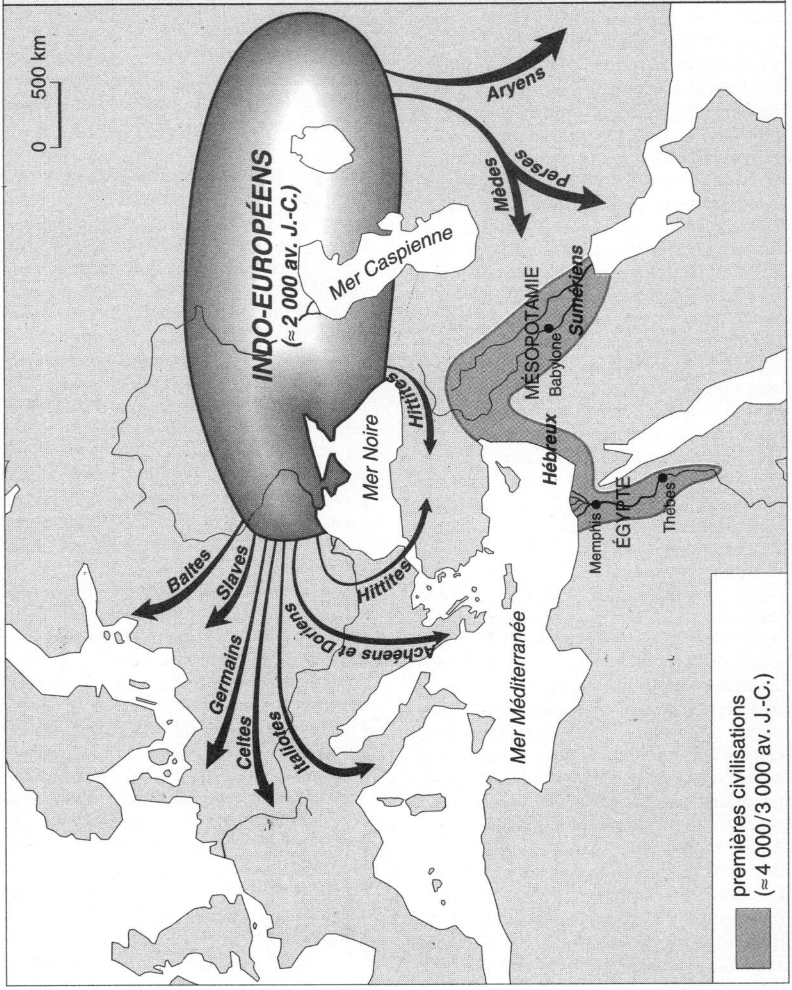

C'est l'arrivée des Indo-Européens et la synthèse culturelle qui l'accompagne qui sont à l'origine, en Méditerranée orientale, de l'émergence d'une civilisation grecque. Celle-ci prend d'abord, avec les Achéens, la forme de la civilisation mycénienne (1700-1100 avant J.-C.) que ruine une nouvelle vague d'envahisseurs indo-européens : les Doriens.

Après une période incertaine (le Moyen Âge grec), une renaissance s'amorce au VIIIe siècle avant J.-C. : il va en sortir la civilisation de la Grèce* classique, dont l'apogée se situe du VIe au IVe siècle avant notre ère.

● **À CONSULTER :** J. Vercoutter, *L'Égypte ancienne*, PUF (14e éd., 1994). J. Gabriel-Leroux, *Les Premières Civilisations de la Méditerranée*, PUF (10e éd., 1983). P. Garelli, V. Nikiprowetzky, *Le Proche-Orient asiatique, les empires mésopotamiens, Israël*, PUF (1974). P. Amiet, *L'Antiquité orientale*, PUF (5e éd., 1995). B. Sergent, *Les Indo-Européens*, Payot (1995). G. Dumézil, *Mythe et épopée*, Gallimard (1971).

● **CORRÉLATS :** Antiquité ; Bible ; Grèce antique ; Hébreux.

ANTISÉMITISME

● **ÉTYM. :** De l'allemand *antisemitismus*, mot créé en 1873 par Wilhelm Marr, publiciste de Hambourg ; ce terme passe en français dans les années 1880. ● **DÉF. :** Le terme *antisémitisme* désigne une attitude d'hostilité à l'égard des juifs ; à noter l'assimilation des juifs modernes aux Sémites, ensemble de peuples installés au Proche-Orient, de la Mésopotamie à la Méditerranée, durant la haute Antiquité*, et parmi lesquels on compte le peuple hébreu*, créateur du judaïsme*.

Par la référence anthropologique qu'il introduit, le mot *antisémitisme* désigne les juifs, non comme une communauté religieuse (ce qu'impliquerait *antijudaïsme)*, mais comme un groupe ethnique. En ce sens, s'il s'applique bien aux formes modernes de l'antisémitisme, il peut paraître impropre quand il s'agit des formes anciennes, à connotations essentiellement religieuses. Cependant, d'un usage commode, il est communément utilisé pour désigner l'hostilité aux juifs, à toute période de l'Histoire.

L'antisémitisme religieux

L'antisémitisme est présent dès l'Antiquité*. Pour les Romains, ouverts à toutes les religions, l'intransigeance monothéiste des juifs (comme d'ailleurs celle des premiers chrétiens) est incompréhensible et le refus de participer au culte impérial, manifestation plus civique que spirituelle, justifie des mesures d'exclusion et de coercition. Mais les problèmes apparaissent véritablement avec le triomphe du christianisme*, au IVe siècle.

Pour les chrétiens, Jésus est le Messie qu'attendait le judaïsme*. En conséquence, ils considèrent que sa venue a aboli l'ancienne Loi et qu'en refusant de l'admettre, les juifs s'entêtent dans l'erreur. Par ailleurs, c'est le clergé juif, soutenu par la populace de Jérusalem, qui aurait exigé la mise à mort de Jésus : les juifs sont donc les ennemis du Christ et puisque celui-ci était Dieu incarné, ils sont jugés « déicides » (meurtriers de Dieu). L'accusation restera ainsi formulée dans la liturgie catholique jusqu'au concile Vatican II (1963-1965).

Un tel contentieux explique que l'Église médiévale, tant d'Orient que d'Occident, condamne les juifs, dont l'existence n'est tolérée que par charité et sous conditions. Une série de mesures contraignantes apparaissent dès que l'Empire romain* devient chrétien : ainsi, le code Théodosien (435-438) interdit aux juifs de cultiver la terre ou d'être soldats. Cette mesure, qui traversera les siècles, explique que les juifs se soient tournés vers l'artisanat, le commerce ou les activités financières que facilitaient les relations internationales entre communautés israélites, d'autant que l'Église interdisait aux chrétiens de pratiquer le prêt à intérêt : il en résultera l'image tenace du juif-homme d'argent. La marginalisation sociale contribuera peut-être aussi à orienter nombre de juifs vers les professions libérales et intellectuelles (en particulier la médecine), auxquelles les préparait la pratique d'une religion qui accorde beaucoup au livre et à la réflexion.

L'autre conséquence de l'attitude de l'Église est de faire des juifs des sujets de seconde zone, en situation constamment précaire et livrés au bon vouloir du pouvoir civil. Durant tout le Moyen Âge*, les juifs sont victimes de mesures vexatoires imposées par les rois, quand ils ne sont pas frappés de brutales expulsions assorties de la confiscation de leurs biens. On les oblige à résider dans un quartier précis (*juiverie* en France, *judería* en Espagne, *ghetto* en Italie), à porter un costume spécial ou une marque sur le vêtement (comme les y contraint saint Louis en France, en 1242) ; ils sont chassés et spoliés en Angleterre (1290), en France (1394). En Espagne (1492), au Portugal (1506), l'Inquisition met les juifs en demeure de choisir entre la conversion forcée au catholicisme ou l'exil définitif.

À ces persécutions officielles s'ajoute la haine populaire, qui explose en atroces violences dans les périodes de crise ou d'angoisse (guerres, épidémies...). On accuse les juifs d'empoisonner les sources, de répandre la peste. On leur prête d'horribles pratiques religieuses, meurtres rituels d'enfants chrétiens, profanation d'hosties consacrées... L'histoire de l'Europe médiévale est jalonnée de massacres de juifs.

En Occident, l'antisémitisme religieux perd de sa virulence après la Réforme*. Plus tolérants, les protestants (surtout calvinistes) se montrent accueillants aux juifs : les Pays-Bas, l'Angleterre deviennent des terres d'asile. Au XVIIIe siècle, l'influence de la philosophie des Lumières* conduit à l'« émancipation » des juifs, autrement dit, à leur intégration

comme citoyens à part entière. La Révolution française* supprime toute trace de discrimination et lors de ses conquêtes, Napoléon* Ier fait appliquer dans tous les pays qu'il contrôle une législation favorable aux juifs.
En revanche, l'antisémitisme religieux demeure vivace en Europe de l'Est (Pologne, Russie), où les nombreuses communautés juives apparaissent d'autant plus étrangères aux populations chrétiennes qu'elles ont développé une culture et une langue spécifiques, le yiddish, dérivé de l'allemand.

L'antisémitisme moderne

Alors que s'affaiblissent – sans vraiment disparaître – les griefs religieux, l'apparition et le développement des nationalismes*, fait majeur du XIXe siècle européen, raniment dans une perspective nouvelle la haine antisémite.
L'idée de nation évolue de l'acception des Lumières (la libre association de tous ceux qui veulent vivre sous les mêmes lois) à la conception ethnique du romantisme* allemand (une langue, des traditions et des ancêtres communs) : ce glissement place les communautés juives en situation ambiguë. Leur particularisme religieux, parfois leur singularité linguistique et culturelle (Europe de l'Est), les liens qu'elles entretiennent entre elles par delà des frontières les font accuser de « cosmopolitisme », qualificatif péjoratif vite entaché du soupçon de trahison dans l'esprit des nationalistes. Et cela d'autant plus que, s'il est assimilé, le juif se différencie malaisément des « authentiques » nationaux.
Il s'ajoute un autre grief, résurgence évidente du vieux fantasme du juif-homme d'argent qu'alimente la flamboyante réussite de quelques familles, comme les Rothschild : les juifs se seraient assuré une suprématie économique et financière, qui leur permettrait de s'emparer à leur profit de positions influentes, politiques, mais aussi intellectuelles. Dans le contexte social de la Révolution industrielle*, cette argumentation trouve un écho favorable auprès des masses ouvrières qu'il est facile – compte tenu de leur faible niveau de culture politique – d'abuser en rendant les juifs responsables de l'exploitation capitaliste qu'elles subissent.
Dans l'Empire russe, où l'antisémitisme religieux est encore vivace, le gouvernement détourne systématiquement la colère populaire contre les juifs (pogroms), allant jusqu'à créer de faux documents comme les *Protocoles des Sages de Sion*, exposé d'un soi-disant complot juif pour s'assurer la maîtrise du monde, rédigé vers 1895 par la police secrète tsariste.
Dans le dernier quart du XIXe siècle, une vague d'antisémitisme nationaliste déferle sur l'Occident, présentant la communauté juive comme un corps étranger, ayant ses origines propres (d'où la référence aux Sémites), pernicieuse dans la mesure où elle ne se soucierait que de son unique intérêt. Seuls les pays anglo-saxons* resteront relativement épargnés.
En Allemagne, en Autriche-Hongrie, des mouvements antisémites, bénéficiant d'un appui populaire, deviennent des forces politiques. En France, la droite* nationaliste et cléricale dénonce une prétendue alliance des juifs et de la franc-maçonnerie*. L'affaire Dreyfus (1894-1906) se situe dans ce contexte, le capitaine ne pouvant qu'être coupable puisqu'il est juif. La démonstration finale de son innocence porte un coup sévère à l'antisémitisme français, qui demeure néanmoins vivace à droite et resurgira avec l'arrivée au pouvoir, en 1940, du gouvernement de Vichy.
Confrontés à cette vague de haine les accusant d'être étrangers, des intellectuels* juifs ripostent en retournant l'argument et opposent un contre-nationalisme. Ainsi, naît à Vienne, dans les dernières années du XIXe siècle, le sionisme*, qui revendique la création d'un État juif à part entière.

La persécution nazie

C'est dans l'Allemagne vaincue d'après 1918 que l'antisémitisme moderne va connaître ses formes extrêmes, basculant dans une horreur sans précédent.
S'appuyant sur une hostilité populaire latente à l'égard des juifs qui peut lui servir de tremplin vers le pouvoir, le national-socialisme* de Hitler construit une mythologie raciste selon laquelle les intrigues des juifs, race inférieure et pernicieuse, expliqueraient les malheurs de la race aryenne, vouée pourtant par sa soi-disant supériorité native à dominer le monde.
À peine au pouvoir, le nazisme entreprend une persécution méthodique dont le premier acte est la promulgation des lois de Nuremberg (1935), qui retranchent les juifs allemands de la communauté nationale.
Soumis à des vexations multiples, obligés – comme au Moyen Âge – de porter une étoile jaune, privés de

ressources, beaucoup de juifs émigrent, en particulier vers les États-Unis ; mais la guerre éclatant en 1939, l'Europe devient un piège. Les conquêtes hitlériennes font passer sous l'autorité nazie les populations juives des pays occupés, soumises aux mesures discriminatoires. Les gouvernements inféodés tolérés par les Allemands – comme celui du maréchal Pétain en France – s'empressent de prendre des mesures antisémites. En Pologne, dans les régions envahies de l'URSS, les nazis établissent un climat de terreur et regroupent les populations juives dans des ghettos.
Cependant, le pire est à venir. En janvier 1942, à la conférence secrète de Wannsee, près de Berlin, les dirigeants nazis, emportés par leur logique délirante, décident la « solution finale », autrement dit l'extermination totale de la population juive d'Europe. Des camps spéciaux sont créés en Pologne (Treblinka, Auschwitz-Birkenau...) où sont transportés en masse, pour y être gazés, des juifs venus de toute l'Europe. Près de six millions de personnes seront victimes de la folie criminelle de l'holocauste (du grec *holokauston*, de *holos* « tout » et *kauston* « brûler »), dont les puissances alliées mesureront toute l'ampleur après l'anéantissement du IIIe Reich, en 1945.

ENJEUX CONTEMPORAINS

Histoire et idéologie

Le sentiment d'horreur provoqué par l'extermination nazie (*Shoah*) a d'une part permis la réalisation, après guerre, de l'État juif rêvé par le sionisme, sous la forme d'Israël. Il a d'autre part semblé mettre un terme aux préjugés antisémites en Europe.
Mais est-ce définitif ? L'antisémitisme n'est pas une attitude rationnelle, même s'il s'en donne parfois l'apparence : il relève de l'*a priori* idéologique, qui n'a que faire des démonstrations des historiens. Derrière le discours xénophobe des actuels populismes* d'extrême droite, dans toute l'Europe, la dénonciation du juif n'est jamais loin. En Russie, où la dictature communiste a plus utilisé que combattu l'antisémitisme latent, certains politiciens n'hésitent pas aujourd'hui à y avoir recours.
Le combat commencé au XVIIIe siècle contre les préjugés antisémites n'est pas terminé.

● **À CONSULTER :** L. Poliakov, *Histoire de l'antisémitisme*, Seuil (2e éd., 1991). V. Nikiprowetzky, *De l'antijudaïsme antique à l'antisémitisme contemporain*, Lille Presses universitaires (1979). J. Isaac, *Genèse de l'antisémitisme*, Calmann-Lévy (2e éd., 1985). F. de Fontette, *Histoire de l'antisémitisme*, PUF (4e éd., 1993) ; *Sociologie de l'antisémitisme*, PUF (2e éd., 1991). G. Bensoussan, *Histoire de la Shoah*, PUF (1996). R. Hilberg, *La Destruction des Juifs d'Europe*, Folio-Histoire (rééd., 1992). ● **À LIRE :** J.-P. Sartre, *Réflexions sur la question juive*, Gallimard (1947). S. Taguieff, *La Force du préjugé*, Gallimard (1990). A. Schwarz-Bart, *Le Dernier des Justes*, Seuil (1959). ● **À VOIR :** J. Lanzman, *Shoah* (1985). S. Spielberg, *La Liste de Schindler* (1994).
● **CORRÉLATS :** christianisme ; Hébreux ; judaïsme ; Lumières ; millénarisme ; nationalisme ; national-socialisme (nazisme) ; populisme ; romantisme ; sionisme.

ARISTOTE ET L'ARISTOTÉLISME

Aristote naît en 384 avant J.-C. à Stagire, en Macédoine. À la mort de son père, médecin du roi de Macédoine, il se fixe à Athènes*, devient, pendant une vingtaine d'années, l'un des disciples de Platon* à l'Académie, puis rompt avec les platoniciens et ouvre sa propre école. Conseiller politique du tyran Hermias d'Atarnée à partir de 347, il est ensuite chargé par le roi Philippe de Macédoine de l'éducation de son fils, le futur Alexandre le Grand. Après l'avènement de son élève, il revient à Athènes pour y fonder la célèbre école du Lycée, nommée aussi école péripatéticienne (du grec *peripatos* : « promenade ») parce que le maître donne ses leçons en se promenant avec ses élèves. À la mort d'Alexandre en 323, Aristote doit fuir Athènes devant la réaction anti-macédonienne : redoutant de subir le sort de Socrate, il se retire à Chalcis, dans l'île d'Eubée, afin, dit-il, « d'épargner aux Athéniens un nouveau crime contre la philosophie ». Il meurt à Chalcis en 322. Ses œuvres principales sont les *Analytiques*, la *Physique*, la *Métaphysique*, l'*Éthique à Nicomaque* et la *Politique*, parmi bien d'autres qui témoignent du dessein d'Aristote : constituer sa philosophie comme une encyclopédie* des savoirs de son époque.

Aristote et Platon

Une fresque de Raphaël, *L'École d'Athènes* (1510), donne une image claire, même si elle est un peu simpliste, de l'opposition entre les deux grands philosophes grecs. Cette peinture montre une cinquantaine de personnages costumés à l'antique, assemblés dans un vestibule. Au milieu s'avance Platon, levant son index vers le ciel ; à côté de lui, Aristote tend sa main vers la terre.

Cette représentation picturale illustre l'idée qu'Aristote cherche la même chose que Platon, mais ne le cherche pas dans la même direction. Pour l'un comme pour l'autre, la tâche du philosophe est de comprendre le monde tel qu'il apparaît, autrement dit le monde sensible, et de le rendre intelligible. Mais alors que pour Platon les principes de cette intelligibilité se trouvent en dehors du monde sensible, c'est au sein de ce monde qu'Aristote entreprend de les chercher.

La distinction de l'acte et de la puissance

Dans cette recherche, Aristote exploite toutes les ressources d'une distinction essentielle : la distinction entre « être en acte » et « être en puissance » Par exemple, la statue est « en acte » lorsque le sculpteur a achevé son travail, mais elle était « en puissance » dans le bloc de marbre originel. L'enfant est « en puissance » l'homme qu'il sera plus tard « en acte ». Ainsi, lorsque l'enfant devient adulte, il réalise ce qu'il était déjà virtuellement. La distinction de l'acte et de la puissance permet donc de comprendre comment un être devient autre que ce qu'il était, sans qu'il y ait de contradiction dans ce « devenir ».

Aristote s'accorde avec Platon pour différencier la « forme » d'une chose, ce qui fait que cette chose est ce qu'elle est, identique à elle-même, susceptible d'être nommée et connue, et la « matière » de la chose, ce dont elle est faite, l'élément dans lequel réside la possibilité de son changement. Mais cette différence ne signifie pas, selon lui, que la chose est composée d'une matière existant séparément et d'une forme imposée du dehors. La forme, c'est la chose en tant qu'elle est en acte ; la matière, c'est la même chose en tant qu'elle est en puissance.

C'est de cette façon que forme et matière s'accordent dans les êtres naturels, par opposition aux produits de l'art humain : car ce dernier vise à modeler volontairement une matière extérieure. Nous ne devons donc pas concevoir la nature sur le modèle de l'activité artistique, et imaginer une création du monde. C'est au contraire l'art qui se doit, autant qu'il le peut, d'imiter la nature : cette thèse d'Aristote, développée dans la *Poétique*, dominera l'esthétique* classique jusqu'au XIXe siècle.

Le destin de l'aristotélisme

Après la mort d'Aristote, ses successeurs à la tête du Lycée ne maintiennent pas toujours sa rigueur doctrinale. Citons, parmi eux, Théophraste (372-287 av. J.-C.), dont le recueil de *Caractères* aura valeur de modèle pour La Bruyère au XVIIe siècle ; Straton de Lampsaque (340-268 av. J.-C.), dit « le Physicien », qui donne une orientation matérialiste et empiriste à la doctrine ; et surtout Andronicos de Rhodes, à qui l'on doit, au Ier siècle avant J.-C., la première édition des œuvres d'Aristote.

Cette édition va susciter une profusion de commentaires : celui d'Alexandre d'Aphrodise, à la fin du IIe siècle après J.-C. ; ceux des néoplatoniciens Porphyre (232-305), Thémistius (317-388) et Simplicius (Ve-VIe siècles) ; enfin, ceux des grands penseurs arabes Avicenne (Ibn Sina, 980-1037) et Averroès (Ibn Roschd, 1126-1198). Averroès pose le problème de l'opposition entre foi et savoir, et ouvre le chemin de la libre pensée par sa préférence explicite pour la science. Contemporain d'Averroès, Maïmonide (1135-1204) est le principal commentateur juif d'Aristote.

Boèce (480-524) introduit Aristote dans le Moyen Âge* latin. Jusqu'au XIIe siècle, sa traduction latine d'Aristote est presque le seul livre de philosophie ancienne connu. C'est un passage de ce texte qui suscite le problème dit « des universaux » : les noms généraux qui expriment les espèces et les genres correspondent-ils à des réalités distinctes des choses particulières, ou ne désignent-ils que des abstractions ? La scolastique (c'est-à-dire l'enseignement dispensé dans les écoles épiscopales) va se passionner pour ce problème. Les philosophes

médiévaux se diviseront en « réalistes » (platoniciens), « nominalistes » et « conceptualistes » (aristotéliciens). La première période de la scolastique trouve son apothéose dans le conceptualisme d'Abélard (1079-1142). La deuxième période voit, au XIIIᵉ siècle, la redécouverte de la doctrine d'Aristote dans son intégralité, grâce à l'œuvre accomplie quelques siècles auparavant par les commentateurs arabes. Albert le Grand (1193-1280) tente la synthèse entre les concepts de la métaphysique* d'Aristote (acte et puissance, matière et forme...) et la théologie chrétienne. Chez son disciple Thomas d'Aquin (1228-1274), cette synthèse entre l'esprit païen et l'esprit chrétien devient monumentale : l'aristotélisme s'y trouve complètement transmué.
C'est du XIVᵉ siècle que date le déclin de la scolastique. La pensée d'Aristote va demeurer, longtemps encore, la clef de voûte de l'enseignement philosophique, mais de façon de plus en plus formelle et autoritaire, comme un système clos de réponses toutes prêtes. En dehors des écoles, son influence s'effondre au XVIIᵉ siècle, sous les critiques de Bacon, qui propose en 1620 un *Nouvel Organon*, puis de Galilée, qui ridiculise en 1632 la physique* d'Aristote dans son *Dialogue sur les deux plus grands systèmes du monde*, et enfin de Descartes* qui, dès 1628, en rédigeant les *Règles pour la direction de l'esprit*, construit son concept de méthode en opposition radicale à la théorie de la science chez Aristote.

ENJEUX CONTEMPORAINS

Héritage de la pensée grecque
On peut penser, comme Alain (1868-1951), que l'opposition du platonisme et de l'aristotélisme marque une alternance nécessaire, de toutes les époques, entre philosophie de l'*idée* et philosophie de la *nature*. Ces pulsations de la pensée, qui ont rythmé, selon Alain, l'histoire de l'Église* (d'abord platonicienne, ensuite aristotélicienne) ou l'histoire du socialisme*, rythment également, à ses yeux, l'histoire de la philosophie : c'est ainsi, nous dit-il, que la philosophie de Kant* est un platonisme, tandis que celle de Hegel* est un aristotélisme.

● **À CONSULTER :** J. Brun, *Aristote et le Lycée*, PUF, « Que sais-je ? », n° 928 (7ᵉ éd., 1992). J. Moreau, *Aristote et son école*, PUF (1985).
● **CORRÉLATS :** Athènes ; Descartes ; Église ; encyclopédie ; esthétique ; Hegel ; Kant ; métaphysique ; Moyen Âge ; physique ; Platon.

ART ABSTRAIT

● **ÉTYM. :** Du verbe *abstraire*, issu du latin *abstrahere* (« tirer hors », puis au sens figuré, « effectuer une opération intellectuelle consistant à isoler un élément d'un ensemble »).
● **DÉF. :** Par analogie et dans le domaine de l'art, l'adjectif *abstrait* va s'opposer à *figuratif* pour désigner toute forme de représentation où la réalité n'est pas immédiatement identifiable. Le terme apparaît pour la première fois en 1908 chez l'historien d'art allemand Worringer, mais il ne se répand dans le public que durant les années 1920.

L'un des aboutissements de la démarche esthétique moderne

Dans la genèse de l'art moderne* et spécialement de la peinture, le passage du figuratif à l'abstrait s'inscrit dans le mouvement même qui conduit de l'impressionnisme* aux recherches de l'expressionnisme*, du futurisme* et du cubisme*. Au cours du XIXᵉ siècle, les artistes se sont peu à peu affranchis de la représentation réaliste et objective, au profit de l'impression subjective ou d'une interprétation où s'affirme la totale liberté de l'artiste. Cet affranchissement progressif détache l'acte de peindre de ce qui était, depuis la Renaissance*, un impératif absolu : rendre compte le plus exactement possible du réel, tel que l'œil le perçoit, serait-ce au prix des artifices illusionnistes que permettait la perspective. De ce point de vue, un grand tournant s'est amorcé dès la fin du XIXᵉ siècle, révélant la profondeur des mutations culturelles affectant alors l'Occident.
Certes, il existait des précédents : la représentation du monde n'avait pas atteint d'emblée la maîtrise formelle qui fut la sienne, dans l'art européen, à partir du XVIᵉ siècle et au Moyen Âge* en particulier, la symbolique décorative

s'était passée du réalisme*. Plus tard, on peut trouver des accents abstraits dans les détails de la peinture figurative : tel ciel hollandais chez Ruysdael (1628-1682), tel mouvement de draperie chez Rembrandt (1606-1669), pour ne rien dire des étonnants effets de brouillard et de pluie de Turner (1775-1851), véritable peintre abstrait avant la lettre. Cependant, la revendication d'une peinture affranchie de l'objet n'apparaît qu'au XXe siècle.
Elle est à la fois l'aboutissement ultime de la schématisation et de la déconstruction du réel entreprises par les cubistes, et le terme d'une réflexion conduite sur la finalité même de la peinture.

Itinéraire de l'art abstrait

XXe siècle

Dès les années 1910, alors qu'il devient déjà impossible d'identifier le modèle dans l'œuvre du Français Braque (1882-1963) où de l'Espagnol Picasso (1881-1973), les Russes Kandinsky (1866-1944) et Malévitch (1878-1935), le Néerlandais Mondrian (1872-1944), l'Allemand Klee (1879-1940), le Tchèque Kupka (1871-1957) exposent des toiles purement abstraites, mais d'une telle diversité qu'il est impossible de parler véritablement d'école. La nouveauté du propos, les mises en question qui suivent la Première Guerre mondiale* vont même conduire, pendant les années 1920, à un effet de mode qui fait craindre un moment l'apparition d'un conformisme, sinon un nouvel académisme.
L'art abstrait va cependant connaître, venu des États-Unis, un nouveau souffle après la Seconde Guerre mondiale*. Derrière l'œuvre de Jackson Pollock (1912-1956), dont la manière très personnelle rompt avec le géométrisme figé qui s'imposait en Europe pendant les années 1930, deux courants se dessinent : l'expressionnisme abstrait (de Kooning, Kline) et, surtout, l'abstraction chromatique, qui privilégie la couleur et qui domine l'évolution de l'art abstrait à partir des années 1950.
Ce renouvellement se manifeste en Europe du Nord dans l'action du groupe Cobra (Appel, Alechinsky). En France, une génération de peintres abstraits – qu'on désigne du nom d'« école de Paris » – produit une œuvre riche et diverse (de Staël, Bazaine, Manessier, Soulages).
Un essoufflement se manifeste cependant après 1965. Sans qu'il y ait à proprement parler de retour au figuratif, des démarches comme celle du pop art* réhabilitent l'objet et les artistes d'avant-garde continuent d'explorer de nouvelles voies (art informel, minimalisme, art conceptuel).

Enjeux contemporains

Courants esthétiques

L'art abstrait est-il vraiment une rupture ? Quelles que soient ses perspectives d'avenir, l'art abstrait se situe dorénavant parmi les formes d'expression reconnues et durables : l'ampleur et la qualité de son apport, le fait qu'il ne se soit pas limité à la peinture (il existe aussi un courant de « sculpture abstraite »), sa découverte tardive, mais réelle, par le public suffisent à le montrer.
On prend conscience d'autre part que, si révolutionnaire soit-il paru, la véritable anomalie résidait dans l'exclusivisme figuratif dont avait fait preuve l'art occidental depuis quatre siècles. Baudelaire (1821-1867), qui fut grand critique d'art autant que poète, le pressentait dès 1845 quand il écrivait : « Il n'y a dans la Nature ni ligne ni couleur. C'est l'homme qui crée la ligne et la couleur. Ce sont deux abstractions qui tirent leur égale noblesse d'une même origine » *(L'Art romantique)*.
L'art abstrait a toujours et partout existé comme forme d'expression : il est très présent dans les arts dits « primitifs » d'Afrique et d'Océanie ; on le trouve dans l'esthétique* propre à d'autres aires culturelles*, l'Extrême-Orient, le monde musulman, où la figuration a souvent été bannie pour des raisons religieuses.
L'art abstrait n'est ni une fantaisie ni le signe d'une décadence : il est moins une création moderne que la redécouverte d'un langage artistique oublié.

● **À CONSULTER :** N. Lynton, *L'Art moderne*, Flammarion (1994). A. Bonfand, *L'Art abstrait*, PUF (2e éd., 1995). D. Vallier, *L'Art abstrait*, Seuil (1980). I. Sandler, *Le Triomphe de l'art américain. L'expressionnisme abstrait*, Carré (1990).

● **CORRÉLATS :** art moderne ; cubisme ; esthétique ; expressionnisme ; futurisme ; pop art ; postmoderne.

ART MODERNE

DÉF. : L'expression *art moderne*, d'origine journalistique, est apparue dans les années 1870 en France, pour désigner la production artistique qui émergea à partir des années 1850-1860. Dans la seconde moitié du XXe siècle, artistes et critiques ont cependant tenu à différencier, au sein de la période de l'art moderne, la création immédiate en la désignant par la dénomination *art contemporain*.

Une rupture culturelle

Dans l'histoire de la civilisation occidentale, il faut situer au milieu du XIXe siècle les signes précurseurs d'une profonde mutation esthétique*. Celle-ci procède de l'épuisement progressif d'une grammaire stylistique et d'un répertoire de formes, tous deux hérités de la Renaissance*, mais aussi de l'apport de techniques nouvelles, produits de la Révolution industrielle*. Ces dernières peuvent mettre en question des procédés traditionnels d'expression (notamment la photographie à partir des années 1840, par rapport à la peinture), mais aussi offrir des moyens nouveaux ouvrant à la création d'œuvres jusqu'alors irréalisables (par exemple, utilisation du métal en architecture).

Ces facteurs interviennent, d'autre part, dans le contexte culturel qu'induit la mise en place du capitalisme libéral et des sociétés démocratiques : économie de marché, émancipation de l'individu*, disparition des hiérarchies traditionnelles, recul du religieux, avènement d'une culture de masse...

L'un des premiers à percevoir les changements qui s'annoncent, Baudelaire (1821-1867), poète et critique d'art, pressent la naissance d'un « art moderne », quête du fugitif et de l'insaisissable, refus des règles et prééminence de la personnalité de l'artiste, volonté d'aller à l'essentiel.

Les premières manifestations

Le premier signe d'une rupture est l'affirmation, entre 1865 et 1890, de l'école picturale française qu'on qualifiera d'*impressionniste*. Regard neuf sur la nature, volonté de saisir l'éphémère et de piéger la lumière, technique originale, exaltation de la couleur au détriment de la forme, l'impressionnisme* implique une peinture de plein air, hors de l'atelier, seule rendue possible par la production industrielle de pigments en tubes qui libère l'artiste de la fabrication des couleurs. Au même moment, le développement des chemins de fer, les besoins de l'industrie, l'expansion urbaine obligent à construire des ponts, de vastes espaces couverts, des immeubles de grandes dimensions. Ces nécessités, jointes aux progrès de la métallurgie, font surgir le type nouveau de l'architecte-ingénieur, créateur de structures métalliques sans précédent dont témoigne, à l'exposition de 1889 à Paris, la tour édifiée par Gustave Eiffel.

Certes, l'opinion suit mal. Pendant des décennies, les artistes modernes sont mal reçus, sinon rejetés par un public dont le goût demeure majoritairement fidèle aux formes classiques ; mais la brèche ouverte dans la seconde moitié du XIXe siècle ne cesse de s'élargir. Autour de 1890, les peintres post-impressionnistes explorent des voies nouvelles, poussant à l'extrême la décomposition de la lumière (Seurat), s'abandonnant totalement à leur subjectivité (Van Gogh), tentant de dépasser l'apparence des formes pour atteindre à la structure (Cézanne). On ne cherche plus à reproduire le réel, on interprète.

D'autre part, jusqu'en 1905, à travers l'expérience de l'Art nouveau*, est conduite une tentative de définition d'un style nourri de symbolisme et de naturalisme (ses formes s'inspirent du monde végétal), art total englobant toutes les manifestations esthétiques et complètement affranchi de référence historique.

L'art du XXe siècle

L'expansion européenne et la constitution des empires coloniaux ayant fait découvrir la richesse esthétique de cultures non-occidentales longtemps méconnues, sinon méprisées, nombre d'artistes cherchent des sources de renouvellement, d'abord en Extrême-Orient, puis auprès des arts dits « primitifs » (Afrique, Océanie).

Le début du XXe siècle voit une brusque accélération de la révolution esthétique. Alors que les architectes, qui bénéficient de l'invention du béton armé, renoncent aux ornements au profit d'un dépouillement soulignant les structures des édifices et que l'Amérique invente le gratte-ciel, la recherche picturale explose. Dans le prolongement de Cézanne, le

Français Braque, l'Espagnol Picasso géométrisent et décomposent l'objet *(cf.* Cubisme). En Europe centrale, les expressionnistes (Kirchner, Nolde) traduisent par la violence de la couleur et du trait l'angoisse et la révolte. En Italie, les futuristes* (Marinetti) tentent de restituer le dynamisme du monde industriel. En Russie, la rupture avec la représentation conduit à une peinture subjective purement abstraite* (Malévitch, Kandinsky). Engagée plus tard dans la quête de formes nouvelles, la sculpture participe à son tour à l'aventure de l'art moderne et certains créateurs en viennent à imaginer un art global, où s'aboliraient les frontières entre les disciplines (constructivisme russe).

Le doute et la crise morale engendrés par la Première Guerre mondiale* mettent fin à cette euphorie. Si la plupart des courants apparus avant-guerre poursuivent sur leur lancée dans les années 1920-1930, certains artistes, tel Duchamp, mettent en question, par la dérision, la démarche artistique elle-même (dadaïsme) ; d'autres, influencés par la psychanalyse* et adhérant à la thématique surréaliste*, conçoivent une peinture reflétant l'inconscient (Magritte, Tanguy, Dali).

La Seconde Guerre mondiale* achève d'éclater l'entreprise esthétique en recherches individuelles ou en micro-écoles éphémères. New York, où nombre d'artistes européens ont trouvé refuge pour fuir les régimes totalitaires, hostiles à l'art moderne jugé « décadent », devient, autant – sinon plus – que Paris, un centre de création.

Mais, si l'effervescence demeure intense, si l'esthétique portée par l'art moderne conquiert peu à peu le goût du grand public, de nouvelles tendances se dessinent, plus en profondeur : les recherches plastiques d'un Giacometti ou d'un Bacon, transcendant les effets de mode, reflètent l'inconscient collectif de toute une époque. Après 1960, s'atténuent les surenchères provocantes d'avant-gardes condamnées à une répétition stérile.

Aux États-Unis, le pop art* (Warhol) cherche à redécouvrir l'objet dans sa banalité quotidienne ; la représentation figurative réapparaît (hyperréalisme). En architecture, le postmodernisme* (prôné par Jencks et Venturi) conteste l'uniformité internationale qu'impose l'effacement derrière la technique, et réintroduit la fantaisie et la référence aux traditions historiques ou locales.

ENJEUX CONTEMPORAINS

Courants esthétiques

L'aventure de l'art moderne est loin d'être terminée. En un siècle et demi, il s'est avéré si prodigieusement inventif qu'il est parfois difficile au public contemporain de se retrouver dans ce foisonnement créatif. Cependant, il est certain qu'au-delà de cette profusion formelle, un style de notre temps s'est progressivement dégagé, en profonde rupture, avec ceux du passé : il suffit de regarder nos villes*, le décor des espaces, le *design* des objets, les tendances de la mode... Comme ce fut le cas en d'autres temps pour l'art gothique* ou baroque*, ces signes expriment en fait tout un climat culturel, l'esprit d'une époque : telle était déjà l'ambition de l'architecte allemand W. Gropius lorsqu'il appelait, dans le *Manifeste du Bauhaus* (1919), à « créer le cadre esthétique d'une civilisation nouvelle ».

● **À CONSULTER :** N. Lynton, *L'Art moderne,* Flammarion (1994). A. Nouss, *La Modernité,* PUF (1995). O. Paz, *Points de convergence. Du romantisme à l'avant-garde,* Gallimard (1976). ● **À LIRE :** Baudelaire, *Curiosités esthétiques* (1869). Zola, *L'Œuvre* (1886). ● **À VOIR :** H.-G. Clouzot, *Le Mystère Picasso* [le processus de création du peintre]. ● **CORRÉLATS :** art abstrait ; Art nouveau ; cubisme ; esthétique ; expressionnisme ; futurisme ; impressionnisme ; pop art ; postmoderne ; surréalisme.

ART NOUVEAU

● **ÉTYM. :** Inspirée du nom d'un magasin parisien ouvert en 1895, l'expression figurait dès 1884 dans la revue belge *L'Art moderne.* Les contemporains ont également parlé de *modern style* et les détracteurs de *style nouille.* ● **DÉF. :** L'expression *Art nouveau* désigne une tendance artistique qui se développe entre 1890 et 1905 dans toute l'Europe ; l'Art nouveau a été nommé *Jugendstil,* en Allemagne, et *Liberty,* en Grande-Bretagne et en Italie.

L'Art nouveau refuse toute référence académique, cherche à tirer parti des matériaux et des techniques nouvelles ; il se veut une rupture avec l'historicisme du XIXe siècle, qui pastichait et mélangeait les styles du passé. Il s'inscrit en ce sens, malgré son caractère éphémère (à peine deux décennies) et le rapide épuisement de ses formules, dans la grande entreprise de renouvellement dont est issu l'art moderne*.

Les débuts de l'Art nouveau

Bien que créée par une génération née après 1860, l'esthétique « Art nouveau » a des origines plus anciennes, qu'il faut chercher dans l'Angleterre des années 1860-1870, quand se répand la mode de céramiques, de tissus d'ameublement dont la décoration s'inspire de formes végétales. En 1875, s'ouvre à Londres le magasin Liberty, qui donnera son nom à ce style.

C'est cependant au début des années 1890, dans le climat du symbolisme et du goût très « fin de siècle » des objets rares et précieux, que surgissent simultanément les tendances nouvelles. Les initiateurs sont souvent des architectes, MacKintosh en Grande-Bretagne, Horta et Van de Velde en Belgique, Guimard en France, à qui s'associent vite ébénistes (Majorelle), orfèvres (Lalique) et verriers (Gallé, Daum). En Allemagne, l'exposition d'art de Munich (1897) et le mécénat du grand-duc de Hesse-Darmstadt font la promotion du goût nouveau. En Autriche, l'architecte Wagner rompt avec le style « historicisant » et, avec le peintre Klimt et dix-sept jeunes artistes, il fonde en avril 1897 la « Sécession ».

Le succès est rapide : Bruxelles, Nancy deviennent des centres de création et l'Exposition universelle de Paris, en 1900, se transforme en vitrine de l'Art nouveau. C'est l'architecte Guimard qui, à cette occasion, est chargé de concevoir les stations de la ligne n° 1 du Métro, l'un des plus beaux exemples encore en place de cette esthétique.

Les caractères de l'Art nouveau

L'originalité de l'Art nouveau tient à son caractère résolument naturaliste : son répertoire de formes est inspiré du règne végétal, au point qu'on a parlé de *style floral*. « Mon jardin est ma bibliothèque », déclare l'ébéniste Majorelle. De là viennent cette préférence accordée à la courbe et au sinueux, cette asymétrie systématique (qui ne sont pas sans rappeler le baroque*), mais aussi la luxuriance et les métamorphoses.

Cependant, d'autres traits sont plus ponctuels : la débauche d'ornementation, le goût des entrelacs (qui s'inspirent parfois de décors celtiques que la découverte de trésors du haut Moyen Âge irlandais avait mis à la mode), l'érotisme.

Les créations de l'Art nouveau sont d'une indiscutable originalité : elles s'inscrivent dans une esthétique globale, associant en un même ensemble l'architecture, la décoration, le mobilier ; elles ont produit des objets d'une rare beauté, mais ne supportent pas la médiocrité. Paradoxalement, ce renouvellement artistique, qui se voulait au service du peuple et expression des nouvelles sociétés démocratiques, ne réussit que dans l'unique et le luxe. Loin d'être l'art du monde industriel, il est le dernier éclat d'un artisanat d'élite, capable d'inimitables chefs-d'œuvre. Toute banalisation bascule à court terme dans le mauvais goût, la surcharge, l'emphase, ce « style nouille » dénoncé à juste titre par les humoristes du temps.

Le déclin de l'Art nouveau

C'est sans doute la raison de sa rapide éclipse, entre 1905 et 1910. Il ne s'est prolongé que dans la démarche d'un génie solitaire, le Catalan Gaudi, dont l'œuvre quasi onirique continue à faire de Barcelone l'une des villes-musées de ce courant sans postérité.

Ce qui triomphe après 1910, c'est l'architecture fonctionnelle et orthogonale (mouvements De Stijl, Bauhaus), dont le goût pour les volumes géométriques rejoint l'entreprise de structuration de l'espace des peintres cubistes* : l'une et l'autre contribuent à créer le répertoire de formes sur lequel se fondera l'esthétique du XXe siècle.

La redécouverte actuelle de l'Art nouveau exprime peut-être, comme les tentatives désordonnées des architectes postmodernes*, une lassitude devant ce monde de verticales et d'horizontales, et l'aspiration à un environnement plus humain.

● **À CONSULTER :** F. Dierkens-Aubry, *Art nouveau*, Bib. des arts (1991). K.J. Sembach, *L'Art nouveau*, Taschen (1991). M. Costantino, *Art nouveau*, Atlas (1990). C. Schorske, *Vienne fin de siècle*, Seuil (1983).

● **CORRÉLATS :** art moderne ; postmoderne ; Révolution industrielle.

ATHÈNES

● **ÉTYM. :** Du nom d'*Athéna*, déesse de la sagesse, patronne de la cité.
● **DÉF. :** Ville grecque fondée aux VIIIe-VIIe siècles avant J.-C., sur un site peuplé depuis le IIIe millénaire. Tant par l'originalité de ses institutions que par son exceptionnel éclat culturel, Athènes demeure la plus prestigieuse des cités de la Grèce antique*.

Le gouvernement démocratique

VIe-IVe siècles av. J.-C.

À ses origines, Athènes était gouvernée par les chefs des familles aristocratiques, les *Eupatrides* : des conflits récurrents opposaient cette aristocratie et les paysans pauvres.

En 594 avant J.-C., Solon dote Athènes de lois qui visent à rétablir la paix sociale, en jetant les bases d'un fonctionnement démocratique fondé sur l'égalité absolue des citoyens. La souveraineté réside dans l'Assemblée du peuple *(ecclésia)*, ouverte à tous les citoyens adultes mâles, et qui peut également s'ériger en cour de justice sous le nom de *tribunal de l'Héliée*. La continuité de l'action gouvernementale est assurée par un collège de magistrats, les *archontes*, et un conseil représentatif de quatre cents membres, la *Boulè*. Archontes et bouleutes sont tirés au sort et leurs mandats durent un an.

En 507 avant J.-C., après une tentative de réaction aristocratique, Clisthène réforme les structures sociales dans le sens d'une complète démocratisation, réorganisant le classement des citoyens. Il crée également, pour commander l'armée, dix charges de stratèges qui ne seront pas fournies par tirage au sort, mais par élection annuelle.

Ce régime montre sa solidité dans l'épreuve des guerres médiques (490-478 avant J.-C.), où l'armée de soldats-citoyens d'Athènes affrontant l'envahisseur perse fait la preuve de son efficacité (victoires de Marathon et de Salamine).

Cela dit, il convient de rappeler que pour être citoyen et participer à l'Assemblée du peuple, il faut être un homme libre, né de père et de mère athéniens : sur les 400 000 habitants que compte la république* au Ve siècle avant J.-C., seuls 40 000 répondent à ce critère. D'autre part, l'idéal d'égalité totale qui justifie la pratique du tirage au sort des charges publiques se heurte à la réalité des compétences. Après les guerres médiques, les stratèges, élus et non tirés au sort, deviennent de fait les premiers magistrats de la cité. C'est le cas de Périclès, quinze fois réélu de 444 à 429 avant J.-C., véritable chef de gouvernement et ami des philosophes.

Cependant, telle qu'elle est, la démocratie* athénienne, libérale, favorable aux arts et à toutes les manifestations de la culture, fait figure de modèle dans le monde grec, surtout quand on l'oppose à la rudesse brutale dont Sparte* donne l'exemple.

L'éclat culturel

V^e^-IVe siècles av. J.-C.

L'Athènes démocratique des Ve et IVe siècles avant J.-C. apparaît comme le pôle essentiel de la civilisation grecque à son apogée.

Les grands tragiques grecs, Eschyle, Sophocle, Euripide, sont athéniens, de même que le comique Aristophane ; avec le théâtre de Dionysos, Athènes a gardé jusqu'à nos jours le lieu où leurs œuvres furent représentées. Le poète Pindare, les historiens Hérodote, Thucydide, Xénophon sont athéniens.

Bien qu'elle soit née ailleurs, en Asie et en Sicile, la philosophie grecque connaît à Athènes son plus grand éclat avec Socrate et Platon* ; au IVe siècle avant J.-C., le Macédonien Aristote* vient y enseigner ; le fondateur du stoïcisme*, Zénon de Cittium, et Épicure* y créent leurs écoles, le Portique et le Jardin. Mathématique* et logique sont également à l'honneur : Eudoxe de Cnide, rédacteur des premiers *Éléments* d'Euclide, enseigne à l'Académie de Platon.

D'autre part, la pratique démocratique entraîne l'essor de l'éloquence politique, particulièrement au IVe siècle (Lysias, Isocrate, Démosthène).

C'est à Athènes que l'art grec classique produit des chefs-d'œuvre absolus, à commencer par l'ensemble de temples construits sous Périclès sur l'Acropole (Parthénon, Erechthéion, temple de la Victoire) et décorés par le sculpteur Phidias. C'est d'ailleurs l'école athénienne de sculpture qui crée les modèles de la beauté classique, de Myron (auteur du *Discobole*) à Polyclète au Ve siècle avant J.-C., de Scopas à Praxitèle et Lysippe au IVe siècle.

Il n'existe dans l'Histoire aucun autre exemple d'un peuple si réduit, sur un territoire si exigu, générant en si peu de temps un apport culturel d'une telle richesse et d'un tel rayonnement.

Athènes			
	Histoire	***Philosophie, sciences***	***Littérature, arts***
594 av. J.-C.	Législation de Solon		
561-510 av. J.-C.	Tyrannie des Pisistratides		
507 av. J.-C.	Réformes de Clisthène (démocratie*)	Parménide	
490-478 av. J.-C.	**Guerres médiques** contre l'Empire perse (victoires des Grecs à Marathon en 490, à Salamine en 480)	Hérodote (Histoire*)	Eschyle, Sophocle (tragédie*)
477 av. J.-C.	Fondation de la ligue de Délos sous la direction d'Athènes, unissant les cités grecques contre l'Empire perse		Pindare (poésie*)
444-429 av. J.-C.	Gouvernement de Périclès	Sophistes*, **Socrate**. Thucydide, Xénophon (Histoire*)	• Euripide (tragédie*), Aristophane (comédie*) • Phidias, *(Acropole)*, Myron, Polyclète (sculpture)
431-404 av. J.-C.	**Guerres du Péloponnèse** entre Athènes et Sparte*		
399 av. J.-C.		Procès et mort de Socrate	
387 av. J.-C.		• Ouverture de l'Académie par **Platon***. • Lysias, Isocrate (rhétorique)	
338 av. J.-C.	Athènes battue à Chéronée par Philippe II, roi de Macédoine	Démosthène (rhétorique*)	Praxitèle, Scopas, Lysippe (sculpture)
335 av. J.-C.		Ouverture du Lycée par **Aristote***	
322 av. J.-C.		Ouverture de l'école de **Pyrrhon** (scepticisme*)	
306 av. J.-C.		Ouverture du Jardin par **Épicure***	
300 av. J.-C.		Ouverture du Portique par **Zénon de Cittium** (stoïcisme*)	
86 av. J.-C.	Athènes prise et pillée par les Romains*		
Ère chrétienne			
117-138	Règne de l'empereur Hadrien qui séjourne à Athènes		
529	Fermeture des écoles d'Athènes par Justinien		

Quelque vingt-cinq siècles plus tard, émerveillé par son voyage à Athènes, l'historien Ernest Renan (1823-1892) affirmait dans sa *Prière sur l'Acropole* : « Il y a un lieu où la perfection existe ; il n'y en a pas deux : c'est celui-là. » Aujourd'hui encore, nous avons à apprendre d'Athènes.

Athènes aux époques hellénistique et romaine

IIIe siècle av. J.-C. - Ve siècle ap. J.-C.

La splendeur culturelle de l'Athènes classique contraste avec le caractère convulsif de son Histoire : le Ve siècle est le moment des guerres du Péloponnèse où s'entre-déchirent les cités rivales Athènes, Sparte* et Thèbes. Après sa défaite, en 338 avant J.-C., Athènes passe sous l'hégémonie des rois de Macédoine, Philippe II puis Alexandre le Grand. Elle ne retrouvera jamais son indépendance, bien que gardant ses propres institutions et conservant son autonomie.

Toutefois, si elle n'est plus un État souverain, elle demeure jusqu'à la fin de l'Antiquité* un intense foyer culturel, mélange de ville-musée et de centre universitaire qui attire de nombreux lettrés. Au IIe siècle après J.-C., l'empereur romain Hadrien y fait de nombreux séjours et la dote de monuments somptueux.

Le déclin définitif ne viendra qu'avec le triomphe du christianisme*. En 529, l'empereur d'Orient, Justinien, fait fermer ses écoles. Athènes sort pratiquement de l'Histoire pour treize siècles, jusqu'à ce que la Grèce moderne, recouvrant son indépendance, la choisisse comme capitale en 1834.

● **À CONSULTER :** P. Petit, *Précis d'histoire ancienne*, PUF (rééd., 1994). Cl. Mossé, *Histoire d'une démocratie. Athènes, des origines à la conquête macédonienne*, Seuil (1992) ; *Dictionnaire de la civilisation grecque*, Complexe (1992). J.-J. Maffre, *L'Art grec*, PUF (4e éd., 1994) ; *Le Siècle de Périclès*, PUF (2e éd., 1994). P. Vidal-Naquet, *La Démocratie grecque vue d'ailleurs*, Flammarion (1996).

● **CORRÉLATS :** Antiquité ; Aristote ; démocratie ; espace public ; Grèce antique ; hellénistique (monde) ; Platon ; république ; Sparte.

BANDE DESSINÉE

● **Étym. :** Traduction de l'anglais *comic strip* (« bande comique »), l'expression *bande dessinée*, apparue vers 1929, s'abrège couramment en *BD* ou *bédé*. ● **Déf. :** La bande dessinée est un genre populaire qui mêle l'art du récit et celui du dessin. On date son apparition avec les albums du Suisse R. Töpffer (1827). En France, la première BD présente les aventures de la famille Fenouillard, puis du sapeur Camember, signées subtilement « Christophe » par le botaniste G. Colomb (1889).

Un genre longtemps contesté

On a longtemps enfermé la BD dans une triple caractérisation :
– une veine essentiellement comique ;
– des productions destinées à l'enfance ;
– une forme d'expression sans réelle valeur artistique ou culturelle.

Pourtant, la BD a su créer, parfois à l'échelle mondiale, des personnages emblématiques d'une époque, d'un pays ou d'un caractère : les Batman, Tarzan, Mandrake et autres Superman, issus des « *comics* » anglo-américains, sont les héros modernes qui incarnent des mythes* de puissance virile et de liberté généreuse.

De même, les personnages de la BD belge ou française, tels Tintin (créé en 1929), Astérix ou Lucky Luke, sont des figures qui structurent notre inconscient collectif (le reporter sans frontières, le Gaulois résistant, le cow-boy juste, vengeur et solitaire…). Ils dépassent le monde de l'enfance, par un sens de l'humour et de la dérision accessible à un public cultivé. Enfin, chacun révèle les aspirations, les inquiétudes ou les caractéristiques d'un moment : par exemple, l'album *Tintin au Congo* (1930-1931) donne une représentation des Noirs et des Blancs qui n'est pas sans refléter certains préjugés du colonialisme* européen.

Les tendances de la BD actuelle

Depuis une vingtaine d'années, d'authentiques créateurs ont investi la BD, et l'ont profondément renouvelée.

H. Pratt a conté, avec un réalisme* poétique très personnel, les aventures de Corto Maltese, proche des héros créés par le romancier J. Conrad (1857-1924). Tardi, qui a illustré le roman* *Voyage au bout de la nuit* de Céline, a créé un univers étrange et captivant (*Les Aventures d'Adèle Blanc-Sec*). Le comique s'est fait grinçant et satirique avec Binet (*Les Bidochon*), savamment absurde avec Gotlib (*Rubrique-à-brac*), ou onirique avec Fred (*Les Aventures de Philémon*). Ce renouvellement narratif, dans les thèmes et dans le ton, se double d'une constante recherche graphique, dans le dessin et la mise en page.

Les auteurs explorent les territoires de l'humour (Bretecher), de la politique (Bilal) ou de l'érotisme (Barbe). Les BD japonaises ou « *manga* » (littéralement « image dérisoire »), produits de grande consommation, connaissent un succès considérable. La BD occidentale actuelle revisite la science-fiction à travers les mythes et les légendes, donnant ainsi de nouvelles dimensions à l'imaginaire (Moebius, Rosinski).

ENJEUX CONTEMPORAINS

Art et société

En cette fin de XXe siècle, la BD a investi d'autres domaines : certains artistes du pop art*, comme Roy Lichtenstein (1923-1997), se sont directement inspirés de ses techniques graphiques ; le cinéma* lui a emprunté, avec le « *story-board* », le découpage en plans et en séquences ; la publicité et la presse exploitent à l'envi ses ressources créatives. La BD a su devenir une référence artistique qui imprègne notre univers quotidien.

● **À CONSULTER :** F. Lacassin, *Pour un 9e art, la bande dessinée*, éd. 10-18 (1971). C. Moliterni, *Les Aventures de la BD*, Gallimard, « Découvertes » (1996).
● **CORRÉLATS :** cinéma ; pop art.

BAROQUE (ART)

● **ÉTYM. :** Du portugais *barroco*, qui désigne en joaillerie « une perle irrégulière ». ● **DÉF. :** Le terme *baroque* prend, dès le XVIIe siècle, en italien le sens d'« étrange », qu'il a gardé en langage commun. Au XIXe siècle, il apparaît, sans aucune nuance péjorative, dans le domaine de l'histoire de l'art chez l'historien allemand Wölfflin (1888), pour caractériser un courant important de l'esthétique* européenne.

La sensibilité baroque

fin XVIe siècle - milieu XVIIIe siècle

Le courant baroque s'étend de la fin du XVIe siècle au milieu du XVIIIe. Il s'applique à l'esthétique qui, prolongeant celle de la Renaissance*, se développe comme elle à partir de l'Italie (très précisément de Rome), puis recouvre l'Europe centrale et orientale jusqu'à atteindre la Russie.

Mais le baroque est aussi une manière d'être et de sentir, l'affirmation d'un individualisme* extraverti et l'exaltation de la force vitale, de l'imagination, de l'émotion avide de contrastes et de surprises. Explosion de liberté, la sensibilité baroque naît et s'épanouit paradoxalement dans l'Europe catholique de la Contre-Réforme*, l'Église* ayant vu dans les séductions d'un art expressif et théâtral l'instrument d'une reconquête des âmes.

Les caractéristiques de l'art baroque

L'art baroque se caractérise par la somptuosité et le goût du mouvement. Il affectionne l'irrégularité, l'asymétrie. En architecture, il déteste la ligne droite et lui préfère l'effet des courbes et des contre-courbes qui animent les façades, jouent avec l'ombre et la lumière. Dans les arts plastiques, il cultive la véhémence, le pathétique ; il aime l'illusion et use avec une extraordinaire maîtrise du trompe-l'œil.

Le baroque prend forme à Rome, autour de 1600, sous l'impulsion de papes mécènes, Sixte Quint, Clément VIII, puis, après 1623, Urbain VIII, protecteur de deux grands maîtres, le Bernin (1598-1680), architecte, peintre, sculpteur, et Borromini (1599-1667). D'Italie, il gagne l'Espagne, le Portugal et leurs possessions d'Amérique (Mexique, Brésil) et, à la fin de la guerre de Trente Ans (1648), l'Europe danubienne (Allemagne du Sud, Autriche), la Bohême, la Pologne, multipliant les chefs-d'œuvre.

L'architecture baroque va ainsi édifier à Rome la colonnade de Saint-Pierre (le Bernin), Saint-Charles aux Quatre-Fontaines et Sainte-Agnès (Borromini) et une foule d'églises, de fontaines et de palais. À Venise, Longhena construit Santa Maria della Salute et Fischer von Erlach élève à Vienne Saint-Charles-Borromée. Il faut citer aussi les demeures aristocratiques de Prague, le palais Carignan de Turin, les églises de Salamanque (Espagne), l'admirable ensemble de Dresde (Saxe) malheureusement anéanti au cours de la Seconde Guerre* mondiale.

En sculpture, le goût baroque du mouvement, du déséquilibre et du pathétique produit des œuvres frémissantes de vie et de passion : *Apollon et Daphné* et, surtout, l'extraordinaire *Extase de sainte Thérèse*, toutes deux du Bernin, ainsi que les athlètes du Français Puget.

Quant à la peinture, elle cultive les contrastes d'ombre et de lumière, de l'Italien Caravage (1573-1610) au Hollandais Rembrandt (1606-1669), les jeux de miroir chez l'Espagnol Velasquez (1599-1660) et le Hollandais Vermeer (1632-1675). Elle affectionne les allégories mouvementées et les scènes dramatiques aux multiples personnages, chez le Flamand Rubens (1577-1640), l'Italien Carrache (1560-1609). Maîtrisant admirablement la perspective, elle crée d'étonnantes illusions : elle compose, aux coupoles des églises, d'apparentes architectures, inondées d'une lumière qui semble naturelle et où évoluent anges et figures symboliques, flottant dans une mise en scène grandiose, comme chez l'Italien Pozzo (1642-1705). Cette dimension de la représentation est en effet au cœur du goût baroque, qui sera l'âge d'or du théâtre européen, de Shakespeare à Racine. Inventeur du ballet et de l'opéra*, le baroque, esthétique du mouvement et de l'illusion, trouve sa pleine expression dans les arts fugitifs que sont le jeu théâtral et la musique. De Monteverdi (1567-1643) à Bach (1685-1750), la musique baroque* reste l'un des plus grands apports artistiques de l'Europe au patrimoine universel.

Baroque et classique

Le désordre et l'irrégularité inhérents à l'esprit baroque n'ont pas tardé à inquiéter les pouvoirs. L'Église romaine, qui en avait promu l'expression artistique au point que l'Europe protestante s'était montrée réticente à en adopter les formules, s'alarme d'y découvrir un vecteur de liberté et de contestation. L'entreprise d'éducation (*cf.* École), confiée aux Jésuites, vise à former un type d'homme calme, ponctuel, discipliné, privilégiant l'intelligence et la raison contre l'intuition et l'émotion : cette démarche est l'antithèse même de l'idéal baroque.

La monarchie française qui se met en place sous la forme de l'absolutisme*, dans le second tiers du XVIIe siècle, n'apprécie pas plus le désordre et la fantaisie. Richelieu, ministre de Louis XIII à partir de 1624, affirme : « L'ordre de l'État exige une certaine uniformité des conduites. » Une reprise en main intellectuelle se dessine alors (l'Académie française est fondée en 1635), qui aboutit à cette singularité propre à la France : l'émergence, après 1660, du classicisme louis-quatorzien, au moment où le goût baroque triomphe dans toute l'Europe.

En fait, il ne faut pas exagérer les oppositions. La France de Louis XIII et des débuts du règne de Louis XIV est baroque, au plan littéraire comme au plan artistique : la version initiale des jardins de Versailles, avec ses jeux d'eau, sa statuaire mouvementée, les fêtes qu'on y donne, est imprégnée d'esthétique baroque. Mais, dans le courant des années 1670, l'ordre et l'équilibre s'imposent, comme un reflet de l'État centralisé qui s'édifie et qui ne tolère ni indiscipline ni dissidence. La colonnade que Perrault construit au Louvre, le Versailles de Hardouin-Mansart, tout le « grand goût » français affirment l'orthogonal et le stable, là où le baroque préfère le courbe et le mouvementé. Mais, dans le détail, la décoration intérieure des châteaux, le mobilier Louis XIV ne s'écartent guère du goût dominant du temps : débauche de dorures, scènes tumultueuses, courbes et luxe des matériaux. C'est plus l'esprit baroque, fantasque et aristocratique, qu'on prohibe qu'une esthétique dont la séduction reste liée à sa faculté d'invention. Le classicisme louis-quatorzien relève plus d'une démarche politique que de l'élaboration d'un langage artistique spécifique. La part de baroque qu'il conserve est sans doute ce qui le retient de tomber dans le dessèchement académique.

Ainsi, au-delà du Grand Règne, le XVIIIe siècle français retrouve dès la Régence, en 1715, le goût des élégances et des courbes baroques. Notre style Louis XV apparaît en cela dans la ligne du *rococo* allemand : ce mot désigne les formes décoratives recherchées que revêtent, en Europe centrale, les ultimes formules du baroque finissant.

Car le vrai terme de l'âge baroque se situe après 1760 quand, à la suite de la découverte de Pompéi et d'Herculanum, englouties au Ier siècle par le Vésuve, il se révèle une Antiquité* non plus imaginée – comme l'avait été celle rêvée par les artistes de la Renaissance et du baroque –, mais authentique. Sur ce modèle s'impose alors un classicisme sévère, appelé en France « néoclassicisme* » pour éviter la confusion avec le style louis-quatorzien : il va commander l'esthétique de la fin du XVIIIe et du début du XIXe siècle, en réaction avec la somptuosité et l'élégance baroques.

Le baroque s'éteint donc avec les sociétés aristocratiques d'Ancien Régime, auxquelles il s'était identifié ; le néoclassicisme correspond à l'émergence de temps nouveaux, l'âge des révolutions* politique et industrielle, l'ère des bourgeoisies* triomphantes. Avec le baroque disparaissent des façons d'être, de s'habiller : le costume masculin strict et noir remplace les vêtements chamarrés et les perruques ; le fonctionnel supplante la fantaisie.

Ainsi peut-on avancer que le classicisme français du XVIIe siècle, même s'il s'inscrit en apparence à contre-courant, n'a été dans sa singularité qu'une forme spécifiquement française du baroque européen. Dès lors, le débat traditionnel opposant baroque et classique* dans le cadre du XVIIe siècle n'est plus qu'un faux problème.

● **À CONSULTER :** V.-L. Tapié, *Le Baroque*, PUF (8e éd., 1993) ; *Baroque et classicisme*, Hachette (1957). P. Chaunu, *La Civilisation de l'Europe classique*, Arthaud (1966). G. Bazin, *Baroque et rococo*, Thames & Hudson (1994). A. Angoulvent, *L'Esprit baroque*, PUF (1994).
● **CORRÉLATS :** baroque (musique) ; classique (littérature) ; Contre-Réforme ; néoclassicisme ; Renaissance.

BAROQUE (MUSIQUE)

● **ÉTYM. :** De l'allemand *Barockmusik*, terme apparu au début du XXe siècle, par analogie avec l'art baroque* défini au siècle précédent par l'historien d'art allemand Wölfflin. ● **DÉF. :** L'expression *musique baroque* caractérise le style musical de la période 1600-1750. D'une grande diversité dans le temps comme dans l'espace, ce courant a marqué en profondeur l'évolution de la musique occidentale.

Les innovations de la musique baroque

fin XVIe-XVIIIe siècles

À la fin du XVIe siècle, la musique occidentale subit des changements profonds et durables : elle devient « tonale », c'est-à-dire qu'elle se fonde sur une nouvelle échelle de sons qui aboutira à la gamme moderne. Jusqu'à la fin de la Renaissance*, la musique était dite « modale », reposant sur des modes variés, autres que le majeur et le mineur, qui créaient des harmonies et des compositions très différentes à l'oreille. Aujourd'hui encore, nos goûts et nos habitudes en matière de musique sont largement conditionnés par le système acoustique que les musiciens dits « baroques » mettront progressivement en œuvre.

La musique occidentale se mélodise aussi : la voix supérieure devient primordiale et chantante ; la basse prend un rôle d'accompagnement. C'est l'apparition de la musique accompagnée. Comme dans l'art baroque, les compositions musicales se chargent d'ornements, de fioritures. Enfin, la musique orchestrale et les petits ensembles instrumentaux se développent, de même qu'une musique pure (sans voix ni textes).

Vivaldi, Bach, Haendel...

La musique baroque naît en Italie autour de 1600 avec, d'une part, l'invention de l'opéra* (Monteverdi signe son *Orphée* en 1607), et d'autre part, l'essor de l'oratorio, équivalent de l'opéra dans le domaine sacré, illustré par Carissimi (1605-1674). La fin du XVIIe siècle italien et le début du XVIIIe sont l'âge d'or du concerto, jubilation de la tonalité et de la mélodie où excellent Corelli (1653-1713), Torelli (1658-1709) et surtout le Vénitien Vivaldi (1678-1741).

Dans l'Allemagne ravagée par la guerre de Trente Ans (1618-1648), l'essor musical baroque attend la fin du siècle, mais connaît bientôt un exceptionnel éclat grâce à Jean-Sébastien Bach (1685-1750), dont l'œuvre est essentiellement religieuse (cantates, oratorios, messes). C'est l'apogée du contrepoint, art de superposer des voix égales, dans le cadre d'une austérité toute protestante et d'une rigueur d'écriture qui contrastent avec la fantaisie des compositeurs italiens. Au même moment, un autre Allemand, Haendel (1685-1759), réussit une synthèse entre le grand style germanique et le goût italien.

En France, sous Louis XIV, l'opéra devient, avec Lully (1632-1687), une véritable institution contribuant aux fêtes de Versailles. La musique baroque française se caractérise par son raffinement et sa préciosité. Influencée par le style italien, elle se prolonge durant la première moitié du XVIIIe siècle avec des compositeurs comme Couperin (1668-1733), auteur de pièces sacrées et de concertos, ou Rameau (1683-1764) qui perpétue la tradition des grands opéras du siècle précédent (*Les Indes galantes*).

Le reflet d'un climat culturel

D'aucuns ont contesté le qualificatif de *baroque* accolé à la musique de ce temps. Certes, au-delà d'analogies comme le goût de l'ornement, il est difficile d'établir un parallèle rigoureux entre l'expression musicale et l'esthétique* qui triomphe alors en architecture et dans les arts plastiques : il s'agit de

langages artistiques trop différents pour être immédiatement comparables.
Cependant la musique religieuse est bel et bien faite pour être jouée dans les somptueuses et lumineuses églises de la Contre-Réforme*. Les opéras, avec leurs fantasmagories et leurs divinités descendant de l'empyrée, semblent des animations de tableaux de Rubens ou de Pozzo. Enfin, la musique, dans ce qu'elle a de mobile et de fugitif, est en elle-même une véritable illustration de l'esthétique baroque.
La musique baroque s'éteint d'ailleurs avec le goût baroque, en ce milieu du XVIIIe siècle qui voit mourir à quelques années d'intervalle Bach, Haendel, puis Rameau, tandis qu'émergent une manière et une sensibilité nouvelles : le classicisme.

● **À CONSULTER :** Cl. Palisca, *La Musique baroque*, Actes Sud (1994). M. Bukofzer, *La Musique baroque*, Lattès (1988). J.-A. Sadie, *Guide de la musique baroque*, Fayard (1995). ● **À ÉCOUTER :** Monterverdi, *Orfeo*. Corelli, *Concerto grosso pour la nuit de Noël*. Vivaldi, *Concertos*. Lully, *Armide*, *Athys*. M.-A. Charpentier, *Médée*. Couperin, *Trois leçons de ténèbres*. Bach, *L'art de la fugue*, *Passions*, *Concertos brandebourgeois*. Haendel, *Concertos pour orgues*, *Le Messie*, *Alceste*, *Xerxès*. ● **À VOIR :** A. Corneau, *Tous les matins du monde*.
● **CORRÉLATS :** baroque (art) ; classique (musique) ; Contre-Réforme ; opéra ; Renaissance.

BIBLE

● **ÉTYM. :** Du pluriel grec *biblia* (« les livres »). ● **DÉF. :** La Bible désigne l'ensemble des écrits sacrés propres aux religions juive et chrétienne. On dit aussi *l'Écriture sainte* ou, de manière abrégée, *l'Écriture*.

Un ensemble complexe de textes

Le mot *Bible*, d'origine chrétienne, n'entre en usage qu'au IVe siècle. Les juifs n'utilisent pas ce terme, ne retenant comme étant l'Écriture que la partie que les chrétiens nomment *Ancien Testament*, c'est-à-dire les écrits antérieurs à la venue du Christ. Le *Nouveau Testament* (Évangiles, Actes, Épîtres et Apocalypse) fonde la doctrine chrétienne*. La Bible proprement dite est l'addition des deux. Il faut prendre ici le mot *testament* dans son sens juridique latin de « contrat passé devant témoin », qui traduit le grec *diathêkê* et l'hébreu *berith*.
L'Ancien Testament a été rédigé en hébreu pour l'essentiel ; mais dès le IIIe siècle avant J.-C., une version en grec a été établie à Alexandrie sous le nom de *Bible des Septante* (soixante-douze traducteurs y avaient travaillé). En revanche, les textes du Nouveau Testament semblent avoir été écrits directement en grec. Au Ve siècle de l'ère chrétienne, l'ensemble des Écritures a été traduit en latin : cette version, appelée *Vulgate*, est attribuée à saint Jérôme.
La Bible représente un ensemble extrêmement complexe de textes d'origine et de nature très diverses. La rédaction de l'Ancien Testament semble avoir commencé au Xe siècle avant J.-C., après la constitution du royaume hébreu*. Des traditions orales, récits historiques, règles juridiques, livres à caractère prophétique ou poétique se sont trouvés associés et la composition s'est enrichie jusqu'à la veille de l'ère chrétienne.
Plus bref, le Nouveau Testament date des deux premiers siècles après Jésus-Christ et les Évangiles semblent transcrire directement – la tradition les attribue à quatre des Apôtres – les récits oraux des témoins de la vie du Christ.

L'établissement du texte biblique

Au cours des âges, les autorités religieuses ont discuté pour savoir si tel ou tel livre de la Bible était ou non inspiré par Dieu : ceux qui ont été reconnus comme tels ont été inscrits au canon (du grec *kanôn* : « la règle ») et intégrés à l'Écriture sainte ; les autres, qualifiés d'apocryphes (du grec *apokruphos* : « tenu caché »), ont été exclus, même si leur intérêt historique était admis.
Les différentes confessions (judaïque, catholique, protestante) n'ayant pas les mêmes critères quant à l'inspiration divine, il existe plusieurs versions canoniques du texte biblique.
Pendant tout le Moyen Âge*, la Bible n'a été lue que sous ses formes grecque et latine. Une des premières revendications de la Réforme* fut la traduction de l'Écriture en langues vulgaires, de manière à mettre la Parole de Dieu à la portée de tous les fidèles. Luther lui-même (1483-1546) entreprit d'établir la première

version en langue allemande (1534). À son tour, l'Église* catholique accepta alors le principe des traductions (concile de Trente, 1545-1563).
Les progrès de l'érudition et de la philologie aidant, un nombre très important de traductions ont été réalisées, dans toutes les langues, faisant de la Bible, encore de nos jours, le livre le plus publié et vendu au monde. D'importantes variantes sont apparues d'une version à l'autre : ainsi, la dernière traduction en français à partir du texte hébreu, due à A. Chouraqui (1985), s'avère assez éloignée des formulations canoniques classiques entérinées par les Églises.

L'importance culturelle de la Bible

En dehors de son contenu religieux, la Bible est un ouvrage d'une importance culturelle exceptionnelle.
Au plan historique, c'est un document essentiel pour la connaissance de l'Antiquité* au Proche-Orient. De nombreux Instituts d'études bibliques poursuivent et approfondissent les recherches, régulièrement enrichies par des découvertes archéologiques : l'une des plus remarquables fut, en 1947, celle des manuscrits de la mer Morte, dans une grotte de Palestine, dont certains dataient du Ier siècle avant J.-C.
Fondement de la vie religieuse des peuples chrétiens, elle a d'autre part fourni un inépuisable répertoire de références et de modèles à la poésie, la littérature, la musique, les arts plastiques.

ENJEUX CONTEMPORAINS
Héritage culturel
La Bible rejoint l'autre grand fondement culturel de notre civilisation, la mythologie grecque, dont les thèmes se sont constamment entrecroisés depuis la Renaissance* avec ceux du récit biblique. Qui peut comprendre des expressions passées dans le langage courant (« un jugement de Salomon », « un complexe d'Œdipe* »...) s'il ignore tout de ces traditions originelles ? Qui peut discerner le sens emblématique du personnage d'Abraham chez Kierkegaard (*cf.* Absurde), mesurer la dimension prométhéenne* de Caïn ou de Job dans la pensée romantique* s'il n'a pas connaissance du texte de la Bible ?

● **À CONSULTER :** *Bible de Jérusalem*, Fides (1971). *La Bible*, La Pléiade, (1959, 1971). A. Chouraqui, *La Bible*, Desclée de Brouwer (1985). *Dictionnaire encyclopédique de la Bible*, Maredsous (1987). E.-M. Laperrousaz, *Les Manuscrits de la mer Morte*, PUF (8e éd., 1996). ● **À VOIR :** C.B. De Mille, *Les Dix Commandements*.
● **CORRÉLATS :** christianisme ; Coran ; Église catholique ; Hébreux ; judaïsme ; Réforme.

BIOÉTHIQUE

● **ÉTYM. :** Du grec *bios* (« vie ») et *êthikê* (de *êthos*, « mœurs, disposition morale ») ; traduit de l'anglais *bioethics* (Van Rensselaer Potter, 1970), le terme apparaît en français en 1982. ● **DÉF. :** On désigne par *bioéthique* l'examen des questions qui, en termes de morale*, sont posées à l'homme par les développements actuels des sciences* de la vie et de la médecine.

Une réflexion au nom de la science

La bioéthique est née d'une inquiétude : celle qui saisit l'homme de science ou le simple citoyen face aux possibilités infinies et aux pouvoirs opératoires des sciences de la nature. Certes, les « excès » qui nous effraient ont pour seule justification l'espoir d'arracher l'homme au cours des choses et aux lois naturelles qui fondent sa condition. Mais si la science peut tout, l'homme peut-il tout faire ? Tout est-il permis au nom de la science aujourd'hui souveraine et des progrès qu'elle nous promet ? Les avancées scientifiques et leur prescription doivent passer au crible de la conscience de chacun, et être mises à l'épreuve de cette question essentielle : « Quelles sont aujourd'hui les conditions d'exercice des sciences de la vie ? »
L'interrogation ou la dénonciation inquiète des hommes vis-à-vis de la science en général, et plus précisément de la médecine, n'est pas nouvelle. Hippocrate (460-377 av. J.-C.), le premier, avait fixé un code qui contrôlait l'« activité » (*tekhnê*) des médecins : ce texte énonçait des principes de respect et de droits du patient, reconnu en tant qu'être humain. Cl. Bernard (1813-1878), quant à lui, s'efforcera de déterminer les

limites d'une « pratique anatomique raisonnable » et conclura, à propos des expériences conduites sur l'homme, qu'il en est de défendues, « celles qui peuvent nuire » ; les autres, innocentes, sont permises et celles « qui peuvent faire du bien sont commandées ».

Mais notre XXe siècle est à jamais marqué par l'horreur de la « politique médicale » engagée par l'Allemagne nazie*, dans le but de « protéger le sang et l'honneur allemands » : stérilisation des « indésirables » (1933), euthanasie des « incurables » (1939), extermination des « races inférieures » dans le cadre de la « solution finale » (1942). Ces faits posent la difficile question du pouvoir et de la responsabilité de la science, ainsi que celle des hommes qui l'exercent : ce seront bien des criminels que jugeront les tribunaux de l'après-guerre. L'idéologie* qui commande leurs actes, l'eugénisme – autre nom de la haine de l'autre –, sera condamnée sans appel par le Code de Nuremberg (1947).

Les principes de la bioéthique

La bioéthique s'inscrit dans le vaste champ de l'éthique*, c'est-à-dire selon le philosophe P. Ricœur dans « tout le questionnement qui précède l'introduction de l'idée de loi morale ». La bioéthique se définit ainsi de façon dynamique, entre des principes directeurs et la liberté de chacun qui affirme un projet, un devenir, un choix encore possible. L'éthique, y compris dans le champ des sciences de la vie, est un code personnel, une manière d'être de l'homme avec lui-même et plus largement avec la nature, en conformité avec la *sophia*, à la fois « sagesse » et « connaissance ».

Mais la bioéthique n'est pas une métaphysique* : elle est, comme le rappelle J. Bernard (1994), une discipline pragmatique ; elle renvoie à « l'expression de la mesure ». Elle affirme quelques principes qui vont gouverner la mise à l'épreuve des questions et « l'exigence de juger » par soi-même des effets, des incidences ou des retombées de la science dans le champ social. Ainsi considérée, elle pourrait se définir comme un système de valeurs* et de principes souverains, auquel seraient soumis les faits et l'activité des hommes à des fins d'estimation, d'adoption ou de rejet définitifs.

Ces principes reconnus par tous, quels que soient les présupposés et les divergences religieuses ou philosophiques, sont au nombre de quatre :

– le respect absolu de la personne* humaine et de ses droits,

– l'entière responsabilité des chercheurs,

– l'irrecevabilité des données économiques,

– la prise en considération du savoir acquis et de ses prolongements.

À ce titre, la bioéthique peut être comprise comme une déontologie, c'est-à-dire un ensemble de devoirs ou d'obligations qui s'imposent dans l'exercice d'une pratique – scientifique ou médicale – touchant de près la nature humaine : ce sont alors des questions centrées sur la liberté imprescriptible de disposer de soi et, plus largement, sur la reconnaissance de la nature de l'humain, de sa dignité et de ses limites.

Les comités d'éthique

L'analyse critique, à visée éthique, des faits ou événements scientifiques n'est pas statique ; les conclusions n'en sont pas acquises une fois pour toutes. Au contraire, les problèmes soulevés par l'application des sciences biomédicales ou des technosciences devront sans cesse être soumis à l'examen des commissions de sages ou de spécialistes qui constitueront les « comités d'éthique », *ad hoc* ou permanents, locaux ou nationaux.

Ces instances de contrôle agissent à des fins « d'expertise morale » pour prévenir toute transgression irrévocable des limites ou des obligations qui prévalent dans la conscience de chacun. En jugeant, la bioéthique s'institue autour des notions de santé physique et de santé psychique : ces données s'imposent comme projet normatif, reconnu ensuite comme référence ou contrainte morale.

Les décisions sont établies en vertu d'un double argument technique et social : elles seront assujetties à l'état des travaux scientifiques du moment et au choix d'une société. Ces choix, affranchis de toute idéologie, doivent réaffirmer la primauté de l'homme singulier « perçu en tant que tel comme le miroir du genre humain en général », selon l'expression de H. Arendt (1907-1975).

Créé en France en 1983, le Comité consultatif national d'éthique pour les sciences de la vie et de la santé (CCNE) est composé de chercheurs, médecins, personnalités appartenant à divers courants philosophiques et spirituels. Ce comité ne détient aucun pouvoir contraignant ou décisionnel, politique ou administratif : sa mission est strictement consultative. D'autres États ont, sur le modèle français, institué des structures stables : Suède, Danemark, Australie, Canada, Italie, États-Unis…

Depuis sa création, le CCNE a rendu plus de cinquante avis, à propos de sujets variés : la contraception et la procréation humaine, l'embryon et le fœtus, la vieillesse et la mort, l'expérimentation sur l'être humain, les nouveaux traitements thérapeutiques, le don de cellules, tissus et organes, le sida, la prévention et la répression des atteintes sexuelles contre les mineurs...

Enjeux contemporains

Science et société

Longtemps confinée à la médecine et à l'expérimentation humaine, la bioéthique s'émancipe de ce cadre trop strict : elle s'étend au fonctionnement de la société tout entière dont elle règle les équilibres et les rapports avec la nature. Néanmoins, c'est dans le domaine de la génétique* que les réflexions théoriques et les recommandations du CCNE sont les plus attendues : celui-ci a récemment proscrit avec fermeté toute méthode (dont le clonage) tendant à la reproduction « copie conforme » d'un homme, blâmant par là même une idéologie scientiste qui « ferait porter à la science le bien de l'humanité » (J. Testart, 1997).

Sommes-nous quittes de ce qui deviendrait un cauchemar ? Dénoncées et réprouvées par les tribunaux, par les codes et les déclarations d'Helsinki (1965) ou de Tokyo (1975), les expériences sur l'homme dont les dévoiements sont toujours à craindre sont-elles, pour autant, sans lendemain ?

● **À consulter :** C. Ambroselli, *L'Éthique médicale*, PUF, « Que sais-je ? » (1988). J. Bernard, *La Bioéthique*, Flammarion, « Dominos » (1994). F. Quéré, *L'Éthique et la Vie*, Odile Jacob (1991). L. Sève, *Pour une critique de la raison bioéthique*, Odile Jacob (1994). J. Testart et J. Reich, *Pour une éthique planétaire*, Mille et une nuits (1997).

● **Corrélats :** biologie ; éthique ; génétique ; morale ; personne.

Biologie

● **Étym. :** Du grec *bios* (« vie ») et *logos* (« propos, discours, science ») ; forgé en 1800 par Burdach, repris par Treviranus en Allemagne, ce terme fut introduit en France par Lamarck en 1802.
● **Déf. :** On désigne par *biologie* la science* du vivant, science expérimentale qui recherche, analyse et définit les phénomènes présidant à la vie dans la cellule, l'individu ou l'espèce.

Les étapes de la constitution de la biologie

Vingt-trois siècles séparent Aristote* (384-322 av. J.-C.) de la découverte de l'ADN par Watson et Crick (1953), macromolécule nodale du monde vivant, dont la compréhension a ouvert des voies d'une exceptionnelle fécondité et provoqué, dans la seconde moitié de notre siècle, l'explosion des sciences appliquées au vivant et de la biotechnologie.

Cette longue histoire est tissée d'événements majeurs, de ruptures radicales et de découvertes qui s'articulent en trois périodes :

– la première, descriptive et classificatoire, dresse, depuis l'Antiquité* jusqu'au XVIIIe siècle, l'inventaire hiérarchisé des formes et des structures, par espèce, de plantes et d'animaux ;

– la deuxième période, centrée sur la seconde moitié du XIXe siècle, instaure une méthode d'analyse fonctionnelle qui permettra le développement de la physiologie, méthode expliquant les mécanismes vitaux par des lois immuables, toute distinction d'espèce abolie ;

– la troisième période enfin, née après la Seconde Guerre* mondiale, examine les propriétés des grands types de molécules (ADN, ARN, ATP, protéines), de structures infracellulaires (ribosomes, membrane), d'entités discrètes (signaux, messagers, gènes) ou de mécanismes (réplication, transcription, traduction) qui conditionnent le fonctionnement des « corps organiques » ou des cellules.

Après ce passage de l'espèce à l'individu, de la cellule aux molécules qui la composent, la biologie est devenue science générale et indistincte du vivant : elle doit son universalité à un réseau de gestes et d'opérations mentales, de figures, de procédures, de concepts ou de théories qui président à son existence même.

Gestes, procédures et théories biologiques

La biologie est consacrée en tant que science par une série de gestes capitaux ou d'opérations cognitives, élaborés et accomplis depuis Hippocrate (460-377 av. J.-C.) : isoler, regarder, observer, rassembler, classer, nommer, numérer, mesurer, couper, anatomiser, disloquer, pénétrer le milieu intérieur, rapprocher, comparer, expérimenter... Tributaire de gestes simples, mais de dispositifs expérimentaux ou de procédures complexes, assujettie aux nouveaux moyens d'investigation (le microscope est découvert au XVIIe siècle), la science de la vie s'édifie autour d'idées « claires et distinctes », de notions, de concepts et de théories qui s'entrecroisent, se déplacent, s'opposent ou s'annulent.

Trois théories décisives sont néanmoins liées en toute certitude à l'avènement de la biologie :

– la théorie cellulaire de Schleiden et Schwann (1839), complétée par Virchow (1855), qui fait de la cellule – vue et nommée dès 1665 par Hooke sans qu'il en reconnaisse la portée – l'unité minimale de structure et de fonction de tout organisme vivant ;

– la théorie de l'évolution de Darwin (1859) qui fournit un cadre théorique au transformisme biologique ;

– la théorie des germes de Pasteur (1860) qui éradique la fiction fantasque de la génération spontanée (hétérogénie ou abiogénèse) ou d'un passage spontané de l'inerte au vivant.

La biologie a dû son émancipation des dogmes et des mythes*, et son enracinement définitif dans le domaine des sciences, à l'établissement de deux principes directeurs : l'unité du vivant (à travers la notion de cellule) et la parenté des espèces (à travers la théorie de l'évolution), à quoi s'ajoute l'impossibilité d'une création *ex nihilo* des corps naturels.

Le principe du vivant

Territoire de la *phusis* (« nature ») pour Aristote, puis « théorie de la vie » pour Burdach (1776-1847), « étude de la matière vivante » pour Lamarck (1744-1829), la biologie s'est donnée pour projet initial de dresser l'inventaire des corps constituant le réel sensible, de décrire les conditions, les phénomènes et les lois qui en régissent l'existence. Mais une telle diversité a rendu difficile le surgissement de la notion cardinale et unificatrice : l'idée de *vivant* ou de *vie*. La biologie ne pourra la circonscrire qu'après s'être coupée des « sciences de l'esprit », manipulatrices des seuls concepts.

Pour Cl. Bernard (1813-1878), « la biologie est une science expérimentale et n'a pas à donner de définition *a priori* » : « il suffit que l'on s'entende sur le mot *vie* pour l'employer, mais il faut surtout que nous sachions qu'il est illusoire et chimérique, contraire à l'esprit même de la science d'en chercher une définition absolue ». Histoire naturelle, devenue « science naturelle » ou science de la nature, la biologie accède aujourd'hui à l'autonomie et gagne, par degrés, son double statut de science expérimentale et fondamentale : elle affiche désormais l'objectif – certes ambitieux – de devenir science de la vie.

Diversifiée en sciences « internes », de la biologie moléculaire (Weaver, 1938) au génie génétique et aux biotechnologies, la biologie moderne semble devoir et pouvoir tout faire. Peut-elle pour autant répondre à toutes les questions, et celle-ci en particulier : « Qu'est-ce que la vie ? » On définit les êtres vivants comme des systèmes ouverts qui échangent matière et énergie avec le milieu extérieur, et qui se dotent d'un ordre d'un degré supérieur qu'ils parviennent à maintenir indépendamment des fluctuations ou des bouleversements extérieurs (homéostasie).

La multitude d'espèces terrestres, aquatiques ou aériennes (plusieurs millions sont recensées à ce jour), rend compte d'une variété et d'une complexité sans limites. Quels traits communs rassemblent les bactéries apparues il y a 3,8 milliards d'années et les mammifères les plus évolués ? Tout les sépare : la taille, l'organisation cellulaire (procaryote ou eucaryote), le métabolisme, le mode de reproduction... Et pourtant : ils sont tous vivants. Le « principe perpétuel » qui les anime et qu'ils transmettent est-il si énigmatique ? S'inscrit-il au centre d'une question dont la réponse est imminente ?

La compréhension des processus vitaux opérant chez les êtres organisés ou au sein des systèmes cellulaires se partage entre deux interprétations. D'un côté, le recours à un néovitalisme

formalisé par Bergson (1859-1941), qui postulerait l'intervention d'une force ou d'une énergie créatrice constamment renouvelée : « La vie est une création », affirmait ainsi Cl. Bernard. De l'autre, le recours à un mécanisme biologique, version corrigée de la théorie de l'animal-machine de Descartes* (1596-1650) qu'étayent les découvertes de la biologie moléculaire : la vie procéderait strictement d'une mise en ordre et d'un déterminisme biochimique et génétique qui, à tout moment, prescrirait à l'organisme qui tend à se conserver, son fonctionnement et ses réponses, immédiates ou différées.
En fait, toute conception « théorique » de la vie, qui couperait la biologie de son sujet d'étude, semble condamnée à être incomplète ou imparfaite, et dénaturerait même le projet que cette science s'était donné. Le philosophe G. Canguilhem n'affirme-t-il pas que « la pensée du vivant doit tenir du vivant l'idée du vivant » (1965) ?

ENJEUX CONTEMPORAINS

Science et société

Les biologistes ont déchiffré, ces dernières décennies, les processus à l'œuvre dans les minuscules machines que sont les cellules et qui résultent, comme le dit F. Jacob (1996), d'un « immense bricolage cosmique » : ces découvertes, à l'origine des avancées fulgurantes de la génétique* et de la biologie moléculaire, autorisent les plus grands espoirs dans le domaine de la médecine : des perspectives inédites s'ouvrent déjà pour la prévention et le traitement des cancers ou des maladies génétiques.
Toutefois, cette maîtrise nouvellement acquise de l'homme sur la nature est propre à susciter quelque émoi et appelle à la réflexion de la bioéthique*. Ainsi, on a pu obtenir une brebis à partir d'une cellule différenciée d'un autre animal placée dans un ovocyte anucléé (1997) : si ce fait expérimental peut nous fasciner, il ne manque pas de nous effrayer. Il évoque le spectre insupportable du clonage reproductif de l'homme qui ferait de chacun de nos « semblables », par essence tous différents, une réplique exacte de nous-mêmes.

● **À CONSULTER :** H. Bergson, *L'Évolution créatrice*, PUF (1907). G. Bernier, *La Connaissance du vivant*, Quintette (1995). D. Buican, *Histoire de la biologie*, Nathan Université (1994). G. Canguilhem, *La Connaissance de la vie*, Vrin (1965). M. Foucault, *Les Mots et les Choses*, Gallimard (1966). F. Jacob, *La Logique du vivant*, Gallimard (1970). R. Pichot, *Histoire de la notion de vie*, Gallimard (1993). J. Theodorides, *Histoire de la biologie*, PUF, « Que sais-je ? » (1984).
● **CORRÉLATS :** Aristote ; bioéthique ; écologie ; génétique ; matérialisme.

BOURGEOISIE

● **ÉTYM. :** Du nom *bourgeois* (habitant du « bourg », la ville* fortifiée), qui apparaît en latin (*burgensis*) au début du XIe siècle, puis en ancien français (*burgeis*) au XIIe siècle. Le terme *bourgeoisie* apparaît dans des textes juridiques au XIIIe siècle, avec une connotation sociale. ● **DÉF. :** À la fin du Moyen Âge*, la bourgeoisie désigne la couche sociale non noble, riche de fortunes mobilières, qui est intermédiaire entre le peuple et l'aristocratie de naissance (noblesse) dont la fortune est surtout foncière.

La naissance de la bourgeoisie

Aux XIe et XIIe siècles, quand les villes s'affranchissent de la sujétion féodale et se constituent en « communes », c'est l'ensemble de la population urbaine qui forme une bourgeoisie ; mais, assez vite et spécialement dans les actives cités d'Italie, de Flandre ou de Rhénanie, la fraction la plus riche (marchands, maîtres artisans) se réserve, avec le titre de « bourgeois », l'administration de la commune, non sans conflits sociaux. Dans les villes italiennes, au XIIIe siècle, le *popolo minuto* (« les petites gens ») s'oppose, violemment souvent, au *popolo grasso* (« les riches », maîtres du pouvoir économique et politique).
Pendant les derniers siècles du Moyen Âge, le développement économique de l'Occident accroît l'importance de cette oligarchie urbaine. Les rois la favorisent d'ailleurs : située hors des structures féodales, elle est pour eux une alliée potentielle face aux prétentions de la

noblesse. Ainsi la bourgeoisie est-elle tôt appelée à jouer un rôle politique, d'autant que juristes, notaires, clercs instruits sortent généralement de ses rangs : elle fournit au pouvoir royal l'essentiel de ses conseillers et de ses agents. En Angleterre, au XIVᵉ siècle, la bourgeoisie urbaine s'allie à la petite noblesse rurale pour imposer, à côté du Parlement aristocratique (la Chambre des Lords), une assemblée représentative élue (la Chambre des Communes).

L'irrésistible progression de la bourgeoisie

Au XVIᵉ siècle, les conséquences économiques des Grandes Découvertes*, l'énorme extension du commerce font d'une bourgeoisie qui s'enrichit considérablement l'élément dynamique des sociétés européennes. Élargissant leur champ d'activité, faisant preuve d'un vif esprit d'entreprise, les bourgeoisies d'Italie, des Pays-Bas, d'Allemagne du Sud mettent en place les mécanismes du capitalisme. Ce sont des bourgeois, les Függer, banquiers d'Augsbourg, qui financent pour Charles Quint la mise en valeur des colonies espagnoles d'Amérique. À la fin du XVIᵉ siècle, l'Angleterre s'engage à son tour dans le grand commerce maritime.

En France, par le biais de la vente des « offices » royaux (les charges de fonctionnaires), la bourgeoisie enrichie achève d'investir l'État au moment où s'institue l'absolutisme*. Même si le roi les anoblit, la quasi-totalité des ministres de Louis XIV, dont Colbert, sont d'origine bourgeoise : ils apportent dans la pratique du gouvernement leurs valeurs* et leurs méthodes de gestion. Ainsi, dès le XVIIᵉ siècle, la bourgeoisie, déjà maîtresse des secteurs dynamiques de l'économie, s'assure de manière indirecte le champ de la décision politique dans le cadre de la monarchie absolue*.

Or, dans toute l'Europe de l'Ouest, cette prépondérance de fait se heurte aux archaïsmes de structures sociales héritées du Moyen Âge. La division de la société en ordres enferme la bourgeoisie, avec tous les non-nobles, dans le statut déprécié du tiers état. Partout, la noblesse, bien qu'économiquement en déclin (les revenus de la terre stagnent alors que les profits tirés du maniement de l'argent s'envolent), garde les attributs du prestige et bénéficie des privilèges de la naissance.

Face à cette conjoncture, deux issues sont possibles : ou la bourgeoisie et la noblesse se fondent en une unique classe dominante, ou la bourgeoisie obtient la destruction des règles qui instituent la noblesse en ordre privilégié.

La première option correspond à l'évolution anglaise : dans le courant du XVIIIᵉ siècle, alors qu'en Angleterre la bourgeoisie fait franchir au capitalisme une étape nouvelle en passant de l'entreprise marchande à la Révolution industrielle*, la fusion entre l'aristocratie de naissance et la grande bourgeoisie d'affaires s'amorce, par mariages ou anoblissements.

En France, en revanche, le raidissement de la noblesse, après 1760, et sa tendance à se fermer telle une caste rendent inévitable la révision des statuts sociaux. Elle est un des premiers actes de la révolution* de 1789 (nuit du 4 Août : abolition des privilèges) ; elle va faire de la bourgeoisie, passé les convulsions révolutionnaires, la grande bénéficiaire du changement induit par 1789 et institutionnalisé après 1800 par Bonaparte.

Le XIXᵉ siècle : l'âge bourgeois

La disparition des obstacles juridiques, le triomphe du libéralisme* économique, l'essor industriel et les profits en résultant créent au XIXᵉ siècle les conditions d'une hégémonie sans partage de la bourgeoisie. Dans les régimes constitutionnels représentatifs, le scrutin censitaire – qui lie l'octroi du droit de vote à l'impôt, donc à la fortune – garantit la maîtrise du pouvoir politique. Une législation appropriée et une stricte stabilité monétaire protègent la fortune bourgeoise et facilitent les investissements fructueux. Un système d'enseignement efficace et moderne, mais très sélectif (*cf.* École), assure la relève des élites exclusivement à l'intérieur de la classe dirigeante, tout en diffusant un système de valeurs que reflètent le goût dominant, les façons d'être et de penser.

L'Angleterre victorienne, la France d'après 1830 expriment l'une et l'autre cet apogée de l'âge bourgeois, marqué par une forte stratification sociale : en haut, une classe dominante, la grande bourgeoisie, absorbant peu à peu les restes de l'aristocratie de naissance ; au-dessous, les classes dominées, le prolétariat industriel et la majorité de la paysannerie. Entre les deux, une couche intermédiaire (petits patrons, petits rentiers, membres des professions libérales et intellectuelles) partage les modes de vie, de pensée et les options politiques bourgeoises, constituant ce qu'on appelle la petite et moyenne bourgeoisie. C'est ce monde que décrit Marx* (1818-1883) et on comprend qu'il ait vu dans les luttes de classes le moteur de l'Histoire*. C'est cette société, soucieuse d'épargne et du paraître, à la fois puritaine, dépravée, hypocrite et conformiste, qu'ont décrite les romanciers français du XIXe siècle, Balzac, Flaubert, Zola (*cf.* Roman). C'est elle qu'ont moquée caricaturistes et satiristes, de Daumier et de H. Monnier (inventeur de M. Prudhomme) au vaudevilliste Labiche. Pour les romantiques* et tous les contempteurs du monde industriel (Baudelaire, Rimbaud...), l'adjectif *bourgeois* est devenu synonyme de tout ce qu'ils abhorraient, au point de prendre dans la langue un sens nettement péjoratif.

L'évolution de la bourgeoisie au XXe siècle

Les bouleversements du XXe siècle : guerres* mondiales et tumultes politiques, crises* économiques et instabilité monétaire, la mobilité sociale qui les accompagne, ainsi que dans la seconde moitié du siècle, une croissance sans précédent, la hausse du niveau de vie, les progrès de l'instruction, ont profondément transformé le paysage social.

La stratification de la société, enjeu d'âpres luttes idéologiques, est devenue moins claire qu'au XIXe siècle. Certes, il existe toujours une couche dirigeante, mais il semblerait qu'elle se définisse moins par la possession du capital : il s'agirait plutôt aujourd'hui de la capacité de décider ou de peser sur les décisions. Internationalisé, tributaire des nouvelles techniques d'information, étroitement imbriqué aux choix et aux initiatives politiques, le pouvoir économique serait à présent tellement dilué qu'il semble peu crédible d'en faire l'apanage exclusif d'une catégorie sociale.

D'autre part, la démocratisation des sociétés avancées a entraîné le développement d'une vaste classe moyenne, suivi d'une uniformisation des modes de vie et des démarches culturelles. Cependant, « moyennisation » et « homogénéisation » ne sont pas synonymes de « nivellement » : si la marge des comportements de classe s'est réduite, des différences persistent. Il existe toujours, et partout, une étroite élite de la fortune : ses attitudes, ses valeurs, son style de vie sont qualifiés de « bourgeois » (et même de « grands bourgeois »), mais s'agit-il encore de la « classe des capitalistes », détentrice des instruments de production ?

ENJEUX CONTEMPORAINS

Société

Sans doute faut-il chercher ce qui fonde la stratification sociale de notre temps dans des critères comme le niveau d'accès à la culture, au monde du travail, aux sphères de décision... Ce que nous nommons « bourgeoisie » aujourd'hui est la frange la plus fortunée de la société, la « *upper class* » des Anglo-Saxons, dépouillée de sa spécificité historique et de ses particularismes culturels, dans une société de consommation où les normes bourgeoises, jadis dénoncées par mai 68*, commandent désormais le mode de vie de la majorité de la population.

● **À CONSULTER :** M. Bloch, *La Société féodale*, Albin Michel (rééd., 1989). R. Pernoud, *La Bourgeoisie*, PUF (5e éd., 1985). Ch. Morazé, *Les Bourgeois conquérants*, Armand Colin (1957). F. Ponteil, *Les Classes bourgeoises et l'avènement de la démocratie*, Albin Michel (rééd., 1989). ● **À LIRE :** Balzac, *César Birotteau* (1837). Flaubert, *L'Éducation sentimentale* (1869). Zola, *Pot-Bouille* (1881). Mauriac, *Thérèse Desqueyroux* (1927). Aragon, *Les Beaux Quartiers* (1936). ● **À VOIR :** Chabrol, *La Cérémonie ; Folies bourgeoises*. Buñuel, *Le Charme discret de la bourgeoisie*.

● **CORRÉLATS :** absolutisme ; contemporaine (Époque) ; Découvertes (Grandes) ; droite/gauche ; féodalité ; individualisme ; libéralisme ; mai 68 ; Marx ; Napoléon ; Révolution française ; Révolution industrielle ; Révolutions anglaises ; socialisme.

BYZANTIN (EMPIRE)

● **ÉTYM. :** De *Byzance*, ancien nom de Constantinople, capitale de l'Empire byzantin fondée en 330 par Constantin. Le terme *Empire byzantin* est d'origine occidentale : il n'a jamais été employé à Constantinople, où l'on disait *Empire de*

EMPIRE BYZANTIN		
330	Fondation de Constantinople	
395	**Création de l'Empire romain d'Orient**	
527-565	Règne de Justinien	*Basiliques Sainte-Sophie à Constantinople, San Vitale à Ravenne*
610-641	Règne de Héraclius (le grec devient la langue officielle de l'Empire dit « byzantin »)	
640	Les musulmans arrachent l'Égypte et la Syrie à l'Empire byzantin	
754-867	Querelle des Images	
989	Conversion des Russes au christianisme grec (orthodoxe)	
1010	Premières incursions turques en Asie Mineure	
1054	**Rupture entre les Églises d'Orient et d'Occident** (« schisme »)	*Église de Daphni près d'Athènes*
1071	Les Turcs arrachent les trois quarts de l'Asie Mineure à l'Empire byzantin	*Monastère de Néa Moni à Chios*
1204	**Prise de Constantinople par la quatrième croisade***	
1261	Restauration de l'Empire grec	
1354	Les Turcs ottomans passent en Europe	
1453	Prise de Constantinople par Mahomet II : **chute de l'Empire byzantin**	

Rome ou *Romania*, d'où les mots *Roum, roumis* dont usaient les musulmans pour désigner l'État et ses habitants. ● **DÉF. :** On désigne par *Empire byzantin* l'Empire romain* d'Orient, devenu grec à partir du VIIe siècle.

L'Empire romain d'Orient

En 395, à la mort de l'empereur Théodose, l'Empire romain avait été scindé en deux parties, l'empire d'Occident et l'empire d'Orient. Le premier, victime des Grandes Invasions* barbares, disparaît presque aussitôt, en 476. Le second va durer plus de mille ans, jusqu'en 1453.

Bien que s'affirmant jusqu'à la fin « romain », l'Empire byzantin est très vite devenu un empire grec. Au lendemain des invasions, l'empereur Justinien (527-565) avait certes tenté de reconstruire l'unité romaine en chassant les Barbares d'Occident : il avait repris l'Italie aux Goths et reconquis l'Afrique du Nord sur les Vandales. Mais, au VIIe siècle, l'apparition de l'islam* et les fulgurantes conquêtes arabes arrachaient à Constantinople la Syrie, la Palestine, l'Égypte, l'Afrique du Nord ; un siècle plus tard, l'Italie basculait dans l'empire de Charlemagne. L'Empire byzantin était définitivement réduit à ses provinces grecques : depuis longtemps déjà, on n'y parlait plus que cette langue et l'empereur était devenu le *basileus* (en grec, « roi »).

Le « césaropapisme » orthodoxe

Ayant échappé aux Grandes Invasions, l'Empire byzantin s'inscrit, sans rupture, dans la continuité de l'État romain de la basse Antiquité*. L'empereur doit sa toute-puissance au fait qu'il est le vicaire du Christ, investi sur terre de l'omnipotence divine, et tout lui est subordonné, même l'Église. Autant que des querelles de doctrine, ce principe est à l'origine du schisme (du grec *skhisma* : « séparation ») qui va dissocier l'Église d'Orient (Église orthodoxe) de l'Église d'Occident (Église* catholique). Si le patriarche de Constantinople acceptait en effet sa soumission à l'empereur, le pape de Rome s'affirmait indépendant du pouvoir civil et même, pour certains supérieur aux rois : le vicaire du Christ sur terre, c'était lui, le successeur de saint Pierre, à qui le Christ avait confié la direction de l'Église. La rupture, amorcée dès le VIIIe siècle, devint définitive en 1054.

C'est aussi parce que l'empereur byzantin cumule en sa personne l'autorité politique et religieuse (ce qu'on nomme le « césaropapisme ») que les controverses doctrinales ont eu à Constantinople un tel impact sur les affaires publiques. Ainsi, de 754 à 867, la « querelle des Images » (est-il permis ou non à un chrétien de rendre un culte à une représentation peinte ou sculptée de la Divinité ?) a gravement perturbé la vie politique, provoquant assassinats, coups d'État et usurpations.

Des relations difficiles avec l'Occident latin

Facteur d'incompréhension et d'animosité, l'intransigeance religieuse réciproque entre orthodoxes grecs et catholiques romains a été très préjudiciable à l'Empire byzantin. Elle a rendu difficile et précaire l'alliance qui semblait cependant naturelle face au péril musulman, surtout quand ce dernier, à partir du XIe siècle, a pris la forme très dangereuse, pour l'Empire, de la poussée turque. Elle a servi de prétexte quand, en 1204, les Vénitiens ont détourné au profit de leurs intérêts économiques la quatrième croisade* en direction de Constantinople, prise et pillée par les chevaliers occidentaux. L'Empire byzantin, qui avait retrouvé puissance et dynamisme aux Xe et XIe siècles, ne s'est jamais remis de ce désastre.

Du XIIIe au XVe siècle, l'histoire de Byzance est celle d'une agonie. Petit à petit, les Turcs ottomans progressent et réduisent le territoire byzantin à n'être plus que la banlieue de Constantinople. En 1453, au terme d'un siège dramatique, le sultan Mahomet II s'empare de la ville et le dernier empereur, Constantin XI, meurt les armes à la main. L'Empire ottoman musulman remplace le vieil Empire grec : il durera jusqu'en 1923.

L'apport culturel de Byzance

Le rôle majeur de l'Empire byzantin dans l'histoire se situe au plan culturel. À partir de l'héritage de la basse Antiquité, l'Empire byzantin a construit une civilisation originale, le plus important foyer de création culturelle du Moyen Âge* chrétien jusqu'à l'éveil de l'Occident, au XIIe siècle. Cherchant à traduire en termes artistiques l'idéal chrétien, il a créé l'église à coupoles, dont Sainte-Sophie de Constantinople (construite de 532 à 537) est l'archétype. Relativement austère à l'extérieur, somptueusement décorée à l'intérieur de mosaïques et de fresques, elle est une allégorie du monde et de l'homme, dont la vraie richesse doit être dans l'âme, et non dans les apparences extérieures. En Italie, à la même époque, Justinien fait édifier l'église San Vitale de Ravenne, célèbre pour ses mosaïques murales.

Pendant les siècles obscurs du haut Moyen Âge, l'art byzantin a été, pour un Occident en pleine régression culturelle, un réservoir de modèles qu'on trouve aussi bien aux racines de la Renaissance carolingienne qu'à l'origine de nombreuses créations de l'art roman*, tant en architecture qu'en peinture et en sculpture. Plus tard, c'est en s'inspirant des icônes byzantines que les artistes italiens des XIIIe et XIVe siècles ont préparé l'émergence décisive de la peinture européenne.

Enfin, dans la mesure où Byzance avait prolongé sans rupture la civilisation de l'Antiquité et sauvegardé une grande part de son héritage (*cf.* Grèce antique), c'est par son intermédiaire que les humanistes* du XVe siècle ont eu connaissance des textes originaux des auteurs grecs et romains. Quand, en 1453, les savants grecs fuyant Constantinople investie par les Turcs ont apporté en Italie les précieux manuscrits anciens, quand ils ont fait connaître les produits d'une réflexion que l'Occident avait longtemps méconnue, ils ont donné, sans s'en douter, le signal de la Renaissance*. On ne peut comprendre l'engouement des lettrés italiens du XVIe siècle pour le platonisme* sans prendre en compte la découverte de la philosophie byzantine : une solide tradition platonicienne était restée vivante à Constantinople.

● **À CONSULTER :** P. Lemerle, *Histoire de Byzance*, PUF (12e éd., 1996). L. Bréhier, *Vie et mort de Byzance*, Albin Michel (rééd., 1992) ; *La Civilisation byzantine*, Albin Michel (rééd., 1970). D. Talbot-Rice, *Art de l'Empire byzantin*, Thames & Hudson (1995).

● **CORRÉLATS :** Antiquité (basse) ; croisades ; Église catholique ; Invasions (Grandes) ; islam ; romain (Empire).

EMPIRE BYZANTIN

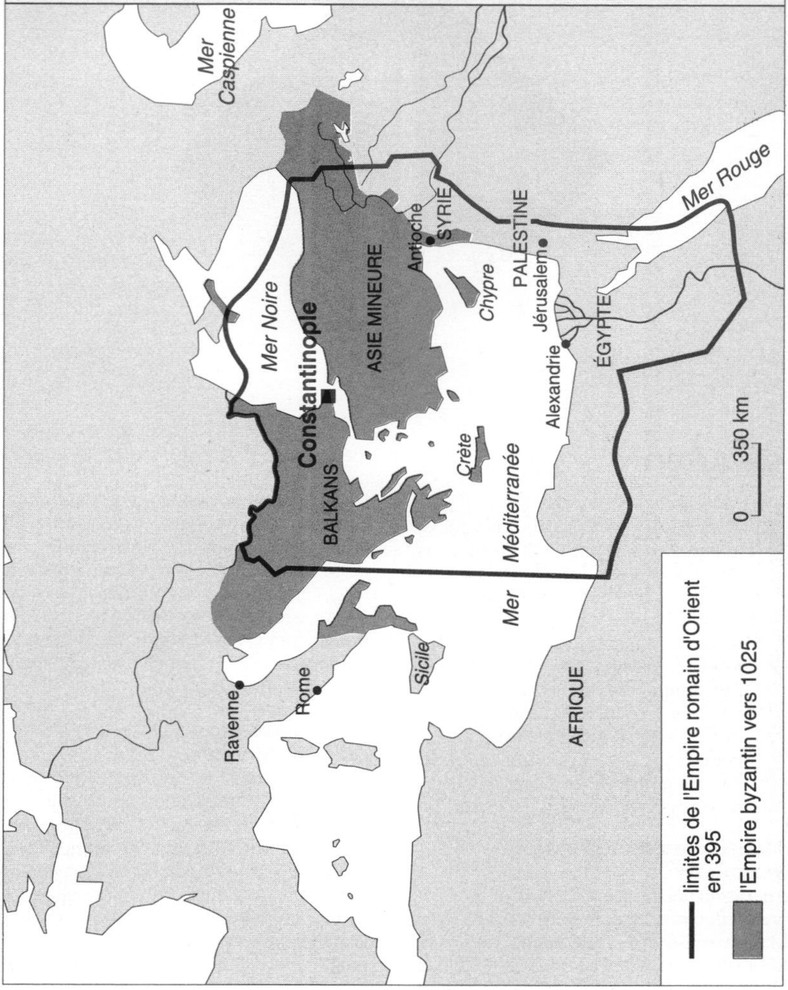
Mer Caspienne
Mer Noire
Constantinople
ASIE MINEURE
BALKANS
Antioche
SYRIE
PALESTINE
Chypre
Jérusalem
Alexandrie
ÉGYPTE
Mer Rouge
Crète
Mer Méditerranée
Sicile
Rome
Ravenne
AFRIQUE
0 350 km
limites de l'Empire romain d'Orient en 395
l'Empire byzantin vers 1025

C

CHANSON

● **ÉTYM. :** Du latin *cantio* (« chant »), le mot *chanson* apparaît en français dès le XIe siècle pour désigner la chanson de geste (*cf.* Épopée), poème lyrique ou épique qui était récité de manière rythmée et psalmodiée, parfois accompagné d'un instrument de musique. ● **DÉF. :** Souvent considérée comme un « art mineur », la chanson est pourtant un genre à la fois musical et littéraire, chargé d'histoire et porteur d'aspirations profondes de la société.

Une forme d'expression populaire

La distinction entre chanson et poésie* s'est effectuée au XIXe siècle : à l'époque du romantisme*, en Allemagne, puis dans toute l'Europe, on se tourne vers les vieux airs populaires, on les collationne pour caractériser le « folklore » (*folk*, en anglais, et *Volk*, en allemand, « peuple »). Ce retour aux sources traduit l'idée, développée par le penseur allemand Herder (1744-1803), que l'âme d'un peuple se lit dans ses productions les plus anciennes (contes*, légendes et chansons), de tradition orale et de production collective. Les romances, complaintes, airs de cour ou de ballet, chansons à boire, à manger et à danser, hymnes révolutionnaires et couplets satiriques, contribuent à l'émergence du sentiment national.

La chanson revêt en effet une fonction sociale et culturelle : les chants religieux se mêlent aux refrains profanes ; on évoque la vie quotidienne, les différents métiers, les problèmes de la société, le thème de l'amour...

L'urbanisation au XIXe siècle fait naître les cabarets, dont le célèbre « Chat-Noir » de Montmartre, animé par Aristide Bruant (1851-1925). La chanson élargit alors son mode de diffusion : au coin des rues, elle se fait couplet frondeur (Hugo ne fait-il pas chanter Gavroche ?) ou romance sentimentale, rose ou pathétique, reflétant la vie des faubourgs.

Une expression de la modernité

Les révolutions technologiques (radio, microsillon, télévision, puis disque compact...) du XXe siècle vont achever de modifier profondément le monde des chansonniers. Concurrencée également par le jazz*, la chanson traditionnelle subsiste comme vestige d'un temps révolu ; la diffusion à vaste échelle, le music-hall et la jeune TSF instaurent un système de vedettariat parmi les chanteurs, auteurs et/ou interprètes. Le public se diversifie et n'attend plus des artistes les mêmes émotions : Maurice Chevalier, consacré vedette internationale dans les années 1930, se spécialise dans une veine comique ; puis Trenet et Montand (qui interprète Prévert) renouent avec une sensibilité toute poétique ; Piaf, par sa voix et sa gestuelle émouvantes, réussit à faire vibrer les foules à l'unisson.

Après la Seconde Guerre* mondiale, des chanteurs-poètes comme Brel, Brassens, Ferré accompagnent la crise de conscience des années 1960. La chanson se montre alors volontiers anticonformiste, voire protestataire : Dylan, meneur de la « *protest song* », s'oppose à la guerre

et à la violence, aux valeurs* dominantes de la société américaine.
Au fil des courants musicaux (rock, yéyé, reggae…), la chanson s'est mondialisée : depuis les années 1980, le « village planétaire » consomme des « tubes » produits en série et diffusés sur tous les médias*. Les effets de mode vouent la chanson à la consommation immédiate ; rares sont les artistes capables de durer dans l'industrie du *« show-biz »*. Pourtant, la chanson exerce aujourd'hui une fonction identitaire forte qui permet à un groupe social de se reconnaître dans telle expression musicale. En particulier, les jeunes Occidentaux s'identifient volontiers au rap, à la techno ou au hip-hop, revendiquant chacun leurs *« hits »* et leurs radios, leurs *« looks »* et rites spécifiques.

ENJEUX CONTEMPORAINS

Culture et société
La chanson, art de l'instant et de l'échange immédiat, constitue un excellent marqueur historique et culturel. Les sociologues lisent ainsi, à travers les refrains que fredonne une époque, le reflet des mentalités : « Tout va très bien, madame la marquise », chantait la France inquiète de 1936 ; « Paris sera toujours Paris », clamait celle, heureuse, de la Libération ; Brel, dans les années 1960, assurait que « les bourgeois, c'est comme les cochons ». Aujourd'hui, Souchon en appelle à la « foule sentimentale » tandis que la jeunesse, en butte à la précarité et à la violence, vit au rythme du rap ou de la techno…

● **À CONSULTER :** L.-J. Calvet, *Chanson et société*, Payot (1981).
● **À VOIR :** A. Resnais, *On connaît la chanson* (1997).
● CORRÉLATS : jazz ; médias ; poésie.

CHRÉTIENNE (PENSÉE)

● **ÉTYM. :** Du nom *Christ*, issu du grec *khristos* (« le messie »). ● **DÉF. :** On désigne parfois par *pensée chrétienne* la communauté d'idées diffuses qui sous-tend la culture occidentale, profondément influencée depuis deux millénaires par le christianisme*, religion à vocation universelle.

Dans notre culture, l'héritage de l'Antiquité* gréco-latine est mêlé à celui des grands monothéismes* : islam*, judaïsme* et christianisme. Cette synthèse favorise l'expression des dogmes de la religion chrétienne dans le langage conceptuel de la philosophie grecque, comme cela se produit au Moyen Âge*, en particulier dans l'œuvre de Thomas d'Aquin (1228-1274). Elle incite à penser qu'il existe, outre la religion chrétienne, une pensée chrétienne, et même une philosophie chrétienne, partie prenante au débat philosophique, intégrée dans l'histoire générale de la philosophie à côté de la philosophie païenne.

L'idée d'une philosophie chrétienne

On pourrait estimer, pour de solides raisons, que l'expression « philosophie chrétienne » est dépourvue de sens. La réflexion philosophique, strictement conceptuelle, doit en effet s'appuyer sur la raison naturelle, ce qui exclut l'acte de foi en une vérité révélée. Reconnaître à la fois, comme le fait Descartes* (1596-1650), la lumière naturelle de la raison et la lumière surnaturelle de la grâce, chacune éclairant son domaine propre, c'est bien être philosophe « et » chrétien, comme on peut être physicien et chrétien : mais personne ne parle d'une « physique chrétienne ». Et affirmer, comme le fait Kant* (1724-1804), que les dogmes religieux sont des postulats qui soutiennent la conscience morale dans son effort, épurer le christianisme pour en faire une religion dans les limites de la simple raison, c'est bien être un chrétien philosophe, mais non un philosophe chrétien. Pourtant, si la Bible* ne traite jamais explicitement de tel ou tel problème philosophique, elle n'en contient pas moins, sur la nature de Dieu, du monde et de l'homme, un ensemble de thèses caractéristiques, dont les penseurs chrétiens ont toujours cherché à révéler la cohérence interne, en même temps qu'ils montraient son incompatibilité avec d'autres systèmes.
Ce qui justifie, en définitive, l'idée d'une philosophie chrétienne, c'est la possibilité d'un double rapport entre la raison et la foi. D'une part, la foi cherche dans la raison une garantie de son bon droit : c'est ce que signifie le titre de l'ouvrage de saint Anselme (1033-1109), *Fides quaerens intellectus* (« La foi à la recherche de l'intelligence »). D'autre part, la raison cherche dans la foi un guide et un secours pour toutes les

questions qu'elle ne saurait résoudre seule, d'où cette formule qu'admire tant saint Augustin (354-430) : « Si vous ne croyez pas, vous ne comprendrez pas » (*Isaïe*, VII, 9, traduction des Septante).

La création du monde

« Au commencement, Dieu créa le ciel et la terre » : dès la première ligne de la Bible, par cette affirmation d'une création divine du monde, la pensée judéo-chrétienne s'oppose fondamentalement à la philosophie grecque. Car s'il est une thèse sur laquelle s'accordent Platon*, Aristote*, Épicure* et les stoïciens*, c'est bien celle de l'éternité de la matière. Pour tous les philosophes païens, la raison impose, avec une évidence aveuglante, que rien ne peut venir de rien : la création proprement dite, en quelque domaine que ce soit, est donc strictement impossible selon eux. Lorsqu'ils admettent (comme Platon) que le monde est une œuvre divine, c'est au sens d'une fabrication, à partir d'une matière préexistante, et non d'une véritable création.

Or, le Dieu de la Bible crée librement, à partir de rien (*ex nihilo*) : ni à partir d'une matière préexistante, ni à partir de lui-même. Le monde n'est donc pas issu de la substance divine par une sorte d'engendrement nécessaire. La pensée chrétienne combat l'idée d'un caractère divin du monde, quelle que soit la forme que prend cette idée dans l'histoire : néoplatonisme, philosophies de Spinoza et de Hegel*. Elle condamne évidemment la doctrine selon laquelle le monde est incréé et autosuffisant, c'est-à-dire le matérialisme*, qui se confond pour elle avec l'athéisme.

Le premier verset de la Bible associe les idées de création et de commencement. La pensée chrétienne n'affirme donc pas seulement une relation de dépendance entre Dieu et le monde ; elle affirme que le monde est temporel, qu'il a un commencement et une fin. Irréversiblement orienté vers un terme unique, le temps n'est plus seulement, comme dans la pensée hellénique, la mesure de l'éternel recommencement du cycle cosmique. Cette conception radicalement nouvelle du temps rend possibles l'idée de progrès* et toutes les philosophies de l'Histoire*. Dieu étant l'unique créateur, des corps aussi bien que des esprits, toutes les créatures sont bonnes par nature. Contrairement à une idée largement répandue, la pensée chrétienne ne considère pas la matière, le corps, ou la sexualité comme des principes mauvais. Le mal n'est pas logé nécessairement dans la nature de l'homme, il provient de la liberté humaine.

La liberté humaine et le péché

Créé exceptionnellement à l'image et à la ressemblance de Dieu, l'homme est libre de choisir, selon le christianisme : participer à la vie divine ou s'éloigner de Dieu dans le péché. Cette liberté ne le rend pas autonome, mais lui donne la responsabilité de coopérer, s'il le veut, à l'action que Dieu exerce en lui, selon la formule de saint Paul : « De Dieu nous sommes coopérateurs » (*Première Épître aux Corinthiens*, 3, 9).

La doctrine de la libre coopération humaine doit être mise en rapport avec le dogme biblique du péché originel. Dans l'Ancien Testament, l'épisode de la chute d'Adam signifie que l'homme est responsable de son malheur, lui qui était créé pour le bonheur. C'est donc librement qu'il a, en quelque sorte, perdu sa liberté. La grâce de Dieu peut la susciter de nouveau chez celui qui croit, conformément au Nouveau Testament, en la divinité de Jésus, le Rédempteur.

La nature du lien entre grâce divine et liberté humaine est extrêmement délicate à définir. Les schismes et les hérésies qui divisent la pensée chrétienne se concentrent sur ce point. À l'un des extrêmes, on trouve la thèse de Pélage (360-422) : le pélagianisme accorde tant d'importance au libre arbitre humain qu'il finit par nier la primauté de l'action divine. À l'autre extrême, Luther (1483-1546) et Calvin (1509-1564) soutiennent que la grâce seule nous sauve, ce qui réduit à néant l'importance de notre liberté. Luther publie ainsi, en 1525, un traité *Du serf arbitre*, dans lequel il ne reconnaît à l'homme que l'alternative suivante : ou bien esclave du péché, ou bien serf de Dieu. Selon la Réforme*, le péché originel, en corrompant la nature humaine elle-même, la voue à l'impuissance. L'Église* catholique considère en revanche que la chute n'altère pas notre nature, mais modifie nos relations « surnaturelles » avec Dieu.

Ces problèmes sont au cœur de la dialectique selon laquelle Pascal (1623-1662) oppose la grandeur de l'homme avec Dieu et la misère de l'homme sans Dieu. Pour sa part, Kierkegaard (1813-1855) met l'accent sur le caractère angoissant de la liberté humaine dans son rapport intime avec le péché : l'existentialisme* reprendra ce thème sous une forme laïcisée. Ainsi la pensée chrétienne, en initiant le débat sur la valeur de l'homme, a-t-elle contribué à fonder l'humanisme* dans ses différentes formes, chrétienne ou non, de la Renaissance* jusqu'au XXe siècle.

ENJEUX CONTEMPORAINS

Constitution de la pensée occidentale

La pensée occidentale est imprégnée des thèmes du christianisme tant sur un plan historique qu'artistique : littérature, peinture, architecture et musique témoignent de ce fonds culturel commun. Les dogmes religieux qui ont nourri la réflexion philosophique n'ont pas manqué, parallèlement, de susciter des critiques, depuis les philosophes des Lumières*, puis chez Marx* et Nietzsche* au XIXe siècle, jusqu'à Freud et la psychanalyse*. Oscillant aujourd'hui entre une certaine désaffection et un retour en force, le fait religieux garde, même négativement, son caractère fondateur.

● **À CONSULTER :** Cl. Tresmontant, *Les Idées maîtresses de la métaphysique chrétienne*, Seuil (1962). P. Tillich, *Histoire de la pensée chrétienne*, Payot (1970).
● **CORRÉLATS :** Antiquité ; Aristote ; Bible ; christianisme (débuts du) ; Descartes ; Église catholique ; épicurisme ; existentialisme ; Hegel ; Histoire (philosophies de l') ; humanisme ; islam ; judaïsme ; Kant ; matérialisme ; monothéisme ; Platon ; progrès ; Réforme ; stoïcisme.

CHRISTIANISME (DÉBUTS DU)

● **ÉTYM. :** Du latin *christianus* (« disciple du Christ »), employé dès l'Antiquité* ; *christianismus* apparaît au XIIIe siècle en latin d'Église. *Christ* vient du grec *khristos*, traduction de l'hébreu *mâschiah* (« le messie », celui qui a reçu l'onction de Dieu). ● **DÉF. :** Le christianisme est un des monothéismes* qui, avec l'Antiquité* gréco-latine, a profondément influencé la pensée occidentale.

Jésus-Christ

Aux origines du christianisme, on trouve bien sûr la prédication de Jésus, inscrite dans le contexte d'une Palestine juive qui supporte mal l'annexion à l'Empire romain* : dans son ensemble, le haut clergé juif accepte l'autorité romaine, dans la mesure où la spécificité religieuse de la province est respectée. Mais le peuple y voit la domination des impies et vit dans l'attente éperdue du Messie, le Sauveur qui rendra à Israël son indépendance et sa grandeur (*cf.* Hébreux).

Pour beaucoup, Jésus est le Christ, ce Messie tant attendu et annoncé dans l'Écriture (*cf.* Bible) qui doit apporter le Salut au peuple juif. Bien que son propos, axé sur l'amour du prochain, le pardon des offenses, le détachement des richesses, ne soit pas directement subversif, il inquiète suffisamment les tenants de l'ordre public pour qu'on cherche à l'éliminer. Arrêté, hâtivement jugé et condamné par l'autorité romaine, il est crucifié à Jérusalem vers 30. Mais, déjà, ses disciples diffusent sa parole – transcrite plus tard, de 64 à 100, dans les *Évangiles* (en grec, « bonne nouvelle ») –, en particulier hors de Palestine, dans les communautés juives dispersées qu'on nomme la « diaspora ».

L'universalisation du message christique

C'est précisément de cette diffusion géographique que vient un élargissement doctrinal essentiel : Paul, juif hellénisé de Tarse (en Asie Mineure) et citoyen romain, se convertit au christianisme en 38. Il n'a pas connu Jésus mais, nourri de pensée grecque, il interprète le message chrétien dans un sens universel. Jésus-Christ, en effet, ne s'était adressé qu'au peuple juif ; saint Paul, infatigable voyageur sillonnant l'Empire romain de 45 à 60, annonce partout que la promesse du Salut concerne l'humanité entière. Il franchit ainsi le pas qui va différencier définitivement le christianisme, religion s'adressant au genre humain, du judaïsme*, resté la religion d'un peuple « élu ».

La diffusion du christianisme

La diffusion du christianisme est d'abord très lente, mais dans la mesure où la religion nouvelle insiste sur la fraternité entre les êtres humains, tous égaux devant Dieu, elle est porteuse d'une grande espérance pour les plus démunis. Elle bénéficie d'autre part de l'inquiétude spirituelle qui affecte l'Empire romain à partir du IIe siècle. La vieille religion olympienne est réduite à des pratiques desséchées. Si les lettrés trouvent des réponses dans la pensée philosophique (les Pères de l'Église, de Tertullien à saint Augustin, seront longtemps à la fois les héritiers et concurrents des néoplatoniciens ; *cf.* Pensée chrétienne), les masses populaires incultes cherchent la consolation dans des cultes venus d'Orient et qui promettent le Salut personnel : l'Isis d'Égypte, Astarté (la Déesse syrienne), Cybèle (la « Grande Mère » d'Asie), le dieu perse Mithra. Le christianisme fait partie de ces religions de Salut, mais il les dépasse par l'ampleur de son message.

Une partie de l'opinion demeure cependant très hostile. Elle reproche aux chrétiens leur intransigeance, en rupture avec la tradition de tolérance de l'hellénisme. Les chrétiens refusent de sacrifier aux dieux ; ils s'opposent au culte officiel de Rome* et de l'empereur, qui est une manifestation de loyalisme ; ils refusent le service militaire, alors que la menace barbare monte. Cette attitude explique les persécutions régulièrement ordonnées par le pouvoir impérial. Mais loin d'affaiblir le christianisme, celles-ci renforcent son prestige tant sont grandes la constance et l'abnégation des martyrs mis à mort.

Pendant l'anarchie militaire du IIIe siècle, les chrétiens s'organisent en Église*, véritable réplique de l'administration impériale avec ses circonscriptions et ses évêques, celui de Rome (le pape) apparaissant une sorte de double religieux de l'empereur. À la fin du IIIe siècle, Dioclétien, réorganisateur de l'État, tente une éradication du christianisme par une violente persécution générale : il n'y réussira pas.

La christianisation de l'Empire romain

Prenant acte de cet échec, l'un de ses successeurs, Constantin (312-337), dont la mère est chrétienne, commence par tolérer le culte chrétien (édit de Milan, 313). Allant plus loin, l'empereur voit bientôt dans le christianisme le ciment idéologique capable de renforcer l'unité affaiblie de l'Empire : il se convertit lui-même sur son lit de mort.

La plupart de ses successeurs sont chrétiens. En 391, l'empereur Théodose fait du christianisme la religion officielle de l'État et interdit les autres cultes.

● **À CONSULTER :** H. Cullmann, *Le Nouveau Testament*, PUF (7e éd., 1995). M. de Diéguez, *Jésus*, Fayard (1985). A. Michel, *Histoire des doctrines politiques à Rome*, PUF (2e éd., 1984). M. Meslin, *Le Christianisme dans l'Empire romain*, PUF (1970). ● **À VOIR :** P.P. Pasolini, *L'Évangile selon saint Matthieu*. Mordillat, Prieur, *Corpus Christi* [enquête historique et scientifique sur le procès et la mort de Jésus]. ● **CORRÉLATS :** Antiquité (basse) ; antisémitisme ; Bible ; chrétienne (pensée) ; Église catholique ; judaïsme ; monothéisme ; romain (Empire).

CINÉMA

● **ÉTYM. :** Abréviation de *cinématographe*, du grec *kinêma* (« mouvement ») et *graphein* (« écrire, décrire »), apparu en France en 1892. ● **DÉF. :** Né à la fin du XIXe siècle, le cinéma est couramment désigné depuis 1912 comme le « septième art ». Art populaire récent, le cinéma allie de multiples domaines, l'image*, le récit, le son, la dramaturgie... Comme le soulignait Louis Delluc dès 1922, « le cinéma est un art, mais c'est aussi une industrie [...], un commerce, c'est un monstre aussi difficile à étiqueter dans le rayon des arts que dans le rayon des machines ».

Du cinématographe au « septième art »

Le cinéma, étymologiquement, est « mouvement ». Grâce aux progrès technologiques, les images fixes que présentent le dessin et la photographie vont s'animer à partir de 1880. Si on retient surtout le nom d'Edison (1847-1931), le cinéma est né des travaux conjugués de plusieurs inventeurs européens et américains. D'abord considéré comme une curiosité, le cinéma deviendra progressivement un moyen d'expression à part entière.

Les frères Lumière filment, en 1895, trois sujets qui font sensation : la sortie des usines Lumière, l'arrivée d'un train en gare de La Ciotat et le célèbre *Arroseur arrosé*. En 1897, Méliès, inventeur aux dons multiples, tourne les premières scènes en lumière artificielle, crée un

studio et invente des trucages. Les producteurs Gaumont et Pathé apparaissent. En quelques années, on découvre le gros plan, la technique du montage, le travelling…
Le cinéma est né, traçant deux voies :
– la fiction, qui repose sur un scénario et des personnages sous la direction des premiers metteurs en scène (Griffith aux États-Unis, Feuillade et Linder en France),
– le reportage, qui vise à saisir la réalité sur le vif.
L'aventure cinématographique se déploie dès lors, avec d'importantes innovations technologiques (cinéma parlant dans les années 1930, puis la couleur). Inventé en Europe et aux États-Unis, le cinéma s'est progressivement étendu à l'ensemble de la planète. En un siècle à peine, le cinéma a su conquérir ses lettres de noblesse, produisant nombre de chefs-d'œuvre devenus des « classiques », renouvelant les styles avec bonheur.
Aujourd'hui, le destin du cinéma apparaît lié à celui de la télévision, qui diffuse des milliers de films dans tous les pays : cette mondialisation confère au cinéma une place primordiale dans la culture du « village planétaire ».

Cinéma et littérature

Un film est d'abord un scénario. Avant d'être des images, il est un texte : le metteur en scène part d'une histoire établie éventuellement par le scénariste et le dialoguiste, qui sera traduite sous forme d'images et de sons, préparés dans le « story board », sorte de bande dessinée* prévoyant chaque plan du film.
Les romans* et les pièces de théâtre constituent un réservoir important de scénarios potentiels. Il convient, pour passer de l'écrit au film, de procéder à une adaptation. Adapter un roman, c'est envisager comment la continuité des pages deviendra le fil des images. Ce travail passionnant et difficile de l'adaptation suppose à la fois une connaissance approfondie de l'écriture littéraire et de la pratique cinématographique. Filmer *Germinal* (Cl. Berri, 1993), par exemple, oblige à repenser l'œuvre dans la perspective du film : opérer des coupes, installer des dialogues, ménager des transitions… Il faudra être fidèle à l'esprit de l'œuvre romanesque, tout en la transformant – nécessairement – à la lettre. Les métaphores de Zola (la mine décrite comme un lieu infernal) devront être restituées dans le langage des images visuelles : le passage du livre à l'écrit est de l'ordre de la transmutation, plus que de la transposition.
Le cinéma, art populaire, a permis au grand public de rencontrer des textes littéraires : J. Huston a donné un intéressant *Moby Dick* (1956) ; J. Rivette a encouru les foudres de la censure en osant restituer le climat de *La Religieuse* (1966) de Diderot ; S. Frears a réussi la gageure de mettre à l'écran *Les Liaisons dangereuses* (1988)…
Nombreux sont les écrivains qui ont choisi de travailler pour le cinéma, voire sont devenus également cinéastes : Prévert a collaboré avec Carné (*Drôle de drame*, 1937 ; *Les Enfants du Paradis*, 1945) ; Giraudoux a adapté Balzac (*La Duchesse de Langeais*, 1942) ; Sartre a donné un scénario (*Les jeux sont faits*, 1947) ; Faulkner a été employé par Hollywood comme scénariste, participant notamment au célèbre *Grand Sommeil* (Hawks, 1946). Les « nouveaux romanciers » ont prolongé leur œuvre littéraire par une production cinématographique importante : Duras et Robbe-Grillet ont collaboré avec le cinéaste A. Resnais, la première pour *Hiroshima mon amour* (1958) et le second pour *L'Année dernière à Marienbad* (1961).

Cinéma et représentation

On a pu citer le film de S. Kubrick, *Les Sentiers de la gloire* (1957), pour illustrer la Première Guerre* mondiale. Réalisé quarante ans après ces événements par un cinéaste qui ne les a pas vécus, ce film en noir et blanc affiche cependant un réalisme* impressionnant : il donne « l'illusion du vrai », pour reprendre les mots de Maupassant. Face à une telle œuvre, le spectateur doit conserver à l'esprit qu'il est en présence d'une reconstruction du réel. Toute reconstitution historique doit conduire le spectateur à s'interroger sur la représentation que le metteur en scène et son époque se font de l'histoire recréée. On peut ainsi se demander pourquoi la vision de la guerre 14-18 par Kubrick, en 1957, est si différente de celle que propose Tavernier, en 1997, avec son *Capitaine Conan*.
De même, lorsque le cinéaste polonais A. Wajda tourne *Danton* (1982), il faut se demander quelle vision le réalisateur propose des épisodes révolutionnaires de 1789-1794, comment il campe son Danton face à Robespierre, quels sont ses choix idéologiques avoués ou non, quelle lecture, en somme, il fait de la

Révolution française. Le cinéma, à l'instar du roman, fonctionne comme un double reflet : le film donne une image – la plus vraisemblable possible – d'une époque passée, et celle d'une mentalité actuelle, le metteur en scène étant lui-même pris dans son temps, sa culture, son idéologie. Ainsi, le *Danton* de Wajda n'est pas sans lien avec la situation politique de la Pologne des années 1980, Walesa menant à Gdansk la contestation du communisme* soviétique.
Tout film, par conséquent, est révélateur d'une époque dans sa complexité, jusque dans ses ambiguïtés, et constitue en cela un instrument de travail pour l'historien des mentalités. Le western, après avoir mis en scène l'Indien barbare face à l'homme blanc civilisé, a progressivement nuancé, voire inversé, ce mythe* fondateur de la société américaine : n'est-ce pas là le signe de la mutation culturelle qui s'est opérée aux États-Unis dans les années 1960, avec le respect des minorités ?

ENJEUX CONTEMPORAINS

Art et société

Le cinéma, comme la chanson*, est un art du collectif, qui reflète et forge tout à la fois les valeurs* de notre société : les sociologues y déchiffrent des signes révélateurs d'une époque. Ainsi; la vogue des films d'horreur (*Frankenstein, Dracula*...) traduisait les angoisses liées à la crise* de 1929, puis à la Seconde Guerre* mondiale et aux progrès de la science. Le fantastique* et la science-fiction continuent de revisiter les grands mythes et leur donnent une signification contemporaine : nos modernes Frankenstein* travaillent sur le clonage et l'intelligence artificielle ; l'aventure spatiale a ouvert la voie à tous les « Aliens » possibles et imaginables.
Si, dans les années 1970, à la fin des Trente Glorieuses, l'engouement pour les films-catastrophes (*La Tour infernale, Boeing 747 en péril*...) correspondait à une certaine angoisse devant l'avenir, d'aucuns verront également, dans le succès exceptionnel du *Titanic* (1998), des peurs très « fin de siècle ». Sur un registre plus réaliste, les comédies* ou les films engagés témoignent des mêmes mutations sociales, politiques, culturelles ou idéologiques.

● **À CONSULTER :** J. Tulard, *Dictionnaire du cinéma*, Laffont, (1984). G. Sadoul, *Histoire du cinéma mondial*, Flammarion (1966). A. Bazin, *Qu'est-ce que le cinéma ?*, Cerf (1975). G. Deleuze, *Cinéma, L'Image-mouvement et l'Image-temps*, Minuit (1983). ● **À VOIR :** F. Fellini, *Huit et demi* (1963) ; F. Truffaut, *La Nuit américaine* (1973) ; W. Allen, *La Rose pourpre du Caire* (1985).
● **CORRÉLATS :** médias ; roman.

CLASSIQUE (ART)

Voir baroque (art) ; néoclassicisme.

CLASSIQUE (LITTÉRATURE)

● **ÉTYM. :** Du latin *classicus* (« de la première classe de citoyens »). ● **DÉF. :** Forgé au début du XIXe siècle, l'adjectif *classique* caractérise à la fois une période, un groupe d'auteurs et une esthétique du XVIIe siècle. Dans le contexte du romantisme* naissant, la notion de *classicisme*, valorisée par les tenants de la tradition, se charge d'une connotation péjorative sous la plume des Modernes.

L'âge d'or du classicisme

deuxième moitié du XVIIe siècle

La période « classique » au sens strict (1661-1685) correspond à la première partie du règne personnel de Louis XIV, sous lequel s'illustrent Boileau, Racine, La Fontaine et Molière.
On considère que l'idéal classique a été théorisé par Boileau dans l'*Art poétique* (1674). En réaction au baroque*, le classicisme affirme son choix pour trois principes intangibles :
– la *Raison*, qui incarne la force de la réflexion, capable d'endiguer le tumulte de l'imagination (Boileau recommande ainsi : « Aimez donc la raison : que toujours vos écrits/Empruntent d'elle seule et leur lustre et leur prix ») ;
– la *Nature*, à la fois désir de peindre la nature humaine et volonté d'user d'un style naturel, sans recherche excessive ni contorsions précieuses (« Ce que l'on conçoit bien s'énonce clairement ») ;

– la *Vérité*, qui implique un souci de vraisemblance et de finalité morale (« Rien n'est beau que le vrai »).
Le classicisme, fondé sur « l'ordre et la clarté », se donne pour objectif « de plaire et de toucher » (Racine, préface de *Bérénice*). Il s'appuie sur l'autorité des Anciens, notamment Aristote* et sa *Poétique*. Nourris de l'idée qu'il faut universaliser les aventures individuelles, les auteurs classiques visent à la perfection qui, seule, doit permettre l'admiration de la postérité.

Les remises en question du classicisme

L'esthétique classique, ainsi définie, peut sembler une doctrine clairement établie sur un corps de règles et de préceptes, et qui aurait dominé sans ambiguïté la vie culturelle de la deuxième moitié du XVIIe siècle. Il n'en est rien. D'abord, parce que des écrivains comme Racine ou Molière ne composaient pas sous la férule d'un bréviaire poétique : c'est à la lumière de leurs œuvres qu'on a pu, bien après, postuler une esthétique classique par opposition à la génération romantique. Ensuite, parce que ce courant classique coexistait avec les courants précieux, burlesque ou baroque, dits « Modernes » (par opposition au culte des « Anciens »). Enfin, ce n'est que lorsque le goût classique s'est figé en doctrine qu'il s'est appauvri et desséché, motivant alors les mots contestataires de Hugo, en réponse au célèbre « Enfin Malherbe vint... » de Boileau : « Alors, brigand, je vins... »

ENJEUX CONTEMPORAINS

Littérature
Le classicisme a marqué l'histoire de la littérature française par les chefs-d'œuvre qu'il a produits, mais aussi par les débats qu'il a suscités. Au XXe siècle, après les révoltes du romantisme* et du surréalisme*, Valéry ou Camus remettront à l'honneur le qualificatif *classique* : le sens de la rigueur et de la mesure qu'ils louaient chez les classiques se lit, quelque trois siècles plus tard, dans leur propre écriture.

● **À CONSULTER :** R. Zuber, M. Cuénin, *Littérature française, le classicisme* (tome 4), Arthaud (1990).
● **CORRÉLATS :** baroque (art) ; poésie : théâtre ; tragédie.

CLASSIQUE (MUSIQUE)

● **ÉTYM. :** Du latin *classicus* (« de la première classe de citoyens »).
● **DÉF. :** La musique dite *classique* désigne d'abord une composition savante, écrite, par opposition à une musique populaire souvent de tradition orale et, par là même, plus simple dans ses structures (*cf.* Chanson). Plus spécifiquement, le classicisme caractérise le style musical de la période 1765-1800, soit presque un siècle après l'apparition du courant classique* en art et en littérature.

Les caractéristiques de la musique classique

Succédant à la musique baroque* volontiers foisonnante et exubérante, la musique classique s'en distingue à l'oreille par une impression d'équilibre et de mesure. Cette impression provient d'une composition rythmiquement carrée, mélodiquement élégante et harmoniquement fidèle à la tonalité ; la musique romantique* amorcera la remise en cause de ces principes.
La musique classique se caractérise aussi par une certaine retenue, sensible dans le nombre limité d'instruments présents dans l'orchestre ; là encore, la symphonie romantique tendra au contraire à la démesure.
Ainsi le classicisme musical semble-t-il transposer directement les principes littéraires de l'idéal classique, définis par Boileau dans son *Art poétique* (1674).

De Haydn et Mozart jusqu'à Beethoven

deuxième moitié du XVIIIe siècle
Phénomène affectant essentiellement l'Allemagne et les États de la maison d'Autriche, l'émergence du classicisme en musique est à mettre en relation avec l'affirmation des Lumières* (*Aufklärung*) dans l'espace germanique.
Soucieux de clarté et d'équilibre, les jeunes symphonistes de l'école de Mannheim et les fils de Jean-Sébastien Bach (1685-1750) répudient les subtilités contrapuntiques et la luxuriance ornementale propre à la musique baroque*. D'autre part, le goût antiquisant qui, dans le domaine de l'architecture et des arts plastiques, conduit après 1765 à l'éclosion du néoclassicisme*, s'accompagne d'une recherche de dépouillement,

de noblesse et de cette grandeur qui imprègne l'œuvre de Gluck (1714-1787), Viennois attiré à Paris par la reine Marie-Antoinette et créateur d'opéras* (*Orphée et Eurydice*, *Iphigénie en Tauride*).
Cependant la réussite du classicisme musical naît surtout de la conjonction, durant trente années, de deux génies de la musique européenne, Haydn (1732-1809) et Mozart (1756-1791). D'une prodigieuse fécondité, créateurs d'œuvres immenses, Haydn et Mozart dominent leur temps et contribuent à fixer des genres comme la symphonie ou le concerto. Génie précoce et fulgurant, mort à trente-cinq ans, Mozart renouvelle l'opéra, produisant des chefs-d'œuvre absolus (*Don Giovanni*, *Les Noces de Figaro*, *Cosi fan tutte*, *La Flûte enchantée*...).
Mais plus que chez Haydn, la sensibilité mozartienne révèle l'ambiguïté du classicisme musical, bref moment suspendu entre deux grands courants culturels de l'histoire de l'Europe. Baignant dans l'atmosphère préromantique de l'Allemagne du mouvement *Sturm und Drang* (« tempête et élan »), la musique de Mozart est traversée de lueurs qui préfigurent le proche avènement du romantisme*, que le plus jeune des musiciens classiques allemands, Beethoven (1770-1827), va puissamment affirmer dès le tout début des années 1800.
Le classicisme musical est un moment privilégié de l'histoire de la musique occidentale où des créateurs de génie vivent un âge décisif, celui de toutes les Révolutions* qui vont fonder le monde moderne.

● **À CONSULTER :** J. et B. Massin, *W.A. Mozart*, Fayard (rééd., 1991). P. Barbaud, *Haydn*, Seuil (1980). G. Pestelli, *La Musique classique : l'époque de Mozart et de Beethoven*, Lattès (1989). ● **À ÉCOUTER :** symphonies, concertos, quatuors, sonates de Haydn et de Mozart. Les opéras de Mozart. Haydn, *La Création* (oratorio). ● **À VOIR :** M. Forman, *Amadeus* [réflexion cinématographique sur le génie mozartien]. J. Losey, *Don Giovanni* ; I. Bergman, *La Flûte enchantée* [deux opéras de Mozart remarquablement portés à l'écran].
● **CORRÉLATS :** baroque (musique) ; classique (art, littérature) ; néoclassicisme ; Révolution ; romantisme.

COLONISATION

● **ÉTYM. :** Dérivé de *colonie* (du latin *colonia*), qui désigne un établissement fondé hors des frontières, une contrée annexée par une autre puissance dans un pays lointain. ● **DÉF. :** Le terme *colonisation* désigne la constitution de colonies ; celui de *colonialisme*, l'idéologie* qui justifie cette pratique.

Une constante de l'Histoire

Les migrations de peuples et l'installation d'envahisseurs sur le territoire de vaincus sont une constante de l'Histoire* : c'est de cette manière que les populations actuelles se sont mises en place. On parle de « colonisation » lorsqu'elles ont été le fait d'États organisés poursuivant des buts politiques ou économiques.
Dès l'aube de l'Histoire, aux IIIe et IIe millénaires avant J.-C., le monde méditerranéen est le théâtre des entreprises coloniales de peuples marins, comme les Crétois ou les Phéniciens qui fondent de nombreux comptoirs (Carthage). Les cités grecques prennent le relais au cours du Ier millénaire avant J.-C., intégrant l'est et le sud de la Sicile sous le nom de « Grande Grèce* », multipliant les fondations coloniales sur le pourtour de la Mer intérieure : Marseille, Nice, Antibes ont pour origine une colonie grecque.
Les colonies antiques ne restent pas sous le contrôle de leur métropole fondatrice, même si un contact demeure. Elles deviennent des cités indépendantes ; mais, restant étrangères au milieu dans lequel elles sont implantées, elles sont, en terre barbare, des foyers de l'influence hellénique. Athènes*, cependant, jettera par deux fois les bases d'un empire*, en établissant avec ses colonies une « alliance » (ligue de Délos au Ve, puis au IVe siècle avant J.-C.) qui les place en situation de dépendance. Mais l'entreprise qui annonce les impérialismes modernes – et qui leur servira de modèle et de référence – est l'enchaînement de conquêtes menées par Rome* pendant plus de cinq siècles (du IIIe siècle avant J.-C. au IIe siècle de notre ère).
Avant d'être un concept politique, puis un véritable État universel, l'Empire romain* commence par être un système typiquement colonial : substitution de l'administration romaine

aux pouvoirs indigènes, installation de colons italiens, exploitation économique, introduction de règles juridiques et de l'usage du latin... La durée, les brassages de populations, les échanges culturels finissent par donner à cet ensemble hétéroclite une réelle unité, mais la facilité avec laquelle l'Empire se divise en deux entités au IVe siècle montre la persistance des vieux particularismes.
Comme l'esclavage*, la colonisation connaît une éclipse au Moyen Âge*, encore que les croisades* puissent être considérées comme une entreprise coloniale ; Venise et Gênes ont aussi multiplié des comptoirs fortifiés rappelant les colonies grecques ou phéniciennes de l'Antiquité*. Cependant, la colonisation massive ne réapparaît qu'avec les Grandes Découvertes* aux XVe et XVIe siècles.

La première colonisation européenne

XVIe-XVIIIe siècles

Poursuivant des objectifs de nature économique et stratégique – sous couvert d'évangélisation –, les rois d'Espagne et de Portugal, commanditaires des voyages d'exploration, passent immédiatement à l'appropriation territoriale au point de se partager le monde, sous l'arbitrage du pape, au traité de Tordesillas (1494).
Dans la première moitié du XVIe siècle, les deux couronnes constituent les premiers empires coloniaux de l'histoire moderne. Ils sont d'ailleurs de nature différente : si les Espagnols annexent d'emblée d'immenses superficies des Amériques centrale et méridionale et les administrent directement, les Portugais, moins puissants, restent fidèles à l'escale-comptoir à l'antique, jalonnant ainsi les routes maritimes vers les riches marchés d'Asie orientale.
Dans le courant du XVIIe siècle, Hollandais, Anglais, Français imitent et concurrencent les puissances ibériques. Les premiers, souvent aux dépens des Portugais, s'implantent en Indonésie, tandis que la France et l'Angleterre entreprennent la colonisation de l'Amérique du Nord.
Cette première colonisation peut être essentiellement commandée par des considérations économiques : s'assurer les zones productrices de métaux précieux (Espagne), contrôler le fructueux marché des denrées tropicales (Portugal, puis Pays-Bas). Elle peut naître de mouvements migratoires spontanés (les Puritains anglais fuyant la persécution en allant fonder le Massachusetts), de calculs plus politiques qu'économiques (l'envoi de colons français au Canada). Dans tous les cas, elle est à mettre en relation avec l'expansion maritime des Européens de l'Ouest, l'un des faits majeurs de l'histoire mondiale à partir du XVIe siècle.
Ses conséquences humaines sont dramatiques. En Amérique, les populations amérindiennes sont à la fois victimes de la brutalité des conquérants et de l'introduction involontaire, par ces derniers, de maladies infectieuses qui se révèlent dévastatrices. Pour pallier l'effondrement démographique qui les prive de main-d'œuvre indigène, les colonisateurs européens vont imaginer de déporter massivement des Noirs africains réduits en esclavage*, ajoutant un second désastre humain au premier.
La première colonisation atteint son apogée au XVIIIe siècle, contribuant à donner peu à peu aux guerres intereuropéennes une dimension planétaire, les belligérants s'affrontant dans leurs colonies, sur d'autres continents. La seconde moitié du siècle marque son brutal déclin : en 1763, les Anglais chassent les Français du Canada ; mais, une dizaine d'années plus tard, ce sont leurs colonies de peuplement, du Massachusetts à la Georgie, qui s'insurgent et arrachent leur indépendance en 1783. En 1791, une révolte massive des esclaves noirs fait perdre à la France la plus riche des « îles du sucre », Saint-Domingue. À partir de 1820, les colons espagnols d'Amérique du Sud, à l'instar des Anglais cinquante ans plus tôt, se soulèvent contre l'autorité de Madrid. Après 1830, il ne reste que des vestiges des vastes empires de jadis, mais déjà, la pénétration méthodique des intérêts anglais en Inde annonce une seconde vague colonisatrice.

La seconde colonisation européenne

XIXe-XXe siècles

En 1830, la prise d'Alger inaugure la conquête de l'Algérie par la France. Menée sans objectifs précis, elle aboutit à fonder une colonie de peuplement au milieu d'une nombreuse population de civilisation musulmane. Au même moment, l'Inde passe progressivement sous contrôle britannique et Londres en assume directement l'administration à partir de 1858. Après 1860, les entreprises coloniales européennes se multiplient en Afrique, en Asie et en Océanie. Cette seconde vague de colonisation a souvent comme motivation première la nécessité, pour les nouvelles flottes de guerre à vapeur, de posséder dans le monde entier des points d'appui et des dépôts assurés de charbon ; mais l'impératif économique s'impose rapidement, surtout après la crise de 1873 qui a fait douter des vertus du libéralisme* libre-échangiste, hostile aux établissements coloniaux.

Pour les puissances industrielles, la possession d'un empire colonial est perçue comme un moyen de s'assurer un approvisionnement en matières premières et un débouché privilégié. Servant les sentiments nationalistes*, elle renforce d'autre part le prestige international et la capacité militaire, en particulier sur mer.

En un demi-siècle, l'Angleterre, la France, la Belgique, l'Allemagne se partagent une Afrique à peine explorée. Les Français s'installent en Indochine ; la Grande-Bretagne, ajoutant aux colonies de peuplement issues de la première colonisation une seconde vague de conquêtes, crée le plus grand empire maritime de tous les temps, avec quelque 400 millions d'habitants.

En 1914, plus de la moitié des terres émergées du globe sont sous l'autorité des puissances européennes, où s'élaborent de véritables théories de l'impérialisme qui posent la colonisation comme un devoir de la race blanche, « le fardeau de l'homme blanc », écrit le romancier anglais R. Kipling (1865-1936). Cette situation a pour conséquence la rapide mondialisation des conflits européens au XXe siècle.

La décolonisation

deuxième moitié du XXe siècle

Cinquante ans plus tard, tous les grands empires maritimes sont disloqués. Retournant contre leurs conquérants leurs propres principes (le droit* des peuples à disposer d'eux-mêmes, l'idéal démocratique...), les populations colonisées ont exigé leur indépendance et ont profité de l'affaiblissement des puissances coloniales, au lendemain de la Seconde Guerre* mondiale. Elles ont par ailleurs trouvé l'appui des deux grands vainqueurs de la guerre : les États-Unis, dont l'anticolonialisme de principe masque mal une volonté de substituer leur influence hégémonique au vieil impérialisme européen, et l'Union soviétique, qui voit dans la révolte des colonisés un moyen d'affaiblir le capitalisme et de promouvoir la progression du communisme*.

Si les Anglais, pragmatiques, décolonisent avec une certaine habileté, Français, Néerlandais, Belges s'accrochent à leurs empires qui se défont. La France mène vainement deux guerres entre 1946 et 1962, en Indochine, puis en Algérie ; mais de plus en plus d'économistes et de politiques font valoir que les colonies ont toujours coûté plus cher qu'elles n'ont rapporté et qu'il est plus avantageux d'avoir, à l'instar des États-Unis, une zone d'influence plutôt qu'un empire.

En instituant une multiplicité d'États économiquement et politiquement démunis, la décolonisation crée un tiers-monde* qui demeure dépendant de fait, au-delà des indépendances formelles. En pleine guerre froide*, l'opposition Est/Ouest qui domine les relations internationales se double alors d'un clivage Nord/Sud.

Le bilan de la colonisation

L'historien doit se garder de tout manichéisme ou de jugements simplement moralisateurs face au phénomène colonial. Considérant son universalité dans l'espace et le temps, force lui est de reconnaître que la colonisation était inévitable, dès lors que les Européens, à la fin du XVe siècle, sortaient de leur aire culturelle* d'origine : imaginer le contraire relève de l'utopie*.

Sans nier les horreurs et les injustices que les conquêtes coloniales ont entraînées, il doit considérer qu'elles ont pu aussi avoir – à long terme – des effets favorables. Tout comme la brutalité de l'expansion romaine, dans l'Antiquité, avait fini par constituer un grand ensemble cohérent et positif, les empires coloniaux modernes ont pu représenter des lieux de rencontre et de fusion interculturelles d'où sont sorties des formes originales de civilisation commune : le cas de l'Amérique latine, ex-Empire espagnol, est de ce point de vue exemplaire. La vague coloniale du XIXe siècle a contribué à exporter et à universaliser des techniques, des méthodes, des idées porteuses de progrès* : c'est au nom des principes mêmes de l'Occident que les colonies se sont révoltées contre les Occidentaux.

ENJEUX CONTEMPORAINS

Relations internationales

Aujourd'hui, le système colonial n'apparaît plus tolérable. Pour autant, le rapport d'inégalité entre peuples, qui était la base même du système colonial, a-t-il disparu ? Il faudrait être naïf pour le croire. Certes, il n'y a plus de « colonies » ; mais il existe des pays riches et des pays pauvres, des puissances planétaires et des petits États qu'elles manipulent sans vergogne, des nations qui comptent et d'autres qui ne comptent pas... La décolonisation a mis fin aux formes les plus voyantes et les plus humiliantes de la dépendance, mais elle n'a pas plus fait disparaître l'inégalité entre les peuples que le triomphe de la démocratie* n'a aboli dans nos pays les différences de conditions sociales.

● **À CONSULTER :** J. Bérard, *La Colonisation grecque de l'Italie méridionale et de la Sicile*, De Boccard (2e éd., 1957). S. Moscati, *L'Expansion phénicienne*, Gallimard (1986). J. Meyer, *L'Europe et la conquête du monde (XVIe-XVIIIe siècles)*, Armand Colin (1990). F. Mauro, *L'Expansion européenne (1600-1870)*, PUF (3e éd., 1988). ● **À LIRE :** A. Memmi, *Portrait du colonisé* (1957). ● **À VOIR :** A. Joffé, *Mission*. B. Tavernier, *Coup de torchon*. A. Corneau, *Fort Saganne*.

● **CORRÉLATS :** Antiquité ; Athènes ; contemporaine (Époque) ; croisades ; Découvertes (Grandes) ; démocratie ; droits de l'homme ; empire ; esclavage ; ethnologie ; guerres mondiales ; Révolution américaine ; romain (Empire) ; Rome antique ; tiers-monde ; utopie.

COMÉDIE

● **ÉTYM. :** Du grec *kômôdia* (« chanson de fête »), lui-même issu de *komos* (« banquet ») et de *ôde* (« ode »). En latin, *comœdia* désigne « une pièce de théâtre*, en particulier comique ». ● **DÉF. :** On désigne par *comédie* une forme théâtrale destinée à provoquer le rire, et dont le dénouement est heureux.

Du théâtre au rire

Le mot *comédie*, en français, a d'abord désigné toute production théâtrale, sans distinction de genre. La Comédie-Française, créée en 1680, est ainsi le doublet sémantique de « Théâtre français », où l'on joue aussi bien Molière que Racine. Au XIXe siècle, Balzac veut présenter, avec son œuvre romanesque *La Comédie humaine* (1839), le grand théâtre des mœurs humaines.

Le nom *comédien* désigne l'« acteur » en général, et pas seulement celui qui joue des pièces drôles. Quant à l'adjectif *comique*, il signifie logiquement « qui a rapport au théâtre ». Pour Corneille, l'« illusion comique » (1636) est l'illusion théâtrale ; pour Scarron, le « roman comique » (1657) est le roman des comédiens.

C'est à partir de la fin du XVIe siècle que le mot *comédie* devient, au théâtre, un genre qui s'oppose à la tragédie* : la comédie est une pièce destinée à provoquer le rire chez les spectateurs. Mais le mot et ses dérivés vont connaître une expansion sémantique hors du champ du théâtre : à partir du XVIIe siècle, on appelle *comédien* « celui qui feint ou qui ment », retrouvant ainsi la signification du mot *hypocrite* (du grec *hupokritês*, « acteur, comédien »). Le français moderne nomme *comédie* « une situation drôle ou mensongère ». Par extension, *comique* est devenu synonyme d'*amusant*, *plaisant*, *ridicule* ou *non sérieux*.

Les caractéristiques de la comédie

La comédie se définit par rapport à la tragédie : à l'inverse de celle-ci, la comédie présente des personnages de condition moyenne ou basse, comme les bourgeois* de Molière (1622-1673) ou les petits aristocrates de Marivaux (1688-1763). Elle vise à susciter le rire chez le spectateur ; elle s'achève le plus souvent par un dénouement heureux. L'univers de la comédie est celui de la réalité quotidienne : les questions exposées sur scène sont celles du mariage, de la réussite sociale, des rapports entre les parents et les enfants... La prose convient *a priori* mieux à la comédie, par opposition aux vers qui conviennent, eux, à la tragédie.

En France, les comédies de Molière représentent le modèle du genre comique. Les personnages y sont souvent des types (le valet rusé, le mari trompé...), sans exclure une réelle profondeur psychologique. Molière a su exploiter, au sein de la veine comique, diverses influences : certaines comédies, écrites en prose et en trois actes, ne renient pas l'esprit de la farce médiévale *(Les Fourberies de Scapin).* D'autres, écrites en vers et en cinq actes *(Le Misanthrope, Les Femmes savantes),* relèvent de ce qu'on a appelé la « comédie sérieuse » : le dramaturge ne se soucie pas seulement de faire rire ou de critiquer (« châtier les mœurs en riant »), mais aussi de faire prendre conscience de questions plus graves (l'hypocrisie, les relations hommes/femmes...). Si *Tartuffe* n'avait été qu'une « pièce pour rire », aurait-elle été victime de la « cabale des dévots » ? Pour autant, la comédie sérieuse se différencie de la tragi-comédie, qui n'est pas un mélange de comique et de sérieux, mais une tragédie à péripéties et au dénouement heureux.

Historique de la comédie

La comédie antique

La comédie apparaît dans l'Antiquité* grecque et son plus célèbre représentant est Aristophane (≈ 450-386) : dans Athènes* en crise après les guerres du Péloponnèse, le dramaturge brocarde sans ménagement les démocrates, les sophistes, et même Socrate *(Les Nuées).* Humour, dérision, caricatures, la verve d'Aristophane est faite d'irrespect salutaire, et mise au service de la paix entre les hommes.

À Rome*, il faut retenir Plaute (≈ 254-184) et Térence (≈ 190-159) : le premier, avec une invention verbale constante, tourne en dérision l'ordre social *(Amphitryon).* Le second, plus soucieux d'analyses psychologiques, se rapproche de la comédie de mœurs *(L'Hécyre ou La Belle-Mère).*

Farces et soties médiévales

L'époque médiévale est riche en farces et en soties, la plus célèbre étant *La Farce de Maître Pathelin* (1464). Si la sotie a une visée moralisatrice, la farce a pour ambition de se moquer : elle est grossière, et comme l'a montré le critique* Bakhtine, elle prend le parti du réalisme et de l'expression spontanée du corps. C'est le théâtre populaire qui, par sa simplicité, touche le plus grand nombre. Jongleurs, bateleurs et bouffons déploient pour la rue la veine comique. La farce trouvera sa continuité chez Molière, puis chez des auteurs soucieux d'exploiter la brutalité du langage et des gestes (chez Feydeau aussi bien que chez Beckett et Ionesco).

La *commedia dell'arte* au XVIe siècle

Au XVIe siècle, se développe la *commedia dell'arte*, qui est une création collective fondée sur l'improvisation. Venue d'Italie, cette forme théâtrale met en scène des personnages de convention (Arlequin, Pantalon, le Capitan, le valet rusé...) qui brodent une véritable chorégraphie sur des canevas sommaires. Le spectacle vaut par le rythme et l'invention. Des auteurs écriront plus tard en référence à cette forme théâtrale (Shakespeare, Goldoni, Marivaux).

La comédie classique au XVIIe siècle

Avec le classicisme, la comédie est reconnue en tant qu'œuvre littéraire. La comédie classique* est dominée par Molière (1622-1673), même si Corneille a écrit plusieurs comédies *(Le Menteur)* et si Racine a signé *Les Plaideurs.*

Molière a su utiliser toutes les ressources de la comédie, allant de la farce à la comédie métaphysique *(Dom Juan),* en passant par la pastorale ou la comédie-ballet. Il mêle comédie d'intrigue et comédie de caractère ; il convoque la mythologie *(Amphitryon, Psyché)* ; il brode de plusieurs manières sur un même thème (les médecins, les femmes...). Car, comme l'affirme Molière lui-même, « c'est une étrange entreprise que celle de faire rire les honnêtes gens ».

À la fois acteur, auteur et directeur de troupe, Molière sait « donner à voir » : la scène est habitée par des conflits humains (famille, couple, générations, classes...) qui touchent le spectateur. Molière est un moraliste, mais pas un donneur de leçons : il a le souci du personnage et de la situation avant toute chose ; son théâtre est orienté vers le jeu, vers la représentation.

La comédie moliéresque est certes dérangeante, mais pas révolutionnaire : Tartuffe est puni par « un prince ennemi de la fraude » ; Alceste, le misanthrope, s'en va dans son « désert » ; don Juan* est vaincu et Sganarelle réclame prosaïquement ses « gages ». Dans les comédies moliéresques, les pères finissent par donner à leur fille l'époux que le bon sens et la raison – ainsi que les sentiments – exigent : une remise en ordre a lieu, même si persiste, sur ces comédies humaines, un souffle de folie (Monsieur Jourdain, Harpagon...).

Comédie et critique sociale au XVIIIe siècle

Marivaux (1688-1763) et Beaumarchais (1732-1799) ont retenu, au siècle suivant, l'expérience dramaturgique de Molière : on retrouve des situations inspirées de leur devancier, notamment le rapport maître/valet. Mais la contestation des valeurs* et des institutions est alors plus acérée : Marivaux arrache les masques des hypocrisies sociales ; Beaumarchais fait prononcer à Figaro un célèbre réquisitoire aux accents prérévolutionnaires (*Le Mariage de Figaro*, pièce plusieurs fois censurée avant sa première représentation publique en 1784).

Théâtre de boulevard et vaudeville au XIXe siècle

Le romantisme* ne cultivera pas le goût pour la comédie, à l'exception de Hugo (Préface de *Cromwell*) et de Musset (*Comédies et proverbes*).

Au XIXe siècle, le théâtre de divertissement se déploie sur les boulevards, et le vaudeville triomphe : ce mot, souvent employé péjorativement, a fini par désigner la comédie gaie, légère, et sans prétention intellectuelle. Labiche, puis Feydeau, ont connu un succès important. Après avoir subi les attaques des lettrés, ces pièces sont aujourd'hui reprises et montées comme des machines de guerre contre la bassesse bourgeoise du temps. On observe le même phénomène avec les opéras bouffes d'Offenbach (*La Vie parisienne*).

Absurde, fantaisie et humour au XXe siècle

Au XXe siècle, le théâtre comique n'a pas la faveur des créateurs. Contre un théâtre figé dans ses conventions, Breton encense l'iconoclaste *Ubu roi* (1896) de Jarry, et Vitrac écrit une des seules pièces surréalistes* – plus grinçante que comique –, *Victor ou les Enfants au pouvoir* (1928).

Les grands dramaturges n'écrivent plus de comédies, mais des pièces où se mêlent diverses tonalités. Ainsi, il y a du bouffon baroque chez Claudel, de l'esprit chez Giraudoux, de l'humour grinçant chez Anouilh, de l'irrévérence joyeuse chez Vian, de la fantaisie macabre chez Beckett, de la clownerie chez Ionesco (*cf.* Absurde). Quant aux auteurs de comédies qui perpétuent la tradition du théâtre pour rire ou sourire (Roussin, Guitry, Pagnol), ils reprennent les recettes du boulevard et attirent un public bon enfant et peu exigeant.

Parallèlement à la comédie théâtrale, chansonniers, imitateurs, amuseurs ou caricaturistes croquent, sur la scène du music-hall, les comportements du temps ou les personnalités publiques : Devos joue avec les mots aux limites de l'absurde (*Sens dessus-dessous*) ; Bedos commente l'actualité de façon corrosive ; Desproges a mis en scène ses humeurs et ses hantises ; Coluche a conquis un vaste public par son irrévérence.

Le cinéma* concurrence également la production théâtrale, en proposant de nombreuses comédies sociales.

ENJEUX CONTEMPORAINS

Littérature et société

Comédie et tragédie se répondent, car elles posent fondamentalement les mêmes questions à notre humaine condition : seule diffère l'attitude du spectateur face à ces interrogations.

Depuis Aristote* jusqu'à Bergson, le rire est perçu comme une manière de conjurer l'angoisse ; il constitue un moyen de défense et une mise à distance. La fin heureuse des comédies (*happy end*) permet de croire au nécessaire retour à l'équilibre, d'espérer en une prochaine libération, une fois passé la période de trouble ou de crise*.

Musset, grand admirateur de Molière, n'écrivait-il pas à propos du *Misanthrope* que « lorsqu'on vient d'en rire, on devrait en pleurer » ? En cela, bien des œuvres comiques, passées ou contemporaines, sont symptomatiques des mentalités de leur époque.

● **À CONSULTER :** Ch. Mauron, *Psychocritique du genre comique*, Corti (3e éd., 1985). P. Voltz, *La Comédie*, Armand Colin (1964).
● **À LIRE :** Molière, *L'Impromptu de Versailles* (1663) ; J. Giraudoux, *L'Impromptu de Paris* (1937) ; E. Ionesco, *L'Impromptu de l'Alma* (1956) [la réflexion de trois auteurs sur leur théâtre]. ● **À VOIR :** A. Mnouchkine, *Molière*.
● **CORRÉLATS :** absurde ; Athènes ; cinéma : don Juan ; drame ; romantisme ; Rome ; surréalisme ; théâtre ; tragédie.

COMMUNISME SOVIÉTIQUE

●**ÉTYM.** : Du latin *communis* (« commun » ; par extension, « gens vivant en commun »), le communisme est une doctrine postulant la substitution de la propriété collective à la propriété privée. Le mot apparaît dans les années 1840 et acquiert sa dimension historique en 1848, avec le *Manifeste du parti communiste* de Marx* et Engels. *Soviétique* vient du russe *soviet* (« conseil, assemblée »), qui désigne en particulier les comités révolutionnaires qui s'organisèrent lors des troubles de 1905 et qui réapparurent en 1917 ; les soviets sont l'expression d'une démocratie* spontanée, née de la récusation du pouvoir existant. ●**DÉF.** : On désigne par *communisme soviétique* le régime économico-politique instauré en URSS (ex-Empire russe) par la révolution d'octobre 1917, et qui a duré jusqu'à son effondrement en 1991.

Le modèle théorique du communisme soviétique

La révolution russe* d'octobre 1917 s'est donné comme objectif la réalisation de la société communiste, pensée par Marx (1818-1883) comme l'aboutissement de l'Histoire. Le philosophe allemand considérait que la révolution* prolétarienne – qui devait mettre fin à l'exploitation de l'homme par l'homme – éclaterait dans les sociétés industrielles d'Europe de l'Ouest, c'est-à-dire là où le développement industriel porterait à un point de rupture les contradictions du mode de production capitaliste. Marx pensait en effet que le plein épanouissement du communisme supposait une économie industrielle arrivée à maturité. Ainsi, le fait que cette révolution se réclamant du marxisme se soit déroulée dans une Russie à forte dominante agricole, en ce début de XXe siècle, apparaît contradictoire avec le cadre théorique du *Capital* (1867).

Le communisme soviétique s'organise réellement lorsque Staline, Secrétaire général du parti, s'assure la maîtrise du pouvoir en 1927. Au plan politique, le communisme soviétique récuse la démocratie représentative développée en Occident depuis le XVIIIe siècle : il lui oppose le principe d'un État* prolétarien, institué dans une société sans classes, où la souveraineté populaire s'exprime à la base, par l'intermédiaire des soviets, une succession de délégations aboutissant aux instances suprêmes de gouvernement. L'État soviétique – État des ouvriers et des paysans – se veut la forme la plus achevée de la démocratie. Le prolétariat y exerce le pouvoir par l'intermédiaire de son parti, le parti communiste, seule formation politique autorisée depuis 1918.

Au plan économique, le régime a aboli, depuis 1917, la propriété privée et collectivisé les instruments de production, passés aux mains des travailleurs. Mais l'État étant prolétarien, c'est celui-ci qui a été investi de la propriété et de la gestion des entreprises. L'État soviétique est donc possesseur de la terre, du sous-sol, des installations industrielles : il est l'unique entrepreneur et, à partir de 1928, il organise le développement sur la base de plans, généralement établis pour cinq ans (plans quinquennaux) par un organisme centralisé, le *Gosplan*.

Le fonctionnement de l'État soviétique

L'État soviétique est en fait un État totalitaire*. Le monopole du parti communiste réduit à des apparences le fonctionnement démocratique. Extrêmement centralisé, reposant sur la cooptation de ses membres, le parti est le maître d'un État institutionnellement tout-puissant, puisqu'il cumule pouvoir politique et pouvoir économique : les postes supérieurs dans les deux instances, parti et État, sont souvent occupés par les mêmes personnes.

De plus, le fonctionnement interne du parti n'est pas démocratique : depuis 1921, l'interdiction des tendances y a tué tout débat ; le Secrétaire général, maître du recrutement et des nominations, peut constituer à son gré une majorité favorable à sa politique dans les instances qui comptent, le Bureau politique et le Comité central. Il s'agit ainsi de la dictature d'un parti unique, où le pouvoir de décision est concentré aux mains de quelques dirigeants, eux-mêmes mis en place par un Secrétaire général en mesure de les manipuler : de fait, ce dernier détient un pouvoir absolu.

Du triomphe à la chute

De 1927 à 1953, le système stalinien donne au régime ses assises et ses succès. Il collectivise, de 1929 à 1933, les terres que les paysans s'étaient appropriées pendant la révolution. Parallèlement, il lance les plans quinquennaux qui jettent les bases d'une formidable industrie lourde. Surpris par l'agression de l'Allemagne nazie en 1941 (un pacte de non-agression avait été signé en 1939), le régime soviétique se mobilise et porte à l'armée hitlérienne des coups dont elle ne se relève pas, contribuant de manière décisive à l'écrasement final du nazisme*. Après la Seconde Guerre mondiale*, Staline bénéficie d'un réel prestige international et l'URSS acquiert un statut de grande puissance mondiale : elle se pose bientôt en redoutable rival des États-Unis en offrant aux peuples d'Europe* et surtout du tiers-monde* une alternative crédible à l'hégémonie américaine (*cf.* Guerre froide).

Mais ces succès ont une contrepartie longtemps dissimulée : le très bas niveau de vie des populations soviétiques, dont on exige un effort démesuré ; la violence des procédés (la collectivisation des terres fait des millions de morts) ; la permanence d'une terreur aveugle conduite par les « organes » du parti (police politique du NKVD, KGB...) et qui procure, par l'intermédiaire d'un réseau de camps d'internement *(goulag)*, une main-d'œuvre gratuite surexploitée. Nul n'est à l'abri : Staline s'assure certes la fidélité de la hiérarchie dirigeante du parti *(nomenklatura)* en lui accordant un statut social privilégié mais, régulièrement, des purges aussi massives qu'arbitraires la déciment, y entretenant une constante insécurité.

À la mort de Staline, en 1953, les hauts dignitaires de la nomenklatura modifient le système de manière que, tout en maintenant leur pouvoir et leurs privilèges, il soit mis fin à la terreur. En 1956, le nouveau Secrétaire général, Khrouchtchev, dénonce les « crimes » et les « erreurs » de Staline (déstalinisation), et annonce un changement. Mais ni les finalités ni l'orientation du régime ne sont mises en cause : l'objectif et les convictions demeurent les mêmes.

En fait, la lourdeur des structures, la centralisation extrême, l'irresponsabilité, le gaspillage, la falsification des résultats rendent le système ingérable, et en premier lieu au plan économique. Au cours des années 1970, seule l'énorme puissance militaire de l'URSS fait encore illusion : à la stagnation commence à succéder le déclin. S'enfermant dans un immobilisme suicidaire, la haute nomenklatura, sous la direction de Brejnev de 1964 à 1982, repousse constamment toute tentative de réforme qui mettrait en question les *a priori* doctrinaux. Quand, en 1985, elle finit par s'y résigner, le mouvement de « restructuration » *(perestroïka)* et de « transparence » *(glasnost)* entrepris par le Secrétaire Gorbatchev met à nu le délabrement et la démotivation du pays. Incapable d'opérer une mutation structurelle aussi radicale que le passage à une économie de marché, c'est de lui-même, sans intervention extérieure ni révolte des populations, que le communisme s'effondre entre 1987 et 1991.

Une déviation du socialisme et un produit de l'histoire russe ?

Deux lectures sont possibles de l'aventure du communisme soviétique, l'une par référence à l'histoire du socialisme*, l'autre en fonction de l'histoire russe.

Historiens et politologues s'accordent aujourd'hui sur la nature véritable du communisme soviétique qui, dans la réalité, n'a rien eu à voir avec les idéaux socialistes et marxistes. L'URSS, en développant une forme de capitalisme d'État, a profondément faussé l'image du communisme. S'il est commode d'attribuer cette « déviance » à l'action de Staline, on peut lui trouver une origine dès la démarche de Lénine et du bolchevisme d'avant 1914. L'idée d'un parti d'avant-garde, formé essentiellement d'intellectuels*, pensant et réalisant la Révolution au nom du prolétariat, constitue un véritable détournement de la pensée de Marx, qui n'avait cessé de répéter que « l'émancipation du prolétariat serait l'œuvre du prolétariat lui-même ». Dès 1909, Rosa Luxemburg, théoricienne de la social-démocratie allemande, critiquait les thèses de Lénine et décrivait de manière prémonitoire ce que serait un État inspiré de son projet. Entreprise aussi hasardeuse que prématurée, dans un pays dont les structures économiques et sociales ne ressemblaient en rien à celles des sociétés occidentales sur lesquelles Marx avait raisonné, la révolution d'Octobre avait fort peu de chances d'aboutir au modèle idéal qu'imaginaient Lénine et Trotski.

Ce constat renvoie alors à l'histoire du monde russe lui-même : le communisme soviétique renoue avec cette affirmation de puissance et de grandeur qui, au fil des siècles, a conduit d'impitoyables despotes à aller au bout de leur projet, sans se soucier du coût humain. Staline et – dans une certaine mesure – Lénine rejoignent là Ivan le Terrible (1530-1584) ou Pierre le Grand (1672-1725). Au XVIe siècle, la Russie s'était imaginée destinée à créer l'empire chrétien universel et avait rêvé Moscou « troisième Rome* ». Au XXe siècle, ce pays, à l'échelle d'un continent, s'est cru en état d'abord de déclencher la révolution prolétarienne annoncée par Marx, puis, celle-ci n'intervenant pas, de réaliser seul le socialisme. Dans les deux cas, clercs de l'Église orthodoxe ou révolutionnaires professionnels ont fourvoyé le pays dans une aventure sans issue, dont il est sorti brisé.

ENJEUX CONTEMPORAINS

Courants idéologiques contemporains

Les peuples de l'ex-URSS ne sont pas les seules victimes de l'aventure communiste : l'idée socialiste elle-même est atteinte car, même si le soviétisme était une falsification du marxisme, il s'en est tellement recommandé qu'on a fini par croire qu'il était vraiment l'expression concrétisée de la pensée du philosophe allemand, et cela, en dépit de tous ceux qui l'ont critiqué au nom de Marx lui-même, comme les philosophes français M. Rubel et Cl. Lefort.

● **À CONSULTER :** R. Aron, *Marxismes imaginaires*, Gallimard (1970). D. Colas, *Lénine et le léninisme*, PUF (1987). J.-J. Marie, *Staline*, PUF (1995). M. Heller, A. Nekrich, *L'Utopie au pouvoir*, Calmann-Lévy (1982). P. Malia, *La Tragédie soviétique*, Seuil (1995). S. Courtois, N. Werth, J.-L. Panné, A. Paczkowski, K. Bartosek, J.-L. Margolin, *Le Livre noir du communisme*, Robert Laffont (1997).
● **À LIRE :** A. Soljenitsyne, *Une journée d'Ivan Denissovitch* (1962). M. Kundera, *La Plaisanterie* (1967).
● **À VOIR :** S.M. Eisenstein, *La Ligne générale* (1929). Mikhalkov, *Soleil trompeur* (1994).
● **CORRÉLATS :** contemporaine (Époque) ; démocratie ; droite/gauche ; fascisme ; guerre froide ; Marx ; millénarisme ; Révolution russe ; socialisme ; totalitarisme.

CONTE

● **ÉTYM. :** Du verbe *conter*, issu du latin *computare* (« énumérer »).
● **DÉF. :** Forme de récit parmi les plus anciennes, le conte appartient d'abord à la littérature populaire de transmission orale. « Mythe* en miniature » selon Cl. Lévi-Strauss, il dépasse le monde de l'enfance en révélant des structures profondes de notre inconscient collectif.

Un genre codifié

Le conte traditionnel est un texte narratif constitué d'épisodes clairement identifiables qui développent une action explicitement située dans la fiction. L'analyse structurale des contes de fées, menée par le folkloriste russe V. Propp (1928), fait apparaître un certain nombre de constantes, comme la formule inaugurale « Il était une fois dans un pays lointain » qui place le conte dans un temps et un lieu merveilleux, hors du réel. Le merveilleux, lié au surnaturel et à l'extraordinaire, fonctionne pour qui lui accorde une crédibilité : l'enfant *croit* aux personnages des contes, sympathise avec leur destinée.
Parmi ces personnages, on peut rencontrer des êtres humains (souvent un enfant), des êtres surnaturels (fées, ogres, sorcières...), des animaux doués de parole, ou encore des objets magiques : certains auront pour fonction d'aider le héros (adjuvants), d'autres de s'y opposer (opposants).
Les aventures suivent une progression très schématique : le héros, confronté à une situation de crise (abandon, rejet, deuil...), doit traverser de multiples épreuves (affrontement des forces du bien et du mal), au terme desquelles apparaîtra le *happy end*, signalé par la formule conclusive : « Ils vécurent heureux et eurent beaucoup d'enfants. »

Tradition orale et transcription moderne

Depuis le Moyen Âge*, le conte s'est transmis oralement de génération en génération, selon un véritable cérémonial : le conteur en Europe, comme le griot en Afrique, brode sur un canevas préétabli, lui imprime son propre style, choisit son rythme et sa tonalité.
Quand Perrault, entre 1694 et 1697, recense et rédige – parfois en vers – des « contes de bonne femme », il fixe en une écriture toutes les variantes de la

tradition orale. Au début du XIXe siècle, les frères Grimm, en Allemagne, collectent le « trésor » des contes, rejoignant la démarche du folkloriste et philosophe Herder qui cherche, dans ces productions populaires que sont les contes et les chansons*, les origines profondes de l'âme et de la culture allemandes *(Volksgeist)*. De même, dans la seconde moitié du XIXe siècle, Andersen publie les contes danois qu'il a entendus enfant, et en invente de nouveaux.

L'interprétation des contes

Un conte présente le récit d'une initiation : le personnage principal subit des épreuves qualifiantes, qui fonctionnent comme autant d'apprentissages de la vie. Le dénouement heureux atteste le retour à l'ordre et à l'harmonie, après la crise initiale, les péripéties et les obstacles rencontrés. Il est significatif que le mariage final ne soit pas décrit, pas plus que la vie conjugale de Blanche-Neige avec son Prince charmant : le conte ne retient que les éléments constitutifs du passage initiatique, de cette transformation entre la crise et sa résolution. On peut ainsi lire le conte comme une aventure exemplaire, destinée à enseigner, symboliquement, l'existence humaine à ses jeunes auditeurs.

Les éléments constitutifs du monde réel sont présents dans le conte d'une manière simple, aisée à repérer : la famille (père, mère, marâtre), la maison (château, humble chaumière), le « vaste monde ». Les enjeux de l'histoire sont le deuil, la séparation, le mariage, la réussite ; les ressorts sont l'aventure, la destinée, liées à la chance, au sort et à la fortune. Les vertus triomphent (beauté, loyauté, sincérité, vérité), quelquefois associées à l'habileté.

Les contes sont aussi tissés de symboles : ainsi la forêt, dans laquelle erre le héros, représente le monde du danger, d'où il faudra sortir soit par la ruse, soit par l'intermédiaire d'une puissance amie, pour retrouver le monde de la lumière et de la paix. Ces symboles correspondent à des référents culturels : ainsi, le loup en Europe sera remplacé, sous d'autres latitudes, par l'ours ou le tigre. Dans les *Mille et Une Nuits*, recueil de contes arabes traduits par Galland entre 1704 et 1712, les personnages, les lieux et les objets (comme le célèbre tapis volant) renvoient à l'univers culturel de l'islam* du Xe siècle.

La psychanalyse* a exploré à l'envi la matière des contes : l'ouvrage de Bettelheim, *Psychanalyse des contes de fées* (1976), éclaire – parfois sommairement – les significations des contes. Dans la tradition jungienne, M.-L. von Franz affirme que l'enfant structure sa personnalité par l'intermédiaire du conte : le conte permet l'intégration dans le monde des adultes, en tant qu'il instaure les « archétypes fondamentaux » de l'inconscient collectif.

Historique du conte dans la littérature

Outre le conte oral, populaire et anonyme, de nombreux écrivains ont utilisé la forme du conte pour signer des créations originales et variées qui ont marqué l'histoire de la littérature.

■ Le conte de l'Antiquité au XVIIe siècle

L'Âne d'or ou Les Métamorphoses (IIe siècle après J.-C.) de l'écrivain latin Apulée est à lire comme un roman initiatique. Au Moyen Âge, les contes cultivent la dimension réaliste ou satirique, comme *Le Décaméron* (1350-1354) de l'Italien Boccace ou les *Contes de Canterbury* de l'Anglais Chaucer (1340-1400).
Libre de propos, notamment en matière de sexualité, le conte est très apprécié à la Renaissance*, avec l'*Heptaméron* (1559) de Marguerite de Navarre, puis à l'époque classique*, avec les *Contes* (1665) de La Fontaine, que l'institution scolaire, à cause de leur hardiesse, a négligés au profit des *Fables*.

■ Le conte philosophique au XVIIIe siècle

Le conte philosophique, dominé par Voltaire avec *Zadig* (1747) ou *Candide* (1759), est révélateur de l'esprit du XVIIIe siècle : il s'agit, en conservant certains éléments constitutifs du conte, de présenter une thèse philosophique. Ainsi, *Zadig* pose la question de « la Destinée » et *Candide* celle de « l'Optimisme », comme l'indique le titre complet.
Le conte permet la fantaisie, l'écriture satirique et ironique : au lecteur de tirer la leçon, guidé par le conteur-philosophe, des aventures du héros éponyme. Le périple de Candide – jeune homme naïf qui va découvrir le vaste monde – s'ouvre par les mots « Il y avait une fois » et se clôt par une leçon de sagesse « Il faut cultiver notre jardin ».
Ni loup ni sorcière ne croiseront son chemin, mais il sera confronté aux

grands problèmes de l'humanité (la guerre, l'esclavage*, le fanatisme religieux...).

Conte fantastique et conte réaliste au XIXe siècle

Au XIXe siècle, domine le conte fantastique*, surtout représenté en Allemagne avec Hoffmann. Les Américains Poe et Hawthorne, le Russe Gogol, les Français Nodier, Gautier et Mérimée *(La Vénus d'Ille*, 1837) mêlent de manière inquiétante le réel et l'imaginaire : leurs contes jouent sur l'étrange et l'onirisme. Maupassant, dans *Le Horla* (1887), met en scène la folie et le surnaturel. *Alice au pays des merveilles* (1865) de l'Anglais L. Carroll mêle l'imaginaire enfantin à la fantaisie et à l'absurde.

Parallèlement, Flaubert (*Un cœur simple*, 1877) développe le conte réaliste*, récit initiatique qui décrit la réalité sans éléments merveilleux. Son disciple, Maupassant, compose de nombreux recueils, dont les *Contes de la bécasse* (1883).

Le conte au XXe siècle

Au XXe siècle, la forme du conte continue d'attirer les écrivains, tels J. Barrie (créateur de Peter Pan en 1904), R. Kipling, M. Aymé, I. Calvino, D. Buzzati et A. de Saint-Exupéry (qui remporte un succès considérable avec *Le Petit Prince*, 1943). L'écrivain argentin Borges place son œuvre sous le signe du labyrinthe : ses *Fictions* (1944) sont à la fois une variation et une méditation sur le conte.

Des romanciers se tournent vers la littérature pour enfants, comme M. Tournier (*Vendredi ou la Vie sauvage*, 1977). Les contes d'autrefois, publiés en collections de poche, sont aussi modifiés, actualisés, et souvent parodiés, notamment par Richard F'Murr *(Génie des Alpages)* ou Gotlib *(Rubriques à brac)*.

De plus en plus, les frontières entre conte, nouvelle et roman* tendent à s'estomper, à l'instar de la trilogie de Tolkien, *Le Seigneur des anneaux* (1956) : cette saga, quête héroïque et merveilleuse, est marquée à la fois par l'épopée* et les mythes* propres à la tradition anglo-saxonne de l'*Heroic Fantasy*, qui propose une vision du monde manichéenne. Les récits foisonnants de S. Germain mêlent réalisme et merveilleux *(Le Livre des nuits*, 1985).

ENJEUX CONTEMPORAINS

Littérature

L'univers du conte demeure présent dans notre monde moderne, imprégnant la presse, la publicité et d'autres arts populaires comme la bande dessinée* (cycle de *Thorgal*) et le cinéma* : alors que Tex Avery avait repris, avec verve, certains personnages des contes de Perrault, les studios Disney les ont transposés – en les édulcorant – en dessins animés à succès et en parcs d'attraction. À l'heure du divertissement de masse, le vieux folklore européen trouve un prolongement inattendu, parfois décrié, dans ces productions à l'américaine, sans que la filiation d'une culture à l'autre soit toujours connue.

● **À CONSULTER :** V. Propp, *Morphologie du conte*, Le Seuil (1970). B. Bettelheim, *Psychanalyse des contes de fées*, Laffont (1976). M.-L. von Franz, *L'Interprétation des contes de fées*, Dervy-Livres (3e éd., 1987). G. Jean, *Le Pouvoir des contes*, Casterman (1981). M. Soriano, *Les Contes de Perrault*, Gallimard (1968). ● **À LIRE :** J.L. Borges, *Fictions* (1944). ● **À VOIR :** J. Cocteau, *La Belle et la Bête* [la vision d'un poète]. P.P. Pasolini, *Le Décaméron, Les Mille et Une Nuits, Les Contes de Canterbury*. ● **CORRÉLATS :** bande dessinée ; cinéma ; épopée ; fantastique ; psychanalyse ; roman ; romantisme.

CONTEMPORAINE (ÉPOQUE)

● **ÉTYM. :** Du latin *contemporaneus* (« du même temps »). ● **DÉF. :** L'expression *Époque contemporaine* désigne, par convention, la période allant de la Révolution française* à nos jours.

L'ère des Révolutions

L'Époque contemporaine est un concept commode et conventionnel pour désigner les deux siècles qui aboutissent au temps présent, mais y a-t-il vraiment césure dans la continuité avec la période historique des Temps modernes* ?

La Révolution française de 1789, qui en marque le début, est certes un événement capital ; mais dans la mesure où elle est d'abord l'expression politique de la conscience moderne et, en cela, l'aboutissement d'un mouvement de l'Histoire commencé au XVIIe, sinon au XVIe siècle, il n'est pas possible d'y voir une coupure comparable à ce que furent la chute de l'Empire romain* ou même l'irruption de la Renaissance*.

En fait, 1789, préparé par les Révolutions* anglaises (1688) et américaine (1774), annonce « l'ère des Révolutions », c'est-à-dire des changements rapides imposant une constante mise à jour des modèles culturels.

Au plan politique, la Révolution française récuse la monarchie absolue* de droit divin, autrement dit la légitimation du pouvoir par la religion. Elle lui substitue le principe de la souveraineté populaire, qui implique à terme la démocratie*. Certes, celle-ci n'est pas immédiatement réalisée ; mais le suffrage universel se généralisant dans la seconde moitié du XIXe siècle, il conduit à installer progressivement la démocratie dans toute l'aire culturelle* occidentale, que ce soit sous la forme de la république* ou sous celle de la monarchie constitutionnelle.

D'autres révolutions, tout aussi importantes, s'amorcent dès la fin du XVIIIe siècle. Il s'agit d'abord de la Révolution industrielle* et technique, marquée par l'avènement du machinisme et de la production industrielle de masse. Là aussi, la continuité est évidente : la Révolution industrielle est un produit du progrès* scientifique qu'induit le rationalisme expérimental, à l'œuvre depuis le XVIIe siècle. Elle est aussi une conséquence du système économique qui s'est progressivement et spontanément mis en place depuis la Renaissance* : le capitalisme et la logique de croissance qu'il implique. Même si elle génère, dès le début du XIXe siècle, de graves problèmes sociaux (ruine des formes traditionnelles de production, misère ouvrière), la Révolution industrielle apporte à terme la promesse d'une extraordinaire amélioration des conditions de vie, soutenue par la poursuite du progrès scientifique, en particulier médical.

La fin du XVIIIe siècle voit aussi s'annoncer une révolution au plan culturel, littéraire et esthétique : le triomphe de l'individualisme* et du romantisme*, dans la première moitié du XIXe siècle, puis l'épuisement des modèles artistiques venus de la Renaissance préparent l'effervescence intellectuelle qui marque les dernières décennies du XIXe siècle et d'où surgissent des formes d'expression radicalement nouvelles (*cf.* Art moderne).

Le développement, au XIXe siècle, de nombreuses philosophies de l'Histoire* est le signe d'une prise de conscience de l'importance de ces mutations. Elles sont pourtant interprétées de façon diverse : pour Tocqueville (1805-1859), c'est la marche irrésistible de la démocratie qui, en égalisant les conditions et en supprimant les ordres, favorise la domination politique et économique de la bourgeoisie* et la promotion de ses valeurs*. Pour Comte (1798-1857) et le positivisme*, le progrès du rationalisme scientifique bouleverse les critères de stratification sociale : à la domination d'une caste politico-militaire succède la méritocratie des industriels et des savants. Pour Marx* (1818-1883), il faut donner la priorité aux mutations économiques qui déterminent à la fois les modes de production et d'échange, les rapports entre les classes, l'idéologie*, les formes de gouvernement, engageant ainsi l'histoire humaine vers la révolution* prolétarienne.

Un changement de civilisation ?

En fait, en deux siècles, tout change, et de plus en plus vite, au point qu'on parle d'« accélération de l'Histoire ». L'extraordinaire essor de l'Occident s'accompagne d'un élargissement constant de son influence culturelle. Que ce soit sous la forme brutale de la colonisation*, ou par le biais d'une adoption, par des peuples non-européens, des techniques, des modèles politiques ou économiques, des modes de vie de l'Occident, la diffusion de la civilisation occidentale s'opère à l'échelle du monde.

Cela ne va pas sans contrepartie : il y a échange de modèles culturels. On le perçoit dans l'art dès les années 1870. Après le Japon et la Chine, les artistes européens découvrent l'Afrique, l'Océanie et leurs arts dits « primitifs » : ils en tirent les éléments d'un renouvellement.

L'accélération du progrès technique, la mondialisation, la multiplicité des remises en cause, dès la fin du XIXe siècle, sont autant de signes annonciateurs d'un changement de civilisation.

Sans doute est-il le fait du XXe siècle.

◆ Contemporaine (Époque)

ÉPOQUE CONTEMPORAINE			
	Histoire	***Philosophie, sciences***	***Littérature, arts***
1789	**Révolution française*** *(Déclaration des droits de l'homme* et du citoyen)*	• Kant* • *Machine à vapeur* (Watt)	Apogée de la musique classique* (Mozart, Haydn)
1792	**Ire République*** en France. Terreur et guerres européennes	Condorcet	Rouget de Lisle, *La Marseillaise*
1799	Coup d'État du 18 brumaire par Bonaparte	*Pile électrique* (Volta)	Romantisme* allemand et anglais
1804-1814	**Premier Empire** en France (Napoléon*)	• Say, Hegel* • Lamarck	Musique romantique* (Beethoven)
1815	Cent-Jours et défaite de Napoléon à Waterloo : congrès de Vienne		Chateaubriand
1815-1830	**Restauration** en France	*Photographie* (Niepce)	Romantisme* français. Grimm, *Contes**
1830	Révolution des « Trois Glorieuses ». **Monarchie de Juillet** (Louis-Philippe)	• Comte, Tocqueville. • *Chemin de fer* (Stephenson)	Hugo, *Hernani*
1840	Développement de la Révolution industrielle*	Proudhon	Âge d'or du roman* (Balzac, Stendhal)
1848	• **IIe République** en France (Louis Napoléon Bonaparte). • Insurrections révolutionnaires en Europe	Marx*, *Manifeste du parti communiste*	
1852-1870	**Second Empire** en France (Napoléon III)	Darwin, Mendel, Cl. Bernard	• Réalisme* (Flaubert) • Apogée de l'opéra*
1861	• Abolition du servage en Russie • Guerre de Sécession aux États-Unis	*Métallurgie, moteur à explosion, électricité*	Baudelaire
1864	Première Internationale		Verne
1870	Guerre franco-prussienne. **IIIe République** en France	Nietzsche*	
1871	Insurrection de la Commune à Paris	*Dynamo*	Rimbaud
1876	La reine Victoria, proclamée impératrice des Indes	*Téléphone*	Apogée de l'impressionnisme
1880	Loi Ferry sur l'école*		Maupassant, Zola
1884	Loi Waldeck-Rousseau sur les associations ouvrières (syndicalisme*)	*Vaccination contre la rage* (Pasteur)	
1889	Exposition universelle à Paris	*Tour Eiffel*	Symbolisme
1892-1894	Attentats anarchistes*	*Automobile à essence, cinéma**	
1898	Affaire Dreyfus	*Transmissions radioélectriques, radioactivité*	Art nouveau*
1905	Agitation révolutionnaire en Russie	• Freud • Curie, Einstein • *Avion à moteur*	Expressionnisme*, cubisme*

1914-1918	**Première Guerre mondiale***		• Art abstrait* • Début du jazz*
1917	Révolution russe* : instauration du communisme soviétique*		Proust
1922	Mussolini au pouvoir en Italie		Futurisme*, surréalisme*
1929	Krach boursier à Wall Street		
1933	Hitler au pouvoir en Allemagne	• Heidegger* • Mécanique quantique *Radio*	Céline
1936	• Début de la guerre civile d'Espagne • Front populaire en France	École de Francfort*	Aragon, Malraux
1939-1945	**Seconde Guerre mondiale***		Camus, Éluard
1942		*Réacteur nucléaire**	
1945	• Bombe A sur Hiroshima • Création de l'ONU	Existentialisme*	Sartre
1946	• Guerre froide* • Début de la décolonisation	*Datation au carbone 14*	Prévert
1948	Proclamation de l'État d'Israël	• Structuralisme* • *Disque microsillon*	
1953	Mort de Staline	*Découverte de l'ADN. Télévision, ordinateurs*	Théâtre de l'absurde*
1957	Traités de Rome		Nouveau roman*
1958	Ve **République** en France	*Circuits intégrés*	Pop art*
1961		*Gagarine en orbite*	
1962	Crise des « fusées » (début de la détente)	*Robot industriel*	
1968	• Agitation étudiante (mai 68*) • Printemps de Prague		Art conceptuel, art minimal
1969		*Armstrong sur la Lune*	
1973-1979	Chocs pétroliers : crise* économique mondiale	*Micro-ordinateur, carte à puce*	Postmodernisme*
1978		*Bébé-éprouvette*	Perec
1981-1984		*Virus du sida*	
1985	Gorbatchev au pouvoir en URSS *(perestroïka)*		
1989	• Chute du mur de Berlin • Répression de la révolte étudiante en Chine		
1991	• Effondrement du communisme soviétique* • Guerre du Golfe		
1992	• Traité de Maastricht • Sommet de la Terre à Rio		
1993		*Comité international de bioéthique**	
1995		*Internet*	
1998	Première étape vers l'unité monétaire en Europe*		

La première moitié est effroyable : elle voit éclater deux guerres mondiales* successives (1914-1918, puis 1939-1945), les conflits les plus meurtriers de l'Histoire, où le progrès scientifique et technique débouche sur la conception d'armes de destruction massive, la plus terrifiante étant, en 1945, la bombe atomique. Elle voit des utopies* radicales et totalitaires soulever les foules, accéder au pouvoir, aller – au prix de millions de morts – jusqu'au bout de leur logique absurde. À partir de 1917, la tentative de mise en place d'une société communiste* en Russie soviétique – ultime avatar de l'idée de révolution – tourne au totalitarisme* avant de sombrer dans le marasme et de s'effondrer d'elle-même en 1991.
Le centre de gravité de l'Occident glisse d'une Europe dévastée par la guerre, dont les empires coloniaux se disloquent, vers l'Amérique du Nord. Après 1950 et malgré la dangereuse confrontation qui oppose l'Occident capitaliste à l'URSS (*cf.* Guerre froide), l'Europe* se relève et, tout en prenant acte de la suprématie américaine, elle entreprend de s'unifier économiquement. En trois décennies (les « Trente Glorieuses »), le niveau de vie global des peuples d'Occident devient le plus élevé de l'histoire humaine, et ceci encore aujourd'hui, même si depuis le milieu des années 1970 une crise* économique et sociale durable sévit à l'échelle mondiale.

ENJEUX CONTEMPORAINS

Histoire

Est-ce à dire qu'on va vers la « fin de l'Histoire » ? Des philosophes comme l'Américain F. Fukuyama (1992) voient dans la démocratie libérale, fondée sur la reconnaissance universelle des droits de l'homme*, une forme indépassable de gouvernement humain. L'histoire politique de l'humanité serait ainsi achevée, non au sens où il ne se passerait plus rien, mais au sens où l'humanité libre ne peut se donner de but plus élevé que sa propre liberté.
Cependant, nombreux restent les problèmes qui rendent l'avenir très incertain : le chômage et les inégalités dans les sociétés développées, la paupérisation du tiers-monde*, la montée en puissance de la Chine et des pays d'Asie, la résurgence des fanatismes religieux, les inquiétudes liées à l'écologie* et la bioéthique*... Certains voient dans ces faits de société les signes d'un changement radical et profond : au regard des innovations technologiques incessantes et de leur rapidité extrême, notre civilisation, à travers la révolution informatique, s'ouvrirait à une nouvelle ère, celle de la communication et des services. Il se peut que cette mutation en cours soit quelque chose d'aussi total et bouleversant que le fut, il y a quinze siècles, le passage de l'Antiquité* au Moyen Âge* : mais sans doute manquons-nous de recul pour en prendre la mesure.

CONTRAT SOCIAL

● **ÉTYM. :** Du latin juridique *contractus* (« contrat », « pacte », « convention »), issu de *contrahere* (« resserrer »). ● **DÉF. :** Selon notre *Code civil* (1804), un contrat est une convention par laquelle une ou plusieurs personnes « s'obligent, envers une ou plusieurs autres, à donner, à faire ou à ne pas faire quelque chose ». Les juristes parlent ainsi de contrat de mariage et de contrat de travail, de contrats collectifs ou administratifs. C'est par une transposition analogique que les philosophes forment la notion de contrat social, voulant désigner soit une convention entre les gouvernants et les gouvernés, soit un pacte entre tous les membres d'une société*.

La notion de contrat social dans la pensée grecque

Il s'agit d'une idée très ancienne, que l'on peut faire remonter aux sophistes* grecs des Vᵉ et IVᵉ siècles avant J.-C., et notamment à deux d'entre eux. Le premier, Lycophron, aurait assimilé, aux dires d'Aristote* (384-322), la communauté politique à une simple alliance entre citoyens, comparable aux alliances que passent entre elles des communautés étrangères, et aurait défini la loi comme un contrat mutuel : une société n'est donc pas, selon lui, un être véritable, mais une construction artificielle, une association d'individus. Du second, Antiphon, on a conservé un important fragment, dans lequel, ayant posé la distinction fondamentale entre ce qui vient de la nature *(phusis)* et ce qui vient d'une convention *(nomos)*, il définit les membres d'une société comme « contractants du pacte social » *(synthêkê)*. Le fait qu'Aristote mentionne ces idées pour les critiquer vigoureusement est révélateur. En effet, la thèse centrale de la politique d'Aristote est que toute cité est naturelle, l'homme étant par nature un « animal politique ». Au contraire, l'antinaturalisme est une dimension essentielle de la théorie du contrat social : dans l'idée de contrat, l'artifice, la construction volontaire et le calcul sont d'abord mis en valeur.

L'idée de contrat, toutefois, ne se limite pas à cela : elle contient également l'obligation morale de tenir ses engagements, d'être fidèle à la parole donnée. Dans le dialogue de Platon* (427-347) intitulé *Criton*, Socrate, condamné à mort, reçoit en prison la visite de Criton, qui a tout préparé pour sa fuite, et qui cherche à le convaincre qu'il n'y aurait aucune injustice de sa part à se dérober à une condamnation injuste. Mais à cela s'oppose, répond Socrate, le pacte tacite, chaque jour réitéré, entre la cité et le citoyen. Socrate doit à sa patrie la vie et la liberté : quel rôle jouerait-il en violant les engagements les plus sacrés, accréditant ainsi les accusations portées contre lui ? De quel droit parlerait-il désormais de la justice ?

Pacte d'association et pacte de gouvernement

Prise à la lettre, l'expression *contrat social* doit désigner un pacte d'association, un engagement par lequel des individus renoncent à vivre à l'« état de nature » pour former un corps social. Cet engagement n'est pas, bien entendu, un fait historique, pas plus que l'état de nature n'est un état ayant réellement existé : « contrat social » et « état de nature » sont des concepts normatifs, qui permettent de mesurer la réalité politique concrète.

Dans un sens moins littéral, l'expression *contrat social* peut désigner un pacte conclu entre un gouvernement et ses sujets, ceux-ci promettant leur obéissance à condition que le détenteur de la souveraineté s'engage à l'exercer en vue de certaines fins. Moins littéral, ce sens est également dérivé par rapport au premier : car, comme l'écrit Rousseau* (1712-1778), avant « d'examiner l'acte par lequel un peuple élit un roi, il serait bon d'examiner l'acte par lequel un peuple est un peuple » (*Du contrat social*, I,5).

En outre, ce deuxième sens pose le difficile problème de la garantie du contrat : qui est habilité à trancher entre le souverain et le peuple, au cas où l'une des deux parties accuse l'autre d'avoir violé le contrat ? En reconnaissant à l'un des contractants la détention de la souveraineté, ne le fait-on pas juge et partie, ce qui annule l'idée même de contrat ? Ces difficultés commencent à agiter la pensée politique à partir du XIe siècle, au moment du conflit entre les empereurs germaniques et les papes clunisiens : l'Église catholique*, en effet, revendique à cette époque le droit de déposer les rois, de décider quand un peuple peut être délié de son vœu d'obéissance parce que le roi a violé le pacte.

La force subversive que renferme la théorie du contrat social apparaît bien dans les œuvres des auteurs dits « monarchomaques » : ces protestants qui, à la fin du XVIe siècle, au plus fort des guerres de Religion*, confrontés à l'absolutisme* monarchique résultant de la Contre-Réforme*, soutiennent l'existence d'un double contrat, d'abord entre Dieu et le peuple, ensuite seulement entre le roi et le peuple, et en concluent que le peuple (protestant) est autorisé par Dieu à résister si le roi, se faisant persécuteur de la vraie religion, viole le contrat fondamental. L'œuvre la plus représentative de cette école, le *Vindiciae contra tyrannos* (1579) de Du Plessis-Mornay, verra son titre traduit en français sous cette forme révélatrice : *De la puissance légitime du prince sur le peuple et du peuple sur le prince*.

Mais l'idée d'un double contrat entretient la confusion entre pacte d'association et pacte de gouvernement. Cette confusion est particulièrement sensible chez les théoriciens de l'école dite du « droit naturel » au XVIIe siècle, Grotius (1583-1645) et Pufendorf (1632-1694). Selon eux, le peuple est souverain en vertu du premier contrat, c'est-à-dire du pacte par lequel les individus décident librement et unanimement de s'associer ; mais il transfère cette souveraineté au prince en s'engageant à lui obéir en vertu du second contrat. Cette théorie sera rejetée par les trois grands philosophes contractualistes, Hobbes, Locke et Rousseau. Chacun d'eux s'efforcera, à sa façon, de concilier rationnellement l'idée de contrat et l'idée de souveraineté.

Hobbes : l'autorité absolue du souverain

Thomas Hobbes a vécu de 1588 à 1679, l'époque des guerres civiles en Angleterre. Il soutient, dans son *Léviathan* (1651), que la construction de l'État* provient du calcul rationnel des individus, cherchant à échapper à leur situation naturelle, qui est une « guerre de chacun contre chacun ». De la loi naturelle qui leur prescrit de défendre leur vie, ils tirent cette conséquence qu'il leur faut céder leur droit naturel à vivre comme ils l'entendent, dès lors que le maintien de ce droit nuit à la paix, c'est-à-dire à leur survie. Mais pour que cette cession ne soit pas unilatérale, chacun ne l'accepte qu'à la condition que les autres en fassent autant : tous renoncent donc à leur droit naturel au profit d'un souverain, qui agira comme il l'entend. Seul l'absolutisme politique peut sauver l'humanité.

Ce pacte entre les sujets au profit du souverain n'est pas un pacte de gouvernement, puisque le souverain n'est pas partie prenante au contrat, qui ne l'engage à rien vis-à-vis des sujets. C'est plus qu'un simple pacte d'association, puisqu'il ne se borne pas à produire le lien social, mais assure la transcendance de l'État par rapport à la société. L'obéissance politique ne peut plus être confondue avec une obéissance d'homme à homme : nous n'obéissons pas au souverain *parce qu'*il est le plus fort, mais *pour* lui donner la force d'assurer la paix. Le serment mutuel d'obéissance à un tiers est ainsi une métamorphose : les hommes cessent de former une multitude et deviennent peuple, « corps » d'un État ayant pour « âme » le souverain.

Locke : l'autorité légitime du « *trust* »

John Locke (1632-1704) s'oppose radicalement à l'absolutisme de Hobbes, comme il s'est opposé, dans son action politique, à l'absolutisme du roi d'Angleterre Jacques II : ses idées influenceront directement la Révolution anglaise* de 1688 et la *Déclaration d'indépendance* de 1776. Il propose, dans son *Traité du gouvernement civil* (1690), une théorie contractuelle du libéralisme*. En quittant l'état de nature, les hommes ne renoncent, selon lui, qu'au droit d'organiser eux-mêmes leur conservation, et au droit individuel de punir ceux qui violent la loi naturelle. C'est pour mieux pouvoir jouir de tous leurs autres droits qu'ils confient à un gouvernement la mission de protéger la liberté et la propriété individuelles : en vertu de cet acte de confiance *(trust)*, le gouvernement est légitimement soumis au contrôle de ses sujets.

Grâce au concept de *trust*, Locke peut poser clairement la distinction entre pouvoir légitime et abus de pouvoir, distinction impossible chez Hobbes. En outre, il déduit de sa conception une théorie du droit de résistance à l'oppression, renouant ainsi avec la tradition calviniste des « monarchomaques » du XVIe siècle.

Rousseau : la souveraineté de la volonté générale

Jean-Jacques Rousseau (1712-1778) s'oppose également à Hobbes, dans son traité *Du contrat social* (1762), en refusant d'identifier la construction de l'État à un calcul visant strictement la sécurité et la paix. La valeur essentielle est selon lui la liberté, parce qu'elle est inaliénable : on ne saurait légitimement y renoncer pour obtenir quoi que ce soit en échange. C'est en vertu de ce principe que la notion d'un pacte de gouvernement est violemment rejetée, assimilée purement et simplement à un pacte d'esclavage*. Le seul contrat légitime est donc le pacte d'association : non pas un pacte entre les associés, car on perd sa liberté dès qu'on dépend d'autrui, mais un pacte entre chaque associé et l'association tout entière, car de la sorte, « chacun se donnant à tous ne se donne à personne ».

Chacun, dans une véritable république*, est ainsi doublement contractant : comme sujet, devant obéir à la loi, d'une part ; comme citoyen, membre du peuple souverain, auteur de la loi, d'autre part. La volonté du citoyen est toujours législatrice, c'est-à-dire générale : ce qu'il veut, il le veut pour tous, sans préférence ni exception (« Nul n'est au-dessus des lois ») ; la volonté du sujet est particulière, tentée par la préférence et l'exception. Lorsqu'une loi est soumise aux suffrages du peuple, on ne demande pas au votant s'il veut personnellement de cette loi, mais si, à son avis, elle est conforme à la volonté générale. Le contrat social exige donc la soumission en chacun de la volonté particulière à la volonté générale, non pas pour aliéner l'individu à une puissance totalitaire, mais pour faire au contraire qu'il reste libre, n'obéissant qu'à lui-

même. Ces idées influenceront certains artisans de la Révolution française* de 1789, Robespierre en particulier.
Ce n'est pas par la forme de son gouvernement, de son pouvoir exécutif, qu'un État est républicain selon Rousseau, mais parce que les lois qui le régissent sont des actes de la volonté générale. En revanche, la démocratie* est pour lui une forme de gouvernement, dans laquelle le peuple souverain est en même temps habilité à exécuter les lois, les appliquant aux situations particulières. Pour éviter les dangers de cette confusion entre pouvoir législatif et pouvoir exécutif, il faudrait que les hommes fussent des dieux : aussi Rousseau déclare-t-il, à propos de la démocratie, qu'« un gouvernement si parfait ne convient pas à des hommes ».

ENJEUX CONTEMPORAINS

Société, droit et État moderne

Dans *Le Contrat naturel* (1990), M. Serres met en lumière la limitation contenue dans l'expression *contrat social* : alors que la qualité de sujet de droit a été progressivement reconnue à tout homme, évolution consacrée par la *Déclaration des droits de l'homme et du citoyen* de 1789, ce statut est refusé aux êtres naturels (végétaux, animaux...), si bien que le contrat n'est que « social », passant sous silence le monde naturel, qu'il laisse hors jeu. Puisque la notion contractuelle de réciprocité est manifestement à l'œuvre dans le rapport entre l'homme et la nature, Serres propose de reconnaître celle-ci comme sujet de droit, et d'étendre par conséquent le concept de contrat au-delà du champ social, jusqu'au champ de l'écologie*.

● **À CONSULTER :** Bl. Kriegel, *Textes de philosophie politique classique*, PUF, coll. « Que sais-je ? », n° 2790 (1993).

● **CORRÉLATS :** absolutisme ; Aristote ; Contre-Réforme ; démocratie ; écologie ; Église catholique ; esclavage ; État ; libéralisme ; Platon ; Religion (guerres de) ; république ; Révolution française ; Révolutions anglaises ; Rousseau ; société ; sophistes.

CONTRE-RÉFORME

● **ÉTYM. :** De l'élément *contre* et du nom *Réforme*, issu du verbe latin *reformare* (« former à nouveau, refaire »). ● **DÉF. :** On désigne par *Contre-Réforme* ou *Réforme catholique* la tentative de réforme engagée par l'Église catholique* face aux succès du protestantisme, entre 1520 et 1540 (*cf.* Réforme). Conduite tardivement, elle apparaît essentiellement défensive, renforçant la doctrine et accroissant le pouvoir du pape et le centralisme de l'institution.

Les premières initiatives de la Contre-Réforme

milieu du XVIe siècle

Visant à contenir les progrès de « l'hérésie », les premières initiatives de la Contre-Réforme sont improvisées, ou relèvent de démarches individuelles.
L'action est d'abord répressive. Ainsi, le pape Paul III (1534-1549) réorganise l'Inquisition, dirigée de Rome par le Saint-Office, tribunal religieux chargé de traquer toutes les formes de pensée hétérodoxe et qui va, d'une manière implacable, tuer dans l'œuf toute velléité d'implantation protestante en Italie et en Espagne. Le même Paul III crée en 1543 la Congrégation de l'Index, commission de censure chargée d'interdire aux fidèles la lecture des livres jugés dangereux.
Parallèlement, des religieux militants réorganisent ou fondent des ordres, le Carmel de sainte Thérèse d'Avila, l'Oratoire de saint Philippe de Néri et, surtout, la Compagnie de Jésus de saint Ignace de Loyola.
Ancien officier espagnol, ce dernier jette les bases, à Paris, en 1534, d'une nouvelle congrégation qu'il conçoit sur le modèle militaire : elle se constitue en 1537 et Paul III en reconnaît les statuts en 1540. Ses membres, les Jésuites, représentent une élite intellectuelle et spirituelle recrutée sur la base d'une sévère sélection. Se pliant à une obéissance passive et complète aux ordres de leur supérieur régional (le « provincial »), ils ont à leur tête un « général » qui les dirige de Rome. L'ordre, totalement au service du pape, va combattre la Réforme* en prêchant, en enseignant (*cf.* École), mais aussi en conseillant les souverains catholiques.

Le concile de Trente

Paul III songe aussi à la tenue d'un concile œcuménique, que rend difficile la guerre entre François Ier et l'empereur Charles Quint. Ce n'est qu'en 1545 qu'il s'ouvre, à Trente, dans le nord de l'Italie. Plusieurs fois interrompu, il ne prendra fin qu'en 1563.

Le concile de Trente réforme les abus les plus criants (dont le commerce des indulgences), et met en place, par la création des séminaires, une formation satisfaisante des prêtres ; mais, acculé à des positions défensives face à la contestation protestante, il ne fait aucune concession aux idées nouvelles. Bien au contraire, l'Église catholique durcit ses positions sur le dogme, le culte de la Vierge et des saints, le rôle du clergé, l'autorité du pape. Elle en sort incontestablement renforcée, mais la porte est définitivement fermée à toute conciliation avec les Réformés, donc à toute réunification du christianisme* occidental. C'est bien de Contre-Réforme qu'il s'agit.

Les conséquences de la Contre-Réforme

La conséquence la plus immédiate est la généralisation de durables guerres de Religion*, l'intransigeance des deux camps rendant tout rapprochement impossible.

Pour mieux coordonner la lutte contre « l'hérésie » et rendre plus efficace l'application des décisions du concile, Rome va légitimer et appuyer le renforcement des États catholiques sous la forme de la monarchie absolue et centralisée, dont l'Espagne de Philippe II (1556-1598) constituera le modèle (*cf.* Absolutisme).

D'autre part, la reprise en main morale et intellectuelle des pays catholiques y brise l'élan imprimé par l'esprit de l'humanisme* et de la Renaissance*. La critique*, le libre examen deviennent suspects ; une pensée conformiste et contrôlée s'impose. La jeune démarche scientifique en est la première victime : en 1616, l'astronomie de Copernic est déclarée contraire aux Écritures ; en 1633, Galilée, en Italie, est poursuivi par l'Inquisition.

Dans le domaine de l'art, cependant, la Contre-Réforme se montre féconde. Pour réagir contre l'austérité protestante, pour tenter de reconquérir les âmes par l'éclat de la liturgie, la splendeur des églises, pour provoquer l'émotion et l'adhésion du cœur, le clergé catholique de la Contre-Réforme encourage, à la fin du XVIe siècle, l'éclosion et le développement de l'art baroque*, avant de s'inquiéter de sa foisonnante créativité.

● **À CONSULTER :** L.-J. Rogier, R. Aubert, M.-D. Knowles, *Nouvelle histoire de l'Église*, Seuil (1975). H. Tüchle, *Réforme et Contre-Réforme*, Seuil (1968). N. Davidson, *La Contre-Réforme*, Cerf (1989). A. Guillermin, *Les Jésuites*, PUF (5e éd., 1992). J. Delumeau, *Le Catholicisme, entre Luther et Voltaire*, PUF (2e éd., 1979).

● **CORRÉLATS :** absolutisme ; baroque (art) ; contrat social ; Église catholique ; Réforme ; Religion (guerres de) ; Renaissance.

CONTRE-RÉVOLUTION

● **ÉTYM. :** De l'élément *contre* et du nom *Révolution**, issu du latin *revolutio* (« retour d'un astre »). ● **DÉF. :** L'expression *Contre-Révolution*, apparue dès 1790, désigne globalement toutes les formes d'opposition à la Révolution française*. Au XIXe siècle, elle s'applique de façon plus restreinte à la seule contestation idéologique des principes de 1789.

La diversité de la Contre-Révolution

Pendant la période révolutionnaire, la Contre-Révolution a recouvert des réalités intellectuelles fort diverses. Elles vont du refus intégral, propre aux inconditionnels de l'Ancien Régime nombreux parmi les émigrés, à l'opposition à la manière dont le changement a été conduit et aux postulats sur lesquels il a été fondé.

Si la première démarche apparaît réactionnaire – au sens littéral du mot – et hostile à la modernité, la seconde est plus nuancée et pose des questions que reprendront plus tard, sans d'ailleurs toujours y répondre, des libéraux comme Tocqueville ou des socialistes comme Proudhon, qui sont loin d'être systématiquement hostiles aux principes de 1789.

La Contre-Révolution réactionnaire

La Contre-Révolution réactionnaire esquisse ses thèses dès 1789, dans la presse royaliste. Elle prend forme après 1792 dans les milieux de l'émigration, autour de Joseph de Maistre (*Lettres d'un royaliste savoisien*, 1794), Louis de Bonald (*Théorie du pouvoir politique et religieux*, 1796) et Chateaubriand (*Essai sur les révolutions*, 1797).

Au-delà d'importantes nuances entre ces auteurs, le dénominateur commun est la présentation de la Révolution* comme une rupture contre nature, sinon sacrilège, l'homme substituant son propre volontarisme à l'accomplissement de l'ordre providentiel, seul garant de la légitimité politique. Dans cette perspective, la Contre-Révolution réactionnaire interprète la Révolution comme une fièvre maligne (Bonald), conséquence de la décadence des mœurs propre à l'Ancien Régime finissant, ou comme un châtiment voulu de Dieu, déchaînement du mal absolu (de Maistre).

Elle s'attache en conséquence à démontrer l'excellence originelle des anciennes institutions, idéalisant en particulier le passé médiéval et, en réaction contre la pensée des Lumières*, elle réhabilite une vision religieuse de l'Histoire* qui aboutit à une conception politique théocratique (gouvernement de Dieu). Tout l'apport de la modernité, depuis la Renaissance*, est remis en question.

En ce sens, la Contre-Révolution réactionnaire va à la rencontre du courant romantique* naissant, qui exalte l'émotion, la connaissance intuitive, l'irrationnel, rêvant lui aussi d'un Moyen Âge* imaginaire. En 1802, *Le Génie du christianisme*, de Chateaubriand, est dans une certaine mesure le produit de cette convergence. La Contre-Révolution réactionnaire, qui bénéficie très tôt du soutien d'une Église catholique* particulièrement malmenée après 1789, refuse donc l'idée même de révolution et en nie résolument la nécessité.

La critique de Burke

Très différente est la réfutation qui émane, dès 1790, d'un homme politique anglais, Edmund Burke, dont l'ouvrage (*Réflexions sur la révolution de France)* va avoir un retentissement considérable.

Burke (1729-1797) n'est pas un réactionnaire : au Parlement, il appartient au parti *Whig*, qui s'affirme profondément attaché à un système représentatif indépendant du gouvernement. Il s'est fait aux Communes, en 1774, le défenseur des Américains, lors de la rébellion des colonies. Il a vu avec sympathie les débuts de la Révolution française*, mais il s'en sépare brutalement quand l'Assemblée nationale entreprend de récuser en bloc l'Ancien Régime et prétend inscrire son action dans l'universel, en la fondant sur la *Déclaration des droits de l'homme et du citoyen* (1789).

Dans ses *Réflexions*, il prédit une incontrôlable dérive qui conduira la Révolution française au chaos et à la guerre, et il l'attribue au volontarisme radical, qui fait table rase des traditions et des spécificités héritées de l'Histoire. Il dénonce l'imprudence des députés français, qu'il attribue à l'incompétence. Il accuse les droits de l'homme* d'être une dangereuse abstraction et met en garde contre la démocratie*, qu'implique le principe de la souveraineté populaire et dont il redoute les effets. Il définit le contrat social* non comme une création négociée, mais comme le produit d'une Histoire commune, transcendant les volontés individuelles et unissant les générations. Tout en reconnaissant la nécessité des réformes, il reproche aux Français de détruire inconsidérément, quand ils s'imaginent régénérer l'homme en transformant les institutions.

En fait, la diatribe de Burke met en lumière les deux conceptions opposées de l'idée de révolution qui différencient l'Angleterre et la France. Burke voit dans la Révolution anglaise* de 1688 – qu'il admire – le retour aux institutions traditionnelles dévoyées par la royauté, alors que les orateurs parisiens rejettent tout ce qui vient du passé et appellent à la création d'un monde nouveau, produit d'une rationalité triomphante. Le malentendu est total, mais il révèle aussi la dimension commune à toutes les démarches contre-révolutionnaires, qu'elles soient théocratique ou burkéenne : l'idéalisation du passé. Celui-ci reste la référence indépassable, disqualifiant d'avance toute entreprise volontariste de construction de l'avenir. Quelle que soit la forme qu'elle adopte, l'idéologie contre-révolutionnaire révèle une vision pessimiste des capacités de l'homme, en rupture avec l'optimisme des Lumières*.

Le réquisitoire de Burke va fournir un réservoir d'arguments aux adversaires de la Révolution mais, plus que la Contre-Révolution réactionnaire enfermée dans son refus inconditionnel, il pose des questions qui manquent d'autant moins de pertinence que l'itinéraire de la Révolution française (la dérive radicale : la Terreur, la guerre) correspond à ce qu'il avait prédit dès 1790. Il contribue en conséquence à ouvrir un débat qui dépasse les circonstances de la fin du XVIIIe siècle.

Les prolongements de la Contre-Révolution

Le retour des Bourbons en France, en 1814, offre un moment à la Contre-Révolution réactionnaire l'occasion de devenir une force politique (l'ultraroyalisme), mais le renversement de Charles X en 1830 sanctionne sa défaite définitive. Bénéficiant longtemps de la sympathie active de la papauté, elle devient alors l'idéologie d'une extrême droite* passéiste s'enfermant dans le rejet du monde moderne : royaliste, hiérarchique, anticapitaliste parce qu'antilibérale, elle devient après 1870 nationaliste et antisémite*. Modernisé à la fin du XIXe siècle par Charles Maurras (1868-1952), fondateur de l'Action française, ce courant, qui voit dans la Révolution de 1789 l'origine d'un prétendu déclin de la France, se rapproche dans les années 1930 des populismes* admirateurs du fascisme* italien. Des circonstances d'exception lui ouvrent un bref moment l'accès au pouvoir, dans le régime de Vichy (1940-1944). Ces ultimes compromissions, le triomphe des idéaux démocratiques après 1945 conduisent alors à sa disparition.

En revanche, la réflexion sur le programme et les finalités de la Révolution française, inaugurée par Burke, alimente pendant tout le XIXe siècle un débat intellectuel qui n'est pas entièrement clos. La pensée libérale*, de Mme de Staël et de Benjamin Constant à Guizot et à Tocqueville, n'a cessé de s'interroger sur les raisons qui font que la Révolution anglaise de 1688, réussie, a fondé des institutions durables alors que la Révolution française, chaotique, a débouché sur un siècle d'instabilité (*cf.* Époque contemporaine) : ce questionnement était au centre de la démarche de Burke.

ENJEUX CONTEMPORAINS

Histoire

Au XXe siècle, l'approche sociologique et anthropologique de l'Histoire* a souligné l'importance des spécificités culturelles, des permanences inscrites dans la longue durée qui rendent aléatoires les ruptures radicales fondées sur des *a priori* idéologiques.

L'effondrement en 1991 du communisme soviétique*, issu de la Révolution russe* de 1917, est venu ranimer la discussion, rendant une actualité à certains des arguments développés jadis par Burke. Si les idéologies contre-révolutionnaires, démenties par le mouvement même de l'Histoire, apparaissent aujourd'hui caduques, les débats qu'elles ont suscités ont été et demeurent féconds.

● **À CONSULTER :** F. Furet, M. Ozouf, *Dictionnaire critique de la Révolution française*, Flammarion Champs (1992). G. Gengembre, *La Contre-Révolution*, Imago (1989). J. Godechot, *La Contre-Révolution (1789-1804)*, PUF (rééd., 1984). P. Beneton, *Le Conservatisme*, PUF (1988). S. Rials, *Le Légitimisme*, PUF (1983). A. Ropert, *L'Échec des révolutions*, Plon (1996). ● **À LIRE :** E. Burke, *Réflexions sur la Révolution de France (1790)*, Hachette Pluriel (1989)

● **CORRÉLATS :** absolutisme ; bourgeoisie ; communisme soviétique ; contrat social ; démocratie ; droite/gauche ; droits de l'homme ; Église catholique ; fascisme ; franc-maçonnerie ; Histoire ; libéralisme ; Napoléon ; nationalisme ; populisme ; révolution ; Révolution française ; Révolution russe ; Révolutions anglaises ; socialisme ; totalitarisme.

CORAN

● **ÉTYM. :** De l'arabe *al-Qur'ân* (« message », « récitation ») ; au XIVe siècle, on disait en français l'*Alcoran.* ● **DÉF. :** Le Coran est le livre sacré des musulmans, contenant la Révélation faite par Dieu *(Allah)* au prophète Mahomet (≈ 570-632), et par là même, la doctrine de l'islam*, le dernier monothéisme*.

Un livre sacré

Le Coran se compose de cent quatorze chapitres (sourates), divisés en versets inégaux. Ces sourates ne sont pas ordonnées en fonction du sens, mais de manière purement formelle, les plus courtes étant à la fin.

Pour les musulmans, le Coran n'est pas l'œuvre de Mahomet, mais directement la Parole de Dieu transmise au Prophète, lors de ses extases, par l'ange Gabriel : « Dieu t'a envoyé le livre contenant la vérité et qui confirme les Écritures qui l'ont précédé. Avant lui, Il fit descendre la Torah et l'Évangile pour servir de direction aux hommes » (III, 2). Mahomet est présenté comme le dernier – et donc le plus important – des prophètes, prolongeant les figures d'Abraham, Moïse et Jésus (Isa), tous trois abondamment cités et vénérés dans les pages du Coran.

Le texte n'a pas été mis par écrit du vivant du Prophète, mais une trentaine d'années après sa mort, sur la base de la transmission orale : l'établissement du texte définitif fut bien plus rapide que pour les Écritures judaïques et chrétiennes (*cf.* Bible). Mais pour les musulmans, le Coran n'est pas l'œuvre de rédacteurs humains, fussent-ils inspirés : « incréé », il est l'immédiate Parole de Dieu, ce caractère sacré rejaillissant sur la langue dans laquelle il a été transmis. Le texte coranique a en effet figé durablement la langue arabe qui, par-delà les dialectes, a rendu possibles la communication et le développement de la littérature.

Parallèlement, le Coran fut complété par un recueil des propos et des actes du Prophète, les *hadith*, permettant de préciser certains points et de fonder la « tradition » *(sunna)*. Les musulmans y voient la source de toute légitimité, et en particulier du droit*. Le Coran exprime une vérité absolue et indivisible, qui ne souffre ni discussion ni partage. Facteur essentiel d'unification religieuse, politique, juridique et linguistique au sein du monde arabe dès le haut Moyen Âge*, le Coran est le Livre par excellence, le seul indispensable à un croyant.

La source de l'islam

Une telle puissance accordée à l'expression de la Révélation permet de mesurer combien, dans la société musulmane, la religion concerne tous les actes de la vie, tant publique que privée. Là se situe la différence essentielle entre l'islam et les différentes formes du christianisme*. Soit la foi se définit par la croyance dans le dogme (orthodoxie), soit elle est obéissance à la loi (orthopraxie).

L'islam est fondamentalement une orthopraxie : les normes qui régissent les comportements politiques, sociaux, économiques, familiaux, sexuels, procèdent du Coran. Il est la Loi *(sharia)*. Tous ceux qui l'ignorent sont donc nécessairement dans les ténèbres ou dans l'erreur ; et si l'islam prône la tolérance* – et l'a réellement mise en œuvre au cours des siècles –, ce n'est pas en signe de respect, mais comme une manifestation de cette « bonté » et de cet « amour des autres » que le Coran attend des vrais fidèles. Ainsi, le calife Omar offrit la tolérance religieuse aux habitants de Jérusalem, conquise en 637 ; l'accès aux Lieux saints restera garanti pour les pèlerins jusqu'à l'arrivée des Turcs Seldjoukides, dans la seconde moitié du XIe siècle (*cf.* Croisades). De même, en 1492, alors que les Rois Catholiques avaient chassé les juifs d'Espagne, le sultan Bayazid II leur ouvrit ses États, tout en leur imposant un statut inférieur de non-musulmans.

ENJEUX CONTEMPORAINS

Religion

Propre à la forme de monothéisme qui s'exprime dans le Coran, l'absence de séparation entre le religieux et le civil rend difficile – sinon impossible – l'expression publique de l'agnosticisme dans toute société musulmane, ainsi que l'exercice, au plan politique, de ce que nous nommons la « laïcité ». Quand cette dernière a été appliquée (par exemple, lors de la Révolution turque de Mustafa Kemal Atatürk, entre 1922 et 1938), elle a pris la forme radicale d'une lutte antireligieuse, aux résultats nécessairement incertains. À l'inverse, l'émergence du fondamentalisme musulman pose, en cette fin de XXe siècle, l'exigence d'un retour au texte, désormais controversé, conciliant tradition et modernité.

● **À CONSULTER :** Traductions du *Coran* : R. Blachère, Maisonneuve et Larose (1957). D. Masson, La Pléiade (1967) ; J. Berque, Sindbad (1990). R. Blachère, *Le Coran*, PUF (10e éd., 1994).

● **CORRÉLATS :** Bible ; droits de l'homme ; islam ; monothéisme ; Moyen Âge ; tolérance.

Courants artistiques depuis la Renaissance

Voir art abstrait ; art moderne ; Art nouveau ; baroque (art) ; baroque (musique) ; classique (art) ; classique (littérature) ; classique (musique) ; cubisme ; expressionnisme (art) ; expressionnisme (musique) ; futurisme ; impressionnisme ; néoclassicisme ; pop art ; postmoderne ; réalisme ; romantique (musique) ; romantisme ; surréalisme.

Courants idéologiques contemporains

Voir absurde ; déconstruction ; existentialisme ; Francfort (École de) ; Heidegger ; herméneutique ; Histoire (philosophies de l') ; humanisme ; Kant et le néokantisme ; libéralisme et néolibéralisme ; Marx et le marxisme ; Nietzsche ; personnalisme ; phénoménologie ; postmoderne ; socialisme ; structuralisme ; sujet.

Courtoisie

● **Étym. :** De l'adjectif *courtois*, issu de *cour* et signifiant, au Moyen Âge*, « qui agit conformément à l'idéal de la vie noble ». *Courtois* a pour antonymes *rustre* ou *vilain*, renvoyant à l'univers rural, jugé grossier par rapport au raffinement de la Cour. ● **Déf. :** On désigne par *courtoisie* un type de comportement noble (en ancien français, *gentil*), c'est-à-dire marqué par les bonnes manières et les valeurs* féodales de la chevalerie. Ce phénomène sociologique et littéraire se développe en Europe, du XIe au XIIIe siècle, au moment des croisades*.

L'amour courtois et la société féodale

À la fin du XIe siècle, au contact des cultures musulmane et byzantine, les grands seigneurs en Europe du Sud, puis du Nord, réunissent autour d'eux une société d'hommes et de femmes de plus en plus raffinée : les cours seigneuriales deviennent luxueuses, élégantes ; un nouveau système de relations sociales et de valeurs se met en place, coïncidant dans le temps et dans l'esprit aux expéditions des croisades. Aux mœurs rudes des guerriers succèdent les comportements policés et le savoir-vivre, et ce, grâce à la place prépondérante que prend la femme dans la société aristocratique.

L'idéal courtois est fondé sur l'Amour, principe de vie hissé au rang de valeur absolue. Le Chapelain, dans son *Traité de l'Amour* (1185), expliquera que l'amour vrai affine les amants et que les obstacles rencontrés ne font qu'exalter leur noblesse et leur mérite. Le chevalier, selon ce nouveau code amoureux et social, doit à sa Dame (du latin *domina*, « maîtresse ») le « service d'amour », tel le vassal devant obéissance à son suzerain. Le chevalier doit mériter l'amour de la Dame, se faire aimer pour ses qualités morales, gagner son cœur en surmontant les épreuves. La sacralisation de la Dame conduit à un amour idéalisé, sans être pour autant platonique, qui trouve à s'exprimer sous des formes littéraires recherchées.

Les figures littéraires de la courtoisie

À partir du XIIe siècle, poèmes et romans vont jouer un rôle capital dans la diffusion de l'esprit courtois : chantées devant les nobles, ces œuvres littéraires sont à la fois le reflet des mentalités nouvelles et l'agent, le moteur de ces comportements.

Les poèmes lyriques dédiés à la Dame sont chantés par les troubadours, dès le début du XIe siècle, dans le sud de la France, puis par les trouvères dans le nord. Le poète s'adresse à une femme mariée et lui déclare, en termes voilés et imagés, son amour : l'adultère est au principe de cette *fin'amor* (« amour parfait »), car le jeune poète élit une femme mariée, sur laquelle il n'a pas de droits. L'attente, le désir ardent, la fidélité, la souffrance nourrissent ce culte de la Dame, et la parole poétique, parée de toutes les grâces et de tous les prestiges, peut porter ce chant d'amour : « J'ai tant d'amour au cœur/De joie et de douceur/Que la glace me semble fleur », écrit ainsi Bernard de Ventadour (≈ 1150-≈ 1200), célèbre troubadour, après Guillaume IX d'Aquitaine (1071-1127). Les *Lais* de Marie de France, composés entre 1160 et 1190, sont des poèmes

lyriques qui exploitent les thèmes de l'aventure et de l'amour.
Le roman médiéval porte la marque de l'idéologie courtoise, comme en témoigne la légende de Tristan*. On voit en Chrétien de Troyes le véritable fondateur du genre romanesque : dans *Yvain ou le Chevalier au lion* (≈ 1177) et dans *Perceval ou le Roman du Graal* (≈ 1190), il présente le chevalier accomplissant des exploits qui sont autant d'épreuves ; les ressorts de l'action sont la gloire des armes, l'amour de la Dame et la perfection morale. Mais c'est vers l'amour conjugal que tend alors l'idéal du chevalier. Au XIIIe siècle paraît l'imposant poème *Le Roman de la Rose*, écrit d'abord par Guillaume de Lorris, puis par Jean de Meung, et qui reprend les principaux thèmes de la littérature courtoise antérieure.

ENJEUX CONTEMPORAINS

Valeurs et société

La courtoisie, art de vivre fondé sur l'élégance morale, atteste, comme le rappelle R. Pernoud, que « l'amour fut l'invention du XIIe siècle ». L'esprit courtois a instauré une véritable mutation dans le rapport entre les hommes et les femmes, marquant en profondeur la mentalité occidentale. On en relèvera des traces dans le platonisme, le pétrarquisme à la Renaissance*, la préciosité au XVIIe siècle.
Aujourd'hui, l'adjectif *courtois* demeure usité, mais dans le sens très affaibli de « poli ». Le substantif *courtisan*, nettement péjoratif, désigne un vil flatteur ; son féminin *courtisane* a le sens de « prostituée ». Le verbe *courtiser*, gentiment anachronique, porte le souvenir du temps lointain où le jeune homme destinait sa vie au « service d'amour » de la Dame élue...

● **À CONSULTER :** D. de Rougemont, *L'Amour et l'Occident*, Plon (1972). R. Pernoud, *La Femme au temps des cathédrales*, Stock (1980). G. Duby, *Le Chevalier, la Femme et le Prêtre*, Hachette (1981). H. Rey-Flaud, *La Névrose courtoise*, Paris (1983). H.-I. Marrou, *Les Troubadours*, Seuil (1971). G. Lipovetsky, *La Troisième Femme*, Gallimard (1997).
● **CORRÉLATS :** affectivité ; croisades ; féodalité ; Moyen Âge ; poésie ; roman ; Tristan.

CRISE

● **ÉTYM. :** Du grec *krisis* (« décision », « jugement », « phase aiguë d'une maladie »), issu du verbe *krinein* (« juger ») qui donne en français les dérivés *crise*, *critique** et *critère*. ● **DÉF. :** On désigne par *crise* un moment « critique », décisif, qui fonctionne comme un « critère », une épreuve révélatrice de sens, que ce soit dans une maladie, dans la vie d'un couple ou dans l'histoire des nations. La crise tend à séparer ce qui semblait uni : lorsqu'elle « éclate », une rupture se produit ; lorsqu'elle est seulement « larvée », un malaise général se répand. La difficulté, dans cette remise en question, est alors d'interpréter les signes de la réalité d'autant plus complexe qu'elle est contemporaine.

La notion de crise en Histoire

En Histoire*, on parle de *crise* pour désigner une grande rupture, une mutation entre deux époques. Dans toute crise historique, un monde ancien voit disparaître sa cohérence, ses repères, ses normes et ses valeurs*, tandis qu'une ère nouvelle s'annonce. Parfois, la crise prend la forme violente d'une révolution*. Parfois, au contraire, elle s'étend sur toute une période et constitue elle-même une histoire complexe. Par exemple, la crise de l'Empire romain* (IIIe siècle après J.-C.), qui met un terme à l'Antiquité* dite « classique », n'est que le prélude d'une autre crise, la longue transition nommée « basse Antiquité* » qui donnera naissance au Moyen Âge*.
De même, l'histoire des idées connaît des crises : un esprit nouveau se mêle parfois aux formes de pensée acquises, et les perturbe jusqu'à ce qu'elles apparaissent irrémédiablement dépassées, le moment crucial pouvant être difficile à situer. Ainsi, dans son ouvrage fondamental *La Crise de la conscience européenne* (1935), P. Hazard montre qu'entre 1680 et 1715, au sein même de la pensée du XVIIe siècle, surgit un esprit différent, celui des Lumières*.
L'Histoire, conformément à l'étymologie du mot *crise*, porte une sorte de jugement lorsque le nouveau s'oppose à l'ancien : elle condamne le passé au nom de l'avenir. Cette idée d'un « tribunal » de l'Histoire, fondamentale chez Hegel* (1770-1831) et reprise ensuite par

Marx* (1818-1883), jette un éclairage philosophique qui peut aider à la compréhension des crises de l'Époque contemporaine*.

Crise et capitalisme selon Marx

Au XIXe siècle, l'usage se répand d'appeler *crise* un mécanisme économique particulier : la conjonction entre le chômage, l'effondrement de la consommation, la baisse des prix et la baisse des salaires. Cette conjonction se présente comme un phénomène provisoire, parce que périodique : les bas salaires rendront de nouveau la production rentable, ce qui à terme conduira à résorber le chômage, à relever la consommation, donc à augmenter les prix, jusqu'à la crise suivante.
Marx donne un véritable statut philosophique à cette dénomination de *crise*, retrouvant la signification originelle de la notion, sous sa forme dramatique : « C'est dans les crises du marché mondial, écrit-il, qu'éclatent les contradictions et les antagonismes de la production bourgeoise. » La crise est un moment de vérité, elle constitue un jugement de l'Histoire.
Comment concilier, toutefois, cette connotation dramatique avec le caractère cyclique des crises économiques, qui semble indiquer au contraire une sorte de fonctionnement perpétuel ? Selon Marx, ce caractère cyclique n'est pas l'essentiel, car chaque nouvelle crise est plus grave que la précédente, de façon irréversible : le capitalisme ne pouvant surmonter ses crises qu'en augmentant le capital constant (investi dans les machines) par rapport au capital variable (investi dans l'achat de la force de travail, seule source du profit), le taux de profit tend inexorablement à baisser, de crise en crise. Les économistes non marxistes contestent cette analyse : d'après eux, les récessions sont des épisodes nécessaires au processus de modernisation du système.

La crise de l'Époque contemporaine

Si la philosophie marxiste voit, dans la crise de l'Époque contemporaine, une contradiction poussée à son paroxysme, la phénoménologie* de Husserl (1859-1938) la perçoit plutôt comme un malaise et une lassitude qui se répandent alors dans l'humanité européenne. Ceux-ci affectent l'Europe*, cette Europe qui s'achemine vers la guerre en 1935, lorsque Husserl prononce à Vienne la conférence *La Crise de l'humanité européenne et la philosophie*, forme initiale d'une méditation qui devait aboutir en 1937 à son dernier ouvrage : *La Crise des sciences européennes et la phénoménologie transcendantale.*
L'Europe dont parle Husserl n'est pas un territoire géographique : elle inclut les États-Unis, le Canada, l'Australie... C'est une figure spirituelle, dont la manifestation originaire est l'apparition de la philosophie, en Grèce*, aux VIIe et VIe siècles avant J.-C. La particularité de l'Europe, selon Husserl, est de promouvoir l'universel. L'humanité européenne est vouée à une tâche infinie de recherche de la vérité, et c'est cette tâche qui est en crise, paralysée, pourrait-on dire, par ses propres résultats : fortes de leurs impressionnants succès, les sciences* de la nature prétendent constituer la norme et le modèle de toute pensée, recouvrant et étouffant la subjectivité et le monde de la vie, qui sont pourtant leurs conditions de possibilité.
Le refoulement du monde de la vie produit un « malaise dans la culture », expression très proche de celle qu'utilise Freud (1856-1939) dans un essai de 1930, *Malaise dans la civilisation.* Vivant dans ce malaise, l'humanité européenne est tentée de renoncer à sa tâche infinie : tentation voisine de cette « grande lassitude » repérée par Nietzsche* (1844-1900) dans *Ainsi parlait Zarathoustra* (1884).

ENJEUX CONTEMPORAINS

Histoire et société

L'Europe, au sens husserlien, peut-elle retrouver la signification de son destin ? La pensée postmoderne* semble s'installer encore davantage dans la crise, renonçant à la quête de l'universel et développant le relativisme en tous domaines.

● **À CONSULTER :** B. Droz, A. Rowley, *Crises et mutations*, Seuil (1992). H. Arendt, *La Crise de la culture*, Gallimard (1989). ● **À LIRE :** C. Schorske, *Vienne, fin de siècle*, Seuil (1983).

● **CORRÉLATS :** Antiquité ; contemporaine (Époque) ; critique ; Europe (idée d') ; Grèce ; Hegel ; Lumières ; Marx ; Moyen Âge ; Nietzsche ; phénoménologie ; postmoderne ; révolution ; romain (Empire) ; sciences exactes ; valeurs.

Critique littéraire

Étym. : Du grec *kritikos* qui signifie « capable de juger » (le verbe *krinein* « juger » venant d'une racine indo-européenne *krei* : « séparation »), puis à partir du XVIIe siècle, « capable de juger les œuvres de l'esprit ». **Déf. :** L'activité de critique littéraire commence avec la lecture même d'un texte. Lire un poème par exemple, c'est recevoir un certain nombre de signes qui font sens. Toute production littéraire, fruit d'un travail complexe, demande à être lue de manière active, c'est-à-dire critique, à être passée au « crible » du jugement.

De l'auteur au lecteur

Le verbe *lire* (du latin *legare*, « cueillir ») prend le sens d'*analyser* (*analusis*, « dissoudre ») : ma lecture de *Madame Bovary* signifie mon interprétation du roman, avec ma sensibilité et ma personnalité, mon bagage culturel, ma capacité à faire fonctionner le roman de Flaubert, les outils d'analyse que j'ai à ma disposition. Le texte s'offre à une infinité de lecteurs, et il y a autant de lectures que de lecteurs. *Les Fleurs du mal*, recueil condamné en 1857, est étudié par les lycéens d'aujourd'hui... La réception d'un texte varie en fonction de multiples paramètres culturels.

Cependant, on ne saurait en déduire que l'on puisse faire dire n'importe quoi à un texte. Il y a des limites à l'interprétation, sous peine de sombrer dans un inadmissible délire interprétatif ! Un critique a voulu voir dans Rimbaud des clefs occultistes : or, une hypothèse de lecture n'est recevable que dans la mesure où elle est fondée, et cohérente. Une simple supposition ou une vague intuition ne suffisent pas à établir une interprétation.

Expliquer, étymologiquement, veut dire « déployer », et cet acte de « déplier » conduit à une lecture linéaire : le texte se présente comme un monde à déchiffrer, et la lecture, patiemment, va nommer, avec un vocabulaire précis – celui de la stylistique, de la linguistique, de la rhétorique* –, les différents fonctionnements et effets du texte. Lire, en somme, c'est accomplir une démarche inverse de celle de l'auteur : il a codé son œuvre, et le lecteur vient percer le code et déployer les significations.

Or nous savons, et singulièrement depuis les travaux de Freud, que l'acte de création artistique n'est pas le simple résultat d'un projet initial : l'auteur ne domine pas de manière complète le(s) sens de son œuvre. Ainsi, lorsque Zola, finalement, choisit le mot *Germinal* comme titre pour son roman, sait-il que ce mot laisse entendre, phoniquement, le mot *mine* ? Il n'empêche que la parenté phonique existe, et qu'elle fait sens. C'est pourquoi, dans la préface de *Paludes* (1895), Gide en appelle à son lecteur, et lui demande instamment « de lui expliquer son œuvre », conscient qu'il est que le texte dit « plus que cela ». Gide appelle « part de Dieu » cet impensé de l'auteur : aujourd'hui, on parlerait plus volontiers de la part de l'inconscient qui est à l'œuvre dans le processus de création littéraire.

Les auteurs et la critique

Nous dissocions clairement, aujourd'hui, l'activité critique de la création littéraire. Cependant, il faut rappeler que le regard sur les œuvres est, tout au long de l'histoire, le fait des écrivains eux-mêmes. Que fait Montaigne, sinon « gloser » les Grecs et les Latins dont il cite les phrases dans ses *Essais* ? La critique, pour un écrivain, consiste à se situer par rapport à d'autres écrivains : Ronsard reprend les poètes de l'Antiquité* et Pétrarque. Racine signale ses emprunts à la littérature antique. Corneille examine chacune de ses pièces, et justifie ses choix ou ses intentions, notamment en direction de ses détracteurs. Voltaire commente Pascal, lequel s'était démarqué de Montaigne. Hugo cite Boileau, le « législateur du Parnasse », et c'est contre l'idéal classique* qu'il fait « souffler un vent révolutionnaire ». Baudelaire dédie ses « fleurs maladives » à Gautier, Rimbaud écrit à son professeur de lettres sa définition de la poésie, Breton va chercher dans les temps antérieurs les grands ancêtres du surréalisme*...

Ce bref inventaire veut souligner que, pas plus qu'il n'existe de lecture naïve, il n'existe de création naïve ou spontanée. Tout écrivain est d'abord un lecteur, et bien souvent, à ses débuts, l'imitateur d'un modèle. Rimbaud ne composait-il pas des vers latins ? Hugo ne voulait-il pas devenir « Chateaubriand ou rien » ? La production littéraire s'accompagne nécessairement d'un recul critique sur le fait littéraire : tout écrivain, pour Baudelaire, porte en lui un critique – et la réciproque est très rare, ajoute-t-il.

Il est particulièrement intéressant de lire les ouvrages critiques élaborés par des écrivains, pour y découvrir les réflexions portées par les auteurs sur leurs propres œuvres et sur celles des autres créateurs, antérieurs ou contemporains. La *Correspondance* de Flaubert, les préfaces de Gautier, de Hugo, de Maupassant, le *Journal* de Gide, les *Fusées* de Baudelaire permettent au lecteur de confronter les œuvres à leurs commentaires, et de faire travailler la tension, voire la contradiction, entre la création et la critique. Cette dialectique de la théorie et de la pratique est toujours stimulante, à condition de garder à l'esprit que l'auteur n'est pas détenteur du point de vue juste ou unique sur son œuvre.

Les salons* littéraires, notamment au XVIIIe siècle, sont de véritables ateliers de réflexion. Les écrivains sont souvent les découvreurs de talents inconnus : Mme de Staël fait connaître en France le romantisme* allemand, qui inspirera bien des écrivains du XIXe siècle. Les écrivains se nourrissent de littérature : ainsi Zola lecteur de Balzac, Hugo thuriféraire de Shakespeare, Gracq laudateur de Breton, Valéry analyste de La Fontaine, Sartre exégète de Faulkner... On voit apparaître aussi les polémiques, les éreintements, les règlements de comptes : Céline affirmant que Rabelais « a raté son coup », Sartre attaquant Mauriac, Gracq exécutant le nouveau roman... Ces engouements ou ces haines sont doublement instructifs : ils éclairent – partiellement et partialement – des œuvres en même temps qu'ils renseignent sur l'énonciateur du discours critique. Les *Variétés* de Valéry instruisent sur Hugo, Huysmans ou Verlaine autant qu'elles dessinent un portrait de Valéry en critique, lequel porte une lumière édifiante sur l'auteur de *La Jeune Parque*...

Enfin, ces textes critiques des écrivains constituent, en soi, des œuvres littéraires. La critique prend alors le statut de genre littéraire, elle n'est plus en marge de l'œuvre. En témoignent les ouvrages de G. Perros, de M. Blanchot et bien sûr de Sartre. La critique d'art de Diderot, de Baudelaire ou de Huysmans est perçue comme une véritable création littéraire, proche souvent du poème en prose. Baudelaire ne disait-il pas que le meilleur commentaire d'un tableau devait être un poème ?

Il faut, pour terminer, faire valoir que la création et la critique coexistent au cœur même de l'œuvre littéraire. Un poète comme Boileau écrit en vers son *Art poétique* (1674) où il théorise ce que doit être la poésie. Chez Baudelaire, on peut dire que la poésie est à la fois l'objet et le sujet de l'écriture : « L'Albatros » ou « Correspondances » renvoient à une méditation sur l'œuvre d'art. On peut continuer l'analyse avec les grands romans modernes. En effet, depuis *Don Quichotte* (1605-1615) de Cervantès, le roman ne cesse de mettre en scène l'aventure de sa propre écriture : *Don Quichotte* est un roman écrit en référence à la littérature de chevalerie, et si notre hidalgo n'avait pas lu les épopées* médiévales, il n'aurait pas attaqué les moulins que son imagination – et ses lectures – lui faisaient prendre pour des géants...

Songeons à *Jacques le Fataliste* (1778), où Diderot, épigone du romancier anglais Laurence Sterne, joue avec les possibles de l'itinéraire et de la matière romanesques ; songeons à Flaubert, qui fait rédiger à Bouvard et Pécuchet (1880) l'encyclopédie de la bêtise ; songeons à Joyce, qui écrit *Ulysse* (1922) dans le sillage d'Homère, tissant un savant et vertigineux palimpseste de toute la littérature ; songeons à Proust, qui écrit avec *À la recherche du temps perdu* (1913-1922) le cheminement d'une vocation d'écrivain ; songeons à Borges (1899-1986), dont l'œuvre bâtit une incessante et insaisissable mise en abyme de l'écriture, inscrivant à l'infini des livres dans les livres... Dans *Réelles présences*, G. Steiner pose l'idée que l'art est lecture de l'art.

Les principes de la critique littéraire

On considère que c'est avec Sainte-Beuve que la critique littéraire naît comme genre. Les *Causeries du lundi* (1851-1862) donnent lieu à une approche de l'œuvre littéraire qui privilégie la personne de l'auteur : cette démarche, filant le lien entre l'homme et l'œuvre, a marqué considérablement son époque.

Les critiques ne sont plus, dès lors, des donneurs de règles, mais des juges : maints débats auront lieu, tout au long du XIXe siècle, entre les écrivains et les critiques, notamment sur le rapport entre l'art et la morale. Proust réagit contre Sainte-Beuve (1908), et montre qu'il faut différencier l'homme et l'auteur.

Avec Lanson à la même époque, la critique veut faire montre de rigueur face aux textes, et intégrer la dimension historique. Dorénavant, les universitaires et les chercheurs vont investir le terrain de la critique littéraire, dans un rapport étroit avec l'ensemble des sciences humaines. Car les travaux du linguiste Saussure, l'apport de la psychanalyse*, les grandes questions idéologiques, politiques (*cf.* Marxisme) et philosophiques (*cf.* Nietzsche) vont orienter l'activité critique dans des voies nombreuses et diverses. Avec la génération structuraliste* (Foucault, Derrida...), la critique littéraire connaît la tentation de se constituer en une science de la littérature : de retentissantes polémiques opposent les novateurs et les traditionalistes.

À partir des années 1960, avec l'apparition du nouveau roman, se met en place une « nouvelle critique » : à un espace littéraire nouveau correspond une approche radicalement différente des œuvres littéraires. Les romans de Butor et de Robbe-Grillet, qui sont en rupture par rapport au roman traditionnel, appellent des commentaires fondamentalement autres. Comme l'écrit Gracq en 1961, il y a une « crise du jugement littéraire ».

L'idée générale est que l'auteur n'est que le « scripteur » de son texte, et que, par conséquent, on ne saurait dissocier le texte de son interprétation. Car la production littéraire est perçue comme exigeant le commentaire : l'œuvre prend sens dans et par le regard critique. Barthes est la figure la plus influente de cette « nouvelle critique ». Nous nous contenterons ici de signaler les grandes lignes de ces « chemins actuels de la critique ».

■ L'apport de la psychanalyse

Les théories de Freud, de Jung et plus tard de Lacan ont marqué et marquent encore les critiques littéraires. D'abord Bachelard (avec ses études thématiques des quatre éléments), puis Sartre (avec son essai sur Baudelaire) ont utilisé les notions apportées par la psychanalyse pour interroger les œuvres et l'imaginaire des auteurs. Actuellement, la recherche gravite autour de l'idée d'« inconscient du texte » : il ne s'agit pas de psychanalyser l'auteur, mais d'interpréter le texte et d'en construire le sens.

■ L'apport des sciences de l'homme

Lecteur du philosophe et critique d'inspiration marxiste Lukacs, Goldmann affirme que les groupes sociaux sont les véritables sujets de la création littéraire. Il s'agit de corréler les textes avec le contexte et les faits sociaux. Quelle relation existe-t-il entre l'œuvre et la société qui l'a produite ? Et si l'œuvre porte l'image d'une société, en quoi, et comment, agit-elle en retour sur cette société ? Les analyses que Barbéris consacre à Balzac et Stendhal sont une interrogation approfondie sur le texte et l'Histoire.

■ L'apport de la linguistique

Pour réagir contre la superficialité des commentaires sur les œuvres, et la tendance à limiter l'étude d'une œuvre à des remarques sur la vie des auteurs, un courant novateur, et volontiers provocateur, a voulu prendre le texte « tout seul », et, le considérant comme une « machine », analyser en profondeur son fonctionnement. L'œuvre est « ouverte » (Umberto Eco) : elle s'offre au lecteur-critique, qui va mettre à jour, par une coopération féconde, les sens que produit l'œuvre. Ainsi, Barthes a établi une « lecture plurielle » d'une nouvelle de Balzac (*S/Z*, 1969) ; mais si le texte est un « objet », il doit être, comme le dit Barthes, « un objet de plaisir ».

● **À consulter :** R. Fayolle, *La Critique*, Armand Colin (1978). E. Ravoux-Rallo, *Méthodes de critique littéraire*, Armand Colin (1993). G. Gengembre, *Les Grands Courants de la critique littéraire*, Le Seuil (1996). A. Maurel, *Les Chemins actuels de la critique*, 10-18 (1968).
● **À lire :** M. Blanchot, *L'Espace littéraire*, Gallimard (1988). R. Barthes, *Le Plaisir du texte*, Seuil (1973).
● **Corrélats :** Marx ; psychanalyse ; rhétorique ; salons ; sciences de l'homme ; sociologie ; structuralisme.

CRITIQUE PHILOSOPHIQUE

● **Étym. :** Du verbe *krinein* (« juger »), issu d'une racine indoeuropéenne *krei-* introduisant une notion de séparation. ● **Déf. :** *Critiquer*, c'est avant tout « passer au crible », « distinguer », « discerner » afin de bien « juger ». Dans son usage courant en français, ce verbe s'est toutefois chargé d'une connotation négative : critiquer quelqu'un, c'est généralement contester la vérité de ses propos, ou bien censurer moralement sa conduite.

L'usage philosophique, surtout depuis les Lumières*, maintient davantage le sens originel du mot. On peut se demander si le mot *critique* ne recouvre pas l'activité philosophique elle-même, dans son intégralité, et pas seulement à l'Époque contemporaine* : la dissolution des faux savoirs chez Socrate, la distinction de ce qui dépend de nous et de ce qui n'en dépend pas chez Épictète, la mise en doute systématique de toutes les opinions chez Descartes*... En quoi une philosophie particulière, ou une façon spécifique de philosopher, peut-elle être nommée « critique » ?

La philosophie critique de Kant

Selon Emmanuel Kant* (1724-1804), la critique est un « libre et public examen » de la raison : « libre », parce qu'elle ne connaît que sa propre norme et rejette toute autorité ; « public », parce qu'elle exige la communicabilité et refuse le secret. Kant retrouve ces deux critères lorsqu'il répond, en 1784, à la question posée dans une revue savante berlinoise : *Qu'est-ce que les Lumières ?* Liberté et caractère public de la raison donnent la véritable signification de la devise des Lumières selon Kant : « *Sapere aude !* Aie le courage de te servir de ton propre entendement ! »
Ce que Kant entend par « critique de la raison », c'est la délimitation de notre pouvoir de connaître. Dans la *Critique de la raison pure* (1781), il se propose de délimiter ce pouvoir en tant qu'il est indépendant de l'expérience, c'est-à-dire capable d'atteindre ce qui est universel et nécessaire. La limite établie par Kant est, comme toute limite profondément comprise, à la fois négative et positive. Ainsi, Kant affirme que la légitimité de la science* est limitée, puisque nous ne pouvons connaître que les « phénomènes » (ce qui apparaît dans l'espace et le temps), mais que c'est à cette limitation même que la science doit la certitude de ses principes. Les prétentions de la métaphysique* à transgresser la limite, et à se prononcer de façon démonstrative sur l'existence de Dieu ou l'immortalité de l'âme, sont dénoncées par Kant comme illégitimes. Mais cette transgression peut être légitime si, au lieu de prétendre savoir, elle se donne comme une pure exigence morale : par exemple, la certitude scientifique du déterminisme universel, incontestable sur le plan des phénomènes, n'exclut pas l'idée d'un Dieu moral et d'un règne des fins, ou la conception de l'homme comme agent libre.
Appelée également *criticisme*, l'entreprise de Kant demeure une référence pour toute philosophie soucieuse de fonder ses thèses sur un examen des pouvoirs de la raison. Quand Sartre (1905-1980), dans sa *Critique de la raison dialectique* (1960), se réclame à la fois de la phénoménologie* et du marxisme*, le titre qu'il choisit privilégie la dimension kantienne de son projet : déterminer les conditions qui rendent possible la compréhension de l'Histoire.

La critique de l'économie politique chez Marx

Alors que la philosophie critique de Kant accomplit l'esprit des Lumières, Marx* (1818-1883) rompt avec cet esprit. Dans *L'Idéologie allemande* (1845), qu'il écrit en collaboration avec Engels (1820-1895), Marx reproche précisément aux philosophes qui critiquent les idées fausses des hommes, de se faire à leur tour des idées fausses sur ces idées fausses : ils s'imaginent que l'humanité est dominée par ces idées, et se donnent pour tâche de la libérer de cette domination. Ne comprenant pas comment ces idées sont produites, ils ne comprennent pas non plus qu'elles ne peuvent être éliminées de la conscience des hommes que si les circonstances qui les ont engendrées sont transformées. « Ce n'est pas la critique, écrit Marx, c'est la révolution* qui est la force motrice de l'Histoire, de la religion, de la philosophie et de toute autre théorie. »
Mais que signifie « critique » lorsque Marx prend le mot à son compte ? Le grand projet de la maturité, celui que Marx ne parviendra jamais à achever, est celui d'une « critique de l'économie politique » : l'*Introduction générale à la critique de l'économie politique* (1857), les *Principes d'une critique de l'économie politique* (1857-1858), la *Contribution à la critique de l'économie politique* (1859), jalonnent cette entreprise, jusqu'au *Capital* (1867), dont le sous-titre originel est *Critique de l'économie politique.* Afin de comprendre pourquoi Marx tient tant à intituler « critique » son œuvre d'économie politique, trois raisons peuvent être invoquées :
– La première raison est de nature morale. Puisque le principe de la production capitaliste est la transformation de la force de travail de l'homme en marchandise, l'analyse scientifique de ce

système est en même temps une critique de l'aliénation qu'il impose à l'humanité.
– Contre l'illusion des économistes, qui considèrent les lois de la production capitaliste comme des lois naturelles et éternelles de l'économie, l'analyse marxiste montre les contradictions internes du système, ce qui l'autorise à prédire scientifiquement sa destruction future.
– Si les lois de la production capitaliste ne sont pas éternelles, c'est qu'elles tiennent à certains rapports sociaux de production, déterminés par le développement historique des forces productives. La théorie marxiste est donc également « critique » en un sens qui s'apparente à celui de Kant : elle délimite son objet en dégageant ses conditions de possibilité.

La « Théorie critique » et l'École de Francfort

Le double héritage de la critique kantienne et de la critique marxiste se retrouve dans ce que les membres de l'École de Francfort* appellent la « Théorie critique ». Née en 1923 avec la création à Francfort de l'Institut de recherches sociales, l'École est d'abord dominée par la personnalité de Horkheimer (1895-1973), qui fixe son programme dans *Théorie traditionnelle et théorie critique* (1937). La théorie critique s'oppose à la théorie traditionnelle, parce qu'au lieu de viser seulement la non-contradiction interne et la vérification expérimentale, elle conçoit sa propre dépendance par rapport au contexte sociologique. Cette position marxiste s'accompagne d'une nouvelle critique de la raison : dénonciation de la raison instrumentale, asservie aux intérêts capitalistes, au nom de ce que Kant nommait « raison pratique ».

Conçue pour intervenir dans le processus socio-historique, la théorie critique a évolué vers un pessimisme de plus en plus accentué. La critique d'une forme de rationalité par une autre forme de rationalité s'est transformée en une contestation de la raison elle-même, suspectée d'être totalitaire par sa nature. La recherche d'une organisation sociale éclairée par la raison, recherche guidée originellement par le marxisme, est alors abandonnée au profit d'un individualisme plus proche de Nietzsche* (1844-1900) ou de Kierkegaard (1813-1855). Par cette double rupture avec la source kantienne et la source marxiste, la théorie de l'École de Francfort est devenue « critique » au sens négatif qui prévaut dans le langage courant : c'est ce dont témoigne l'œuvre maîtresse de Adorno (1903-1969), intitulée *Dialectique négative* (1966).

Le rationalisme critique de Popper

La connotation négative du mot *critique* se retrouve également dans le « rationalisme critique » de Popper (1902-1994). Le point de départ en est une thèse d'épistémologie* développée dans la *Logique de la découverte scientifique* (1935). Selon Popper, la qualité propre des énoncés scientifiques est la « falsifiabilité » : ils se prêtent (et doivent se prêter), par leur nature, à l'éventualité d'une réfutation. Lorsqu'une théorie falsifiable n'a pas été réfutée, nous pouvons considérer qu'elle est corroborée par l'expérience, mais pas plus ; de cette corroboration, toujours provisoire, nous pouvons tirer une préférence pour cette théorie, mais non une certitude.

Préférer la théorie qui n'a pas encore été réfutée, alors qu'elle pourrait l'être, c'est bien être rationaliste, puisque c'est se décider pour une raison ; mais cette raison ne nous donne jamais la certitude d'une parfaite justification. Certes, il est raisonnable de préférer cette théorie, mais elle n'en demeure pas moins une conjecture fragile, dont le fondement reste irrationnel. Telle est l'attitude philosophique que Popper appelle « rationalisme critique ». Sur le plan politique, cette philosophie implique une conception originale de la démocratie* : celle-ci ne consiste pas à donner le pouvoir au peuple, mais à permettre au peuple de critiquer et de contrôler le pouvoir, grâce à des institutions appropriées.

ENJEUX CONTEMPORAINS

Critique et crise des valeurs

La crise* des valeurs qui affecte l'époque contemporaine* est intimement liée à certaines tendances de la critique philosophique. Dans la pensée de Nietzsche, les valeurs* sont reconnues en tant que telles, puisqu'elles sont considérées comme des nécessités vitales : la critique a, dans ce cas, le sens d'une délimitation. La pensée postmoderne* (Lyotard, Rorty...) développe au contraire une critique strictement négative des valeurs, contestant leur prétention à valoir quoi que ce soit.

● **À consulter :** E. Cassirer, *La Philosophie des Lumières*, Fayard (1966).
● **Corrélats :** contemporaine (Époque) ; crise ; démocratie ; Descartes ; épistémologie ; Francfort (École de) ; Kant ; Lumières ; Marx ; métaphysique ; Nietzsche ; phénoménologie ; postmoderne ; sciences exactes ; valeurs.

Croisades

● **Étym. :** Dérivé de *croix*, le mot *croisade* n'apparaît qu'au XVe siècle, venu sans doute des langues du Midi (occitan, catalan). À l'époque des croisades, on utilise les expressions *croisement, se croiser, prendre la croix*. ● **Déf. :** On désigne par *croisades* les huit expéditions militaires menées par les chrétiens d'Occident, du XIe au XIIIe siècle, en vue de reprendre aux musulmans Jérusalem et la Terre sainte de Palestine, où s'était déroulée la vie du Christ. Aujourd'hui, le mot *croisade* s'applique aussi, par extension, à une campagne, une mobilisation de l'opinion publique (« une croisade anti-tabac »).

Un succès initial : la première croisade

Depuis le triomphe de l'islam* en Orient (VIIe siècle), les Califes arabes s'étaient montrés tolérants à l'égard des chrétiens qui, nombreux, venaient en pèlerinage au Saint-Sépulcre de Jérusalem, le tombeau du Christ. Mais dans la seconde moitié du XIe siècle, l'Asie Mineure, la Syrie et la Palestine étaient tombées aux mains des redoutables Turcs Seldjoukides, beaucoup moins accommodants. En réaction, le pape Urbain II, en 1095, appela à une sorte de pèlerinage armé dont l'objectif serait de placer Jérusalem sous souveraineté chrétienne.

Précédées d'une foule de pèlerins sans armes dont la plupart seront massacrés en cours de route, plusieurs armées féodales, regroupées en 1096 sous la conduite du duc de Basse-Lorraine, Godefroy de Bouillon, gagnent l'Orient par voie terrestre : la Hongrie, les Balkans, l'Empire byzantin*, l'Asie Mineure. Tous les combattants portent une croix rouge cousue sur leurs vêtements, d'où leur nom de *croisés*.

Au terme d'une progression épuisante, jalonnée de sanglantes batailles, les croisés enlèvent d'assaut Jérusalem le 15 juillet 1099. La population musulmane est entièrement massacrée.

Maîtres du pays, les croisés y créent des États organisés selon les règles féodales, le principal étant le royaume de Jérusalem. Pour les défendre, de singuliers ordres de moines soldats apparaissent (Hospitaliers en 1113, Templiers en 1118).

Les musulmans d'Orient cherchent évidemment à chasser les envahisseurs. Une croisade de renfort, en 1147, n'ayant pas abouti, le sultan d'Égypte Salah ed-Din (les croisés l'appellent Saladin) reprend Jérusalem en 1187. Une troisième croisade, hâtivement organisée par l'empereur germanique, le roi de France Philippe Auguste et le roi d'Angleterre Richard Cœur de Lion, échoue en 1192.

L'échec final des croisades

À l'appel du pape Innocent III, une quatrième croisade est mise sur pied en 1202 : elle doit attaquer l'Égypte par mer et compte pour cela sur la flotte de Venise. Mais les Vénitiens, plus soucieux de leurs intérêts économiques que du sort de Jérusalem, détournent l'armée croisée en direction de l'Empire byzantin, également chrétien. En avril 1204, les croisés prennent et pillent Constantinople, où ils tentent d'installer un empereur latin : ils portent ainsi au vieil Empire grec un coup qui, à terme, lui sera fatal.

Dans le courant du XIIIe siècle, les empereurs germaniques et le roi de France, saint Louis, tenteront de nouvelles expéditions pour reconquérir la Terre sainte. Aucune n'aboutira, Jérusalem restera sous souveraineté musulmane. Après 1270 et la mort de saint Louis devant Tunis, les croisades prendront fin.

La portée historique des croisades

Les historiens ont beaucoup débattu sur les causes des croisades. Il est indispensable, pour comprendre, de replacer l'événement dans son temps : l'exaltation religieuse, la peur de l'islam, présent en Espagne et perçu comme une menace permanente, la conviction qu'une mort trouvée en combattant les infidèles assure le salut ont joué un rôle essentiel, surtout lors de la première croisade.

Mais d'autres facteurs ont pris ensuite une importance croissante : le goût de l'aventure et de la gloire chez les jeunes féodaux, l'esprit de l'épopée* et de la courtoisie* exalté par la littérature, l'espoir d'accéder aux richesses d'un Orient plus imaginé que connu. En créant d'autre part un fructueux courant d'échanges commerciaux, les croisades ont été une aubaine pour les villes marchandes d'Italie et du Bassin méditerranéen, plus soucieuses de profits que de piété. Elles ont trafiqué aussi bien avec les croisés qu'avec leurs adversaires, et n'ont jamais hésité à défavoriser des chrétiens si elles y trouvaient leur intérêt : l'exemple de Venise et du détournement de la quatrième croisade le montre bien. Aussi, peu à peu, le désenchantement a-t-il triomphé de l'enthousiasme et plus personne n'a cru à la reconquête des Lieux saints.
Cela dit, les conséquences économiques et culturelles des croisades sont considérables. Elles ont réveillé l'activité en Méditerranée et participé au démarrage de la croissance en Europe. Au-delà des relations conflictuelles, elles ont établi un contact entre l'Orient et l'Occident : ce dernier y a beaucoup gagné car, dans de nombreux domaines (science, médecine, architecture...), la civilisation musulmane était alors très en avance sur celle de l'Europe chrétienne.
Mais sur un autre plan et malgré l'expulsion des croisés de Terre sainte, le monde musulman en est sorti affaibli. Attaqué par les croisés, en butte à des invasions venues d'Asie, il connaît un début de repli culturel qui contraste avec l'éclat des siècles précédents et qui va, à terme, lui être préjudiciable face à l'essor futur de l'Occident.

ENJEUX CONTEMPORAINS

Religion
Les croisades ont accentué les relations conflictuelles entre les deux monothéismes* les plus récents que sont le christianisme* et l'islam*. Dans l'inconscient collectif occidental, elles ont contribué à fausser durablement l'image de la religion musulmane.

● **À CONSULTER :** C. Morrisson, *Les Croisades*, PUF (7e éd., 1994). J. Richard, *Histoire des croisades*, Fayard (1996). R. Grousset, *Les Croisades*, PUF (rééd., 1994) ; *L'Épopée des croisades*, Perrin (rééd., 1995).

● **À LIRE :** Z. Oldenbourg, *La Joie des pauvres*, Gallimard (1970). *Chroniqueurs du Moyen Âge*, La Pléiade [voir Villehardouin et Joinville]. A. Maalouf, *Les Croisades vues par les Arabes*, Lattès (1983).
● **À VOIR :** Y. Chahine, *Salah ed-Din el Ayyoubi*.
● **CORRÉLATS :** antisémitisme ; byzantin (Empire) ; colonisation ; courtoisie ; Église catholique ; épopée ; islam ; Moyen Âge.

CUBISME

● **ÉTYM. :** Dérivé de *cube* (« figure géométrique »), le mot *cubisme* est apparu autour de 1910, dans les milieux artistiques parisiens. Il est passé dans l'usage après l'exposition au Salon des indépendants de 1911. ● **DÉF. :** Le cubisme désigne un important courant pictural du début du XXe siècle.

Une expérience capitale : Braque et Picasso

1910-1925

Dans l'élaboration de l'art moderne*, l'apparition du cubisme, entre 1907 et 1911, est aussi importante que le fut, quarante ans plus tôt, celle de l'impressionnisme*. Elle est essentiellement le fait de deux artistes majeurs, le Français Braque (1882-1963) et l'Espagnol Picasso (1881-1973), dont l'œuvre et l'influence seront considérables.
Plus encore que l'impressionnisme, le cubisme est un regard nouveau posé sur le monde. Il vise à rendre compte de manière absolue de la réalité, tant par sa volonté de reconstruire en deux dimensions, sur la toile, des objets qui en comportent trois, que par l'éclatement de l'angle de vision, le sujet étant vu – et représenté – simultanément depuis plusieurs points.
Le cubisme n'a jamais constitué une école au sens strict du terme. Il est plutôt un courant, un lieu de rencontre où se conduit, jusque 1925 environ, une expérience à laquelle de nombreux peintres ont participé. Ses acquis ont extraordinairement marqué le siècle, jusque dans l'architecture, le décor du quotidien ou le *design* industriel.

Une révision esthétique radicale

La nouveauté du cubisme est qu'il rompt délibérément avec la représentation naturaliste, encore présente dans l'impressionnisme et ses prolongements. Ce qui compte dans l'objet n'est pas son apparence, mais une forme que l'artiste analyse, décompose en volumes géométriques et qu'il s'autorise à fragmenter, pour la reconstruire d'une manière dont il décide souverainement. Le tableau cesse donc d'être figuratif, il devient une composition. On voit là que le cubisme a ouvert la voie à la peinture abstraite*, mais on comprend aussi qu'il ait dérouté le public.

Malgré son caractère radicalement innovant, le cubisme a des racines. Grand admirateur de Cézanne, Braque retient de lui l'importance des volumes et la géométrisation des formes. Picasso, de son côté, a été très impressionné par la stylisation des masques africains : l'œuvre qu'on considère comme le prélude à l'aventure cubiste, *Les Demoiselles d'Avignon* (1907), en témoigne. De même, Picasso a peut-être puisé, dans sa passion pour le cinéma*, ses expérimentations de points de vue multiples. Ce n'est qu'après 1910, quand les deux artistes s'engagent résolument dans ce qu'on appelle le « cubisme analytique », qu'ils s'affranchissent complètement de tout héritage, et notamment de la figuration.

À partir de 1911, d'autres peintres les rejoignent : Delaunay, Léger, Metzinger, Gleizes, Gris. Le poète Apollinaire se fait théoricien et rapproche la démarche cubiste de la philosophie néoplatonicienne, assimilant l'artiste à un créateur démiurgique, souverain et tout-puissant (*Peintres cubistes. Méditations esthétiques*, 1913).

ENJEUX CONTEMPORAINS

Courants esthétiques

L'irruption du cubisme coïncide, chronologiquement, avec l'abandon par les architectes des sinuosités de l'Art nouveau* au profit de formes dépouillées et orthogonales. Au lendemain de la Première Guerre mondiale*, triomphe une esthétique de la ligne droite et de la stylisation dont témoigne, au plan du mobilier et des arts mineurs, l'exposition des Arts décoratifs (Paris, 1925).

Cette prédominance du géométrique, jointe au fonctionnalisme et au refus de l'ornement, va caractériser pendant plus de cinquante ans le goût du siècle. Elle connaîtra son apogée lors des grands chantiers de reconstruction qui suivront la Seconde Guerre mondiale*.

Comment ne pas voir dans l'approche cubiste une préfiguration de cette évolution ? Même si, en tant que manière de peindre, le cubisme s'efface avant 1930 et si ses créateurs poursuivent sur d'autres voies, force est de constater la fécondité d'une démarche qui, non seulement conditionne l'itinéraire futur de la peinture moderne, mais pressent ce que sera l'esthétique du XXe siècle.

● **À CONSULTER :** N. Lynton, *L'Art moderne,* Flammarion (1994). W. Rubin, *Picasso et Braque. L'invention du cubisme,* Flammarion (1990). P. Cabanne, *Le Cubisme,* PUF (1991). G. Apollinaire, Les *Peintres cubistes. Méditations esthétiques,* Hermann (rééd., 1980).

● **CORRÉLATS :** art abstrait ; art moderne ; Art nouveau ; impressionnisme.

DÉCONSTRUCTION

● **ÉTYM. :** Du préfixe privatif *dé-* et du nom *construction*. ● **DÉF. :** Pour désigner le processus inverse de celui d'une construction (« la déconstruction d'un meuble », par exemple), le mot *déconstruction* a été d'un usage assez rare jusqu'à la fin du XIXe siècle. Seuls les grammairiens l'utilisaient, dans une variante particulière : l'action de déplacer les mots d'une phrase écrite dans une langue, pour les disposer selon l'ordre usité dans une autre, afin d'en expliquer le sens (par exemple, la phrase latine *Tuas ego hodie accepi litteras* peut être « déconstruite » sous la forme *Ego accepi hodie tuas litteras*, correspondant à l'ordre des mots de la phrase française : « J'ai reçu aujourd'hui votre lettre »). Tombé en désuétude au XXe siècle, le mot *déconstruction* renaît dans l'œuvre du philosophe français Derrida (né en 1930), en particulier dans son ouvrage *Marges de la philosophie* (1972).

La « destruction » de la métaphysique selon Heidegger

Au départ, *déconstruction* est la traduction que propose Derrida pour le mot allemand *Destruktion*, tel qu'il est utilisé par Heidegger* (1889-1976) dans l'*Introduction* de son ouvrage fondamental *Être et temps* (1927). Pour retrouver le sens véritable du mot *être*, sens toujours dissimulé par la confusion traditionnelle entre l'« être » et l'« étant » (ce qui est), Heidegger entreprend de détruire la métaphysique* occidentale, qui repose, selon lui, sur cette confusion. Cela signifie concrètement : aborder les œuvres des grands penseurs occidentaux sans craindre de faire violence aux textes ; car ces grands penseurs, même s'ils dissimulent le sens de l'être, contribuent toujours implicitement à sa compréhension. La violence interprétative est ainsi la condition d'un véritable dialogue avec les penseurs du passé. C'est pourquoi Heidegger précise qu'il entend par *Destruktion* une tâche positive, ce que le mot français *destruction* ne suggère pas du tout, et ce qui justifie, en partie, la traduction par *déconstruction*.

Du fait de l'inachèvement de *Être et temps*, c'est surtout dans les ouvrages que Heidegger a publiés ultérieurement, sur Platon*, Kant* ou Nietzsche*, que l'on peut juger la mise en œuvre de ce projet. En ce qui concerne spécialement Nietzsche, les cours professés par Heidegger de 1936 à 1946, et publiés en 1961, développent la thèse suivante : lorsqu'il glorifie la vie, le devenir, la différence, et rejette l'Idéal, Dieu, l'absolu, Nietzsche croit opérer un « retournement » du platonisme*, c'est-à-dire de la métaphysique ; mais puisqu'il conserve l'idée d'une opposition entre ces termes, et se borne à en inverser le sens, il demeure, par ce retournement, au sein de la métaphysique qu'il s'imagine détruire. Une véritable destruction de la métaphysique exigerait un démontage de cette opposition : c'est précisément une tâche de ce genre que Derrida va nommer « déconstruction ».

La déconstruction chez Derrida

Pour Derrida, la métaphysique consiste dans le privilège systématique qu'accorde la pensée occidentale à la présence immédiate sur la représentation : par exemple à la parole, en laquelle la conscience s'éprouve elle-même spontanément, sur l'écriture, qui n'est qu'un substitut de la parole, et par conséquent une dégradation de celle-ci. Ce « logocentrisme », comme l'appelle Derrida, participe selon lui au rapport violent que l'Occident entretient avec ce qui lui est étranger, à l'« ethnocentrisme » occidental. C'est à cela que la déconstruction doit s'attaquer, non pas en renversant l'opposition de la parole et de l'écriture, mais en démontant la signification de cette opposition.

Ce qui rend la tâche ardue, et toujours précaire, c'est le risque de voir le système récupérer insidieusement les transgressions. Pour l'ébranler radicalement, Derrida et les penseurs de la déconstruction tentent de combiner deux stratégies : une stratégie consistant à mettre au jour les présupposés de la métaphysique par une explicitation continue, et une stratégie nietzschéenne, consistant à s'installer brutalement hors de la métaphysique, à changer complètement de terrain. C'est selon cette seconde stratégie que Derrida, à la suite de Heidegger, se réfère souvent à des textes étrangers à la tradition philosophique. Chacune des deux stratégies doit permettre de conjurer la faiblesse de l'autre.

● **À CONSULTER :** P.-Y. Zima, *La Déconstruction, une critique*, PUF (1994).
● **CORRÉLATS :** Heidegger ; Kant ; métaphysique ; Nietzsche ; Platon.

DÉCOUVERTES (GRANDES)

● **DÉF. :** L'expression *Grandes Découvertes* est employée, dès le XVIe siècle, en espagnol pour désigner les voyages d'exploration lancés pendant un siècle ; elle passe en français, au XVIIe siècle, avec un sens élargi à l'ensemble des innovations de la fin du Moyen Âge*.

La période qui s'étend de 1460 à 1520 environ correspond pour les historiens au passage du Moyen Âge aux Temps modernes* : elle est marquée par une série d'inventions et de découvertes qui modifient profondément l'environnement spatial et culturel des Européens. Ces événements conditionnent en grande part les bouleversements que sont la Renaissance* et la Réforme* protestante.

Les découvertes techniques

Pendant la seconde moitié du XVe siècle, l'Europe connaît une relative prospérité et une sensible croissance démographique : on voit alors la généralisation d'inventions, fruit souvent de longs tâtonnements, qui ouvre d'immenses perspectives.

Les armes et la navigation

Au plan militaire, le perfectionnement de l'artillerie met définitivement fin à la domination des champs de bataille par les cavaliers cuirassés. Elle rend aussi obsolètes les hautes murailles médiévales, portant un coup fatal aux dernières manifestations de l'insubordination féodale à l'égard des rois. Elle donne d'autre part aux Occidentaux une durable supériorité d'armement par rapport au reste du monde.

Sur mer, la banalisation de l'usage de la boussole, inventée en Chine dès le XIe siècle et connue par l'intermédiaire des Arabes (*cf.* Islam), et la création, au Portugal, d'un remarquable navire de haute mer, la caravelle, rendent possibles des voyages lointains.

L'imprimerie et le renouveau intellectuel

Surtout, on met au point dans la vallée du Rhin, dans les années 1440-1460, le procédé de l'imprimerie (notamment grâce à Gutenberg), alors que se répand l'usage du papier, infiniment moins coûteux que le parchemin de peau. En rendant possible la diffusion vaste et rapide de l'écrit, l'imprimerie sur papier bouleverse les structures culturelles de l'Occident. Non seulement l'usage du livre se généralise et les idées circulent, mais la nouvelle technique arrache à l'Église* catholique le véritable monopole de l'édition manuscrite qu'elle détenait : les *scriptoria* (ateliers de copistes) étaient installés dans les monastères. Cet état de fait permettait à l'Église d'exercer un contrôle strict sur tout ce qui se publiait. Sans l'imprimerie, il est probable que la Réforme protestante aurait été étouffée.

GRANDES DÉCOUVERTES

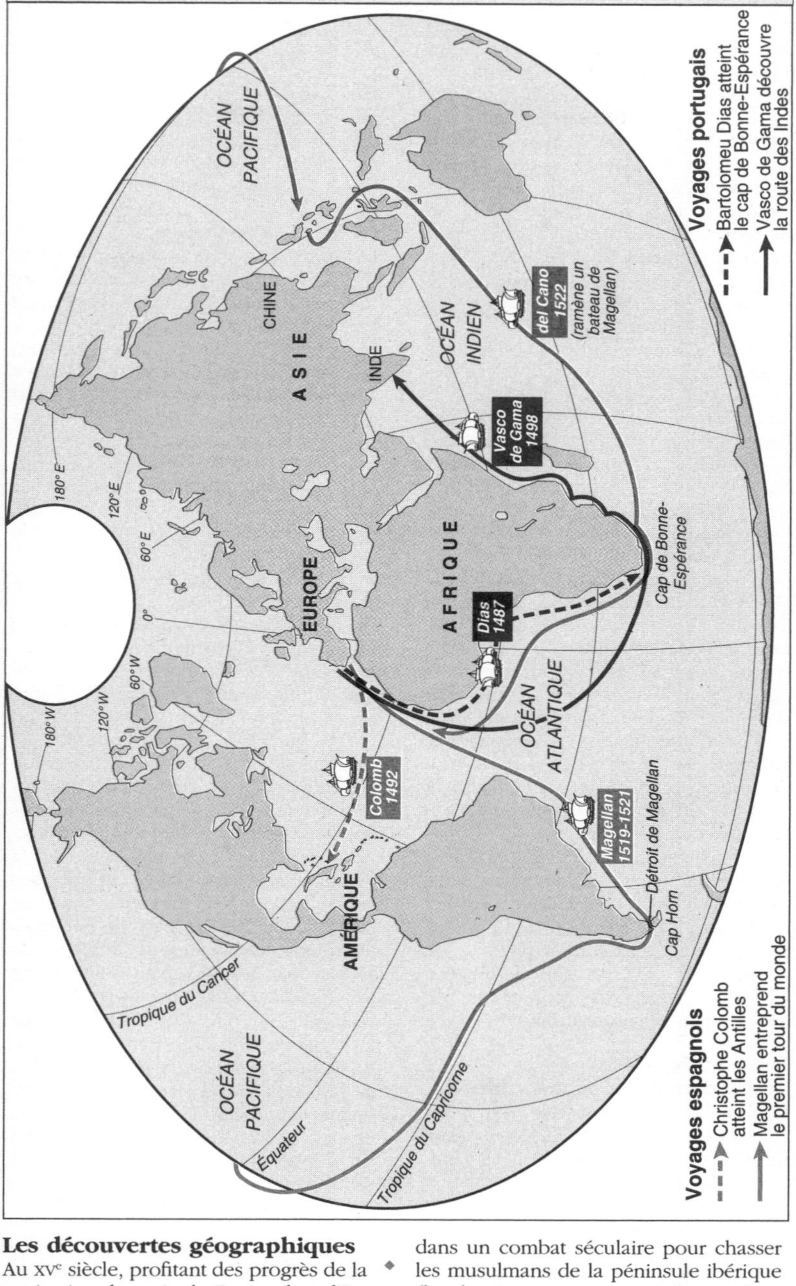

Les découvertes géographiques

Au XVᵉ siècle, profitant des progrès de la navigation, les rois du Portugal et d'Espagne commanditent des expéditions maritimes. À la quête de l'or et des épices (alors fort recherchés), s'ajoutent des considérations stratégiques. Engagés dans un combat séculaire pour chasser les musulmans de la péninsule ibérique (le dernier royaume musulman, Grenade, tombe en 1492), les souverains chrétiens cherchent d'hypothétiques alliés sur les arrières des pays d'Islam*. Au XIIIᵉ siècle, les expéditions des croisades*, qui ont alimenté le goût de l'aventure et les intérêts des Occidentaux, ont en effet échoué : c'est un an après l'échec de la huitième croisade, en 1271, que le Vénitien Marco Polo, en précurseur des grands explorateurs des XVe et XVIe siècles, entreprend son voyage en Chine, publiant à son retour son célèbre *Devisement du monde : le livre des merveilles* (1298).

Pendant toute la durée du XVe siècle, les navigateurs portugais progressent méthodiquement le long des côtes d'Afrique. En 1469, ils franchissent l'équateur ; en 1487, ils atteignent le cap de Bonne-Espérance.

C'est le moment où le marin génois Christophe Colomb convainc les souverains espagnols qu'il est possible, si la Terre est ronde, d'atteindre l'Asie par l'ouest. Son voyage à travers l'Atlantique le conduit, en 1492, à aborder non pas l'Inde, comme il le croit, mais les îles d'un continent inconnu, bientôt nommé l'Amérique. Cinq ans plus tard, en 1497-1498, c'est le Portugais Vasco de Gama qui, contournant l'Afrique, découvre la véritable route des Indes.

Dès lors, les expéditions se multiplient. Les côtes de l'Amérique du Sud sont reconnues en 1502 par le Florentin Amerigo Vespucci, qui donne son nom au nouveau continent. En 1513, la traversée de l'isthme de Panama fait découvrir le Pacifique. Le projet d'effectuer un tour du monde prend corps : il sera réalisé de 1519 à 1522 par l'expédition de Magellan, affrétée par l'Espagne.

Les autres rois d'Europe se lancent à leur tour dans la course aux découvertes. Le Vénitien Cabot reconnaît Terre-Neuve et le Labrador pour le compte de Henry VII d'Angleterre ; le Breton Jacques Cartier, commandité par le roi de France François Ier, découvre et remonte, en 1534, le fleuve Saint-Laurent.

Les conséquences des découvertes géographiques

Les Grandes Découvertes ont pour conséquence immédiate la colonisation* des terres nouvelles par les Européens. Alors que les Portugais se bornent à créer des comptoirs commerciaux en Afrique et en Asie, les Espagnols font en Amérique d'immenses conquêtes qui vont leur assurer la maîtrise de tout le continent, du sud des États-Unis actuels au cap Horn (excepté le Brésil, alloué au Portugal). Apportant de force le christianisme* aux populations indigènes, ils détruisent sans états d'âme les civilisations amérindiennes qu'ils rencontrent, Aztèques du Mexique ou Incas du Pérou. Les Indiens, déportés, réduits en esclavage*, décimés par les maladies venues d'Europe et devant lesquelles leur organisme est désarmé, meurent par centaines de milliers. Pour assurer une main-d'œuvre aux plantations et aux mines, les colonisateurs organisent dès la deuxième moitié du XVIe siècle la déportation d'esclaves africains, razziés sur les côtes de Guinée.

Le Portugal et surtout l'Espagne tirent d'énormes profits du commerce des Indes et de la colonisation. C'est le métal précieux venu d'Amérique qui permet à l'Espagne de devenir en quelques dizaines d'années la première puissance d'Europe. Mais ce soudain afflux d'or et d'argent provoque une inflation qui a pour corollaire, dans toute l'Europe, une formidable hausse des prix. La bourgeoisie* commerçante des pays atlantiques en profite, alors que la noblesse traditionnelle s'appauvrit, victime de la stagnation des revenus de la terre.

Enfin, la découverte de contrées et de peuples dont la Bible* ne parle pas pose des problèmes de nature théologique. Ces hommes et ces femmes sont-ils descendants d'Adam et Ève ? Pourquoi ignorent-ils Dieu ? Pourquoi l'Écriture est-elle muette à leur propos ? Dans un monde qui fait du texte biblique une lecture littérale et où les récits de la Genèse sont tenus pour la vérité historique, les découvertes et les questions qu'elles appellent sèment le ferment du doute. Au moment où l'humanisme* de la Renaissance, l'approche critique des textes anciens et la contestation de l'autorité de l'Église par les Réformés ébranlent les certitudes héritées du Moyen Âge, les découvertes alimentent le scepticisme* à l'égard du contenu de la Révélation : on en trouve l'écho chez Montaigne (1533-1592).

En ce sens, l'élargissement du monde et la réflexion qui l'accompagne contribuent beaucoup à l'émergence d'un esprit nouveau, fondant le jugement non sur des affirmations dogmatiques, mais sur l'examen, l'expérience et l'exercice d'une raison libérée de tout *a priori*.

● **À CONSULTER :** J. Amsler, *Histoire universelle des explorations. La Renaissance (1415-1600)*, PUF (1955). J. Favier, *Les Grandes Découvertes*, Fayard (1991). J. Heers, *Christophe Colomb*, Hachette (1991) ; *Voyages de Vasco*

de Gama, Chandeigne (1995). J. Meyer, *L'Europe à la conquête du monde*, Armand Colin (1990). P. Chaunu, *Conquête et exploitation des nouveaux mondes (XVIe siècle)*, PUF (1969). T. Todorov, *La Conquête de l'Amérique*, Seuil (1991). ● **À VOIR :** C. Saura, *El Dorado*. W. Herzog, *Aguirre ou la colère de Dieu*. *La controverse de Valladolid*.
● **CORRÉLATS :** aire culturelle ; bourgeoisie ; colonisation ; Contre-Réforme ; empire ; ethnologie ; Renaissance ; révolution scientifique ; systèmes économiques ; tiers-monde ; utopie.

DÉMOCRATIE

● **ÉTYM. :** Du grec *demokratia*, de *demos* (« le peuple ») et *kratein* (« commander »). ● **DÉF. :** On désigne littéralement par *démocratie* le gouvernement du peuple par lui-même, la souveraineté populaire.

Le mot *démocratie* est apparu à Athènes* dans le courant du Ve siècle avant J.-C., tant pour différencier les institutions de cette cité et celles de la monarchie (gouvernement d'un seul) que pour célébrer le triomphe du peuple sur l'aristocratie (gouvernement d'une élite). À l'Époque contemporaine*, il a désigné tout régime reposant sur la souveraineté populaire et un système représentatif fondé sur le suffrage universel ; on y ajoute aujourd'hui la nécessité du multipartisme et la garantie des libertés fondamentales, spécialement de conscience et d'expression.

La démocratie : institution réelle ou régime idéal ?

La cité d'Athènes des Ve et IVe siècles avant J.-C. est apparue aux Anciens comme le modèle des démocraties, les pouvoirs législatif et judiciaire appartenant à l'Assemblée des citoyens et les magistrats étant tirés au sort ou élus.
Pourtant, ce système que nous admirons encore rétrospectivement a été très discuté par les contemporains les plus éminents : Socrate accuse la démocratie d'être le gouvernement des ignorants, la « tyrannie de l'incompétence ». Aristote* préfère un dispositif mixte combinant des éléments des trois formes classiques de gouvernement : monarchie, aristocratie et démocratie. Platon*, qui rêve d'une cité dirigée par les philosophes, voit dans la démocratie la suprématie de la passion sur la raison. Plus tard, à Rome*, Polybe (202-120) et Cicéron (106-43), puis saint Augustin (354-430) estimeront que la démocratie est un idéal inapplicable aux institutions réelles, opinion reprise par Machiavel* (1469-1527), Montesquieu (1689-1755) et même Rousseau* (1712-1778) qui, s'il la réclame comme fondement de la souveraineté, la déclare impossible comme mode de gouvernement : « Un gouvernement si parfait ne convient pas à des hommes. »
Dès ses origines, la démocratie a donc posé problème et on peut s'interroger à propos de l'archétype lui-même : la *demokratia* athénienne est-elle une authentique démocratie ? Rappelons que les citoyens qui participent, au Ve siècle, au fonctionnement des institutions ne représentent que 10 % de la population de la cité : les Athéniens réputés d'origine étrangère, les esclaves et les femmes sont exclus de la vie publique.
Dans ces conditions, la démocratie athénienne apparaît plus un principe qu'une pratique réelle, le principe étant d'instituer souverain l'ensemble des citoyens, la pratique s'inscrivant dans la définition exacte de cette citoyenneté et de ses prérogatives. On saisit là l'ambiguïté de la relation entre démocratie et république*. Si la démocratie se veut pouvoir du peuple qui l'exerce directement (Athènes) ou de façon représentative, la république repose sur le principe abstrait d'une souveraineté collective qui, sur un plan concret, peut être exercée par une minorité aristocratique. De la Rome antique à Venise, les exemples de républiques aristocratiques sont nombreux ; en revanche, nous voyons, dans l'Europe contemporaine, d'authentiques démocraties coexister avec le maintien symbolique de l'institution monarchique (Royaume-Uni, Belgique, Espagne...).
C'est au degré de participation réelle des habitants majeurs d'un pays à la gestion de la *res publica* (« chose publique ») qu'on mesure s'il s'agit ou non d'une véritable démocratie.

Les fondements de la souveraineté

La question de la souveraineté est centrale puisqu'elle est à la base de l'idée de démocratie. Or, dès l'Antiquité*, la faillite des cités grecques à l'époque hellénistique* réinstitue triomphalement, et pour des siècles, le principe monarchique. Venu du fond des âges, il fonde la légitimité non sur le consensus entre des hommes libres, mais sur une délégation d'origine transcendantale, « inspiration » divine des rois hellénistiques ou des empereurs romains du Haut-Empire, consécration sacerdotale après la christianisation. Des empereurs du Bas-Empire aux rois absolutistes des Temps modernes*, il y a continuité, même si les formes juridiques et institutionnelles varient. Le roi gouverne au nom de Dieu, de qui procède toute autorité ; il n'y a pas de citoyens, il n'existe que des sujets, comme le rappelle encore Bossuet à la fin du XVIIe siècle.

C'est donc en fonction d'une réflexion sur la citoyenneté – apparue avec la Renaissance* et la redécouverte de l'Antiquité, et annonçant une future désacralisation du champ politique – que s'amorce le mouvement qui va conduire à l'élaboration d'un concept moderne de démocratie : celui-ci est indissociable de la théorie du contrat social* qui, en posant que la source du pouvoir politique réside en une collection d'individus* dotés de la liberté et de droits* naturels, rétablit le principe de la souveraineté populaire et récuse la monarchie de droit divin. Ce concept prend forme aux XVIIe et XVIIIe siècles, de Hobbes et Locke à Kant*, en passant par Rousseau. Sa première concrétisation est la création de la république des États-Unis d'Amérique, dont la Constitution date de 1787.

Démocratie ou régime représentatif ?

La jeune République américaine est-elle, en cette fin de XVIIIe siècle, une démocratie ? Assurément dans les principes que développe sa Constitution, mais pas dans ses pratiques : le suffrage universel est loin d'être la règle, le président des États-Unis est élu par un collège de grands électeurs et, surtout, un cinquième de la population est en état d'esclavage*. À plus de deux mille ans d'intervalle, on retrouve la problématique d'Athènes. Il en va de même quand la France en révolution* proclame la souveraineté nationale et rédige la *Déclaration des droits de l'homme et du citoyen* (1789). Cette dernière pose tous les principes de la démocratie, mais la Constitution de 1791 (comme les suivantes) établit un suffrage censitaire qui prive les pauvres de droits civiques.

En fait, les régimes politiques qui mettent en application le programme des Lumières* n'instituent pas la démocratie, mais généralisent le système représentatif que l'Angleterre avait progressivement établi depuis le XVIe siècle, avant d'en faire la théorie, par la voix de Locke, dans le *Traité sur le gouvernement civil* (1690). Introduisant le partage et la séparation des pouvoirs en subordonnant l'autorité du roi au consentement de ses sujets, le parlementarisme britannique avait créé un modèle, mais de manière pragmatique. Les Révolutions américaine et française de la fin du XVIIIe siècle le reprennent, mais en le dotant d'un contenu idéologique nouveau (textes constitutionnels, *Déclaration des droits de l'homme...*) qui va en faire le vecteur d'une évolution vers la démocratie. Celle-ci n'est donc pas immédiatement réalisée, mais les institutions qui sont établies la rendent possible.

Ainsi se trouve dépassé le débat qui avait agité le XVIIIe siècle et qui, n'imaginant la démocratie que sous la forme d'un gouvernement direct du peuple, avait conclu à son impossibilité, sinon à son aspect nocif car, ouvrant la voie aux manipulations des démagogues, il se dégradait facilement en populisme*.

La démocratie représentative

Historiens et politologues ont vu, dans les intérêts de classe et les enjeux de pouvoir, les causes de la mise en place tardive de cette démocratie qu'impliquaient pourtant les textes fondateurs. Certes, mais il faut aussi souligner la conscience que les hommes publics du XVIIIe et du début du XIXe siècle ont de l'inculture politique des masses populaires. La crainte des dérives démagogiques et de la manipulation d'un électorat immature est réelle : « Autant demander à un aveugle de choisir des couleurs ! » s'écrie à la Convention de Philadelphie (1787) l'Américain Hamilton quand il est question d'instaurer le suffrage universel. Les événements montrent qu'il ne s'agit pas d'un fantasme : quand, en 1848, les républicains français amenés au pouvoir par la révolution de Février accordent le droit de vote à tous les citoyens mâles et majeurs, un raz-de-marée électoral porte à la présidence, par la seule vertu de son nom et de promesses démagogiques, le prince Louis Napoléon Bonaparte, neveu de Napoléon* Ier. Imitant son oncle, il renverse la IIe République, le 2 décembre 1851, pour rétablir l'Empire. L'institution de la démocratie va donc passer par l'instruction du peuple et l'élévation générale du niveau culturel :

en France, les lois Ferry sur l'école* (1880) sont, avec l'établissement de la liberté d'expression, l'un des actes marquants de la IIIe République, restaurée après 1870. Seule l'accession des citoyens à la maturité politique peut faire du système représentatif l'instrument d'une démocratie authentique. Elle a pour corollaire la formation de partis défendant des options et dont l'alternance au gouvernement permet à toutes les familles d'opinion de se faire entendre (*cf.* Droite et Gauche).

Démocratie, libéralisme et crise du politique

Dans la mesure où le libéralisme* se veut défenseur du droit des individus, il tend par principe vers la démocratie : la pensée démocratique moderne, depuis le XVIIIe siècle, doit beaucoup aux libéraux. Ainsi, dans *De la démocratie en Amérique* (1839), Tocqueville a perçu, dans les institutions américaines, l'avènement de la démocratie et l'aboutissement nécessaire de l'évolution politique des sociétés modernes.

Cela dit, dans la perspective libérale, l'État* démocratique garde pour principale finalité d'accorder aux intérêts privés le maximum de liberté, donc d'être le plus discret possible. N'y a-t-il pas contradiction entre cette exigence et l'objectif de justice sociale et d'égalité qui est l'autre option fondamentale de l'idéal démocratique ? L'effacement de l'État n'a-t-il pas pour corollaire la liberté d'action des plus forts, dont les intérêts ne se confondent pas nécessairement avec ceux du plus grand nombre ?

Deux modèles de démocratie représentative se sont ainsi dégagés, en fonction de l'attitude qu'ils adoptaient face à cette alternative.

Le premier met l'accent sur la liberté du citoyen (en particulier dans le domaine économique), sur l'initiative et la responsabilité individuelles, limitant par là même le rôle de l'État : on le présente parfois comme anglo-saxon dans la mesure où il caractérise tant les États-Unis que le Royaume-Uni, surtout depuis les mesures prises par le gouvernement de Margaret Thatcher dans les années 1980.

Le second, typique de l'Europe continentale (France, Allemagne, pays scandinaves), insiste sur la nécessité d'une politique sociale et accorde à l'État un rôle régulateur et redistributeur, par le biais de la législation et de la fiscalité.

Le débat sur la nature des fonctions de l'État démocratique est loin d'être clos. Les libéraux ont toujours craint la « tyrannie de la majorité » et ont souhaité affaiblir l'État pour qu'il échappe à toute dérive vers le totalitarisme*. Ils considèrent que l'extension excessive des pouvoirs de l'État, spécialement le contrôle total de l'activité économique, aboutit à la négation de la démocratie. Cette thèse s'alimente aujourd'hui d'une réflexion sur le communisme* soviétique et les « démocraties populaires » de l'Est. Elle conduit des économistes comme l'Américain Rostow à s'interroger sur les liens qui unissent liberté politique et liberté d'entreprendre, démocratie et économie de marché.

Mais parallèlement, on peut craindre qu'abandonner la régulation des rapports sociaux aux mécanismes du marché conduise à d'énormes inégalités et à un pouvoir incontrôlé des puissances d'argent, ce qui serait tout aussi fatal à la démocratie authentique que l'omnipotence de l'État.

Le bon fonctionnement de la démocratie se situe donc dans un équilibre difficile, qui ne peut s'établir qu'à deux conditions : l'existence d'une classe politique responsable et compétente, jouissant de la confiance des citoyens ; la participation active de ces derniers à la vie de la cité. L'actuelle crise* que traverse la démocratie en Occident résulte autant d'une perte de confiance du peuple à l'égard de ses représentants que d'un désintérêt croissant pour la « chose publique », les deux facteurs étant d'ailleurs liés.

ENJEUX CONTEMPORAINS

Systèmes politiques

Il est à souhaiter que cette crise du politique soit promptement dépassée car, avec tous ses défauts, la démocratie représentative est le meilleur régime politique que l'humanité ait jamais connu, et le seul propre à garantir les droits de l'homme*. Pour des milliards d'hommes et de femmes qui, sur la Terre, en sont encore privés, il représente un idéal et le modèle de gouvernement vers lequel tendent leurs espérances. Il est, dans ces conditions, paradoxal – sinon choquant – de voir, au même moment, les peuples qui ont la chance d'en bénéficier douter de ses qualités.

● **À consulter :** G. Burdeau, *La Démocratie*, Seuil (1990). M.-I. Finley, *Démocratie antique et démocratie moderne*, Payot (1990). J.-P. Lassale, *La Démocratie américaine*, Armand Colin (1991). B. Poli, *Histoire des doctrines politiques aux États-Unis*, PUF (1994). A. de Baecque, *Histoire de la démocratie en Europe*, Le Monde (1991). Cl. Lefort, *L'Invention démocratique*, Fayard (1994).
● **À lire :** A. de Tocqueville, *De la démocratie en Amérique* (1839).
● **Corrélats :** anarchisme ; Athènes ; bourgeoisie ; communisme soviétique ; contrat social ; Contre-Révolution ; crise ; droite/gauche ; droits de l'homme ; école ; État ; hellénistique (monde) ; libéralisme ; populisme ; Réforme protestante ; République ; révolution ; Révolution américaine ; Révolution française ; Révolution russe ; Révolutions anglaises ; Rome antique ; Sparte ; totalitarisme.

DESCARTES ET LE CARTÉSIANISME

Paradoxalement, c'est parce qu'il voulait rompre avec la tradition, parce qu'il entendait refuser les héritages, parce qu'il méprisait l'Histoire, que Descartes (1596-1650) a instauré une tradition qui constitue pour la pensée occidentale un héritage majeur, et que son œuvre a marqué l'Histoire au plus haut point. Dans la diversité foisonnante des acceptions que ce terme peut recevoir, il y a eu, et il y aura encore des « cartésiens ».

L'œuvre de Descartes

Considérée dans son ensemble, l'œuvre de Descartes se présente comme la réalisation systématique d'un projet : la reconstruction du corps entier des sciences*. Exprimé dans le *Discours de la méthode* (1637), partiellement illustré dans les *Essais* qui accompagnaient à l'origine le *Discours*, ce projet naît d'une conviction première : toutes les sciences ne forment qu'une seule science, appliquant à des objets divers la raison humaine, toujours identique à elle-même. Cette conviction autorise l'idée d'une méthode universelle, formée sur le modèle des mathématiques*.

Un tel projet n'est fondé que si l'on suppose la validité de notre raison. Descartes s'emploie à transformer cette supposition en certitude dans son chef-d'œuvre, les *Méditations métaphysiques* (1641). Partant d'un doute méthodique et radical, il est conduit, par un renversement extraordinaire, à affirmer l'existence d'un Dieu vérace, suprême garantie de notre capacité à distinguer le vrai du faux. Le renversement s'opère grâce à la proposition « Je pense, donc je suis » *(cogito ergo sum)*, première certitude absolument indubitable, puisque même celui qui veut douter de tout doit par là même affirmer qu'il existe et qu'il pense. Cette découverte de l'esprit, sujet distinct de tout objet, sera saluée par Hegel* (1770-1831), comme un acte d'héroïsme, véritable commencement de la philosophie moderne.

Les principales thèses de la métaphysique* de Descartes se déduisent de cette découverte, selon un ordre strict : distinction de l'*âme* (substance pensante) et du *corps* (substance étendue) ; priorité de la connaissance de l'âme sur celle du corps ; affirmation du libre arbitre humain ; union substantielle, en l'homme, de l'âme et du corps ; validité objective de nos idées claires et distinctes pour la connaissance de l'essence des choses ; validité objective de nos idées sensibles (obscures et confuses) pour la reconnaissance de l'existence des choses et les finalités de la vie. La distinction radicale entre la pensée et la matière étendue conduit à la physique* strictement géométrique que développent les *Principes de la philosophie* (1644), ainsi qu'à la théorie de l'animal-machine. L'union en l'homme de l'âme et du corps fait l'objet de la psychophysiologie morale du traité des *Passions de l'âme* (1649).

Le cartésianisme au XVIIe siècle

Si nous tendons de nos jours à privilégier l'œuvre philosophique de Descartes, et à négliger son œuvre scientifique, il n'en alla pas de même pour ses contemporains : la physique de Descartes, en particulier, fut historiquement, par son géométrisme et son mécanisme, un élément essentiel de la grande révolution scientifique* du XVIIe siècle. Il fallut attendre les critiques de Newton (1642-1727), et la référence à une norme expérimentale plus stricte, pour que les explications cartésiennes des phénomènes naturels soient rejetées.

Mais cette désuétude assez rapide n'a pas anéanti le cartésianisme. Systématique au plus haut point, la pensée de Descartes semble autoriser paradoxalement une subtile dissociation de sa lettre et de son esprit, de ses résultats et de ses principes, d'où résulte une multitude de possibilités d'être « cartésien » sans adhérer à tout ce que Descartes a écrit : ainsi trouve-t-on par exemple, dès le XVIIe siècle, un cartésianisme de la méthode chez les jansénistes (la *Logique de Port-Royal*, 1662), et un cartésianisme du rejet de l'autorité chez les libertins* (La Fontaine déclarant que l'on eût, dans l'Antiquité, « fait un dieu » de Descartes). Les historiens de la philosophie n'ont d'ailleurs pas hésité à qualifier de « grands cartésiens » des penseurs qui critiquent résolument Descartes, mais en demeurant dans un univers conceptuel gouverné par son œuvre : Spinoza (1632-1677), Malebranche (1638-1715) et Leibniz (1646-1716) proposent des solutions non cartésiennes à des problèmes cartésiens. Chez ces trois grands rationalistes, l'héritage de Descartes n'est présent que pour être brisé : chacun, à sa façon, détruit le rapport établi par le philosophe français entre l'homme et Dieu, et affirme la résorption de la finitude humaine dans l'infinité divine.

Le cartésianisme au siècle des Lumières

La diversité des « cartésianismes » ne fait que croître au XVIIIe siècle. En un sens, l'esprit des Lumières* est cartésien par son refus des préjugés. Mais d'autres variantes apparaissent, qui font revivre à chaque fois un aspect différent de cet héritage.

La thèse d'une « bonne » nature, forme tutélaire que prend le principe de la véracité divine dans la région de la sensibilité humaine, se retrouve chez Rousseau* (1712-1778). D'autre part, la tentative cartésienne d'expliquer la vie du corps par les seules propriétés de la matière apparaît rétrospectivement comme un matérialisme* encore timide, que certains auteurs cherchent à rendre plus audacieux et plus conséquent : tel La Mettrie (1709-1751), dans son ouvrage majeur *L'Homme-machine* (1747), titre qui révèle clairement la volonté d'adapter et de corriger en même temps la thèse de l'animal-machine chez Descartes.

Plus riche de sens et d'avenir, peut-être, est le cartésianisme politique et éthique de Condorcet (1743-1794) dans les cinq *Mémoires sur l'instruction publique* (1791). C'est par lui que l'héritage cartésien devient constitutif de ce que nous appelons, en France, la république* : la *liberté* du citoyen repose sur l'instruction publique, qui doit transmettre à tous un savoir élémentaire régi par le précepte méthodique de l'ordre des raisons ; l'*égalité* entre citoyens s'en déduit, trouvant sa forme la plus haute dans la distinction des talents ; même la *fraternité* républicaine est cartésienne en ce qu'elle est faite de « générosité », l'estime des autres supposant la « juste estime de soi » pour qui s'efforce d'atteindre son point d'excellence.

Philosophie et science cartésiennes aux XIXe et XXe siècles

C'est un moment important, dans l'histoire du cartésianisme, que la publication en 1826, par Cousin, l'organisateur de l'enseignement philosophique en France, du seul *Discours de la méthode*, sans les *Essais* scientifiques qui l'accompagnaient à l'origine. La scission qui rend la philosophie de Descartes autonome par rapport à la science cartésienne n'aurait pas eu de sens pour Descartes lui-même, mais elle devient une évidence au XIXe siècle. Succédant à l'image d'un Descartes matérialiste, la représentation d'un Descartes spiritualiste, affirmant avant tout la transcendance de l'âme, tend alors à s'imposer chez les philosophes.

Cela contribue à diversifier encore l'héritage de Descartes. Certains fondateurs de sciences rejoignent son souci d'une réflexion préalable sur la méthode, alors même qu'ils restent parfaitement étrangers à sa philosophie : Cl. Bernard (1813-1878) pour la biologie* (*Introduction à l'étude de la médecine expérimentale*, 1865), Durkheim (1858-1917) pour la sociologie* (*Règles de la méthode sociologique*, 1895).

Mais le véritable esprit cartésien refuse la séparation de la science et de la philosophie. Husserl (1859-1938) nous invite à retrouver cet esprit dans les *Méditations cartésiennes* (1931) : si la philosophie doit être une science rigoureuse, son projet impose au penseur de répéter, pour son propre compte, le geste premier du doute radical. Être cartésien, c'est avant tout s'assurer soi-même du véritable commencement de sa pensée.

ENJEUX CONTEMPORAINS

Héritage philosophique

On se réfère au Descartes des « idées claires et distinctes » lorsqu'on associe, selon un cliché encore bien vivace, l'adjectif *cartésien* à l'esprit français. Cette identification à l'esprit d'une nation ne saurait résumer à elle seule l'état actuel de l'héritage cartésien, qui poursuit par ailleurs ses métamorphoses. Dans un ouvrage intitulé *La Linguistique cartésienne* (1966), le linguiste américain Chomsky se réfère aux textes dans lesquels Descartes différencie l'homme des animaux par le langage (en particulier la lettre au marquis de Newcastle du 23 novembre 1646) : il y voit une première ébauche de la « grammaire générative ». D'autre part, l'importance que les penseurs anglo-saxons, depuis Ryle (*La Notion d'esprit*, 1949) jusqu'à Damasio (*L'Erreur de Descartes*, 1995), accordent au problème des rapports « âme/corps » prouve que le dualisme cartésien conserve, même lorsqu'il est critiqué, une valeur de référence.

● **À CONSULTER :** G. Rodis-Lewis, *Descartes et le rationalisme*, PUF (6e éd., 1992).

● **CORRÉLATS :** biologie ; Hegel ; libertins ; Lumières ; matérialisme ; mathématiques ; métaphysique ; physique ; République ; révolution scientifique ; Rousseau ; sciences exactes ; sociologie.

DIALECTIQUE

● **ÉTYM. :** Du grec *dialektikê* (« art de la discussion, du dialogue »).

● **DÉF. :** Le terme *dialectique* désigne originellement la méthode qui consiste à chercher la vérité par voie de discussion. C'est à ce sens que se réfèrent les philosophes grecs : Zénon d'Élée (Ve siècle avant J.-C.), Platon* (427-347) et Aristote* (384-322). La philosophie moderne, depuis Hegel* (1770-1831), rompt avec cette tradition et donne à la dialectique une signification nouvelle : non pas une méthode, liée à la pratique du dialogue, mais le mouvement même de la réalité.

La dialectique au sens ancien et au sens moderne

L'élément commun aux deux significations de la dialectique est l'affirmation d'une fécondité de la contradiction. Toutefois, si la contradiction est féconde dans le dialogue, c'est parce qu'elle y est interdite : l'effort des interlocuteurs pour surmonter des contradictions qu'ils jugent insupportables, tel est bien le ressort essentiel des *Dialogues* de Platon. En revanche, si la dialectique est conçue comme le mouvement des choses elles-mêmes, la contradiction cesse d'être tenue pour une faute logique, qu'on doit éviter à tout prix : sa fécondité provient au contraire de ce qu'elle est partout, parce qu'elle est non seulement possible, mais nécessaire. On mesure ici l'ampleur de l'opposition entre la dialectique au sens ancien et la dialectique au sens moderne.

La dialectique comme « science suprême » (Platon)

Platon fait de la dialectique la « science suprême », supérieure, en particulier, aux sciences mathématiques*. Certes, la devise de l'Académie platonicienne est : « Nul n'entre ici s'il n'est géomètre » ; mais s'il faut être géomètre pour entrer à l'Académie, c'est pour en sortir dialecticien. La géométrie, en effet, est limitée, comme toute science déductive, puisqu'elle doit poser, par hypothèse, le point de départ de sa déduction (le cercle, le triangle, la droite...), sans pouvoir en rendre compte. En revanche, dans une discussion sur la justice, le courage ou la beauté, le jeu des questions et des réponses permet de remonter jusqu'au premier principe, jusqu'à « l'Idée du Bien », qui assure, selon Platon, la compréhension intégrale du réel.

La dialectique comme « logique de l'apparence » (Kant)

Dans la *Critique de la raison pure* (1781), le philosophe allemand Kant* (1724-1804) intitule *Dialectique transcendantale* la section de l'ouvrage consacrée à une illusion inévitable de la raison humaine : l'illusion par laquelle la raison, visant l'achèvement de notre connaissance, se représente à tort cet achèvement comme un objet donné. Par exemple, tous les objets se donnent à nous comme appartenant à un seul « monde » ; mais le monde lui-même ne peut pas être un objet connu, puisque nous ne connaissons que ce qui nous apparaît dans l'espace et dans le temps, c'est-à-dire de façon essentiellement inachevée. À toute proposition portant sur le monde dans sa totalité (par exemple : « Le monde a un commencement dans le temps »), on peut donc toujours opposer, avec autant de droit, la proposition contraire (« Le monde n'a pas de commencement dans le temps »), en une dialectique stérile, logique de l'apparence et non de la vérité. Il n'en résulte pas, selon Kant, que l'idée de « monde » doit être bannie de la connaissance humaine : une fois critiquée, elle apparaît dans sa véritable fonction, qui est de donner un sens à notre connaissance limitée en cernant ses conditions de possibilité (l'espace et le temps). L'idée de monde joue donc, selon Kant, une fonction « régulatrice », que l'on retrouve dans la théorie kantienne du progrès* et dans celle du droit*.

La dialectique comme « négation de la négation » (Hegel)

Selon Hegel, si Kant a bien vu que le concept de « monde » est dialectique, il n'a pas compris que c'est le cas de tous les concepts. Soit, par exemple, le concept d'« être ». Si je veux penser l'être pur, affirmer l'être sans y mêler le moindre non-être, je dois pour cela exclure tout ce qui, dans la réalité, implique le non-être : la naissance (car c'est le passage du non-être à l'être), la mort (car c'est le passage de l'être au non-être), mais aussi tout changement, toute différence, toute limitation. Or, vouloir penser ce qui ne naît pas, ne meurt pas, ne change pas, n'est ni ceci ni cela, c'est vouloir penser le rien, le néant. Ainsi, le concept d'être s'est transformé en son contraire : je ne me suis pas contredit, c'est le concept lui-même qui s'est révélé contradictoire, selon le mouvement de la vérité. Car ce qui est vraiment, ce n'est ni l'être pur, ni le néant, mais le devenir, le mouvement par lequel tout ce qui est cesse d'être, et tout ce qui n'est pas accède à l'être. Dans le devenir, la contradiction de l'être et du néant est à la fois maintenue et perpétuellement surmontée : l'être est nié, mais cette négation est niée à son tour, ce qui conduit à une affirmation supérieure. C'est cette négation de la négation, mouvement de l'Esprit à l'œuvre dans l'Histoire*, que Hegel appelle « dialectique ».

La dialectique du maître et de l'esclave

Dans *La Phénoménologie de l'Esprit* (1807), Hegel entreprend la description des différentes figures par lesquelles la conscience humaine acquiert progressivement le savoir d'elle-même. Une de ces figures est la scission et le conflit entre maître et esclave : puisque la conscience humaine veut faire reconnaître sa certitude intime d'être plus précieuse que la simple vie biologique, mais qu'elle ne peut le faire reconnaître qu'en demeurant en vie, elle doit d'abord se diviser en une tendance à risquer sa vie (le maître) et une tendance à conserver sa vie à tout prix (l'esclave). Cette division est universelle : elle déchire chacun de nous, et les hommes entre eux.

L'histoire de la relation entre maître et esclave est régie par la loi dialectique d'un inexorable renversement. Au commencement, le maître semble représenter l'humanité proprement dite, tandis que l'esclave se tient du côté de l'attachement animal à la vie. Mais la supériorité du maître tient uniquement au fait qu'il est servi par l'esclave : n'ayant qu'à désirer pour obtenir, il ne connaît en fin de compte que la bestialité du désir immédiat. L'esclave, lui, voit son désir réfréné, retardé par le rude contact avec les choses : son destin est le travail*, la transformation du monde. C'est dans cette transformation que se forme la véritable humanité, prenant conscience d'elle-même et confiance en elle-même.

La dialectique dans la réalité « matérielle » (Marx)

Que la dialectique soit le mouvement même de la réalité, c'est ce que Marx* (1818-1883) accorde à Hegel ; mais il interprète cette réalité, non pas au niveau des concepts, de l'Esprit ou de la conscience, mais au niveau des sociétés matérielles. D'après les principes du matérialisme*, ce qui est dialectique, c'est la division sociale du travail, la division des hommes en classes, selon la place qu'ils occupent dans les rapports de production. Selon Marx, une contradiction dialectique mine le mode de production capitaliste : l'appropriation capitaliste des moyens de production nie la propriété privée qui caractérisait le travail indépendant individuel, et engendrera elle-même, de ce fait, sa propre négation, sous la forme d'une appropriation collective. Si la négation de la négation se produit dans les concepts, comme le pense Hegel, c'est donc parce qu'elle se produit d'abord dans la réalité « matérielle » que reflètent les concepts. Marx affirme ainsi, dans *Le Capital* (1867), que la dialectique hégélienne « marche sur la tête », et qu'il lui a fallu la « remettre sur ses pieds ».

● **À CONSULTER :** Cl. Bruaire, *La Dialectique*, PUF (1985). ● **À LIRE :** B. Brecht, *Maître Puntila et son valet Matti* (1940). J. Genet, *Les Bonnes* (1947). ● **À VOIR :** J. Losey, *The Servant* (1963).
● **CORRÉLATS :** Aristote ; droit ; Hegel ; Histoire ; Kant ; Marx ; matérialisme ; Platon ; progrès ; travail.

DON JUAN

Personnage légendaire, probablement issu du folklore espagnol, don Juan fut d'abord mis en scène par l'écrivain espagnol Tirso de Molina dans *Le Trompeur de Séville* (≈ 1630). Don Juan est un noble d'Espagne, séducteur sans scrupules, orgueilleux et menteur, qui ne recule ni devant la trahison ni devant le parjure. Il courtise les femmes, ne recherchant que son plaisir, et celui qui se moque des femmes et de la société se moque aussi de Dieu. Dans l'Espagne catholique du XVIIe siècle, don Juan, l'homme du sacrilège, sera puni, foudroyé par le châtiment divin : c'est l'épisode ultime du « convive de pierre », où la statue du Commandeur précipite l'homme sans loyauté en enfer.

Le révolté et le libertin

C'est en Italie avec la *commedia dell' arte*, puis en France que s'affirme, au XVIIe siècle, l'image du révolté qui s'oppose aux lois humaines et divines. Dans sa pièce en prose *Dom Juan ou le Festin de pierre* (1665), qui mêle le ton de la comédie* aux accents de la tragédie*, Molière présente le « grand seigneur méchant homme » en opposition à son valet Sganarelle. Le valet est naïf et lourdaud ; le maître est un être complexe, caractérisé par la mobilité : incapable de se fixer – c'est « l'épouseur du genre humain » –, don Juan veut que toutes les femmes rompent leurs engagements pour lui.

Le don Juan de Molière représente la décadence d'une aristocratie devenue une classe parasite ; mais surtout c'est un libertin*, un homme avide de plaisirs, qui révèle les incohérences des morales et des codes – notamment aristocratiques – pour mieux les transgresser. Il ne paie pas ses dettes, il ridiculise son noble père, il met la foi en cause (scène du Pauvre) ; et surtout, il défie le divin à travers le Commandeur.

La fin de la pièce laisse ouverte la question du regard que Molière porte sur son personnage : vil séducteur, hypocrite impénitent, noble dévoyant les valeurs de sa classe, seigneur impuissant à trouver le bonheur, libertin en butte aux mœurs et à la religion, éternel révolté en quête d'infini, don Juan ne se laisse pas enfermer dans une catégorie unique…

La figure moderne

Au XVIIIe siècle, Mozart, sur un livret de Da Ponte, en fait dans son opéra* *Don Giovanni* (1787) un personnage joyeux (air du champagne) et fier, collectionneur de femmes (air du catalogue), qui va à la mort pour ne pas renoncer à sa chère liberté.

Au XIXe siècle, le romantisme* s'empare du personnage qui, avec le poète Byron, devient notre don Juan moderne, séducteur et galant, hors toute référence au problème du Mal ou de la transgression. Balzac et Mérimée en font le héros de nouvelles, Dumas et Pouchkine de drames*.

Au XXe siècle, des écrivains comme Montherlant, Frisch, Vailland, ont entrepris de démythifier le héros, de le rendre résolument humain.

ENJEUX CONTEMPORAINS

Mythe et société

Le mythe* de don Juan reflète la conception occidentale de l'amour (*cf.* Affectivité), passion liée à la mort, liberté partagée entre l'instant et l'éternité. Si don Juan apparaît comme un anti-Tristan* pour son infidélité et un anti-Faust* pour sa frivolité, il les rejoint dans son opposition aux hommes et aux normes. Ce personnage a autant inspiré le monde du théâtre* sans doute parce qu'il implique constamment la notion de « jeu » : don Juan joue avec les autres, joue des rôles divers selon les situations, vit sa vie comme un jeu et met finalement sa vie en jeu, dans un vertige perpétuel, à la fois quête de l'absolu et fuite en avant.

● **À CONSULTER :** J. Rousset, *Le Mythe de don Juan*, Armand Colin (4e éd., 1982). P. Brunel, *Dictionnaire des mythes littéraires*, Rocher (1988). ● **À VOIR :** J. Losey, *Don Juan*. M. Bluwal, *Dom Juan* (1965). ● **CORRÉLATS :** affectivité ; libertins ; mythe ; théâtre.

DRAME

● **ÉTYM. :** Du grec *drama* (« action ») qui a donné en latin *drama* (« action théâtrale »). Le mot *drame* n'apparaît en français qu'à la fin du XVIIe siècle, au moment où se développe une nouvelle forme théâtrale répondant au goût bourgeois. ● **DÉF. :** Au sens restreint, la notion de *drame* se définit par opposition à la tragédie* et la comédie* : sans être ni l'un ni l'autre, le drame s'autorise le mélange des genres. Au sens large, il renvoie au fait théâtral en général, d'où les dérivés *dramatique* et *dramaturge*. Le langage courant lui a donné une signification qui dépasse l'univers de la scène et évoque une situation malheureuse (« le drame du divorce », « dramatiser »).

Drame satyrique et drame liturgique

Antiquité et Moyen Âge

Dans l'Antiquité*, les auteurs grecs élaborent, entre les formes théâtrales bien définies que sont la comédie et la tragédie, un genre hybride appelé « drame satyrique » : ce sont des scènes bouffonnes, issues du culte dionysiaque, qui prennent place à côté de la trilogie antique. Au Ve siècle avant J.-C., Euripide et Sophocle ont ainsi composé plusieurs drames en vers. En revanche, les auteurs latins ignoreront ce genre.

Au Moyen Âge* apparaît le drame liturgique qui met en scène, lors des fêtes de Pâques et Noël, des passages de la Bible* : le chant, la danse et la gestuelle y tiennent une part prépondérante.

Drame sacré et drame élisabéthain

XVIe-XVIIe siècles

C'est en Espagne, et surtout en Angleterre, que le drame s'est développé à la Renaissance*. Dominant le « Siècle d'Or » de la littérature espagnole, Calderón (1600-1681) écrit des « drames sacrés » *(autos sacramentales)*, pièces religieuses allégoriques jouées lors de la Fête-Dieu (*Le Grand Théâtre du monde*, 1645). Son contemporain Lope de Vega, auteur de plus de deux mille pièces, répand aussi la *comedia*, genre typique espagnol qui met en scène l'amour et l'honneur tout en donnant un tableau satirique des mœurs. Coups de théâtre, caricatures, rebondissements sont caractéristiques de cette forme théâtrale qui emprunte à la tragédie et à la comédie.

En Angleterre, sous le règne d'Elisabeth Ire (1558-1603), apparaît une immense production théâtrale qu'on désigne sous le nom de « drame élisabéthain » et que domine le génie de Shakespeare (1564-1616). Le théâtre de Shakespeare est à la fois épique, lyrique, satirique. Il brasse l'histoire immédiate, le défilé des siècles et les figures mythiques ; il mêle la violence à l'élégie, les situations quotidiennes aux passions éternelles, l'anecdote ponctuelle et les destins grandioses. La politique, la religion, les sentiments individuels s'incarnent dans des personnages complexes, riches d'une vérité intemporelle : Macbeth, Othello, Lear, Falstaff, Hamlet sont devenus des références. La farce et la tragédie se côtoient, comme l'ombre et la lumière. Son langage, qui joue sur tous les registres et toutes les tonalités, va de la truculence la plus grossière à la poésie la plus subtile, comme par exemple dans *Roméo et Juliette*. Homme de théâtre accompli, Shakespeare écrit pour la scène et sait à merveille exploiter les ressources de la théâtralité, notamment le procédé de « mise en abyme » *(the play within the play)*. Le drame shakespearien ignore le cloisonnement des genres, et il influencera profondément la génération romantique*. Ben Jonson (1572-1637) et Marlowe (1564-1593), éclipsés par Shakespeare, ont cependant laissé des drames de valeur, comme *La Tragique Histoire du docteur Faust** (Marlowe, 1588).

En France, la littérature classique* ne laisse pas place au drame : la comédie et la tragédie sont alors codifiées par des règles ; la tragi-comédie, genre hybride, ne parvient pas à s'imposer. Le drame correspond plutôt à l'esprit baroque* qui émerge dans les arts européens de cette époque, alors que domine en littérature l'idéal classique. Ainsi les auteurs français des XVIIe et XVIIIe siècles ignorent-ils Shakespeare, jusqu'à Voltaire qui le trouvera « barbare ».

Le drame bourgeois

XVIIIe siècle

L'Europe des Lumières* rompt progressivement avec les schémas hérités du théâtre classique, grâce à Goldoni en Italie, et Lessing en Allemagne. En France, désireux d'introduire le réalisme* au théâtre, Diderot (1713-1784) se fait le créateur et défenseur du « drame bourgeois » (*Le Fils naturel*, 1757 ; *Le Père de famille*, 1758) : mettant en scène les conflits privés, en prose, et marqué par des intentions moralisantes, ce « genre sérieux » se développe à partir de 1760. Il correspond à la montée d'une classe nouvelle, la bourgeoisie*, qui supplante, au plan économique, l'aristocratie déclinante. Les personnages du drame bourgeois sont des êtres de condition moyenne – miroir du public –, devenus héros dans leur univers quotidien, et non plus brocardés comme dans les comédies. À la sensibilité nouvelle correspond une morale nouvelle, dont le drame bourgeois est le reflet. Les écrivains veulent aussi agir sur les consciences et les mentalités, ainsi que promouvoir certaines valeurs* : éloge de l'individu*, de l'épargne, de l'éducation, des vertus domestiques, familiales et sociales… En utilisant des tableaux souvent simples et édifiants, en prenant le parti de l'émotion visible et signifiante, les auteurs militent à grands traits pour les valeurs laïques, en rupture déclarée avec les idéaux aristocratiques : d'une certaine manière, ils participent donc au climat culturel qui a préparé la Révolution française* de 1789.

Peu lues aujourd'hui, ces pièces de Diderot, Mercier, Sedaine ont pourtant contribué au dépassement du dogmatisme classique : la frontière entre tragédie et comédie est tombée, et le réel acquiert droit de cité sur les planches. Ces œuvres trouveront un écho dans la production dramatique de la fin du XIXe siècle et dans certains aspects du « théâtre engagé » au XXe siècle.

Le drame romantique

XIXe siècle

Apparu dans l'ensemble de l'Europe, le drame romantique* se définit par opposition aux contraintes classiques. Il doit son avènement à la redécouverte de Shakespeare, notamment par le poète et dramaturge Schiller (1759-1805). Goethe, Manzoni, Stendhal (qui écrit un essai *Racine et Shakespeare* entre 1823 et 1825) influencent, en France, l'élaboration d'une écriture dramatique nouvelle. Dumas, Vigny, Musset avec *Lorenzaccio* (1834) et surtout Hugo, avec *Hernani* (1830) ou *Ruy Blas* (1838), composent des pièces qui renouent avec le mélange shakespearien des genres : l'Histoire est au cœur de la scène ; le héros complexe et splendide, qui avait disparu dans le drame bourgeois, revient en force : « Je suis une force qui va », clame fièrement Hernani. Hugo fait éclater, dans une écriture sonore et tumultueuse, « l'action, la passion et la pensée ». Le drame romantique, tel que Hugo le définit dans sa *Préface* de *Cromwell* (1827), se veut l'expression universelle du monde et de la vie ; il ambitionne de dire la vérité profonde de l'Histoire et des destinées humaines. Malgré ses détracteurs, qui reprochent à Hugo démesure, emphase et schématisme, on ne peut que constater la puissance de ses pièces, et leur indéniable pouvoir d'émotion. Mais l'échec cuisant des *Burgraves* de Hugo (1843) marque la fin du drame romantique. En 1864, paraît néanmoins la traduction française de l'ensemble des pièces de Shakespeare par un des fils de Hugo.

Métamorphose et continuité du drame

XXe siècle

On peut considérer que la fin du drame romantique signale la mort du drame en tant que forme théâtrale ; en fait, avec la disparition quasi définitive de la tragédie, toute forme théâtrale non explicitement comique participe du drame.

Les pièces naturalistes ou symbolistes de la fin du XIXe siècle et du début du XXe sont les héritières du drame, dans la mesure où elles récusent le schéma exclusivement tragique. Ainsi, les grands dramaturges européens des années 1870-1920 créent de nombreux drames : Ibsen en Norvège, Strindberg en Suède, Tchekhov en Russie, Synge en Irlande, Pirandello en Italie. Jarry, avec *Ubu roi* (1896), retrouve « le bruit et la fureur » de l'univers shakespearien, où le rire grinçant aurait le premier rôle. Claudel, le plus inspiré des dramaturges français de cette époque, écrit des pièces baroques marquées par la démesure : on a pu parler à cet égard de « drame poétique ».

Dans la seconde moitié du XXe siècle, les pièces de Ionesco et de Beckett sont volontiers caractérisées comme des « drames de l'absurde* ». Le théâtre de Sartre (*Le Diable et le Bon Dieu*, 1951) met le drame au service d'un engagement philosophique et idéologique.

●À CONSULTER : M. Lioure, *Le Drame*, Armand Colin (1969). M. Descotes, *Le Drame romantique et ses grands créateurs*, PUF (1955).
●À LIRE : Hugo, *Préface* de *Cromwell* (1827). Stendhal, *Racine et Shakespeare* (1823-1825).
● CORRÉLATS : comédie ; théâtre ; tragédie.

DROIT

●ÉTYM. : Du bas latin *directum* (« justice, application de la loi » ; « règles, ensemble des lois »), lui-même issu de l'adjectif *directus* (« sans courbure »).
●DÉF. : *Un* droit, dans le langage courant, est ce qui est permis à un individu par *le* droit, c'est-à-dire par les règles qui déterminent le fonctionnement d'une collectivité. L'évolution du concept de *droit* depuis l'Antiquité* n'a cessé de mettre en question ses principes, sa légitimité et ses fonctions.

Le droit au sens ancien et au sens moderne

Dans l'*Éthique à Nicomaque*, Aristote* (384-322 av. J.-C.) définit la justice comme ce qui résulte d'un partage équitable : le droit de l'individu* est alors ce qui lui revient dans la répartition des biens extérieurs, au sein d'une communauté politique. C'est ce qu'exprime également la célèbre formule du juriste et homme politique romain Ulpien (≈ 170-228) : *suum jus cuique tribuere* (« attribuer à chacun son droit »).
Une conception tout à fait différente s'impose aux Temps modernes* : l'individu a des droits en vertu de son humanité même, au nom de laquelle il est autorisé à revendiquer légitimement des droits absolus, « inaliénables » affirmeront les diverses *Déclarations* des droits de l'homme*. C'est Hobbes (1588-1679), dans le *Léviathan* (1651), qui formule pour la première fois la définition moderne du droit naturel de l'homme, soit : « la liberté qu'a chacun d'user comme il le veut de son pouvoir propre, pour la préservation de sa propre nature, autrement dit de sa propre vie, et en conséquence de faire tout ce qu'il considérera, selon son jugement et sa raison propres, comme le moyen le mieux adapté à cette fin ».

Par extension, le droit est alors ce qui permet la coexistence de la liberté de chacun avec celle des autres, et par conséquent l'ensemble des lois qui régissent la conduite de l'homme en société*.

Le principe du droit, le fait et la force

On distingue ordinairement le droit et le fait, et cela de deux façons. En un sens, le fait excède le droit, car j'ai souvent la possibilité physique de faire ce que je n'ai pas le droit de faire ; mais en un autre sens le droit excède le fait, car j'ai toujours plus de droits que je n'en peux exercer effectivement et actuellement.
C'est précisément cette faiblesse de la puissance physique, limitée à ses effets actuels, incapable d'assurer sa reconnaissance future, qui explique, selon Rousseau* (1712-1778), la tentation de transformer la force en « droit du plus fort ».
Mais rien ne justifie le passage de la force, à laquelle on obéit par nécessité, au droit, qui oblige par consentement. À supposer même que cette transformation soit admise, elle se retournerait contre son intention initiale, puisqu'elle légitimerait par principe toutes les forces, y compris celles qui font obstacle à la puissance que l'on veut pérenniser. Il faut donc conclure que « force ne fait pas droit », soutient Rousseau dans son essai *Du contrat social* (1762).

Droit naturel et droit positif, légitimité et légalité

On appelle « droit positif » le droit établi pour tel État*, et promulgué sous forme de lois dont la validité est limitée dans l'espace (au territoire de l'État) et dans le temps (car tout ce que les hommes font, ils peuvent le défaire). Or, il arrive qu'une loi positive, déterminant ce qui est juste à tel moment et en tel lieu, nous semble injuste, relativement à d'autres lois. Lorsque Antigone*, dans la tragédie de Sophocle (≈ 496-406), soutient qu'il est juste d'enfreindre l'interdiction de Créon et d'ensevelir son frère Polynice, elle en appelle « aux lois non écrites, inébranlables, des dieux ! Elles ne datent, celles-là, ni d'aujourd'hui ni d'hier, et nul ne sait le jour où elles ont paru ».
Aristote présente cette citation, dans sa *Rhétorique*, comme l'illustration d'une justice « dont tous les hommes ont une divination et dont le sentiment leur est naturel et commun, même quand il

n'existe entre eux aucune communauté ni aucun contrat » : c'est ce qu'on appelle le « droit naturel ».
L'opposition du droit naturel et du droit positif, de la « légitimité » et de la simple « légalité », remonte à la distinction, établie par les sophistes* grecs, entre *phusis* (« la nature » : ce qui est universel et immuable) et *nomos* (« la loi », « la convention » : ce qui est particulier et changeant). Mais l'erreur des sophistes est précisément, selon Aristote, d'en conclure qu'il n'y a pas de droit naturel, puisque le droit est visiblement sujet à variations. Bien que tout soit changeant, soutient-il dans l'*Éthique à Nicomaque*, nous pouvons distinguer ce qui est naturel et ce qui dépend de la volonté des hommes : ce sans quoi il n'existerait ni État ni loi, et ce qui peut être fixé arbitrairement à l'intérieur de ce cadre.
Si les Anciens voient dans le droit naturel la condition du droit positif, les Modernes insistent sur le fait que le droit naturel a besoin du droit positif pour être rendu effectif. C'est le cas en particulier dans la philosophie de Hobbes. Il y a bien, selon lui, un droit de nature qui autorise chaque homme à préserver sa vie, et une loi de nature, qui lui enjoint de ne rien négliger pour cela. Mais l'état naturel des hommes, qui est un état de guerre universel, les oblige, conformément à la loi de nature, à renoncer à leur droit de nature par un contrat social* au profit du souverain. Quelle que soit la loi positive décidée par celui-ci, elle est donc nécessairement juste, en ce qu'elle nous sauve : loin de pouvoir lui opposer une justice transcendante, nous devons toujours reconnaître en elle une incarnation de la loi naturelle (*cf.* Absolutisme).

Fonctions du droit et morale

Dans ses *Premiers principes métaphysiques de la doctrine du droit* (1796), Kant* (1724-1804) définit le droit comme ce qui permet la coexistence de ma liberté avec la liberté des autres d'après une loi universelle. Cette définition rappelle la formule kantienne de l'impératif moral : « Agis uniquement d'après la maxime qui fait que tu puisses vouloir en même temps qu'elle devienne une loi universelle. » Mais le droit ne concerne que l'aspect extérieur des actions : alors qu'un acte est moral, selon Kant, s'il est fait par pur respect envers la loi morale, il lui suffit, pour être légal, d'être extérieurement conforme à la moralité, ce qui peut être obtenu grâce à la peur de la sanction. La contrainte sociale permet ainsi à la pure moralité de s'incarner, sans se confondre avec elle.
Hegel* (1770-1831) critique la définition kantienne du droit, parce qu'elle ne reconnaît la liberté que sous sa forme individuelle, et ne voit dans l'universel qu'une limitation restrictive. Or, selon lui, la vraie philosophie du droit n'est pas une philosophie de la liberté limitée, mais de la liberté réalisée, cessant d'être liberté vide pour produire un monde à sa mesure. Dans son ouvrage *Lignes fondamentales de la philosophie du droit* (1821), le droit apparaît en premier lieu sous la forme du « droit abstrait », réglant les rapports entre des personnes dont la volonté s'incarne en prenant possession de choses extérieures : c'est le moment de la propriété, du contrat, de l'injustice et de la punition. La morale prend son sens en s'opposant à ce premier moment, en faisant valoir contre lui le droit supérieur de la subjectivité, de la volonté qui ne reconnaît que ce qui est sien : c'est alors le moment de l'intention, de la responsabilité, de la conscience, de ce que Hegel nomme « moralité subjective ». Mais cette certitude intime ne devient vérité que lorsque l'homme est reconnu comme membre d'une communauté : la famille*, le monde économique, et surtout la société politique, l'État. Hegel nomme « moralité objective » ce troisième moment de la philosophie du droit : la politique n'est donc pas pour lui une morale appliquée, mais la vraie morale elle-même.

Enjeux contemporains

Droit et société

Si l'on admet l'exacte réciprocité des droits et des devoirs, il semble qu'on ne saurait concevoir de « relation de droit » qu'entre des personnes : à un sujet de droit correspond toujours, comme vis-à-vis, un autre sujet de droit, à qui il incombe de respecter le droit du premier, et réciproquement. D'où la remarque de Kant affirmant qu'il est « absurde de concevoir l'obligation d'une personne envers des choses et inversement ».
Or, la considération actuelle de « nouveaux droits » implique l'éclatement de ce champ conceptuel, selon divers axes : dans le domaine de la bioéthique*, on peut envisager d'élargir le concept de « personne* » au-delà de « l'être raisonnable » au

sens kantien, de façon à inclure la personne potentielle (le fœtus) ou la personne résiduelle (le malade en coma dépassé, maintenu par acharnement thérapeutique). Dans le domaine de l'écologie*, on peut, avec M. Serres (*Le Contrat naturel*, 1990), étendre le concept de « réciprocité » aux rapports entre l'homme et la nature, reconnaissant celle-ci comme un sujet de droit ; cette extension permet d'appliquer le concept de « contrat », par-delà la société, à la nature elle-même, afin d'imposer la justice écologique contre le parasitisme humain. Enfin, selon H. Jonas (*Le principe Responsabilité*, 1979), les risques technologiques peuvent inciter au contraire à rejeter le concept de réciprocité, pour lui substituer notre responsabilité unilatérale envers des « générations futures » de plus en plus vulnérables.

● **À CONSULTER :** S. Goyard-Fabre, R. Sève, *Les Grandes Questions de la philosophie du droit*, PUF (1993). A. Sériaux, *Le Droit naturel*, PUF (1994).

● **CORRÉLATS :** absolutisme ; Antigone ; Antiquité ; Aristote ; bioéthique ; contrat social ; droits de l'homme ; écologie ; État ; famille ; Hegel ; individu ; Kant ; personne ; Rousseau ; société ; sophistes ; Temps modernes.

DROITE ET GAUCHE EN POLITIQUE

● **ÉTYM. :** Du latin *directus* (« direct ») et de l'ancien français *guauche* (« de travers », « maladroit »), qui remplace l'adjectif *senestre* (« gauche ») au XVIe siècle. ● **DÉF. :** Les termes de localisation spatiale *droite* et *gauche* désignent en politique des tendances opposées ; cette expression remonte à la Révolution française*.

La tradition de la monarchie prévoyait, lors de la tenue d'états généraux, de disposer à la droite du roi (la place d'honneur selon les Anciens) les ordres privilégiés et à sa gauche le tiers état ; les députés conservateurs à l'Assemblée nationale constituante qui prolongent les états généraux de 1789, majoritairement nobles, allèrent s'asseoir à droite du président et les partisans du changement, à gauche. Abandonnée à la Convention, cette disposition se retrouve après 1815, à la Chambre des députés de la Restauration : c'est alors que *droite* et *gauche* prennent leur acception politique.

Deux familles d'opinion

S'appliquant dès les origines aux partisans de la révolution*, le concept de gauche s'identifie au changement, conçu en termes de progrès*, alors que la droite tend à la conservation. Cette définition très générale reste valable à travers toute l'histoire du parlementarisme et on la retrouve formulée différemment, mais de manière très explicite, dans les noms des deux grandes tendances apparues au lendemain de la révolution de 1830, le « mouvement » et la « résistance ».

Plus que de partis proprement dits, il s'agit en fait de deux grandes familles d'opinion dont il est difficile de proposer une définition qui ne soit par trop simplifiée. D'un point de vue idéologique, on peut dire très généralement qu'« être de gauche » signifie croire au progrès, à la possibilité d'une transformation volontariste de la société* et du système politique, en particulier en faveur des plus démunis, privilégier la justice par rapport à l'ordre, se méfier des hiérarchies et défendre la liberté de l'individu*. « Être de droite » implique le respect des valeurs* reconnues et des institutions établies, famille*, Église*, État*, armée, le goût de l'ordre, la prééminence de la société sur l'individu, un certain scepticisme quant à la nature humaine qui porte à penser que sans l'exercice d'une autorité, le désordre s'installe. L'attitude de gauche est fondamentalement optimiste ; sans être nécessairement pessimiste, l'attitude de droite se veut défiante devant la nouveauté et elle dénonce volontiers de dangereuses illusions à gauche.

En ce sens, les deux familles d'opinion sont décelables de tout temps, bien avant l'apparition des termes : on peut distinguer une droite et une gauche à Athènes* qui voit s'opposer, au Ve siècle avant J.-C, les partisans de la démocratie* et les aristocrates nostalgiques du passé.

La traduction politique de l'opposition droite/gauche

La projection, dans la vie politique, de l'opposition droite/gauche est apparue dès qu'a été institué le régime représentatif :

en Angleterre, elle a pris dès le XVIIIe siècle la forme claire du bipartisme (gauche : *whig*, et droite : *tory*).
En France, les divers courants au sein de la gauche comme de la droite ont conservé leur autonomie, conduisant à un multipartisme qui permet de bien suivre les évolutions au cours de l'Époque contemporaine*.
D'une manière générale, une première constante est le maintien, à l'intérieur de chacune des familles d'opinion, de deux options : l'une, ouverte et propre à accepter des responsabilités de gouvernement ; l'autre, intransigeante et raidie dans ses principes idéologiques. Ainsi, à gauche, les extrêmes seront constamment révolutionnaires et les modérés seront réformistes, tandis qu'à droite, une majorité légaliste coexistera toujours avec d'authentiques réactionnaires remettant en cause les institutions existantes.
Une seconde constante est le glissement – décelable sur plus d'un siècle et consécutif à la démocratisation progressive du système politique français – des formations d'extrême gauche vers la gauche modérée, alors qu'à droite, la légitimité de la Révolution française, initialement contestée (*cf.* Contre-Révolution), finit par être admise. Sous la Restauration et le Second Empire, l'extrême gauche est républicaine, et sous la IIIe République, elle devient socialiste, puis communiste, tandis que la gauche de gouvernement se définit comme libérale, puis anticléricale, attachée à la démocratie parlementaire et disposée à engager des réformes sociales. La droite de la Restauration, ultraroyaliste, refuse la Révolution, mais elle est rejetée à l'extrême droite après 1830 au profit d'une droite orléaniste libérale, favorable aux principes de 1789 et soucieuse de progrès économique. Celle-ci se maintient après 1848, mais il émerge à ses côtés une droite plus nationaliste, à la fois réformatrice et autoritaire, qui va former l'assise du bonapartisme du Second Empire. On la retrouvera après 1870, acceptant la IIIe République, mais militant alors pour un renforcement du pouvoir exécutif. L'historien et politologue R. Rémond la décèle aujourd'hui en filigrane dans le RPR, alors que la tradition de l'orléanisme libéral sous-tendrait l'UDF. Parallèlement, une partie de la réaction d'extrême droite glisse, au XXe siècle, du royalisme légitimiste au fascisme*, tandis que les socialistes sociaux-démocrates passent de l'extrême gauche révolutionnaire, où ils se situaient au XIXe siècle, à la gauche réformiste de gouvernement.

ENJEUX CONTEMPORAINS

Politique

Il semblerait que, sur le plan de la vie parlementaire, l'éventualité des responsabilités de gouvernement conduise droite et gauche à se rapprocher d'une sorte de médiane, qui se situerait au centre. Même ainsi, cette convergence imposée par le poids des réalités n'implique pourtant pas le consensus. La différence fondamentale, de nature quasi philosophique, qui oppose « approche de gauche » et « approche de droite », persiste. Elle fait de l'alternance l'indispensable facteur du bon fonctionnement des démocraties : en ouvrant, tour à tour, aux deux grandes familles de pensée l'accès aux responsabilités publiques, elle permet de mettre en œuvre la complémentarité de leur action.
Il n'est pas en effet d'innovation durable sans force de conservation apte à la consolider, mais l'une et l'autre doivent s'exercer séparément et leurs convergences ne se révèlent qu'à long terme. En ce sens, le brouillage des valeurs propre à notre fin de siècle, la crise* du politique, l'apparition de forces nouvelles (telle l'écologie*) prétendant parfois se positionner hors du schéma droite/gauche, des singularités institutionnelles comme la « cohabitation », en France, entre un président et un gouvernement d'orientations contraires, tous ces éléments conjoncturels méritent d'être relativisés. À terme, les clivages traditionnels renaissent spontanément (il existe une écologie de gauche et une écologie de droite), et l'alternance reste préférée à la cohabitation, perçue comme un état provisoire.
Refuser l'alternance, autrement dit, revendiquer pour une seule des tendances le monopole durable du pouvoir est une stratégie dangereuse qui mène inévitablement à la dictature d'une partie de l'opinion sur l'autre. Généralement revendiquée par les extrêmes minoritaires, de gauche ou de droite, cette attitude relève d'une conception de la vie politique plus proche de la guerre civile que de la démocratie.

● **À consulter :** J. Touchard, *Histoire des idées politiques*, PUF (1970). F. Châtelet, G. Mairet, *Histoire des idéologies* (tome 3), Hachette (1978). J. Defrasne, *La Gauche en France de 1789 à nos jours*, PUF (5ᵉ éd., 1993). J.-C. Petitfils, *La Droite en France de 1789 à nos jours*, PUF (5ᵉ éd., 1994). R. Rémond, *Les Droites en France*, Aubier-Montaigne (1982). Cl. Imbert, J. Julliard, *La Droite et la Gauche*, Laffont-Grasset (1995).

● **Corrélats :** anarchisme ; bourgeoisie ; contemporaine (Époque) ; Contre-Révolution ; démocratie ; Église catholique ; fascisme ; franc-maçonnerie ; libéralisme ; Lumières ; nationalisme ; République ; Révolution ; socialisme ; totalitarisme.

DROITS DE L'HOMME

● **Déf. :** Le concept de *droits de l'homme* est exprimé sous cette formulation dans la *Déclaration des droits de l'homme et du citoyen*, rédigée en France du 14 au 26 août 1789 par l'Assemblée nationale constituante, siégeant à Versailles. En 1948, l'Organisation des Nations unies l'a élargi et modernisé en élaborant la *Déclaration universelle des droits de l'homme*, votée le 10 décembre 1948, qui sert aujourd'hui de référence. Certains, pour éviter l'ambiguïté propre à la langue française qui fait que le mot *homme* désigne indifféremment l'être humain en général ou le mâle dans l'espèce humaine, demandent qu'on parle non de *droits de l'homme*, mais de *droits humains*.

Genèse du concept de droits de l'homme

Un consensus entoure aujourd'hui, toutes opinions confondues, le concept de droits de l'homme dans les démocraties*, se manifestant aussi bien par l'action officielle que par la multiplication d'associations et d'organisations non gouvernementales. Ce consensus montre qu'il s'agit bien d'un fondement essentiel de l'éthique* politique moderne.

L'affirmation des droits de l'homme – comme des « prérogatives, gouvernées par des règles, que la personne* détient en propre dans ses relations avec les particuliers et avec le pouvoir » selon le juriste J. Mourgeon – apparaît l'aboutissement, à la fin du XVIIIᵉ siècle, d'un long processus dont les origines doivent être cherchées dans la définition chrétienne* de la personne humaine.

Avant le christianisme*, la pensée antique, qui justifiait l'esclavage* et ne posait pas comme fondamentale l'égalité en dignité de tous les êtres humains, a rarement abordé en ces termes le problème de la justice, même si certains courants philosophiques (stoïcisme*, cynisme) postulaient l'égalité de tous en tant que citoyens du monde. Le droit romain a certes tendu à l'universalisation sous l'Empire, mais seulement à partir du IIIᵉ siècle après J.-C. En revanche, saint Paul dès Iᵉʳ siècle (*Épître aux Galates*) et, plus tard, les Pères de l'Église* ont postulé l'égalité des hommes et le droit pour chacun de s'opposer en conscience à un pouvoir inique.

Pendant tout le Moyen Âge*, des voix se sont élevées dans la chrétienté occidentale pour affirmer la liberté humaine ; au XIVᵉ siècle, le théologien anglais Guillaume d'Ockham a esquissé, le premier, une théorie du droit* naturel moderne.

Mais c'est avec la Réforme*, au XVIᵉ siècle, que les choses se précisent. En posant avec force l'égalité de tous les hommes devant Dieu, en développant une éthique de la responsabilité et de la prise en charge de soi-même, le protestantisme calviniste insiste sur l'autonomie de l'individu* et c'est un grand juriste protestant, le Hollandais Grotius, qui énonce en 1625 que l'être humain a certes des devoirs, mais aussi des droits imprescriptibles.

Les parlementaires puritains anglais qui, au même moment, affirment face à l'autoritarisme du roi Charles Iᵉʳ les droits des sujets qu'ils représentent, ne disent pas autre chose. En ce sens, les Révolutions anglaises* du XVIIᵉ siècle forment un jalon essentiel dans l'élaboration du concept. Que ce soit à travers les proclamations qui préparent la Grande Rébellion de 1640 (*Pétition des droits* en 1629, *Grande Remontrance*), puis, après la Restauration de 1660, le vote par le Parlement de l'*Habeas corpus* de 1679, qui interdit toute détention ou condamnation arbitraire, que ce soit surtout par l'institutionnalisation de l'état de droit inhérent à la révolution de 1688, l'Angleterre du XVIIᵉ siècle définit un type nouveau de rapport entre l'individu et le pouvoir : elle invente le citoyen moderne.

Ses philosophes en font la théorie, Hobbes (1588-1679) et, surtout, Locke (1632-1704), un des fondateurs du libéralisme*. Dans son deuxième *Traité du gouvernement civil* (1690), ce dernier pose clairement l'existence de droits naturels inaliénables : exister, être libre, posséder des biens. La conséquence en est que nul ne peut être assujetti sans son consentement, que l'obéissance à un pouvoir est une démarche contractuelle, donc révocable (*cf.* Contrat social). Au moment où Bossuet, en France, justifie l'absolutisme* en affirmant que « l'homme est né pour être sujet », Locke stipule qu'il n'est de pouvoir légitime que celui conféré par le consensus de ceux qui lui sont soumis et que les droits naturels limitent l'autorité de l'État.

L'âge des Déclarations

Pendant tout le XVIIIe siècle, la philosophie des Lumières* va décliner ces thèmes, dépassant le cadre étroitement britannique qui était encore celui de Locke, pour les doter d'une portée universelle. Créée dans l'Angleterre de 1720, la franc-maçonnerie* va contribuer à les diffuser. Dans le dernier quart du siècle, ils vont aboutir à la formulation du concept de *droits de l'homme* tel que nous le connaissons.

Les premiers, les colons anglais d'Amérique insurgés contre la métropole s'y réfèrent, tant dans le remarquable texte de la *Déclaration d'indépendance* du 4 juillet 1776 que dans le fulgurant pamphlet de Thomas Paine *Le Sens commun*, paru la même année. Il prend pour la première fois la forme d'un énoncé solennel dans la *Déclaration des droits des citoyens* de Virginie, rédigée par George Mason. Il imprègne de son esprit la Constitution des États-Unis de 1787.

Mais c'est deux années plus tard, à Versailles, en août 1789, qu'il est formulé de manière décisive, par les constituants français. La *Déclaration des droits de l'homme et du citoyen*, superbe de concision, légiférant pour l'humanité entière, à travers l'espace et le temps, est l'un des textes fondateurs du monde moderne. Garantissant la liberté personnelle, l'égalité en droits, la propriété, la sûreté, elle légitime la résistance à l'oppression et pose comme inaliénable le droit de croire, de penser, de s'exprimer librement.

Les XIXe et XXe siècles élargissent le concept. La *Déclaration* de 1789 visait avant tout à assurer aux individus, sous la garantie de l'État, la libre disposition d'eux-mêmes et de leur propriété : il s'agissait donc de droits-libertés, des « droits *de* ». À ceux-ci vont s'ajouter des « droits *à* » (par exemple, droit au travail, à la paix, à la culture), présents dans la *Déclaration universelle* de 1948. Ce sont des droits-créances, portant sur des prestations, des biens, des services qu'on ne peut exiger qu'en postulant non seulement la garantie de l'État, mais aussi son intervention.

Il en résulte, au XXe siècle, une certaine confusion dans la définition des droits de l'homme selon qu'on se réfère à celle du XVIIIe siècle, d'inspiration libérale et individualiste, ou à celle, plus tardive, d'inspiration étatiste. Dénonçant dans la seconde la nécessité d'imposer des droits encore non réalisés, les libéraux contemporains y voient la menace de dérives totalitaires alors que d'autres, se référant aux critiques émises dès 1844 par Marx* *(La Question juive)*, accusent la première de faire obstacle à une authentique émancipation de l'homme en sacralisant l'égoïsme individuel. Cependant, renouant avec la pensée de Kant*, les philosophes L. Ferry et A. Renaut montrent que l'opposition entre ces deux conceptions des droits de l'homme n'est pas totalement irréductible : si les droits-libertés peuvent être posés comme « constitutifs », ne doit-on pas reconnaître aux droits-créances une fonction « régulatrice » ?

Plus discutable, en revanche, apparaît la revendication contemporaine de droits catégoriels (droits de la femme, de l'enfant, des minorités étrangères, sinon sexuelles). Leur manifestation pose en effet un problème de fond : s'il s'avère nécessaire de les énoncer, c'est que les droits de l'homme tels qu'ils sont formulés ne les impliquent pas, donc, que ces derniers n'ont pas la dimension universelle qu'on leur prête.

Cette interrogation en rejoint une autre : quel degré de validité peut-on attendre, auprès de peuples culturellement non-européens, d'un concept élaboré et mis en forme par l'Occident ?

Droits de l'homme et universalité

Les droits de l'homme ont-ils valeur universelle ? Là se situe l'un des grands débats du monde actuel. L'histoire de l'élaboration du concept de *droits de l'homme* montre sans ambages l'origine occidentale – et même chrétienne – de cette idée. Ni la civilisation musulmane, qui privilégie la communauté des croyants et laisse à l'écart infidèles et païens, ni la civilisation indienne, enfermant l'individu dans le système sacré des castes, ni la tradition confucéenne chinoise ne parlent de droits inhérents à la nature même de l'homme. Le bouddhisme s'en rapprocherait davantage, mais il s'agit plus de bienveillance universelle que de l'idée d'un droit propre à l'être humain en tant que tel. Dans ces conditions, l'universalité des droits de l'homme n'est-elle pas une illusion de l'européocentrisme ? Certes, les Nations unies ont voté en 1948 une *Déclaration universelle* qui ne faisait que reprendre, en l'élargissant, le concept du XVIIIe siècle mais, en 1948, avant la décolonisation, l'Assemblée générale de l'ONU n'était-elle pas à dominante culturelle fortement occidentale ?

Aujourd'hui, dans le monde arabe, en Chine, des autorités contestent la prétention, encore soulignée en 1976 par l'*Acte final* de la Conférence d'Helsinki, d'imposer le respect des droits de l'homme, qu'elles présentent comme une manifestation d'impérialisme culturel. Elles lui opposent leurs propres principes, récusent au nom de ceux-ci la liberté de religion, l'égalité des sexes, le droit de contester le pouvoir politique. En 1981, il est apparu une *Déclaration islamique universelle des droits de l'homme*, et une *Charte africaine des droits de l'homme et du peuple.*

Il est légitime de prendre en compte certaines objections, mais au vu de ce que produit le refus de reconnaître la valeur universelle des principes contenus dans la *Déclaration* de 1948, on est plutôt tenté d'y soupçonner la volonté de maintenir en place des systèmes politiques et sociaux rétrogrades ou le souci de refuser toute avancée vers un fonctionnement démocratique. Loin de voir dans les droits de l'homme une entreprise de destruction de la civilisation chinoise, les étudiants révoltés de la place Tiananmen, en 1989, faisaient de ces principes l'argument phare de leur mouvement.

ENJEUX CONTEMPORAINS

Défense des droits de l'homme

Si les droits de l'homme sont une grande idée, on ne saurait pourtant se contenter de simplement les proclamer : leur respect dans les faits demande une vigilance continuelle, tant que subsistent le travail des enfants, l'esclavage, la torture, ou la persécution de ceux qui pensent autrement... Chaque année, les rapports d'une association comme *Amnesty International* dénoncent les atrocités commises partout dans le monde, y compris par les États qui ont ratifié les *Déclarations*. C'est justement au nom de cette idée, et de sa valeur universelle, que peut s'engager la lutte contre tout ce qui porte atteinte à la dignité humaine.

● **À CONSULTER :** J. Morangé, *La Déclaration des droits de l'homme et du citoyen*, PUF (3e éd., 1993). J. Mourgeon, *Les Droits de l'homme*, PUF (5e éd., 1996). J.-L. Mathieu, *La Défense internationale des droits de l'homme*, PUF (1993). B. Binoche, *Critiques des Droits de l'homme*, PUF (1989). L. Ferry, A. Renaut, *Des droits de l'homme à l'idée républicaine*, PUF (1992). A. Finkielkraut, *L'Humanité perdue*, Seuil (1996).

● **À VOIR :** Costa-Gavras, *Z* (1968) ; *L'Aveu* (1970) ; *Missing* (1982).

● **CORRÉLATS :** christianisme (débuts du) ; colonisation ; Contre-Révolution ; Coran ; démocratie ; droit ; esclavage ; franc-maçonnerie ; humanisme ; individu ; institutions internationales ; islam ; libéralisme ; Lumières ; Marx ; personne ; Révolution ; Révolution américaine ; Révolution française ; Révolutions anglaises ; totalitarisme.

ÉCOLE

● **ÉTYM. :** Du latin *schola* (« établissement d'enseignement »), issu du grec *skholê* (« loisirs », « temps pour apprendre », « école »). ● **DÉF. :** L'école, lieu d'apprentissage et d'intégration au groupe social, n'apparaît comme espace spécifique d'instruction et d'éducation qu'au sein de sociétés civilisées, organisées en État* et maîtrisant l'écriture. Sa finalité première étant la transmission d'un savoir, elle visait à l'origine à la formation des élites dirigeantes et des auxiliaires qui les assistent, prêtres, scribes, détenteurs des connaissances techniques. C'est le cas de l'Égypte dans la haute Antiquité, et cela le restera durant des millénaires en Chine ou en Inde. La minorité instruite apparaît en ce sens médiatrice des pouvoirs politique et religieux (souvent confondus) jusqu'à la démocratisation propre aux sociétés modernes.

L'école antique

Pendant des millénaires, la finalité de l'école a été de fournir le personnel d'encadrement social, religieux et civil, la maîtrise des connaissances demeurant l'apanage d'une minorité de lettrés.

Liée aux temples dans les civilisations de la haute Antiquité (Égypte, Mésopotamie), essentiellement destinée à former une oligarchie de prêtres lettrés et une bureaucratie d'État, l'école change de nature dans le monde grec classique (Ve-IVe siècles avant J.-C.). Elle cesse de dépendre des structures religieuses pour devenir l'affaire de pédagogues privés, un niveau supérieur étant représenté par l'enseignement dispensés par les philosophes en renom. Les sophistes* athéniens assument ce rôle, ainsi que l'Académie de Platon* ou le Lycée d'Aristote*. À l'époque hellénistique*, le préceptorat devient la règle dans les classes supérieures, mais l'on voit aussi se développer de véritables écoles, institutions privées ouvertes aux enfants. On les retrouve dans l'Empire romain* (Ier-Ve siècles après J.-C.) : on y enseigne essentiellement la grammaire et la rhétorique.

Ces formes d'organisation scolaire s'avèrent capables d'assurer la diffusion d'une instruction de base, parmi les hommes libres, en milieu urbain, mais elles en écartent les ruraux, les femmes et bien évidemment les esclaves. À aucun moment, dans l'Antiquité gréco-romaine, l'État, sous quelque forme que ce soit, ne se sent investi d'une responsabilité de scolarisation et, mises à part quelques velléités dans le monde hellénistique, à Alexandrie ou Pergame, on ne perçoit pas la volonté d'organiser un enseignement supérieur.

L'école médiévale et la naissance des universités

La christianisation du monde antique crée des finalités nouvelles dans la mesure où l'un des devoirs de l'Église* est d'enseigner les principes qui fondent la foi. Mais la catastrophe des Grandes Invasions* (Ve siècle) fait pratiquement disparaître, en Occident, toute trace de structures scolaires.

Alors que dans l'Empire byzantin*, le système romain perdure, désormais contrôlé par l'institution ecclésiastique, l'Europe plonge dans les ténèbres de l'ignorance. Aux VIIe et VIIIe siècles, le bagage culturel des clercs « lettrés » apparaît d'une étonnante minceur et l'analphabétisme est la règle chez les laïcs (Charlemagne apprend à lire à 32 ans). Pendant tout le haut Moyen Âge*, il n'est d'écoles que dans quelques monastères, où de futurs clercs apprennent un mauvais latin.

Charlemagne (768-814) tente d'innover en faisant ouvrir une école dans son palais d'Aix-la-Chapelle. Il y gagne la réputation quelque peu usurpée de fondateur de l'école publique car, non seulement l'entreprise se limite à la création d'un unique établissement, mais ce dernier ne survit pas à la crise de l'empire carolingien, au IXe siècle. Tandis que s'impose la féodalité*, il n'existe plus en Occident que de rares écoles patronnées par un évêque ou un abbé de monastère, dont l'unique finalité est de former des clercs.

Le vrai tournant se situe à la fin du XIIe siècle, quand la croissance démographique, le développement urbain et le pouvoir grandissant des rois créent des conditions nouvelles. À Bologne, à Paris, à Oxford, des écoles épiscopales acquièrent une grande réputation et attirent des centaines d'étudiants. On y enseigne non seulement le *trivium* (grammaire, rhétorique, dialectique), mais également le *quadrivium* (arithmétique, musique, astronomie, géométrie), la théologie, le droit, la médecine.

Protégée par la papauté et le pouvoir civil, la communauté des étudiants et des professeurs de ces écoles exceptionnelles obtient l'autorisation de se doter d'une organisation autonome. Les universités sont nées : celle de Paris reçoit ses premiers statuts en 1200, celle d'Oxford en 1206. Au début du XIVe siècle, une quinzaine d'universités fonctionnent en Europe : l'école renaît en Occident sous la forme d'un enseignement supérieur.

Réforme et Contre-Réforme : les collèges jésuites

Au XVe siècle, l'enseignement « scolastique » des universités se dessèche en recettes et en formulations toutes faites. La fermentation culturelle de la Renaissance*, l'effet des Grandes Découvertes*, les exigences de l'humanisme* conduisent à une critique radicale des méthodes et des finalités de l'école. Érasme, Rabelais, Montaigne condamnent une instruction purement livresque. Surtout, la Réforme* protestante bouleverse ces données. Pour Luther, pour Calvin, l'ignorance est inacceptable : la lecture et la méditation de l'Écriture sont le premier devoir du croyant ; tout individu doit savoir lire, donc tout enfant doit aller à l'école. Là où triomphe le protestantisme, les écoles se multiplient, organisées par les paroisses, parfois même par les pouvoirs publics.

Ce choix délibéré oblige le monde catholique à réagir : l'Église de la Contre-Réforme* est contrainte de s'engager dans la même voie. Pour la première fois, avec les Jésuites, on voit apparaître un ordre religieux dont l'une des vocations essentielles est l'enseignement. Créateurs, à partir de 1540, de tout un réseau de collèges où vont se définir les règles d'une pédagogie moderne, les Jésuites ne visent pas cependant à développer un enseignement de masse : leur projet est d'instruire l'élite dirigeante de la société laïque, aristocratique et bourgeoise. Leurs collèges diffusent un enseignement modernisé propre à former des esprits attachés aux valeurs* de la Contre-Réforme, suffisamment épris d'ordre, tant au plan moral que social, pour apprécier sans risque de dérives les nouveautés du siècle et les séductions de l'esthétique baroque*. L'« honnête homme » du XVIIe siècle est un parfait produit des collèges jésuites, qui accueillent, vers 1660, plus de 150 000 élèves dans l'ensemble de l'Europe catholique.

Parallèlement à ces établissements, la congrégation de l'Oratoire, fondée en 1575, crée ses propres collèges, travaillant dans le même esprit en insistant plus, dans son enseignement, sur les mathématiques* et les sciences* nouvelles (*cf.* Révolution scientifique).

L'enseignement élémentaire

L'école demeure cependant résolument élitiste et un enseignement fondamental de masse, qui arracherait le peuple à l'ignorance, reste négligé. Certes, le pédagogue tchèque Comenius (1592-1670) propose un projet d'éducation globale pour tous ; les Jansénistes de Port-Royal, ainsi que Jean-Baptiste de La Salle, fondateur de la congrégation des frères des Écoles chrétiennes, créent des écoles élémentaires, mais les résultats sont minces. L'éducation du peuple n'apparaît pas une nécessité immédiate et même laphilosophie des Lumières*, avec la publication de l'*Émile* (1762) de Rousseau*, reste prudente à ce propos.

Tout change avec la Révolution française*. Condorcet, le dernier des philosophes français du XVIIIe siècle, prépare en 1792 un projet d'enseignement élémentaire laïque et général reposant sur le principe d'une sélection par le mérite : pour Condorcet, il ne peut y avoir de souveraineté nationale sans instruction généralisée. Mais la radicalisation de la Révolution, la difficulté presque insurmontable à trouver le personnel et le financement nécessaires à une telle ambition font ajourner le projet. La Convention, puis Bonaparte réorganisent en profondeur les enseignements secondaire et supérieur (les lycées sont créés en 1810), mais les écoles élémentaires sont laissées à la discrétion des municipalités.

La question a pourtant été clairement posée : il n'est pas de démocratie* possible sans une instruction de masse. Les progrès techniques induits par la Révolution industrielle* exigent d'autre part une main-d'œuvre qualifiée et alphabétisée. Confronté à cette nécessité, le XIXe siècle européen fait de la généralisation de l'école et de sa prise en charge par les pouvoirs publics un impératif politique.

En France, commencée sous la monarchie de Juillet par la loi Guizot (1833), poursuivie sous le Second Empire, la mise en place d'écoles élémentaires publiques est généralisée au début des années 1880. Œuvre majeure de la IIIe République, et notamment de J. Ferry, la création d'un enseignement primaire gratuit, laïque et obligatoire marque un tournant décisif et peut être considérée comme la concrétisation, à un siècle d'intervalle, du projet esquissé par Condorcet au début de la Révolution.

Au XXe siècle, l'extension de la scolarité obligatoire jusqu'à quatorze ans (1936), puis jusqu'à seize ans (1959) conduira à ouvrir à tous l'accès au premier cycle de l'enseignement secondaire (les collèges sont créés en 1975, loi Haby).

La mise en question de l'école

Pendant presque un siècle, le système scolaire, tel qu'il s'était défini à la fin du XIXe siècle dans l'aire culturelle* occidentale, et dont le modèle français apparaissait l'un des meilleurs exemples, a bénéficié d'un consensus quasi unanime. Tant les libéraux attentifs aux idées de liberté et de progrès que la gauche* démocrate, attachée à la laïcité et convaincue que l'émancipation du peuple passait par l'instruction, s'y sont reconnus. L'opposition s'est longtemps cantonnée du côté d'une droite* extrême, cléricale et réactionnaire.

Les choses ont cependant changé dans la seconde moitié du XXe siècle. La crise* de l'école, confrontée à la pression démographique et à des problèmes d'adaptation à un monde en mutation rapide, puis à la récession économique, la montée de courants contestataires venus, soit de la critique marxiste*, soit de l'anarchisme* libertaire, ont conduit à des mises en question, surtout après les événements de mai 68*.

Dès le début des années 1970, I. Illich, un théologien devenu psychanalyste, dénonce le système scolaire comme une entreprise de conditionnement et appelle à une « société sans école ». Plus sérieux, des sociologues comme P. Bourdieu et J.-C. Passeron analysent le système scolaire français comme un moyen de maintenir les structures sociales et les valeurs dominantes, permettant ainsi à la société de se reproduire en assurant de génération en génération la permanence de ses élites.

Le débat ainsi ouvert a eu le mérite d'appeler à la réflexion : l'école n'est-elle faite que pour préparer à l'intégration sociale ? Sa finalité est-elle l'acquisition d'un savoir ou l'émancipation de l'individu* ? Est-il vrai, comme l'écrivait Diderot, qu'« instruire une nation*, c'est la civiliser » ?

En France, le philosophe J.-C. Milner a récemment rappelé l'importance des savoirs et le droit de chacun de pouvoir atteindre son point d'excellence, rappelant opportunément le projet républicain initial, tel que l'avaient développé Condorcet ou Ferry.

ENJEUX CONTEMPORAINS

École et société

En son état, le système scolaire occidental – et particulièrement français – est sans doute loin d'être parfait, en témoignent les troubles qui l'agitent (violence, sureffectifs, baisse de niveau, manque de débouchés…) et les tentatives de réformes successives. Mais, même en période de crise, l'école reste l'un des plus précieux produits de la démarche que la civilisation européenne conduit depuis la Renaissance : la conquête, par chaque individu, des moyens de sa propre émancipation.

● **À consulter :** F. Dainville, *L'Éducation des Jésuites (XVIe-XVIIe siècles)*, Minuit (1991). C. Kintzler, *Condorcet, l'instruction publique et la naissance du citoyen*, Gallimard (1987). F. Furet, M. Ozouf, *Lire et écrire. L'alphabétisation des Français de Calvin à Jules Ferry*, Minuit (1977). J. Vial, *Histoire de l'éducation*, PUF (1995). P. Bourdieu, J.-C. Passeron, *Les Héritiers*, Minuit (1966) ; *La Reproduction*, Minuit (1970). I. Illich, *Une société sans école*, Seuil (2e éd., 1980). J.-C. Milner, *De l'école*, Seuil (1984).

● **Corrélats :** Antiquité (haute) ; bourgeoisie ; Contre-Réforme ; démocratie ; Église catholique ; Grèce antique ; humanisme ; Lumières ; Napoléon ; Réforme protestante ; Renaissance ; Révolution française ; révolution scientifique ; romain (Empire) ; socialisme.

ÉCOLOGIE

● **Étym. :** Du grec *oïkos* (« maison, demeure ») et *logos* (« discours », « science »). ● **Déf. :** Le mot *écologie*, créé en 1866 par le naturaliste allemand Haeckel, désigne tout d'abord l'étude des relations entre les organismes vivants et le milieu dans lequel ils vivent ; depuis les années 1960, il s'applique aussi aux stratégies de défense de l'environnement. D'une manière générale, en français, un *écologue* est un chercheur et un *écologiste* un militant. En revanche, l'anglais différencie *environmental* (sens politique) de *ecologist* (sens scientifique).

De la science à la politique

L'écologie politique est indirectement une conséquence des découvertes de l'écologie scientifique, dans la mesure où cette dernière a mis en lumière la fragilité des équilibres naturels et les dégâts parfois irréversibles que l'action de l'homme pouvait provoquer. En rappelant opportunément que l'homme fait partie de la nature et qu'il ne peut impunément dégrader un environnement dont il dépend de façon vitale, les écologues ont fourni l'essentiel de l'argumentaire de l'écologie politique.

Celle-ci se constitue progressivement aux États-Unis après la Seconde Guerre mondiale*. Après le traumatisme de la bombe atomique sur Hiroshima, la parution d'un certain nombre d'ouvrages atteignant le grand public et dénonçant les dommages qu'entraînent les formes modernes d'exploitation du milieu naturel sensibilise l'opinion américaine. Il s'y ajoute bientôt la conscience de l'ampleur de l'explosion démographique dans le tiers-monde* et de la dévastation des régions tropicales qui l'accompagne. Enfin, le choix opéré par les grands États du monde développé, confrontés à la crise* pétrolière de 1973-1974, d'engager de vastes programmes d'utilisation de l'énergie nucléaire* joue un rôle de catalyseur ; il entraîne, dans les pays non-communistes, la multiplication d'associations et de mouvements politiques de défense active de l'environnement qui choisissent souvent, comme couleur emblématique, le vert de la chlorophylle, symbole d'une libre nature.

De la défense de l'environnement aux Partis verts

L'écologie politique se développe d'abord sur une base très pragmatique et surtout défensive : manifestations contre l'implantation de centrales nucléaires ; dénonciation des entreprises coupables de pollution (industries chimiques, compagnies pétrolières dont quelques retentissants sinistres maritimes démontrent les capacités de nuisance) ; actions pour prendre en compte la gestion des déchets, de plus en plus abondants et souvent dangereux, qu'accumule le monde moderne.

Ces campagnes, qui rencontrent une vive résistance, tant des États que des intérêts multinationaux qu'elles menacent, séduisent en revanche une partie de la jeunesse occidentale, déçue par la retombée des grandes vagues protestataires de la fin des années 1960, dont le mouvement de mai 68* avait été en France l'illustration. Ces jeunes militants apportent avec eux la contestation de la société de consommation, le non-conformisme, le pacifisme et une aspiration libertaire qui tirent l'écologie politique vers la gauche*, sinon l'extrême gauche. Les formes d'action en relèvent (*sit-in*, occupations de sites, grands rassemblements ludiques…).

Comme l'agitation étudiante dix ans plus tôt, ces démonstrations reçoivent un accueil mitigé de la gauche institutionnelle et des centrales syndicales. Attachés à une idéologie du progrès* qui s'identifie aux performances techniques et à la croissance économique, inquiets devant la montée de la crise et du chômage, sociaux-démocrates et communistes accusent les écologistes de passéisme et d'irresponsabilité.

Cependant, la dégradation des conditions de vie, l'accroissement de la pollution puis, bientôt, les premiers grands accidents nucléaires (Harrisburg en 1979, Tchernobyl en 1986) conditionnent une progressive évolution de l'opinion. Tandis que les gouvernements – peut-être pour allumer des contre-feux – décident la création d'administrations et même de ministères chargés de la protection de l'environnement, la conjoncture encourage un certain nombre de mouvements écologistes, particulièrement en Europe, à franchir le pas et à se constituer en partis politiques. Dès le milieu des années 1970, en Allemagne, le parti des Verts *(Grünen)* s'organise et obtient d'emblée des succès électoraux. En France, les tentatives sont moins heureuses : le mode de scrutin est moins favorable ; querelles internes et rivalités de personnes entraînent divisions et scissions. Néanmoins, quelques représentants écologistes entrent dans les Conseils généraux et régionaux.

L'insertion de la nébuleuse écologiste dans le débat démocratique a eu pour corollaire la nécessité d'une définition doctrinale plus précise.

Les divergences idéologiques

De sérieuses divergences sont apparues dès que le combat écologiste a voulu se doter d'une base idéologique.

Pour le courant qu'on peut qualifier d'*environnementaliste* (ou *réformiste*), l'écologie politique a pour but d'organiser le développement en sorte qu'il n'induise pas la dégradation ou la destruction des équilibres naturels. L'homme s'inscrit dans une nature dont il a besoin pour exister : une exploitation inconsidérée des ressources de la Terre, la pollution du sol, de l'eau, de l'air, les rejets dans l'atmosphère qui menacent la couche protectrice d'ozone ou préparent des modifications du climat sont, à terme, suicidaires pour l'espèce humaine. Il convient donc d'organiser rationnellement les formes de production et de consommation de manière à ce que soient préservés tant la qualité de la vie dans l'immédiat que l'avenir des générations futures.

La position environnementaliste ne met pas fondamentalement en question l'idée de progrès héritée des Lumières*. Elle persiste à placer l'homme et son avenir au centre de sa démarche. Elle demande simplement qu'on substitue, à l'impératif de profit immédiat et au « laisser-faire » propre au capitalisme libéral, une logique volontariste prenant en compte les contraintes écologiques dans les stratégies de développement.

Tout autre est la tendance radicale, appelée aux États-Unis *deep ecology*, et qui veut en finir avec ce qu'elle nomme l'« anthropocentrisme ». Ce courant place sur un pied d'égalité toutes les espèces vivantes existant sur la Terre, à qui elle reconnaît les mêmes droits. Pour l'Américain J. Lovelock, la planète elle-même forme globalement une entité vivante, Gaïa, dont l'humanité n'est qu'un élément, au même titre qu'une espèce de mousse ou de bactérie. L'homme, par les perturbations qu'il a apportées, est un facteur de nuisances et certains écologistes radicaux vont jusqu'à souhaiter une diminution drastique du nombre des êtres humains.

Dans cette perspective, l'idéologie du progrès est évidemment condamnée, en particulier dans ses manifestations techniques, et l'idée de droits de l'homme* est perçue comme l'expression inacceptable de la prétention humaine à se situer au-dessus des autres êtres vivants. Dans *Le Contrat naturel* (1992), le philosophe français M. Serres propose d'instituer la nature comme sujet de droit, et d'aucuns envisagent la formulation d'un « droit des animaux ». La *deep ecology* apparaît ainsi en rupture avec l'héritage humaniste* de l'Occident.

L'écologie politique est donc loin d'être idéologiquement homogène. Si, d'une manière générale, l'environnementalisme domine au sein des différents Partis verts, de grandes associations comme *Greenpeace* ou le *Sierra Club* américain sont proches des thèses radicales.

ENJEUX CONTEMPORAINS

Écologie et politique

Jusqu à présent, et mis à part le cas des *Grünen* allemands, les partis écologistes ne semblent pas atteindre, par eux-mêmes, l'audience qui leur permettrait d'accéder à des responsabilités publiques autres que régionales, si ce n'est dans le cadre d'alliances conjoncturelles avec des formations de gauche, comme on l'a vu en France en 1997.

Cela dit, ils ont pourtant joué un rôle très positif, depuis une vingtaine d'années, en faisant prendre conscience, à l'opinion des pays industrialisés, des problèmes que posaient le développement technique et l'action de l'homme sur le milieu. Beaucoup de leurs idées et de leurs suggestions ont été reprises par les formations politiques classiques ; les citoyens sont devenus plus attentifs aux problèmes d'environnement ; gouvernements et industriels ont été conduits à prendre des mesures de sauvegarde, découvrant même que défendre la qualité de la vie était créateur d'emplois nouveaux.
Aujourd'hui, certains observateurs voient, dans l'écologie politique – du moins dans ses formes réformistes –, un facteur de renouvellement des idéologies de gauche, dans la mesure où elle représente un argumentaire crédible, susceptible d'être opposé aux thèses dominantes de l'ultralibéralisme.

● **À CONSULTER :** D. Simonnet, *L'Écologisme*, PUF (4e éd., 1994). P. Acot, *Histoire de l'écologie*, PUF (1994). L. Ferry, *Le Nouvel Ordre écologique*, Livre de poche (1994). A. Waechter, *Dessine-moi une planète*, Albin Michel (1990). M. Serres, *Le Contrat naturel*, Flammarion (1992). P. Singer, *La Libération animale*, Grasset (1993).

● **CORRÉLATS :** bioéthique ; droit ; droite/gauche ; mai 68 ; nucléaire ; progrès ; Révolution industrielle.

ECRITURE DE SOI

● **DÉF. :** On désigne globalement par *écriture de soi* la démarche littéraire qui consiste pour un écrivain à chercher à exprimer son « moi » par les mots. On pourrait considérer, en forçant le trait, que toute écriture littéraire mettant en jeu affectivité*, sensibilité et subjectivité participe de l'écriture de soi. Sur un plan formel, la notion d'*écriture à la première personne* peut alors caractériser le projet de « se dire », que ce soit en poème (poésie lyrique) ou en prose (roman à la première personne). L'écriture de soi revêt des formes littéraires très diverses.

Les formes de l'écriture de soi

■ La correspondance

La lettre est l'une des plus anciennes expressions de l'écriture du moi. Un destinateur ou émetteur expose à un destinataire ses sentiments ou ses expériences : en se confiant à l'autre, il éclaire sa propre existence, médite ainsi sur le sens de sa vie. Cet examen de soi est un exercice de lucidité. Au Ier siècle, les *Lettres* de l'écrivain latin Sénèque à Lucilius sont le meilleur exemple de cette quête de sagesse. Au XVIIe siècle, Mme de Sévigné, puis au XVIIIe, Diderot et Voltaire ont laissé chacun une *Correspondance* très intéressante, à la fois miroir d'une époque et méditation sur leur existence. Les lettres de Flaubert (1821-1880) constituent un véritable laboratoire de sa création romanesque.

■ Les mémoires

Les mémoires sont, à l'origine, écrits par des grands de ce monde soucieux de montrer la part qu'ils ont prise à l'Histoire, dans le but – inavoué – d'une autocélébration et dans celui – affirmé – d'instruire contemporains et descendants. Le cardinal de Retz (1613-1679), le duc de Saint-Simon (1675-1755) ne scrutent pas leur moi profond : ils exposent leur vie dans son interaction avec les événements dont ils furent les acteurs ou les témoins. Chateaubriand (1768-1848), avec les *Mémoires d'outre-tombe* (1841), forge rétrospectivement son existence à l'unisson de son siècle, finissant ainsi par apparaître comme l'incarnation de son temps.
À notre époque, la vogue des mémoires ne se dément pas, concernant aussi bien des figures politiques (de Gaulle) que des personnalités de la vie intellectuelle (Aron) ou culturelle, voire médiatique. Malraux, quant à lui, a laissé des *Antimémoires*, préférant à la confidence personnelle le témoignage de ses confrontations avec l'Histoire et le « destin ».

■ Le journal intime

Contrairement aux mémoires, le journal intime est écrit au présent, et n'est pas – en théorie – destiné à la publication. Rétrospectif de quelques heures ou jours, il prend la forme datée de la discontinuité et n'offre pas de synthèse. Il se présente sous l'aspect de notes spontanées, de notations et de réflexions diverses (J. Renard, Delacroix, ou les frères Goncourt), et recèle souvent le matériau des œuvres à venir, comme en témoignent les notes prises au jour le jour par Vigny, Dostoïevski et Kafka. Le *Journal* de Gide, tenu depuis 1889, savamment repris et corrigé pour sa publication entre 1943 et 1953, épouse la courbe d'une existence et reflète la méditation constante d'une âme inquiète. Signalons le *Journal intime* (1847-1881) d'Amiel, monumentale introspection de plusieurs milliers de pages. Des philosophes ont eu également recours au journal, tel Kierkegaard avec *Le Journal d'un séducteur* (1843).

■ Les carnets

On les qualifierait volontiers de journal intime sans date, où sont notées toutes les pensées soudaines, les « fusées » (selon le mot de Baudelaire) d'un créateur ou d'un penseur. Concision et instantanéité caractérisent cette écriture du moi : Montherlant, G. Perros *(Papiers collés)* et surtout Valéry *(Cahiers)* sont au XXe siècle les principaux représentants de cette forme d'expression.

■ L'autoportrait

Les *Essais* de Montaigne (1533-1592) en sont la plus célèbre illustration. Montaigne ne raconte pas chronologiquement sa vie, il affirme « vouloir se peindre » : « Je suis moi-même la matière de mon livre », écrit-il. En 1572, ce gentilhomme se retire dans sa bibliothèque et « s'essaie », se met à l'épreuve de transcrire les expériences de sa vie. Nourri des Anciens, spectateur engagé des bouleversements de la Renaissance* (voyages des Grandes Découvertes*, guerres de Religion*...), il médite sur l'« humaine condition » et sur lui-même. Pendant vingt ans, il va s'écrire, augmentant de maintes retouches, comme un peintre, la matière de son livre. Les *Essais*, œuvre d'une vie, connaissent très vite un succès considérable.

■ Les récits et témoignages

On peut souligner le goût actuel pour les récits à la première personne, regroupés sous l'appellation « littérature de l'*ego* » : ce sont des ouvrages de souvenirs (destins singuliers) et de témoignages (guerres). Des récits de vie (collection « Terre humaine » chez Plon) font connaître l'histoire des « gens de peu ». Enfin, les médias* ont donné naissance à de nouvelles formes d'expression de soi, comme l'entretien radiophonique (*Mémoires improvisés* de Claudel) ou l'interview (Chancel, Pivot).

■ L'autobiographie

L'autobiographie est sans doute le genre par excellence de l'écriture de soi. Du grec *graphein* (« écrire »), *bios* (« vie ») et *autos* (« soi-même »), le terme apparaît vers 1800 en Angleterre et en Allemagne, et en 1830 en France.

Le critique Ph. Lejeune définit le texte autobiographique comme « un récit rétrospectif en prose qu'une personne réelle fait de sa propre existence, lorsqu'elle met l'accent sur sa vie individuelle, en particulier sur l'histoire de sa personnalité ». Comme les différentes formes de l'écriture de soi, elle suppose l'identité auteur-narrateur-personnage : celui qui signe, celui qui raconte et celui dont on parle sont le même individu. Dans une autobiographie, le rédacteur fait vœu de vérité et de sincérité, et ce d'entrée de jeu : c'est ce que Lejeune nomme le « pacte autobiographique ». Le rédacteur qui se penche sur son passé a acquis une certaine maturité.

Rédigées de 1765 à 1770, les *Confessions* de Rousseau (1712-1778) signalent dans la littérature occidentale une véritable révolution : Rousseau, en choisissant le mot *confessions*, renvoie explicitement à saint Augustin (354-430), lequel avait raconté son existence en fonction de l'événement qui lui a donné sens : sa conversion à la religion chrétienne. Saint Augustin écrit sous le regard de Dieu, grâce à Dieu, pour la gloire de Dieu, et s'adresse aux hommes pour les édifier : la transcendance divine conditionne la sincérité de l'aveu. Rousseau va laïciser l'entreprise de saint Augustin : chez lui, la véracité du sentiment (« Je ne peux me tromper sur ce que j'ai senti ») garantit la véracité du récit. Pour la première fois, un récit de vie s'écrit sous le signe de la sensibilité et de la subjectivité : ce ne sont pas des mémoires, mais la narration d'une existence que donne à lire Rousseau, en accordant – fait inédit – une place décisive à l'enfance. À la différence de l'autoportrait, le texte autobiographique intègre la durée, et dessine, de manière orientée, les transformations d'un moi : avec Rousseau, est sans cesse posée la question du rapport entre le moi-qui-raconte et le moi-qui-est-raconté, faisant surgir le problème de l'identité. Le « Qui suis-je ? » devient un « Comment savoir qui et ce que je suis ? » : cette interrogation essentielle est doublée de celle posée par l'écriture, à savoir « Comment dire, avec des mots qui sont à la fois des moyens et des obstacles, ce moi intime ? »

Rousseau inaugure une littérature de la vie intérieure qui ne cessera de se développer au XIXe siècle romantique. En France, Stendhal (1783-1842) promeut le mot *égotisme*, et entreprend son autobiographie – demeurée inachevée – avec la *Vie d'Henri Brulard*. Le problème complexe du moi se voit amplifié par le fait que l'homme s'appelle Henri Beyle, le signataire Stendhal et le personnage Henri Brulard…

Au XXe siècle, avec les acquis de la psychanalyse*, l'écriture autobiographique tend à s'interroger sur les possibilités qu'a le sujet de se connaître et de se dire, comme en témoignent Sartre (*Les Mots*, 1964), Sarraute (*Enfance*, 1983), Robbe-Grillet (*Le miroir qui revient*, 1985) et Genet (*Journal du voleur*, 1949). L'œuvre complète de M. Leiris est centrée sur l'écriture de soi, de même que celle, étonnante et composite, du Portugais Pessõa (1888-1935). A. Ernaux a commencé une série de récits à caractère autobiographique d'une grande intensité (*La Place*, 1984).

Fonctions et portée de l'écriture de soi

Pourquoi livrer son moi sur le papier ? D'abord, pour se connaître soi-même, pour mettre au clair sa personnalité : c'est l'examen de conscience, exercice spirituel de lucidité. La publication associe ce désir à celui de se faire connaître – voire reconnaître – par les autres : soit pour témoigner, soit pour se justifier, soit pour imposer à l'Histoire sa propre image.

Écrire sa vie, c'est aussi s'offrir le plaisir de la réminiscence : en les consignant, on revit les moments de sa vie, on goûte aux charmes du « je me souviens » (Perec). Les moments de joie, comme ceux que Rousseau a connus chez Mme de Warens, font écho aux moments pénibles ou douloureux, que l'écriture, à la manière d'une auto-analyse cathartique, peut expliquer et dépasser.

Enfin, dire son moi passé dans le présent de l'écriture permet d'engager la lutte contre le temps, voire d'en triompher : l'encre fixe à jamais le dessin d'une existence, procurant une sensation d'éternité.

Il faut se demander également quel intérêt prend le lecteur à lire des textes relevant de l'écriture de soi : au-delà de l'aspect documentaire ou historique (les mémoires), on trouve dans ces œuvres un miroir de soi-même. Bien que sa vie diffère de la mienne, l'autobiographe me permet de lire en moi-même, car « nous souffrons dans les mêmes liens » (Aragon) : Leiris confronté à l'éveil de la sexualité, Ernaux à la passion simple, Cohen à la figure de sa mère, chacun d'eux me permet, tels des médiateurs, de lire en moi-même et de réaliser une éventuelle introspection. Jouhandeau, Gide, Genet ont permis de lever des tabous, car l'écriture de l'intime dit tout haut ce que notre société, longtemps hypocrite et puritaine, tient à considérer comme secret.

Les journaux ou cahiers d'écrivains (Zola, Proust) sont intéressants pour la critique*, qui peut ainsi suivre la genèse d'une œuvre.

L'écriture de soi en question

La question de la vérité est au centre de l'écriture de soi : décider de ne pas mentir, est-ce pour autant parvenir à « dire toute la vérité » ? La mémoire est fragile, et sélective, voire « oublieuse » (Supervielle). Confessera-t-on tout d'une existence ? Que choisira-t-on, volontairement ou pas, de taire, ou de masquer, ou au contraire de souligner ? Pourra-t-on, et osera-t-on, tout dire de ce que Malraux appelle notre « misérable tas de secrets » ? Les mots seront-ils fidèles à la complexité de ce qu'on a ressenti, et capables de transcrire ce qu'on voudrait communiquer ? Leiris compare la littérature à une tauromachie : le scripteur devant sa feuille est semblable au torero devant « la corne du taureau », et il doit affronter le danger qui est de s'exposer, sans complaisance ni sans fard.

Mais, à supposer résolue cette exigence de vérité, ne faut-il pas aller plus loin, et mettre en cause le principe même de l'écriture de soi ? Selon Nietzsche* et les philosophes du soupçon, qui mettent en question la notion de sujet*, nul ne peut se connaître parfaitement, et c'est une illusion que de croire qu'on puisse dire la vérité de son moi. Cette absence de transparence du sujet à lui-même, loin de condamner l'écriture de soi, invite les auteurs à méditer, en même temps qu'ils se racontent, les limites et les écueils de tout discours sur soi.

Barthes a cherché à concilier désir de se dire et impossibilité à bâtir un récit totalisant. Pour cela, il a choisi l'écriture discontinue : son texte *Roland Barthes par Roland Barthes* (1975) est un patchwork savant, mêlant textes, photos et documents. Au plan philosophique, P. Ricœur répond que le texte de l'écriture de soi est une quête du sens : en racontant ma vie, je pars à la recherche de moi-même, je cherche le sens de ma vie, je me l'explique à moi-même. Cette « méditation narrative » trace un sens – à la fois orientation, direction et signification – à mon existence : je ne prétends pas restituer ce que fut ma vie, mais je découvre, en écrivant, la construction de mon cheminement et de mon moi, nécessairement problématiques.

● **À CONSULTER :** G. Gusdorf, *Les Écritures du moi*, Odile Jacob (1991). Ph. Lejeune, *Le Pacte autobiographique*, Seuil (1975). J.-P. et J. Laffitte, *L'Écriture de soi*, Vuibert (1996). ● **À LIRE :** Nietzsche, *Ecce Homo* (1888). J.-P. Sartre, *Les Mots* (1964). M. Leiris, *L'Âge d'homme* (1935). G. Perros, *Papiers collés* (1970). A. Ernaux, *La Femme gelée* (1981) ; *La Place* (1984) ; *Une femme* (1988).
● **CORRÉLATS :** individu ; Moi (figures du) ; personne ; roman ; structuralisme ; sujet.

ÉGLISE CATHOLIQUE

● **ÉTYM. :** Du grec *ekklesia* (« assemblée », « maison du culte ») et *katholikos* (« universel »). ● **DÉF. :** On désigne par *Église catholique* l'une des plus importantes confessions chrétiennes, appelée aussi *Église romaine*, organisée sous l'autorité du pape. Le catholicisme définit la doctrine de l'Église catholique.

De l'universel au spécifique

Dès le IIe siècle, l'Église des premiers chrétiens s'est qualifiée, dans l'Orient grec, de *catholique*. Après le triomphe du christianisme*, le terme prend une signification quasi officielle dans les actes du concile de Constantinople (381). Il faut voir là l'affirmation du principe fondamental de la doctrine chrétienne sur lequel saint Paul avait insisté dès les origines : le Christ est venu sauver, non un peuple, mais l'humanité entière. La vocation de l'Église chrétienne est d'être « universelle ».

C'est donc un long cheminement historique qui va conduire à appliquer spécifiquement le qualificatif *catholique* à la seule Église d'Occident, organisée au haut Moyen Âge* sous l'autorité de l'évêque de Rome*, le pape. Quand, en 1054, la rupture définitive avec l'Église d'Orient amène cette dernière à s'affirmer *orthodoxe*, c'est-à-dire « conforme à la vérité » (du grec *orthos*, « droit » et *doxa*, « opinion »), l'Église de Rome riposte en rappelant qu'elle reste envers et contre tout la seule Église catholique, celle à vocation universelle.

Au XVIe siècle, l'unité de l'Église d'Occident est à son tour brisée par la Réforme*. Face aux protestants de diverses obédiences, les catholiques sont ceux qui restent fidèles au pape et à l'Église romaine dont la doctrine, solennellement confirmée au concile de Trente (1545-1563), devient alors le *catholicisme*.

L'importance du pape

La question du rôle et du pouvoir du pape est donc centrale quand il s'agit de définir ce qui fait l'originalité du catholicisme parmi l'ensemble des confessions chrétiennes.

La prééminence religieuse revendiquée par l'évêque de Rome s'explique par l'histoire. Quand l'empereur Constantin (312-337) décide, après l'avoir légalisé en 313 (édit de Milan), de faire du christianisme la base idéologique d'un Empire romain* rénové, l'évêque de Rome se trouve *ipso facto* investi d'un prestige particulier. Mais il doit presque aussitôt le partager avec son homologue de la nouvelle capitale, Constantinople, ce qui sera source de conflits futurs.

Pour marquer sa différence et affirmer sa primauté, le pontife romain, qu'on commence à appeler *pape* (« père »), trouve une argumentation dans l'Évangile : le Christ ayant investi saint Pierre de la direction de l'Église (*Matthieu*, XVI, 17-19) et celui-ci, martyrisé à Rome sous Néron, étant tenu pour le premier évêque de la Ville, ses successeurs sont les pasteurs suprêmes du peuple chrétien. Au Ve siècle, Léon Ier (440-461) prétend non seulement à ce titre, mais face à la décomposition de l'empire d'Occident, il considère la papauté comme appelée à assumer l'autorité morale jusqu'alors dévolue à l'empereur romain.

Évidemment contestée à Constantinople par l'empereur et le patriarche byzantins, cette double ambition reste assez théorique jusqu'au VIIIe siècle. À ce moment, la nouvelle dynastie franque des Carolingiens accorde indépendance et assise territoriale à la papauté en lui conférant la possession souveraine de l'Italie centrale : cet appui donne un contenu concret à l'autorité pontificale. En échange, les Carolingiens sont payés

de retour quand le pape Léon III (795-816) restaure en faveur de Charlemagne l'empire d'Occident (800). La primauté du siège de Rome est alors définitivement établie.
Au XIe siècle, la totalité de la hiérarchie ecclésiastique d'Occident reconnaît le pape comme son chef. Grégoire VII (1073-1085) peut imposer au clergé une réforme de la discipline, condamner par décret les investitures laïques, obliger l'empereur germanique, menacé d'excommunication, à s'humilier devant lui. Urbain II peut lever des foules en appelant, en 1095, à la première croisade*. En revanche, le clergé d'Orient dénonce cette prétention à l'hégémonie : il proclame son indépendance à l'égard de Rome en s'instaurant « Église orthodoxe » (1054).
Pendant tout le Moyen Âge, la suprématie du pape, élu par un collège d'évêques privilégiés investis du titre de « cardinal », n'est contestée que de manière marginale. Au XVe siècle, la solution de la crise du Grand Schisme (des conflits internes avaient conduit à l'élection simultanée de deux papes s'opposant entre eux) renforce un moment l'autorité des conciles au détriment de celle des pontifes, mais ces derniers savent vite restaurer leurs pouvoirs dans leur plénitude.
C'est, entre autres, à cette omnipotence que s'attaque Luther en 1520. Mais en contestant aussi l'Église romaine en termes théologiques, la Réforme* protestante oblige le catholicisme à se définir au plan doctrinal.

Le catholicisme après la Réforme

Cette mise au point doctrinale est le fait du concile de Trente (1545-1563) ; mais dans la mesure où elle se veut d'abord une contre-réforme*, elle s'inscrit dans une perspective défensive qui implique le raidissement et, par là même, des positions conservatrices. Rien de fondamental ne change, les dogmes contestés par la Réforme sont confirmés ; loin d'être mises en question, la hiérarchie ecclésiastique, l'autorité du pape sont renforcées et le contrôle de la société civile accru.
Si des résultats positifs sont obtenus dans l'immédiat, cette attitude va cependant peser sur l'avenir de l'Église catholique, devenue méfiante, sinon hostile face à ce qui est nouveau. Ainsi s'annonce un conflit durable avec les manifestations philosophiques, scientifiques d'une modernité qu'au même moment, les Églises issues de la Réforme intègrent plus facilement.
De tels combats sont rarement gagnés. Après avoir espéré refouler, sinon anéantir l'« hérésie » protestante, Rome doit se résigner à lui abandonner, au XVIIe siècle, la moitié de l'Europe. Commence alors un long conflit avec la rationalité, produit de la révolution scientifique* amorcée depuis la Renaissance*. Attachée pour des raisons théologiques à la physique* dépassée d'Aristote*, l'Église catholique, après avoir fait brûler Giordano Bruno (1600), condamne Galilée (1633) et Descartes*, et tarde à accepter la nouvelle image de l'univers induite par le système de Copernic. À partir du XVIIIe siècle, la pensée moderne se définit contre elle et la philosophie des Lumières* la combat ouvertement.
Solidaire de l'absolutisme* qu'elle a contribué à légitimer, elle se trouve naturellement engagée – malgré l'adhésion personnelle de nombreux membres du clergé – dans le camp des adversaires de la Révolution française* et elle fournit une large part de l'argumentaire idéologique de la Contre-Révolution*. Après 1815, elle se range résolument du côté des partisans de la restauration des pouvoirs monarchiques et, attachée aux structures du passé, elle ne mesure pas les conséquences sociales de la Révolution industrielle*.
Cette constance dans les combats d'arrière-garde entraîne la désaffection de couches de plus en plus larges de la population. Dès le début du XIXe siècle, des esprits religieux, tels en France Lamennais ou le père Lacordaire, s'en émeuvent et tentent d'infléchir les orientations politiques et sociales de l'Église. Ils sont désavoués par Rome et, en 1864, le pape Pie IX (1846-1878) condamne solennellement toutes les valeurs* modernes : la démocratie*, le libéralisme*, le socialisme*, le syndicalisme*, le pluralisme religieux, le rationalisme (encycliques *Quanta cura* et *Syllabus*). Attaché à conserver les États dont la papauté disposait en Italie depuis plus de mille ans, il refuse l'unité italienne et c'est par la force que le roi d'Italie s'empare de Rome (1870) : Pie IX se considère alors prisonnier volontaire au Vatican.
À cette époque, le concile Vatican I renforce démesurément les pouvoirs spirituels du pape, déclaré infaillible en matière de religion. Au moment où

l'absolutisme s'efface de la scène politique, l'Église catholique s'apparente à une monarchie absolue par sa prétention au monopole spirituel et dogmatique.

L'*aggiornamento* de l'Église

Le pontificat de Léon XIII (1878-1903) marque l'abandon de cette crispation séculaire et le début d'une série de réajustements, qu'on désignera au XXe siècle par le mot italien *aggiornamento* (« mise à jour »). Sous l'impulsion de ce pape réaliste, l'Église se désolidarise alors de la réaction politique (en France, elle reconnaît la légitimité de la République) et, surtout, elle s'engage dans une politique sociale (encyclique *Rerum novarum*) qui fera naître des syndicats et une gauche d'inspiration catholique. Mais l'ouverture reste prudente : l'anticléricalisme du gouvernement français des années 1900, la Révolution russe* et l'apparition d'un communisme* agressivement athée, la pression d'une opinion catholique restée majoritairement conservatrice freinent le mouvement d'adaptation au monde moderne. Pendant la Seconde Guerre mondiale*, la hiérarchie catholique montre, en France, une attitude bienveillante à l'égard du régime de Vichy et beaucoup reprocheront au pape Pie XII (1939-1958) de n'avoir pas condamné plus nettement les exactions du nazisme*.

Le véritable *aggiornamento* intervient après l'élection de Jean XXIII (1958-1963). La tenue du concile Vatican II (1962-1965) marque un authentique changement et l'amorce d'un renouvellement tel que les décisions théologiques prises par cette assemblée sont certainement les plus importantes qu'ait connues l'Église catholique depuis celles du concile de Trente.

ENJEUX CONTEMPORAINS

Religion

L'Église catholique est une institution millénaire. Face à un monde en rapide évolution et où les valeurs chrétiennes ne sont plus les seules à servir de références éthiques*, elle continue à avoir des difficultés à intégrer l'évolution des mœurs. La rigidité de ses structures, héritage de son histoire, la désavantage toujours au regard des Églises protestantes, plus souples. Aussi justifiées soient-elles dans une perspective religieuse et théologique, certaines prises de position touchant la morale sexuelle ou la définition de la vie sont toujours mal perçues dans l'opinion. La nature monarchique de la papauté et, par là même, l'importance de la personnalité des pontifes, semblent à beaucoup excessives et anachroniques dans un monde qui a complètement intégré les modes de fonctionnement de la démocratie représentative. L'*aggiornamento* de l'Église catholique est loin d'être achevé.

● **À CONSULTER :** J.-B. Duroselle, J.-M. Mayeur, *Histoire du catholicisme*, PUF (8e éd., 1996). L.-J. Rogier, R. Aubert, D. Knowles, *Nouvelle histoire de l'Église*, Seuil (1975). P. Poupard, *Le Pape*, PUF (2e éd., 1985).
● **CORRÉLATS :** Antiquité (basse) ; antisémitisme ; byzantin (Empire) ; chrétienne (pensée) ; christianisme (débuts du) ; Contre-Réforme ; Réforme protestante ; révolution scientifique.

EMPIRE

● **ÉTYM. :** Du latin *imperium* (« commandement », « pouvoir militaire »). ● **DÉF. :** Le mot *empire* peut désigner : une forme de monarchie, État dont le souverain est un empereur (« l'empire de Russie ») ; un conglomérat de pays dominés par une nation conquérante (« l'Empire britannique ») ; un ensemble informel d'États souverains alliés reconnaissant la suprématie de l'un d'entre eux, puissance tutélaire (dans l'Antiquité*, le modèle de « l'Empire athénien » ; pendant la guerre froide*, on a parlé d'« Empire américain » et d'« Empire soviétique » à propos des deux systèmes opposés d'alliances).

Le modèle romain antique

Sous la République romaine (IIIe-Ier siècles avant J.-C.), la dignité d'*imperator*, commandant suprême qui détient l'*imperium*, est décernée aux généraux victorieux par l'acclamation des soldats. Elle donne droit à la célébration d'un triomphe, mais sitôt cette cérémonie accomplie, le général cesse de porter le titre. Jules César (101-44) est le premier qui, acclamé *imperator* en 45 avant J.-C., le demeure jusqu'à sa mort. Il sera imité par son petit-neveu, Auguste, *imperator* à partir de 27 avant J.-C., mais cela correspond à une modification profonde des institutions de l'État romain et, précisément, à l'instauration du régime que nous nommons l'*Empire*.

Dans l'histoire européenne, le titre d'empereur se réfère constamment au précédent romain : *Tsar* ou *Kaiser*, qui désignaient les empereurs de Russie et d'Allemagne, sont une transcription de *Caesar*. C'est effectivement la nostalgie de l'Empire romain* d'Occident, détruit au ve siècle par les Barbares, qui expliquera le couronnement impérial de Charlemagne, en 800, voulu par l'Église* comme une restauration.

L'idée d'Empire dans l'histoire de l'Europe

C'est la volonté d'affirmer cette continuité impériale, serait-ce dans un espace géographique plus restreint, qui conduit le roi de Germanie Otton Ier à constituer, en 962, le Saint-Empire romain germanique : la dénomination est éloquente et l'emblème est l'aigle à deux têtes du Bas-Empire romain. Même réduit à un fantôme d'État, le Saint-Empire traversera les siècles et ne sera aboli qu'en 1806 par Napoléon* Ier, autre personnage fasciné par le souvenir de Rome* et de ses aigles, au point de s'être proclamé lui aussi empereur en 1804.

Entre-temps, et après la substitution, en 1453, d'un Empire turc musulman (l'Empire ottoman) au vieil Empire byzantin*, ultime vestige de l'Empire romain d'Orient, le souverain russe Ivan le Terrible, prince de Moscou, s'était attribué en 1547 le titre impérial de tsar.

En 1914, il y avait en Europe* quatre empereurs qui se référaient, directement ou indirectement, à la tradition romaine : l'empereur et roi d'Autriche-Hongrie, l'empereur d'Allemagne, tous deux prolongeant le vieux Saint-Empire, donc l'empire d'Occident ; l'empereur de Russie et, à Constantinople, le sultan ottoman qui, dans des registres différents, se considéraient comme les successeurs des empereurs de Byzance.

Dominants et dominés

Mais, à l'examen des États que ces souverains gouvernent, on mesure ce qui fait l'autre spécificité des empires, déjà présente dans l'Empire romain, du moins au moment de sa construction : la domination imposée par un peuple à d'autres peuples. L'Autriche-Hongrie était un conglomérat de nationalités diverses, soumises à une dynastie et à une administration germaniques. L'empire de Russie était un gigantesque ensemble multi-ethnique unifié par la conquête et russifié par la contrainte. L'Empire ottoman était un puzzle de peuples en continuelle rébellion. Même le très récent Empire allemand (créé en 1871) cachait mal, sous ses structures fédérales, la suprématie de la Prusse sur les autres États allemands.

Ainsi, héritière du vieux concept romain d'*imperium* lié aux guerres de conquête, la notion d'empire s'identifie-t-elle à une forme d'oppression, l'unité ayant été, à l'origine, imposée par la force. C'est pourquoi on la retrouve, sans référence à la monarchie et même sans empereur, dans le concept d'empire colonial.

Du XVIe au XXe siècle, l'Espagne, le Portugal, puis les Pays-Bas, l'Angleterre, la France, la Belgique ont pris possession d'immenses espaces extra-européens, au cours d'entreprises de colonisation* comparables en bien des points aux conquêtes romaines, l'objectif économique étant aussi important que les impératifs stratégiques. La fin du XIXe siècle peut inventer le mot *impérialisme* pour désigner cette politique d'hégémonie qui ne se veut plus restauration d'un ordre ancien, mais créateur de puissances mondiales. Le terme finit par s'appliquer à toute forme d'influence et de suprématie économique et financière sachant s'épargner la conquête et l'administration directe : ainsi a-t-on parlé d'« impérialisme américain » au XXe siècle.

ENJEUX CONTEMPORAINS

Relations internationales

La seconde moitié du XXe siècle a vu la fin des empires : vieux empires monarchiques, tous disparus après la Première Guerre mondiale* ; empires coloniaux, dissous au terme de la Seconde. L'Empire russe, qui s'était reconstitué sous la forme de l'Union soviétique, s'est désagrégé le dernier, en 1991. Nous allons certainement vers de grands rassemblements de nations et d'États (*cf.* Europe) ; mais la forme impériale et son corollaire, la domination directe d'un des peuples constituants, apparaissent désormais à tous inacceptables.

Est-ce à dire que l'impérialisme a disparu ? Tant qu'il existera les écarts de richesse, de puissance, de niveau de vie qui séparent aujourd'hui les pays avancés du tiers-monde*, des rapports de domination et de dépendance s'établiront. Mais il est improbable qu'ils prennent les formes concrétisées, dans l'Histoire, par le concept millénaire d'empire.

● **À consulter :** J.-M. Engel, *L'Empire romain*, PUF (5e éd., 1993). J.-F. Noël, *Le Saint-Empire*, PUF (3e éd., 1993). D. Kitsikis, *L'Empire ottoman*, PUF (3e éd., 1994). M. Mahn-Lot, *La Conquête de l'Amérique espagnole*, PUF (5e éd., 1996). C. Zorgbibe, *L'Impérialisme*, PUF (1996). H. Arendt, *L'Impérialisme*, Seuil (rééd., 1984).
● **Corrélats :** aire culturelle ; Antiquité (basse) ; byzantin (Empire) ; colonisation ; communisme soviétique ; Europe (idée d') ; guerre froide ; Napoléon ; nationalisme ; romain (Empire) ; Union européenne.

EMPIRISME

● **Étym. :** Du grec *empeirikos* (« savant par expérience »). ● **Déf. :** Apparu au XVIIIe siècle, le mot *empirisme* désigne la doctrine philosophique selon laquelle nos connaissances viennent de l'expérience, et d'elle seulement.

La négation des idées innées : empirisme contre rationalisme

On doit au philosophe anglais Locke (1632-1704) la première formulation complète de cette doctrine. Dans son *Essai philosophique concernant l'entendement humain* (1690), il affirme que l'homme ne dispose d'aucune connaissance innée.

Cette thèse négative oppose l'empirisme au rationalisme de Descartes*, Spinoza, ou Leibniz. Pour ces philosophes, l'expérience nous informe seulement sur notre rapport aux choses qui nous environnent, mais sans pouvoir nous révéler la nature réelle de ces choses. Elle n'établit donc que des vérités de fait, la raison seule pouvant prétendre aux vérités universelles et nécessaires, qu'elle puise en elle-même.

Face à cette conception, l'empirisme de Locke se présente comme une philosophie de propriétaire faisant l'inventaire exact de ses biens : nous ne connaissons que ce que nous avons appris effectivement (du latin *apprehendere*, « saisir », « comprendre »), et il n'est de connaissance valide que par ce titre de possession que constitue son origine empirique. Cette origine empirique ne consiste pas seulement dans nos sensations, elle consiste également dans la réflexion sur les opérations de notre âme, sur le travail* par lequel nous produisons, à partir des données sensibles, les idées qui sont les nôtres : le travail, dans la vie intellectuelle comme dans la vie sociale, est ce qui fonde la propriété.

Philosophie de la connaissance comme propriété justifiée par un travail, l'empirisme n'est pas né par hasard dans le contexte idéologique du puritanisme du XVIIe siècle : son évolution se confond depuis, peu ou prou, avec l'histoire de la pensée britannique.

L'évolution de l'empirisme au XVIIIe siècle

La thèse de l'empirisme selon laquelle la connaissance vient de l'expérience présente une ambiguïté : faut-il entendre qu'une réalité psychologique (la connaissance) provient d'une certaine origine (l'expérience) ? ou plutôt qu'une prétention à la vérité (la connaissance) doit être validée par un certain fondement (l'expérience) ? En fait, l'empirisme est à la fois *descriptif*, en ce qu'il recherche dans l'expérience l'origine de nos connaissances, et *normatif*, en ce qu'il exige que ces connaissances soient validées par l'expérience. Or, il arrive que l'homme retire de l'expérience plus que ce qu'elle garantit effectivement, et croie ainsi savoir plus que ce qu'il sait vraiment. C'est cette distorsion qui va poser problème dans l'évolution de l'empirisme, et l'entraîner soit dans la voie de l'immatérialisme, soit dans celle du scepticisme*.

Pour Berkeley (1685-1753), l'inventaire exact des idées que nous avons vraiment, de notre « propriété », implique la destruction des idées que nous croyons illusoirement posséder, à savoir les « idées générales abstraites », et particulièrement l'idée d'une substance matérielle indépendante, au-delà de la perception, hors de l'esprit. Chez Berkeley, l'empirisme devient ainsi immatérialisme.

Hume (1711-1776), quant à lui, s'attache à mesurer l'écart entre ce que nous croyons posséder et ce que nous possédons effectivement : les « leçons » que nous tirons de l'expérience ne sont jamais que des habitudes, révélatrices de notre nature, et non un véritable progrès dans la connaissance des choses. Chez Hume, l'empirisme devient scepticisme.

La subversion kantienne de l'empirisme et ses conséquences

Kant* (1724-1804) met un terme à l'empirisme classique, en posant, dans la *Critique de la raison pure* (1781), cette question subversive : qu'est-ce qui rend l'expérience possible ? Si toute notre connaissance commence avec l'expérience, elle ne vient pas toute de l'expérience, puisque l'expérience elle-même dépend, pour être constituée, de conditions que Kant baptise *a priori*. Après Kant, l'empirisme devra, dans une certaine mesure, intégrer cette objection et distinguer soigneusement entre l'expérience, comme enregistrement passif des faits, et l'expérimentation, comme méthode destinée à contrôler et à tester les théories.

Cette distinction est présente dans le *Système de logique inductive et déductive* (1843) de l'empiriste Stuart Mill (1806-1873). Toutefois, connaissance par expérience et connaissance par expérimentation demeurent pour lui homogènes, car l'une et l'autre procèdent par induction, c'est-à-dire en allant du particulier vers le général : cette thèse reste, jusqu'à nos jours, la pierre de touche de l'empirisme. Or, il s'agit d'une thèse paradoxale, puisque le principe d'induction lui-même ne peut être fondé sur l'induction. Dans une conférence de 1936, Russell (1872-1970) estime que ce paradoxe illustre seulement les « limites de l'empirisme ». En revanche, Popper (1902-1994) y voit une raison suffisante de rejeter à la fois l'empirisme et l'induction (*Logique de la découverte scientifique*, 1935).

L'empirisme logique

Les philosophes empiristes du XXe siècle, tout en maintenant la référence à des données sensibles élémentaires, se représentent autrement que Locke, Berkeley ou Hume le travail par lequel nous transformons ces données pour en faire des connaissances. Au lieu de reconstituer le mécanisme psychologique qui produit nos croyances ou nos jugements, ces philosophes cherchent à rendre compte du discours des sciences* exactes, en n'utilisant que les propositions qui décrivent des données irréductibles et les règles de la logique formelle. Ce programme, qui est celui des membres du Cercle de Vienne, s'exprime particulièrement dans les œuvres de Carnap : *La Structure logique du monde* (1928), *La Syntaxe logique du langage* (1934).

ENJEUX CONTEMPORAINS

Philosophie

Qu'on appelle une telle philosophie « empirisme logique » ou « positivisme* logique », force est de reconnaître qu'elle est stérilisante pour l'idée même de philosophie, réduite à n'être qu'une élucidation des propositions scientifiques, et mortelle pour l'idée de métaphysique*, assimilée à un pur non-sens. Car, fidèles à ce qu'écrivait déjà Hume à la fin de son *Enquête sur l'entendement humain* (1748), les empiristes du XXe siècle ne considèrent comme sensées que les propositions dont on peut décider de la vérité ou de la fausseté, soit par l'analyse logique, soit par le test empirique. En imposant à la pensée des limites aussi étroites, l'empirisme contribue, d'une certaine façon, à la perte du sens et à la crise des valeurs* dans le monde contemporain.

● **À CONSULTER :** G. Deleuze, *Empirisme et subjectivité*, PUF (1993). L. Vax, *L'Empirisme logique, de Bertrand Russell à Nelson Goodman*, PUF (1970). R. Bouveresse-Quilliot, *L'Empirisme anglais*, PUF, coll. « Que sais-je ? » n°3233 (1997).

● **CORRÉLATS :** Descartes ; Kant ; métaphysique ; positivisme, scepticisme ; sciences exactes ; valeurs.

ENCYCLOPÉDIE

● **ÉTYM. :** De l'expression grecque *enkuklios paideia*, formée de *kuklos* (« cercle ») et de *paideia* (« instruction »), d'où le sens d'« instruction embrassant tout le cycle du savoir ».

● **DÉF. :** Apparu en français en 1508, le terme *encyclopédie* désigne un livre rassemblant l'ensemble des connaissances d'une époque.

La démarche encyclopédique

Le projet encyclopédique, présent dès l'Antiquité*, a une visée pédagogique : il s'agit de collecter les connaissances, de les organiser et de les divulguer. La mémoire sociale se transmet non plus dans le mythe*, par la tradition orale, mais dans l'écriture, de manière systématique et raisonnée. Ainsi, l'œuvre et la pensée d'Aristote* (384-322) relèvent d'une volonté de fixer les savoirs de son temps, dans des domaines aussi divers que la physique*, la biologie*, la logique, l'esthétique*, la politique... De même, l'imposante *Histoire naturelle* de Pline l'Ancien (23-79) présente une description répertoriée du monde.

Pendant les siècles d'expansion du christianisme*, la pratique encyclopédique se charge de diffuser un savoir qui rende le monde compréhensible, à la lumière de la Bible* : les *Étymologies* (600) de l'évêque Isidore de Séville auront une influence capitale jusqu'à la Renaissance*. Au XVIe siècle, les mutations technologiques et géographiques qu'apportent les Grandes Découvertes* font sans cesse évoluer le savoir, inhibant par là même toute démarche encyclopédique. Celle-ci renaît, au XVIIIe siècle, avec l'esprit des Lumières*, inauguré par la publication du *Dictionnaire historique et critique* (1702) de Bayle qui allie, d'une part, discours narratif et descriptif, et d'autre part, discours critique et philosophique.

L'*Encyclopédie* de Diderot et d'Alembert

1745-1772

L'*Encyclopédie* de Diderot et d'Alembert est un véritable monument du XVIIIe siècle. Sa vocation didactique est clairement affichée dès le *Discours préliminaire*, rédigé par d'Alembert : son but est de « rassembler les connaissances éparses sur la surface de la terre » et d'en « exposer le système général aux hommes avec qui nous vivons et de le transmettre aux hommes qui viendront après nous ». Diderot reprend d'ailleurs ces idées dans son article « Encyclopédie ».

Ce travail d'équipe (d'Holbach, Jaucourt, Montesquieu, Rousseau*, Turgot, Voltaire y ont collaboré) a duré de 1745 à 1772, non sans connaître bien des vicissitudes : l'incarcération de Diderot en 1749, les attaques des Jésuites, puis la rupture avec Rousseau, le départ de d'Alembert et la censure de certains articles par l'éditeur lui-même...

Malgré ces « vexations », Diderot, qui porte l'entreprise, ne renoncera pas. Le succès de l'œuvre fut immense dans toute l'Europe éclairée, accru par l'opposition farouche des tenants de l'ordre et de la tradition.

L'*Encyclopédie* de Diderot et d'Alembert est en effet plus qu'un vaste dictionnaire : c'est un ensemble original qui, par sa nature polémique, dépasse la simple compilation, assumant sa « hardiesse dans l'esprit », soucieux de « tout examiner, tout remuer, sans exception ni ménagement ». L'*Encyclopédie* est une œuvre de combat et de contre-pouvoir, qui entend lutter contre les préjugés et les erreurs pour marquer la « route du progrès* ». Par un jeu subtil de renvois et d'échos, le texte tisse une contestation souterraine des systèmes établis. Surtout, il donne une place prépondérante à l'Histoire* sous toutes ses formes (institutions, économie, évolution des sciences et des techniques...). Son influence est sensible pendant la Révolution française*, notamment sous la Constituante. Elle s'étendra sur le XIXe siècle, inspirant les partisans du libéralisme*.

Malgré ses lacunes et ses simplifications, l'ouvrage constitue « le phare des Lumières » : maints articles présentent une réelle valeur littéraire ; le dialogue qui s'établit entre eux crée une polyphonie séduisante et stimulante ; les onze volumes de planches illustrées renforcent le caractère didactique de l'entreprise. Hegel* (1770-1831) a salué ainsi le travail des Encyclopédistes : « L'admirable, dans les écrits philosophiques français, c'est leur étonnante énergie, la force du concept en lutte contre la toute-puissance de l'autorité établie depuis des milliers d'années. »

Les dictionnaires encyclopédiques

XIXe-XXe siècles

Dans le droit fil de Condorcet et des penseurs progressistes, se développe au XIXe siècle l'idée d'une émancipation des individus par les livres : « Mangez du livre ! » s'écrie Hugo. Le dictionnaire, somme de connaissances, est perçu comme le tremplin vers une instruction publique (*cf.* École).

Démocrate passionné, curieux de tout, Larousse propose, de 1866 à 1876, le *Grand Dictionnaire universel du XIXe siècle*, ouvrage passionnant et subjectif, mêlant noms propres et noms communs, multipliant les entrées anecdotiques

et savantes. Littré, disciple du positiviste Comte, rédige de 1863 à 1872 son *Dictionnaire de la langue française*, véritable encyclopédie de notre langue.
Le XXᵉ siècle voit naître une pléthore d'encyclopédies et de dictionnaires dont l'*Encyclopédie* de la Pléiade (Gallimard) dirigée par Queneau. Robert édite deux ouvrages distincts, distinguant noms propres et noms communs. La collection « Que sais-je » (PUF) multiplie, à destination du grand public, les fascicules denses et précis sur les sujets les plus divers. Enfin, l'*Encyclopaedia Universalis* constitue un incomparable ouvrage de référence, par la richesse de ses analyses et la place qu'elle fait au débat d'idées.

ENJEUX CONTEMPORAINS

Nouvelles technologies
Depuis les années 1990, l'édition électronique (cédéroms, réseau internet...) prend le relais du papier, multipliant les capacités de stockage d'informations, de mise à jour et d'indexation. Ces nouvelles technologies – certes d'accès encore limité – rejoignent la démarche encyclopédique en offrant au lecteur une somme de savoirs jamais égalée, interactive et ouverte sur le monde entier.

● **À CONSULTER :** A. Rey, *Encyclopédies et dictionnaires*, PUF, coll. « Que sais-je ? » (1982). J. Proust, *Diderot et l'Encyclopédie*, Armand Colin (1962).
● **CORRÉLATS :** Lumières.

ÉPICURISME

● **ÉTYM. :** Du nom propre *Épicure*, philosophe grec (341-270 av. J.-C.).
● **DÉF. :** La philosophie épicurienne affirme l'identité du bonheur et du plaisir (« l'hédonisme »), en se fondant sur une conception matérialiste de l'univers. Mais c'est par une méconnaissance de la véritable doctrine d'Épicure que le langage courant assimile l'*épicurisme* avec la recherche systématique de la volupté, et qualifie d'*épicurien* un homme à la sensualité raffinée, voire un jouisseur ou un débauché.

Épicure et Lucrèce

Né en 341 avant J.-C. à Samos, mort en 270 à Athènes*, Épicure assiste au grand déclin des cités grecques, et en particulier d'Athènes, où se conjuguent la misère économique et les désastres politiques : instabilité gouvernementale, bouleversements de la politique étrangère, modifications des institutions, insurrections noyées dans le sang... Ses études lui font connaître les idées de Démocrite (Vᵉ siècle av. J.-C.), dont l'atomisme va influencer profondément sa philosophie. Il commence à enseigner en 310, à Mytilène, puis à Lampsaque, et se rend finalement à Athènes en 306, pour s'installer dans le jardin que ses disciples ont acheté pour lui, et qui va rendre célèbre son école. Il y demeure jusqu'à sa mort, entouré de disciples de plus en plus nombreux.
Épicure aurait écrit près de trois cents ouvrages, dont il ne nous reste que trois lettres (la *Lettre à Ménécée* sur l'éthique, la *Lettre à Hérodote* sur la physique et la *Lettre à Pythoclès* sur les phénomènes météorologiques), un ensemble de *Maximes fondamentales*, un recueil de *Sentences vaticanes* et quelques fragments.
On ne sait pratiquement rien de la vie de Lucrèce, né à Rome* vers 98 avant J.-C. et mort vers l'an 55. Cette époque est celle de l'effondrement de la République romaine : proscriptions de Marius et de Sylla, dictature de Pompée, répression sauvage de la révolte de Spartacus, conspiration de Catilina... C'est donc à un personnage énigmatique que nous devons le chef-d'œuvre de l'épicurisme, une synthèse unique de poésie et de philosophie : le poème *De la nature*, dédié par Lucrèce à son ami Memmius, et que Cicéron aurait, selon une tradition incertaine, recueilli, corrigé et publié après la mort du poète.

Le matérialisme épicurien

Le matérialisme* épicurien obéit à un principe de clôture : il n'y a rien d'autre, et il n'y aura jamais rien d'autre dans l'univers que les atomes et le vide, c'est-à-dire la matière et l'espace qui lui permet de se mouvoir. Seul celui qui a compris qu'il n'y a rien d'autre peut être sage, et délivrer son esprit de la crainte et de l'espoir qui mettent tant d'hommes sous la dépendance de l'événement. Car ce qui nourrit la crainte et l'espoir, c'est précisément l'idée qu'il y a autre chose que la matière et ses métamorphoses : que ce principe transcendant s'appelle

« fatalité », intervention arbitraire des dieux dans la vie humaine, « destin » au sens du stoïcisme*, ou même « déterminisme », nécessité physique inexorable, il doit être banni de notre représentation de l'univers.
Cette représentation ne doit comporter que ce qui est attesté par nos sensations, directement ou indirectement : à savoir l'existence de corps en mouvement, et ce qui permet d'en rendre compte à l'aide des principes rationnels d'explication (« rien ne naît de rien », « rien ne retourne au néant »), c'est-à-dire les atomes et le vide. Pour l'éternité, une infinité d'atomes, différents par la forme, le poids et la grandeur, s'agrègent et se désagrègent sans fin, selon des combinaisons qui suffisent à expliquer la formation des mondes, la diversité des êtres et la variété de leurs qualités. C'est en comprenant que nous sommes des êtres de rencontre, des êtres de hasard, dont la vie n'est pas soumise à une loi supérieure, que nous saisissons notre indépendance (*autarkeia*), condition de notre sérénité (*ataraxia*).
Le sage doit être capable d'expliquer scientifiquement les phénomènes naturels, surtout ceux qui effraient les hommes : non par désir de trouver la vérité absolue, mais parce que la possibilité d'en donner des causes naturelles, et de bannir les interprétations religieuses, est en elle-même une délivrance. L'éthique* commande donc la physique*.
Les deux thèses les plus controversées de l'épicurisme concernent justement ce rapport entre la physique et l'éthique : l'une est l'affirmation d'une déclinaison des atomes ; l'autre est l'identité du bonheur et du plaisir.

La déclinaison des atomes

Si l'on ne trouve pas trace, dans les rares œuvres conservées d'Épicure, d'une théorie de la déclinaison des atomes, cette théorie est en revanche développée par Lucrèce dans son poème *De la nature* (II). Les atomes, explique Lucrèce, descendent en ligne droite dans le vide, entraînés par leur pesanteur, mais il leur arrive, « on ne saurait dire où ni quand, de s'écarter un peu de la verticale ».
Ce phénomène étrange, que Lucrèce nomme « déclinaison » (*clinamen*), est conforme au précepte d'Épicure selon lequel nous devons exclure de notre conception du monde, non seulement la fatalité au sens religieux, mais aussi le destin cher aux physiciens, et ne pas croire à un cours nécessaire et inflexible des choses. Il est également conforme au principe qui nous impose d'admettre, dans cette conception du monde, ce sans quoi les données sensibles resteraient inexpliquées. Or, nous voyons bien que des corps se sont formés, ce qui suppose que les atomes ont bien dû s'agréger, et que pour cela ils ont dû se rencontrer, ce qui ne serait pas possible s'ils ne cessaient de tomber en ligne droite dans le vide immense, comme des gouttes de pluie : la déclinaison est ainsi la condition du choc, de la rencontre physique, c'est-à-dire du hasard. Mais elle n'est pas que cela, car il y a encore autre chose que nous sentons. Nous éprouvons bien en nous une libre volonté qui change à son gré la direction de nos mouvements : la déclinaison est alors la condition de cette contingence du vouloir.
La théorie de la déclinaison des atomes assure le lien entre la physique et l'éthique, entre le hasard qui préside à l'agrégation des atomes et la liberté du sage.

L'identité du bonheur et du plaisir

« Le plaisir, écrit Épicure, est le commencement et la fin de la vie heureuse. » Par « plaisir », il faut entendre, non l'excitation de la jouissance, mais au contraire le calme de la satisfaction accomplie, l'absence de peine, donc l'absence de trouble (*ataraxia*) : ce qui trompe précisément les hommes dans leur quête du plaisir, c'est qu'ils ne comprennent pas qu'il est d'essence négative. Le sage fait du plaisir le bien suprême, parce qu'il sait reconnaître en lui le signe de notre indépendance, le sentiment de ne manquer de rien : c'est la raison qui choisit le plaisir.
Ayant compris cela, le sage peut vivre « comme un dieu parmi les hommes ». Certes, les dieux bienheureux sont immortels, mais ce n'est pas parce qu'ils sont immortels qu'ils sont bienheureux. Leur bonheur, les dieux le doivent à leur indépendance (*autarkeia*), cette indépendance que l'homme, même mortel, peut atteindre, car elle ne tient pas à la durée de la vie, mais se conquiert à chaque instant, dans la plénitude du plaisir. C'est donc une même sagesse qui ne craint pas les dieux, sachant que leur indépendance exclut qu'ils se mêlent des affaires humaines, et qui ne craint pas la mort, sachant que l'instant présent est le seul horizon de notre bonheur.

Épicurisme et libertinage au XVIIe siècle

Bien longtemps après Épicure et Lucrèce, la révolution scientifique* du XVIIe siècle s'accompagne d'une renaissance de leurs idées. Le vide et les atomes sont remis à l'honneur dans la physique de Newton (1642-1727) et la chimie de Boyle (1627-1691). L'initiateur de ce retour à l'épicurisme est Gassendi (1592-1655), auteur en 1647 d'un ouvrage en huit livres sur la vie et la mort d'Épicure. S'il rejette le matérialisme, Gassendi entend réhabiliter la physique épicurienne, et surtout la morale épicurienne, assurant qu'Épicure a mené une vie plus vertueuse que celle d'aucun autre philosophe. Ce mouvement de réhabilitation d'une morale longtemps calomniée par les dévots, qui l'accusent d'être une incitation à la débauche, se retrouve d'ailleurs chez Descartes* (1596-1650), en particulier dans ses *Lettres à la princesse Élisabeth*. Mais la calomnie ne désarme pas, comme en témoigne l'évolution du mot *libertin** : désignant au début du XVIIe siècle le « libre penseur », l'homme qui se libère des liens de la doctrine chrétienne, ce terme stigmatise à la fin du siècle la morale relâchée et la vie dissolue.

ENJEUX CONTEMPORAINS

Hédonisme et postmodernité

Le philosophe G. Lipovetsky parle d'« hédonisme narcissique » pour évoquer les valeurs de l'individualisme* contemporain, lié à la société de consommation (*L'Ère du vide*, 1983 ; *L'Empire de l'éphémère*, 1987). Cependant cet hédonisme postmoderne* doit être distingué de l'hédonisme épicurien, austère, lié à l'idéal de sagesse, et dont les plaisirs suprêmes sont l'amitié et la philosophie. Dans la frénésie contemporaine à jouir au plus vite de la vie, c'est l'angoisse de la mort qui s'exprime. Rien n'est plus contraire à la pensée de celui qui enseignait : « La mort n'est rien pour nous » (*Lettre à Ménécée*).

● **À CONSULTER :** J. Brun, *L'Épicurisme*, PUF, coll. « Que sais-je ? », n° 810 (1991). G. Rodis-Lewis, *Épicure et son école*, Gallimard, coll. « Idées » (1976).
● **CORRÉLATS :** Athènes ; Descartes ; éthique ; individualisme ; libertins ; matérialisme ; physique ; postmoderne ; révolution scientifique ; Rome ; stoïcisme.

ÉPISTÉMOLOGIE

● **ÉTYM. :** Du grec *epistêmê* (« science », « connaissance ») et *logos* (« discours », « raison »).
● **DÉF. :** Apparu au début du XXe siècle, le terme *épistémologie* désigne, au sens littéral, la théorie de la science*. En effet – et c'est un signe de modernité –, la science n'apparaît plus comme ce qui prend son statut à l'intérieur de la philosophie, mais comme un objet autonome que la philosophie étudie.

Épistémologie positive et épistémologie normative

En français, le suffixe *-logie* sert à désigner des sciences, comme *biologie**, *sociologie** : l'épistémologie est ainsi une « science de la science ». Cette idée prend tout son relief si on la confronte à de grandes découvertes scientifiques du début du XXe siècle, particulièrement en physique* : la théorie de la relativité d'Einstein, et surtout la théorie des quanta de Planck, Bohr et Heisenberg. En limitant, de façon absolue, la précision possible des mesures en microphysique, cette dernière théorie limite également la possibilité humaine d'observer les phénomènes, ainsi que le type de question que l'homme peut légitimement poser à la nature : dès lors, c'est à la science elle-même de déterminer ce que la science peut et doit faire, et l'épistémologie devient positive, c'est-à-dire intégralement scientifique.

À cela s'oppose la conception d'une épistémologie normative, telle qu'on la trouve dans l'œuvre de Popper (1902-1994). Il est inadmissible, selon lui, de prétendre limiter la recherche scientifique à partir des résultats scientifiques eux-mêmes. La science n'est pas guidée par ses propres résultats, mais par une prescription de type éthique* : elle doit être « falsifiable », s'ouvrir au maximum à l'éventualité des réfutations expérimentales. Dans *La Logique de la découverte scientifique* (1935), Popper expose ce qu'il appelle les « deux problèmes fondamentaux de la théorie de la connaissance » :

– le problème de la « démarcation », qui consiste à savoir en quoi un énoncé scientifique se distingue d'un énoncé qui ne l'est pas ;
– le problème de l'« induction », qui consiste à savoir comment les énoncés particuliers, portant sur des expériences,

peuvent justifier des énoncés universels, lois ou théories.
Si les énoncés scientifiques doivent toujours être falsifiables, la méthode scientifique, elle, ne doit jamais l'être : elle n'est pas un énoncé scientifique, mais prescrit les exigences fondamentales qui doivent régler la recherche.

Épistémologie et histoire des sciences

L'épistémologie de Popper permet de concevoir l'histoire des sciences exactes* comme un progrès* vers la vérité : lorsqu'une théorie est réfutée, celle qui la remplace doit résister à cette réfutation, tout en étant plus falsifiable, plus riche en contenu. Mais cela suppose qu'on puisse comparer le contenu de deux théories scientifiques, et pour cela trouver entre elles une commune mesure.
De nombreux épistémologues rejettent cette supposition de commensurabilité. C'est déjà le cas, au début du XXe siècle, de Duhem (1861-1916), lorsqu'il démontre, dans son ouvrage *La Théorie physique, son objet et sa structure* (1906), l'impossibilité de départager deux théories rivales par une véritable « expérience cruciale ». La thèse de l'incommensurabilité est reprise par Kuhn (né en 1922), qui voit l'histoire des sciences comme une succession discontinue de « paradigmes », dans son livre *La Structure des révolutions scientifiques* (1962). Elle débouche sur une théorie « anarchiste » de la connaissance dans l'œuvre de Feyerabend (*Contre la méthode*, 1975).

La nature de l'objectivité scientifique

Parmi les épistémologues qui conçoivent la science comme un progrès, il faut citer Bachelard (1884-1962), qui se fait cependant de ce progrès une tout autre idée que Popper. Il s'agit pour lui d'un progrès psychologique ou spirituel, une « coupure épistémologique » par laquelle l'esprit rompt avec ses habitudes, surmonte ses attachements spontanés (les « obstacles épistémologiques ») pour s'élever vers plus de pureté (*La Formation de l'esprit scientifique*, 1938). Bachelard voit ainsi dans l'objectivité scientifique une sorte d'idéal ascétique, arrachant l'esprit à sa subjectivité primitive. Selon Popper, au contraire, l'objectivité ne dépend pas des qualités psychologiques de l'esprit scientifique, mais des qualités institutionnelles de la communauté scientifique. Les savants créent des théories falsifiables, et la seule question est de savoir si ces théories seront correctement testées, si elles seront confrontées les unes aux autres dans une libre discussion, ou bien si certaines d'entre elles seront immunisées contre ces risques. L'objectivité scientifique tient essentiellement, pour Popper, aux conditions politiques (au sens large) dans lesquelles se fait la préférence pour telle ou telle théorie.

● **À CONSULTER :** C.-G. Hempel, *Éléments d'épistémologie*, Armand Colin (1972).
● **CORRÉLATS :** biologie ; éthique ; physique ; progrès ; sciences exactes ; sociologie.

ÉPOPÉE

● **ÉTYM. :** Du grec *epopoiia* (« poème épique »), de *epos* (« ce qui est exprimé par la parole », « poésie », « épopée ») et *poieîn* (« faire »).
● **DÉF. :** Le terme *épopée* désigne un genre littéraire qui vise à raconter les exploits ou les aventures extraordinaires de personnages héroïques.

L'épopée antique et médiévale

La naissance de l'épopée remonte à la haute Antiquité*, avec les deux chefs-d'œuvre de la littérature universelle que sont l'*Iliade* et l'*Odyssée*, attribués au poète grec Homère (≈ IXe-VIIIe siècles avant J.-C.). Ces récits, chantés par les aèdes lors des fêtes, étaient liés à une fonction rituelle ; en exaltant les valeurs* de la communauté, ils cimentaient l'identité collective et constituaient une référence commune. Aristote* (384-322) affirmera que ces œuvres ont fait « l'éducation de la Grèce ».
Ainsi, la guerre de Troie (ou *Ilion*) racontée dans l'*Iliade* ou le retour d'Ulysse (ou *Odysseus*), de Troie à son Ithaque natale, raconté dans l'*Odyssée*, ne sont pas de simples récits d'aventures : ces chants renvoyaient aux Grecs une image de leur identité culturelle. Le célèbre épisode avec le cyclope donne à lire – au-delà de l'événement littéral (le héros est tombé aux mains d'un monstre) – la définition du Grec (incarné par Ulysse), avec ses coutumes, son caractère, ses principes, ses valeurs, lesquels s'opposent à tout ce qui caractérise

l'Autre, le non-Grec, le Barbare (en l'occurrence, le cyclope).
L'épopée acquiert ainsi la fonction de récit de fondation, qui met en scène les dieux, la cité et les hommes. Le poète latin Virgile (Ier siècle avant J.-C.) a donné à Rome* son récit fondateur avec l'*Énéide*, où il raconte les origines de la « Ville » (*Urbs*) à partir de la destinée du héros Énée : le texte installe l'histoire romaine dans l'ordre du mythe*.
À chaque nation, à chaque langue correspond une épopée, forgée sur plusieurs siècles au Moyen Âge* : les *Niebelungen* (VIe-XIIIe siècles) pour l'Allemagne, les *Sagas* nordiques (Xe-XIIIe siècles), les poèmes du *Cid* (milieu du XIIe siècle) pour l'Espagne, et la célèbre *Chanson de Roland** (XIe siècle) pour la France. Les récits épiques célèbrent les valeurs de la féodalité* (l'obéissance au suzerain, le courage guerrier, la foi chrétienne...) pour créer un sentiment d'appartenance et de communion. Ils consistent en des actions extraordinaires, réalisées par des personnages exceptionnels, dans un univers aux antagonismes marqués (entre le Bien et le Mal, le juste et l'injuste...) ; l'historique se mêle au merveilleux, manifestant la présence et l'œuvre du divin.

L'épopée moderne

Si les grandes épopées fondatrices sont des créations collectives, ou au moins plurielles, les récits épiques à partir de la Renaissance* sont le fait d'écrivains qui, nourris des Anciens, puisent à la source épique.
En France, Ronsard rédige une laborieuse *Franciade* (1574), Voltaire une pesante *Henriade* (1723), dont les titres signalent à l'envi le volontarisme patriotique. Hugo fait mentir la formule déplorant que les Français n'aient pas la « tête épique » : *La Légende des siècles* (1859-1883), qui se veut l'histoire de l'humanité « écoutée aux portes de la légende », est une fresque inspirée de l'aventure humaine, exaltant les valeurs morales, glorifiant aussi bien le Cid que les « pauvres gens », et proposant une vision finalement optimiste du progrès*.
Le roman*, chez Hugo ou Zola, s'inscrit fréquemment dans la tonalité de l'épopée : *Les Misérables* (1862) ou *Germinal* (1885) comportent maintes pages épiques, jouant sur des effets de répétition expressive, de grandissement (hyperbole) et de réalisme exacerbé.
Au XXe siècle, chez Joyce, Garcia Marquez ou Malraux, on retrouve l'épique à travers le goût de la démesure et de l'aventure héroïque, la quête initiatique du sens et la volonté globalisante de faire tenir un monde dans un livre.
De même, le cinéma* a mis l'épique au service des valeurs d'une nation ou d'une idéologie* : les États-Unis, d'histoire plus récente que la vieille Europe*, ont fixé dans le western leur propre légende de fondation (le cow-boy, le Far West, le pionnier, la ruée vers l'or, le shérif contre le hors-la-loi, le Blanc civilisé contre l'Indien sauvage...) ; le cinéaste Eiseinstein (1898-1948) a glorifié le peuple russe et l'idéal soviétique. L'époque actuelle, plus méfiante envers les idéaux et les accents patriotiques, a forgé des anti-épopées et des anti-héros : Sergio Leone (1929-1989) démythifie le western, et conte ses « Il était une fois » avec des accents désenchantés et des figures crépusculaires.

● **À CONSULTER :** G. Dumézil, *Mythe et épopée*, Gallimard (1973). ● **À LIRE :** Vidal-Naquet, *Le Chasseur noir*, Maspero (1983). ● **À VOIR :** J. Boorman, *Excalibur* (1981). G. Lucas, *La Guerre des étoiles* (1977).
● **CORRÉLATS :** cinéma ; conte ; Moyen Âge ; mythe ; Roland ; roman.

ESCLAVAGE

● **ÉTYM. :** Du latin médiéval *sclavus*, déformation de *slavus* (« slave ») ; le mot *esclave* serait apparu au haut Moyen Âge* à Venise, où la plupart des esclaves négociés étaient des Slaves des Balkans (une région de l'actuelle Croatie s'est longtemps appelée *Esclavonie*). ● **DÉF. :** Le terme *esclavage* désigne la condition sociale de l'esclave, travailleur non libre et non rémunéré qui, au même titre qu'un objet, est la propriété de son maître ; plus largement, il désigne le système social reposant sur cette pratique.

Une institution universelle dans l'espace et le temps

Il est déjà fait mention de l'esclavage sur les tablettes sumériennes (IIIe millénaire avant J.-C.) et tout laisse à penser qu'il existait avant l'apparition de l'écriture. Très rares sont les sociétés qui ne l'ont pas pratiqué. Il n'a été aboli qu'aux XIXe et XXe siècles et, malgré les décisions internationales, il n'est pas exclu qu'il existe encore dans certains pays, de manière camouflée.

Sur un plan socio-historique, on peut considérer l'esclavage comme une forme élémentaire de l'exploitation de l'homme par l'homme. La production et l'accroissement des richesses, donc le maintien et l'élévation du niveau de vie des couches supérieures de la société, ont reposé pendant des millénaires sur le travail* forcé d'hommes et de femmes dont l'entretien était assuré au même titre que celui des bêtes de somme, auxquelles l'esclave était volontiers assimilé. À l'instar du bétail, l'esclave, valeur marchande, s'achetait et se vendait et même, dans certains cas limites, s'élevait.

La suppression, puis l'interdiction de l'esclavage représentent sans doute l'une des étapes les plus importantes du progrès* humain ; cependant, à l'échelle de l'Histoire, c'est un événement très récent.

L'esclavage antique

Générale dans l'Antiquité*, la pratique de l'esclavage a évolué dans l'espace et le temps. Pour rester dans le champ de la civilisation gréco-romaine, deux formes d'esclavage ont coexisté, l'un étant un statut de demi-servitude concernant des catégories de la population des cités (ainsi en est-il des hilotes de Sparte* ou des esclaves pour dettes de l'Athènes* archaïque), l'autre étant le fait de captifs étrangers (fournis généralement par la guerre), totalement privés de liberté, vendus et traités comme des choses.

La première forme a eu tendance à disparaître, la seconde à se développer, surtout quand les conquêtes romaines, du IIe siècle avant J.-C. au Ier siècle de l'ère chrétienne, ont jeté sur les marchés d'énormes troupeaux humains (en dix ans, César aurait vendu un million de Gaulois).

Utilisé comme domestique (condition la plus enviable), comme ouvrier agricole sur les grands domaines, comme mineur (un enfer concentrationnaire), ou contraint à des combats à mort comme gladiateur dans l'amphithéâtre, l'esclave romain a connu un sort si cruel que de terribles révoltes serviles, toujours noyées dans le sang, scandent l'histoire de la République finissante : la plus célèbre est celle de Spartacus (73-71 avant J.-C.). Soucieux de rentabilité, les agronomes latins calculent au plus juste le minimum vital nécessaire à la survie de l'esclave, et tant que les guerres victorieuses alimentent les marchés, ils s'opposent à toute procréation, l'enfant étant coûteux et improductif.

L'arrêt des conquêtes au IIe siècle après J.-C., les difficultés économiques et financières que connaît l'Empire romain* à partir du IIIe siècle raréfient les esclaves et en augmentent le prix. Les anciennes formes de dépendance réapparaissent alors, comme le *colonat*, assurant aux ruraux des grands domaines entretien et protection, au prix d'un travail au profit du maître et d'une interdiction de quitter l'exploitation. C'est la préfiguration du servage médiéval des paysans (le mot latin *servus*, désignant « l'esclave », a d'ailleurs produit en français *serf*).

Moralistes* et philosophes de l'Antiquité n'ont pas contesté l'esclavage : Platon* (427-347 av. J.-C.) l'estime nécessaire parce qu'il libère le citoyen d'un travail jugé dégradant, lui permettant de se consacrer aux activités civiques. Aristote* (384-322 av. J.-C.) assimile l'esclave à un animal domestique et juge l'esclavage économiquement indispensable. Bien que la morale stoïcienne* postule que tout homme, quel que soit son statut social, a un rôle à jouer, Sénèque (Ier siècle après J.-C.) ne voit dans l'esclave qu'un « instrument qui parle ».

Contrairement à une idée reçue et même s'il apporte une espérance aux opprimés, le christianisme* accepte l'esclavage : saint Paul, dans ses *Épîtres* (*Éphésiens*, VI ; *Colossiens*, III), engage les esclaves à l'obéissance et les maîtres à la bienveillance. Les Pères du IVe siècle ne voient pas la nécessité d'une abolition et après le triomphe de l'Église*, saint Augustin avance que l'esclavage est un châtiment envoyé par Dieu au pécheur.

Ces arguments justifieront, aux Temps modernes*, la résurgence de l'esclavage dans les colonies d'Amérique.

L'esclavage moderne

Bien que, dans l'Occident chrétien, l'existence de l'esclavage soit restée légitime au Moyen Âge (en France, des monastères du VIe siècle possèdent des esclaves), c'est le servage qui se généralise au sein d'une économie rurale rétrécie, pauvre en hommes, et tendant à l'autarcie locale. Le servage recule d'ailleurs, à partir de l'an mille, et disparaît progressivement avec l'évolution de la féodalité*, quand les échanges se développent et que la population

augmente. En revanche, il se maintient – et même, parfois, s'institue – en Europe orientale et en Russie, où les conditions économiques du haut Moyen Âge occidental se perpétuent.
Mais ce développement du travail libre en Europe occidentale est compensé par la réapparition de l'esclavage outre-mer, après les Grandes Découvertes* et les entreprises de colonisation* massive de l'Amérique tropicale au XVIe siècle.
Les Amérindiens en sont les premières victimes et, paradoxalement, c'est pour les défendre que l'évêque Bartolomé de Las Casas (1474-1566) suggère de les remplacer par des Noirs africains transportés au Nouveau Monde.
La traite négrière s'organise dès le XVIe siècle, d'abord monopole que l'État afferme en Espagne et au Portugal ; puis, aux XVIIe et XVIIIe siècles, activité fructueuse des ports européens de la façade atlantique (Bordeaux, Nantes, Bristol, Amsterdam...). C'est le temps du « commerce triangulaire » : les navires quittent l'Europe chargés d'outils, d'armes, de tissus bon marché qu'ils négocient dans les comptoirs des côtes occidentales d'Afrique contre des captifs. Ceux-ci sont procurés par des chefs africains locaux, qui vont les razzier dans les régions voisines quand ils ne vendent pas leurs propres sujets. Les capitaines transportent alors en Amérique leurs cargaisons d'esclaves et rentrent des colonies, chargés de sucre et de produits tropicaux. Les bénéfices sont colossaux.
En trois siècles et demi, plusieurs millions d'Africains seront ainsi déportés dans des conditions affreuses, à bord de navires exigus qui mettent des semaines à traverser l'Atlantique. Mis en vente dans les colonies espagnoles, portugaises, françaises et anglaises d'Amérique, ils offrent la main-d'œuvre qui permet le développement de l'économie de plantation. Tant par les structures économiques qu'il détermine que par la cruauté de ses pratiques, l'esclavage colonial n'est pas sans rappeler l'esclavage romain.
Il faut noter qu'en désorganisant les sociétés et en dépeuplant les zones côtières, la traite sera largement responsable du retard de développement du continent africain d'autant que, tout aussi dévastatrice, la traite conduite par le monde arabo-musulman ravage, depuis le haut Moyen Âge, la façade orientale de l'Afrique, celle de l'océan Indien.

L'Occident face à l'esclavage

Jusqu'au XVIIIe siècle, l'esclavage colonial ne trouble guère l'Occident. Les théologiens, tout en rappelant la nécessité de baptiser les Noirs, trouvent légitime leur réduction en esclavage. Bossuet (1627-1704) s'appuie sur saint Paul, et des prédicateurs protestants invoquent la malédiction dont Dieu, selon la Bible*, a frappé Cham, fils indigne de Noé et ancêtre de la race noire. Les États se bornent à réprimer les abus les plus criants : en 1685, une ordonnance de Louis XIV (le « code noir ») réglemente l'esclavage aux colonies, mais la férocité des pénalités frappant les esclaves fugitifs légalise en fait la cruauté des pratiques appliquées aux Îles.
C'est le XVIIIe siècle des Lumières* qui commence à exprimer des réserves. Montesquieu, Voltaire (dont les hommes d'affaires placent cependant l'argent dans des entreprises négrières) critiquent l'esclavage ; mais la conscience des nécessités économiques limite les condamnations à des positions de principe et, tout en déplorant l'institution, on se borne surtout à demander l'abolition de la traite. Seule, en Amérique du Nord, la secte protestante dissidente des Quakers adopte une attitude inconditionnellement anti-esclavagiste.
Les choses évoluent après 1760, alors que s'affirme l'idéologie des droits* naturels humains. Un « Comité pour l'abolition de la traite » se crée en Angleterre, une « Société des amis des Noirs » en France. Au Parlement de Londres, un groupe actif se constitue autour de Pitt, Fox, Wilberforce ; mais partout, la pression des planteurs, qui font valoir que la fin de l'esclavage signerait la ruine de l'économie sucrière, demeure forte. Ainsi, si la Révolution française*, dans la ligne de la *Déclaration des droits de l'homme**, abolit l'esclavage colonial (1794), Bonaparte, sous le Consulat, le rétablit (1802).
Aux États-Unis, indépendants depuis 1783, la prédominance des États du Sud, où se développe la culture du coton, fait éluder la question de l'esclavage lors de la rédaction de la Constitution de 1787. Cependant, en 1808, les États-Unis et la Grande-Bretagne se mettent d'accord pour prohiber la traite, prélude à l'interdiction générale prononcée en 1815 par le congrès de Vienne. Cela dit, aucune des puissances concernées ne va jusqu'à proposer l'abolition de l'esclavage colonial.

La fin de l'esclavage

C'est le développement de la Révolution industrielle* et le triomphe du capitalisme libéral qui vont avoir raison de l'esclavage en disqualifiant les formes anciennes de production. Esclavage et servage entretiennent l'illusion du travail gratuit ; or, les économistes du XIXe siècle démontrent que le prix de la main-d'œuvre servile est supérieur à celui de la main-d'œuvre salariée, l'entrepreneur devant en ce cas assurer, quoi qu'il arrive et même s'il n'y a pas de travail, l'entretien de son personnel, alors que l'employeur de salariés n'y est pas astreint et peut les mettre en chômage. D'autre part, le progrès technique et le machinisme remplacent le travail humain, exigeant en conséquence moins de bras. Le recours à l'esclave devient caduc au XIXe siècle.

En 1833, la Grande-Bretagne abolit l'esclavage colonial, suivie en 1848 par la France (sous l'action de V. Schœlcher). Aux États-Unis, l'antagonisme croissant entre un Nord industriel et libéral et un Sud attardé dans l'ancienne économie coloniale esclavagiste conduit à la sécession des États du Sud en 1861 et à la guerre civile. La victoire en 1865 du Nord, où le président Lincoln avait dès 1863 fait de l'abolition l'un des buts de guerre, aboutit à la disparition de l'esclavage dans l'Union reconstituée. Le Brésil sera le dernier pays à proclamer l'abolition, en 1888.

La fin de l'esclavage est certes une victoire de l'idéologie du progrès et des droits de l'homme, mais elle est aussi une conséquence de la technique qui rend inutile le travail servile. Pour autant, l'abolition de l'esclavage n'est pas synonyme de libération et d'égalité absolue pour tous : la condition prolétarienne induite par l'économie libérale s'avère, particulièrement au XIXe siècle, porteuse de misère, de chômage et d'exploitation.

En fait, l'esclavage, qui avait perduré depuis l'Antiquité, était devenu un anachronisme et un non-sens économique. Il n'avait pas plus sa place dans un monde industriel capitaliste que le servage paysan, qui disparaît d'ailleurs en Russie en 1861, au moment où éclate en Amérique la guerre de Sécession. Sa brève réapparition, au XXe siècle, à l'intérieur des systèmes totalitaires* (camps de concentration nazis, goulag soviétique), est l'un des éléments soulignant le caractère aberrant et régressif de ces régimes.

ENJEUX CONTEMPORAINS

Société

La *Déclaration universelle des droits de l'homme* des Nations unies (10 décembre 1948) a solennellement interdit l'esclavage sur toute la Terre. Néanmoins, il n'a pas totalement disparu dans certaines régions du globe, comme le subcontinent indien ou la péninsule arabique : l'Organisation internationale du travail estime ainsi à 25 millions le nombre de personnes vivant actuellement dans des conditions assimilables à l'esclavage.

● **À CONSULTER :** M. Lengellé, *L'Esclavage*, PUF (6e éd., 1992). J.-P. Vernant, P. Vidal-Naquet, *Travail et esclavage dans la Grèce ancienne*, PUF (1988). H. Wallon, *Histoire de l'esclavage dans l'Antiquité*, Laffont (rééd., 1988). G. Martin, *Histoire de l'esclavage dans les colonies françaises*, G. Montfort (rééd., 1988). L. Sala-Molins, *Le Code noir*, PUF (1987). Cl. Fohlen, *Les Noirs aux États-Unis*, PUF (9e éd., 1994).
● **À LIRE :** Montesquieu, *De l'esprit des lois* (XV). T. Morrison, *Beloved*.
● **À VOIR :** S. Kubrick, *Spartacus*. B. Giraudeau, *Les Silences du fleuve*. S. Spielberg, *Amistad*.
● **CORRÉLATS :** Antiquité ; Athènes ; christianisme (débuts du) ; colonisation ; communisme soviétique ; droit ; droits de l'homme ; féodalité ; Grèce antique ; national-socialisme (nazisme) ; personne ; Révolution américaine ; Sparte ; systèmes économiques.

ESPACE PUBLIC

● **ÉTYM. :** Du latin *spatium* (« espace ») et de *publicus* (« public »), lui-même issu de *populus* (« peuple »). ● **DÉF. :** Le concept d'*espace public* en philosophie politique provient des réflexions d'Hannah Arendt (1906-1975) sur le totalitarisme* et sur la vie politique des Anciens. L'espace public, c'est d'abord l'*Agora* d'Athènes*, la place où les citoyens peuvent se rencontrer et discuter entre eux des affaires de la cité. Plus profondément, c'est le lieu de libre rencontre où se constitue et s'enracine leur liberté politique. L'existence d'un tel espace de parole s'oppose à l'isolement et à la destruction du sens de la communauté qui sont le propre des régimes totalitaires.

Démocratie et débat

On peut faire remonter aux Lumières* la revendication de la liberté d'expression et de communication, jusqu'alors étouffée par l'absolutisme*. Ainsi Kant*, dans *Qu'est-ce que les Lumières ?* (1786), défend-il l'idée selon laquelle bien penser, c'est penser ensemble ; de même, dans *Théorie et pratique* (1793), il affirme que « la liberté d'expression est le palladium des libertés publiques ».
Ce souci de citoyenneté effective, également présent au XIXe siècle dans le libéralisme* d'un Tocqueville, est partagé par des penseurs contemporains comme Habermas et Apel qui cherchent à fonder la démocratie* moderne sur une « éthique* de la communication ». En l'absence de normes absolues ou transcendantes, c'est sur le débat, et en particulier le débat politique, que doivent reposer les décisions fondamentales qui engagent la communauté : celui-ci présuppose des exigences de sens, de communicabilité et d'universalité.

ENJEUX CONTEMPORAINS

Politique et société
Comment retrouver, dans le cadre de l'État* moderne, une possibilité de libre discussion et de réelle mise en commun des problèmes de la collectivité ? Le risque pour toute démocratie représentative est que le pouvoir politique soit confisqué par une classe dirigeante coupée de ses mandants. La crise* actuelle du politique relèverait en partie de cette question de l'espace public : en particulier, le fonctionnement des médias*, engagés dans la course à l'audimat et l'information-spectacle, permet-il le débat de fond, garant d'une citoyenneté pleine et active ?

● **À CONSULTER :** H. Arendt, *La Condition de l'homme moderne*, Calmann-Lévy (1958) ; *Qu'est-ce que la politique ?*, Seuil (1995).
● **CORRÉLATS :** Athènes ; démocratie ; État ; Francfort (École de) ; médias ; République ; totalitarisme.

ESSOR TECHNOLOGIQUE ET IDÉE DE PROGRÈS

Voir bioéthique ; contemporaine (Époque) ; crise ; écologie ; Histoire (philosophies de l') ; libéralisme ; Lumières ; Marx et le marxisme ; médias ; positivisme ; progrès ; Révolution industrielle ; révolution scientifique ; sociologie ; systèmes économiques ; technique ; travail.

ESTHÉTIQUE

● **ÉTYM. :** Du grec *aisthèsis* (« sensation »). ● **DÉF. :** Créé par le philosophe allemand Baumgarten en 1750, le terme *esthétique* signifie d'abord « théorie du sensible » ; puis, à partir du XIXe siècle, il désigne la théorie philosophique qui prend pour objet soit le Beau en général, soit le Beau artistique.

Les origines de l'esthétique classique

Si la philosophie grecque n'a pas créé le mot *esthétique*, elle a posé les fondements de la théorie classique* de l'art. Au VIe siècle avant J.-C., les pythagoriciens définissent les premiers un idéal d'harmonie et de proportion : le Beau est convenance des parties au tout ; il existe des proportions mathématiques* idéales qu'on doit respecter en musique, en architecture et dans la représentation du corps humain.
Pour Platon* (427-347 av. J.-C.), existent à la fois une Idée de Beau et des modèles parfaits et éternels de toutes choses. Cependant l'idéalisme platonicien s'accompagne d'un relatif discrédit de l'art et des artistes : l'art imite non l'Idée, mais l'être sensible ; il n'est donc qu'imitation d'imitation. C'est le néoplatonisme, et en particulier Plotin (205-270), qui réhabilitera la création artistique en lui donnant pour modèle l'Idée elle-même.
Pour Aristote* (384-322 av. J.-C.), l'esthétique est une « poétique » (du grec *poiein*, « fabriquer »). L'artiste doit se conformer, comme l'artisan, à un certain nombre de règles. La codification par ce philosophe des règles de la tragédie*

restera, jusqu'au XVIIIe siècle, une référence incontestée non seulement pour ce genre théâtral mais, plus généralement, pour l'idée que l'art relève de la raison et doit se soumettre à des normes éternelles. L'esthétique classique est donc objective (il existe des choses belles en soi) et normative (il existe des règles à suivre pour produire des œuvres d'art).

Les courants esthétiques depuis la Renaissance

La Renaissance artistique italienne

XVe-XVIe siècles

La Renaissance* puise ses sources dans une redécouverte des textes anciens. Ainsi, le philosophe Ficin (1433-1499) renoue avec le néoplatonisme et l'idée que l'artiste doit tendre vers une beauté idéale. Le peintre et architecte Alberti (1404-1472) relie ses recherches mathématiques, notamment sur la perspective, à l'idée pythagoricienne d'« harmonie ».

Baroque, classicisme et académisme

XVIIe siècle

Si dans les arts, au XVIIe siècle, le baroque* et le classique se côtoient, en esthétique triomphe le classicisme : la tradition aristotélicienne s'unit au rationalisme issu de Descartes* (1596-1650) et de la révolution scientifique*. La beauté est l'objet d'un savoir rationnel : c'est ce qui s'affirme dans la littérature classique et, en peinture, dans ce qu'on appelle l'« académisme », c'est-à-dire l'ensemble des règles, des principes et des techniques enseignés dans les ateliers ou les académies (le mot ne deviendra péjoratif qu'au XIXe siècle). L'académisme assimile peinture et rhétorique*, la peinture étant une forme de discours ; il fixe les règles de composition, les types de sujets, le choix des couleurs qui conviennent à chaque œuvre.

L'esthétique moderne

XVIIIe-XXe siècles

Cette esthétique objective et normative est battue en brèche au milieu du XVIIIe siècle : comme le dira Cassirer (1874-1945) dans la *Philosophie des Lumières*, on passe alors d'une « esthétique des formes » à une « esthétique du sujet percevant ». C'est ce que révèle l'apparition du terme *esthétique*, créé par Baumgarten (1714-1762) qui impose aussi l'opposition entre le subjectif et l'objectif : l'esthétique est la théorie du sensible, domaine qui n'est plus pensé comme une forme inférieure et confuse de l'intelligible. Elle devient donc une discipline autonome qui n'est plus reliée à l'objet, mais au sujet qui perçoit. Le mot se spécialisera ensuite pour désigner la théorie philosophique du jugement de beau chez Kant* (1724-1804) ou de l'art chez Hegel* (1770-1831).

Dans l'empirisme*, et en particulier chez Hume (1711-1776), la beauté n'est plus pensée comme propriété de certaines œuvres, mais comme affaire de goût : le Beau est simplement ce qui plaît. Une telle position sape à la base l'esthétique classique, mais conduit à un relativisme total : si tout peut être apprécié comme beau ou laid, rien n'est réellement beau (*cf.* Valeurs).

L'esthétique de Kant, exposée dans la *Critique de la faculté de juger* (1790), prend acte de la subjectivité du jugement de goût, mais affirme pourtant que si le Beau est ce qui plaît, le jugement de goût prétend à l'universalité car « chez tous les hommes, les conditions subjectives de la faculté de juger sont les mêmes » : c'est l'universalité de la nature humaine et l'existence d'un « sens commun » qui font que l'expérience de la beauté est communicable et partageable. Enfin, Kant reprend l'idée préromantique de « génie », affirmée dans le mouvement du *Sturm und Drang* : l'artiste n'a pas à se plier à des règles ; le Beau est « sans concept » ; l'art est libre invention, création au sens fort du terme.

Dès ses débuts au XIXe siècle, le romantisme* accorde à l'art une place exceptionnelle : il prend la relève de la métaphysique*, il voit l'invisible, révèle l'essence intime des êtres, atteint l'absolu. L'art trouve sa place dans le système idéaliste de Hegel comme figure de l'Esprit absolu : il représente la réalité spirituelle par la médiation du sensible. Cependant, et c'est ce qu'exprime l'idée de « mort de l'art », il est ainsi voué à laisser place à des formes plus transparentes de la conscience de soi : religion, philosophie. L'art serait ainsi du passé.

Avec Schopenhauer (1788-1860) et Nietzsche* (1844-1900), l'esthétique s'associe au pessimisme et au nihilisme : l'art devient l'unique consolation d'une existence absurde* ou tragique.

Enjeux contemporains

Art et esthétique

Les recherches contemporaines sur l'art, dans leur foisonnement, ouvrent plusieurs directions : l'esthétique du XXe siècle peut se centrer sur les œuvres elles-mêmes et se définir comme étude des formes et des significations de l'œuvre d'art (Focillon, Élie Faure, Panofsky).

Elle peut chercher à approfondir le sens de l'expérience esthétique, comme dans la phénoménologie* de Merleau-Ponty ou dans l'herméneutique* de Heidegger* ou Gadamer.

Elle peut s'interroger sur la signification politique de l'art, sur le rôle de l'artiste ou sur la signification sociologique de l'amour du Beau. Ce type d'analyse peut se rattacher au marxisme* (Lukacs, Bourdieu) ou à l'École de Francfort* (Adorno, Benjamin).

Enfin, l'esthétique contemporaine est confrontée à tous les débats qu'a suscités et suscite encore l'art moderne* : doit-on accepter le verdict hégélien de la mort de l'art ? Qu'en est-il de la production artistique à l'heure de la consommation de masse ? L'existence d'un marché de l'art ne compromet-elle pas la liberté de l'artiste ? L'individualisme* qui caractérise la pensée postmoderne* ne risque-t-il pas de conduire à l'éclatement de la création et de renforcer dangereusement les effets de mode ?

● **À consulter :** Th. Adorno, *Théorie esthétique*, Klincksiek (1975). M. Dufrenne, *Esthétique et philosophie*, Klincksiek (1973) ; *Art et politique*, 10/18 (1974). L. Ferry, *Homo aestheticus*, Grasset (1990). M. Haar, *L'Œuvre d'art*, Hatier, coll. « Optiques » (1994).

● **À lire :** Balzac, *Le Chef-d'œuvre inconnu* (1831) ; *Gambara* (1837) ; *Massimila Doni* (1839). Zola, *L'Œuvre* (1886). Rilke, *Lettres à un jeune poète* (1903).

● **Corrélats :** Aristote ; art moderne ; baroque (art) ; classique (littérature) ; empirisme ; existentialisme ; Francfort (École de) ; Hegel ; Heidegger ; herméneutique ; Kant ; Marx ; métaphysique ; Nietzsche ; phénoménologie ; Platon ; postmoderne ; Renaissance ; rhétorique ; romantisme ; tragédie ; valeurs.

ÉTAT

● **Étym. :** Du latin *status* (« action de se tenir », « situation », « position »), lui-même issu de la racine indo-européenne *sta-* (« être debout »). ● **Déf. :** Le terme *État*, apparu à la Renaissance* dans sa signification politique, désigne le pouvoir institué sur un territoire donné.

Obéir à l'État, ce n'est pas obéir à un homme parce qu'il est le plus fort, le plus habile ou le plus sage, c'est-à-dire en raison d'une prérogative qu'il devrait à ses qualités propres. Étant institués, les rapports de gouvernants à gouvernés sont dissociés des relations personnelles de chef à sujets, ce qui suppose que le pouvoir lui-même soit distingué des volontés particulières de ceux qui l'exercent. La perpétuité de l'État transcende l'exercice essentiellement passager du gouvernement. Dès lors, il n'est pas étonnant que le sens politique du mot *État* apparaisse au XVIe siècle, chez Guichardin (1483-1540) et Machiavel* (1469-1527), lorsque la question de la conservation temporelle du pouvoir devient centrale en philosophie politique.

L'analyse classique de l'État : le contrat social

Si la pérennité du pouvoir est cruciale chez Machiavel (le Prince doit avoir pour fin « la conquête et la préservation de son État »), c'est le problème de sa légitimité qui commande la conception classique de l'État. Malgré de profondes divergences, Hobbes (1588-1679), Locke (1632-1704) et Rousseau* (1712-1778) s'accordent pour fonder l'autorité de l'État sur la notion de contrat social*, qui s'établit en trois moments : le moment de l'*artifice*, le moment de la *transcendance* et le moment de la *métamorphose*.

Puisqu'il réalise une idée, en se démarquant des puissances naturelles, l'État doit être de l'ordre de l'artifice. Il tient sa légitimité de son aptitude à transcender les intérêts divergents qui agitent la société*, et qui, sans lui, contraindraient l'homme à obéir à l'homme. Enfin, l'obéissance à l'État doit équivaloir pour chacun à une obéissance à soi-même : grâce à l'État, la multitude des individus et de leurs intérêts particuliers est métamorphosée en un corps politique de citoyens sensibles à l'intérêt général.

L'analyse classique de l'État en question

Le développement ultérieur de la philosophie politique va briser l'unité de ces trois moments, en les rendant, à tour de rôle, problématiques :

– L'artificialisme, l'instrumentalisme de la conception contractuelle ne sont-ils pas indignes de la majesté de l'État ? (*cf.* Hegel)

– La prétention de l'État à transcender les clivages sociaux n'est-elle pas une mystification ? (*cf.* Marx)

– La métamorphose de l'individu* en citoyen n'implique-t-elle pas une extension abusive du pouvoir de l'État ? (*cf.* Libéralisme)

■ « La réalité de l'Idée morale » (Hegel)

Dans ses *Principes de la philosophie du droit* (1821), le philosophe allemand Hegel* (1770-1831) traite séparément du contrat, dans la deuxième partie (*Le droit abstrait*), et de l'État, dans la troisième partie (*La moralité objective*).

Pour penser correctement l'État, il faut selon Hegel abandonner le modèle du contrat social. Celui-ci ne convient qu'à la « société civile », au monde de l'économie : monde opaque, dans lequel le conflit des intérêts divergents produit un ordre involontaire, qui reste extérieur aux hommes. L'État, au contraire, est l'institution par laquelle une communauté se rend capable de s'administrer : il relève d'un projet conscient, et non du simple jeu des intérêts économiques. C'est ce qui explique l'expression utilisée par Hegel : l'État est « la réalité de l'Idée morale ». Et si Hegel ajoute que l'État est « l'Idée divine telle qu'elle existe sur terre », ce n'est pas pour en revenir au « droit divin » qui justifie les actes les plus arbitraires. C'est au contraire pour signifier le caractère rationnel et universel de l'État : il semble s'imposer aux hommes comme une puissance supérieure, mais sa force tient au fait qu'ils se reconnaissent en lui. Il incarne donc, sur cette terre, le « divin » dont la religion ne nous donne qu'une image, une représentation.

■ L'instrument d'une domination de classe (Marx)

Dans son analyse, Hegel reconnaît que l'État peut être mis en échec si le mécanisme aveugle de la société civile engendre une « populace » ou une « plèbe », qui ne se reconnaît pas en lui. C'est précisément ce qui conduit Marx* (1818-1883) à voir dans la prétention de l'État à transcender la société civile « bourgeoise » une mystification idéologique. Pour Marx, l'État n'est qu'un instrument de domination au service d'intérêts particuliers, ce qui revient à dire que tout État est « dictature » par essence.

Le rapport entre cette thèse sur l'État et l'objectif de la révolution prolétarienne est un problème crucial du marxisme, à cause de l'équivoque de la notion de *prolétariat*. Si le prolétariat est une non-classe, ou une classe universelle, si, comme le disent les textes de jeunesse de Marx, les prolétaires n'ont aucun intérêt particulier à défendre, alors la révolution* prolétarienne signifie l'apparition d'une société enfin humaine, et l'abolition de l'État. S'il s'agit au contraire d'une classe (la « classe ouvrière »), alors on peut parler d'un État prolétarien, d'une « dictature du prolétariat », dont le « dépérissement » serait conditionné par l'élimination des vestiges de l'ancienne société. Marx ne consacre que quelques lignes à cette thèse, qui éloigne radicalement le marxisme de l'anarchisme*. Elle prendra toute son ampleur chez Lénine (1870-1924) et les théoriciens du communisme soviétique*.

■ État minimal contre État-providence

À l'aube du XIXe siècle, B. Constant (1767-1830) avait dénoncé une dérive dangereuse de l'État, au nom du principe suivant : ce n'est pas parce que l'État vient de tous qu'il peut légiférer sur tout. L'État est un mal nécessaire pour la liberté, et nous devons veiller à ce qu'il ne devienne pas pire que les maux dont il est censé nous délivrer. Au nom de ce libéralisme*, Constant s'opposait aux idées de Rousseau, en lesquelles il croyait discerner les germes de ce que nous appelons maintenant *totalitarisme**.

Cette conception se retrouve dans la philosophie politique ultralibérale du XXe siècle, illustrée en particulier par R. Nozick, *Anarchie, État et utopie* (1974). Au nom des droits de l'individu, cet auteur plaide pour un « État minimal » qui se bornerait à faire respecter la justice naturelle entre les personnes et les groupes qui habitent le territoire. Il s'efforce de démontrer qu'on ne peut attribuer à l'État les fonctions de régulateur économique, de producteur des biens jugés universellement nécessaires, de redistributeur des biens, de gardien des mœurs, sans violer les droits des

personnes. Le citoyen d'un État minimal ne connaîtrait ainsi, par rapport à sa situation naturelle, aucune métamorphose, aucune transformation du particulier en universel.
Les partisans de cette conception se réclament parfois de Locke, dans ce qui l'opposait à Hobbes : le sens du contrat social ne consiste pas, pour l'homme, à céder ses droits naturels à l'État, mais à les confier à l'État en vue de les protéger. Toutefois, l'opposition entre « État absolutiste de droit » (Hobbes) et « État libéral de droit » (Locke) peut être lue comme une évolution interne à la notion d'État de droit, et non comme une rupture. En libérant l'homme de la domination féodale, l'État absolutiste* à partir du XVIIe siècle s'est distingué de la société : il a monopolisé la dimension du politique. La logique de cette distinction a conduit la société à exiger en retour, dès le XVIIIe siècle, la non-intervention de l'État dans ses activités propres, au nom même de ce qui légitime le monopole de l'État.
De même, une évolution interne règle, au XXe siècle, le passage de l'« État libéral de droit » à l'« État social de droit » (ou « État-providence »). Si l'État n'intervient pas dans l'économie, celle-ci se retrouve à l'état de nature. Les contradictions internes de la société civile, repérées par Hegel, exigent donc de l'État qu'il intervienne pour permettre la régulation et la reproduction du système social : d'où un élargissement des droits de l'homme* à la protection sociale, la santé, l'instruction... L'ultralibéralisme contemporain considère cet élargissement comme un retour à l'absolutisme ou une dérive totalitaire.

● **À CONSULTER :** P. Manent, *Naissances de la politique moderne : Machiavel, Hobbes, Rousseau*, Payot (1977). ● **À LIRE :** Bl. Barret-Kriegel, *L'État et les Esclaves*, Calmann-Lévy (1971).
● **CORRÉLATS :** absolutisme ; anarchisme ; communisme soviétique ; contrat social ; droits de l'homme ; Hegel ; individu ; libéralisme ; Machiavel ; Marx ; Renaissance ; révolution ; Rousseau ; société ; totalitarisme.

ÉTHIQUE

Voir Morale.

ETHNOLOGIE

● **ÉTYM. :** Du grec *ethnos* (« peuple ») et *logos* (« discours »).
● **DÉF. :** Le terme *ethnologie* apparaît en 1787 dans le cadre de la philosophie des Lumières*, où il désigne l'histoire du progrès* des peuples vers la civilisation. Si, au XIXe siècle, l'ethnologie s'est définie comme « science des races humaines », elle désigne désormais l'étude comparative des cultures humaines.

La naissance de l'ethnologie

La curiosité ethnologique, c'est-à-dire portant sur d'autres peuples, est aussi vieille que la littérature écrite et remonte aux épopées* d'Homère (IXe-VIIIe siècles av. J.-C.), l'*Iliade* et l'*Odyssée*. Ce sont pourtant les enquêtes du « père de l'Histoire* », Hérodote (484-425), qu'on peut considérer comme la première expression d'une volonté de connaissance objective d'autres civilisations. La formation de l'Empire romain* a favorisé, par les conquêtes et la *pax romana*, l'extension de ces recherches à la Germanie et à l'aire celtique : en témoignent les géographies d'Ératosthène (284-192), Strabon (58 av. J.-C. - 25 ap. J.-C.) ou les récits de guerre comme *La Guerre des Gaules* de Jules César (101-44), la *Germanie* de Tacite (55-120).
Au Moyen Âge*, les mondes inconnus sont décrits dans des récits de voyage où se mêle très souvent le merveilleux, comme dans *Le Livre des Merveilles ou le Devisement du Monde* de Marco Polo (1254-1324). C'est l'exploration et la conquête du monde, d'abord avec les voyages des Grandes Découvertes* à partir du XVe siècle, puis avec la colonisation*, qui ouvrent – de façon violente – l'Occident sur la prodigieuse diversité des cultures humaines.
Au milieu du XIXe siècle, comme la sociologie*, l'ethnologie se constitue comme science, avec l'Américain Morgan et l'Anglais Taylor : des sociétés d'ethnologie se créent alors et engagent, surtout dans les pays anglo-saxons, toute une série d'études sur le terrain.

« Deux redoutables nourrices »

L'ethnologue contemporain J. Servier utilise cette expression pour montrer quelles ont été les idéologies* dangereuses qui ont présidé à la naissance de l'ethnologie et qu'elle a dû surmonter :

d'une part l'évolutionnisme, d'autre part le racisme.
La création du terme *ethnologie*, en 1787, reflète la vision de l'Histoire propre aux Lumières : chez celui qu'on appelle significativement le « sauvage » (étymologiquement, « l'homme des forêts »), on recherche l'état premier, voire l'état de nature d'une humanité qu'on pense dans le cadre d'une histoire universelle, c'est-à-dire commune à tous les hommes. Ce préjugé sera renforcé par le positivisme*, très influent dans les sciences sociales françaises à partir du XIXe siècle. Ainsi, quand Durkheim (1858-1917) écrit *Les Formes élémentaires de la vie religieuse* (1912), il considère la culture australienne comme représentative de l'organisation sociale la plus simple.
L'autre préjugé, celui de racisme, peut être relié à l'idée romantique* de peuple, mais aussi au scientisme propre au XIXe siècle. L'anthropologie physique, qui se développe en même temps que la paléontologie, pense les hommes en termes de races, et non de cultures. Les connaissances scientifiques, notamment en matière de génétique*, remettront progressivement en cause cette notion de races humaines, faisant ainsi évoluer l'ethnologie vers d'autres voies.

Le projet scientifique de l'ethnologie

Au XXe siècle, le projet ethnologique passe avant tout par la reconnaissance de la diversité des cultures, qu'il est désormais vain de mesurer à l'aune de la civilisation occidentale. On peut distinguer, avec Lévi-Strauss dans *Anthropologie structurale* (1958), trois grands niveaux de recherche.
Le premier est l'*ethnographie*, qui consiste dans l'observation sur le terrain : elle a d'abord été le fait des Anglo-Saxons, l'école française, plus généraliste, ne développant que tardivement ce type d'investigation avec Rivet, Lévy-Bruhl et Griaule (le musée de l'Homme est créé en 1937).
L'ethnologie, terme auquel les Anglo-Saxons préfèrent celui d'*anthropologie culturelle*, représente l'élaboration théorique des matériaux collationnés sur le terrain. Cette synthèse peut se donner pour but soit de reconstituer de vastes aires culturelles*, soit d'étudier comparativement des conduites sociales : parenté, économie, religion... Ainsi, l'école américaine avec Ruth Benedict (1887-1948) ou Margaret Mead (1901-1978) s'est particulièrement attachée aux modes de comportement liés aux structures familiales et à l'expérience sexuelle. Mauss (1873-1950), ethnologue français, propose, dans son *Essai sur le don* (1932-1934), la notion fondamentale de « fait social total » : les conduites économiques doivent être reliées à l'ensemble symbolique et institutionnel qui leur donne sens.
Enfin, avec Lévi-Strauss, l'ethnologie se relie au structuralisme* : l'analyse de la parenté ou l'étude des grands mythes* amérindiens passent par la mise en évidence des codes ou structures inconscients qui les organisent. Pour ce dernier, l'ethnologie devrait s'accomplir dans une anthropologie générale, reliant les phénomènes sociaux aux phénomènes naturels, et faisant le pont entre biologie* et sciences humaines.

ENJEUX CONTEMPORAINS

Sciences de l'homme
La question classique de l'altérité, de l'exotisme et des relations entre particularisme et universalisme a revêtu une nouvelle tonalité avec la tendance à l'occidentalisation du monde, en marche depuis le XIXe siècle : l'ethnologie se consacre désormais davantage à l'étude de sociétés devenues multiculturelles. En même temps que semble s'effacer la différence entre un « nous » et un « eux », l'ethnologue des sociétés contemporaines (dit « ethnologue endotique ») découvre un ou des autres chez lui, tandis qu'apparaît une ethnologie des sociétés occidentales vues par des chercheurs venus d'autres aires culturelles.
L'ethnologie aujourd'hui ne se fonde plus sur l'opposition du primitif et du développé, mais sur une certaine qualité du regard porté sur l'autre, ce que Lévi-Strauss appelle le « regard éloigné » (1983) : ce regard accepte désormais la réciprocité.

● **À CONSULTER :** J. Servier, *L'Ethnologie*, PUF, « Que sais-je ? » (1991). *L'Autre et le Semblable*, CNRS (1989). G. Balandier, *Anthropologiques*, Livre de poche (1985).
● **À LIRE :** Voltaire, *Candide* (1759). Diderot, *Supplément au voyage de Bougainville* (1796). Cl. Lévi-Strauss, *Tristes Tropiques* (1955). Tz. Todorov, *La Conquête de l'Amérique* (1982).

● **Corrélats :** aire culturelle ; biologie ; colonisation ; Découvertes (Grandes) ; Histoire et historiens ; génétique ; idéologie ; Lumières ; mythe ; positivisme ; romantisme ; sciences de l'homme ; sociologie ; structuralisme.

EUROPE (IDÉE D')

● **Étym. :** Dans l'Antiquité*, les Grecs nommaient *Europe* les contrées continentales du nord qui leur étaient inconnues. Ce n'est que dans le courant du XVIIe siècle que ce nom s'est définitivement substitué à celui de *chrétienté*, jusqu'alors employé. ● **Déf. :** Concrétisée, de nos jours, par la création de la Communauté, puis de l'Union européenne*, l'idée d'Europe, produit de la rencontre entre le souvenir de Rome* et la conscience précoce d'une identité culturelle, a en fait traversé l'Histoire.

Le modèle romain

« Presqu'île à l'ouest de l'Asie » occupée, dès le Ier millénaire avant J.-C., par un peuplement indo-européen éclaté en ethnies multiples, l'Europe est partiellement unifiée par l'Empire romain* dès l'ère chrétienne. Pendant cinq cents ans, celui-ci fonde, dans l'espace méditerranéen et occidental, les bases d'une civilisation commune, d'autant qu'à partir du IIe siècle après J.-C., il s'y diffuse une religion à vocation universelle : le christianisme*. Quand il s'écroule au Ve siècle, victime des peuples de cette Europe nordique qu'il n'avait pas su intégrer (*cf.* Invasions), l'Empire romain laisse le souvenir idéalisé d'un modèle insurpassable : l'union des peuples dans une même foi et dans un même État.

Des Carolingiens au Saint-Empire

Si rien ne reste de la construction politique, l'Église*, en réussissant la conversion au christianisme des envahisseurs barbares, les intègre et les fait participer à une nostalgie commune de l'unité perdue. Elle croit même pouvoir reconstituer celle-ci quand elle couronne empereur, en 800, le roi franc Charlemagne, afin qu'il puisse mieux faire front à l'expansion de l'Islam*, déjà maître de la péninsule ibérique. Privé de l'Afrique du Nord et de l'Espagne, mais intégrant la Germanie, l'empire d'Occident des Carolingiens apparaît d'ailleurs plus européen que son modèle antique.

Il est cependant éphémère. La décentralisation de fait qu'imposent l'immensité de l'espace, la diversité des peuples et les nécessités locales de défense conduisent en moins d'un demi-siècle à sa dislocation. Qu'importe, l'idée perdure : en 962, Otton Ier, roi de Germanie, reprend le titre et fonde le « Saint-Empire romain germanique », qui prolonge pendant plus de huit cents ans (mais de manière mythique, car il n'est guère plus qu'un conglomérat de principautés allemandes) l'image d'un empire s'identifiant à l'Europe chrétienne.

La chrétienté

La dimension religieuse est devenue essentielle dans l'Europe médiévale. Pour ces peuples aux langues, aux coutumes, aux structures politiques diverses, l'appartenance à une même foi crée une conscience communautaire que le pape incarne bien plus que l'empereur. Alors que s'esquisse, au cours du Moyen Âge*, le cadre des futurs États qui diviseront politiquement l'Europe, l'idée de chrétienté se substitue à l'idée d'Empire : elle lance, avec les croisades* (XIe–XIIIe siècles), des foules internationales à la reconquête des Lieux saints. À un concept politique nourri de souvenirs historiques se substitue le sentiment d'une identité religieuse commune, transcendant les différences.

L'émergence des États

Le XVIe siècle et les mutations qui l'accompagnent modifient profondément les perspectives. Si la révélation de civilisations différentes, consécutive aux voyages des Grandes Découvertes*, tend à renforcer le sentiment que les Européens ont de leur spécificité, les modèles culturels qui fondaient l'idée médiévale d'Europe se désagrègent.

D'une part, la tentative manquée de Charles Quint (1500-1558), roi d'Espagne, empereur germanique, maître des Pays-Bas et d'une partie de l'Italie, de reconstituer un véritable empire d'Occident disqualifie définitivement le modèle impérial hérité de Charlemagne et de Rome*. D'autre part, la réussite de la Réforme protestante* conduite par Luther et Calvin brise à jamais l'unité de la chrétienté constituée autour du pape. Les grands États monarchiques s'organisent sur la base d'une dynastie, d'un choix religieux et la promotion qu'ils font d'une langue parlée (le français, l'anglais, le castillan) au détriment d'une langue savante, le latin, ajoute aux divisions politiques un compartimentage culturel propre à faire surgir le sentiment national. Éclatée en souverainetés rivales, déchirée par les guerres de Religion*, l'Europe n'est plus qu'une entité géographique.

L'idée moderne d'Europe

C'est par le canal du pacifisme que l'idée d'unité européenne refait surface aux XVIIe et XVIIIe siècles. De Sully en 1620, à Kant* en 1795, nombreuses sont les propositions visant à établir en Europe une paix perpétuelle, mettant fin aux guerres quasi permanentes que se livrent les rois. Cette réflexion coïncide, à partir de la fin du XVIIe siècle, avec la résurgence de la conscience d'une communauté de culture que va puissamment affirmer la philosophie des Lumières*. Au XVIIIe siècle, un milieu intellectuel international, usant sur tout le continent de la langue française, prône ce qu'il nomme le « cosmopolitisme » et rêve d'une nation européenne fondée sur le partage des mêmes valeurs et des mêmes idéaux. En fait, la prédominance culturelle de la France en fait une Europe française et la tentative de la Révolution* puis, surtout, de Napoléon* Bonaparte de la réaliser politiquement en montre l'inconsistance. Loin d'unifier l'Europe, l'entreprise napoléonienne stimule l'émergence des particularismes nationaux, que légitime alors une idéologie romantique* en rupture avec les Lumières.

De l'affrontement des nationalismes à l'union

Le XIXe siècle voit triompher les nationalismes*, transposant en termes de peuples les rivalités et les haines qui opposaient jadis les dynasties royales. Sur la base de la langue et d'une Histoire* souvent réinventée, les regroupements nationaux (unité allemande, unité italienne) s'opèrent les uns contre les autres, créant d'insolubles problèmes dans un espace géographique marqué par l'enchevêtrement de peuples divers, porte ouverte à l'oppression des minorités comme aux conflits internationaux. Il en sort à la fois les deux guerres mondiales* du XXe siècle et les délires du nationalisme poussé à ses extrêmes limites, sous la forme du racisme nazi*. Peu de voix s'élèvent au XIXe siècle pour dénoncer les dérives et appeler à l'unité de l'Europe : Saint-Simon, Hugo. Ce n'est qu'après la Première Guerre mondiale que l'idée d'Europe renaît vraiment : en septembre 1929, le ministre français A. Briand propose une sorte de confédération des États européens visant à éviter une nouvelle guerre. Le triomphe de Hitler en Allemagne (1933) en décide autrement.

Après 1945, l'Europe dévastée doit se reconstruire face à l'URSS stalinienne, avec l'appui des États-Unis. De la création de la Communauté du charbon et de l'acier (1951) à l'Acte unique européen (1987), le Marché commun verra le jour. De la mise en place d'institutions* communes à la décision, par le traité de Maastricht (1991), d'établir une monnaie unique, des liens politiques se tisseront.

ENJEUX CONTEMPORAINS

Relations internationales

D'abord à six, puis à neuf, à douze et aujourd'hui à quinze, les États qui se groupent donnent pour la première fois à l'idée d'Europe un contenu concret qui n'est ni l'empire, ni la domination d'une puissance, mais une libre association. Les débats actuels que suscite son fonctionnement font surgir des divergences et des peurs qui sont héritées de cette Histoire, partagée entre les particularismes nationaux, voire régionaux, et le sentiment d'une identité, d'un destin communs.

● **À CONSULTER :** B. Voyenne, *Histoire de l'idée européenne*, Aubier (1964). J.-B. Duroselle, *L'Idée d'Europe dans l'Histoire*, PFNSP (1965). R. Coudenhove-Kalergi, *Pan-Europe*, PUF (rééd., 1988).

● **À LIRE :** Kant, *Idée d'une histoire universelle au point de vue cosmopolitique* (1784).

● **CORRÉLATS :** contemporaine (Époque) ; croisades ; Église catholique ; guerre froide ; guerres mondiales ; Invasions (Grandes) ; Moyen Âge ; Napoléon ; nationalisme ; Réforme protestante ; Révolution française ; romain (Empire) ; romantisme ; Union européenne.

EXISTENTIALISME

● **ÉTYM. :** Dérivé d'*existence*, issu du latin *existere* (« sortir de », « se manifester », « se montrer »). ● **DÉF. :** Le terme *existentialisme* est le nom que Sartre (1905-1980) donne à sa philosophie, surtout dans des ouvrages de vulgarisation comme *L'existentialisme est un humanisme* (1946). La thèse centrale de cette philosophie est que chaque homme crée lui-même ce qu'il est, librement, à travers ses actes.

Les philosophies de l'existence

Au sens large, on peut entendre par *existentialisme* une philosophie qui prend l'existence humaine pour centre de sa réflexion : cette définition s'appliquerait, tout au long de la pensée occidentale depuis Socrate (469-399 av. J.-C.), à des auteurs aussi différents que saint Augustin (354-430), Pascal (1623-1662), Maine de Biran (1766-1824), Nietzsche* (1844-1900) ou Bergson (1859-1941).

Une détermination plus précise, à la fois sur le plan conceptuel et le plan historique, permet d'élaborer l'opposition entre, d'une part, un existentialisme chrétien*, que l'on attribuerait à Kierkegaard (1813-1855), Berdiaev (1874-1948), Lavelle (1883-1951), G. Marcel (1889-1973) ou Jaspers (1883-1969), auquel on pourrait associer le personnalisme* de Mounier (1905-1950), et d'autre part un existentialisme athée où l'on retrouverait Sartre en compagnie de Heidegger* (1889-1976) et de Merleau-Ponty (1908-1961). Mais comment comprendre ce qui fait l'unité de ces deux variantes ? Pour les uns, l'existence ne se révèle vraiment que dans l'épreuve de la foi, à celui qu'interpelle la parole de Dieu, tandis qu'elle se découvre, selon les autres, dans le sentiment d'être abandonné au monde, sans appui d'aucune sorte.

Les philosophies de l'angoisse

Si on ne considère que les auteurs auxquels Sartre est explicitement redevable de son concept de l'« existence », c'est-à-dire Kierkegaard et Heidegger (lequel, cependant, a toujours récusé le mot *existentialisme*), un fil directeur se dégage nettement. Ces trois philosophes s'accordent en effet pour reconnaître au sentiment de l'« angoisse » un statut privilégié. C'est lorsqu'il éprouve l'angoisse que l'homme, selon eux, a la révélation authentique de l'existence, dans ce qu'elle a d'irréductible. La conception sartrienne de l'angoisse existentielle réalise une sorte de synthèse entre les analyses de Kierkegaard et celles de Heidegger.

L'angoisse de la liberté (Kierkegaard)

Afin de rappeler aux hommes l'importance capitale de l'existence, le penseur danois Kierkegaard entreprend, au XIXe siècle, un combat contre les prétentions systématiques de la philosophie, celle de Hegel* (1770-1831) en particulier. Car lorsqu'un homme s'abandonne aux constructions abstraites de la philosophie, et s'imagine penser comme s'il était Dieu, il oublie qu'il existe, et que son intérêt suprême est seulement d'exister.

À tous les systèmes spéculatifs éloignés de l'existence, Kierkegaard oppose la foi chrétienne, dans sa vraie signification. Selon lui, loin d'être pour l'homme un moyen de se rapprocher de Dieu, la foi marque au contraire l'abîme qui les sépare. Dans la Bible* (*Genèse*, XXII), le « chevalier de la foi » est Abraham, à qui Dieu ordonne d'immoler son fils Isaac. Kierkegaard revient longuement sur cet épisode biblique dans *Crainte et tremblement* (1843). Rien ne peut justifier la décision d'Abraham d'obéir à cet ordre, toute interprétation est de trop pour un choix qui ne peut être que silencieux. En sautant par-dessus l'abîme de l'absurde*, la foi d'Abraham nous révèle que tous les autres choix, y compris les plus solidement justifiés, consistent également à sauter par-dessus l'abîme : elle nous révèle la vérité de l'existence.

Lorsqu'il regarde en face cette vérité, l'existant découvre sa liberté, non comme une puissance qui se tiendrait à sa disposition, mais comme ce qui le voue à répondre seul de lui-même, sans recours possible. Dans *Le Concept de l'angoisse* (1844), Kierkegaard montre, d'après la *Genèse* (II et III), comment Adam fait l'épreuve de cette « angoissante possibilité de pouvoir » lorsqu'il est sollicité, par un commandement divin, à une décision dont il ignore encore le sens, mais dont il devra assumer les conséquences : manger ou ne pas manger du fruit de l'arbre de la science.

L'angoisse du néant (Heidegger)

Dans *Être et temps* (1927), puis dans la conférence *Qu'est-ce que la métaphysique ?* (1929), Heidegger retrouve, à sa façon, le lien établi par Kierkegaard entre l'existence et l'angoisse. Ce qui nous angoisse, c'est le fait de pouvoir être nous-mêmes. En tant que « sentiment de la situation », notre angoisse nous révèle que nous sommes « jetés » dans le monde. Mais surtout, à la différence de la peur qui réagit toujours à quelque chose, l'angoisse est angoisse devant « rien », le néant. Comment interpréter ce rien ? Alors que les sciences exactes* prétendent n'étudier que ce qui est, « et rien d'autre », la pensée peut-elle légitimement se consacrer à ce rien ? Certes, le néant qui nous angoisse n'est rien de ce qui est, mais sa présence angoissante, dit Heidegger, est celle de l'être lui-même, dont l'homme comprend toujours le sens, même lorsqu'il le dissimule et l'oublie.

« L'existence précède l'essence » (Sartre)

Si l'angoisse existentielle est angoisse devant la liberté pour Kierkegaard, angoisse devant le néant pour Heidegger, elle doit être l'un et l'autre selon Sartre. Sa thèse fondamentale, développée dans *L'Être et le Néant* (1943), est que la conscience humaine introduit le néant au cœur de l'être. Il ressort de cette thèse que le vertige de notre liberté nous angoisse, et que c'est par mauvaise foi que nous nous dissimulons ce vertige : en feignant de ne pas être libres alors que nous le sommes toujours, en feignant de ne l'être que plus ou moins alors que nous ne pouvons l'être qu'infiniment. Libres quoi que nous fassions, nous sommes condamnés à devoir répondre de ce que nous sommes, sans alibis ni excuses.

L'opposition entre angoisse et mauvaise foi engendre les multiples figures du Moi*. Même lorsqu'il veut être reconnu en tant que personne*, en tant que sujet*, l'homme cherche à fuir son angoisse en se considérant à la manière d'une chose : comme un ensemble de propriétés, de qualités et de défauts, qui constituent son essence, et qui se réalisent au cours de son existence. Mais en vérité, l'homme est tel qu'il se fait, et rien d'autre. C'est ce que signifie la formule célèbre de Sartre dans *L'existentialisme est un humanisme* : « L'existence précède l'essence. »

ENJEUX CONTEMPORAINS

Philosophie et engagement

L'existentialisme sartrien glorifie l'engagement sous toutes ses formes. Dans le domaine de l'esthétique*, Sartre soutient et illustre la théorie de la littérature engagée. Sur le plan éthique*, sa philosophie le conduit à poser une exigence morale absolue : puisque chacun de nos actes est un choix libre, porteur d'une valeur universelle, nous devons assumer la responsabilité de l'humanité tout entière. En politique, Sartre entame, dans la *Critique de la raison dialectique* (1960), un dialogue avec le marxisme* qui débouche, après mai 68*, sur sa participation au mouvement « gauchiste ».

C'est sur la glorification de l'engagement que se concentrent les principales critiques adressées à l'existentialisme. Le structuralisme* dénonce l'illusion qui consiste à se représenter l'homme comme un sujet libre. Quant à la pensée postmoderne*, elle tourne en dérision l'idée selon laquelle nos actes sont créateurs de sens et de valeurs*. Ces oppositions expliquent en partie pourquoi l'existentialisme, après avoir suscité un engouement extraordinaire, apparaît maintenant comme une philosophie du passé.

● **À CONSULTER :** J. Colette, *L'Existentialisme*, PUF, « Que sais-je ? ». ● **À LIRE :** Sartre, *La Nausée* (1938). ● **CORRÉLATS :** absurde ; Bible ; chrétienne (pensée) ; esthétique ; éthique ; Hegel ; Heidegger ; mai 68 ; marxisme ; Moi (figures du) ; Nietzsche ; personnalisme ; personne ; postmoderne ; sciences exactes ; structuralisme ; sujet ; valeurs.

EXPRESSIONNISME (ART)

● **ÉTYM. :** Dérivé d'*expression*, issu du latin *expressio* (« action de faire sortir en pressant », « extériorisation des sentiments »). ● **DÉF. :** Le terme *expressionnisme*, apparu en France au début du XXe siècle pour qualifier une peinture « non impressionniste* », fit fortune en Allemagne et, à partir de 1911, servit à désigner les peintres des groupes *Die Brücke* et *Blaue Reiter*; puis une école artistique, littéraire et cinématographique très active en Europe centrale, et qui voit avant tout dans l'œuvre d'art l'expression de l'artiste réagissant au milieu et à l'événement.

Le reflet d'une époque

1910-1930

À première vue, la définition de l'expressionnisme semble un truisme : toute œuvre d'art est l'expression d'une sensibilité, les romantiques* l'avaient largement proclamé. Mais la nuance est dans la manière : l'artiste expressionniste se veut témoin, son œuvre est un cri de révolte, d'angoisse et la vigueur de l'expression se concrétise par la brutalité du trait, la stylisation extrême, le choc de couleurs sans rapport avec la réalité. L'expressionnisme est constante provocation : il rend sensible ce malaise culturel, perçu dès la fin du XIXe siècle et qui, avec l'horreur de la Première Guerre mondiale*, prend la dimension apocalyptique d'un naufrage de la civilisation.
C'est l'époque dans laquelle il s'inscrit, des années 1910 aux années 1930, qui donne à l'expressionnisme sa violence, sa furieuse intensité, son incitation au scandale.

Le reflet d'un milieu

La manière expressionniste a des racines et il est aisé d'en citer les précurseurs : Van Gogh pour l'âpreté du trait, Gauguin pour l'irréalisme des couleurs, Toulouse-Lautrec pour la stylisation caricaturale, plus encore la peinture hallucinée du Norvégien Munch ou du Belge Ensor. Autour de 1905, les fauves parisiens (Matisse, Van Dongen) font déjà de l'expressionnisme. C'est cependant en milieu germanique (Allemagne, Autriche-Hongrie) que le mouvement va s'affirmer et conquérir son identité.
Le conformisme et l'autoritarisme du Reich allemand, le climat de décomposition propre à l'empire autrichien y sont pour beaucoup : ils motivent la révolte de Kirchner, Nolde, Schmidt-Rottluff, Kokoschka ; ils expliquent le scandale causé par leurs expositions.
Le traumatisme provoqué par la guerre et la défaite, l'éclatement de l'Autriche-Hongrie, la Révolution russe*, la décomposition de la société allemande des années 1920 minée par le désordre et l'inflation, donnent raison aux intuitions de ces artistes : l'expressionnis e devient la traduction esthétique du désarroi et de la désespérance qui envahissent alors le monde germanique. On le perçoit dans la peinture grinçante et dénonciatrice de Grosz ou de Dix, mais c'est l'ensemble de la production artistique qui est en fait concerné.

Une esthétique globale

L'expressionnisme ne se limite pas, en effet, aux seuls arts plastiques. Il marque de son empreinte la littérature (Kafka, entre autres). Il influence fortement le théâtre* et la mise en scène (le Berlinois Piscator). Il s'affirme avec une exceptionnelle intensité par le moyen du cinéma*, art encore tout récent qui lui permet de produire d'authentiques chefs-d'œuvre : Wiene, Murnau, Leni, Lang réalisent des œuvres étranges, d'un fantastique* crépusculaire, marquées par l'extrême stylisation des décors et des attitudes. Il apparaît aussi une musique expressionniste*.
À partir des années 1930, l'expressionnisme allemand sera l'une des premières victimes de la montée du nazisme*. Modèle de « l'art dégénéré », il sera banni de l'Allemagne nouvelle ; nombre de ses productions seront détruites et ses créateurs dispersés ou réduits au silence.

Enjeux contemporains

Courants artistiques et esthétiques

Au-delà de cette éclipse, l'apport de l'expressionnisme restera fortement présent dans l'évolution de l'art du XXe siècle : dès les années 1930, un expressionnisme social vigoureux se manifeste en Amérique latine, en particulier dans les immenses peintures murales du Mexicain Rivera. En France, l'expressionnisme influence des artistes aussi différents que Giacometti et Dubuffet. Sa violence et sa tension se retrouvent dans l'œuvre puissante et inquiétante du Britannique Bacon. Il en reste un écho, aux États-Unis, dans cette suggestion de l'angoisse qui caractérise la peinture abstraite* de Pollock.
Cette présence sous-jacente tient sans doute au fait que l'expressionnisme s'est voulu traduction esthétique de la difficile transition culturelle que connaît le XXe siècle. Plus que tout autre langage artistique, il a su rendre tangible le malaise profond qui accompagne tout changement de civilisation.

● **À consulter :** N. Lynton, *L'Art moderne*, Flammarion (1994). D. Elger, *Expressionnisme*, Taschen (1989). J.-B. Palmier, *L'Expressionnisme comme révolte*, Payot (1978). L. Eisner, *L'Écran démoniaque*, Losfeld (rééd., 1981).
● **À voir :** R. Wiene, *Le Cabinet du docteur Caligari* (1919). F. Lang, *Les Trois Lumières* (1921). F.W. Murnau, *Nosferatu* (1922). P. Leni, *Le Cabinet des figures de cire* (1924).
● **Corrélats :** art moderne ; expressionnisme (musique) ; futurisme ; guerres mondiales ; national-socialisme (nazisme).

EXPRESSIONNISME (MUSIQUE)

● **Étym. :** Dérivé d'*expression*, issu du latin *expressio* (« action de faire sortir en pressant », « extériorisation des sentiments »). ● **Déf. :** Le terme *expressionnisme* désigne un courant artistique et esthétique du début du XXe siècle privilégiant, dans l'œuvre d'art, l'expression des réactions de l'artiste à son milieu et à l'Histoire dont il est témoin. En musique, il s'incarne dans un courant dominé par trois compositeurs viennois, Schoenberg, Webern et Berg, entre les années 1909 et 1925. On peut aussi lui rattacher les premières œuvres du Russe Stravinski, comme *Petrouchka* (1911) ou *Le Sacre du printemps* (1913).

L'expressionnisme se révèle, dans le temps comme dans l'esprit, tout à fait parallèle en musique et dans les autres arts (peinture, littérature et cinéma). Il ne se définit pas en tant qu'école, mais plutôt comme une conjonction d'idées entre artistes de milieux différents, tels Schoenberg à Vienne et le peintre Kandinsky à Berlin.
Les compositeurs expressionnistes ont développé diverses techniques d'écriture comme le *Sprechgesang* (« parlé chanté »), présent dans le monodrame *Erwartung* (1909), le *Pierrot lunaire* (1912) de Schoenberg, et dans *Wozzeck* (1925) de Berg ; la *Klangfarbenmelodie* (« mélodie des timbres ») qui se substitue à la mélodie traditionnelle, technique présente dans les *Cinq Pièces pour orchestre opus 10* (1911-1913) de Webern. L'abandon progressif de la tonalité et de ses moyens d'articulation favorise l'emploi de petites formes, même si Berg reste attiré par des compositions plus amples. L'unité de la musique expressionniste repose sur cette économie de moyens formels, ainsi que sur la recherche de la violence et d'une certaine sauvagerie archaïque, voire un attrait pour le morbide.
En cela, l'expressionnisme participe de la volonté de rupture qui caractérise l'art moderne* : il traduit le malaise culturel propre aux années qui précèdent et qui suivent la Première Guerre mondiale*.

● **À consulter :** A. Poirier, *Arnold Schoenberg*, Fayard (1993). H.L. Matter, *Anton Webern*, L'Âge d'homme (1982). E. Barilier, *Alban Berg : Essai d'interprétation*, L'Âge d'homme (1992). ● **À écouter :** Schoenberg, *Pierrot lunaire* ; *Cinq Pièces pour orchestre*. Berg, *Wozzeck*. Webern, *Trois Petites Pièces pour piano*.
● **Corrélats :** art moderne ; expressionnisme (art) ; guerres mondiales ; musique moderne et contemporaine.

FAMILLE

● **ETYM. :** Du latin *familia*, dérivé de *famulus* (« serviteur ») qui traduit la conception romaine de la famille ; celle-ci comprend non seulement ascendants et descendants naturels, mais aussi esclaves et serviteurs, c'est-à-dire tous ceux qui sont soumis à l'autorité absolue du *pater familias* (« chef de famille »).
● **DÉF. :** Le terme *famille* désigne une réunion d'individus unis par les liens du sang, vivant sous le même toit et constituant une entité économique plus ou moins autonome, pouvant se réduire à une communauté de services (cuisine, entretien de la maison, tâches éducatives…) ou être une unité de production et d'échanges, comme c'est le cas dans les sociétés* traditionnelles à dominante agricole. Le modèle qui s'est imposé dans les sociétés modernes est celui de la « famille nucléaire », composée des parents et de leurs descendants immédiats, mais on peut relever une très grande variété de modes d'organisation en fonction des aires culturelles*.

Une donnée naturelle ou un fait de culture ?

Dans la mesure où la famille se fonde sur la différence entre les sexes et les exigences de la reproduction, il est tentant de la penser comme relevant de la nature. On peut cependant noter que la famille humaine se distingue des familles animales par sa durée et la force des liens affectifs qu'elle tisse entre ses membres. L'ethnologue R. Linton les explique, d'une part, par l'originalité de la sexualité humaine, indépendante des saisons et pouvant donc s'exercer de façon continue et, d'autre part, par le phénomène de « néoténie », c'est-à-dire d'inachèvement du petit humain, qui fait de l'enfance de l'homme la plus longue de celles de toutes les espèces vivantes. Chez l'homme, la part de l'acquis l'emporte sur celle de l'inné et l'organisation familiale est susceptible d'importantes variations culturelles.
Un des objets fondamentaux de l'ethnologie*, dès ses débuts avec l'Anglais Morgan (1818-1881), a été l'étude des structures de la parenté : la famille peut être « monogame » ou « polygame » (autorisant ou non la pluralité des conjoints), « patrilinéaire » ou « matrilinéaire » (définissant la filiation en fonction du père ou de la mère), « patrilocale » ou « matrilocale » (le couple s'installant dans la maison du père ou de la mère)… Les premiers travaux de Lévi-Strauss, notamment *Les Structures élémentaires de la parenté* (1949), montrent que si la prohibition de l'inceste est un phénomène universel dans l'espèce humaine, les différentes cultures définissent de façons très diverses la consanguinité et les alliances interdites. Il faut donc penser la famille en termes culturels, c'est-à-dire sous la catégorie générale de l'échange : en interdisant l'endogamie (le mariage à l'intérieur d'un groupe restreint), les sociétés opèrent une régulation des rapports sociaux.

De la famille tribu à la famille nucléaire

L'évolution de la famille en Occident peut être reliée à ce que Tocqueville appelait, dans *De la démocratie en Amérique* (1835), le « mouvement irréversible de la démocratie* », c'est-à-dire à la disparition des hiérarchies et subordinations traditionnelles et à la montée de l'individualisme* ; « la démocratie brise la chaîne » : le souci aristocratique de la lignée s'efface pour laisser place à la recherche de l'épanouissement individuel. L'histoire moderne va dans le sens d'une revendication de liberté et d'égalité qui remet radicalement en cause l'organisation traditionnelle de la famille.

Dans un premier temps, ce qui est contesté est l'autorité absolue et permanente du père de famille sur ses enfants. Ce thème s'exprime en particulier dans le cadre du libéralisme* politique : Locke, dans le second *Traité sur le gouvernement civil* (1690), affirme que le pouvoir du père cesse à la majorité de ses enfants. On trouve un écho de cette idée dans le premier livre du *Contrat social* (1762) de Rousseau* : la famille n'est naturelle que lorsqu'il y a dépendance biologique des enfants ; elle ne se maintient au-delà que par contrat, de façon libre et volontaire.

La deuxième vague de contestation de la famille traditionnelle porte sur la subordination des femmes ; elle doit être reliée aux mouvements féministes : ceux-ci trouvent une expression théorique dès le XVIIIe siècle avec Poulain de La Barre (*De l'égalité des sexes*), Condorcet ou la révolutionnaire Olympe de Gouges, puis au XIXe siècle avec Stuart Mill et certains socialistes comme Fourier, enfin au XXe siècle dans les œuvres de S. de Beauvoir, *Le Deuxième Sexe* (1949) ou, dans les années 1970, de K. Millet, *La Politique du mâle*. Cette remise en cause théorique s'est accompagnée de revendications politiques et sociales qui ont abouti à une profonde mutation du droit* familial. Ainsi, en France, si les femmes obtiennent le droit de vote dans l'immédiate après-guerre, c'est entre 1965 et 1975 qu'il faut situer les transformations juridiques les plus radicales :

– *Le droit à la contraception* : en 1967, la loi Neuwirth abroge une loi de 1920 qui sanctionnait la propagande anticonceptionnelle. En 1969 et 1972, sont légalisés l'usage et la vente de la pilule, puis du stérilet. En 1975, l'interruption volontaire de grossesse (IVG) cesse d'être un crime.

– *La domination paternelle* : en 1965, une réforme des régimes matrimoniaux interdit au mari de s'opposer à l'exercice de l'activité professionnelle de sa femme. En 1970, la loi sur l'autorité parentale fait disparaître la notion de « chef de famille ». En 1984-1985, est décrétée l'égalité des régimes matrimoniaux.

– *Le divorce* : en 1975, une loi introduit la possibilité de divorce par consentement mutuel.

Cet ensemble de dispositions juridiques affirme l'égalité entre les sexes et brise les liens de subordination qui caractérisaient la famille traditionnelle. En facilitant le divorce, il accentue l'idée du mariage comme choix libre, et donc révocable. Il en résulte un déplacement radical du sens de cette institution, traditionnellement réglée par le souci de la descendance, et donc centrée sur la filiation. Le mariage est actuellement pensé et vécu comme une alliance entre deux individus à la recherche de leur bonheur. Si de telles transformations vont dans le sens de la liberté et de l'égalité, on peut cependant comprendre qu'elles peuvent inquiéter dans la mesure où elles sont aussi porteuses d'instabilité.

Les mises en question de la famille

Au « Familles, je vous hais » de Gide (*Les Nourritures terrestres*, 1897), critique des étroitesses de la famille bourgeoise*, fait écho *La Mort de la famille* (1972) de D. Cooper, porte-parole de l'idéal communautaire des années 1960-1970. La famille serait-elle une valeur* en voie de disparition ? On doit distinguer deux formes de remise en cause des valeurs familiales.

La première, théorique, est aussi ancienne que la philosophie politique. Ainsi, Platon* (427-347 av. J.-C.) dénonce la famille lorsqu'il prône, dans *La République*, la communauté des femmes et l'éducation collective des enfants pour les classes dirigeantes de la cité. La famille a pu être contestée soit au nom de la communauté, soit au contraire au nom de la liberté individuelle, en particulier sexuelle. D'un côté, on peut voir dans la famille une institution inégalitaire, privilégiant les intérêts privés et l'égoïsme : d'où le thème, fréquent dans la littérature utopique, d'un nécessaire primat de la collectivité s'exprimant par la régulation des unions, l'eugénisme et

la prise en charge de l'éducation par l'État*. De l'autre, on dénonce le caractère oppressif du mariage bourgeois, conservateur, étroit et aliénant, et on revendique le libre développement de la sexualité.
Cependant, la famille est aussi mise à l'épreuve des faits : chute de la natalité, développement de la cohabitation juvénile et du concubinage, augmentation du nombre des divorces (un couple sur trois), extension des foyers dits « monoparentaux », éloignement des grands-parents... Ces phénomènes sont liés à l'urbanisation, au développement du travail* féminin, aux bouleversements juridiques et à de profonds changements dans les mentalités. On peut s'interroger sur les effets de l'instabilité conjugale sur l'éducation et l'affectivité des enfants : dans le cas des « familles recomposées » (après un divorce et un remariage avec un conjoint lui-même chargé de famille), les relations complexifiées sont parfois sources de tensions.
Les problèmes les plus préocccupants concernent donc la manière d'assumer la continuité de l'éducation, de partager les responsabilités financières et morales, et surtout de préserver l'équilibre psychologique et affectif des enfants.

ENJEUX CONTEMPORAINS

Valeurs et société

S'il est tentant de relier les valeurs de la famille à la pensée conservatrice, voire réactionnaire – comme, en France, le fameux « Travail, famille, patrie » du maréchal Pétain –, les sondages montrent néanmoins qu'une large majorité des Français se déclare très attachée à la famille : pont entre les générations, vecteur de l'éducation, lieu d'épanouissement affectif, instance de solidarité et d'entraide.

● **À CONSULTER :** P. Ariès, *L'Enfant et la Famille sous l'Ancien Régime*, Seuil (1975). Y. Castellan, *La Famille*, PUF, « Que sais-je ? » (1982). G. Lipovetsky, *La Troisième Femme*, Gallimard (1997).
● **À VOIR :** Benton, *Kramer contre Kramer* (1978). Chatiliez, *La vie est un long fleuve tranquille* (1988).
● **CORRÉLATS :** bourgeoisie ; droite/gauche ; ethnologie ; société ; valeurs.

FANTASTIQUE

● **ÉTYM. :** Du grec *phantastikos*, de *phantasia* (« imagination ») qui appartient à la famille du verbe *phanein* (« faire paraître »), duquel procèdent également, en français, *fantôme*, *fantaisie*, *fantasme*.
● **DÉF. :** On qualifie de « fantastique » une œuvre qui mêle le réel et l'imaginaire d'une manière si surprenante qu'elle aboutit à une indécision complète, le lecteur ne pouvant trancher ni en faveur d'une explication rationnelle, ni en faveur d'une interprétation surnaturelle.

Les caractéristiques du fantastique

Dans le récit ou le film fantastique, les personnages, ancrés dans le monde réel, voient intervenir des figures étranges et inquiétantes (vampire, spectre...) : c'est cette rencontre, angoissante et troublante, entre naturel et surnaturel, qui fait tout le charme du fantastique. Ainsi dans *Le Horla* (1887) de Maupassant, le narrateur – qui écrit son journal intime chez lui en Normandie, puis à Paris – perçoit une présence quasi diabolique à ses côtés : le lecteur ne saura décider s'il s'agit d'une hallucination (explication réaliste par la folie) ou d'une possession (explication par le surnaturel). Il faut donc distinguer le fantastique du merveilleux qui s'inscrit, lui, clairement dans l'univers du non-réel, à l'instar des contes* de fées.
Au-delà du plaisir de l'angoisse, le fantastique se donne pour objet d'interroger tout ce qui échappe à la conscience claire, à la raison et au normal : il entreprend de sonder les parts obscures qui nous hantent (la présence de la mort, les incertitudes liées au temps, l'univers du rêve, l'érosion des limites et des contours...). Des personnages comme Faust*, Frankenstein* ou Dracula sont devenus des références culturelles, nourrissant maintes analyses d'ordre philosophique ou psychanalytique. Le fantastique se donne comme une mise en question des évidences et des conventions, forçant avec audace les frontières du connu pour satisfaire notre besoin d'exploration de l'inconnu.

L'âge d'or du fantastique

XIXe – XXe siècles

Le XIXe siècle européen voit se développer un goût prononcé pour la littérature fantastique. En réaction au rationalisme des Lumières*, la génération romantique* a voulu donner sa place à la part d'irrationnel qui habite l'individu*. C'est l'époque où « l'Europe commence à prendre ses rêves au sérieux », écrira Malraux. L'étrange, l'extraordinaire, le macabre, voire l'horreur se déploient dans des romans* et des contes : Balzac, Gautier, Nodier, Mérimée et *La Vénus d'Ille* (1837) en France, Hoffmann et Tieck en Allemagne, Gogol en Russie, Poe et ses *Histoires extraordinaires* (1839) aux États-Unis ouvrent les portes du rêve et du surnaturel. Le critique* R. Caillois peut ainsi affirmer : « Dans le fantastique, le surnaturel apparaît comme une rupture de la cohérence universelle. »

Cette veine fantastique se prolonge au XXe siècle, à travers la littérature : *La Métamorphose* (1916) de Kafka, *Fictions* (1944) de Borges, *Les Armes secrètes* (1959) de Cortazar sont des récits à la fois inquiétants et envoûtants, qui explorent le monde et le Moi, en tant qu'ils échappent à la conscience claire. Par ailleurs, le cinéma*, dès ses débuts, s'est emparé de l'univers fantastique, en adaptant les grands classiques (Murnau, Lang, Whale) : grâce aux effets spéciaux, il met en scène l'étrange pour faire naître l'angoisse.

ENJEUX CONTEMPORAINS

Art et société

Mêlant fantastique et science-fiction, les séries télévisées et les publications flattent le goût du public pour le paranormal et le mystère. Cet engouement actuel reflèterait la crise des valeurs* dans la société, méfiante envers la science* et le progrès*, inquiète face aux incertitudes du présent.

● **À CONSULTER :** R. Caillois, *Anthologie du fantastique*, Gallimard (1977). T. Todorov, *Introduction à la littérature fantastique*, Seuil (1970). ● **À LIRE :** Balzac, *La Peau de chagrin* (1831). Nerval, *Aurélia* (1855). ● **À VOIR :** Hitchcock, *Les Oiseaux* (1963). Polanski, *Le Bal des vampires* (1967). Kubrick, *Shining* (1980). W. Craven, *Scream* (1997). ● **CORRÉLATS :** cinéma ; conte ; Faust ; Frankenstein ; progrès ; roman ; romantisme ; valeurs.

FASCISME

● **ÉTYM. :** De l'italien *fascio* (« faisceau »), qui indique une idée de groupement et fait allusion au latin *fascis* (« assemblage de baguettes liées »), emblème de la République romaine repris à son compte par le parti fasciste. Le mot apparaît en 1921 en français, mais prononcé à l'italienne (« fachisme »). ● **DÉF. :** Au sens exact, le fascisme est un mouvement politique italien, créé en mars 1919 par Mussolini, et qui a dirigé le pays de 1922 à 1943. Au sens étendu, le terme s'applique à toute doctrine dont les principes s'apparentent à ceux du fascisme italien. Enfin, *fascisme* est un mot très galvaudé qui en est venu à désigner indifféremment tous les populismes*, toutes les dictatures et parfois même tous les adversaires politiques ! Le fascisme a cependant sa spécificité et même le national-socialisme* allemand, qui en est très proche, n'en est pas le simple décalque. Seul le concept plus général de totalitarisme* peut rendre compte de ce que tous ces systèmes ont en commun.

Le fascisme de Mussolini

Surgi dans une Italie épuisée par la Première Guerre mondiale* faite aux côtés des alliés franco-anglais, le fascisme, à ses origines, apparaît comme un fait de politique intérieure. Son fondateur, Benito Mussolini (1883-1945), est un militant de l'extrême gauche d'avant 1914, reconverti au nationalisme* pendant la guerre. Les premiers « faisceaux », créés en 1919, sont une organisation d'anciens combattants opposés à la politique du gouvernement libéral, accusé de brader les intérêts nationaux de l'Italie. Cependant, à travers son style d'action (recours systématique à la violence, intimidation), son discours à la fois antilibéral et antimarxiste, sa tentative de dégager une doctrine cohérente, le fascisme prétend bientôt définir une option politique radicalement nouvelle. Quand, après les manifestations de la « marche sur Rome », le roi Victor-Emmanuel III fait appel à Mussolini pour former le gouvernement (octobre 1922) et que ce dernier le transforme en dictature personnelle (1925), le régime prend son visage définitif et il commence alors à faire figure de modèle hors des frontières de l'Italie.

Les caractères du fascisme

Malgré les efforts du philosophe Gentile (1875-1944), rallié à Mussolini, pour définir une véritable doctrine, la pensée politique du fascisme est d'une extrême pauvreté et relève constamment de l'improvisation. Il est néanmoins possible de dégager un certain nombre de lignes de force que, précisément, on retrouvera dans les régimes de type voisin (nazisme allemand, franquisme espagnol, salazarisme portugais...).

Le fascisme s'oppose d'abord à une série de principes. Il combat le libéralisme*, tant politique qu'économique, la démocratie* représentative et parlementaire, le socialisme* d'inspiration marxiste. Il condamne l'individualisme*, issu de la pensée des Lumières*, et les droits que ce dernier garantit. Il oppose au rationalisme l'enthousiasme et l'action : « L'esprit du fascisme est volonté, non intelligence », écrit Gentile, tandis que Mussolini dénonce l'intellectualisme qui « enchaîne la force vitale ».

En lieu et place de tout ce qu'il rejette, le fascisme propose un ultranationalisme qui fait de la grandeur nationale la valeur* suprême. Il sacralise littéralement l'État* : « Tout dans l'État, rien contre l'État, rien en dehors de l'État », proclame Mussolini qui déclare fonder – il est l'inventeur de la formule – un « État totalitaire ». Ce dernier est conçu comme la dictature du chef-guide (le *duce*), concentrant en sa personne la volonté collective, exprimant « l'âme héroïque du peuple », orientant le destin national. Dans son dessein de faire disparaître, entre la nation et le chef inspiré qui l'incarne, toute instance intermédiaire autre que le parti unique dont la vraie mission est d'encadrer le peuple, le fascisme est un populisme type. Mais il s'ajoute à cela une éthique* spécifique, exaltation de l'héroïsme, de la discipline, de l'action que Mussolini résume dans la devise : « Croire ! Obéir ! Combattre ! » qui donne au mouvement sa nature propre : le fascisme débouche naturellement sur le militarisme, la valorisation de la guerre, l'embrigadement de la jeunesse, le goût des parades et des uniformes, poussé en Italie jusqu'à la caricature. Glorifiant constamment les valeurs viriles, il enferme définitivement la femme dans un rôle effacé d'épouse et de mère destinée à donner à la nation de nombreux enfants.

Il s'ajoute à cela une mobilisation permanente de la population, entretenue par une propagande omniprésente et univoque. Une volonté intensément productiviste pour augmenter la puissance du pays implique l'encadrement de l'économie : sans mettre en question le capitalisme et la propriété privée des instruments de production, le fascisme rejette à la fois le laisser-faire libéral et le syndicalisme* ouvrier, facteurs de conflits sociaux. Il impose aux entreprises la tutelle de l'État, oriente la production, associe patrons et ouvriers dans des structures verticales, organisées en branches professionnelles et contrôlées par le parti fasciste : les corporations.

L'effacement du fascisme

Né des difficultés engendrées par la Première Guerre mondiale, le modèle fasciste a profité des problèmes économiques et sociaux provoqués par la grande dépression des années 1930. La prise du pouvoir en Allemagne par Hitler (qui se réfère ouvertement à l'expérience italienne), en 1933, marque le début d'une extension en Europe de régimes « fascistoïdes ». Après l'alliance germano-italienne de 1936 (l'axe Rome-Berlin), le mouvement atteint son apogée avec les conquêtes hitlériennes du début de la Seconde Guerre mondiale, faisant basculer la majeure partie du continent dans la dictature totalitaire. Cette situation contribue, en retour, à transformer le conflit éclaté en 1939 en véritable croisade conduite contre le fascisme par la coalition des pays restés fidèles à la démocratie représentative et à l'héritage des Lumières. En ce sens, l'écrasante défaite de l'Italie et de l'Allemagne sanctionne la disqualification et la condamnation sans appel de régimes et de doctrines dont les vainqueurs ont découvert la capacité de dérive criminelle.

ENJEUX CONTEMPORAINS

Idéologie et société

Le risque de résurgence d'idéologies* s'inspirant des fascismes de la première moitié du XXe siècle n'est cependant pas à exclure. Il peut surgir des difficultés et du désarroi que provoque la longue crise* structurelle actuelle, du doute devant la capacité de la classe politique des États démocratiques à la dépasser, du désespoir et de la colère des victimes de l'application d'un libéralisme économique aveugle dont l'unique horizon serait le profit immédiat.

Nombreux sont ceux qu'inquiètent le retour des nationalismes, l'irruption de démagogies populistes ou les modes intellectuelles dénigrant le rationalisme ou la démocratie représentative. L'expérience historique acquise au cours de ce siècle a tragiquement démontré qu'au-delà de faciles séductions, la rhétorique fasciste cache un véritable recul de la civilisation et qu'elle ne conduit qu'à la guerre et à la barbarie.

● **À consulter :** Z. Sternhell, *Naissance de l'idéologie fasciste*, Fayard (1989). P. Guichonnet, *Mussolini et le fascisme*, PUF (8e éd., 1993). E. Nolte, *Les Mouvements fascistes*, Calmann-Lévy (rééd., 1991). M. Winock, *Nationalisme, antisémitisme et fascisme en France*, Seuil (1990). ● **À lire :** C. Levi, *Le Christ s'est arrêté à Eboli* (1943-1944). Morante, *La Storia* (1974). Bassani, *Les Lunettes d'or* (1982). ● **À voir :** Bertolucci, *Le Conformiste* (1970). Scola, *Une journée particulière* (1977).
● **Corrélats :** contemporaine (Époque) ; démocratie ; futurisme ; guerres mondiales ; idéologie ; nationalisme ; national-socialisme (nazisme) ; populisme ; totalitarisme.

FAUST

La légende s'est vite emparée de la vie d'un authentique astrologue et thaumaturge allemand du XVIe siècle, le docteur Faust, amateur de magie et de sciences occultes : en 1587 paraît un écrit anonyme, *L'Histoire du docteur Johann Faust*, qui mentionne son pacte avec le diable, puis sa damnation. La légende se répand dans toute l'Europe.
Le dramaturge élisabéthain Marlowe compose vers 1600 son drame* *Tragique Histoire du docteur Faust*, où Faust est un révolté qui s'élève, au nom de la raison, contre les dogmes religieux. Puis le personnage est capté par l'imagerie populaire ; les théâtres de marionnettes lui font perdre sa dimension tragique. C'est au XVIIIe siècle, avec Lessing, puis surtout avec Goethe (1749-1832), que le personnage prend tout son éclat.

Le révolté prométhéen

Goethe dialoguera toute sa vie avec Faust : l'*Urfaust* (1773), puis *Faust, ein Fragment* (1790), *Faust, eine Tragödie* (1806) et enfin, posthume, *Le Second Faust* (1832). Il donne une dimension prométhéenne* à son personnage : Faust, qui rêve de posséder le savoir, passe des sciences* à la magie. Mais ses échecs le poussent à vouloir se suicider, lorsque Méphistophélès, l'esprit du Mal, lui apparaît sous la forme d'un chien et lui promet le bonheur à condition qu'il lui donne son âme en échange. Faust connaît alors l'amour avec Marguerite, amour qui tourne à la tragédie* avec la mort de Marguerite. *Le Second Faust* est une œuvre ambitieuse, où Goethe traite à la fois de morale, de religion, de science et de politique. Le texte s'achève par la mort de Faust, mais Méphisto n'a pas gagné, et les anges emportent Faust au ciel. Faust est le héros du *streben*, de « l'effort » et de la « recherche », et sa destinée représente l'image de l'humanité.
C'est Nerval qui traduit *Faust* en français (1828) : l'œuvre est lue par toute la génération romantique* (Hugo, Baudelaire, Pouchkine...), et abondamment illustrée en peinture par Delacroix. D'autres auteurs allemands ont repris le mythe*, dont Grabbe qui compose un *Don Juan* et Faust* (1829). Au XXe siècle, Mann publie son roman *Doktor Faustus* (1947) et Valéry écrit un dialogue philosophique *Mon Faust* (1941).
Les musiciens romantiques* se sont emparés de Faust (Berlioz, Schumann, Liszt) : le *Faust* (1859) de Gounod est dominé par l'anecdote sentimentale avec Marguerite. Le cinéma* réalise des adaptations (Murnau, 1926).

Enjeux contemporains

Mythe et société
Faust est un mythe de portée universelle qui hante l'imaginaire occidental depuis le Moyen Âge*, interrogeant l'humanité à travers des thèmes essentiels : le pacte avec le diable, l'homme prométhéen, l'homme et Dieu, la nature et la société, le monde antique et le monde moderne, les limites de la puissance humaine, la destinée individuelle. En tant que figure du Moi*, il met en jeu la volonté et les aspirations humaines : « désir d'éternité, impatience des limites et volonté de s'affirmer » (Dabezies).

● **À CONSULTER :** A. Dabezies, *Le Mythe de Faust*, Armand Colin (1972). P. Brunel, *Dictionnaire des mythes littéraires*, Rocher (1988). D. Lecourt, *Prométhée, Faust, Frankenstein...*, Synthélabo (1996).
● **À VOIR :** R. Clair, *La Beauté du diable* (1950). A. Petrovic, *Le Maître et Marguerite* (1972).
● **CORRÉLATS :** don Juan ; fantastique ; Moi (figures du) ; mythe ; Prométhée ; romantisme.

FÉODALITÉ

● **ÉTYM. :** Du latin *feudum, feodum*, désignant dès le IXe siècle le « fief », domaine foncier du seigneur féodal.
● **DÉF. :** Ce mot ayant été l'objet de nombreux abus de langage, il convient d'abord de préciser que la féodalité désigne un mode d'organisation politico-sociale propre au Moyen Âge* occidental, entre les IXe et XIIIe siècles.

La féodalité naît de l'affaiblissement du pouvoir royal, sous les successeurs de Charlemagne, au IXe siècle, alors que l'Europe* est harcelée par les Vikings scandinaves, les pirates musulmans de Méditerranée (les Sarrasins) et les cavaliers hongrois venus des steppes. Elle se développe dans une société* presque exclusivement rurale, sous-peuplée, où la richesse et la puissance se confondent avec la possession de la terre.

Le système de la « recommandation »

Depuis la basse Antiquité*, la classe sociale dominante, en Occident, est celle des grands propriétaires fonciers. Désigné en latin par le mot *dominus* (« maître »), le grand propriétaire est aussi appelé, par les paysans qui travaillent ses terres, *patronus* (de *pater*, « père ») ou, dans le mauvais latin parlé après les Grandes Invasions* (VIe-VIIe siècles), *senior* (littéralement, « le plus âgé, le patriarche »), mot qui donnera *seigneur*.
Dès la fin de l'époque romaine (IIIe-IVe siècles) et face aux carences de l'État, les maîtres des grands domaines s'instituent protecteurs des paysans selon la pratique de la « recommandation ». En échange de cette protection et d'un lopin de terre alloué pour la subsistance de sa famille, le paysan qui se « recommande » fournit son travail sur la « réserve », c'est-à-dire sur la terre du maître.

Les rapports de vassalité, fondement du système féodal

Le système de la recommandation, général au haut Moyen Âge, n'est pas encore la féodalité. Celle-ci se constitue quand la pratique de la recommandation s'élargit à l'aristocratie foncière elle-même, tissant entre les possesseurs de la terre un ensemble de liens contractuels et d'obligations réciproques fondés sur la parole donnée et la fidélité aux engagements. Il semble bien que le mot *féodal* ait pour racine la confusion entre deux termes latins, *foedus* (« pacte ») et *fides* (« foi, confiance »).

Cette évolution est une conséquence de l'insécurité que font régner Vikings, Hongrois et Sarrasins aux IXe et Xe siècles. Les comtes et ducs, simples délégués de l'autorité royale sous Charlemagne, se sont approprié celle-ci pour assurer la défense du territoire qui leur avait été confié. Ils cherchent à rassembler autour d'eux, à des fins militaires, les possesseurs de la terre, incapables d'assurer seuls la sauvegarde de leurs propres biens. Ces derniers vont donc s'instituer vassaux et s'engager, sous serment, à répondre à l'appel du comte ou du duc pour constituer autour de lui une armée. En échange, cette force les protégera eux-mêmes en cas de besoin.

Ainsi, se constitue tout un réseau qui unit, par des rapports de nature non pas juridique, mais personnelle (liens d'homme à homme), les vassaux à un supérieur plus puissant, à qui l'on réserve le nom de « seigneur ». Ce réseau d'engagements mutuels va devenir d'une grande complexité, car un seigneur peut entrer en vassalité auprès de plus puissant que lui et rien n'empêche un vassal d'accepter que de plus faibles sollicitent d'être à leur tour ses propres vassaux.

Pour solenniser l'entrée en vassalité, dans une société où le rite joue un grand rôle, une cérémonie particulière a lieu : l'« hommage ». Le vassal, à genoux, devient l'homme de son seigneur et lui promet « aide et conseil ». Pour matérialiser l'engagement et par geste de réciprocité, le seigneur l'investit alors d'une terre, le fief, garante de leur accord.

Une aristocratie guerrière, une société d'ordres

L'hommage féodal reproduit bien le mécanisme de la recommandation, avec cette différence qu'il n'est plus question de travail* à fournir, mais de service militaire. La féodalité institue à partir du IXe siècle en Occident, pour de longs siècles, la prédominance d'une noblesse guerrière qui se confond avec les possesseurs du sol. L'existence parallèle de la cléricature ecclésiastique conduit alors les théologiens à concevoir la société d'ordres. Vers 1020, Fulbert de Chartres (960-1028) décrit le monde terrestre comme constitué de trois groupes distincts : celui du sacerdoce, médiateur du surnaturel ; celui des guerriers, chargé de la défense ; celui des paysans dont le travail assure la subsistance de tous. On reconnaît là le modèle qui perdurera jusqu'à la fin du XVIIIe siècle : clergé, noblesse et tiers état, les deux premiers ordres bénéficiant de la prééminence sociale.

Si, dans un premier temps, le système féodal s'affirme efficace face aux invasions, il ne tarde pas, celles-ci terminées, à créer une situation d'anarchie due à la multiplicité des conflits locaux entre seigneurs. Professionnels de la guerre, les féodaux ne vivent que pour combattre et en suscitent constamment l'occasion. En outre, l'éclatement de la souveraineté en une multitude de principautés indépendantes de fait réduit la royauté à un fantôme de pouvoir : être le seigneur suprême (le suzerain) demeure la seule attribution du roi, à qui les plus puissants féodaux prêtent hommage.

Le déclin du système féodal

C'est pourtant en utilisant les règles féodales que les rois vont peu à peu récupérer leur autorité. En France, le roi s'impose en jouant de sa suzeraineté et en exploitant les permanentes dissensions de ses vassaux. Ainsi se met en place, dans le courant du XIIe siècle, la monarchie féodale, qui use des obligations vassaliques pour forcer à l'obéissance les grands seigneurs territoriaux.

À la fin du XIIIe siècle, la féodalité est déjà pratiquement vidée de son contenu. Elle évolue vers ce qui va devenir le régime seigneurial, ensemble de charges et de redevances héritées du passé qui pèsent sur la paysannerie et qui apparaissent progressivement dépourvues de sens, puisque le seigneur, en contrepartie, n'a plus d'obligations précises. Jointes aux privilèges juridiques dont jouit la noblesse, ces survivances finiront par en faire une classe parasite ; il faudra attendre la Révolution française* de 1789 pour qu'il soit mis fin à cette situation et que soit abolie la société d'ordres. Quand les révolutionnaires du XVIIIe siècle dénoncent la « féodalité », c'est de ce régime seigneurial qu'ils parlent. La vraie féodalité avait disparu avec le Moyen Âge.

● **À CONSULTER :** M. Bloch, *La Société féodale*, Albin Michel (rééd. 1994). F.-L. Ganshof, *Qu'est-ce que la féodalité ?*, Tallandier (5e éd., 1987). J.-P. Poly, *La Mutation féodale Xe-XIIe siècles*, PUF (1991). G. Duby, *La Féodalité*, Gallimard (1996). ● **À LIRE :** Z. Oldenbourg, *Argile et cendres*. ● **À VOIR :** Tavernier, *La Passion-Béatrice*. Schaffner, *Le Seigneur de la guerre*. G. Duby, *L'An mille*.

● **CORRÉLATS :** Antiquité (basse) ; bourgeoisie ; chanson ; courtoisie ; croisades ; Europe (idée d') ; Invasions (Grandes) ; Moyen Âge ; Roland.

FRANCFORT (ÉCOLE DE)

C'est en 1930 que Horkheimer (1895-1973) prend la direction de l'Institut de recherches sociales de Francfort, créé en 1923 pour jeter un pont entre la philosophie et la sociologie*. Il va réunir autour de lui une équipe de philosophes, sociologues, psychologues et esthéticiens, dont les plus importants sont Adorno (1903-1969), Marcuse (1898-1979), Fromm (1900-1980) et Benjamin (1892-1940). Après l'arrivée du national-socialisme* au pouvoir en 1933, l'Institut s'installe à New York. Il ne se réinstalle à Francfort qu'en 1950. Les publications proprement sociologiques de l'équipe animée par Horkheimer ont concerné successivement la mentalité de la classe ouvrière, l'autorité et la famille*, la culture de masse, l'antisémitisme* dans la classe ouvrière américaine…

De la « théorie critique » à la dénonciation de la raison (Horkheimer)

Le manifeste de l'École de Francfort est un ouvrage publié en 1937 par Horkheimer : *Théorie traditionnelle et théorie critique*. La théorie traditionnelle est celle qui prétend reposer seulement sur sa cohérence logique et sur les vérifications que lui apporte l'expérience ; la théorie critique* est celle qui intègre la conscience de sa dépendance par rapport au contexte sociologique et historique. Ce que nous jugeons vrai à une époque peut disparaître à une autre, mais cela ne doit pas nous inciter à croire qu'il n'y a que des vérités relatives, ni que l'Histoire* progresse sans nous vers une vérité absolue : la vérité relative elle-même se fait absolue lorsqu'elle devient une force que les hommes mettent en œuvre dans leurs actions. Il s'agit donc de promouvoir une théorie qui soit « critique » au double sens kantien et marxiste : soucieuse de délimiter ses conditions de possibilité et visant la suppression de toute aliénation. Si l'École de Francfort soutient, comme Marx* (1818-1883), la nécessaire union de la théorie et de la pratique, c'est en référence à la « raison pratique » au sens de Kant* (1724-1804) : une raison émancipatrice, et non la raison instrumentale soumise aux impératifs du pouvoir ou de l'économie.

Horkheimer consacre, en 1946, son *Éclipse de la raison* à la dénonciation de la raison instrumentale. Il revient d'ailleurs, dans *La Dialectique de la raison* (1947), ouvrage écrit en collaboration avec Adorno, sur le double visage de la raison : à l'époque des Lumières*, c'était un critère objectif et un principe de libération ; au XXe siècle, elle est devenue un critère subjectif de la classe dominante et un principe d'aliénation technocratique. Mais peut-on vraiment parler de double visage ? L'influence d'Adorno conduit progressivement Horkheimer à voir dans la raison des Lumières elle-même un pouvoir de domination, un germe de totalitarisme*, une volonté de réduire l'Autre au Même. C'est le rationalisme absolu qui triomphe dans l'horreur des camps de la mort nazis et de leurs techniques d'extermination.

La philosophie négative d'Adorno

Adorno entend aller jusqu'au bout de cette critique de la raison, qui est avant tout une critique de l'identité dans sa prétention à réduire la différence, et de l'universel dans sa prétention à réduire le particulier. Cette double prétention est à son comble dans la dialectique* telle que l'entend Hegel* (1770-1831), c'est-à-dire dans l'idée que tout ce qui est négatif est en même temps positif : rien ne peut davantage cautionner la logique de la domination. Contre cette idée, Adorno propose une *Dialectique négative* (1966), qu'il définit comme la « conscience rigoureuse de la non-identité ».

Un des aspects importants de cet ouvrage est la critique de Marx. Déjà présente dans l'évolution intellectuelle de Horkheimer, cette critique prend chez Adorno une forme philosophique radicale. L'exigence marxiste de « transformer le monde au lieu de l'interpréter », c'est, sous une forme aiguë, le primat de la raison pratique, tel qu'il a été formulé par l'idéalisme allemand : le primat de l'action dominatrice sur le respect d'un ordre naturel. L'après-Auschwitz nous impose au contraire, selon Adorno, de prolonger l'interprétation du monde et d'ajourner sa transformation.

Une esthétique de l'avant-garde

Musicien, formé et marqué par l'école de Vienne de Schoenberg, Berg et Webern (*cf.* Expressionnisme), directement impliqué dans les courants esthétiques* d'avant-garde, Adorno n'a cessé de réfléchir sur les rapports entre l'œuvre d'art et la société*. Cette méditation trouve son achèvement dans *La Théorie esthétique*, qui sera publiée après sa mort, en 1970. Nous ne trouvons de véritable protestation, contre l'esprit de domination qui envahit le réel, que dans les œuvres d'art, et cela d'une façon paradoxale, puisque cette pure protestation s'interdit de proposer quoi que ce soit : l'art perdrait sa raison d'être dans une société meilleure. L'esthétique d'Adorno est négative, comme toute sa philosophie.

L'agir communicationnel d'Habermas

Né en 1929, Habermas a été l'assistant d'Adorno à l'Institut de recherches sociales de Francfort, de 1956 à 1959. Étroitement lié, au début des années 1970, au mouvement étudiant contestataire, il est actuellement professeur ordinaire de philosophie et de sociologie à l'université de Francfort. C'est en 1981 qu'il fait paraître *La Théorie de l'agir communicationnel*. Habermas entend par « agir communicationnel » la recherche du consensus par le dialogue. Ce consensus peut concerner la vérité dans le monde objectif, la justesse dans le monde social ou l'authenticité dans le monde subjectif. Chacun de ces trois

mondes requiert une forme d'action spécifique : l'action stratégique pour le premier, l'action normative pour le second, l'action dramaturgique pour le troisième. Mais nos sociétés technocratiques se caractérisent, selon Habermas, par la prétention de l'action stratégique à « coloniser » les autres formes d'action, anéantissant la possibilité humaine de communiquer dans un espace public*.
En opposant ainsi communication et stratégie, Habermas revient à la première inspiration kantienne de Horkheimer : raison pratique contre raison instrumentale. Mais contrairement à son collègue Apel (né en 1922), il ne croit pas qu'il soit possible de trouver un fondement ultime de la raison. L'éthique* de la discussion, selon lui, s'enracine dans les intuitions morales quotidiennes, qui sont validées en retour par le consentement des hommes à discuter. S'il s'accorde avec Apel pour reconnaître la nécessité d'une « pragmatique » (une étude des normes de la communication linguistique entre les hommes), Habermas nie que cette pragmatique puisse être « transcendantale » (fondée sur des principes qui dépassent l'expérience) : la pragmatique de Habermas est « universelle ».

● **À CONSULTER :** P.-L. Assoun, *L'École de Francfort*, PUF, « Que sais-je ? » (1987). ● **À LIRE :** Adorno, Popper, Dahrendorf, Habermas, Albert, Pilot, *De Vienne à Francfort, la querelle allemande des sciences sociales*, Complexe (1979).
● **CORRÉLATS :** antisémitisme ; courants esthétiques ; critique philosophique ; dialectique ; espace public ; éthique ; expressionnisme (musique) ; famille ; Hegel ; Histoire ; Kant ; Lumières ; Marx ; national-socialisme ; société ; sociologie ; totalitarisme.

FRANC-MAÇONNERIE

● **ÉTYM. :** Du nom des groupements (loges) des compagnons maçons de la fin du Moyen Âge*, *franc* ayant ici le sens ancien de « libre » (on dit d'ailleurs en anglais *free masons*).
● **DÉF. :** La franc-maçonnerie désigne une société de pensée à buts philosophique et philanthropique, qui s'est constituée au début du XVIIIe siècle.

Une création anglaise

En Angleterre, dans le courant du XVIIe siècle, des personnalités ouvertes à l'esprit de la révolution scientifique* s'organisèrent en « loges », à l'imitation des structures compagnonniques secrètes des ouvriers maçons (*cf.* Syndicalisme) dont elles adoptèrent le nom, mais dont elles se différencièrent en qualifiant leur organisation de « maçonnerie spéculative », autrement dit philosophique.
En juin 1717, quatre loges de Londres s'associèrent en Grande Loge et rédigèrent une sorte de règlement qui allait servir de fondement à la franc-maçonnerie, les Constitutions d'Anderson. Le succès fut immédiat. Dès 1726, la franc-maçonnerie s'implantait en France, puis en Espagne, en Italie, en Allemagne, en Russie et en Amérique du Nord, attirant aristocrates et intellectuels* épris d'esprit nouveau. Le recrutement se faisait par cooptation, le nouveau membre étant admis à la suite d'une cérémonie secrète d'initiation, conduite selon un rituel ésotérique précis. Les loges, en rapport entre elles, constituent après 1760 un véritable réseau international.

Un vecteur de la pensée des Lumières

Malgré le caractère ésotérique des pratiques et certaines dérives vers l'illuminisme, sinon l'occultisme, la franc-maçonnerie du XVIIIe siècle devient vite le lieu de rencontre et de réunion des adeptes de la philosophie des Lumières*.
En France, Montesquieu participe aux premiers pas de la société ; Voltaire est initié à la fin de sa vie ; Helvétius, Lebreton (l'éditeur de l'*Encyclopédie**), Condorcet, Laclos en sont membres et la réorganisation de 1773, qui aboutit à la création du Grand Orient de France, achève de lier la franc-maçonnerie française aux idées nouvelles. L'administration royale, d'abord méfiante, finit par tolérer une institution où affluent les plus grands noms de France. Sous Louis XVI, les deux frères du roi sont initiés et son cousin, le duc d'Orléans, est Grand Maître du Grand Orient. Marie-Élisabeth de Savoie-Carignan, princesse de Lamballe, préside une fédération de loges féminines.
Nombre de personnalités qui joueront un rôle important à partir de 1789 appartiennent à la franc-maçonnerie : La Fayette, Talleyrand, Mirabeau, Desmoulins, Brissot, Danton, Marat.

Prônant l'émancipation et la fraternité humaine, la liberté de pensée et la tolérance*, le refus du dogmatisme et la primauté de la raison, l'Ordre fait sienne la philosophie du droit* naturel et regroupe, vers 1780, l'élite éclairée de tout l'Occident : Goethe, Wieland, Lessing, Mozart sont francs-maçons, tout comme Franklin, Washington, Jefferson et la plupart des fondateurs de la République américaine.

Les relations avec les Églises

Alors que les Églises protestantes se montrent tolérantes, sinon favorables, le pape Clément XII dénonce, dès 1738, la franc-maçonnerie comme « suspecte d'hérésie ». En fait, la maçonnerie ne met en cause ni la croyance en Dieu, ni l'existence des Églises ; mais l'appel à la liberté de conscience, l'antidogmatisme et une conception déiste de la divinité (qualifiée de « Grand Architecte de l'Univers ») ne peuvent que hérisser une papauté alors sur la défensive. Cependant, cette condamnation de principe n'est guère suivie d'effet : durant tout le XVIIIe siècle, nombre de catholiques (dont beaucoup d'ecclésiastiques) adhèrent à l'Ordre.

C'est dans le courant du XIXe siècle que les rapports entre la franc-maçonnerie et l'Église catholique* se détériorent gravement. Le choix fait par Rome, après 1815, de soutenir partout les attitudes hostiles aux idées de 1789, la réitération des condamnations et l'interdiction faite aux catholiques de devenir francs-maçons radicalisent les positions, spécialement en France, où les loges joignent au libéralisme* un anticléricalisme militant. Un moment atténué grâce à la protection que Napoléon III accorde au Grand Orient, le conflit devient aigu sous la IIIe République.

En 1877, s'écartant des traditions maintenues par la franc-maçonnerie anglo-saxonne, le Grand Orient de France renonce à toute référence au « Grand Architecte », autrement dit, supprime l'obligation pour les membres de croire en Dieu et en l'immortalité de l'âme.

S'engageant auprès des républicains dans le combat pour la laïcisation de l'État*, les francs-maçons participent activement à la mise en place de l'école* laïque dans les années 1880, puis, entre 1902 et 1905, à la séparation de l'Église et de l'État. La plupart des grands leaders républicains de cette période (Gambetta, Ferry, Briand, Combes) sont francs-maçons. L'Ordre est en première ligne dans le combat en faveur du capitaine Dreyfus. Cet engagement suscite la haine de la droite* cléricale et conservatrice, qui accuse la franc-maçonnerie, « société secrète », de diriger le pays de manière occulte.

L'Église assouplit cependant sa position après le concile Vatican II (1962-1965) : tout en maintenant un jugement négatif, elle accepte le principe d'une tolérance réciproque et, depuis les années 1980, un dialogue s'est ouvert. Des convergences sont même apparues sur de grandes questions (condamnation de toute forme de discrimination, de l'intolérance d'État). En 1988, une mission de médiation en Nouvelle-Calédonie a associé le Grand Orient aux Églises catholique et protestante.

ENJEUX CONTEMPORAINS

Société

Bien qu'éclaté en « obédiences » et « rites » divers, l'Ordre créé au début du XVIIIe siècle comporte actuellement environ 6 millions de membres dans le monde entier, dont 4 millions pour les seuls États-Unis.

Comme au XIXe siècle, la franc-maçonnerie s'attache à défendre les valeurs* qui fondent la démocratie* libérale, et qu'exprime la *Déclaration universelle des droits de l'homme** (1948). Ce choix, associé au refus du conformisme et de toute entrave à la liberté de penser, explique qu'elle ait été régulièrement persécutée par les dictatures totalitaires, fascistes, nazie ou stalinienne. En France, l'une des premières initiatives du régime de Vichy, en 1940, a été d'interdire la franc-maçonnerie.

Société de type initiatique, la franc-maçonnerie tend à perdre le caractère mystérieux des origines, et si les aspects rituels subsistent à cause de leur valeur symbolique, ils se sont simplifiés et ne sont plus essentiels. Aux États-Unis, l'appartenance maçonnique est volontiers proclamée ; les « temples » et autres *Masons Halls* s'affichent de façon monumentale dans les villes. Dans ces conditions, il semble illusoire de parler encore de « société secrète », même si la franc-maçonnerie constitue, à l'intérieur du corps social, un puissant réseau d'influence et de solidarité.

Dans un monde menacé par la résurgence des fanatismes, la montée de la xénophobie, le mépris des droits de l'homme, la franc-maçonnerie se veut fidèle aux valeurs du XVIIIe siècle européen, époque où elle s'est constituée. Cependant, une question reste posée : la défense de ces valeurs ne doit-elle pas s'exprimer aujourd'hui dans un espace public* ?

● **À CONSULTER :** A. Faivre, *L'Ésotérisme au XVIIIe siècle*, Seghers (1973). G. Ligou, *La Franc-Maçonnerie*, PUF (1977) ; *Dictionnaire universel de la franc-maçonnerie*, PUF (2e éd., 1981). P. Naudon, *La Franc-Maçonnerie*, PUF (15e éd., 1995). J. Palou, *La Franc-Maçonnerie*, Payot (1964). A. Guichard, *Les Francs-Maçons*, Grasset (1969).
● **CORRÉLATS :** Contre-Révolution ; démocratie ; droite/gauche ; droits de l'homme ; Église catholique ; espace public ; Lumières ; romantisme ; tolérance.

FRANKENSTEIN

Personnage du roman de Mary Shelley, *Frankenstein ou le Prométhée moderne* (1817), Victor Frankenstein n'est pas, comme on le croit souvent, la créature monstrueuse, mais le savant qui lui a donné vie.
Ce savant a reconstruit un être humain à partir de différents cadavres, donnant vie à une créature sans nom – innommable – au visage rapiécé. Le monstre hideux deviendra méchant parce qu'il est privé de compagne et d'amour, et surtout parce que, symboliquement, il est le reflet de la démesure coupable de son créateur.

Frankenstein : le savant, révolté prométhéen

Mary Shelley (1797-1851), élevée dans un milieu éclairé, femme du poète Shelley, a pris conscience que l'idéal des Lumières* véhiculait un optimisme excessif – voire pernicieux – envers la raison et le progrès*. Son roman, contemporain de découvertes importantes (électricité, galvanisme, magnétisme...), prend la tonalité d'un cri d'alarme, invitant le monde savant à se défier de toute entreprise démiurgique menée au nom de la science* qui négligerait l'homme et les valeurs* attachées à l'humain.

Comme l'explicite le sous-titre, le roman renouvelle le mythe* de Prométhée* en faisant du savant un démiurge qui a l'audace de faire concurrence à Dieu : Frankenstein est un personnage de l'orgueil et de la folie, un apprenti sorcier qui verra la créature lui échapper, tuer ses proches et finalement se retourner contre lui.

La créature : victime romantique

La créature a exercé une fascination durable sur les romantiques*, car elle conjugue vie et mort, humain et inhumain, science et surnaturel. Le monstre est le maudit, victime des autres, injustement perçu comme coupable du mal qu'il est contraint à faire : c'est aussi une figure de révolté.
Enfin, la psychanalyse* a exploré, dans ce roman d'épouvante, le thème de la féminité (naissance, culpabilité, monstruosité). Le cinéma* a parachevé son succès, grâce à l'extraordinaire interprétation de l'acteur B. Karloff en 1931.

ENJEUX CONTEMPORAINS

Mythe et société
Essayistes et journalistes se réfèrent volontiers aujourd'hui au mythe de Frankenstein pour commenter les « avancées » scientifiques qui perturbent les valeurs liées à la personne* et à la vie. Avec le savant génial, Mary Shelley a inventé un type littéraire qui fonctionne comme un révélateur, emblématique du prométhéisme accru de l'homme moderne.

● **À CONSULTER :** *Romantisme noir*, Cahier de l'Herne (1978). M.-C. Kerbrat, *Leçon littéraire sur Frankenstein*, PUF (1997). D. Lecourt, *Prométhée, Faust, Frankenstein...*, Synthélabo (1996). P. Brunel, *Dictionnaire des mythes littéraires*, Rocher (1988).
● **À VOIR :** Whale, *Frankenstein* (1931). Brannagh, *Frankenstein* (1995).
● **CORRÉLATS :** cinéma ; Faust ; Lumières ; mythe ; progrès ; Prométhée ; romantisme.

FUTURISME

● **ÉTYM. :** Dérivé de *futur*, du latin *futurus* (« ce qui est à venir »).
● **DÉF. :** Créé par le poète italien Marinetti dans son *Manifeste du futurisme* (1909), le terme *futurisme* désigne l'école artistique et littéraire qui se forme sur ces bases et se développe en Europe jusqu'aux années 1920.

Les origines du futurisme

début XXe siècle

L'importance du futurisme apparaît plus dans l'ébranlement qu'il a causé que dans les œuvres qu'il a concrètement suscitées.

S'inscrivant dans l'effervescence intellectuelle et artistique qui marque les années précédant la Première Guerre mondiale*, le futurisme est un phénomène spécifiquement italien, même s'il s'est manifesté à Paris. Il se caractérise par l'exaltation du monde industriel moderne et un violent rejet du passé qu'explique vraisemblablement le poids du conformisme et de l'académisme dans l'Italie du début du XXe siècle.

Révolté prométhéen fasciné par la technique*, Marinetti admire les machines (« Une automobile de course est plus belle que la Victoire de Samothrace »), cultive l'esthétique* du mouvement et de la vitesse, se laisse aller au vertige du risque et de la violence jusqu'à qualifier la guerre d'« hygiène du monde », appelle à brûler les bibliothèques et les musées.

L'évolution du futurisme

Dans les années qui précèdent la guerre de 1914, une école de peintres et de sculpteurs se constitue autour de lui, cherchant à restituer en termes plastiques, et non sans bonheur, des effets dynamiques : Severini s'attache à des scènes de danse ; Boccioni peint ou sculpte des sportifs en action ; Balla évoque le mouvement cosmique des astres ou de la lumière. L'influence du mouvement se fait sentir en Allemagne, en France (le *Nu descendant un escalier* de Duchamp est de 1913), en Russie où un groupe se forme autour du jeune poète Maïakovski.

La guerre porte un coup au futurisme. Boccioni et l'architecte Sant'Elia sont tués au front. Dans les années qui suivent, Marinetti croit voir dans la montée et le triomphe du fascisme* l'expression politique de l'idéal futuriste. Il publie en 1924 *Futurisme et fascisme* et lie définitivement son destin au totalitarisme* mussolinien. En Russie, Maïakovski croit un moment faire de même avec le communisme soviétique* mais, déçu par l'évolution du régime, il se suicide en 1930. En tout état de cause, l'explosion futuriste a participé des forces de rupture qui, entre 1900 et 1920, ont précipité l'avènement de l'art moderne*.

● **À CONSULTER :** N. Lynton, *L'Art moderne*, Flammarion (1994). M. Drudi-Gambillo, T. Fiori, *Futurisme et futurismes*, Chemin vert (1986). G. Lista, *Futurisme. Manifestes, documents, proclamations*, Âge d'homme (1973).
● **CORRÉLATS :** art moderne ; communisme soviétique ; esthétique ; fascisme ; Révolution industrielle.

GÉNÉTIQUE

● **ÉTYM. :** Du grec *genêtikos* (« propre à la génération »), de *-genês*, issu de *genos* (« naissance, origine »). D'abord adjectif (1874), le terme *génétique* devient un nom au début du XXe siècle. ● **DÉF. :** Traditionnellement définie comme « science* de l'hérédité et de la variation des corps vivants » (Bateson, 1906), la génétique devient, avec les acquis récents de la biologie* moléculaire, la science des génomes interprétés comme la somme des déterminants héréditaires propres à une espèce ou, plus largement, la science des gènes.

L'objet et les projets de la génétique

La génétique s'intéresse aux fonctions qui contrôlent l'organisation, l'expression et le mouvement des gènes. Elle se fixe un double objectif : d'une part, déterminer les processus qui garantissent la permanence et la transmission fidèle de l'information génétique ; d'autre part, caractériser les causes et les mécanismes qui sont, au contraire, responsables de la variabilité génomique (lésions et mutations géniques, refonte et réassortiments par recombinaison, échange par enjambement ou *crossing over*).

Les concepts de programme, de code, d'information et les lois de la génétique statuent sur la « mémoire » des espèces et des individus (*génotype*), ainsi que sur son expression attestée par l'ensemble des caractères observables (*phénotype*). Aussi la génétique s'applique-t-elle à dégager les principes qui gouvernent à la fois « la ressemblance et les différences entre les individus qui entretiennent un rapport de descendance » (Bateson, 1906). La génétique moléculaire, plus récente, s'efforce, quant à elle, d'élucider la nature des « défauts » géniques et, éventuellement de les corriger.

Un siècle de découvertes

La génétique ne se constitue en science autonome qu'à partir de 1900, avec la redécouverte conjointe des lois de Mendel par de Vries (1848-1935), Correns (1864-1943) et Tschermak (1871-1962).

Quatre moments annoncent son avènement et ponctuent son histoire :

– La reconnaissance et l'isolement par Mendel (1865) d'unités ou de « facteurs héréditaires », dissociables les uns des autres, insécables et transmissibles, vecteurs des caractères « visibles » et se comportant comme autant « d'entités absolues » ou « d'atomes de l'hérédité » : ultérieurement nommés « gènes » par Johannsen (1909), ils existent, pour les individus d'une même espèce, sous plusieurs versions, copies modifiées ou états appelés « allèles ».

– La mise en évidence, dans le noyau des cellules, « d'une substance héréditaire » baptisée « chromatine » par Flemming (1879), revêtant l'aspect de corps figurés, rectilignes ou incurvés, facilement colorables appelés « chromosomes » par Waldeyer (1888) : leur nombre, éminemment variable d'une espèce à l'autre, est toujours pair (*diploïdie*)

dans les lignées somatiques ; il est ramené à un simple assortiment (*haploïdie*) dans les gamètes. Les chromosomes portent comme autant de « perles juxtaposées sur le fil d'un collier » (Morgan, 1910) les facteurs mendéliens, ou gènes, dont l'ordre et la position composent la cartographie génique.
– L'identification par Avery, McLeod et McCarthy (1944) d'une macromolécule nucléaire, l'acide désoxyribonucléique ou ADN, « principe transformant », véhicule matériel des caractères héréditaires.
– L'établissement par Watson et Crick (1953) de la structure de l'ADN et des modalités de sa synthèse ou réplication : l'ADN présente une structure hélicoïdale et répétitive ; la molécule s'organise en unités séquentielles de codons ou triplets, chacun formé de trois motifs ou bases nucléiques, choisis parmi les quatre qui structurent cette « langue ». Chacun de ces codons spécifie un acide aminé ; une machinerie cellulaire ou ribosome réécrit, à partir d'une copie ou transcrit d'ARN (acide ribonucléique), ce programme informatif en une autre langue où l'enchaînement des acides aminés se substitue à celui des codons. Cette réécriture compose d'autres macromolécules efficientes : les protéines, véritables catalyseurs des réactions cellulaires.
Dans cette équation simple qui véhicule le sens informatif du programme génétique (ADN et ARN) aux produits participant aux fonctions vitales (protéines), réside l'intelligibilité, la raison ou, selon l'expression de F. Jacob (1970), la « logique du vivant » : « L'image qui décrit au mieux notre savoir de l'hérédité est bien celle d'un message chimique. Un message écrit non pas avec des idéogrammes comme en chinois, mais avec un alphabet, comme en morse. »

La vie, mécanique fixiste ou jeu capricieux ?

Le contrôle arithmétique ou statistique des unités géniques, tel qu'il s'opère conformément aux lois établies par Mendel, invalide, semble-t-il, la fantaisie et les « caprices » de la nature. Contre ce fixisme biochimique, de Vries (1901), puis Morgan (1910) introduisent la notion de « mutations » : des fluctuations abruptes et souvent discrètes du génome se répercuteront brutalement – par « saut » – sur les phénotypes.
Plus récemment encore, McClintock (1941, 1948) isole des entités géniques, mobiles ou sauteuses (appelées « transposons » ou « séquences d'insertion »), à l'origine de réarrangements chromosomiques : elles perturbent, comme les mutations, l'apparente stabilité du programme informatif. Mutations ponctuelles et insertions de transposons représentent des facteurs capitaux d'instabilité, à l'œuvre dans les processus évolutifs.

Génétique, racisme et eugénisme

La diversité génétique prévaut dans les sociétés animales : la communauté humaine ne contrevient pas à la règle ; elle est, au contraire, le produit de métissages constants depuis la préhistoire*. Aussi la division de l'espèce humaine en prétendues « races », définies par des traits morphologiques (couleur de la peau, texture des cheveux, dimension du crâne...), est un projet inepte, projet pourtant poursuivi par l'ethnologie* à ses débuts. La nullité d'une telle tentative de classification a été établie par des chercheurs américains (Lewontin, 1974 ; Nei, 1975) : les analyses statistiques appliquées à des marqueurs génétiques font ressortir que les plus grands écarts sont observés, non pas entre les groupes de populations, mais entre les individus d'un même groupe. Ce constat invalide, pour le généticien, tout recours à la subdivision de l'espèce humaine en soi-disant « races », et plus largement toutes les idéologies* relevant du racisme.
Dès le XIXe siècle, certains idéologues avaient perverti les lois du déterminisme rigoureux fondateur de l'originalité de chaque être, pour annihiler ce qui, à leurs yeux, passe pour une irrégularité ou une anomalie. C'est ainsi que Galton (1883), sur des présupposés confus, a proposé d'instituer, sous le terme d'*eugénisme* (du grec *eu* : « bien », et *genos* : « naissance, origine »), « une science de l'amélioration de la lignée [...] qui, particulièrement dans le cas de l'homme, s'occupe [...] de donner aux races les mieux douées un plus grand nombre de chances de prévaloir sur les races les moins bonnes ». Dévoyant le projet explicatif du darwinisme (1859) et appliquant à la lettre un programme régi par une logique incohérente, des hommes et des États totalitaires* ont établi, puis promulgué sous la contrainte et la terreur, une hiérarchie des races et une

sélection des individus : le régime national-socialiste* procéda à la stérilisation des malades mentaux (1933), l'élimination des adultes handicapés et des « incurables » (1939), l'extermination des « races inférieures » dans le cadre de la « solution finale » (1942). L'histoire récente a montré qu'un tel concept légitimant le mal radical, la haine et l'éradication de l'Autre, ne conduisait qu'à l'horreur, à l'abjection et aux justement nommés « crimes contre l'humanité ».

ENJEUX CONTEMPORAINS

Science et société

En cette fin de XXe siècle, la génétique consacre la prééminence de la biologie moléculaire, c'est-à-dire l'interprétation des phénomènes biologiques à l'échelle infracellulaire : la cellule est désormais fractionnée. Après avoir fixé un dogme – celui de l'information unidirectionnelle et descendante de l'ADN aux protéines –, la génétique désacralise le gène : elle l'identifie; le clone, l'autopsie, le séquence. Elle lui retire de son mystère : de concept, il devient simple objet ou corps de la nature.

L'organisation, la régulation et l'activité du gène maintenant connues et maîtrisées, les modifications et les « manipulations » de cette entité qui semblait inaltérable vont servir les ambitieux projets de l'homme : le génie génétique ou technologie de l'ADN recombinant rassemble les techniques* qui remanieront et transformeront les programmes génétiques des êtres vivants pour les rendre plus « intéressants » – entendons plus profitables ou lucratifs – pour les industries agro-alimentaires et pharmaceutiques. Bien qu'elles ouvrent des voies fertiles pour le traitement de maladies génétiques, les manipulations géniques et l'obtention de cellules chimériques, de plantes et d'animaux transgéniques suscitent quelque effroi.

Demeure cette question que les généticiens ne peuvent éluder : si la science consacre définitivement la souveraineté de l'homme sur la nature, jusqu'où peut-on aller ? La science peut-elle, en toute innocence et en toute impunité, enfreindre le cadre naturel d'une espèce instaurée à la suite d'une longue évolution ?

● **À CONSULTER :** D. Buican, *La Génétique et l'Évolution*, PUF, « Que sais-je ? » (1993). D. Buican, *L'Évolution de la pensée biologique*, Hachette (1995). A. Danchin, *L'Œuf et la Poule. Histoires du code génétique*, Fayard (1983). F. Jacob, *La Logique du vivant. Une histoire de l'hérédité*, Gallimard (1970). A. Jacquard, *Éloge de la différence*, Seuil (1981). B. Lewin, *Gènes*, Flammarion (1988). A. Pichot, *L'Eugénisme*, « Optiques », Hatier (1995). J.D. Watson, N.H. Hopkins, J.W. Roberts, J.A. Steitz, A.W. Weiner, *Biologie moléculaire du gène*, Inter-Éditions (1989).

● **CORRÉLATS :** bioéthique ; biologie ; ethnologie ; national-socialisme ; technique.

GOTHIQUE (ART)

● **ÉTYM. :** Dérivé de *Goth*, nom d'un peuple barbare de la basse Antiquité* qui prit et dévasta Rome en 410. Apparu à la Renaissance*, le terme *gothique* (« relatif au Moyen Âge* ») est à la fois impropre et péjoratif : il est dû au mépris des humanistes* italiens (pour qui la beauté ne pouvait être qu'antique) à l'égard de la production artistique médiévale, jugée barbare. Le terme, devenu courant, s'est maintenu après la réhabilitation de l'art médiéval au XIXe siècle. ● **DÉF. :** Le gothique désigne le style caractéristique de l'art européen entre la seconde moitié du XIIe siècle et la fin du XVe siècle.

L'apparition de l'art gothique

milieu XIIe siècle – XIIIe siècle

Expression artistique de la civilisation de l'Occident médiéval après 1160, l'art gothique doit son apparition à une innovation architecturale : la voûte sur nervures, dite « croisée d'ogives ». Il ne peut cependant pas se réduire à cette formule technique ; c'est pourquoi l'expression *style ogival*, à la mode au début du XXe siècle, est rejetée aujourd'hui comme trop restrictive.

L'art gothique s'inscrit dans le mouvement de l'Histoire, à un moment marqué par le déclin progressif de la féodalité* et le retour du pouvoir royal, par un début de croissance économique et l'importance nouvelle que prennent les villes*, par la poussée démographique et l'affirmation de l'Occident que concrétisent les croisades*.

Une église gothique se reconnaît immédiatement, non seulement au recours systématique à l'arc brisé, mais à la légèreté de ses structures, facteur d'élégance et d'élancement. En transférant la totalité de la poussée des voûtes à un nombre limité de supports soutenus, de l'extérieur, par des arcs-boutants, l'architecture gothique peut largement évider les murs et inonder les édifices de lumière. Si la technique de la croisée d'ogives semble due à des bâtisseurs anglo-normands, c'est dans le Bassin parisien qu'ont lieu les expériences décisives (abbatiale de Saint-Denis, cathédrales de Noyon, de Laon). Rapidement maîtrisées, les formules de construction gothiques atteignent la perfection au XIIIe siècle, âge d'or des cathédrales toujours plus vastes, toujours plus hautes (Chartres, Paris, Reims, Amiens, Rouen, Bourges, Beauvais).

Mais l'innovation gothique ne se limite pas à la technique architecturale, c'est aussi une esthétique* nouvelle. La sculpture, rompant avec le symbolisme stylisé de la statuaire romane, s'oriente vers un réalisme* transcendé dont les plus belles réussites, au XIIIe siècle, font penser aux chefs-d'œuvre du classicisme grec.

Loin de se limiter à l'art religieux, le gothique concerne toutes les formes d'expression artistique, l'architecture civile, mais aussi la peinture, l'orfèvrerie, la tapisserie, l'art du vitrail, que stimule la nécessité de produire de grandes verrières pour les vastes baies des églises. Art total, essentiellement urbain, il s'identifie complètement, à partir du XIIIe siècle, à la civilisation du Moyen Âge européen.

L'évolution de l'art gothique

XIVe–XVe siècles

Passé les grandes réalisations du XIIIe siècle, l'art gothique évolue dans le contexte troublé de la fin du Moyen Âge, marqué par la persistance des conflits (guerre de Cent Ans) et la récurrence d'épidémies meurtrières (peste noire de 1348). Faisant preuve d'une virtuosité de plus en plus maîtrisée, les architectes allègent au maximum les édifices, réduisant la maçonnerie au point d'aboutir à de véritables murs de verre et à des structures qui font l'admiration des créateurs modernes. Jonglant avec la construction des voûtes, ils en multiplient les nervures et conçoivent des combinaisons qui sont autant de défis techniques, comme les voûtes anglaises « en éventail » des XIVe et XVe siècles (Gloucester, Shelborne, Cambridge). Les formes décoratives se compliquent, cherchant les effets d'asymétrie et de mouvements caractéristiques de ce qu'on nomme le « gothique flamboyant ».

Dans le domaine plastique, le réalisme triomphe ; les sculpteurs accentuent la recherche d'une vérité psychologique des personnages, sensible en particulier chez les artistes de l'École bourguignonne. La technique picturale évolue : en Flandres, les frères Van Eyck inventent la peinture à l'huile et ajoutent au réalisme par la progressive maîtrise de la perspective.

Mais, à la fin du XVe siècle, une réaction contre l'esthétique gothique se prépare. En Italie, où l'art gothique avait toujours été un phénomène d'importation, la redécouverte de l'Antiquité conduit à rompre avec les formules médiévales dès l'extrême fin du XIVe siècle. Le XVe siècle italien (le *Quattrocento*) marque l'avènement de la Renaissance qui, de manière très injuste, rejettera comme barbare le gothique, identifié à un Moyen Âge ignorant de la beauté antique.

C'était refuser de voir que l'art gothique, par des voies différentes, avait souvent atteint un niveau de perfection qui tient la comparaison avec les plus belles réussites de l'Antiquité.

● **À CONSULTER :** J.-P. Willesme, *L'Art gothique*, Flammarion (1996). A. Martindale, *L'Art gothique*, Thames & Hudson (1993). A. Erlande-Brandenburg, *L'Art gothique*, Citadelles (1983). G. Duby, *L'Europe du Moyen Âge*, Flammarion (1985) ; *Le Temps des cathédrales*, Gallimard (1978).
● **À LIRE :** V. Hugo, *Notre-Dame de Paris* [la perception romantique du gothique]. ● **À VOIR :** G. Duby, *Le Temps des cathédrales*.
● **CORRÉLATS :** Église catholique ; féodalité ; Moyen Âge ; Renaissance ; roman (art) ; ville.

GRÈCE ANTIQUE

● **ÉTYM. :** Du latin *Graecia*, dérivé de *Graeci* (en grec *Graikoi*) qui désigne la première tribu hellénique installée en Italie au VIIe siècle avant J.-C. Les Grecs eux-mêmes se sont toujours désignés comme *Hellènes*, la Grèce étant l'« Hellade » (en grec, *Hellas*). ● **DÉF. :** L'installation de peuples indo-européens en Grèce et sur les rivages de la mer Égée se fait dans le courant du IIe millénaire avant J.-C. : elle est à l'origine de la civilisation mycénienne (*cf.* haute Antiquité). La civilisation proprement grecque se développe au cours du Ier millénaire avant J.-C., au terme d'une période confuse marquée par l'ultime migration des Doriens. À partir d'un modèle conçu par les historiens de l'art, son histoire se divise en deux périodes : la Grèce « archaïque » (VIIIe-VIIe siècles av. J.-C.), la Grèce « classique » (VIe-IVe siècles av. J.-C.).

Les cités grecques

Du VIIe au IVe siècle avant J.-C., la civilisation de la Grèce antique rayonne à partir de la Méditerranée orientale (Grèce, côtes d'Asie Mineure) et des prolongements occidentaux de Sicile et d'Italie du Sud.

Politiquement, le monde grec est divisé en un grand nombre de micro-États : les cités. La cité (*polis*) comprend une ville* et la campagne environnante (Athènes*, Sparte*, Corinthe, Thèbes...), ce qui donne à la civilisation grecque un caractère profondément urbain. Le mode de gouvernement des cités est très variable : le pouvoir peut appartenir à quelques grandes familles (aristocratie) ou être réservé à une minorité de citoyens, comme on le voit à Sparte (oligarchie) ; il peut aussi être dévolu, comme à Syracuse, à une sorte de dictateur, le « tyran » (le mot, qui signifie d'abord « prince », ne prend un sens péjoratif que tardivement, chez Platon*) ; il peut enfin être détenu par l'assemblée de tous les citoyens, comme c'est le cas à Athènes (*cf.* Démocratie).

En tout état de cause, l'évolution politique a souvent été commandée par les tensions sociales. Il faut remarquer que, partout, les citoyens sont restés une minorité, non-citoyens et esclaves* étant majoritaires : même la démocratie* athénienne est, en fait, une oligarchie de privilégiés.

L'absence d'unité

Malgré un puissant sentiment d'identité culturelle dont témoignent des cultes communs (sanctuaires d'Apollon à Delphes, de Zeus à Olympie), ou des manifestations sportives à caractère religieux comme les Jeux olympiques (les premiers ont lieu en 776 avant J.-C.), la division prévaut entre les cités. Les alliances sont épisodiques et conjoncturelles, la guerre est endémique.

Cependant, la tentative d'invasion perse, au début du Ve siècle avant J.-C., unit la majorité des cités autour d'Athènes et permet la victoire (guerres médiques, 490-478 av. J.-C.). Mais l'union ne survit pas à la prépondérance ainsi acquise par Athènes. Dans la seconde moitié du Ve siècle, un long conflit oppose Athènes et Sparte (guerre du Péloponnèse, 431-404 av. J.-C.), dont les deux cités sortent affaiblies. Au IVe siècle avant J.-C., après une brève suprématie de Thèbes, les cités grecques désunies se voient imposer, à partir de 338 avant J.-C., le protectorat du roi Philippe II de Macédoine.

La postérité de la Grèce antique

Avec Alexandre le Grand (336-323), fils de Philippe, la cité grecque s'engage dans un irrésistible déclin, mais la civilisation grecque va prendre une dimension nouvelle par les relais que représentent le monde hellénistique* et les Empires romain*, puis byzantin*. À partir du VIIe siècle après J.-C., la conquête arabe qui s'étend sur des pays fortement hellénisés permettra également la transmission de la philosophie et des sciences grecques (*cf.* Islam). Enfin, en Occident, c'est par le biais de l'Église catholique* que se maintiendront la connaissance des langues anciennes et l'accès aux grands textes. La chute de Constantinople, en 1453, se traduit par l'arrivée massive de manuscrits anciens dont l'humanisme* de la Renaissance* se nourrira.

ENJEUX CONTEMPORAINS

Héritage de la pensée grecque

La pensée grecque, puis gréco-latine, joue un rôle fondamental dans la culture occidentale. Tout d'abord, notre langue est constituée de nombreux mots d'origine grecque, notamment dans le vocabulaire savant, le grec autorisant la composition de néologismes à partir de ses racines (*métaphysique*, physique*, psychologie*, psychanalyse*, théologie...*).

GRÈCE ANTIQUE (≈ 450 av. J.-C.)

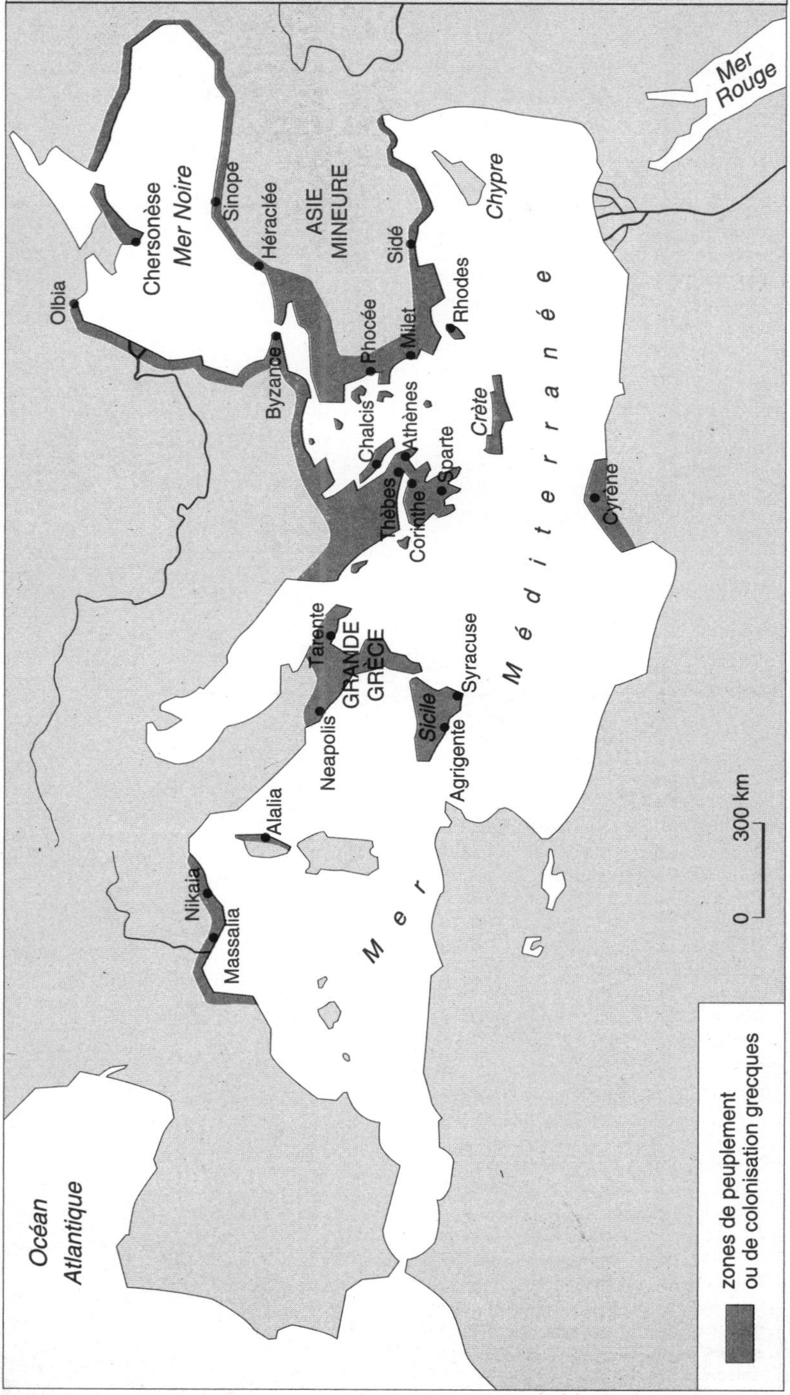
Mer Noire
Chersonèse
Olbia
Sinope
Héraclée
Byzance
ASIE MINEURE
Sidé
Phocée
Milet
Rhodes
Chypre
Mer Rouge
Chalcis
Athènes
Thèbes
Corinthe
Sparte
Crète
Cyrène
Méditerranée
Tarente
GRANDE GRÈCE
Neapolis
Sicile
Syracuse
Agrigente
Alalia
Nikaia
Massalia
Mer
Océan Atlantique
0
300 km
zones de peuplement ou de colonisation grecques

Nous devons aussi à la civilisation grecque la création de la plupart de nos sciences*. C'est la philosophie grecque, avec Platon, Aristote* et le stoïcisme*, qui dégage les grands principes d'organisation des sciences : ce que nous appelons aujourd'hui la « logique », c'est-à-dire la détermination de la forme des raisonnements nécessaires. Les Grecs comprennent la nature hypothético-déductive des mathématiques* et les exigences fondamentales des théories rationnelles, c'est-à-dire l'existence d'une hiérarchie de principes dont peuvent être déduites les conséquences.

Les sophistes* ont engagé une étude systématique du langage humain, à l'origine des sciences du langage : *rhétorique*, sémantique, syntaxe, phonologie, étymologie.* Le programme des universités, depuis leur création médiévale jusqu'aux Temps modernes*, est un héritage de la pensée grecque : on y distingue le *trivium* (grammaire, rhétorique, dialectique ou logique) et le *quadrivium* (arithmétique, géométrie, musique, astronomie).

Le nom et l'idée même de « philosophie » nous viennent de la Grèce. La pensée politique lui doit l'identification et la classification des principaux régimes, et plus généralement, la conception même de la « politique » comme domaine qui ne dépend ni des dieux ni de la nature, mais des délibérations humaines. L'invention de la démocratie et de la citoyenneté met en évidence quelques-uns des principes du droit* politique : souveraineté populaire, partage du pouvoir, égalité en droit des citoyens, affirmation que la liberté réside dans l'obéissance aux lois qu'on se prescrit.

En art, la référence aux modèles anciens définit le classicisme*. Dans les arts plastiques, ses valeurs sont la mesure, l'harmonie, l'équilibre, la représentation sereine et idéalisée du corps humain. En littérature, les principaux genres sont codifiés (tragédie*, comédie*, épopée*, poésie* lyrique...). Enfin, la mythologie grecque (Antigone*, Œdipe*, Prométhée*...) a inspiré et inspire encore notre littérature, nos arts et notre pensée.

● **À consulter :** P. Petit, *Précis d'histoire ancienne*, PUF (1994). C. Mossé, *Dictionnaire de la civilisation grecque*, Complexe (1992) ; *Les Institutions grecques*, Armand Colin (1996). J.-P. Vernant, *Mythe et religion en Grèce*, Seuil (1990). J.-J. Maffre, *L'Art grec*, PUF (4e éd., 1994) ; *La Vie dans la Grèce ancienne*, PUF (2e éd., 1992).
● **À voir :** M. Cacoyannis, *Électre*. P.P. Pasolini, *Médée* ; *Œdipe roi* [les grands mythes grecs revisités par le cinéma].
● **Corrélats :** Antigone ; Antiquité ; Antiquité (haute) ; Aristote ; Athènes ; biologie ; christianisme (débuts du) ; colonisation ; démocratie ; empire ; épicurisme ; épopée ; esclavage ; esthétique ; hellénistique (monde) ; Histoire et historiens ; Histoire (philosophies de l') ; mathématiques ; métaphysique ; mythe ; Œdipe ; physique ; Platon ; Prométhée ; scepticisme ; sciences de l'homme ; sciences exactes ; sophistes ; Sparte ; stoïcisme ; ville.

GUERRE FROIDE

● **Étym. :** Du francique *werra* (« guerre »). ● **Déf. :** On désigne par *guerre froide* les rapports conflictuels établis entre l'URSS et les démocraties* occidentales après la Seconde Guerre mondiale*. La guerre froide implique une attitude d'hostilité réciproque, n'allant cependant jamais jusqu'au conflit armé (dit « guerre chaude »).

Les débuts de la guerre froide

1946-1947

L'expression *guerre froide* apparaît aux États-Unis, au début de 1947, pour qualifier la brouille grandissante entre les alliés de la coalition anti-hitlérienne.

Déjà, en 1946, les Occidentaux reprochaient à l'URSS de ne pas tenir les engagements pris à la conférence de Yalta (février 1945) en mettant en place, dans les pays d'Europe de l'Est libérés par l'armée soviétique, des gouvernements communistes* à la solde de Moscou. « Un rideau de fer est tombé sur le continent », déclarait alors Churchill.

L'aide apportée par le président américain Truman, en mars 1947, à la Grèce

et à la Turquie, objets de pressions soviétiques, montre que les États-Unis ont décidé de « contenir » l'expansion communiste en Europe* (politique du *containment*). Quelques mois plus tard, le plan Marshall d'aide économique aux pays dévastés d'Europe a en partie pour but, en améliorant rapidement les conditions de vie, d'y éviter le développement d'une propagande communiste révolutionnaire.
Moscou riposte en dénonçant « l'impérialisme américain » et mobilise les partis communistes, alors puissants en Italie et en France. En février 1948, un coup de force installe, en Tchécoslovaquie, un pouvoir communiste inféodé à Moscou.
Deux blocs antagonistes s'établissent alors : le « monde libre » et le « camp socialiste ». Ils se constituent en alliances militaires : en 1949, le Pacte atlantique (OTAN : Organisation du traité de l'Atlantique Nord) regroupe les États d'Europe de l'Ouest autour des États-Unis ; en 1955, le pacte de Varsovie intègre les forces des républiques satellites de l'URSS aux forces armées soviétiques.
D'inquiétantes confrontations font alors craindre l'imminence d'une Troisième Guerre mondiale : le blocus de Berlin-Ouest par les Soviétiques, qui oblige les Américains à organiser un pont aérien pour ravitailler les quartiers sous contrôle occidental de l'ex-capitale allemande (de juin 1948 à mai 1949) ; l'attaque de la Corée du Sud par les Nord-Coréens communistes, l'armée américaine intervenant sous couvert de l'ONU, tandis que les Chinois, passés au communisme en 1949, soutiennent les Nord-Coréens (1950-1953). Les premiers efforts d'union européenne* (1951) s'inscrivent dans ce contexte et visent à renforcer la cohésion de l'Europe occidentale face à la menace soviétique. Quand les Alliés reconstituent à l'ouest une République fédérale allemande (RFA), les Soviétiques transforment leur zone d'occupation en République démocratique allemande (RDA), communiste.
La mort de Staline (mars 1953) apporte un début de « détente », mais c'est surtout la possession de l'arme atomique par les deux superpuissances (à partir de 1949) qui a évité le glissement vers un conflit armé. Convaincus l'un et l'autre qu'il ne peut y avoir de vainqueur dans une confrontation nucléaire*, les deux adversaires cherchent à se neutraliser en conservant face à l'autre un potentiel atomique égal : c'est « l'équilibre de la terreur ».

La crise des « fusées » et la « détente »

1962-1979

Khrouchtchev dirige l'URSS après Staline. Il lance l'idée d'une « coexistence pacifique » entre les deux blocs mais, s'il dénonce la dictature terroriste de Staline, il reste fidèle aux grandes lignes de sa politique étrangère. Il écrase en 1956 la tentative hongroise d'échapper à la mainmise soviétique et, en 1961, il fait construire le « mur de Berlin », interdisant toutes relations entre les quartiers ouest, relevant de la RFA, et les quartiers est, rattachés à la RDA.
En 1962, éclate la crise la plus grave de la guerre froide. L'URSS soutenant à Cuba le gouvernement révolutionnaire de Castro, rallié au communisme, Khrouchtchev prend le risque d'installer dans l'île – très proche des États-Unis – des missiles capables d'atteindre n'importe quel point du territoire américain. En octobre 1962, le président Kennedy met l'URSS en demeure de retirer ses fusées et prend des mesures militaires. Après une semaine d'extrême tension, le gouvernement soviétique obtempère. Le monde a frôlé la guerre nucléaire.
Cette crise dramatique, qui n'est pas étrangère à l'éviction de Khrouchtchev du pouvoir en 1964, marque le début d'une phase qualifiée de « détente » à Washington et de « coexistence pacifique » à Moscou, qui durera jusqu'en 1979, les deux puissances ayant conscience qu'un conflit nucléaire signifierait leur destruction réciproque.
Produit de la nécessité, cette détente n'est cependant pas un rapprochement : la signature d'accords (traité de non-prolifération nucléaire en 1968, contrôle des missiles stratégiques à partir de 1972) ne met fin ni à la confrontation, ni à la course aux armements. Alors que les États-Unis, de 1964 à 1975, s'engagent au Vietnam dans un conflit ouvert contre un pouvoir communiste soutenu par l'URSS, cette dernière se dote d'une énorme flotte de guerre et intervient en Afrique (Éthiopie, Angola), directement ou par l'intermédiaire de soldats cubains.

La fin de la guerre froide

1980-1989

En 1973, un coup d'État soutenu de Moscou a renversé le roi d'Afghanistan. Un second coup de force, en 1978, installe dans le pays un pouvoir pro-communiste, mais celui-ci rencontre de telles résistances que l'URSS se décide à intervenir militairement et, fin 1979, l'armée soviétique envahit l'Afghanistan.

Cet événement coïncide avec la campagne, puis l'élection à la présidence des États-Unis du républicain Ronald Reagan (novembre 1980). Représentant d'une droite* américaine très hostile à l'URSS, Reagan intensifie la course aux armements. Les Soviétiques installent alors, tournées vers l'Europe, des batteries de fusées très performantes auxquelles les Américains ripostent par le déploiement d'« euromissiles » sur le territoire allemand (1983). Surtout, le président américain annonce l'« Initiative de défense stratégique » (IDS), mise en place d'un véritable bouclier antimissiles à partir d'un réseau basé sur des satellites artificiels, dispositif extrêmement complexe et coûteux, installé dans l'espace, et surnommé pour cette raison « guerre des étoiles ».

En fait, il se peut que la « guerre des étoiles » n'ait été qu'un bluff destiné à pousser l'adversaire à des dépenses qu'il ne pourrait pas supporter. Très au courant de la situation de plus en plus difficile en URSS, minée par l'échec de l'économie planifiée et la sclérose du système communiste, le gouvernement américain pouvait espérer qu'incapable de tenir cette surenchère, Moscou négocierait.

Les choses se précipitent alors. Arrivé au pouvoir en 1985, le nouveau secrétaire général du parti communiste soviétique, Mikhaïl Gorbatchev, tente une réforme générale (*perestroïka*) et relance une politique de détente pour diminuer le poids des dépenses militaires. Les concessions faites par Gorbatchev produisent des effets imprévus : l'ouverture du rideau de fer, la chute du mur de Berlin (novembre 1989), l'échec des réformes économiques. Elles entraînent la rapide déroute des pouvoirs communistes en Europe de l'Est. Bientôt, c'est en URSS même que le système s'effondre et, emportée par la débâcle du communisme, l'Union soviétique se défait en 1991.

Enjeux contemporains

Relations internationales

Le président Reagan s'est parfois vanté d'avoir gagné la guerre froide. En fait, le communisme soviétique s'est détruit tout seul : avec lui, s'est effacée la menace que représentait l'expansion d'une idéologie totalitaire* à vocation universelle.

Est-ce à dire qu'on est entré dans cette « fin de l'Histoire » qu'évoquait en 1989 le politologue américain F. Fukuyama ? La disparition de l'équilibre bipolaire auquel le monde s'était, bon gré mal gré, habitué depuis un demi-siècle pose davantage de problèmes qu'il n'apporte de solutions. Le « nouvel ordre mondial » annoncé en 1990 par le président américain George Bush s'avère plutôt un désordre. Les États-Unis, qui dissimulaient peut-être derrière cette formule la tentation d'une hégémonie à dimension planétaire, n'ont pas les moyens d'exercer celle-ci, même s'ils ont fait la preuve, en Irak lors de la guerre du Golfe (1991), dans l'ex-Yougoslavie face aux carences de l'Union européenne (1995), qu'ils étaient pour le moment les seuls capables d'agir avec efficacité.

En fait, aucune puissance ne peut aujourd'hui assurer son *leadership* à l'échelle mondiale. L'émergence de la Chine, l'unification de l'Europe – économique à présent, politique peut-être demain – contrarient l'influence des États-Unis, sortis eux aussi affaiblis de la guerre froide : le XXIe siècle s'annonce multipolaire.

● **Étym. :** A. Fontaine, *Histoire de la guerre froide*, Seuil (rééd., 1983). J.-B. Duroselle, *Histoire diplomatique de 1919 à nos jours*, Dalloz (1993). C. Zorgbibe, *L'Après-Guerre froide dans le monde*, PUF (1993). S. Bernstein, P. Milza, *Histoire du XXe siècle*, Hatier (1996). P. Boniface, *Atlas des relations internationales*, Hatier (1997). ● **À lire :** J. Le Carré, *La Maison Russie ; Un pur espion ; La Taupe* ● **À voir :** C. Reed, *Le Troisième Homme*. Z. Mostel, *Le Prête-Nom*.

● **Corrélats :** communisme soviétique ; contemporaine (Époque) ; Europe (idée d') ; institutions internationales ; nucléaire ; Union européenne.

GUERRES MONDIALES

● **ÉTYM. :** Du francique *werra* (« guerre »). ● **DÉF. :** On appelle communément *guerres mondiales* les deux grands conflits armés de la première moitié du XXe siècle. La Première Guerre mondiale (1914-1918) est aussi appelée la « Grande Guerre ».

La « seconde guerre de Trente Ans »

La première moitié du XXe siècle a vu se dérouler deux guerres mondiales (1914-1918 et 1939-1945) qui représentent les affrontements militaires les plus gigantesques et les plus meurtriers de toute l'histoire humaine.

Dans les deux cas, un conflit originellement inter-européen a dégénéré en guerre planétaire, conséquence à la fois du rôle mondial assumé progressivement par les États d'Europe* depuis le XVIe siècle et de l'élargissement international des secteurs d'intérêts économiques et stratégiques (*cf.* Colonisation), entraîné par les Révolutions industrielles* et techniques du XIXe siècle.

Aujourd'hui, historiens et politologues ont tendance à traiter comme une totalité cohérente les deux guerres et les vingt ans de paix précaire qui les séparent. Déjà, le général de Gaulle, dans ses *Mémoires de guerre* (1954-1959), parlait d'une « seconde guerre de Trente Ans ».

Pourtant, dans le dernier quart du XIXe siècle, un nouvel équilibre européen, garant de paix, semblait possible. L'Angleterre était alors au faîte de sa puissance économique et financière ; l'Italie et l'Allemagne venaient chacune de s'unifier ; en France, la IIIe République concrétisait enfin les idéaux de 1789 (*cf.* Révolution française). Forte de son avance technique et de ses empires coloniaux, l'Europe dominait le monde. Après une phase dépressive, la seconde Révolution industrielle relançait la croissance, apportant une élévation sensible du niveau de vie, particulièrement pour le prolétariat industriel, si malmené au XIXe siècle. Beaucoup voyaient arriver avec optimisme le XXe siècle. Tout bascule en 1914 dans l'horreur et le chaos.

Des raisons purement économiques ne peuvent expliquer l'éclatement de la Première Guerre mondiale. Certes, il existait des rivalités d'intérêts, mais nulle ne pouvait conduire à un conflit armé. Les heurts entre puissances consécutifs à l'expansion coloniale étaient dépassés. Tous les problèmes diplomatiques surgis pendant l'été 1914 étaient passibles de négociations.

La guerre est sortie du jeu des alliances antagonistes, dans une atmosphère de nationalismes* exacerbés. Les gouvernements ont été pris dans un engrenage mortel qu'ils avaient tous contribué à construire en sous-estimant les risques. Il a suffi que quelques-uns s'engagent dans une démarche aventureuse pour que l'incendie s'allume. Il s'en est suivi la ruine et la déstabilisation durable de l'Europe avec, à terme, les conditions d'un second conflit encore plus long et plus atroce que le premier. Ce n'est qu'après 1945 que les Européens comprendront la vanité des haines nationalistes.

La Première Guerre mondiale

1914-1918

La Première Guerre mondiale oppose deux systèmes d'alliances : d'un côté, l'« Entente » (France, Russie, Royaume-Uni) ; de l'autre, les « Empires centraux » (Allemagne, Autriche-Hongrie). Dans chaque coalition, l'un des États membres, confronté à une crise interne, est prêt à prendre le risque d'un conflit armé pour résoudre ses contradictions : il s'agit de l'Empire russe, au bord de la révolution*, et de l'Empire austro-hongrois, vaste conglomérat de pays danubiens unis par la couronne d'Autriche, mais minés par des revendications nationales.

La crise de 1914 éclate à la suite de l'assassinat, le 28 juin, de François-Ferdinand, héritier du trône austro-hongrois, à Sarajevo (Bosnie), meurtre que le cabinet de Vienne impute indirectement à la Serbie. À la suite d'un ultimatum rejeté, l'Autriche-Hongrie attaque la Serbie, alliée de la Russie qui décide donc de la soutenir, entraînant la France, puis l'Angleterre, tandis que l'Empire allemand se range aux côtés de son allié austro-hongrois. Le 2 août 1914, l'Europe s'embrase. Dans les mois qui suivent, l'Empire turc ottoman rejoint les Empires centraux et l'Italie adhère à l'Entente. Les différents états-majors escomptaient une guerre courte, fondée sur de rapides mouvements d'armées : nul n'avait mesuré combien la puissance de feu des armes modernes modifiait les conditions de la stratégie.

La tentative de débordement de la France par le nord, menée par l'armée allemande au prix de la violation de la neutralité belge, est bloquée sur la Marne (septembre 1914) après des succès initiaux. En octobre, un front continu se constitue des Vosges à la mer du Nord et les armées s'enterrent, face à face, dans un inextricable réseau de tranchées. Pendant l'année 1915, toutes les tentatives faites, de part et d'autre, pour rompre ce front continu échouent en s'avérant terriblement meurtrières. À l'est, la Russie, mal préparée, subit de graves revers, mais l'immensité de son territoire interdit aux Empires centraux d'espérer une victoire décisive.

De 1915 à 1918, c'est donc une guerre d'usure qui s'installe, particulièrement cruelle avec l'apparition d'armes nouvelles, comme les gaz toxiques. En 1916, les tentatives de rupture du front se soldent par la mort, sans résultat, de centaines de milliers d'hommes (batailles de Verdun, de la Somme). Dans les pays en guerre, la mobilisation générale des ressources et des moyens économiques implique la totalité de la population et dégrade les conditions de vie. Elle entraîne un formidable gaspillage de richesses. Elle donne également une importance vitale aux approvisionnements et aux voies maritimes. Pour répondre au blocus naval que lui imposent l'Angleterre et la France, l'Allemagne riposte par la guerre sous-marine, torpillant sans discernement les navires de commerce des belligérants et ceux des pays neutres, contribuant ainsi à mondialiser la guerre.

En 1917, le découragement et la lassitude montent : ils provoquent des grèves, des mutineries dans l'armée en France ; la révolution en Russie conduit ce pays à déposer les armes en mars 1918. Mais la défection russe a été compensée pour l'Entente par l'entrée en guerre, à ses côtés, des États-Unis (avril 1917), excédés par les procédés de la guerre sous-marine allemande.

L'appui américain, militaire, mais d'abord économique, l'épuisement croissant de l'Allemagne, l'agitation renaissante en Autriche-Hongrie donnent l'avantage aux forces de l'Entente. Sous le commandement unifié du général français Foch, les Alliés enfoncent le front allemand pendant l'été 1918. Début novembre, l'Autriche-Hongrie, en pleine désagrégation, dépose les armes. La révolution éclate alors en Allemagne, contraignant l'état-major impérial à demander l'armistice, effectif le 11 novembre 1918.

La Première Guerre mondiale a fait huit millions et demi de morts.

La paix manquée

1919-1939

L'Europe d'après-guerre est ruinée et disloquée. L'Autriche-Hongrie et l'Empire ottoman ont éclaté. L'avenir de l'Allemagne, où la République se met difficilement en place, s'avère incertain. En Russie, la révolution s'engage dans le communisme soviétique*. Partout, le pessimisme et le désenchantement engendrent une profonde crise* morale. Dans ce contexte, les traités signés à Versailles en 1919 paraissent peu aptes à fonder un équilibre nouveau et durable. Compromis entre la loi du vainqueur et l'idéalisme du président américain Wilson, qui veut voir appliquer systématiquement le principe « une nation, un État », ils accumulent en fait les facteurs de futurs litiges en émiettant l'Europe centrale sans vraiment résoudre les problèmes de nationalités, tant est complexe dans ces régions l'imbrication des peuples. De plus, la rigueur des clauses imposées à l'Allemagne, essentiellement par la France, rend problématique une réconciliation.

Reste l'espoir d'une sécurité collective. Voulant bannir à jamais la guerre, le président Wilson a obtenu la création d'une assemblée permanente des États destinée à substituer l'arbitrage aux conflits : la « Société des nations » (SDN), mais cette initiative américaine se fait finalement en 1920 sans les États-Unis, la majorité et le président républicains qui succèdent au démocrate Wilson refusant d'y adhérer. Incomplète, sans moyens, la SDN va vite montrer qu'elle est incapable d'assurer la mission pour laquelle elle a été créée.

C'est que les difficultés de l'après-guerre, jointes à la peur de révolutions communistes sur le modèle russe, ne tardent pas à produire de dangereux effets. En Italie, l'agitation populiste porte au pouvoir le fascisme* et son chef, Mussolini, en 1922. Doctrine ultranationaliste qui récuse la démocratie* représentative issue des Lumières* et prône l'« État totalitaire* », le fascisme italien fonde un modèle politique. Quand la brutale crise* économique née aux États-Unis en 1929 vient ruiner le fragile redressement obtenu en Allemagne par le régime républicain, c'est une idéologie voisine, le nazisme*, qui triomphe en 1933 et permet à Hitler d'instaurer la dictature. Théoricien d'un nationalisme raciste, contestant en bloc les traités de Versailles, Hitler est résolu à imposer ses vues, serait-ce au prix de la guerre.

Au cours des années 1930, dans un climat dramatique de dépression économique, la France et la Grande-Bretagne, hantées par la crainte d'un nouveau conflit que leur opinion refuse, semblent paralysées face au dynamisme des dictatures totalitaires. Hésitant à se rapprocher de l'URSS de Staline, elles laissent Hitler détruire méthodiquement l'ordre de Versailles quand il réarme l'Allemagne (1935), occupe la zone démilitarisée de Rhénanie (1936), annexe l'Autriche (mars 1938, l'*Anschluss*). Elles ne peuvent empêcher l'alliance du fascisme et du nazisme (l'axe Rome-Berlin, 1936) et son intervention dans la guerre civile espagnole (1936-1939), qui permet l'installation d'un nouveau régime fascisant, celui du général Franco. En septembre 1938, par les accords de Munich, elles cèdent au chantage à la guerre des dictatures et abandonnent à Hitler la Tchécoslovaquie, dont elles devaient garantir l'intégrité.

En fait, ces capitulations renforcent Hitler, décidé à mettre en œuvre son programme idéologique. Bien que celui-ci implique l'invasion de l'URSS et que l'Allemagne nazie ait conclu avec le Japon une alliance nommément désignée comme anti-soviétique (le « pacte anti-Komintern »), Hitler réussit à obtenir de Staline la signature d'un pacte de non-agression (août 1939). Il a ainsi les mains libres pour s'emparer de la Pologne et, s'il le faut, combattre à l'ouest les démocraties.

L'entrée des troupes allemandes en Pologne, quelques jours plus tard (le 1er septembre), accule finalement la France et l'Angleterre à une guerre qu'elles ne voulaient pas et qu'elles n'ont pas préparée. La Seconde Guerre mondiale commence le 3 septembre 1939.

La Seconde Guerre mondiale

1939-1945

La première phase de la guerre est marquée par de fulgurantes victoires allemandes, dues à l'emploi massif des chars et de l'aviation, ainsi qu'au moral de troupes fanatisées par l'idéologie nazie.

Après un hiver d'inaction, Hitler prend l'initiative au printemps 1940. Il envahit par surprise le Danemark et la Norvège puis, le 10 mai 1940, il lance une attaque générale à l'ouest, par les Pays-Bas et la Belgique. La France est débordée en six semaines ; un gouvernement formé par le vieux maréchal Pétain et replié à Vichy sollicite l'armistice (17 juin) tandis que, de Londres, le général de Gaulle appelle à la résistance (18 juin). Dans les mois qui suivent, le gouvernement de Vichy s'engage dans la voie d'une collaboration avec l'occupant.

Restée seule et galvanisée par son Premier ministre, Winston Churchill, l'Angleterre fait front. À l'automne 1940, elle réussit à empêcher les forces de l'Axe germano-italien de s'emparer de l'Égypte et du canal de Suez. Elle essaie d'autre part d'entraîner à ses côtés les États-Unis : le président Roosevelt est conscient que l'enjeu de la guerre est la survie de la démocratie, mais l'opinion américaine reste très extérieure au conflit européen. L'Angleterre n'obtient qu'une aide économique, qui parvient difficilement à cause de l'action des sous-marins allemands dans l'Atlantique.

Hitler, persuadé que l'Angleterre finira par capituler, prépare alors son grand dessein : la conquête d'un « espace vital » à l'est. Après avoir imposé sa loi aux États balkaniques, et au mépris du traité de non-agression signé en août 1939, il attaque l'URSS le 22 juin 1941.

L'armée allemande remporte encore d'éclatants succès : en quelques mois, l'Ukraine et l'ouest de la Russie sont conquis ; Moscou est atteint, mais la vigueur de la résistance et l'arrivée de l'hiver sauvent la capitale soviétique.

La guerre achève à ce moment de se mondialiser : le 7 décembre 1941, le Japon attaque la base américaine de Pearl Harbor, aux îles Hawaï. Les États-Unis se déclarent alors en guerre non seulement contre le Japon agresseur, mais contre ses alliés européens allemand et italien. Dans l'immédiat, et bénéficiant de l'effet de surprise, les Japonais, déjà engagés depuis 1937 dans une entreprise de conquête de la Chine, s'assurent toute l'Asie du Sud-Est, les Philippines et les archipels mélanésiens, menaçant l'Inde et l'Australie.

L'année 1942 marque à la fois l'apogée de la puissance de l'Axe et l'annonce de son déclin.

L'été 1942, une nouvelle offensive en Russie conduit les troupes allemandes dans le Caucase et sur la basse Volga (Stalingrad). En Afrique du Nord, les Germano-Italiens menacent à nouveau l'Égypte. Mais deux revers vont annoncer le tournant de la guerre : El-Alamein, en Égypte (novembre 1942) et, surtout, Stalingrad, en Russie où, après cinq mois d'une bataille acharnée, l'élite de l'armée allemande est anéantie (février 1943). Parallèlement, la marine américaine a infligé à la flotte japonaise de lourdes défaites dans la mer de Corail (mai 1942) et à Midway (juin 1942).

À partir de 1943, l'Allemagne nazie et ses alliés sont sur la défensive. Un débarquement anglo-américain réussi, au Maroc et en Algérie, en novembre 1942, prend à revers les forces de l'Axe en Afrique du Nord et permet au général de Gaulle, qui récupère territoires et forces armées, de réintroduire la France dans la guerre. Repliés en Tunisie, acculés à la retraite, les Germano-Italiens évacuent l'Afrique du Nord avec de lourdes pertes (mai 1943). En URSS, l'armée soviétique entreprend la reconquête du territoire et brise, en Russie centrale, les ultimes offensives allemandes.

En juillet 1943, les Anglo-Américains débarquent en Sicile et en Italie du sud. À Rome, Mussolini est renversé, mais l'arrivée de troupes allemandes empêche les Alliés de tirer tout le profit de la capitulation italienne.

L'objectif est maintenant pour les Alliés un débarquement et la reconquête de l'Europe envahie par Hitler. Le 6 juin 1944, alors que Staline lance à l'est une offensive générale, les Alliés occidentaux débarquent en Normandie. Après deux mois de durs combats, ils enfoncent le dispositif allemand et, avec l'aide active de la Résistance intérieure, libèrent la France en quelques semaines. Le 25 août 1944, le général de Gaulle installe dans Paris libéré le Gouvernement provisoire de la République française. L'armée allemande a emmené dans sa retraite le maréchal Pétain et les membres du gouvernement de Vichy.

Au même moment, dans le Pacifique, la victoire navale de Leyte assure définitivement à la marine des États-Unis la maîtrise de la mer face aux Japonais (octobre 1944).

À partir de l'automne 1944, l'Allemagne nazie en est réduite à défendre son propre territoire. L'assaut général est donné début 1945. L'armée soviétique attaque à partir de la Pologne et des Balkans ; les Alliés occidentaux, Américains, Anglais, Français, franchissent le Rhin.

En avril 1945, les forces américaines et soviétiques font leur jonction et les soldats russes investissent Berlin, où Hitler s'est retranché : celui-ci se suicide le 30 avril. Une semaine plus tard, l'Allemagne, envahie de tous côtés, capitule (8 mai 1945).

Seul le Japon résiste encore. Les Américains, qui ont repris pied aux Philippines, s'en rapprochent, mais l'acharnement des combattants japonais à Iwô-Jima et Okinawa (février-juillet 1945) persuade le président Truman (Roosevelt est mort subitement le 12 avril 1945) d'utiliser une arme nouvelle, mise au point secrètement aux États-Unis : la bombe atomique.

Le 6 août 1945, une première bombe est lancée sur Hiroshima ; le 9 août, une seconde sur Nagasaki. Le gouvernement japonais cède et demande la paix, le 14 août 1945.

La Seconde Guerre mondiale a fait cinquante-cinq millions de morts.

Son ampleur et sa durée ne suffisent pas à expliquer un si terrible bilan : il s'y ajoute les massacres perpétrés par les nazis au nom de leur idéologie raciste. Ainsi tentèrent-ils d'exterminer la population juive d'Europe occupée (la « solution finale », 1942), aboutissement criminel de l'antisémitisme* proclamé dès les origines du régime hitlérien. La *Shoah*, cicatrice monstrueuse dans l'histoire de l'humanité, constitue un traumatisme psychologique et moral sans précédent, mettant en question les valeurs* de la pensée occidentale (la raison, le progrès*, le sens de l'Histoire*...). Confrontés au sentiment d'angoisse et d'absurde*, au sens de l'existence humaine, les intellectuels* de la seconde moitié du XXe siècle se sont interrogés, avec Adorno (1903-1969), membre de l'École de Francfort* : « Peut-on philosopher après Auschwitz ? »

ENJEUX CONTEMPORAINS

Relations internationales

La Seconde Guerre mondiale s'est achevée avec l'apparition de l'arme nucléaire*, le premier armement de l'Histoire susceptible de conduire à l'anéantissement de l'humanité. Son ombre va peser sur la seconde moitié du XXe siècle : l'antagonisme surgi entre les deux principaux vainqueurs de 1945, les États-Unis et l'URSS, conditionnera durablement les relations internationales, sans jamais dépasser le stade d'une « guerre froide* » tant les risques d'un nouveau conflit mondial apparaîtront démesurés.

Première Guerre mondiale

1914	
28 juin	L'archiduc François-Ferdinand est assassiné à Sarajevo.
1er-3 août	L'Allemagne déclare la guerre à la Russie, puis à la France.
4 août	Invasion de la Belgique par l'Allemagne.
30 août	Défaite russe de Tannenberg.
10 septembre	Victoire française de la Marne.
1915	Généralisation de la guerre de position (« les tranchées »). Guerre sous-marine allemande dans l'Atlantique.
1916	
février-juin	Bataille de Verdun.
juillet-octobre	Bataille de la Somme.
1917	
mars	Révolution* en Russie.
avril	Entrée en guerre des États-Unis.
1918	
août	Offensive générale des Alliés.
11 novembre	Capitulation allemande et signature de l'armistice.

Seconde Guerre mondiale

1939	
1er septembre	Invasion de la Pologne par Hitler.
3 septembre	L'Angleterre et la France déclarent la guerre à l'Allemagne.
1940	
10 mai	Attaque générale allemande (fin de la « drôle de guerre »).
17 juin	Le maréchal Pétain demande l'armistice (Rethondes).
18 juin	Appel du général de Gaulle. L'Angleterre, restée seule, poursuit le combat et subit d'importants bombardements aériens (« bataille d'Angleterre »).
1941	
22 juin	Attaque de l'URSS par Hitler (« opération Barberousse »).
7 décembre	Attaque de la flotte américaine, à Pearl Harbor, par le Japon.
1942	
janvier	Début de l'extermination des juifs en Europe (« solution finale »).
juin	Arrêt de l'offensive japonaise (bataille de Midway).
novembre	Victoire anglaise de El-Alamein (Égypte). Débarquement allié en Afrique du Nord.
1943	
février	Défaite allemande de Stalingrad.
juin	Le Comité français de libération nationale s'installe à Alger.
24 juillet	Chute de Mussolini à Rome.
1944	
6 juin	Débarquement allié en Normandie (« opération Overlord »).
15 août	Débarquement allié en Provence.
24 août	Libération de Paris.
septembre	Libération de la totalité du territoire soviétique.
novembre	Libération de Strasbourg par la 2e division blindée (Leclerc).
1945	
mars	Assaut général contre l'Allemagne.
30 avril	Suicide d'Hitler.
8 mai	Capitulation allemande.
6-9 août	Bombe atomique sur Hiroshima, puis Nagasaki.
14 août	Le Japon demande la paix.

● **À consulter :** P. Renouvin, *La Première Guerre mondiale*, PUF (8e éd., 1993). J.-B. Duroselle, *La Grande Guerre des Français*, Perrin (1994). M. Ferro, *La Grande Guerre*, Gallimard (2e éd., 1993). S. Bernstein, P. Milza, *Histoire du XXe siècle*, Hatier (1996). H. Michel, *La Seconde Guerre mondiale*, PUF (9e éd., 1996). P. Masson, *Précis d'histoire de la Seconde Guerre mondiale*, Tallandier (1992). M. Roncayolo, *Le Monde contemporain, de la Seconde Guerre mondiale à nos jours*, Laffont (1985). ● **À lire :** • [sur la Première Guerre mondiale] R. Dorgelès, *Les Croix de bois*. E.M. Remarque, *À l'ouest, rien de nouveau*. E. Jünger, *Orages d'acier*. • [sur la Seconde Guerre mondiale] P. Levi, *La Trêve*; *Si c'est un homme*. J. Kosinski, *L'Oiseau bariolé*. A. Kluge, *Stalingrad*.

● **À voir :** • [sur la Première Guerre mondiale] F. Rossi, *Les Hommes contre*. J. Renoir, *La Grande Illusion*. B. Tavernier, *Capitaine Conan*. S. Kubrick, *Les Sentiers de la gloire*. • [sur la Seconde Guerre mondiale] S. Fuller, *The Big red one*. D. Zanuck, *Le Jour le plus long*. R. Clément, *La Bataille du rail*. A. Dovjenko, *Chronique des années de feu*. S. Spielberg, *Saving Private Ryan*.

● **Corrélats :** antisémitisme ; communisme soviétique ; contemporaine (Époque) ; fascisme ; guerre froide ; institutions internationales ; nationalisme ; national-socialisme (nazisme) ; nucléaire ; populisme ; Révolution russe ; sionisme ; totalitarisme ; Union européenne.

HÉBREUX

● **ÉTYM. :** Du latin *Hebraeus*, issu du grec *Ibraïos*, qui vient du cananéen *ibri*, pluriel *ibrïm* (« les gens d'au-delà », peut-être de l'Euphrate ?). ● **DÉF. :** Les Hébreux sont un peuple de la haute Antiquité*, à l'origine du judaïsme*. L'histoire du peuple hébreu antique nous est connue à partir des textes de la Bible* et des découvertes archéologiques.

Les Patriarches, le peuple d'Israël et l'errance

XXe – XIIIe siècles av. J.-C.

Les Hébreux, comme les Arabes ou les Araméens de Syrie, appartiennent à la famille des peuples de langues sémitiques. Ils semblent originaires de basse Mésopotamie (Sumer), d'où le clan d'Abraham serait sorti pour venir s'établir en Canaan (la Palestine) au début du IIe millénaire av. J.-C. Ils vont y mener une vie semi-nomade sous la direction de Patriarches ; déjà, ils semblent avoir des croyances spécifiques qui se différencient du vieux fonds religieux polythéiste des peuples mésopotamiens.

Au XVIIe siècle av. J.-C., les Hébreux, organisés en douze tribus, viennent s'installer en Égypte, peut-être chassés de Canaan par la famine. C'est un peuple original, très conscient de son identité, qui se désigne du nom d'« Israël » et se définit par sa langue, par sa religion qui postule un dieu unique, et par la conviction que Canaan est la terre que ce Dieu lui a destinée, en vertu d'une promesse faite jadis à Abraham.

Moïse, les Juges et la conquête de la Palestine

XIIIe – Xe siècles av. J.-C.

Les Hébreux restent plusieurs siècles en Égypte, mais leur situation s'y dégrade et ils se trouvent réduits à la servitude. Sans doute dans le courant du XIIIe siècle av. J.-C., ils quittent l'Égypte pour revenir en Canaan, sous la direction de Moïse (« Exode »). C'est à ce moment-là que s'établissent définitivement les fondements de la religion juive : Moïse annonce qu'il a reçu de Dieu, sur le mont Sinaï, la révélation de la Loi et la confirmation que Canaan est bien la Terre promise.

Reste à conquérir celle-ci. C'est l'œuvre des chefs nommés « les Juges », dont le principal est Josué. Du XIIIe au XIe siècle av. J.-C., les Hébreux nomades guerroient contre les Cananéens sédentaires et les Philistins de la côte. Ils finissent par les vaincre et fondent un royaume dont la capitale est Jérusalem. C'est là que le roi Salomon, fils de David, édifie, entre 970 et 930 av. J.-C., le Temple qui abritera les Tables de la Loi dictées par l'Éternel à Moïse.

Le royaume hébreu, les invasions et la diaspora

Xe siècle av. J.-C. – IIe siècle ap. J.-C.

L'unité du royaume hébreu se brise presque aussitôt : en 932 av. J.-C., deux États se constituent, Israël et Juda, qui vont subir plusieurs fois la domination des grands empires voisins (avec les Assyriens, tout d'abord, au VIIIe siècle).

En 586 av. J.-C., Nabuchodonosor, roi de Babylone, prend Jérusalem, détruit le Temple et une partie de la population

HÉBREUX	
≈ 2000-1800 av. J.-C.	Les Hébreux sortent de Mésopotamie et s'établissent en terre de Canaan (Abraham).
≈ 1700-1600 av. J.-C.	Migration en Égypte.
≈ 1300 av. J.-C.	Sortie d'Égypte sous la conduite de Moïse (**Exode**).
≈ 1250-1150 av. J.-C.	Conquête de la Palestine sous la conduite des Juges.
≈ 1040 av. J.-C.	**Fondation du royaume hébreu** (Saül, David).
970-930 av. J.-C.	Construction du premier Temple de Jérusalem (Salomon).
≈ 932 av. J.-C.	Schisme entre les royaumes d'**Israël** (nord) et de **Juda** (sud).
722 av. J.-C.	Sargon II, roi d'Assyrie, détruit Samarie (fin du royaume d'Israël).
586 av. J.-C.	Nabuchodonosor, roi de Babylone, prend le royaume de Juda : destruction de Jérusalem et du Temple, déportation de la population en Mésopotamie.
538 av. J.-C.	Cyrus, empereur perse, conquiert Babylone et autorise le retour des Hébreux en Palestine.
520-515 av. J.-C.	Construction du second Temple.
332 av. J.-C.	Alexandre, roi de Macédoine, intègre la Palestine aux royaumes hellénistiques*.
63 av. J.-C.	La Palestine devient une province romaine*, la Judée.
Ère chrétienne	Pilate, procurateur de Judée. Début du christianisme*.
66-70	Révolte juive ; prise de Jérusalem par Titus et destruction du Temple.
132-135	Seconde révolte juive, réprimée par Hadrien : Jérusalem est rasée, le culte juif interdit et les communautés dispersées (**Diaspora**).

est déportée en Mésopotamie : elle ne sera délivrée que par l'invasion perse de 538. Mais quelles que soient les vicissitudes, la force du lien religieux maintient l'unité du peuple juif.

Les Hébreux ne retrouveront jamais leur pleine indépendance. Autorisés à reconstruire le Temple (520-515), ils sont néanmoins sous tutelle perse. Après les conquêtes d'Alexandre, au IVe siècle avant J.-C., ils sont intégrés aux monarchies hellénistiques* d'Égypte ou de Syrie.

En 63 av. J.-C., la Palestine juive devient province romaine, ce que la population accepte mal. Une première révolte éclate en 66 ap. J.-C. En 70, Titus prend Jérusalem d'assaut et fait incendier le Temple. En 132, une seconde insurrection est réprimée par Hadrien avec une extrême rigueur : les dernières traces d'institutions juives sont abolies, la religion ne peut survivre qu'au sein de communautés dispersées (« Diaspora »). C'est la fin du peuple hébreu de Palestine.

ENJEUX CONTEMPORAINS

Religion

L'apport capital de ce petit peuple de l'Orient antique est d'avoir conçu la première religion monothéiste : le judaïsme, qui non seulement a survécu et traversé les siècles malgré les massacres et les persécutions, mais qui a servi de base aux deux autres grands monothéismes* de l'Histoire que sont le christianisme* et l'islam*.

● **À CONSULTER :** *Dictionnaire analytique de la Bible*, Maredsous (1987). A. Lemaire, *Histoire du peuple hébreu*, PUF (4e éd., 1995). P. Garelli, V. Nikiprowetzky, *Le Proche-Orient asiatique, les Empires mésopotamiens, Israël*, PUF (1974). A. Chouraqui, *Histoire du judaïsme*, PUF (11e éd., 1995).

● **CORRÉLATS :** Antiquité (haute) ; antisémitisme ; Bible ; christianisme (débuts du) ; islam ; judaïsme ; monothéisme ; sionisme.

ROYAUME HÉBREU (Xe siècle av. J.-C.)

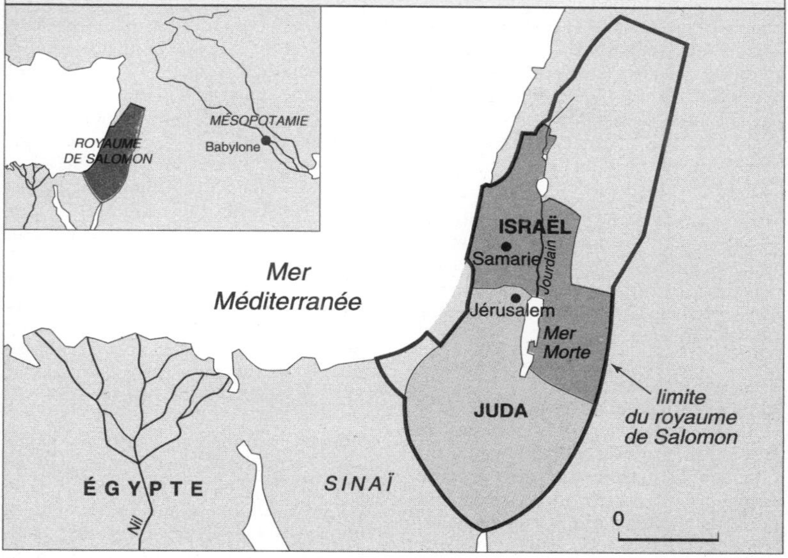

HEGEL

Georg Wilhelm Friedrich Hegel naît en 1770 à Stuttgart. De 1788 à 1793, il fait des études de théologie au séminaire de Tübingen, où il a pour condisciples Hölderlin (1770-1843) et Schelling (1775-1854). Voulant échapper à la carrière ecclésiastique, Hegel travaille ensuite comme précepteur, d'abord à Berne, où il étudie la philosophie de Kant* (1724-1804), puis à Francfort, où il subit l'influence de Fichte (1762-1814). Nommé en 1801 *privat-docent* (professeur libre, payé par ses auditeurs) à l'université d'Iéna, la plus célèbre d'Allemagne à cette époque, Hegel y retrouve Schelling. Adhérant pour un temps aux thèses de ce dernier sur la « philosophie de la nature », il rejette désormais les « philosophies de la subjectivité », à savoir celles de Kant et Fichte. Mais dès son cours de 1803, il commence également à prendre ses distances par rapport à Schelling : la rupture est accomplie en 1807, quand paraît *La Phénoménologie de l'esprit*, premier ouvrage important de Hegel, et livre majeur de la philosophie occidentale. Après la bataille d'Iéna, Hegel collabore avec l'administration napoléonienne. En 1808, il est nommé directeur du *gymnase* (lycée) de Nuremberg : il profite de cette fonction pour mettre au point une *Propédeutique philosophique*, première ébauche de ce qui sera l'*Encyclopédie*. C'est pendant cette période également qu'il rédige *La Science de la logique* : les deux premières parties paraissent en 1812, la troisième en 1816.

Menacé par la réaction catholique qui suit, en Bavière, la chute de Napoléon*, Hegel obtient sa nomination de professeur titulaire, d'abord à Heidelberg, puis à Berlin, où il va occuper, d'octobre 1818 jusqu'à sa mort, la chaire laissée vacante par Fichte. Ayant fourni un exposé complet de son système dans l'*Encyclopédie des sciences philosophiques*, c'est dans l'esprit de ce système qu'il réorganise l'enseignement de la philosophie, non seulement à Berlin, mais dans toute l'Allemagne, par l'intermédiaire de ses élèves. C'est également grâce à ses élèves que les cours de Hegel seront publiés après sa mort, et prendront place parmi ses œuvres les plus célèbres : en particulier, les cours sur l'esthétique* et la philosophie de l'Histoire*.

Dans cette dernière période de sa vie, Hegel est devenu un maître à penser. Son rival et ancien ami, Schelling, est complètement éclipsé ; quant à son ennemi radical, Schopenhauer (1788-1860), personne ne vient assister aux cours qu'il donne à Berlin en 1820 et 1825. Il est toutefois injuste de présenter Hegel comme le philosophe officiel de la monarchie prussienne. La parution, en 1821, des *Lignes fondamentales de la philosophie du droit* déplaît aux conservateurs et à l'entourage du roi Frédéric-Guillaume III. Hegel est resté l'admirateur de la Révolution française*.

Hegel meurt en 1831. Après sa mort, le gouvernement prussien s'attachera à réduire l'influence de ses idées, appelant Schelling à l'université de Berlin, en 1841, pour qu'il y combatte le souvenir de son « meilleur ennemi ».

Les grands hommes et le tribunal du monde

Une des thèses les plus connues de Hegel concerne le rôle éminent et positif que jouent, selon lui, ces « grands hommes » ou « héros » qui, lors des mutations historiques, incarnent le pressentiment des temps à venir, brisent le carcan des règles établies, et entraînent derrière eux les peuples, obscurément séduits par leur audace conquérante : Alexandre le Grand, Jules César, Napoléon…

Les héros ne sont pas grands en eux-mêmes, mais par l'Histoire. C'est à elle qu'ils consacrent leur individualité, jusqu'au sacrifice. L'Histoire seule est habilitée à les juger, à décider souverainement que tel acte, qui serait criminel en d'autres circonstances, est héroïque lorsqu'il répond aux exigences du futur. Il n'y a pas d'autres critères, pas de tribunal extérieur à l'Histoire. Une des formules préférées de Hegel est un vers de Schiller (1759-1805), extrait d'un poème intitulé « Résignation » : « L'histoire du monde est le tribunal du monde. »

Le sens de l'Histoire

Une telle conception n'aboutit-elle pas à la glorification du fait accompli, à la divinisation du succès ? Ce reproche souvent formulé, que l'on trouve jusque chez Nietzsche* (1844-1900), ne tient pas compte de ce que Hegel considère comme le sens de l'Histoire. Les victoires du héros n'ont de valeur que si elles représentent une nouvelle étape vers la réalisation de la liberté humaine. Il n'y a d'Histoire, en effet, que de l'humanité : l'Histoire concerne proprement ce par quoi l'homme est homme, et que Hegel nomme « Esprit ». Les choses matérielles n'ont pas d'Histoire, parce qu'elles n'ont pas à se connaître elles-mêmes. L'Esprit, au contraire, n'est rien d'autre que cette reconnaissance de soi. Ayant toujours déjà commencé à se comprendre, il lui faut toujours se comprendre davantage : il ne peut être lui-même qu'au prix d'une longue Histoire. Dans cette Histoire, rien n'arrive de l'extérieur à l'Esprit, rien ne le conditionne, en dehors de son libre effort pour se connaître. L'humanité réalise donc sa liberté à mesure qu'elle progresse dans la conscience de cette liberté.

C'est parce que l'Histoire universelle est un libre progrès* qu'elle est le tribunal du monde, c'est-à-dire également son propre tribunal, n'ayant aucun compte à rendre devant une instance supérieure. Et c'est parce que ce progrès concerne la conscience de la liberté qu'il est possible de reconnaître, dans la succession des civilisations, les trois grandes époques de l'histoire universelle. Dans la civilisation orientale, la liberté humaine est reconnue seulement comme l'apanage d'un seul, qui règne alors en despote. Dans la civilisation gréco-latine, elle n'est encore conçue que sous forme de qualité distinctive, appartenant à quelques-uns, les autres étant voués à l'esclavage*. Ce n'est que dans la civilisation germanique (chrétienne*) moderne, soutient Hegel, que la liberté est posée comme une propriété de tout homme en tant qu'homme : reconnaissance d'abord abstraite, mais que les États* modernes sont en train de réaliser.

La dialectique du réel

On se tromperait en ne voyant dans ce progrès qu'une simple évolution quantitative, d'un seul à quelques-uns, puis de quelques-uns à tous. Dans sa figure orientale, la liberté est une affirmation péremptoire de l'individu* singulier : c'est bien la première idée de la liberté, le rêve enfoui en chacun de « faire ce qu'il lui plaît », sans tenir compte des autres. Une telle position de la liberté tombe d'elle-même dans son contraire, puisqu'elle signifie la soumission du despote lui-même aux caprices de sa passion. La figure gréco-latine cherche à préserver la liberté de cette chute dans l'animalité, en la concevant comme une valeur* humaine exigeante, digne des meilleurs ; mais cette position se détruit à son tour, puisqu'elle fait dépendre l'existence des hommes libres du travail* servile des masses, dont l'humanité n'est pas reconnue. La figure germanique contient les deux moments précédents, en surmontant leur contradiction interne : chaque individu y voit sa liberté reconnue, dans la mesure où il veut la liberté de l'homme dans une communauté libre. C'est à l'État qu'il appartient d'organiser cette reconnaissance réciproque.

Hegel nomme « dialectique* » ce type de progrès par contradictions surmontées. La dialectique n'est pas selon lui, comme elle l'est chez Platon*, la méthode que doit utiliser le philosophe pour atteindre la vérité absolue à travers les contradictions des opinions, mais le mouvement par lequel l'absolu lui-même devient effectivement réel. Puisque rien n'échappe à l'absolu, toute réalité est dialectique. Soucieux de dire l'absolument vrai, le philosophe doit savoir reconnaître, en toute vérité partielle, un moment unilatéral et insuffisant, qui se transforme en son contraire et n'est sauvé (à la fois conservé et dépassé) que dans un moment supérieur. Ce repérage de l'absolu dans la diversité de ses manifestations impose une méthode dont le vrai nom est « phénoménologie* ».

L'encyclopédie des sciences philosophiques

Dans ce que Hegel appelle « un mouvement dialectique », le chemin qui conduit au résultat ne saurait, par principe, être séparé du résultat lui-même. Il s'agit d'un chemin circulaire, où la fin revient sur le commencement, en accomplissant sa promesse de vérité. La philosophie, dans sa totalité, est alors comme un cercle de cercles, et le système du savoir mérite d'être nommé « encyclopédie* des sciences philosophiques ».

Les trois cercles principaux qui composent l'encyclopédie sont la science de la logique, la philosophie de la nature et la philosophie de l'Esprit. Ce résumé donne l'impression que l'Esprit n'apparaît qu'à la fin, mais c'est de lui qu'il s'agit dès le commencement. Il lui faut cette longue odyssée pour comprendre que sa vraie nature est de se reconnaître dans ses œuvres, et que l'absolu consiste précisément dans cette unité réalisée du sujet et de l'objet.

Au commencement, l'Esprit se présente sous la forme de la pure pensée abstraite, cherchant la vérité dans le respect de ses principes internes. C'est le moment de la logique, qui s'achève dans ce que Hegel nomme l'« Idée », c'est-à-dire le concept réalisé, incarné. Analysant le syllogisme, cette médiation qui permet d'unir les termes universels (comme « mortel ») aux termes singuliers (comme « Socrate »), Hegel n'y voit pas seulement, comme Aristote*, la forme du raisonnement scientifique, mais le processus objectif par lequel chaque être réalise son essence.

L'Esprit est alors conduit à se chercher hors de la pensée, c'est-à-dire dans la nature extérieure. Cette nature ne lui est accessible que dans la mesure où il s'y retrouve, sous une forme aliénée, extériorisée. La philosophie de la nature a pour objet de dégager ce qui est proprement spirituel – c'est-à-dire dialectique – dans les données fournies par les sciences exactes*.

Le passage de la philosophie de la nature à la philosophie de l'Esprit correspond au passage entre l'animal, qui n'accède à l'individualité que dans un obscur sentiment de soi-même, et l'homme capable d'une véritable conscience de soi : ce n'est ni dans la pure pensée, ni dans la nature, mais dans les œuvres humaines, que l'Esprit est chez lui. La philosophie du droit* étudie ainsi la façon dont l'Esprit réalise sa liberté dans l'institution de l'État. L'encyclopédie s'achève lorsque l'Esprit comprend qu'il est l'absolu : cette compréhension s'effectue sur le mode de l'intuition dans l'art, sur le mode du sentiment dans la religion, sur le mode de la pensée dans la philosophie.

La philosophie est ainsi, à la fois, la fin du chemin, le chemin tout entier, et le retour au commencement du chemin. Sa tâche est de penser tout ce qui se donne à penser, et d'en conserver le sens.

ENJEUX CONTEMPORAINS

Philosophie

Bien que Hegel n'ait eu que peu de disciples à proprement parler, son système semble contenir d'avance toutes les philosophies futures, qui paraissent devoir toujours le confirmer, même quand elles naissent de l'intention contraire. La forme la plus spectaculaire de l'héritage hégélien est évidemment le marxisme* : « Hegel, écrivait Alain (1868-1951), si naïvement professeur, et autant détourné que Descartes* de toute réforme réelle, a préparé le mouvement d'idées le plus efficace que l'on ait vu depuis la révolution chrétienne. »

● **À CONSULTER :** A. Kojève, *Introduction à la lecture de Hegel*, Gallimard (1947). J. d'Hondt, *Hegel et l'hégélianisme*, PUF, « Que sais-je ? ». ● **À LIRE :** R. Queneau, *Le Dimanche de la vie* (1952).
● **CORRÉLATS :** Aristote ; Descartes ; dialectique ; droit ; encyclopédie ; esclavage ; esthétique ; État ; Histoire (philosophies de l') ; Kant ; Marx ; Napoléon ; Nietzsche ; phénoménologie ; Platon ; Rousseau.

HEIDEGGER

Deux énigmes sont au cœur de la vie et de l'œuvre de Martin Heidegger (1889-1976). La première concerne son appartenance au national-socialisme* : comment l'un des plus grands philosophes du XXe siècle a-t-il pu adhérer à la plus grande ignominie politique que l'Occident ait connue ? La seconde porte sur le mystérieux « tournant » (*die Kehre*) qui infléchit sa pensée, sans pour autant la bouleverser, à partir de 1930.

Heidegger et le nazisme

Que représente l'adhésion au parti nazi dans la vie de Heidegger ? Lorsque Hitler accède au poste de chancelier (30 janvier 1933), Heidegger est depuis cinq ans professeur à l'université de Fribourg, ayant succédé à Husserl (1859-1938) selon le vœu de ce dernier. C'est en avril 1933 qu'il prend sa carte du parti national-socialiste et qu'il est élu recteur, poste dont il démissionne en février 1934, quatre mois avant la « Nuit des longs couteaux » (30 juin 1934). L'engagement de Heidegger semble donc se limiter à dix mois de collaboration administrative, à quoi s'ajoutent plusieurs discours en faveur du nouveau régime : il prétendra plus tard que, dans la confusion qui régnait en 1933, le national-socialisme laissait entrevoir d'autres possibilités que celles qui furent réalisées par le nazisme. Toutefois, on sait maintenant qu'il n'a jamais quitté le parti, acquittant ses cotisations jusqu'en 1945.
Puisqu'il s'agit d'un grand philosophe, tenu de conformer ses actes à sa pensée, il faut se demander ce qui, dans la philosophie de Heidegger, peut expliquer l'adhésion, même momentanée, au nazisme. La donnée centrale du national-socialisme, c'est-à-dire le racisme, l'antisémitisme*, n'a aucune place dans cette philosophie. En revanche, l'idéal d'« authenticité » d'un être qui trouve dans la mort sa « possibilité la plus propre », le culte de la « décision résolue » d'un individu* « jeté dans le monde », par opposition à la vulgaire communication humaine, péjorativement baptisée « dictature du *on* », tous ces thèmes des premières œuvres évoquent le renoncement à la raison et l'abandon à la violence d'une pensée fascinée par l'abîme.

Le « tournant »

Encore en cours de publication, l'œuvre intégrale de Heidegger (non seulement les écrits publiés, mais aussi les cours donnés aux universités de Marbourg et de Fribourg) est considérable. Elle est dominée par *Être et temps*, paru en 1927 : œuvre majeure, mais œuvre inachevée, « première partie » d'un ouvrage dont la deuxième partie ne sera jamais écrite. Tout ce que Heidegger a produit par la suite participe à l'achèvement d'*Être et temps*, mais d'une façon paradoxale : non pas comme un prolongement, mais plutôt comme un retournement de la perspective initiale. Alors que la première philosophie de Heidegger semble centrée sur l'homme, sa pensée ultérieure est avant tout une « pensée de l'Être ». Pour bien comprendre ce tournant, il faut considérer le lien intime qui unit, selon Heidegger, l'homme et l'Être.

L'homme et l'Être

Ce qui distingue l'homme, soutient Heidegger dans *Être et temps*, c'est qu'il a le sens de l'Être : toutes nos pensées, tous nos sentiments, tous nos actes, tous nos comportements sans exception n'ont de signification que parce que nous savons, ne serait-ce que de façon confuse, ce que veut dire « être ». Il ne s'agit pas là d'une propriété particulière, parmi toutes celles que l'on peut attribuer à l'homme : le sens de l'Être doit déjà être obscurément présupposé pour que des propriétés apparaissent comme telles, pour que l'homme lui-même apparaisse comme tel. L'homme ne « possède » donc pas en lui le sens de l'Être : il est voué à comprendre l'Être, interpellé, convoqué pour cette compréhension. C'est pour mettre en lumière cette vocation que Heidegger utilise dans ses premiers ouvrages, pour désigner l'homme, le mot allemand *Dasein*, pris littéralement : l'homme est le lieu (*da* : « là ») de l'Être (*sein* : « être »).
Puisque l'homme est voué à la compréhension de l'Être, il lui revient de

reconnaître en chaque chose, non seulement son utilité, sa beauté, ses qualités ou défauts, mais aussi la façon dont elle est : autrement dit, tout ce qui se présente à lui doit être pour lui un « étant ». Dans le vocabulaire de Heidegger, le mot *étant* couvre la généralité la plus large : il désigne tout ce qui est, à condition d'être considéré dans son Être, dans la lumière de l'Être. Les grandes philosophies montrent comment l'étant se dévoile de différentes façons, selon les époques : par exemple, comme forme des choses chez Platon* et Aristote*, ou comme objet pour un sujet chez Descartes*.

Dans *Être et temps*, Heidegger tente de prendre appui sur notre compréhension quotidienne et familière de l'étant pour en tirer une élucidation du sens de l'Être (en termes savants : de partir d'une phénoménologie* du *Dasein*, considérée en tant qu'herméneutique*, pour constituer une ontologie). Mais ce projet risque d'accréditer l'illusion d'une position centrale du *Dasein*, et de faire croire, à tort, que l'homme est le maître du dévoilement de l'étant. C'est la raison de l'inachèvement d'*Être et temps*. Heidegger renoncera, dans ses écrits ultérieurs, à prendre l'homme comme point de départ.

L'essence de la vérité et l'oubli de l'Être

Nous attribuons communément la vérité à nos jugements : ceux-ci sont vrais lorsqu'ils se conforment à la réalité, faux lorsqu'ils ne s'y conforment pas. Mais cette définition, estime Heidegger, ne nous donne pas l'essence de la vérité, c'est-à-dire ce qui la rend possible. Pour que notre projet de nous conformer à la réalité ait un sens, il faut bien que l'étant se soit déjà dévoilé pour nous. Antérieurement à tout jugement, la vérité est donc dans son essence « dévoilement » de l'étant, ce qui traduit exactement, ajoute Heidegger, le mot que les Grecs utilisaient pour la désigner : *alétheia*. C'est ce dévoilement de l'étant qui met l'homme en mesure de lui correspondre : paradoxalement, l'étant a besoin de l'homme pour qu'il le laisse être tel qu'il est.

Pouvant librement « laisser être » l'étant, l'homme peut également ne pas le laisser être, le travestir et le déformer : la non-vérité n'est pas seulement l'opposé de la vérité, elle appartient à son essence, qui la rend possible. Qui plus est, la non-vérité est antérieure à la vérité, car le dévoilement de l'étant implique un voilement plus originel, celui par lequel l'Être lui-même se dérobe et se fait oublier. Se dissimulant, l'Être est d'abord éprouvé comme un mystère, jusqu'à ce que le mystère à son tour se dissimule dans la fausse clarté d'un monde où tout semble manifeste en soi-même et par soi-même : alors l'oubli de l'Être est porté à son comble. Ce processus correspond à ce que Heidegger appelle « l'histoire de l'Être ».

L'histoire de l'Être

L'histoire de l'Être est la libre succession des dévoilements de l'étant : à chaque époque, tout ce qui est se donne à l'homme dans une certaine lumière et impose les conditions du vrai et du faux, en même temps que l'Être lui-même se dissimule. Nous pouvons la reconstituer à partir des grandes décisions qui ponctuent l'histoire de la métaphysique*, relativement à la nature de l'étant.

La succession des époques n'obéit pas, selon Heidegger, à cette rationalité que cherchent à établir les grandes philosophies de l'Histoire*. Toutefois, un sens global se dégage quant à l'oubli de l'Être, qui devient progressivement oubli de l'oubli, et passe du mystère à la fausse clarté. Ce qui caractérise ainsi la dernière époque de l'histoire de l'Être, c'est la présentation de l'étant comme fondé sur lui-même et se suffisant à lui-même. Cette dernière époque est celle de la technique* : le dévoilement de l'étant sous la forme d'une réserve intégralement calculable d'énergie permet la mise à la raison de tout ce qui est. Le danger de la technique, signale Heidegger, n'est pas celui que l'on croit, lorsqu'on ignore justement qu'elle est une époque de l'histoire de l'Être. Ce n'est pas le danger que font courir à l'homme les productions techniques, c'est le danger que fait courir à la technique elle-même la frénésie de sa mise en œuvre, occultant sa fonction de dévoilement et de vérité.

● **À CONSULTER :** A. Boutot, *Heidegger*, PUF, « Que sais-je ? » (1989). F. Dastur, *Heidegger et la question du Temps*, PUF (1990). V. Farias, *Heidegger et le nazisme*, Verdier (1987). L. Ferry, A. Renaut, *Heidegger et les Modernes*, Grasset (1988).

● **CORRÉLATS :** antisémitisme ; Aristote ; Descartes ; herméneutique ; Histoire (philosophies de l') ; individu ; métaphysique ; national-socialisme ; phénoménologie ; Platon ; technique.

HELLÉNISTIQUE (MONDE)

● **ÉTYM. :** Dérivé d'*hellénisme* qui désigne la civilisation de la Grèce antique* (l'« Hellade »).
● **DÉF. :** On utilise l'expression *monde hellénistique* pour rendre compte de la diffusion de la civilisation grecque à partir du IVe siècle av. J.-C.

Les conquêtes d'Alexandre de Macédoine

IVe siècle av. J.-C.

Situé au nord de la Grèce, le royaume de Macédoine s'est assuré une prépondérance sur les cités grecques grâce au roi Philippe II, vainqueur des Athéniens en 338 av. J.-C. Son fils, Alexandre le Grand, se lance en 334 à l'assaut de l'Empire perse. En une dizaine d'années, ses conquêtes, qui le conduisent aux confins de l'Inde, lui assurent la maîtrise de tout l'Orient antique. Il meurt à 33 ans, à Babylone, en 323.

Ses généraux se partagent l'immense espace conquis et fondent des dynasties sur le modèle des monarchies absolues orientales. Ptolémée Ier fonde la dynastie des Lagides, qui règnent sur l'Égypte à partir de la nouvelle capitale, Alexandrie. Les Séleucides, qui perdent vite leurs possessions iraniennes, conservent la Syrie, où ils fondent Antioche. La Macédoine revient aux Antigonides et, à l'ouest de l'Asie Mineure, les Attalides créent le royaume de Pergame.

La diffusion de la civilisation grecque

La conséquence culturelle de ces bouleversements est une diffusion des modèles grecs à l'échelle de tout cet Orient des vieilles civilisations. Si les couches populaires conservent leurs mœurs et leurs parlers, les cadres dirigeants sont grecs et les classes dominantes comme les milieux lettrés adoptent les façons, la langue, les modes de pensée grecs. Une civilisation grecque rénovée, l'hellénisme (ou « civilisation hellénistique »), se généralise, ouverte aux influences étrangères qu'elle intègre et assimile, dotée d'une langue de culture commune (*koinè*). Les capitales des souverains hellénistiques deviennent d'étonnants foyers culturels : à Alexandrie, le Musée est une sorte d'université internationale qui dispose d'une bibliothèque riche de 400 000 ouvrages ; Antioche, Pergame sont des centres de création artistique. En revanche, la Grèce des cités décline, même si Athènes* garde son prestige intellectuel.

L'art de l'époque (IIIe-Ier siècles av. J.-C.) porte la marque de cette effervescence. L'architecture vise à la fois au grandiose et à l'élégance. Sculpteurs et peintres recherchent l'expression de l'émotion, du pathétique. La pensée philosophique connaît des développements nouveaux (scepticisme*, stoïcisme*, épicurisme*), d'autant qu'il apparaît un début de révision des mythes* religieux avec Évhémère. Mais le plus remarquable est la percée scientifique avec Euclide, Archimède, Ératosthène, Hipparque (*cf.* Mathématiques) ; dix-sept siècles avant Copernic, Aristarque de Samos propose une cosmographie où le Soleil est en position centrale (*cf.* Physique). Jamais le rayonnement de la pensée grecque n'a été aussi intense.

L'hellénisation de Rome

IIe siècle av. J.-C.

Les relations entre les royaumes hellénistiques sont cependant aussi conflictuelles que l'étaient autrefois les rapports entre cités. Au IIe siècle av. J.-C., les incessantes querelles des rois hellénistiques introduisent en Orient la puissance romaine, en pleine ascension. Celle-ci s'installe d'autant mieux que le dernier roi de Pergame lègue, en 133 av. J.-C., son État au Sénat romain. Jouant des rivalités des monarchies entre elles, les Romains finissent par se rendre maîtres de tout l'Orient grec mais, parallèlement, ils s'imprègnent complètement de la brillante civilisation hellénistique au point d'induire une nouvelle synthèse culturelle, gréco-romaine.

C'est cette civilisation pénétrée d'hellénisme que l'Empire romain* va diffuser dans ses nouvelles conquêtes d'Europe occidentale, jusqu'aux bouches du Rhin et aux confins de l'Écosse.

● **À CONSULTER :** P. Petit, *Précis d'histoire ancienne*, PUF (1994) ; *La Civilisation hellénistique*, PUF (7e éd., 1996). P. Lévêque, *Le Monde hellénistique*, Armand Colin (1992). P. Briant, *Alexandre le Grand*, PUF (4e éd., 1993). M. Rostovtev, *Histoire économique et sociale du monde hellénistique*, Laffont (rééd., 1989). P. Grimal, *Le Siècle des Scipions*, Aubier-Montaigne (1953).
● **CORRÉLATS :** Antiquité ; Athènes ; Grèce antique ; mathématiques ; physique ; romain (Empire) ; Rome antique ; Sparte.

MONDE HELLÉNISTIQUE (IIIe siècle av. J.-C.)

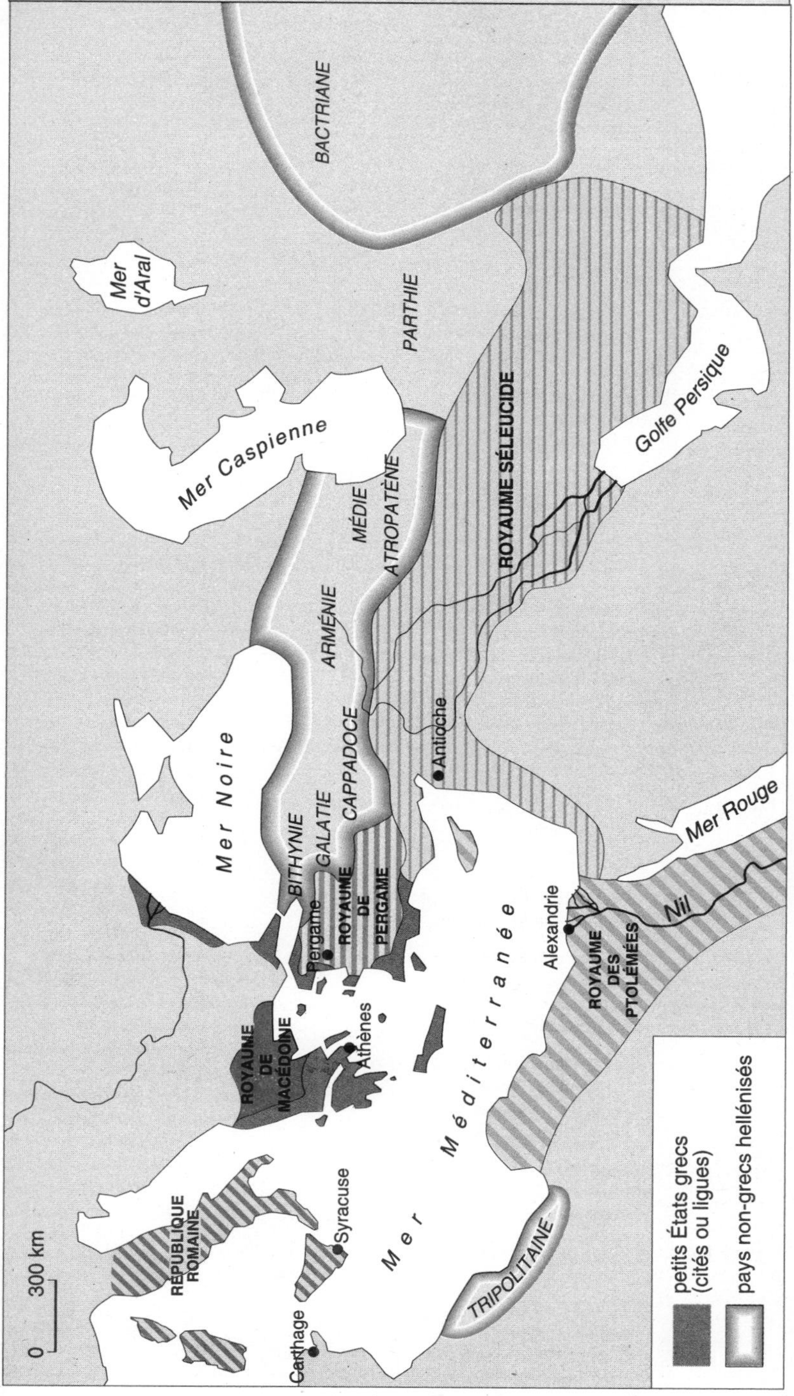
BACTRIANE
Mer d'Aral
PARTHIE
Golfe Persique
Mer Caspienne
ROYAUME SÉLEUCIDE
MÉDIE
ATROPATÈNE
ARMÉNIE
Antioche
CAPPADOCE
Mer Noire
Mer Rouge
BITHYNIE
GALATIE
ROYAUME DE PERGAME
Pergame
Nil
Alexandrie
ROYAUME DES PTOLÉMÉES
Mer Méditerranée
ROYAUME DE MACÉDOINE
Athènes
RÉPUBLIQUE ROMAINE
Syracuse
Carthage
TRIPOLITAINE
0 300 km
petits États grecs (cités ou ligues)
pays non-grecs hellénisés

MONDE HELLÉNISTIQUE			
	Histoire	*Philosophie, sciences*	*Littérature, arts*
323 av. J.-C.	Mort d'Alexandre le Grand : partage de l'empire entre ses généraux (**formation des royaumes hellénistiques**)	Diogène le cynique, Pyrrhon (scepticisme*)	Lysippe (sculpture)
≈ 300 av. J.-C.	• Fondation d'**Antioche** (Syrie) par Séleucos Ier • Fondation du Musée et de la bibliothèque d'**Alexandrie** par Ptolémée Ier	• Zénon de Cittium (stoïcisme*), Épicure* • Euclide (mathématiques*)	• *Colosse de Rhodes* par Charès (sculpture) • Évhémère (mythe*)
≈ 260 av. J.-C.	Création du royaume de **Pergame** (Asie Mineure)		Théocrite (poésie*) *Bible des Septante* à Alexandrie
≈ 230 av. J.-C.	• Construction du phare d'Alexandrie • Bibliothèque de Pergame	Ératosthène, Aristarque (astronomie)	*Vénus de Cyrène* *Gaulois mourant* à Pergame (sculpture)
≈ 212 av. J.-C.	Les Romains remportent leurs premières victoires (Syracuse)	• Mort d'Archimède (physique*) • Invention du parchemin à Pergame	
≈ 191 av. J.-C.	Défaite du Séleucide Antiochos III contre les Romains (bataille des Thermopyles)		*Victoire de Samothrace*
≈ 179 av. J.-C.	Persée, roi de Macédoine	Hipparque (trigonométrie)	*Grand autel de Zeus et d'Athéna* à Pergame (sculpture)
≈ 168 av. J.-C.	Destruction du royaume de Macédoine par les Romains		
≈ 146 av. J.-C.	Destruction de Carthage et Corinthe par les Romains	Polybe (Histoire*)	*Vénus de Milo*
133 av. J.-C.	Mort du dernier roi de Pergame, qui lègue son royaume à Rome* (la « province d'Asie »)		Mosaïques à Délos
125 av. J.-C.	Les Romains conquièrent la *Provincia* (Provence) : début de la romanisation de la Gaule		
64 av. J.-C.	Destruction du royaume séleucide (Syrie) par les Romains		Cicéron
48 av. J.-C.	César, maître de l'Empire romain*	Incendie de la bibliothèque d'Alexandrie	
30 av. J.-C.	Mort de Cléopâtre, dernière reine lagide d'Égypte, qui devient province romaine		• *Fresques de Pompéi* • Virgile

Herméneutique

● **Étym. :** Du verbe grec *herméneuein* (« expliquer », « interpréter » ou « comprendre »). ● **Déf. :** Le terme *herméneutique* est introduit dans l'*Encyclopédie** (1745-1772) de Diderot et d'Alembert, pour désigner l'« art de découvrir le sens exact d'un texte », et particulièrement les techniques d'interprétation de la Bible*.

Le problème fondamental de l'herméneutique

Par opposition aux méthodes des sciences exactes* dont l'objectif est l'explication de phénomènes naturels, l'herméneutique est spécifiquement destinée aux œuvres culturelles, à tout ce qui présente un sens humain : l'ambition de ceux qui la pratiquent est d'en faire la méthode universelle des sciences de l'homme*. Mais qu'est-ce exactement que la recherche du sens ? Est-ce une interprétation, c'est-à-dire un déchiffrement laborieux de symboles qui gardent leur part de mystère ? Est-ce plutôt une compréhension, une saisie intuitive et globale de ce qui nous est déjà familier ? L'ambiguïté de la recherche du sens est contenue dès l'origine dans l'étymologie du mot *herméneutique*, et elle commande son évolution jusqu'à nos jours.

Religion, sciences de l'homme et phénoménologie

Le théologien, philologue et philosophe allemand Schleiermacher (1768-1834) peut être considéré comme le fondateur de l'herméneutique moderne. Il en élargit le domaine d'application, la définissant comme l'art de comprendre tout discours, qu'il soit profane ou sacré, parlé ou écrit, obscur ou apparemment clair. Il lui assigne le but « de comprendre le discours, d'abord aussi bien, ensuite mieux que son auteur ». Toutefois son herméneutique reste encore associée, de façon privilégiée, à des préoccupations théologiques.

C'est avec l'école historique allemande de la fin du XIXe siècle que l'herméneutique accède au statut de méthode spécifique des sciences de l'homme. Reprenant la distinction établie par Droysen (1808-1884) entre « expliquer » (*erklären*) et « comprendre » (*verstehen*), Dilthey (1833-1911) affirme que la première tâche est celle des sciences de la nature, tandis que la seconde seule est appropriée à l'étude des œuvres de l'esprit. Celle-ci, en effet, repose sur notre pouvoir d'interpréter immédiatement un comportement humain, en saisissant par identification les motifs qui l'inspirent et les valeurs* qui l'orientent (*Introduction aux sciences de l'esprit*, 1883).

Heidegger* (1889-1976) accorde à l'herméneutique un statut encore plus ambitieux. Ce qui, selon lui, caractérise l'homme, c'est qu'il est le seul à comprendre ce que veut dire « Être » : tous nos comportements, sans exception, témoignent de cette compréhension familière. Certes, il s'agit d'une compréhension obscure, que la philosophie doit élever à la clarté. Le projet de Heidegger, dans *Être et temps* (1927), est de prendre appui sur une description correcte de la vie quotidienne de l'homme, pour parvenir à élucider le « sens de l'Être ». La phénoménologie* de l'existence humaine est donc une herméneutique.

La notion de « cercle herméneutique » chez Gadamer

Développant une analyse que Heidegger avait seulement esquissée, Gadamer (né en 1900) remarque que toute recherche herméneutique implique ce que les logiciens appellent un « cercle » : je ne peux comprendre véritablement le sens d'un texte qu'en ayant, au préalable, une certaine connaissance de l'intention de son auteur, mais je ne peux inversement accéder à cette intention qu'à partir d'une compréhension exacte du texte.

Dans son livre *Vérité et méthode* (1960), Gadamer étudie les diverses conséquences du cercle herméneutique, en ce qui concerne particulièrement la compréhension que nous pouvons avoir de l'Histoire*. Cette compréhension, en effet, est elle-même déterminée par l'Histoire, et doit s'efforcer en retour d'interpréter cette détermination.

Le conflit des interprétations selon Ricœur

Pour le philosophe français Ricœur (né en 1913), ce qui caractérise l'herméneutique est moins un cercle qu'un conflit entre deux manières d'interpréter une œuvre. Selon la première, nous comprenons le sens lorsque nous nous reconnaissons pleinement dans l'œuvre. Selon la seconde, au contraire, la vérité de

l'œuvre est dans son contenu inconscient, dans tout ce qui échappe nécessairement au sujet*. Cette dernière méthode prévaut dans la psychanalyse* de Freud (*De l'interprétation. Essai sur Freud*, 1965), ainsi que chez les deux autres « maîtres du soupçon », Marx* et Nietzsche*.
Ricœur étudie cette opposition dans *Le Conflit des interprétations*, paru en 1969, au plus fort de la vogue du structuralisme*. Il montre le chemin vers une possible réconciliation dans *Du texte à l'action* (1986).

● **À CONSULTER :** P. Ricœur, *Du texte à l'action. Essais d'herméneutique II*, Seuil (1986).
● **CORRÉLATS :** Bible ; encyclopédie ; Heidegger ; Histoire ; Marx ; Nietzsche ; phénoménologie ; psychanalyse ; sciences de l'homme ; sciences exactes ; structuralisme ; sujet ; valeurs.

HISTOIRE ET HISTORIENS

● **ÉTYM. :** Du latin *historia*, issu du grec *historia* (« enquête »), terme imposé par Hérodote. ● **DÉF. :** Le terme *histoire* désigne un récit ordonné des événements du passé, mais également l'ensemble de ces événements (le mot appelle alors généralement la majuscule). Le mot *historien*, pour désigner celui qui écrit l'Histoire, apparaît en français à la fin du Moyen Âge*.

L'histoire avant l'Histoire

L'Histoire exprime la mémoire des sociétés humaines : sans cette mémoire, une société n'est pas durable. Cependant, tel quel, le mot ne s'applique qu'aux formes écrites de relation du passé : nous considérons d'ailleurs que le commencement de l'Histoire (au sens des événements qui se sont produits) coïncide avec l'apparition de l'écriture.
Cela ne signifie pas que les sociétés de la préhistoire* étaient des sociétés de la non-Histoire : leur mémoire collective s'exprimait autrement, comme nous le voyons encore aujourd'hui chez les peuples sans écriture, par le canal d'une tradition orale. Celle-ci, apanage généralement d'initiés chargés de cette remémoration et de sa transmission, devait presque toujours prendre la forme de récits psalmodiés, dont l'immuabilité était garantie par le caractère sacré.
Cette pré-Histoire (au sens littéral du terme) ne pouvait, d'une part, qu'être limitée et fragile, car conditionnée par les capacités mnémoniques du cerveau et les aléas d'une transmission orale de génération en génération. D'autre part, cherchant à aller à l'essentiel et à répondre aux interrogations fondamentales (« D'où venons-nous ? Quelle est notre place dans l'ordre du monde ? notre relation à la divinité ? »), elle prenait nécessairement la forme du mythe*.
Les premières manifestations d'une Histoire écrite en portent encore la marque : généalogies royales, sèches compilations dynastiques de la haute Antiquité*, tant chinoise qu'égyptienne ou mésopotamienne, confondent toujours temps mythique et temps historique. Un premier progrès se dessine avec la chronique, plus circonstanciée et plus riche en faits : une importante partie du texte de la Bible*, les tablettes assyriennes rendant compte du règne d'Assurbanipal (669-626 av. J.-C.) relèvent de ce genre. Mais l'Histoire véritable n'apparaît qu'avec la réflexion sur l'événement, la recherche d'une logique ou d'une causalité dans l'enchaînement des faits : là encore, l'apport de la Grèce antique* se révèle décisif.

L'Histoire dans l'Antiquité gréco-romaine

C'est peut-être parce qu'elle pose l'homme comme étant « la mesure de toutes choses » (Protagoras) que la civilisation grecque invente une Histoire émancipée du mythe. Au Vᵉ siècle av. J.-C., Hérodote, qualifié plus tard par Cicéron de « père de l'Histoire », entreprend une enquête à la fois géographique, ethnographique et historique sur les peuples étrangers qui entourent l'Hellade. S'il manque encore de méthode et d'esprit critique, son cadet, l'Athénien Thucydide, apparaît à nos yeux un authentique historien : traitant dans sa *Guerre du Péloponnèse* du conflit entre Athènes* et Sparte*, il se donne pour objet d'en mettre en lumière les motifs, immédiats ou lointains (il distingue l'occasion, le prétexte et la cause). On dépasse donc la simple narration des faits, on cherche des raisons, et l'explication ainsi dégagée débouche sur des considérations politiques et morales. Ainsi, dès le Vᵉ siècle av. J.-C., la méthode et l'intelligence historiques sont affirmées dans l'aire culturelle* grecque, créant un modèle qui va perdurer dans le monde hellénistique* et à Rome* avec ses qualités, mais aussi ses défauts : le goût parfois excessif de la rhétorique et la conviction que l'Histoire a valeur d'exemple.

Nous avons perdu presque toute la production historique grecque, mais il nous reste, entre autres, l'œuvre de Polybe. Quand, au IIe siècle av. J.-C., l'expansion romaine se déploie dans l'espace hellénistique, Polybe en écrit une Histoire raisonnée, montrant les causes, comme Thucydide, expliquant les méthodes et les modes d'action de l'impérialisme romain, faisant état de sources qu'il critique, tentant de dégager dans une perspective purement humaine les lois qui commandent le devenir des sociétés et des États, envisagé tel un cycle toujours recommencé de croissances et de déclins.

Ces modèles grecs conditionnent ce que sera l'Histoire à Rome, illustrée par les noms de Salluste, Tite-Live, Tacite, Suétone et, dans la basse Antiquité*, Ammien Marcellin. Véritable genre littéraire ayant ses règles, l'Histoire latine reste plus dominée par les préoccupations morales et politiques que par le souci d'exactitude.

L'apport du christianisme

La christianisation de l'Empire romain*, à partir du IVe siècle, ne dessert pas l'Histoire. Inscrivant le destin de l'humanité dans une temporalité linéaire allant de la Création au Jugement dernier, et non plus dans le cycle toujours recommencé de l'éternel retour (*cf.* Stoïcisme), la pensée chrétienne*, comme le judaïsme* dont elle procède, fait du temps historique l'un des attributs du monde créé, au regard de l'éternité de Dieu. La Bible est en partie Histoire : une chronologie souvent précise est introduite dans les Évangiles.

Dès le IVe siècle, avec Eusèbe de Césarée, apparaît un genre promis à une grande fortune, l'Histoire ecclésiastique, l'Histoire du peuple chrétien conçue pour son édification. Au début du Ve siècle, saint Augustin développe dans *La Cité de Dieu* une théologie de l'Histoire, celle-ci étant comprise comme la réalisation du dessein de Dieu dont l'aboutissement est le Salut. Cette perspective marquera l'historiographie occidentale jusqu'au XVIIIe siècle : on la retrouve chez Bossuet (1627-1704).

Pourtant, au Ve siècle, l'Histoire est victime de la régression culturelle qui suit les Grandes Invasions*. Le haut Moyen Âge* est une période d'éclipse : pour de longs siècles, l'Histoire redevient, en Europe, chronique dépourvue de toute approche critique, vies de saints emplies de détails merveilleux. Le chroniqueur médiéval renonce à toute tentative d'interprétation ou d'explication : « Je ne veux pas éclaircir la volonté divine, je ne veux pas divulguer les causes cachées des choses [...], je raconte les faits année par année », écrit un chroniqueur anglais du XIe siècle.

C'est au sein du monde arabo-musulman que survit, au Moyen Âge, quelque chose de la conception antique de l'Histoire, en particulier l'idée qu'elle est porteuse de leçons pour le présent. La culture arabe, au XIVe siècle, a son grand historien, le Tunisien Ibn Khaldoun, annonciateur lucide et désolé du déclin de la brillante civilisation musulmane (*cf.* Islam).

L'émergence de l'érudition

Dans la seconde moitié du XVe siècle, l'invention de l'imprimerie et le travail des humanistes* font redécouvrir les œuvres historiques antiques. Il s'ensuit une vague d'imitations conforme à l'esprit de la Renaissance*, mais moins féconde que celle qui affecte le monde de l'art, car elle ne transcende pas ses modèles, se contentant d'en copier même les défauts.

La nouveauté est ailleurs : l'esprit de recherche et la méthode critique*, propres à la démarche humaniste, ouvrent la voie à l'érudition : on invente le classement d'archives, la quête, puis l'étude des objets antiques (vases, statues, médailles) qui multiplient les documents. L'information s'enrichit.

Le XVIIe siècle, âge de la révolution scientifique* et de l'affirmation de la rationalité, va devenir la grande époque de l'érudition et jeter les bases d'une approche moderne de l'Histoire. Dans toute l'Europe, des catalogues de bibliothèques sont établis, tandis que d'énormes opérations de collation et de publication de sources (inscriptions, chartes, textes juridiques) sont entreprises. Les pionniers sont des ordres religieux savants : Jésuites, Bénédictins de la congrégation de Saint-Maur, Oratoriens, qui mettent au point les méthodes de critique des textes. En pays protestant, les académies et les sociétés savantes font de même. Les « sciences auxiliaires » de l'Histoire (épigraphie, numismatique, archéologie...) prennent forme, et Spinoza comme Bayle font de l'examen critique des sources la voie d'accès à la vérité historique.

Ainsi s'établissent les bases documentaires d'une possible Histoire scientifique, mais c'est d'abord l'Histoire « philosophique », mobilisée au service de l'idéologie des Lumières*, qui s'impose au XVIIIe siècle.

L'Histoire militante au XVIIIe siècle

Les philosophes du XVIIIe siècle se font volontiers historiens pour développer leur argumentation. Hume écrit une *Histoire d'Angleterre* ; Montesquieu, *Grandeur et décadence des Romains* ; Voltaire, après l'*Histoire de Charles XII* et *Le Siècle de Louis XIV*, tente, dans l'*Essai sur les mœurs*, un survol de l'Histoire universelle.

À cette Histoire philosophique répond une philosophie de l'Histoire*, de *La Science nouvelle* de l'Italien Vico à l'*Esquisse d'un tableau historique des progrès de l'esprit humain* de Condorcet et à l'*Idée d'une histoire universelle d'un point de vue cosmopolitique* de Kant*. L'Histoire, au siècle des Lumières, est idéologiquement engagée : quand l'Anglais Gibbon achève son *Histoire du déclin et de la chute de l'Empire romain*, il écrit : « J'ai décrit le triomphe de la barbarie et de la religion. »

Les événements consécutifs à la Révolution française* et aux entreprises napoléoniennes* ne font qu'ajouter à cette quête d'arguments. Romantisme* aidant, l'Histoire devient le moyen d'une redécouverte des origines qui fonde les nationalismes* naissants ; elle alimente le débat opposant partisans et adversaires de la Révolution (*cf.* Contre-Révolution). Ainsi commence le XIXe siècle, le grand siècle européen de l'Histoire.

L'Histoire posée comme science au XIXe siècle

Beaucoup de facteurs convergent pour donner à l'Histoire le statut privilégié qui devient le sien au XIXe siècle : le goût romantique pour le passé, spécialement médiéval, la conviction que la connaissance historique est la clé de la compréhension du présent, l'accumulation de documents due à plus d'un siècle de travaux érudits qui se poursuivent et s'accélèrent.

D'abord romantique dans sa forme (exaltation de figures héroïques chez Thierry ou Michelet), l'Histoire subit bientôt l'influence du positivisme* et du scientisme qui s'imposent après 1850. Institutionnalisée et professionnalisée dans le cadre de l'enseignement universitaire, elle devient extrêmement méfiante à l'égard du militantisme idéologique qui dominait encore vers 1830 : elle veut s'en tenir au document et au fait, pour montrer, comme l'affirme l'Allemand Ranke, « comment cela s'est produit exactement », s'opposant en cela à Hegel* et à toute philosophie de l'Histoire.

Elle y gagne en solidité et en sérieux mais, en refusant de s'engager dans l'interprétation, elle s'enferme dans la minutie érudite et réduit son champ d'investigation en fonction des sources qu'elle tient pour sûres. Le souci d'objectivité finit par tuer l'explication, tandis que la volonté d'exhaustivité se heurte à l'inflation grandissante de la documentation. Enfin, l'Histoire positiviste échappe moins qu'elle ne l'affirme aux partis pris idéologiques dans la mesure où, dans chaque pays, elle reste au service des nationalismes rivaux.

Cette Histoire, qui aspire au statut de science et qu'illustre spécialement la brillante école allemande de la seconde moitié du XIXe siècle, est contestée autour de 1900 par l'apparition d'une interprétation marxiste*. En insistant sur les aspects économiques et sociaux, en dépréciant les approches purement politiques et en réhabilitant l'Histoire idéologique et militante, l'école marxiste ouvre une brèche qui prépare le renouvellement de la démarche historique qui va caractériser le XXe siècle.

La diversification de la démarche historique au XXe siècle

En marge des historiens marxistes de plus en plus tributaires de leur engagement politique, des savants comme le Belge Pirenne ou le Hollandais Huizinga, qu'intéresse l'évolution des sensibilités et des mentalités, préparent dans les premières décennies du siècle l'avènement d'une nouvelle Histoire. Globale, dégagée de la minutie événementielle et de l'érudition étouffante, elle prend en compte les apports de disciplines voisines en plein essor : la sociologie*, l'ethnologie*, la psychologie* sociale, la démographie, la linguistique. Interdisciplinarité, synthèse, ambition d'envelopper l'ensemble des phénomènes culturels et d'inscrire

chaque moment dans la longue durée caractérisent l'école française des Annales, qui se constitue entre les deux guerres mondiales* autour de la revue créée en 1929 par M. Bloch et L. Febvre. Cet élargissement s'accompagne d'un renouvellement des méthodes, rendu nécessaire par le volume grandissant et de moins en moins maîtrisable d'une documentation encore accrue par la considérable extension du champ de la recherche.
L'apparition de l'ordinateur dans la seconde moitié du XXe siècle révolutionne les conditions du travail historique. Les énormes possibilités qu'il révèle conduisent toute une école, d'abord aux États-Unis, puis en Europe, à envisager une Histoire assimilant à son profit les méthodes mathématiques*. Venu de l'Histoire économique ou démographique qui s'y prête aisément, le recours à des modélisations mathématiques se double de l'usage de techniques empruntées à la physique* ou à l'informatique. C'est l'avènement de l'Histoire quantitative, ou sérielle.
Il en ressort une exhaustivité jamais atteinte et des résultats certains, mais la méthode a aussi ses limites : elle suppose des données suffisamment fiables (car l'ordinateur n'est pas doué de facultés critiques) ; or, les documents fiscaux, les recensements, les évaluations statistiques du passé sont souvent approximatifs. Ils sont d'autre part inexistants aux hautes époques. Certes, l'analyse informatique de documents non chiffrés reste possible, mais ne risque-t-on pas alors de perdre de vue l'homme lui-même ?

Enjeux contemporains

Histoire et société

À l'aube du XXIe siècle, l'Histoire se cherche, confrontée à des moyens sans précédent d'investigation, menacée par l'hyper-spécialisation qui rend incertaine toute synthèse. Le discrédit — en partie injuste — qui frappe l'Histoire marxiste fait resurgir la méfiance devant tout ce qui ressemble, de près ou de loin, à une philosophie de l'Histoire. Forte en Europe, cette opposition conduit certains à faire de l'Histoire humaine un itinéraire aléatoire, ce qui aboutit à rendre vaine toute tentative d'interprétation et nous ramène au dessèchement scientiste de la fin du XIXe siècle ; cette prévention est moins sensible aux États-Unis, d'où proviennent encore régulièrement de vastes synthèses propres à susciter des discussions passionnées. D'autres débats restent engagés, entre les tenants de la longue durée et ceux qui continuent à privilégier l'événement, entre une Histoire essentiellement interprétative et le retour au récit que souhaite, par exemple, le philosophe P. Ricœur.
Mais tout cela reste finalement un signe de vitalité, comme le montre l'engouement croissant du grand public pour la vulgarisation historique. Un monde qui a découvert, au cours du siècle, l'importance essentielle en toutes choses du « facteur temps » perçoit nécessairement le rôle indispensable de l'approche historique, la seule démarche qui permette efficacement de l'apprécier et de le maîtriser. Plus que jamais, les sociétés modernes ont besoin d'exercer leur devoir de mémoire face aux menaces que l'oubli, le mensonge ou la manipulation font peser sur le fonctionnement démocratique.

● **À consulter :** C. Samaran, *L'Histoire et ses méthodes*, Gallimard, « Pléiade » (1961). J. Le Goff, P. Nora, *Faire l'Histoire*, Gallimard (1974). J. Le Goff, *La Nouvelle Histoire*, Complexe (rééd., 1988). C. Carbonell, *L'Historiographie*, PUF (5e éd., 1995). F. Dosse, *L'Histoire en miettes*, La Découverte (1987). P. Ricœur, *Temps et récit*, Seuil (1991). P. Veyne, *Comment on écrit l'Histoire*, Points Histoire (rééd., 1979).
● **Corrélats :** Contre-Révolution ; ethnologie ; Hegel ; Histoire (philosophies de l') ; Kant ; Marx ; mythe ; progrès ; romantisme ; sociologie.

Histoire (philosophies de l')

● **Étym. :** Du latin *historia*, issu du grec *historia* (« enquête »), terme imposé par Hérodote. ● **Déf. :** Les philosophies de l'Histoire se caractérisent par leur volonté de réfléchir sur le sens de l'Histoire*.

La conscience historique

La conscience historique est une des créations de la civilisation occidentale. Il existe des peuples qui n'écrivent pas l'Histoire et qui vivent le temps comme l'éternel retour des mêmes choses. Le mythe* a alors pour fonction de relier les activités humaines à un temps primordial qu'elles se doivent de répéter, d'où une haine du changement ou « loi de l'éternel hier » selon M. Weber (1864-1920).

La conscience historique a deux racines : le rationalisme politique grec, qui détermine la politique comme une sphère d'action proprement humaine, et donc indépendante de la nature ou des dieux ; la religion judéo-chrétienne, qui introduit l'idée d'un temps linéaire, et non plus cyclique, orienté de la Chute originelle vers la Rédemption finale.

L'héritage antique

Il serait impropre de parler de « philosophies de l'Histoire » dans la période gréco-romaine. Pourtant, on trouve, dans la mythologie, deux grandes figures du devenir historique : le mythe de l'« âge d'or », pensé comme décadence ; le mythe de Prométhée*, repris par les sophistes*, pensé au contraire comme progrès* dû à la technique*.

Platon* (427-347), dans *La République*, établit la notion de cycles politiques : la monarchie dégénère en aristocratie, qui cède sa place à l'oligarchie, laquelle dégénère en démocratie*, puis en tyrannie. Au IIe siècle av. J.-C., l'historien grec Polybe s'inspire de cette analyse, dans ses *Histoires,* quand il formule la théorie de l'*anacyclôsis*, succession réglée et retour des mêmes régimes politiques.

Saint Augustin (354-430), avec *La Cité de Dieu*, est le premier porte-parole de la philosophie chrétienne* de l'Histoire. C'est une vision providentielle qui appelle à déchiffrer le sens de l'Histoire au-delà des faits apparents : si l'Histoire de la cité terrestre est celle de l'absurde* et de la violence, elle masque celle de la cité de Dieu qui se construit de façon invisible comme règne des fins. Hegel* (1770-1831) montrera, dans ses *Leçons sur la philosophie de l'Histoire*, que la pensée historique moderne pourrait n'être qu'une laïcisation de ce schéma.

Les philosophies modernes de l'Histoire

Les philosophies modernes de l'Histoire trouvent leur fondement dans les idées de progrès et de perfectibilité.

Dès le XVIIe siècle, l'essor des sciences* de la nature conduit à l'idée que nous en savons plus que les Anciens : l'humanité, comparée à un individu*, se développerait de façon continue, apprenant sans cesse. Pascal (1623-1662), dans sa *préface* au *Traité du vide*, fait apparaître les réquisits d'une philosophie de l'Histoire : celle-ci doit pouvoir être pensée comme continue, cumulative, orientée ; elle doit avoir pour sujet, non des hommes singuliers, mais l'humanité envisagée comme une totalité.

Au XVIIIe siècle, les Lumières* centrent la philosophie de l'Histoire sur la question du progrès, qu'il soit affirmé chez Turgot, d'Alembert, Condorcet, Kant* ou, au contraire, contesté par Rousseau*.

Le romantisme* allemand, dès la période du *Sturm und Drang* autour de 1770, s'opposera pourtant à l'idée d'Histoire universelle : pour Herder (1744-1803), disciple dissident de Kant, chaque peuple a un génie propre qui s'exprime dans sa langue, ses arts, son folklore (*cf.* Conte, Chanson). De plus, une certaine nostalgie du passé et le refus du monde industriel peuvent nourrir, chez les romantiques, une pensée de la décadence.

C'est au XIXe siècle que fleurissent les grands systèmes d'interprétation de l'Histoire : ils cherchent à penser ces ruptures que représentent la Révolution française*, l'entrée dans l'ère industrielle et le rôle nouveau de la science dans l'industrie et l'organisation sociale. Pour Hegel, la clé de l'Histoire universelle est politique ; elle consiste en une prise de conscience de la liberté qui s'accomplit dans l'État* moderne. Pour Tocqueville (1805-1859), l'Histoire suit la marche irrésistible de la démocratie, qui égalise les conditions et supprime les ordres traditionnels. Pour Saint-Simon (1760-1825), puis Comte (1798-1857), l'ingénieur et l'entrepreneur vont prendre le relais de la caste militaro-politique : pour le positivisme*, le mouvement de l'Histoire est déterminé par l'entrée dans l'âge « positif », c'est-à-dire par la compréhension de la nature de la science et du rôle qu'elle doit désormais jouer. Enfin, pour Marx* (1818-1883), l'avènement du capitalisme constitue la dernière étape avant l'émancipation définitive de l'humanité par la révolution* socialiste : l'Histoire doit être comprise en termes de luttes des classes ; elle est déterminée par les conditions matérielles et sociales de l'organisation du travail* humain.

La critique des philosophies de l'Histoire

Dès la fin du XIXe siècle, Nietzsche* (1844-1900) dénonce à la fois l'idée de progrès et le projet hégélien, « tentative gothique de donner l'assaut au ciel ». Dans les *Considérations intempestives*, publiées après la guerre de 1870, il s'efforce de montrer que l'idée de progrès n'est qu'une version sécularisée du messianisme religieux. Il s'oppose à l'idée hégélienne d'une Histoire pensée comme « tribunal du monde » : le succès historique n'implique pas une avancée vers le mieux. Nietzsche distingue deux formes d'Histoire : une Histoire « héritage » et une Histoire « promesse ». À l'une comme à l'autre, il reproche de trahir la vie : tournée vers le passé, l'Histoire n'est que vaine érudition ; anticipant l'avenir, elle risque de devenir une rêverie métaphysique*.

Le XXe siècle a vu le déclin des philosophies de l'Histoire. On a pu d'abord en contester les présupposés théoriques : parler d'« Histoire universelle », c'est accepter l'idée d'une humanité « une », ce qui tombe aisément sous le reproche d'ethnocentrisme. Dans *Race et histoire* (1952), Lévi-Strauss, refusant que le modèle occidental puisse convenir à tous les peuples, oppose notre Histoire « chaude » à l'historicité « froide » des peuples primitifs. L'école des Annales, fondée en 1929 par les historiens M. Bloch et L. Febvre, privilégie la longue durée par rapport à l'événement, et rend problématique l'unité du temps historique. Plus radicalement, des auteurs contemporains, comme M. Foucault et l'historien P. Veyne, remettent en cause l'idée même de causalité historique, ce qui a pour effet de penser le devenir humain comme irréductiblement discontinu.

Ensuite, d'un point de vue moral, les grandes convulsions politiques du XXe siècle ont rendu inacceptable l'idée d'un progrès continu : le prix à payer pour le retour de la liberté est trop lourd. Comment voir, dans la *Shoah* ou dans Hiroshima, la rançon d'une quelconque avancée de l'humanité ? Enfin l'expérience du communisme soviétique* a montré les terribles risques que comporte l'idée d'une Histoire dont certains maîtriseraient le sens et les lois : ne légitime-t-elle pas le pouvoir tyrannique de ceux qui savent, et peuvent donc orienter l'humanité vers des « lendemains qui chantent » ?

ENJEUX CONTEMPORAINS

Philosophie

Après l'École de Francfort*, de nombreux intellectuels* comme R. Aron, H. Arendt ou C. Lefort ont opposé aux grandes synthèses totalisantes l'idée d'une Histoire ouverte, imprévisible parce qu'accomplie par des êtres libres.

Cependant, des philosophes contemporains, comme P. Ricœur, L. Ferry ou A. Renaut, renouent avec la pensée kantienne. Nous ne pouvons pas nous passer de l'idée de progrès, car celle-ci peut donner un but à notre action. Mais cette idée doit être pensée de façon non pas dogmatique, mais critique* : il s'agit moins d'une dimension immanente de l'Histoire que d'un horizon de sens, prescrivant au sujet moral d'œuvrer à la construction d'une communauté éthique*, respectant la liberté de chacun et orientée vers la paix entre les nations. C'est en ce sens que croire au progrès reste un devoir pour l'humanité raisonnable.

● **À CONSULTER :** R. Aron, *Dimensions de la conscience historique*, Plon (1964). L. Ferry, A. Renaut, *Philosophie politique* (tome III), PUF (1985). M. Foucault, *Les Mots et les Choses*, NRF (1966). P. Veynes, *Les Grecs ont-ils cru à leurs mythes ?*, Points (1992). C. Lévi-strauss, *Race et histoire*, Folio (1988). A. Renaut, *Kant aujourd'hui*, Aubier (1997). O. Spengler, *Le Déclin de l'Occident*, NRF (1981). A. Toynbee, *L'Histoire*, Bordas (1985).

● **À LIRE :** Condorcet, *Esquisse d'un tableau historique des progrès de l'esprit humain* (1794). Rousseau, *Discours sur l'origine de l'inégalité* (1755). Kant, *Idée d'une histoire universelle d'un point de vue cosmopolitique* (1784). Hegel, *La Raison dans l'histoire* (1837). Marx, *Manifeste du parti communiste* (1848). Tocqueville, *L'Ancien Régime et la Révolution* (1856). R. Queneau, *Les Fleurs bleues* (1965) ; *Le Dimanche de la vie* (1952).

● **CORRÉLATS :** chrétienne (pensée) ; ethnologie ; Francfort (École de) ; Hegel ; Histoire et historiens ; Kant ; Lumières ; Marx ; Nietzsche ; positivisme ; progrès ; romantisme ; sciences de l'homme ; sociologie.

HUMANISME ET ANTI-HUMANISME

● **ÉTYM.** : Du latin *humanitas* (« humanité »), dérivé de *homo* (« homme »). ● **DÉF.** : Apparu au XVIIIe siècle, le terme *humanisme* présente deux significations : en Histoire, il désigne un ensemble de tendances caractéristiques des penseurs et des artistes de la Renaissance* ; en philosophie, il exprime une thèse fondamentale de la pensée moderne (depuis Descartes* et, surtout, Kant*), selon laquelle l'homme tient sa dignité de son statut de sujet*, ce qui fait de lui la source unique du sens et des valeurs*. C'est de façon différente que l'humanisme de la Renaissance et l'humanisme moderne affirment la valeur de l'homme. Par ailleurs, si l'humanisme de la Renaissance appartient à un passé à jamais révolu, l'humanisme moderne est toujours accompagné de son ennemi intime : l'*anti-humanisme*.

La valeur de l'homme selon les penseurs de la Renaissance

XVe – XVIe siècles

La foi en l'homme est centrale chez les penseurs de la Renaissance italienne : elle inspire l'admiration exprimée par Pic de La Mirandole (1463-1494), au commencement de son discours *De la dignité de l'homme* (1486), envers ce « grand miracle et être vivant merveilleux ». La merveille, en l'homme, c'est le libre arbitre qui l'oppose à toutes les créatures de la nature, c'est le dynamisme extraordinaire d'un être qui doit toujours choisir entre l'animalité et la divinité. La valeur de l'homme réside dans l'élan ascendant de son âme : valeur unique, incomparable à celle du but à atteindre, si bien que de ce point de vue l'homme est supérieur même aux anges. Ce dynamisme ascendant permet de comprendre les principaux traits de l'humanisme de la Renaissance.

En tout premier lieu, le culte des « humanités » : traductions, commentaires, éditions critiques, adaptations et transpositions des textes antiques, susceptibles de guider l'homme dans son accomplissement. Outre la résurrection d'un patrimoine négligé ou corrompu par la scolastique médiévale, il s'agit de renouer avec le sens que les Latins donnaient au mot *humanitas*, en lequel ils voyaient la traduction de deux mots grecs : *philanthropia* (« bonne volonté envers tous les hommes ») et *paideia* (« culture par la formation aux arts et aux lettres »). L'*humanitas* vise à conjurer en l'homme le risque de l'inhumanité, à le rendre aussi homme que possible.

La réalisation du modèle humain suppose une pédagogie nouvelle, dont la mise en œuvre se heurte à l'organisation de l'enseignement scolastique. L'éducation « libérale » (Érasme, 1529), attentive à la signification humaine de la culture, est bien ce qui rassemble les hommes de la Renaissance, depuis les premiers pédagogues du *Quattrocento* jusqu'aux grands humanistes européens du XVIe siècle : Érasme (1467-1536), Budé (1467-1540), Rabelais (1483-1553), Montaigne (1533-1592). Elle inspire la création, en dehors de l'Université, de véritables écoles* humanistes (Collège des lecteurs royaux, créé en 1530 par François Ier).

Si la valeur de l'homme réside dans la tension de son âme, la vie humaine comprend à la fois le ciel et la terre : l'Au-delà est entrevu lorsque l'homme se dirige vers l'objet de son amour. Le retour à l'Antiquité* païenne s'harmonise ainsi à la théologie chrétienne*, dans un esprit platonicien ou plutôt néoplatonicien, surtout dans les œuvres de Ficin (1433-1499) : le *Commentaire sur le Banquet de Platon* (1469) et la *Théologie platonicienne de l'immortalité des âmes* (1474). Que l'on puisse trouver chez Platon* (427-347 av. J.-C.) une propédeutique à la religion chrétienne, c'est une conviction que partagent les grands humanistes de la Renaissance, d'Érasme à More (1478-1535) : conviction qui s'intègre parfaitement à leur esprit d'œcuménisme, et même de pacifisme, comme en témoignent *La Paix de la foi* (1453) de De Cues et les *Conclusions philosophiques, kabbalistiques et théologiques* (1486) de Pic de La Mirandole.

La Réforme* va contester cette idée d'un message universel du Christ, lisible dans l'unité retrouvée de l'héritage culturel. Luther (1483-1546) rompt définitivement avec l'humanisme en publiant en 1525 le traité *Du serf arbitre* : au-delà de la polémique contre Érasme et sa foi sans désespoir, la réfutation du libre arbitre renverse la perspective selon laquelle on avait pu, depuis plus d'un siècle, s'émerveiller de l'homme. On peut donc estimer que cette date marque la fin de l'humanisme comme période historique.

L'humanisme dans la philosophie moderne

On a pu parler d'« humanisme des Lumières* » dans la mesure où elles se fondent sur la confiance en la raison universelle, sur la croyance optimiste dans le progrès* pour viser un idéal de liberté et de bonheur. L'*Encyclopédie** (1745-1772) définit l'humanité comme « un sentiment de bienveillance pour tous les hommes », cette bienveillance étant associée au néologisme « bienfaisance », qui connote plutôt la vertu morale, la conscience des solidarités humaines, ce qu'il est de mode aujourd'hui d'appeler l'« humanitaire » ; c'est en ce sens que Mirabeau, dans ses *Économiques* (1769), propose le terme *humanisme*, mais l'esprit de la Renaissance est perdu.

C'est en effet à une tout autre idée de l'homme qu'on se réfère lorsqu'on parle d'humanisme dans la philosophie moderne : ainsi, lorsqu'à propos de certains écrits de jeunesse de Marx* (1818-1883), on s'interroge sur l'« humanisme marxiste ». On entend ici par humanisme la critique* de l'aliénation (religieuse ou économique) en vertu de laquelle l'homme voit sa propre essence lui devenir étrangère, sa propre activité se retourner contre lui, comme une puissance qui le domine et le dépossède de lui-même. L'homme doit avoir pour ambition, dans une telle perspective, de récupérer cette essence aliénée, de réintégrer dans l'humain tout ce qui semble le dépasser. Loin de croire, comme l'humanisme de la Renaissance, que la valeur de l'homme est dans l'essor de l'âme vers l'Idéal, l'humanisme moderne en arrive à dénoncer l'Idéal comme illusoire : ainsi la religion ne serait, selon Marx, que « l'opium du peuple ».

L'humanisme moderne assigne à l'homme sa place : la place centrale du sujet, transparent à soi et libre de ses actes. Sartre (1905-1980) se réfère à cette place centrale de l'homme lorsqu'il proclame, en 1945, que l'existentialisme* est un humanisme. Mais n'est-il pas illusoire d'attribuer à l'homme une telle place ? C'est de ce soupçon que naît le frère ennemi de l'humanisme moderne, l'anti-humanisme.

L'anti-humanisme dans la philosophie contemporaine

Dans la *Lettre sur l'humanisme* (1947), Heidegger* (1889-1976) s'efforce de montrer que la dignité véritable de l'homme lui interdit précisément de se croire un fondement premier, comme le veut l'humanisme. L'homme n'est pas sujet : l'homme est le « berger de l'Être », il est le lieu où l'Être se révèle, prend sens, se garde et se recueille, si bien que les prétendues propriétés de l'homme (liberté, pensée, langage...) sont en réalité des exigences de l'Être, qui nous convoque en se révélant à nous. Certes, c'est bien l'homme qui parle, mais à condition de laisser parler en lui les mots, car le langage est « la demeure de l'Être ».

Partant de principes fort différents, les penseurs du structuralisme* aboutissent, sur le langage, à la même conclusion que Heidegger : ce n'est pas l'homme, en tant que sujet parlant, qui s'exprime et se reconnaît dans ses paroles ; ce sont au contraire les structures contraignantes de la langue qui déterminent ce que l'homme peut dire. Prenant pour modèle la linguistique, les sciences de l'homme* doivent étudier les structures de la société* ou de la culture, indépendamment de la conscience et des intentions des hommes. Comme l'écrit Lévi-Strauss dans *La Pensée sauvage* (1962) : « Les sciences humaines n'ont pas pour but de constituer l'homme, mais de le dissoudre. »

Foucault (1926-1984) va encore plus loin sur la voie de l'anti-humanisme. La thèse fondamentale de son ouvrage *Les Mots et les Choses* (1966) est que la notion d'homme, telle que l'entendent les sciences humaines, ne représente qu'un moment transitoire dans l'histoire du savoir. Désignant à la fois l'objet à connaître et le sujet de la connaissance, cette notion est paradoxale et précaire. La difficulté qu'elle suscite n'est pas le plus vieux problème de la pensée, mais au contraire un phénomène récent et provisoire. En ce sens, de même que Nietzsche* (1844-1900) avait proclamé la « mort de Dieu », Foucault croit légitime d'annoncer la « mort de l'homme ».

● **À CONSULTER :** L. Ferry, A. Renaut, *La Pensée 68. Essai sur l'anti-humanisme contemporain*, Gallimard (1985). ● **À LIRE :** Érasme, *Éloge de la folie* (1511).

● **CORRÉLATS :** Antiquité ; chrétienne (pensée) ; Descartes ; école ; existentialisme ; Heidegger ; Kant ; Lumières ; Marx ; Nietzsche ; Platon ; progrès ; Réforme ; Renaissance ; sciences de l'homme ; société ; structuralisme ; sujet ; valeurs.

IDÉOLOGIE

● **ÉTYM. :** Du grec *idea* (« idée ») et *logos* (« science »). ● **DÉF. :** Le terme *idéologie*, créé par le philosophe Destutt de Tracy (1754-1836), désigne la science qui étudie les idées prises en elles-mêmes, ainsi que leurs rapports, hors de toute considération métaphysique*. Autour de ce projet se constitue, au début du XIXe siècle, l'école dite « des Idéologues ». Inspirateurs et organisateurs de l'enseignement dispensé dans les établissements créés par la Convention, très actifs dans les assemblées politiques du Consulat et du Premier Empire, les Idéologues s'opposent à Napoléon*, qui les combat en les qualifiant de « métaphysiciens abstraits et nébuleux » : assimilation péjorative, totalement contraire à leur projet, mais qui va contaminer, jusqu'à nos jours, le mot *idéologie*.
Outre cette acception péjorative, le terme *idéologie* peut être également utilisé de façon neutre, au sens de « courant de pensée » (on parle ainsi des « principaux courants* idéologiques contemporains »).

La critique de l'idéologie chez Marx

Marx* (1818-1883) et Engels (1820-1895) rédigent en 1845-1846 un ouvrage intitulé *L'Idéologie allemande*, qui ne sera publié qu'en 1932, et qui est l'acte de naissance de la philosophie marxiste. Marx et Engels appellent *idéologie* l'ensemble des représentations (principes moraux et religieux, idées politiques et philosophiques) qui s'imposent à la conscience des hommes au cours de leur Histoire*. Le caractère essentiel de ces représentations est leur « abstraction », mot auquel les auteurs donnent deux significations, toujours indissolublement liées.

Au premier sens, ces idées sont abstraites parce qu'elles sont privées de la réalité qui les rend possibles, de telle sorte que la condition réelle de leur production nous échappe. L'idéologie est donc mystifiante, n'ayant jamais le sens qu'elle prétend avoir. C'est dans la transformation de la nature et d'eux-mêmes, dans la production matérielle de leurs conditions d'existence, que les hommes en viennent à produire des idées sur eux-mêmes et sur la nature. Selon le matérialisme* de Marx, il n'y a pas d'histoire autonome des idées, mais une production des idées dans l'Histoire des hommes.

Les idées sont abstraites également en un autre sens, par leur apparence universelle. Masquant son origine réelle, l'idéologie tend également à masquer le caractère particulier, déterminé, de cette origine. Marx et Engels rendent compte de ce phénomène en considérant les rapports qu'entretiennent les individus* dans la production de leur existence, et particulièrement la division entre travail* matériel et travail intellectuel. Lorsque les intellectuels* acquièrent une vie indépendante, la pensée elle-même devient une activité séparée. C'est grâce

à cette séparation que l'idéologie de la classe dominante prend la forme universelle qui lui permet d'être une idéologie dominante dans toutes les classes de la société.
Marx et Engels appellent *communisme*, dans cet ouvrage, le mouvement qui abolit la division du travail ; selon eux, ce mouvement doit également abolir l'idéologie. Cette abolition est jugée imminente, à cause de l'apparition, dans la société bourgeoise*, d'une classe authentiquement universelle : le prolétariat. Dans son dénuement absolu, le prolétariat n'est pas une classe dont les intérêts particuliers pourraient donner lieu à la mystification idéologique.
Il ne saurait donc y avoir d'idéologie prolétarienne. Mais la conception du prolétariat comme classe universelle ne résistera pas, du vivant même de Marx, à l'épreuve des faits, et sera remplacée par l'idée toute différente d'une « classe ouvrière ». C'est sans doute la raison majeure de l'abandon de la notion d'idéologie dans les œuvres ultérieures de Marx.

ENJEUX CONTEMPORAINS

La fin des idéologies ?

Marx et Engels auraient sans doute vu un bel exemple d'idéologie – au sens qu'ils donnaient à ce mot – dans les proclamations à la mode sur « la fin des idéologies ». Le consensus des esprits dits sérieux sur le fait qu'il n'y a plus de problèmes idéologiques, mais seulement des problèmes techniques, est la forme postmoderne* de l'idéologie. Ainsi, bien que la technique* tende à détruire la fonction symbolique du langage, et son rôle de ciment social, elle a besoin de cette fonction pour se constituer en idéologie technicienne.

● **À CONSULTER :** J. Servier, *L'Idéologie*, PUF, « Que sais-je ? ». ● **À LIRE :** C. Castoriadis, *L'Institution imaginaire de la société*, Seuil (1975). J. Habermas, *La Technique et la Science comme idéologie*, Denoël (1984).
● **CORRÉLATS :** bourgeoisie ; courants idéologiques contemporains ; Histoire (philosophies de l') ; individu et individualisme ; intellectuels ; Marx ; matérialisme ; métaphysique ; Napoléon ; postmoderne ; technique ; travail.

IMAGE

● **ÉTYM. :** Du latin *imago* (« représentation » ; « figure de rhétorique »). ● **DÉF. :** Le terme *image* peut désigner soit la copie privée de réalité, voire l'apparence fantomatique, soit le symbole ou la métaphore en poésie*.

La critique de l'image en Occident

La critique* de l'image en Occident a des racines religieuses : selon la Bible*, l'image de Dieu est indigne de sa majesté (*Exode*, XX).
Cette interdiction a servi de justification à l'« iconoclasme » (destruction des images saintes) à trois époques cruciales de l'histoire de la chrétienté : lors de la « querelle des Images » qui divisa l'Empire byzantin* au VIIIe siècle, dans le mouvement cathare au XIIe siècle, et dans les révoltes populaires qui accompagnèrent la Réforme* au XVIe siècle. L'Église catholique*, au contraire, favorise traditionnellement la représentation esthétique de l'histoire sainte.
Quant à la critique philosophique de l'image, elle est énoncée avec vigueur dès le commencement de la philosophie occidentale, dans l'œuvre de Platon* (427-347 av. J.-C.). Il est remarquable que ce soit à travers une image-symbole, la célèbre « allégorie de la caverne » (*La République*, VII), que Platon exprime le mieux le caractère trompeur des images-copies : car ce sont des copies que l'on risque toujours de prendre pour des modèles. La condamnation platonicienne des images implique une certaine dévalorisation du monde sensible : les hommes tiennent ce monde pour la véritable réalité parce qu'ils ignorent le modèle intelligible qui lui donne sens.
Depuis Aristote* (384-322 av. J.-C.), les philosophes distinguent la « sensation », éprouvée en présence d'un objet, et l'« imagination », faculté de se représenter l'objet en son absence. Les images qui sont ainsi produites par une faculté spécifique de l'esprit peuvent être réhabilitées : Kant* (1724-1804) montre qu'elles sont nécessaires à la connaissance, car elles assurent la liaison entre les données sensibles et les concepts abstraits. Mais encore faut-il admettre que l'imagination consiste positivement à « imaginer », à produire des images. Une tradition philosophique française, qui s'épanouit chez Alain (1868-1951),

soutient au contraire qu'elle consiste seulement à « s'imaginer que... », n'étant rien d'autre qu'une croyance vide : les images ne nous tromperaient donc pas seulement sur la nature de l'objet qu'elles représentent, mais également sur leur propre nature.

La civilisation de l'image

La civilisation contemporaine est-elle caractérisée par une régression de l'écriture et le développement d'une culture fondée sur l'image ? Cette idée devenue triviale semble massivement étayée par la place que le cinéma*, la télévision et l'informatique occupent dans la vie moderne. Elle prend une forme théorique élaborée dans l'œuvre du sociologue canadien McLuhan (1911-1980). Plus qu'un simple changement de culture, il s'agit, selon McLuhan, d'une véritable mutation de la nature humaine. L'homme contemporain quitte la « galaxie Gutenberg », c'est-à-dire tout ce qui était impliqué par la prééminence culturelle de l'imprimerie : privilège de la vue, dissociée des autres sens ; prépondérance de l'abstraction ; isolement des individus*. Il est entré dans la « galaxie Marconi », l'univers de la communication audiovisuelle, avec ses lois propres : simplification et discontinuité de l'information ; appréhension globale, équilibre des cinq sens ; participation commune intense. Ces lois vont le déterminer complètement.

En invoquant ainsi une sorte de fatalisme historique, McLuhan évacue les problèmes posés par une civilisation de l'image, illustrés avec talent par Barthes dans ses *Mythologies* (1957) : passivité du spectateur, abêtissement, manipulation de ceux qui ne savent pas décoder les images. Dire que l'homme moderne doit apprendre à connaître et à maîtriser les moyens audiovisuels, c'est implicitement reconnaître à l'écrit une fonction irremplaçable d'analyse. Quant à la thèse selon laquelle ces moyens permettent, selon McLuhan, de créer un « village global » à l'échelle planétaire (*Guerre et paix dans le village planétaire*, 1968), elle présente sous forme d'utopie* ce qui n'est qu'une régression au tribalisme.

Les moyens de communication (*cf.* Médias), loin d'être de simples outils subordonnés aux messages qu'ils transmettent, constituent en réalité le message essentiel et modifient l'être humain par eux-mêmes, indépendamment des contenus véhiculés. L'essayiste français R. Debray a entrepris récemment, sous le nom de « médiologie », une analyse historique de la fonction sociale et politique des médias. Si cette analyse confirme globalement l'hypothèse de McLuhan sur la division de l'Histoire en trois époques (transmission orale, transmission par l'écriture imprimée, transmission audiovisuelle), elle nuance l'idée suivant laquelle la modernité voit l'image supplanter le mot.

Enjeux contemporains

Essor technologique et réalité virtuelle

Selon la distinction traditionnelle entre la réalité et l'image, celle-ci est conçue comme une simple apparence superficielle, privée de l'épaisseur et de la profondeur qui caractérisent les choses réelles. Certaines découvertes technologiques récentes semblent bouleverser l'évidence de cette opposition. En premier lieu, les hologrammes : la photographie peut désormais restituer le relief des objets, grâce aux interférences de faisceaux lasers. Ensuite, et surtout, les images de synthèse : l'ordinateur permet de simuler la totalité d'une situation, en variant les perspectives selon les différentes réactions du sujet. Dans ces conditions, la notion de « monde imaginaire » ne peut plus signifier uniquement un univers subjectif, coupé du monde réel, mais un prolongement cohérent de ce monde réel.

C'est sans doute ce qui explique l'usage de l'expression *réalité virtuelle* pour désigner ces nouvelles possibilités techniques et leurs conséquences variées. La formule est paradoxale, car au sens propre, le « virtuel » s'oppose au « réel » : ce qui est virtuel est seulement possible, sans être effectif. À vivre dans une réalité virtuelle, l'homme ne court-il pas le risque de perdre le sens de cette différence, c'est-à-dire le sens même de la réalité ?

● **À consulter :** R. Debray, *Vie et mort de l'image*, Gallimard (1992). C. Cadoz, *Les Réalités virtuelles*, Flammarion, « Dominos » (1994).

● **Corrélats :** Aristote ; Bible ; byzantin (Empire) ; cinéma ; critique ; Église catholique ; individu ; intellectuels ; Kant ; médias ; Platon ; Réforme ; utopie.

IMPRESSIONNISME

● **ÉTYM. :** Dérivé d'*impression*, pris au sens figuré d'« effet produit sur l'esprit, sur la sensibilité » (du latin *impressio*, de *imprimere* : « produire une empreinte »). ● **DÉF. :** Créé par le critique d'art Leroy en avril 1874 pour qualifier, ironiquement, la série de tableaux exposée à Paris, galerie Nadar (qui comprenait *Impression, soleil levant* de Monet), le terme *impressionniste* fut adopté par les artistes ainsi désignés. Il recouvre l'école picturale constituée à la fin des années 1860 par Manet, Sisley, Bazille, Monet, Renoir, bientôt rejoints, entre autres, par Degas, Pissarro et Cézanne.

L'acte de naissance de l'art moderne

1860-1890

L'impressionnisme est considéré à juste titre comme un tournant décisif de l'histoire de l'art occidental, la césure entre la tradition héritée de la Renaissance* et l'émergence de l'art moderne*. Il n'est cependant pas complètement coupé de la création antérieure : ses formules s'annoncent chez Delacroix (1798-1863) et chez les paysagistes français et anglais du XIXe siècle, Corot (1796-1875), Constable (1776-1837). Plus que tout autre, l'Anglais Turner (1775-1851) apparaît un étonnant précurseur.

L'initiateur du mouvement est Manet (1832-1883) : sa manière personnelle (refus du modelé, affrontement sans transition de l'ombre et de la lumière) et son refus de peindre autrement qu'il voit, l'écartent des Salons officiels du Second Empire. Napoléon III ayant décidé l'ouverture d'un « Salon des refusés » en 1863, Manet y expose un nu féminin, *Olympia*, puis *Le Déjeuner sur l'herbe* malgré les sarcasmes et les insultes. C'est autour de lui que de jeunes peintres se regroupent, à la fin des années 1860.

Un regard neuf et contesté sur le monde

Les objectifs de la nouvelle école se précisent rapidement : capter les subtilités de la lumière et ses variations dans le temps ; saisir le fugitif, le changeant ; traduire par la couleur, dans l'instant et à l'état brut, ce que l'œil voit. Les artistes impressionnistes sont passionnés par les travaux sur la lumière du chimiste Chevreul (1786-1889) et ils ne s'embarrassent pas de sujets : ils peignent la nature, un jardin, un plan d'eau, un bouquet de fleurs, une rue ensoleillée et pavoisée. Ils ne retiennent que des taches de couleurs sans se préoccuper des formes : le dessin, les contours, le modelé ne les intéressent pas. La rupture avec l'enseignement de l'École des beaux-arts et l'esthétique académique, à laquelle le public est habitué, est totale. Elle explique l'incompréhension (et même l'hostilité hargneuse) qu'ils rencontrent.

Ne réussissant pas à s'ouvrir les portes des grandes manifestations officielles, les impressionnistes exposent de manière parallèle, grâce à l'appui du marchand de tableaux Durand-Ruel et de rares amateurs. Ces présentations font scandale mais, malgré l'insuccès et les difficultés matérielles, les artistes persistent. Dans le courant des années 1880, ils trouvent un public étroit. Pourtant en 1894 encore, l'État refusera le legs de la collection d'œuvres impressionnistes du peintre Caillebotte (1848-1894), et il faudra toute l'autorité de son ami Clemenceau pour que l'œuvre de Manet entre au Louvre.

Dans les années 1890, l'impressionnisme atteint ses limites. C'est l'époque où Monet (1840-1926) réalise ses « séries », reproduisant inlassablement le même sujet à divers moments du jour, essayant de traquer les moindres variations de la lumière. Il peint ainsi des *Meules* dans les champs, les *Nymphéas* de son jardin de Giverny ou la façade de la cathédrale de Rouen. Il cherche, affirme-t-il, à saisir « un instant de la conscience du monde ».

ENJEUX CONTEMPORAINS

Courants artistiques

L'impressionnisme connaît une postérité abondante. Décomposant la lumière en petits points ou traits qui feront qualifier leur peinture de « pointilliste », Seurat (1859-1891) et Signac (1863-1935) poussent à ses extrêmes limites la démarche impressionniste. Cézanne (1839-1906), qui a derrière lui un long passé impressionniste, redécouvre l'importance de la forme et des volumes et reproduisant inlassablement les aspects changeants de la montagne Sainte-Victoire, il prépare, en soulignant l'importance des structures, l'avènement du cubisme*.

L'impressionnisme, même s'il se survit encore, a alors épuisé ses formules, mais il apparaît déjà beaucoup plus qu'un moment de l'histoire de la peinture : il est la matrice des tendances nouvelles qui se dégagent et qui vont fonder l'art moderne. Son influence dépasse largement le domaine pictural : on la retrouve dans la sculpture de Rodin (1840-1917), dans la fluidité de l'Art nouveau*, dans la musique de Debussy (1862-1918), dans la démarche et l'écriture de Proust (1871-1922).
Au rejet succède l'engouement du public : au XXe siècle, la peinture impressionniste atteindra des sommets sur le marché de l'art.

● **À CONSULTER :** *Le Grand Atlas des Impressionnistes*, Atlas (1996). M. Sérullaz, *L'Impressionnisme*, PUF (10e éd., 1993). R. Cogniat, *Les Impressionnistes*, Faurat (rééd., 1986). F. Salvi, *Les Impressionnistes*, Hatier (1994). ● **À LIRE :** M. Proust, *À l'ombre des jeunes filles en fleurs* (1918) [le reflet littéraire de la manière impressionniste]. ● **À VOIR :** J. Renoir, *Le Déjeuner sur l'herbe* (1959).
● **CORRÉLATS :** art moderne ; Art nouveau ; cubisme.

INDIVIDU ET INDIVIDUALISME

● **ÉTYM. :** Du latin *individuum* (« corps indivisible »). ● **DÉF. :** Le terme *individu* signifie d'abord « indivisible ». Par opposition aux entités collectives (le troupeau, la classe, la société*), l'individu se reconnaît à ce qu'on ne saurait dissocier ses éléments sans le détruire, ou du moins sans abolir la signification de ces éléments (comme un organe arraché à un être vivant perd du même coup sa fonction).

Les propriétés de l'individu : unité et unicité

Chaque individu est véritablement « un », tandis qu'une entité collective ne l'est que par analogie avec un individu (par exemple, « la France » ou « l'Espagne »). Le philosophe allemand Leibniz (1646-1716) en déduisait qu'il n'existe, à proprement parler, que des individus.
Si chaque individu est « un », il est également « unique », ce qui ne veut pas dire la même chose, comme on le voit bien lorsqu'on pose le problème du droit* des individus. Car la revendication, par chacun, du respect de son intégrité doit valoir pour tous les individus. Défendre un individu en tant que tel, c'est les défendre tous, en ce sens que chaque individu, comptant pour « un », en vaut un autre, ce qui est le principe de l'égalité en démocratie*. En revanche, vouloir être reconnu dans son caractère « unique », c'est revendiquer un « droit à la différence ».
C'est ce double critère d'unité et d'unicité qui rend si difficiles les problèmes posés par la notion d'individu : le problème de l'individuation, le problème de l'individualité, le problème de l'individualisme.

Le principe d'individuation

Par *individuation*, il faut entendre non seulement ce qui fait qu'un individu est un individu (son unité), mais également ce qui fait qu'il est tel individu et non tel autre (son unicité). S'il est vrai qu'il n'existe que des individus, il semble bien que la connaissance de l'individuation doive être la plus importante de toutes, ainsi que la plus claire, celle qui nous permet d'atteindre l'être en lui-même, au lieu de nous perdre dans des abstractions.
Que cette connaissance soit malgré tout impossible, à cause de la double exigence d'unité et d'unicité, c'est ce qu'enseigne la philosophie d'Aristote* (384-322 av. J.-C.). Selon lui, toute réalité individuelle est composée de forme et de matière. Par exemple, l'individu dont le nom propre est *Socrate* possède une « forme », qui permet de parler de lui de façon sensée (c'est un homme, un philosophe, il est juste, courageux...), et une « matière » par laquelle il peut se différencier de ceux qui ont la même forme que lui. Comment se fait l'individuation de Socrate ? Par la forme, car c'est à elle qu'il doit son unité, et qu'il est susceptible d'être clairement défini ; mais également par la matière, puisque c'est à elle qu'il doit son unicité, le « je ne sais quoi » indéfinissable qui le fait reconnaître. Et comme forme et matière se retrouvent nécessairement en tout individu, l'écart entre individuation par la forme et individuation par la matière est

irréductible : il n'y a pas de réponse unique au mystère de l'individuation.
Au Moyen Âge*, l'opposition entre forme et matière, héritée d'Aristote, continue de dominer les recherches sur le principe d'individuation. C'est au XVIIe siècle, dans les philosophies de Spinoza (1632-1677) et de Leibniz (1646-1716), que de nouvelles voies sont explorées. En affirmant, dans l'*Éthique* (1675), que « chaque chose, autant qu'il est en elle, s'efforce de persévérer dans son être », et en fondant cette thèse essentielle sur l'impossibilité logique de la destruction par soi-même, Spinoza inscrit d'emblée l'individuation au cœur de l'être, non comme un mystère, mais au contraire comme un principe d'intelligibilité absolue. Quant à Leibniz, il affirme dans sa *Monadologie* (1714) que la réalité est constituée de « monades » (du grec *monas*, « unité »). Chaque monade développe spontanément ses propriétés selon une loi spécifique, et il est impossible que deux monades soient absolument indiscernables l'une de l'autre.

La reconnaissance de l'individualité

Si le problème de l'individuation concerne tous les êtres, la notion d'individualité est spécifiquement humaine. Il ne suffit pas d'être un individu pour « faire preuve » d'individualité, car celle-ci, comme l'indique justement l'expression qu'on vient d'utiliser, doit se « prouver » pour être reconnue. Sans cet effort en vue de la reconnaissance, l'existence humaine est celle d'individus sans individualité : c'est la banalité quotidienne, décrite par le philosophe Heidegger* (1889-1976), dans son ouvrage *Être et temps* (1927), comme soumise à la toute-puissance du « on », prenant la place du « je » : chacun agit comme « on » agit, juge comme « on » juge, critique comme « on » critique. À cette dictature du « on » s'oppose, selon Heidegger, le fait que l'Être de l'homme est un « Être-pour-la-mort ». La mort représente, pour chacun de nous, l'impossibilité de développer tranquillement toutes ses possibilités, la nécessité de se risquer, de sacrifier ce qu'il pourrait être au profit de ce qu'il a choisi d'être. Encore faut-il qu'il conçoive sa mort, non pas selon la banalité du « on meurt », mais bien comme « sa possibilité la plus propre », pour reprendre la formule de Heidegger.
Ce lien intime, en l'homme, entre la mort et l'individualité est déjà un thème majeur de l'œuvre de Hegel* (1770-1831). C'est surtout dans sa philosophie de l'Histoire* que Hegel montre l'importance de l'individualité, particulièrement dans son analyse du rôle essentiel que jouent les « grands hommes » dans l'Histoire. Ces grands hommes (Alexandre, César, Napoléon*...) sont grands par l'Histoire, et non par la présence en eux de qualités humaines universelles, comme c'est le cas pour les grands savants, ou les grands écrivains. Selon Hegel, la grandeur d'un « grand homme » tient uniquement au fait qu'il accomplit sans réserve sa fonction dans l'Histoire, et rend possible, par son action résolue, la mutation nécessaire d'une époque à une autre. Cela, seul un individu, en tant qu'individu, peut le faire, en ne se fiant qu'à lui-même, en mettant toute sa passion à atteindre le but qui lui est propre, en entraînant derrière lui tous ceux qui pressentent instinctivement qu'il est l'instrument du destin. Car si l'individualité est nécessaire à l'Histoire, elle ne l'est qu'à titre d'instrument, de moyen, que l'Histoire sacrifie après l'avoir utilisé : les grands hommes meurent rarement dans leur lit. L'individualité n'est ainsi pour Hegel qu'un moment, certes essentiel, mais transitoire, destiné à être surmonté. Élever au contraire l'individualité à l'absolu, telle est l'entreprise de Stirner (1806-1856) dans *L'Unique et sa Propriété* (1845), véritable « bible » de l'anarchisme*. Chacun de nous, soutient-il, est un « Unique », mais chacun de nous s'aliène au nom d'entités pseudo-universelles (« l'Homme », « la Religion », « l'État* »). Que l'individu retrouve le sens de son unicité inaliénable, que les hommes se reconnaissent réciproquement comme totalement incomparables, c'est la condition pour que naissent des rapports humains véritablement pacifiés, délivrés de la violence qu'engendrent inexorablement nos comparaisons. La critique de Hegel est encore plus aiguë dans l'œuvre de Kierkegaard (1813-1855). Selon lui, la prétention du penseur abstrait à « dépasser » l'individualité, à l'intégrer dans son système, montre seulement que, à force de penser, le penseur abstrait a oublié que notre condition – ainsi que la sienne – est d'avoir à « exister ». Vraie ou pas, la philosophie systématique ne concerne pas les existants que nous sommes. En tant qu'individu, mon seul problème est de trouver une vérité qui en soit une pour moi.

Enjeux contemporains

Société

Le langage courant confond souvent *individualisme* et *égoïsme*. Il faut dénoncer cette confusion, car en toute rigueur, le fait de militer en faveur de l'individu, c'est-à-dire de tout individu en tant que tel, n'implique pas, bien au contraire, qu'on veuille tout ramener à soi, ni se préférer aux autres. Le contraire d'*égoïsme* est *altruisme*, tandis que le contraire d'*individualisme* peut être nommé *holisme* (du grec *holos*, « la totalité »), selon une opposition formulée par le sociologue français L. Dumont (né en 1911). Or, il n'est pas évident que la soumission de l'individu à la communauté favorise son dévouement à autrui. On voit bien, en revanche, comment il peut favoriser un égoïsme de groupe car cette soumission fait de la communauté le véritable « individu ».

La question est donc de savoir s'il est légitime de considérer la communauté comme le véritable individu, et de débouter les hommes de leur prétention à être des individus, puisqu'ils ne sont que les éléments d'une unité qui les dépasse. Cette thèse peut s'autoriser du positivisme* de Comte (1798-1857). Puisque nous naissons, soutient ce dernier, chargés d'obligations de toute espèce à l'égard de nos prédécesseurs, de nos successeurs et de nos contemporains, puisque cette dette ne fait que s'accumuler avant que nous puissions rendre aucun service, il faut bannir la notion de « droits individuels » et ne reconnaître à chacun que des « devoirs » envers tous.

Cette argumentation, toutefois, ne vaut que si on limite les « droits individuels » aux services que l'homme serait fondé à réclamer de la part de la société (et qu'il ne pourrait légitimement réclamer, selon Comte, qu'après le remboursement intégral – complètement impossible – de sa dette originelle). Elle ne concerne pas le droit imprescriptible de l'individu à juger – et lui seul en est juge – la valeur de l'héritage qu'il reçoit. Cet héritage ne le constitue qu'à la condition qu'il l'accepte, sans quoi ce n'est même pas un héritage. Loin de s'opposer à l'individualisme, la reconnaissance du fait social trouve en cette notion le véritable fondement de sa signification.

● **À consulter :** L. Dumont, *Essais sur l'individualisme*, Seuil (1983). A. Laurent, *L'Individu et ses Ennemis*, Hachette (1987). A. Renaut, *L'Ère de l'individu*, Gallimard (1989) ; *L'Individu*, Hatier, « Optiques » (1995).

● **Corrélats :** anarchisme ; Aristote ; démocratie ; droit ; État ; Hegel ; Heidegger ; Histoire (philosophies de l') ; Moyen Âge ; Napoléon ; positivisme ; société ; sociologie.

INSTITUTIONS INTERNATIONALES

● **Déf. :** On désigne par *institutions internationales* les organismes associant un ensemble d'États souverains dans le but d'établir et d'appliquer, au plan international, des règles et des arbitrages communs.

Le rejet de la guerre

Avec la mise en place des grands États européens, aux XVIe et XVIIe siècles, l'idée d'un arbitrage permettant d'éviter le recours à la guerre se fait jour, d'autant qu'il n'est plus possible d'espérer que l'Église*, divisée depuis la Réforme*, puisse assumer comme au Moyen Âge* cette fonction.

De l'abbé de Saint-Pierre en 1713 à Kant* en 1795, les projets de paix perpétuelle fleurissent au XVIIIe siècle sans qu'il leur soit donné suite. C'est la longue phase belliqueuse consécutive à la Révolution française* et la nécessité d'une réorganisation de l'Europe* après la chute de Napoléon* qui font sentir la nécessité d'une coopération internationale suivie. Au terme du congrès de Vienne (1815), les cinq principales monarchies européennes (Autriche, Prusse, Russie, Grande-Bretagne, France) signent l'accord improprement nommé « Sainte-Alliance », dont l'objectif déclaré est le maintien de la paix en Europe.

De la Sainte-Alliance à la Société des nations

Le principe de la Sainte-Alliance est de réunir, chaque fois qu'une crise* éclate, une conférence (on dit, au XIXe siècle, « un congrès ») reproduisant, à l'échelle réduite de ses cinq membres, la démarche du congrès de Vienne, où tous les gouvernements d'Europe s'étaient retrouvés pour définir un consensus commun.

En fait, il s'avère bientôt qu'il s'agit de disposer d'un instrument de contre-révolution* destiné à défendre le pouvoir restauré des rois : l'Angleterre prend vite ses distances ; après la révolution de 1830, la France quitte l'alliance qui cesse concrètement d'exister. Il en restera cependant, pour tout le XIXe siècle, l'habitude de réunir des congrès, soit pour clore un conflit (congrès de Paris, 1855), soit pour le prévenir (congrès de Berlin sur le partage colonial de l'Afrique, 1884). Au début du XXe siècle, ces conférences s'ouvrent à des pays non-européens importants, prélude à la mondialisation (conférences de La Haye de 1899 et 1907, qui jettent les bases d'un droit international).

Mais, mise à part la création, en 1862, de l'Union postale universelle, on ne voit pas se constituer au XIXe siècle de véritables institutions internationales : les États, en pleine poussée des nationalismes*, sont extrêmement jaloux de leur souveraineté et ils préfèrent, pour maintenir la paix et les équilibres entre puissances, le jeu traditionnel d'alliances qu'on suppose dissuasives. C'est là une démarche dangereuse : l'antagonisme entre deux systèmes d'alliances, la « Triplice » et l'« Entente », transforme en guerre* européenne, puis mondiale, la crise balkanique de 1914.

Pendant le conflit, le président des États-Unis, Wilson, qui venait d'engager son pays dans la guerre, formule en janvier 1918 quatorze points qu'il juge susceptibles de fonder une paix définitive : l'un d'eux est la création d'une instance permanente d'arbitrage où tous les pays seraient représentés. Le 28 avril 1919, les vainqueurs de l'Allemagne réunis à Versailles décident en ce sens la création d'un organisme international, la « Société des nations » (SDN), qui tient sa première réunion à Genève, le 15 novembre 1920.

De la SDN à l'ONU

La constitution de la SDN, destinée à maintenir la paix et la sécurité collective par l'arbitrage et le désarmement, est un événement très important car il représente, de la part des États-membres, l'acceptation d'un abandon de souveraineté. Mais c'est aussi ce qui explique les réticences et les abstentions. Ainsi, aux États-Unis, initiateurs du projet, un changement de majorité conduit le nouveau gouvernement à refuser sa participation. Tandis que des États se récusent, d'autres (les vaincus de 1918) sont provisoirement écartés, donnant à la SDN l'allure d'un syndicat de vainqueurs dominé par la France et l'Angleterre. L'institution s'organise néanmoins, s'associant des structures annexes comme la Cour de justice internationale de La Haye, le Bureau international du travail, la Banque des règlements internationaux : une pratique de coopération se met en place.

La SDN, malgré de réels efforts et une ouverture progressive, ne tiendra pas ses promesses. Elle ne peut s'opposer à la politique agressive des dictatures totalitaires*, portées par la crise économique et le retour en force des nationalismes. Désertée par le Japon, puis par l'Allemagne nazie* et l'Italie fasciste*, mal soutenue par les démocraties* qui reviennent à la politique des alliances, elle cesse de jouer un rôle significatif au cours des années 1930 et assiste, impuissante, à l'éclatement de la Seconde Guerre mondiale*.

Mais les idées d'arbitrage et de sécurité collective dont elle avait été porteuse restent vivantes : en janvier 1942, les États engagés dans la coalition contre l'Allemagne et ses alliés annoncent, par la *Déclaration des Nations unies*, leur volonté de demeurer associés après la victoire. En juillet 1944, la conférence de Bretton Woods ranime et réorganise les structures relevant avant-guerre de la SDN, sous la forme de la Banque internationale de reconstruction et de développement (BIRD) et du Fonds monétaire international (FMI). Puis, en juin 1945, la rencontre des cinquante et un participants de la coalition, à San Francisco, décide la création d'une SDN rénovée et dotée de moyens aptes à la rendre plus efficace, l'Organisation des Nations unies (ONU). Née en octobre 1945, elle s'installe définitivement à New York en 1952.

Le rôle et le fonctionnement de l'ONU

Depuis un demi-siècle, l'ONU a connu bien des échecs et elle a souvent déçu, mais son existence et l'importance de la tribune et du lieu de rencontre qu'elle représente n'ont jamais été remises en cause.

Certes, elle n'a pas plus que la SDN réussi à éradiquer la guerre, et quand elle est intervenue militairement contre un agresseur, c'est que les intérêts du

plus puissant de ses membres, les États-Unis, étaient directement menacés et que les forces américaines étaient ainsi mises à sa disposition (guerre de Corée, 1950 ; guerre du Golfe, 1991). Il faut plutôt attribuer à l'existence de l'arme nucléaire* qu'à l'action de l'ONU le fait que la guerre froide* n'ait jamais dégénéré en conflit armé ; pendant cette longue période, le Conseil de sécurité, cette sorte d'exécutif de l'ONU, a régulièrement été paralysé par l'usage du droit de *veto* dont disposent les cinq grandes puissances qui en sont membres permanents (États-Unis, Russie, Royaume-Uni, France, Chine).
Le rôle positif de l'ONU est surtout dans l'action efficace des institutions internationales qui en émanent : de la FAO (organisation pour l'alimentation et l'agriculture), à l'UNESCO (organisation pour l'éducation, la science et la culture), de l'OMS (organisation mondiale de la santé), à l'UNICEF (fonds international de secours à l'enfance). Ces organismes, une quinzaine en tout, ont largement contribué à la lutte contre le sous-développement et à l'amélioration des conditions dans le tiers-monde*. L'ONU a été d'autre part le lieu où a été discutée et votée la *Déclaration universelle des droits de l'homme** (1948). Après la décolonisation, elle est devenue la tribune où les nouveaux États ont pu se faire entendre. Forte aujourd'hui de 183 membres, elle est une instance universelle, un irremplaçable espace de rencontre et de dialogue.

ENJEUX CONTEMPORAINS

Relations internationales

L'ONU présente encore bien des défauts et des carences. Alors que chacun convient que la fin de la confrontation Est-Ouest accroît son rôle potentiel et peut contribuer à désamorcer le risque d'un futur conflit Nord-Sud, les réformes indispensables sont bloquées par les intérêts des puissances. Il semble par exemple anormal que les membres permanents du Conseil de sécurité soient encore aujourd'hui les cinq puissances victorieuses de 1945, et que l'Allemagne et le Japon en soient toujours exclus. Il pourrait paraître judicieux d'envisager pour demain la représentation de l'Union européenne*, mais Paris et Londres s'y opposent pour ne pas voir disparaître le statut de grandes puissances que leur confère leur position de membres permanents dotés du droit de *veto*. D'autre part, la présence, à ce niveau, de pays comme l'Inde ou le Brésil ne serait-elle pas souhaitable pour faire perdre à la plus haute instance des Nations unies le caractère de « club des pays riches » qu'elle semble avoir ?
C'est sans doute au prix de telles réformes que l'ONU et toutes les institutions qu'elle patronne demeureront un instrument essentiel au service de la paix et d'une meilleure compréhension entre les hommes.

● **À CONSULTER :** J. Defrasne, *Le Pacifisme*, PUF (2e éd., 1995). P. Renouvin, *Histoire des relations internationales (1789-1871)*, Hachette (1994). J.-B. Duroselle, *Histoire diplomatique de 1919 à nos jours*, Dalloz (1993). C. Zorgbibe, *Les Organisations internationales*, PUF (3e éd., 1994). C. Chaumont, *L'ONU*, PUF (14e éd., 1984).
● **CORRÉLATS :** contemporaine (Époque) ; droits de l'homme ; guerre froide ; guerres mondiales ; Lumières ; Napoléon ; tiers-monde ; Union européenne.

INTELLECTUELS

● **ÉTYM. :** Du latin *intellectualis*, *intellectus* (« entendement », « intelligence »). ● **DÉF. :** Le terme *intellectuel* apparaît comme substantif au moment de l'affaire Dreyfus (1894-1906), et si c'est Clemenceau qui le prononce, il est surtout repris par Barrès, lequel entend dénoncer les « protestataires » : en les appelant des « intellectuels », il attaque ces hommes de culture – Zola en tête – qui ont pris le parti de Dreyfus. Ce mot, au départ injurieux, sera repris avec fierté par ceux qu'il visait, et connaîtra une fortune considérable tout au long du XXe siècle.

Qu'est-ce qu'un « intellectuel » ?

Le mot *intellectuel* est malaisé à définir : en effet, on ne peut pas, dans le corps social, délimiter une catégorie spécifique d'individus qui porteraient le titre – ou l'étiquette – d'intellectuels. Les professeurs, les savants, les artistes ne sauraient recouper exactement ce qu'on entend par « intellectuels » : selon les historiens P. Ory et J.-F. Sirinelli, l'intellectuel « ne se définit pas par ce qu'il est, mais par ce qu'il fait ». L'intellectuel est quelqu'un qui se caractérise par son intervention sur le terrain du politique en tant qu'il met en débat les affaires de la cité.

L'intellectuel dans l'Histoire

On peut, avec F. Châtelet, considérer que les intellectuels sont apparus bien avant l'éclosion du mot. Selon ce philosophe, les sophistes* grecs (Ve siècle av. J.-C.), « hommes au langage sonore » qui ouvrent des écoles* pour former l'esprit des Athéniens, sont les premiers intellectuels. Au siècle des Lumières*, ceux qu'on nomme les « écrivains-philosophes », les Rousseau*, les Voltaire qui se dressent contre le poids des conventions et de la tradition et qui, au nom de la science et de la raison, rêvent d'une autre organisation sociale et politique, sont en fait des « intellectuels ».

L'historien J. Le Goff a écrit un ouvrage au titre provocateur : *Les Intellectuels au Moyen Âge*. En assumant l'anachronisme, il voulait défendre l'idée que les clercs médiévaux avaient pu se comporter, *mutatis mutandis*, en intellectuels. De même, on pourrait voir, dans les humanistes* de la Renaissance* et dans les libertins* du XVIIe siècle, des aspects de la figure de l'intellectuel.

Ainsi, tout au long de l'Histoire, des hommes de culture ont pris le parti d'agir sur le réel avec leurs idées : le présupposé étant que les idées mènent le monde, et que des individus éclairés, par la force de leur discours et par leur capacité à persuader leurs semblables, ont les moyens de peser sur le cours des choses. C'est pourquoi on associe souvent au substantif *intellectuel* les mots *magistère*, ou *maître-penseur*, ou encore *missionnaire*, avec ou sans connotation péjorative.

Intellectuel et pouvoir

L'intellectuel, tel que nous le percevons aujourd'hui, est non pas l'homme du pouvoir, mais celui du contre-pouvoir : Voltaire prenant parti pour les Calas, Hugo s'exilant pour anathématiser Napoléon III, Zola défendant Dreyfus, Gide mettant en cause le colonialisme*, Sartre haranguant les ouvriers en grève, voilà autant d'images qui constituent l'intellectuel en opposant au pouvoir. L'intellectuel est celui qui pense contre, qui lutte contre « l'ordre établi » ; il est la voix qui dérange, il est l'esprit critique par excellence. Il n'appartient pas à un parti, il prend parti pour la liberté, les droits de l'homme*, la justice... Il n'en reste pas moins que certaines questions doivent être posées : d'où l'intellectuel tire-t-il sa légitimité ? L'opposition est-elle une vertu en soi ? Quelle est la responsabilité de l'intellectuel ?

Selon Todorov, l'intellectuel doit être « un taon moderne » : avec ce jeu de mots qui réunit la référence à Socrate (le philosophe est un insecte qui pique le cheval-cité endormi pour le réveiller) et à Sartre (clin d'œil à sa revue *Les Temps modernes*), Todorov propose à l'intellectuel une fonction critique, ressortissant de la vigilance. Ni guide inspiré, ni professeur d'idéologies* (les totalitarismes* du XXe siècle servant de leçons), l'intellectuel doit chercher à faire progresser la société démocratique dans laquelle il a choisi de vivre.

Art et engagement

C'est Sartre (1905-1980) qui a théorisé l'idée d'engagement de l'artiste, et en particulier de l'écrivain. En mettant son œuvre au service d'une cause, l'artiste devient un intellectuel. Pour Sartre, qui écrit dans le contexte de l'immédiat après-guerre, il faut le rappeler, l'artiste ne saurait s'extraire de son temps. C'est pourquoi un écrivain ne doit pas ciseler d'inutiles bibelots, mais mettre sa plume au service d'un combat pour la liberté sous toutes ses formes. Ainsi, Sartre utilisera la forme théâtrale pour dénoncer le racisme (*La Putain respectueuse*, 1946) et écrira une somme romanesque intitulée, précisément, *Les Chemins de la liberté* (1943-1949).

Camus écrit en 1943 *La Peste*, roman allégorique qui dénonce le nazisme* et exalte les valeurs de la Résistance. Picasso peint *Guernica* (1937), pour condamner le franquisme.

Que ce soit pendant la guerre froide*, au moment des convulsions liées à la décolonisation, lors des événements de 1968, écrivains, cinéastes, peintres, chanteurs produisent des œuvres militantes (du latin *miles*, « soldat ») : Sartre est la grande référence, ainsi que Brecht (mort en 1956) qui a mis son théâtre au service de ses convictions marxistes*.

Indéniablement, la littérature engagée a marqué l'après-guerre. La valeur artistique de ces œuvres militantes compte moins que leur influence politique, car la finalité de la création artistique consiste essentiellement en l'effet qu'elle aura sur la conscience politique des contemporains.

L'« intellectuel de gauche » ?

Une boutade veut que l'expression « intellectuel de gauche » soit un pléonasme ! En clair, il ne saurait exister, à droite*, d'intellectuels, pour la raison que la pensée de droite est réactionnaire ou conservatrice. La droite, de l'Action française aux Ligues, s'est déconsidérée, et porte la faute de la Collaboration ; le gaullisme est condamné comme despotisme de l'homme providentiel ; le libéralisme* porte tous les maux de l'exploitation capitaliste.

Cette vision des choses a duré, en France, jusqu'aux années 1970, l'intellectuel menant alors la lutte contre tous les conformismes, caractéristiques de la pensée bourgeoise* :

– Au plan politique, contre l'emprise américaine (1950), contre les guerres coloniales* (Indochine et Algérie, puis Viet-Nam), contre les régimes autoritaires (Grèce, Chili) ;

– Au plan économique et social, contre la « société de consommation », qui aliène les individus, et contre « les patrons », qui exploitent les prolétaires ;

– Au plan culturel, contre toutes les formes d'oppression de l'individu* : il faut « libérer l'école », affirmer le droit des femmes (Beauvoir et le féminisme, avec le mouvement en faveur de la contraception), repenser la définition de la folie et l'institution asilaire (Foucault), repenser la détention et le système carcéral (Foucault, Genet), mettre fin au saccage de la nature (naissance de l'écologie*), prendre en compte le tiers-monde* (critique de la culture blanche), libérer la société des tabous, notamment en matière de sexualité (radicalisation des attaques contre l'Église catholique*), en finir avec la tutelle du pouvoir politique en matière d'information... Bref, il s'agit de réaliser une émancipation véritable des individus, étouffés par la « tyrannie molle » qui règne dans les pays démocratiques.

Les événements de mai 68* marquent une coupure dans notre histoire immédiate : cette « explosion lyrique » est le signe d'une mutation importante dans les mentalités, et des slogans comme « Il est interdit d'interdire » ou « Sous les pavés, la plage » signalent qu'une révolution mentale et culturelle a eu lieu.

Enfin, la pensée libérale a été dominée par un intellectuel actif et incisif, Aron (1905-1983) : ce polémiste brillant, qui fut tout d'abord l'ami de Sartre, n'a cessé de critiquer les « intellectuels de gauche », dénonçant leurs « illusions lyriques » – le mot est de Malraux –, et il a écrit contre eux un pamphlet stimulant, *L'Opium des intellectuels* (1957). À quoi il fut répondu, une fois pour toutes : « Il vaut mieux avoir tort avec Sartre que raison avec Aron »...

Les intellectuels et le communisme

On connaît le mot popularisé par G. Mollet : « Les communistes ne sont pas à gauche, ils sont à l'Est. » C'est en référence au modèle soviétique que le débat intellectuel s'est développé tout au long de ce siècle. Dès les années 1920, maints intellectuels ont pris parti pour la « grande lueur qui s'est levée à l'Est » (Aragon, Éluard). Le combat antifasciste, dès les années 1930, a établi de nombreux démocrates occidentaux en « compagnons de route » du parti communiste. La Seconde Guerre mondiale* a fait du parti communiste le « parti des fusillés », et c'est sous la tutelle du Parti que la pensée de gauche s'est manifestée au lendemain de la Libération. *Les Lettres françaises*, revue des intellectuels communistes (fondée en 1941 par Decour), jouit d'un grand prestige.

Une brèche s'ouvre en 1956 avec la déstalinisation : des intellectuels se désolidarisent du parti communiste au nom des droits de l'homme. La publication des ouvrages de Soljenitsyne (*L'Archipel du goulag*, 1972) donne lieu à de vives critiques contre le parti communiste français, accusé d'être inféodé à Moscou. Avec la chute du mur de Berlin (1989), rares sont les intellectuels demeurés membres du PCF. Cependant il serait faux de dire que la pensée marxiste s'est éteinte : au contraire, face à la crise* et à la mondialisation, les intellectuels travaillent avec les concepts du marxisme, en sociologie* ou en économie.

L'intellectuel et les médias

R. Debray s'est interrogé sur le « pouvoir intellectuel », et il met en évidence les lieux d'expression de ce pouvoir :

– L'université (prépondérante entre 1880 et 1930), car les professeurs ont joué et jouent encore un rôle déterminant. L'École normale supérieure, l'École des hautes études et le Collège de France sont les lieux où souffle l'esprit et qui constituent de véritables laboratoires de la pensée.

– L'édition (prépondérante entre 1920 et 1960), car les grandes maisons d'édition publient et diffusent les écrits des intellectuels, lesquels siègent souvent au comité éditorial. Gide a joué un rôle majeur à la NRF ; aujourd'hui, B.-H. Lévy dirige une collection chez Grasset ; Finkielkraut anime une émission de radio et dirige une revue.

– Les médias* (prépondérants à partir de 1968), dont la presse, avec les nombreuses publications qui, souvent de manière polémique, installent le débat : *Les Temps modernes, Esprit, Les Lettres françaises, Le Débat, La NRF, Commentaires, Le Messager européen.* Camus a dirigé le quotidien *Combat* (1941-1952). Sans oublier les tribunes ou les éditoriaux dans les grands journaux ou magazines (*Le Monde, Le Figaro, Le Nouvel Observateur, Le Point*...).

Avec la révolution médiatique, l'intellectuel d'aujourd'hui agit différemment sur son époque. La télévision lui donne une tribune qui lui permet de toucher immédiatement ses contemporains. Mais ce *medium*, en même temps qu'il véhicule l'information, transforme le message, et risque même de le dénaturer. Nous vivons aujourd'hui les noces troubles de l'écrit et de l'écran : quelle place pour l'intellectuel dans ce nouveau paysage où règne l'image* ?

De même, avec la chute du mur de Berlin, quelle est la situation de l'intellectuel dans son rapport au politique ? Est-il contraint d'admettre que la démocratie libérale est l'horizon indépassable de notre temps ? Doit-il devenir le « conseiller du Prince » ? Doit-il rentrer en dissidence, voire en résistance ?

ENJEUX CONTEMPORAINS

Médias et société

Il est devenu banal de parler de la « crise des intellectuels ». Nous vivons aujourd'hui une époque postmoderne*, caractérisée, selon Lyotard, par « la fin des grands récits ». L'intellectuel sartrien a vécu, avec sa grandeur et ses ambiguïtés. Mais à l'heure du tout-télévisuel, et dans la période de doute que nous traversons, rien ne serait plus funeste que le silence des intellectuels.

● **À CONSULTER :** P. Ory, J.-F. Sirinelli, *Les Intellectuels en France, de l'affaire Dreyfus à nos jours*, Armand Colin (1986). J. Julliard, M. Winnock, *Dictionnaire des intellectuels*, Seuil (1996). ● **À LIRE :** J.-P. Sartre, *Qu'est-ce que la littérature ?*. A. Camus, *Discours de Suède* (1957). R. Aron, *L'Opium des intellectuels.* R. Debray, *Le Pouvoir intellectuel en France*, (1979). P. Bourdieu, *Homo academicus* ; *Contre-feux.* R. Barthes, *Leçons.* L. Althusser, *L'Avenir dure longtemps.* C. Lévi-Strauss, *De près et de loin.* F. Furet, *Le Passé d'une illusion.* A. Finkielkraut, *La Défaite de la pensée.* T. Todorov, *Les Morales de l'Histoire.* C. Lefort, *L'Invention démocratique.*

● **CORRÉLATS :** communisme soviétique ; droite/gauche ; image ; Lumières ; médias ; sophistes.

INVASIONS (GRANDES)

● **ÉTYM. :** Du latin *invasio*, de *invadere* (« envahir »). ● **DÉF. :** Forgée au XIXe siècle, l'expression *Grandes Invasions* désigne l'entrée massive, au Ve siècle ap. J.-C., des peuples barbares dans l'Empire romain* ; les historiens allemands utilisent l'expression « migration des peuples ».

Les Barbares et l'Empire romain

Dans l'Antiquité*, le mot *Barbare* n'avait pas la connotation de cruauté et de sauvagerie qu'il a aujourd'hui : il désignait simplement les populations étrangères vivant à l'extérieur de l'Empire et qui ne parlaient pas ses langues, le latin et le grec. Progressivement, il en était venu à qualifier spécialement les habitants de l'Europe intérieure, au-delà du *limes* (les zones-frontières) du Rhin et du Danube. Ceux d'entre eux que les Romains connaissaient le mieux étaient les Germains, voisins des frontières (Goths, Francs, Alamans, Burgondes, Vandales). À la fin du Ier siècle ap. J.-C., l'historien latin Tacite en avait fait l'étude, dans sa *Germanie.* Il s'agissait de peuples de l'âge du fer, organisés en tribus instables, que Rome* avait décidé de contenir après une vaine et sanglante tentative de conquête, sous Auguste en 9 ap. J.-C.

Les rapports entre Romains et tribus germaniques ressemblaient un peu à ceux des Américains et des Indiens, au XIXe siècle : guerres sporadiques, massacres, suivis d'accords temporaires accompagnés de relations commerciales. Les marchands échangeaient des produits de l'Empire (souvent luxueux) contre des fourrures ou des esclaves, et l'armée romaine contrôlait les passages du *limes.*

Vu du côté barbare, l'Empire exerçait une fascinante attraction. Pour les habitants pauvres et semi-nomades des forêts germaniques, il représentait la richesse, le luxe, et le rêve était d'y entrer. Cela explique les poussées guerrières régulièrement exercées sur le *limes* à partir du IIe siècle. Marc Aurèle (162-180), notamment, passe une grande partie de son règne à les contenir, et au IIIe siècle, pendant l'anarchie militaire, les incursions de Francs et d'Alamans atteignent l'Espagne.

Mais la pénétration pacifique avait plus de chances de réussir, d'autant qu'au IVe siècle, les empereurs n'hésitent plus à faire appel massivement à des Barbares pour repeupler les régions dévastées de l'est de la Gaule. Des groupes entiers sont autorisés à s'installer, conservant leur langue, leurs mœurs, leur organisation sociale sous condition d'obéir aux lois de l'État romain : on les appelle « les Fédérés ». Devenus sujets romains, ces Barbares fournissent d'autre part à l'armée romaine d'excellents soldats, alors que les habitants de l'Empire rechignent au service militaire. Au IVe siècle, plusieurs généraux sont d'origine barbare et font preuve d'un parfait loyalisme.

Les invasions barbares

Ve siècle

La situation change au début du Ve siècle. D'une part, l'Empire romain est affaibli, et sa division en deux parties, en 395, a surtout abouti à concentrer en Orient les moyens de défense, laissant l'Occident quelque peu démuni. D'autre part, des événements graves ont eu lieu dans les contrées inconnues (aujourd'hui la Pologne, l'Ukraine, la Russie) : venus d'Asie centrale, des nomades turco-mongols, les Huns, font mouvement vers l'ouest, entraînant avec eux des peuples vaincus. D'aspect étrange, précédés d'une réputation de férocité, ils provoquent une véritable panique parmi les peuples germaniques qui fuient devant eux. Un énorme remue-ménage agite le monde barbare et jette vers le *limes* romain des peuples affolés qui cherchent refuge dans l'Empire.

L'hiver 406-407, le *limes* du Rhin est forcé par les Vandales près de Cologne. Goths, Francs, Suèves, Alamans, Burgondes se précipitent en Gaule par tribus entières, avec femmes et enfants. Descendu en Italie, le roi wisigoth Alaric prend et pille Rome en 410. En 429, le Vandale Genséric passe en Afrique du Nord et conquiert l'actuelle Algérie. En 441, les Angles et les Saxons occupent la « Bretagne » (l'actuelle Angleterre) et refoulent les indigènes celtes ; au VIe siècle, beaucoup fuient en Armorique, dont ils font une petite Bretagne.

La chute de l'Empire romain d'Occident

Les envahisseurs causent d'énormes dégâts, bien que peu nombreux (un peuple germain représente en général quelques dizaines de milliers d'individus). Cependant, ils ne veulent pas détruire la civilisation romaine qu'ils admirent. Ne pouvant les refouler, l'empire d'Occident légalise leur présence. Il décore de titres romains les rois germaniques, d'autant qu'il a besoin de leur concours : vers 440 en effet, les Huns arrivent à leur tour, conduits par leur roi Attila (434-453). C'est une coalition des restes de l'armée romaine et des bandes germaniques qui arrête l'invasion des nomades de la steppe, près de Troyes, en 451 (bataille des champs Catalauniques).

Mais l'empire d'Occident n'a plus les moyens de diriger l'intégration des envahisseurs. Maîtres effectifs du territoire, les rois germains se le partagent. Ce sont eux, et non un fantôme d'État romain, qui font la loi. En 476, Odoacre, roi des Hérules, renvoie à Constantinople les insignes impériaux d'Occident, mettant fin à un empire qui n'était plus qu'une fiction.

L'assimilation des Barbares

Au plan culturel cependant, l'assimilation commence dès la fin du Ve siècle : les Barbares installés se sont convertis au christianisme*. Même si l'Empire romain d'Occident a disparu, la christianisation, qui facilite mariages et métissages, appelle l'intégration. D'autre part, le brassage des populations, l'action des missionnaires chrétiens au-delà des limites de l'ancien *limes* étendent l'influence culturelle de l'Occident romanisé vers des contrées que Rome n'avait pas conquises.

GRANDES INVASIONS (Vᵉ siècle)

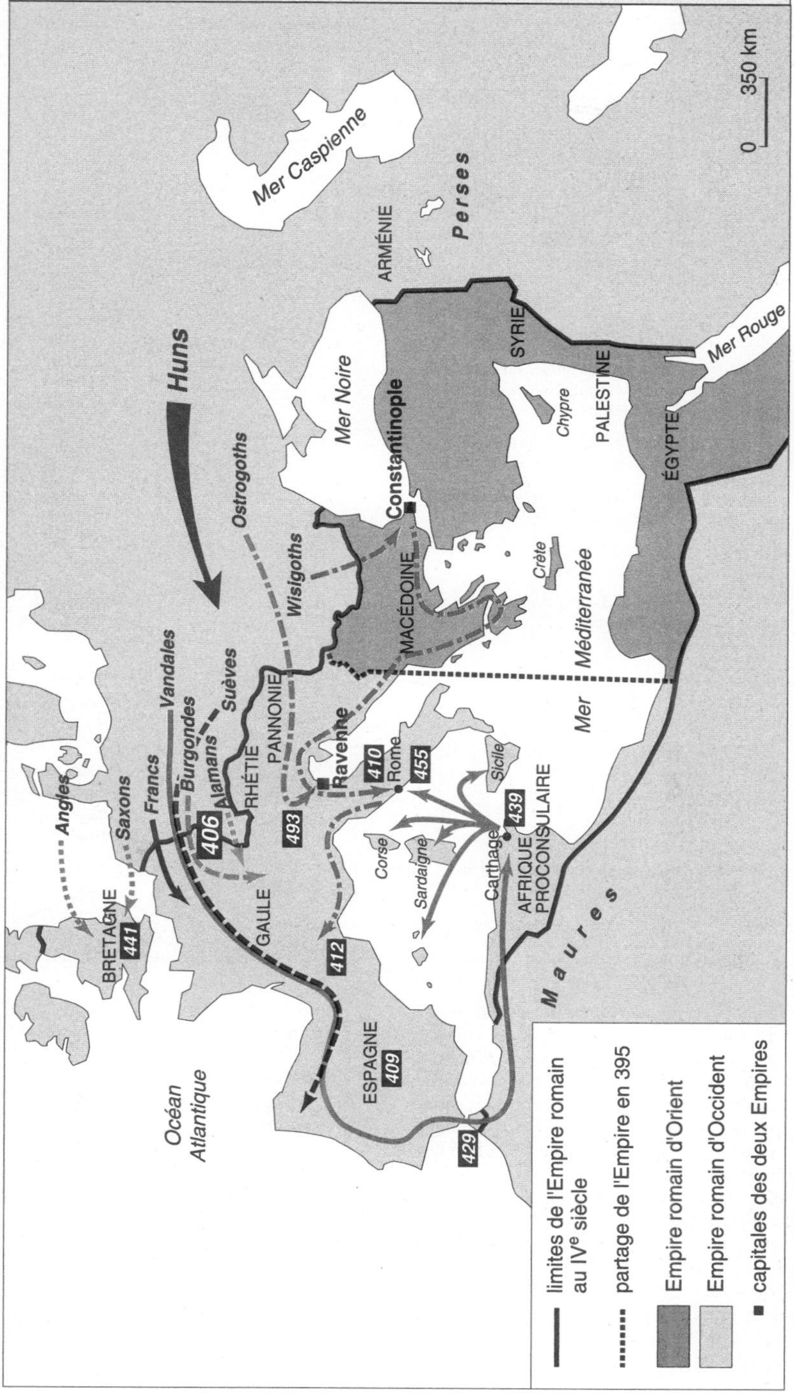
Mer Caspienne
Perses
ARMÉNIE
0 350 km
Huns
Mer Noire
SYRIE
Mer Rouge
Constantinople
PALESTINE
Chypre
ÉGYPTE
Ostrogoths
Wisigoths
Crète
MACÉDOINE
Méditerranée
Mer
Vandales
Suèves
Burgondes
Alamans
PANNONIE
RHÉTIE
Ravenne
410
Rome
455
Sicile
Angles
Saxons
Francs
406
493
439
AFRIQUE PROCONSULAIRE
Carthage
Corse
Sardaigne
BRETAGNE
441
GAULE
412
Maures
ESPAGNE
409
Océan Atlantique
429
limites de l'Empire romain au IVᵉ siècle
partage de l'Empire en 395
Empire romain d'Orient
Empire romain d'Occident
capitales des deux Empires

GRANDES INVASIONS

	Histoire	***Philosophie, sciences***	***Littérature, arts***
395	• Partage de l'Empire romain* en deux parties, à la mort de Théodose • Déplacement des Huns d'est en ouest		
406-407	Franchissement du *limes* du Rhin par les tribus germaniques (Vandales, Suèves, Goths, Francs...)		
410	Prise de Rome* par le roi wisigoth Alaric I		
429-430	Arrivée des Vandales, commandés par Genséric, en Afrique du Nord	Mort de saint Augustin	Ravenne, foyer culturel
441	Les Angles et les Saxons occupent la « Bretagne » (Angleterre)		
451	Attila, roi des Huns, est battu près de Troyes (bataille des champs Catalauniques)		
476	Odoacre, roi des Hérules, dépose le dernier empereur d'Occident		
486	Clovis, roi des Francs, contrôle le nord de la Gaule		
493	Théodoric, roi des Ostrogoths, conquiert l'Italie		
507	Alaric II, roi des Wisigoths, règne sur l'Espagne	Boèce	*Basilique Sainte-Geneviève* (Paris)
527	À Constantinople, Justinien est couronné empereur byzantin*	Fermeture des écoles philosophiques d'Athènes*	Essor de l'art byzantin
530-534	Reconquête de l'Afrique du Nord par les Byzantins		*Églises Sainte-Sophie* (Constantinople), *San Vitale* (Ravenne)
535-555	Reconquête de l'Italie par les Byzantins	Cassiodore, *Histoire des Goths*	
570	Invasion des Lombards en Italie du Nord	Grégoire de Tours, *Histoire des Francs*	

Si les Grandes Invasions ont provoqué la disparition de l'Empire romain et amorcé une profonde régression, elles apparaissent, à long terme, historiquement positives. Le concept de « Chrétienté » se substituant à celui d'empire*, le pape prenant la place de l'empereur, l'aire culturelle* constituée par la conquête romaine s'élargit aux dimensions du continent. L'événement prépare donc l'émergence de l'Europe* dont l'acte de naissance sera, trois siècles plus tard, la tentative de restauration par le roi franc Charlemagne (742-814) d'un empire d'Occident centré, non plus sur la Méditerranée, mais sur l'Europe continentale.

● **À CONSULTER :** A. Chastagnol, *Le Bas-Empire*, Armand Colin (1991). P. Riché, P. Lemaître, *Les Invasions barbares*, PUF (8e éd., 1996). L. Musset, *Les Invasions. Les Vagues germaniques*, PUF (rééd., 1994). J. Hubert, J. Porcher, W. Volbach, *L'Europe des invasions*, Gallimard (1967). A. Momigliano, *Sagesses barbares*, Maspero (1979).

● **CORRÉLATS :** Antiquité (basse) ; byzantin (Empire) ; christianisme (débuts du) ; Église catholique ; empire ; Europe (idée d') ; Moyen Âge ; romain (Empire) ; Rome.

IRONIE

● **ÉTYM. :** Du latin *ironia*, du grec *eirôneia* (« action d'interroger en feignant l'ignorance », procédé auquel recourt Socrate dans ses dialogues). ● **DÉF. :** Dans le langage courant, le terme *ironie* prend le sens de « moquerie ». Est qualifié d'*ironique* un propos qui vise quelqu'un ou quelque chose en le tournant en ridicule. Dans le vocabulaire de la critique* littéraire, on appelle *ironie* l'effet de style consistant en un décalage entre ce qui est dit et ce qui doit être compris. L'énoncé ironique intègre par conséquent l'idée de double sens, et suppose une connivence auteur-lecteur ; l'ironie est, par définition, dialogique.

Le fonctionnement de l'ironie

Soit l'énoncé « Napoléon*, ce grand pacifiste » : pour souligner ma critique des menées guerrières de l'empereur, je nomme explicitement le contraire de ce que je pense. Je présuppose donc un lecteur complice, qui saura retourner mon propos, et ce à la condition que je lui signale – par le ton de ma voix, ou par un indice contextuel – que je ne fais pas l'apologie des conquêtes napoléoniennes. L'intérêt d'un tel procédé réside dans l'effet de surprise, dans la distance prise avec le discours au premier degré, et dans la part active que j'exige de mon interlocuteur ; lequel nommera en clair ce que je veux lui faire entendre. Ce procédé appelé *antiphrase* a été particulièrement utilisé par La Fontaine dans ses *Fables* (1668), par La Bruyère dans les *Caractères* (1688), par Voltaire dans ses contes* comme *Candide* (1759) et par Montesquieu dans *L'Esprit des lois* (1748), notamment le célèbre passage « De l'esclavage des nègres ».

L'ironie comme arme

Jouant sur l'inversion, sur le paradoxe, sur la répétition ou l'exagération, l'ironie est une arme de choix pour les auteurs satiriques et les polémistes : elle fait surgir l'absurdité du point de vue adverse, elle le démystifie, et elle « met les rieurs de son côté » (Molière). Elle attaque, sans la prendre de front, l'opinion combattue, ce qui explique son emploi dans les régimes autoritaires où sévit la censure.

Les critiques littéraires caractérisent l'ironie comme une polyphonie énonciative, en tant que plusieurs voix se font entendre : celle qu'on veut dénoncer et celle qu'on veut installer. Ainsi, dans son réquisitoire contre l'esclavage*, Montesquieu fait dire aux esclavagistes : « On ne peut se mettre dans l'esprit que Dieu, qui est un être très sage, ait mis une âme, surtout bonne, dans un corps tout noir. » L'ineptie de l'argument suffit à déconsidérer les esclavagistes et l'ensemble de leurs thèses. L'efficacité de la démarche ironique consiste en ce que les arguments de l'adversaire sont par avance déconstruits et discrédités.

L'ironie et la philosophie

Deux grandes figures de la philosophie occidentale accordent à l'ironie une place centrale. Socrate (≈ 470-399 av. J.-C.), le premier, l'utilise dans les questions qu'il adresse à ceux que son « démon » le pousse à interroger : « Moi, je ne sais rien, mais toi qui sais, tu vas pouvoir me dire », annonce-t-il au militaire, au poète ou à l'orateur. Et le militaire découvre qu'il ne sait pas ce qu'est le courage, le poète se révèle incapable de définir le beau, l'orateur montre qu'il ignore la nature de la justice sur laquelle il discourait. Plus décapante que cinglante, l'ironie socratique dégonfle les prétentions : elle fait le vide. Mais dans quel but ? Peut-être simplement parce que ce vide (savoir qu'on ne sait pas) est la seule condition du désir d'apprendre, car on ne désire que ce dont on a conscience de manquer : l'ironie mène alors directement à la philosophie. Peut-être mène-t-elle au savoir lui-même, si l'on admet, comme Platon* (427-347 av. J.-C.), qu'en délivrant l'âme des pseudo-savoirs qui l'encombrent, elle permet le surgissement des vérités qui s'y trouvent enfouies depuis toujours.

En 1841, Kierkegaard soutient brillamment sa thèse sur *Le Concept d'ironie constamment rapporté à Socrate*. Les dernières lignes de cette thèse marquent la distance entre l'ironie (socratique) et l'humour. En tant que philosophe païen, Socrate ne peut aller plus loin que l'ironie, qui rappelle à l'homme ses limites et aiguise sa conscience ; comparativement, l'humour semble absolument stérile. Selon Kierkegaard, si l'ironiste perçoit vivement nos limites humaines, l'humoriste a l'intuition de notre culpabilité totale face à Dieu. Ainsi, dans le *post-scriptum* aux *Miettes philosophiques* (1846), Kierkegaard intègre ces deux notions dans sa théorie des stades de l'existence, qui retrace le cheminement de l'individu vers la foi : l'ironie assure le passage entre le stade esthétique* et le stade éthique*, tandis que l'humour fait transition entre le stade éthique et le stade religieux.

● **À consulter :** P. Hamon, *L'Ironie littéraire*, Hachette (1996).
● **À lire :** H. Bergson, *Le Rire* (1900).
● **Corrélats :** critique littéraire ; esthétique ; éthique ; existentialisme ; Platon.

Islam

● **Étym. :** De l'arabe *islam* (« soumission, abandon à Dieu »).
● **Déf. :** L'*islam*, après le christianisme*, est la deuxième grande religion issue d'une même souche : le judaïsme*. C'est cette parenté qui fait qualifier les religions juive, chrétienne et musulmane d'« abrahamiques » puisqu'au-delà de leurs différences, ces monothéismes* révèrent tous trois le même Dieu, celui d'Abraham, ancêtre des Hébreux*. L'*Islam*, avec une majuscule, désigne l'ensemble des pays qui pratiquent cette religion. La religion et la civilisation musulmanes ont joué un rôle essentiel dans la constitution de la pensée occidentale.

Le prophète Mahomet

570-632

L'islam est né au VIIe siècle, au sein de tribus nomades d'Arabie, alors polythéistes. Son fondateur, le prophète Mahomet (Muhammad), né vers 570 à La Mecque, conducteur de caravanes chamelières que ses voyages avaient mis en rapport avec des chrétiens et des juifs, reçoit à quarante ans l'illumination et commence à prêcher la doctrine qui sera consignée dans le livre saint de l'islam : le Coran*. Chassé par les habitants de La Mecque, il trouve refuge à Médine en 622 : cet exil (« l'Hégire ») est le point de départ de l'ère musulmane.

Fort des nombreux partisans qui se rallient alors à lui, Mahomet opère un retour triomphal à La Mecque en 630. Quand il meurt en 632, la plupart des tribus arabes sont déjà converties.

L'expansion musulmane

VIIe-VIIIe siècles

Commence alors une expansion étonnamment rapide. Les cavaliers arabes se lancent à la conquête des pays voisins pour propager la foi nouvelle. Dans les années qui suivent la mort du Prophète, la Syrie, la Palestine, l'Égypte sont arrachées à l'Empire byzantin* et l'Empire perse s'effondre. Les peuples soumis se convertissent en masse et se joignent à la chevauchée des guerriers arabes. À l'ouest, l'Afrique du Nord est conquise à la fin du VIIe siècle ; en 711, les armées musulmanes franchissent le détroit de Gibraltar, s'assurent presque toute la péninsule ibérique et pénètrent en Gaule. À l'est, elles atteignent l'Inde et les confins chinois.

Mais au milieu du VIIIe siècle, l'élan s'essouffle : les musulmans échouent deux fois devant Constantinople ; ils ne pénètrent ni le monde chinois, ni l'Inde ; en 732, ils sont battus à Poitiers par l'armée franque de Charles Martel. D'autre part, l'immensité et la diversité de l'espace conquis interdisent la constitution d'un empire* politique. De Damas, puis de Bagdad, les califes, successeurs du Prophète, n'ont qu'une autorité nominale sur les nombreux royaumes musulmans qui se créent, d'Espagne au Turkestan.

Les raisons du succès de l'islam

Les faciles victoires des musulmans peuvent s'expliquer par l'épuisement des grands États qu'ils affrontent : les deux Empires perse et byzantin sortaient d'une confrontation de plusieurs siècles. Mais on comprend moins que la conquête se soit accompagnée presque partout, et sans véritable contrainte, d'une conversion en masse des populations : chrétiens d'Orient, d'Afrique ou d'Espagne, mazdéens de Perse se sont faits musulmans. Sans doute faut-il voir là la réaction de masses populaires déroutées par des religions aux doctrines complexes, aux théologies savantes, dont les subtilités alimentent les controverses des lettrés, mais dépassent les gens du peuple qui n'en perçoivent que les fâcheuses conséquences politiques. L'islam est simple : il suffit pour faire son Salut d'avoir foi en un Dieu unique, Allah, de le prier cinq fois par jour, de se soumettre au jeûne annuel du mois de Ramadan, d'être généreux en aumônes et d'accomplir, si on le peut, un pèlerinage à La Mecque, la ville du Prophète. Il n'y a ni rites compliqués, ni dogmes déconcertants, telle la Trinité, Dieu unique en trois personnes.

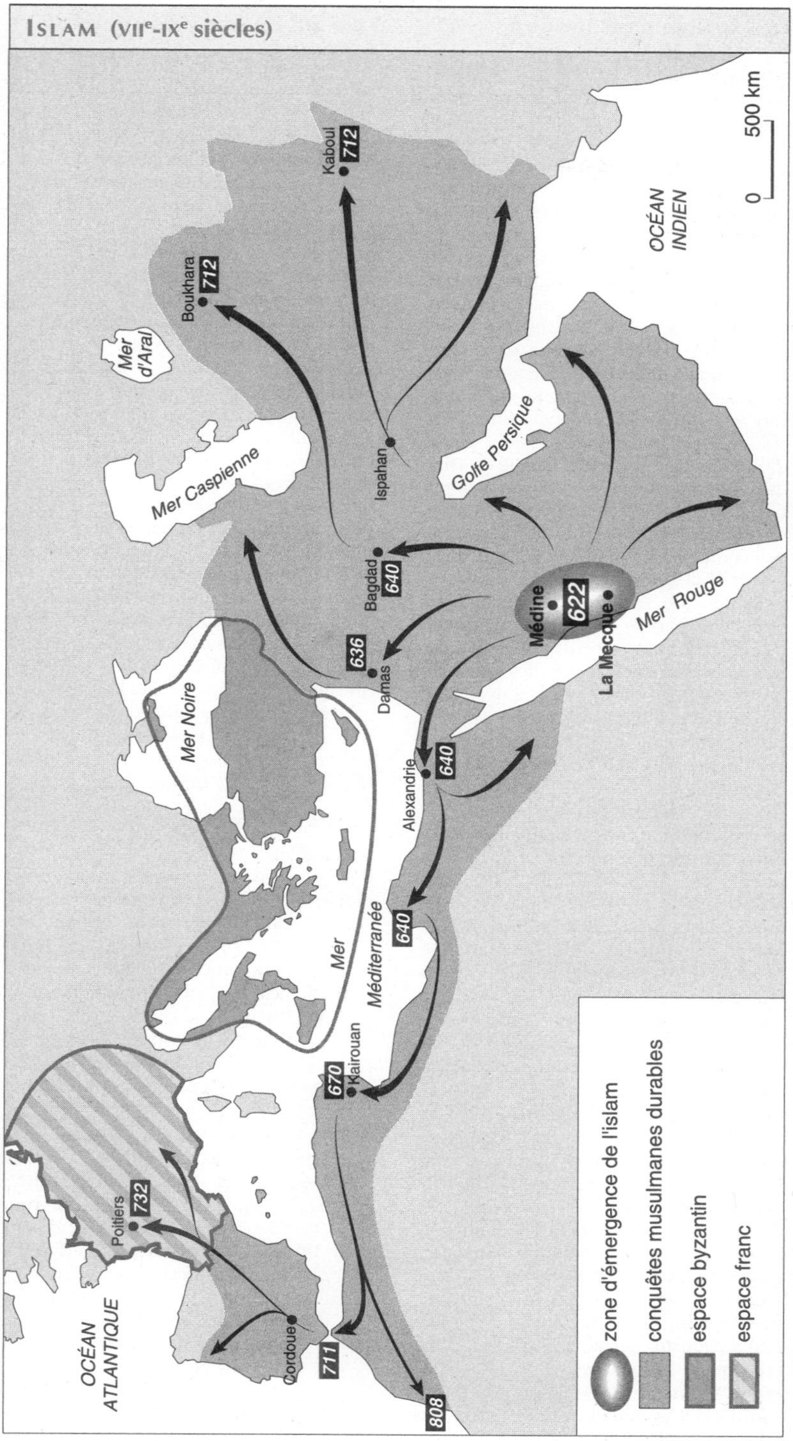
ISLAM (VIIe-IXe siècles)
Mer d'Aral
Boukhara 712
Kaboul 712
Mer Caspienne
Ispahan
Golfe Persique
OCÉAN INDIEN
0 500 km
Mer Noire
Bagdad 640
Damas 636
Médine 622
La Mecque
Mer Rouge
Alexandrie 640
Mer Méditerranée
640
Kairouan 670
Poitiers 732
Cordoue
711
808
OCÉAN ATLANTIQUE
zone d'émergence de l'islam
conquêtes musulmanes durables
espace byzantin
espace franc

Une brillante civilisation

VIIIe-XIIe siècles

Si l'empire arabe n'existe pas politiquement, une aire culturelle*, en revanche, s'est définie où s'épanouit très vite une civilisation brillante. Du VIIIe au XIIe siècle, son éclat dépasse celui de la civilisation byzantine et malgré l'antagonisme religieux, il contribue largement à l'éveil de l'Occident chrétien.

C'est que la conquête arabe a recouvert les pays les plus anciennement civilisés de l'Asie et du monde méditerranéen. D'emblée, la civilisation arabo-musulmane s'est trouvée légataire d'un fabuleux héritage intellectuel. Elle a mis à son service l'usage d'une langue commune, l'arabe, universalisée dans toute l'aire culturelle par le fait qu'elle était la langue du Coran, par là même la langue de Dieu que nul musulman ne pouvait ignorer. Elle a ainsi constitué la double synthèse, réussie par l'apport arabe, d'un ensemble de connaissances multiples, grecques, perses, indiennes, mais aussi d'une accumulation de savoir-faire techniques remontant parfois à la haute Antiquité*. L'islam médiéval étant d'autre part tolérant, spécialement à l'égard des « gens du Livre » (juifs et chrétiens), et ouvert aux recherches et aux spéculations, les métropoles musulmanes (Damas, Bagdad, Boukhara, Le Caire, Cordoue...) sont devenues des lieux de rencontre et d'échanges intellectuels intenses.

La civilisation arabo-musulmane a développé un art original, une musique et une poésie raffinées : au VIIe siècle, Madjnun, « le Fou » de Layla, forge le thème de l'amour transi qui inspirera la littérature courtoise* du Moyen Âge occidental. Au Xe siècle, la prose s'enrichit du recueil de contes* des *Mille et Une Nuits*. La civilisation arabo-musulmane a su aussi tirer parti des acquis astronomiques, mathématiques*, médicaux de l'Antiquité et les prolonger : c'est elle qui invente l'algèbre (*al-djaber al-mogabelah* : « l'art des rétablissements, des solutions »). C'est par son intermédiaire, et sous forme de traductions arabes, que les Occidentaux ont découvert les penseurs et les mathématiciens de la Grèce* antique (Aristote*, Ptolémée, Pythagore, Euclide...).

Rien ne montre mieux cette influence que la latinisation, au Moyen Âge, des noms d'illustres savants ou philosophes musulmans comme Avicenne (Ibn Sîna, 980-1037), natif de Boukhara, ou Averroès (Ibn Roschd, 1126-1198), médecin et commentateur d'Aristote.

Le repli de la civilisation musulmane

XIIe-XIIIe siècles

À partir du XIIe siècle, le monde arabo-musulman est confronté à une série d'épreuves ruineuses. Ce sont d'abord les affrontements et les pillages des croisades*, puis les invasions venues d'Asie (Turcs, Mongols) : en 1258, Bagdad est prise et détruite. Alors que l'Occident « décolle », la civilisation musulmane piétine et tend à se replier sur sa dimension religieuse, s'écartant de la réflexion philosophique et de la démarche scientifique où elle avait excellé.

Aux XVe et XVIe siècles, alors que la Renaissance* prépare en Europe l'émergence de la rationalité moderne, de la technique* et l'expansion géographique (*cf.* Grandes Découvertes), l'Islam – en dépit du regain de puissance et de prestige que constitue la formation de l'Empire ottoman – s'enferme de plus en plus, au plan culturel, dans la tradition et la contemplation de son passé. Ce rendez-vous manqué avec la modernité, conjugué à des facteurs socio-politiques (guerres, rivalités dynastiques...), pèsera lourd dans l'histoire de la civilisation musulmane. Au XIXe siècle, la civilisation arabo-musulmane, jadis en avance, se trouve en situation de retrait, puis bientôt de dépendance face aux conquêtes de l'Occident (*cf.* Colonisation).

ENJEUX CONTEMPORAINS

Religion

Au-delà d'antagonismes religieux dépassés, les séquelles de cette histoire conflictuelle entre l'Islam et l'Occident se ressentent encore aujourd'hui, que ce soit à travers des problèmes de société (intégration, laïcité, racisme...) ou les relations internationales. Il importe bien plutôt, en cette fin de XXe siècle, de renouer le dialogue des civilisations.

● **À CONSULTER :** D. Sourdel, *L'Islam*, PUF (18e éd., 1995) ; *Histoire des Arabes*, PUF (5e éd., 1994). A. Miquel, *L'Islam et sa civilisation (VIIe-XXe siècles)*, Armand Colin (1991). M. Lombard, *L'Islam dans sa première grandeur (VIIIe-XIe siècles)*, Flammarion (1971). ● **À LIRE :** H. Le Porrier, *Le Médecin de Cordoue*. ● **À VOIR :** Y. Chahine, *Le Destin*. ● **CORRÉLATS :** Aristote ; colonisation ; Coran ; courtoisie ; croisades ; Découvertes (Grandes) ; mathématiques ; monothéisme.

JAZZ

● **ÉTYM. :** D'origine obscure et discutée, sans doute d'un terme d'argot du sud des États-Unis désignant l'acte sexuel, le terme *jazz* est attesté à La Nouvelle-Orléans vers 1915. ● **DÉF. :** Le jazz définit un mode d'expression musical apparu au début du XXe siècle, aux États-Unis, dans la communauté afro-américaine et introduit en Europe en 1917, par les soldats américains venus participer à la Première Guerre mondiale*. Le terme apparaît alors sous la forme *jazz-band*, qui s'appliquait en fait aux formations de musiciens jouant du jazz.

L'expression spontanée d'une culture populaire

1890-1910

Né en Louisiane entre 1890 et 1910, le jazz est l'exemple accompli d'une fusion spontanée d'éléments musicaux d'origines diverses, affirmation d'identité d'une communauté noire marginalisée et méprisée au sein d'une société blanche elle-même multiculturelle. Interprétant thèmes et genres de la musique de divertissement des Blancs selon le style propre aux Noirs, qu'illustraient alors le *gospel* (chant religieux) et le *blues* (complainte traditionnelle), le jazz s'annonce, autour de 1910, sous la forme syncopée du *ragtime*, avant de définir sa première version stylistique dans les quartiers chauds de La Nouvelle-Orléans.

Porté par des artistes comme King Oliver, Kid Ory ou le jeune Louis Armstrong (1900-1971), le style Nouvelle-Orléans se caractérise par un rythme soutenu et une large place laissée à l'improvisation collective, volontiers polyphonique. Il déborde vite du Sud, s'implante à New York et, surtout, à Chicago où la pratique du jazz attire de jeunes musiciens blancs comme Benny Goodman (1909-1986) ou Milton Mezz Mezzrow. Il échappe alors au folklore pour devenir un fait de société.

L'âge d'or du jazz

1920-1930

Adopté comme musique de danse par la jeunesse des années 1920, en Amérique comme en Europe (vogue du *charleston*), le jazz connaît rapidement une mutation qui en fait un genre musical à part entière. Au début des années 1930, de grands orchestres se constituent (Duke Ellington, Count Basie, Cab Calloway) ; l'improvisation de brillants solistes se substitue aux improvisations collectives du style Nouvelle-Orléans.

La période qui précède la Seconde Guerre mondiale* est qualifiée d'« ère du *swing* », mot difficilement traduisible qui exprime à la fois le rythme propre à la musique et l'ambiance qu'elle crée. Elle voit s'imposer, à côté de grands instrumentistes comme Lester Young, Louis Armstrong, Lionel Hampton, de remarquables chanteuses, Billie Holiday, Ella Fitzgerald, qui apportent la tension et le pathétique propres au *blues*, écho de la douleur du temps de l'esclavage*.

À l'articulation entre la création pure et la musique de variétés, le jazz connaît un succès mondial qui, plus que toute autre expression musicale, l'identifie à son époque. Les compositeurs de musique* savante ne s'y trompent pas : Ravel (1875-1937), Stravinski (1882-1971) lui empruntent. Aux États-Unis, George Gershwin (1898-1937) tente de se l'approprier en de séduisantes entreprises de « jazz symphonique » (*Rhapsody in blue*, 1924) ou sous la forme de l'opéra* (*Porgy and Bess*, 1935).

Le *be-bop*

1940-1950

Pendant la Seconde Guerre mondiale, de jeunes musiciens noirs, Thelonius Monk, Dizzy Gillespie, Charlie Parker, réagissent contre un conformisme rampant et créent un style nouveau : le *be-bop*, qui laisse entre autres au batteur une grande liberté dans la conduite du rythme.

L'avènement du *be-bop* est plus qu'un tournant stylistique : il marque le début d'une évolution qui va conduire le jazz de la musique de danse et de divertissement vers des formes de création, plus riches et plus personnelles, qui lui font perdre son caractère d'expression populaire et le rapprochent de la musique savante.

Il représente aussi un effort de retour aux sources, aux racines proprement noires du jazz, qui correspond à la prise de conscience politique de la communauté afro-américaine et à la lutte pour l'obtention des droits* civiques. Au cours des années 1950, on assiste d'ailleurs, en marge du *be-bop*, à l'élaboration d'une musique plus édulcorée, plus académique (le style *cool*), dont la plupart des exécutants sont blancs, si l'on excepte le brillant trompettiste Miles Davis qui reviendra après 1955 à un jazz plus exigeant.

L'intégration du jazz à la culture lettrée

1960

À partir des années 1960, l'écart ne cesse de grandir entre ce qu'on nomme maintenant le « jazz moderne » et la musique proprement populaire. En témoignent l'émergence et le succès foudroyant du *rock*, rencontre entre des rythmes et un style venus du jazz et le folklore blanc du Middle West américain. Porté par les moyens techniques (la musique électrique), les médias* et le show-business, le rock, aux États-Unis, puis en Europe, occupe au plan de la culture de masse la place abandonnée par un jazz de plus en plus intégré à l'espace de la culture lettrée.

Pendant ce temps, celui-ci connaît une nouvelle évolution sous l'action de créateurs originaux comme les saxophonistes Ornette Coleman et, surtout, John Coltrane. Elle aboutit, après 1964, à l'aventure du *free jazz*, qui rompt avec les règles traditionnelles et déchaîne une musique intense et chaotique dont le seul principe est l'improvisation. De son côté, Miles Davis, en électrifiant son instrument, tente d'introduire un son nouveau qui emprunte des éléments à la musique rock.

ENJEUX CONTEMPORAINS

Art et société

Depuis la fin des années 1970, le jazz se cherche, alternant les recherches formelles et de réguliers *revivals* qui ont fait dire qu'il s'agissait maintenant d'un genre mort. Cette annonce de décès est sans aucun doute prématurée : le jazz est loin d'avoir épuisé sa capacité créatrice. Serait-ce d'ailleurs le cas, il laisserait alors une énorme production dont la qualité suffirait à attester qu'il a représenté une des formes essentielles d'expression musicale du XXe siècle, la première, peut-être. Mais, dans ses formes actuelles, il s'est beaucoup intellectualisé, rejoignant en cela la musique savante contemporaine, dans un isolement élitiste qui le coupe d'une audience réellement populaire.

● **À CONSULTER :** P. Carles, A. Clergeat, J.-L. Comolli, *Dictionnaire du jazz*, R. Laffont (1988). L. Malson, C. Bellest, *Le Jazz*, PUF (4e éd., 1995). L. Malson, *Histoire du jazz et de la musique afro-américaine*, Seuil (1994). A. Francis, *Jazz*, Seuil (1991). N. Balen, *L'Odyssée du jazz*, Liana Levi (1993).

● **À ÉCOUTER :** *Black Legends of Jazz* (Decca, MCA, GRD 2-641). *Le Top des artistes de jazz* (Carrère 98/577). *Jazz Classics* in Digital Stereo de la BBC. *New-Orleans*, BBC CD 588.

● **À VOIR :** B. Tavernier, *Autour de minuit*. F.F. Coppola, *Cotton Club*. C. Eastwood, *Bird*.

● **CORRÉLATS :** chanson ; musique moderne et contemporaine.

JUDAÏSME

● **ÉTYM.** : Du latin *judaeus* (« juif »).
● **DÉF.** : Le mot *judaïsme* désigne la religion juive. Il provient du nom d'une des douze tribus d'Israël, la tribu de Juda. Quand les Perses, en 538 av. J.-C., permirent aux Hébreux* captifs à Babylone depuis un demi-siècle de retourner à Jérusalem, la majorité des rapatriés appartenaient à la tribu de Juda, d'où le nom de *ïoudaïos* que leur attribuèrent les Grecs et dont les Romains firent *judaeus.* À l'époque du Christ, la Palestine, province romaine, est appelée « Judée » (*Judaea*).

L'originalité du judaïsme

Le judaïsme est le premier monothéisme*. Il se définit comme la croyance en un Dieu unique qui a passé une Alliance avec le peuple hébreu : ainsi, la « nation d'Israël » a fait l'objet d'une élection divine, qu'est venue confirmer plus tard la révélation à Moïse de la Loi. L'histoire de la relation privilégiée entre l'Éternel et son peuple forme le contenu de la Bible* (du moins la partie que les chrétiens nomment « Ancien Testament »), l'Écriture sainte inspirée de Dieu. À ce livre sacré s'ajoutent les commentaires et les approfondissements plus tardifs, dus aux sages et aux théologiens, et dont la compilation constitue le *Talmud* (« l'enseignement »).

Une élaboration progressive

Comme toutes les religions, le judaïsme s'est construit par étapes. À partir de croyances originelles où l'idée de l'unicité de Dieu se dégage précocement, le judaïsme proprement dit n'apparaît vraiment qu'après Moïse, quand se constitue en Palestine le royaume d'Israël et qu'est construit le Temple de Jérusalem, au début du Ier millénaire av. J.-C.

Les invasions et les tribulations dont est victime le peuple hébreu, au VIe siècle av. J.-C. (captivité de Babylone), approfondissent la relation entre identité religieuse et spécificité nationale. C'est l'époque où s'organisent, faute d'un culte public, une étude et un enseignement de la tradition dont sont chargés des lettrés, les rabbins (de l'hébreu *rabi*, « maître »). C'est aussi le moment où, par la voix des Prophètes, est annoncée la venue future d'un Messie (de l'hébreu *mashiah*, « celui qui a reçu l'onction divine »). Celui-ci sera le rédempteur envoyé par Dieu pour libérer Israël, rétablir l'Alliance et châtier les impies.

L'attente du Messie devient alors l'une des composantes de la foi juive. Elle n'est pas étrangère à la prolifération des sectes, qui se multiplient à la veille de l'ère chrétienne. L'une d'elles, celle de Jésus-Christ, en qui ses adeptes voient le Messie attendu, rompra avec le judaïsme et sera à l'origine du christianisme*, qui étend l'Alliance à l'humanité entière.

Supportant mal la domination d'abord des souverains hellénistiques*, puis de l'Empire romain*, les Juifs se soulèvent plusieurs fois. En 70 ap. J.-C., Titus, fils de l'empereur Vespasien, ordonne de raser le Temple (dont subsiste aujourd'hui le fragment de soubassement : le mur des Lamentations). L'un de ses successeurs, Hadrien, met un terme à une ultime révolte, en chassant les Juifs de Jérusalem en 135. Dès lors, la foi juive survit dans les communautés de la Diaspora (du grec, « dispersion »), que l'activité commerciale propre aux peuples de la frange maritime syrienne avait multipliées dans tout l'Empire.

Une religion de « minoritaires »

Ces conditions vont dès lors placer constamment les juifs en position de minoritaires au milieu de populations d'abord païennes, puis, selon la situation géographique, chrétiennes ou musulmanes. Les relations avec ces deux dernières religions ne vont pas être faciles dans la mesure où l'une et l'autre dérivent de la tradition judaïque en prétendant la dépasser. Pour les chrétiens, le Messie est venu en la personne de Jésus-Christ. Pour les musulmans, la révélation ultime faite à Mahomet transcende celles qui l'ont précédée (*cf.* Islam). Dans un cas comme dans l'autre, les juifs font figure d'opiniâtres se refusant à l'évidence de la Vérité.

Si, d'une manière générale, les musulmans se montrent tolérants et acceptent une coexistence qui s'avère d'ailleurs intellectuellement fructueuse (les lettrés juifs contribuant à l'essor culturel du monde islamique), les rapports avec les chrétiens, tant d'Orient que d'Occident, sont mauvais et ne cessent de se détériorer durant le Moyen Âge*. Les juifs sont marginalisés, traités en suspects et sous la menace permanente d'un antisémitisme* à fondement religieux, parfois spontané, souvent officiel et codifié par les souverains.

C'est donc spécialement dans l'aire culturelle* arabo-musulmane que la pensée judaïque s'épanouit, élaborant une théologie subtile qui renoue avec la spéculation philosophique antique. Maïmonide (1135-1204), médecin juif qui vit et enseigne à Cordoue, capitale de la partie musulmane de l'Espagne, est l'un des plus grands esprits du Moyen Âge. C'est également dans ce milieu que naît le courant mystique qui, à partir d'une méditation sur l'Écriture, construit une doctrine ésotérique, la *kabbale*, dont l'influence dépassera largement les limites du judaïsme.

Dans l'Europe chrétienne, les rois de Pologne accueillent favorablement les communautés juives persécutées dans le Saint-Empire romain germanique. Un important peuplement juif se concentre non seulement en Pologne, mais aussi en Ukraine et en Lituanie, régions qui dépendent alors de la couronne polonaise. Il se développe là un judaïsme original, porteur d'une culture spécifique et usant d'une langue propre, mélange d'hébreu et de dialecte allemand : le *yiddish*. D'autre part, l'étonnante conversion au judaïsme, au VIIe siècle, d'un peuple barbare de la steppe, les Turcs Khazars, a certainement contribué à implanter plus tard des communautés juives dans l'espace alors reculé et marginal des principautés russes.

Une telle diffusion spatiale de groupes dispersés favorise les différences de sensibilités, de rites, de pratiques, de mœurs, même si l'unité profonde du judaïsme, fondée sur l'Écriture et le maintien de l'hébreu comme langue savante, n'est jamais mise en question. Ainsi distingue-t-on les juifs ashkénazes d'Europe continentale des juifs séfarades d'Espagne musulmane, bientôt réfugiés dans l'Empire ottoman, quand les souverains espagnols chrétiens, maîtres de toute la péninsule en 1492, les auront bannis.

Ce statut de minoritaires toujours menacés relance régulièrement l'espérance messianique. Au moins une fois par siècle, des illuminés surgissent, se prétendant le Messie. Au XVIIe siècle, l'un d'eux, Shabbataï Zevi (1626-1676), apparu en 1665 dans l'Empire ottoman, déstabilise le monde juif dans sa quasi-totalité. La condition difficile faite au judaïsme en pays chrétien alimente aussi des courants mystiques radicaux : le principal est le « hassidisme », qui se manifeste en Europe orientale au début du XVIIIe siècle.

Le judaïsme moderne

Gagnée à la tolérance* religieuse, l'Europe des Lumières* apprend à porter un regard nouveau sur les juifs et à les considérer comme des sujets de plein droit des États où ils résident. Le processus d'émancipation des juifs se met en route à la fin du XVIIIe siècle.

Le premier, l'empereur Joseph II (1765-1790) abolit en 1782, dans les possessions de la maison d'Autriche, les mesures discriminatoires. En 1787, les États-Unis naissants, qui conditionnent la citoyenneté au libre choix d'accepter de vivre sous les mêmes lois, écartent dans leur Constitution toute référence à une appartenance religieuse. En 1791, l'Assemblée constituante reconnaît officiellement aux juifs de France la qualité de citoyens français. Mais c'est essentiellement Napoléon* Ier (1804-1814) qui impose dans tous les pays de l'Europe qu'il contrôle la procédure d'émancipation, qui sera reconnue et confirmée après sa chute par le congrès de Vienne (1815).

Cette assimilation des juifs d'Europe occidentale et d'Amérique du Nord, qui fait disparaître les particularismes culturels et linguistiques, n'est pas sans dangers pour la religion judaïque. Alors que s'organisent des structures laïques comme l'Alliance israélite universelle (1860), des courants modernistes entreprennent de réformer la religion (abandon de pratiques rituelles, autorisation des mariages mixtes, réexamen des positions dogmatiques). Parallèlement, l'indifférence religieuse augmente chez les juifs assimilés.

Ces tendances n'affectent pas l'Europe orientale, où le particularisme des communautés demeure intact face à l'antisémitisme affirmé du gouvernement impérial russe, hostile à toute politique d'intégration. Là, la fidélité à la religion traditionnelle continue à fonder l'identité juive et ce sont plutôt les forces conservatrices et fondamentalistes qui se renforcent. De façon plus nuancée, il en va de même dans les communautés séfarades d'Orient. Il n'empêche que lorsque monte, dans la seconde moitié du XIXe siècle, un antisémitisme de nature nationaliste*, la réponse juive n'est pas le repli sur les valeurs religieuses, mais un contre-nationalisme, le sionisme*.

Deux événements majeurs vont pourtant converger et raviver la foi religieuse juive au XXe siècle.

D'une part, l'abominable persécution nazie (la *Shoah*), qui assassine méthodiquement plusieurs millions de juifs européens parce qu'ils sont juifs, ranime puissamment chez les survivants le sentiment d'une appartenance commune dont le fondement est la religion.

D'autre part, réalisation du rêve sioniste, la constitution en 1948 de l'État d'Israël établit, pour la première fois depuis l'Antiquité*, un État dont la spécificité est d'être juif. Créé dans un esprit résolument laïque, il voit affluer des séfarades d'Orient, traditionalistes et pratiquants. Ces derniers donnent vite à la religion une importance que n'avaient peut-être pas souhaitée les fondateurs, mais qui est un fait et qui se traduit par l'émergence d'influentes formations politiques généralement très conservatrices.

ENJEUX CONTEMPORAINS

Religion

La seconde moitié du XXe siècle voit donc une sorte de renaissance religieuse du judaïsme. Au terme d'une histoire incroyablement longue et pleine de vicissitudes, la religion juive témoigne ainsi de sa vitalité, mais tout comme l'islam ou le christianisme, elle est confrontée au conflit interne entre l'intransigeance fondamentaliste d'une minorité et la voie incertaine d'une adaptation aux réalités d'un monde moderne qui rejette la religion dans la sphère privée. Compte tenu de son histoire, ce dilemme est particulièrement difficile à résoudre pour le judaïsme.

● **À CONSULTER :** A. Chouraqui, *Histoire du judaïsme*, PUF (11e éd., 1995) ; *La Pensée juive*, PUF (6e éd., 1992). M.R. Hayoun, *Le Judaïsme moderne*, PUF (2e éd., 1996). G. Scholem, *Les Grands Courants de la mystique juive*, Payot (1977). J. Bauer, *Les Juifs hassidiques*, PUF (1994). ● **À LIRE :** E. Lévinas, *Entretiens*. I. Bashevis Singer, *Shosha* ; *Les Sages de Chelm* ; *Le Petit Monde de la rue Krochmalna*.

● **CORRÉLATS :** Antiquité ; Antiquité (haute) ; antisémitisme ; Bible ; christianisme (débuts du) ; Coran ; Hébreux ; islam ; monothéisme ; Napoléon ; nationalisme ; national-socialisme (nazisme) ; romain (Empire) ; sionisme ; tolérance.

KANT

Kant (1724-1804) est né et mort à Koenigsberg, en Prusse-Orientale. Enfant, son milieu familial est fortement marqué par le piétisme, cet esprit qui anime depuis le XVIIe siècle certains groupes de protestants allemands, et qui privilégie la conversion du cœur sur les symboles de la foi. Ce piétisme, dont on dénote l'influence dans sa philosophie morale*, Kant le retrouve dans l'enseignement qu'il suit à l'université de Koenigsberg. C'est là également qu'il découvre la philosophie de Leibniz (1646-1716) et la physique* de Newton (1642-1727).
De l'étude de Newton, Kant acquiert la conviction que la science est un fait incontestable, dont il s'agit de comprendre la possibilité.
Plus tard, la lecture de Rousseau* (1712-1778) lui apprendra que la présence de la loi morale en nous est un autre fait incontestable.
Quant à la pensée de Leibniz, c'est avec elle, ainsi qu'avec celle de Hume (1711-1776), que s'engage le long débat qui va conduire Kant à la philosophie critique*. L'œuvre de Kant est en effet dominée par ce qu'on appelle « les trois critiques » : la *Critique de la raison pure* (1781), la *Critique de la raison pratique* (1788) et la *Critique de la faculté de juger* (1790). Ces œuvres, et leurs prolongements, constituent un véritable système de pensée auquel Kant a travaillé jusqu'à sa mort.

Critique de la raison pure : science et métaphysique

Le projet de Kant, en écrivant la *Critique de la raison pure*, est de mettre un terme aux débats interminables de la métaphysique* (sur l'existence de Dieu ou l'immortalité de l'âme), en délimitant (« critique ») notre pouvoir de connaître (« raison ») indépendamment de l'expérience (« pure »). Il s'agit de faire prendre enfin à la métaphysique le chemin sûr que les sciences exactes* suivent déjà, et qui est celui de la « révolution copernicienne » : ce n'est pas notre connaissance qui se règle sur les objets, ce sont au contraire les objets qui se règlent sur notre connaissance, sur le sujet* transcendantal.
Kant montre d'abord que nous ne pouvons connaître que ce qui nous apparaît (les « phénomènes »), et établit que l'espace et le temps sont les deux conditions *a priori* de tout ce qui peut nous apparaître. Nous ne pouvons donc pas connaître les choses telles qu'elles sont en elles-mêmes, mais nous pouvons prétendre, grâce à ces deux « formes pures de l'intuition », à une connaissance universelle et nécessaire en mathématiques*.
Kant démontre ensuite que seule la limitation des concepts de l'entendement (les « catégories ») aux intuitions de l'espace et du temps leur confère le sens et la valeur de « principes ». Par exemple, c'est seulement lorsqu'on se représente le rapport de cause à effet suivant l'ordre du temps que l'on peut établir que les objets sont soumis universellement et nécessairement à ce

rapport. Le principe de causalité ne peut donc pas permettre la connaissance de Dieu comme cause de l'univers, puisque cette relation n'est pas temporelle.
Dieu n'est pas un objet de connaissance possible, pas plus que le « moi » pur (indépendant de la façon dont je m'apparais à moi-même dans le temps), ou le monde dans sa totalité. Le moi, le monde et Dieu sont des « Idées », par lesquelles la raison se représente l'achèvement du travail (toujours inachevé) de la science. Positives à l'égard de la connaissance, ces Idées sont en même temps sources d'illusions sur notre pouvoir d'atteindre leur objet, et sources de contradictions dans notre effort pour l'atteindre. À cette dialectique* interminable, la philosophie critique apporte la seule solution possible.

Critique de la raison pratique : le fondement de la morale

La certitude du déterminisme universel, incontestable sur le plan des phénomènes, n'exclut pas, sur un autre plan, la position de l'homme comme agent libre en lui-même. Que notre liberté soit parfaitement inconnaissable, cela n'est en rien un handicap, puisqu'elle se présente à nous, non comme un objet à contempler, mais comme une tâche à accomplir : c'est la loi morale qui, par le devoir qu'elle nous impose, nous révèle, à titre d'exigence, notre véritable pouvoir. Tel est le « fait de la raison » qui constitue le point de départ de la *Critique de la raison pratique*.
Ce titre est calqué sur le précédent. Il s'agit donc toujours de délimiter la raison, mais cette fois-ci dans son usage « pratique », c'est-à-dire moral : par rapport aux sentiments qui, selon Kant, déterminent toujours nos actions dans le sens de l'égoïsme, mais également par rapport au calcul rationnel des meilleurs moyens d'agir, dans lequel l'homme met précisément sa raison au service de ses sentiments, désirs et passions. Lorsque la raison est sollicitée de cette façon, elle impose bien des lois à notre volonté, mais seulement sous condition : si nous poursuivons telle ou telle fin. La rationalité morale se reconnaît, au contraire, à ce que la loi qu'elle impose est la loi même de la volonté. Son impératif, sans condition, est catégorique, et se formule ainsi : « Agis toujours d'après une maxime telle que tu puisses vouloir en même temps qu'elle devienne une loi universelle. »

Si l'on s'en tient à ces deux premières « critiques », l'unité de la nature (l'ordre de ce qui apparaît, réglé selon les catégories de l'entendement) et de la liberté (l'homme tel qu'il est en soi, selon ce qu'exige la loi morale) est inconcevable. On ne saurait toutefois se satisfaire de ce résultat, car il faut bien que la liberté se réalise dans la nature. Raison théorique et raison pratique ne sont qu'une seule et même raison, qui exige, par essence, l'unité, l'identité du vrai et du bien. C'est ce qui justifie la présence, dans l'œuvre de Kant, d'une troisième critique, la *Critique de la faculté de juger*.

Critique de la faculté de juger : la finalité dans la nature

Selon ce qui a été établi par Kant dans la *Critique de la raison pure*, l'objet se règle sur la connaissance, et la nature n'apparaît comme telle que soumise aux principes de l'entendement. Il pourrait se faire, toutefois, qu'une nature parfaitement légale ne s'accorde pas avec notre faculté de connaître, parce que la diversité de ses lois serait telle que nous ne pourrions y découvrir aucun ordre compréhensible. C'est pourquoi nous éprouvons une satisfaction particulière quand se révèlent des corrélations systématiques, quand nous pouvons introduire l'ordre d'une classification par genres et espèces, quand plusieurs lois naturelles se ramènent à une seule. La *Critique de la faculté de juger* propose une théorie de cette satisfaction, de cette faveur avec laquelle nous accueillons les marques spécifiques d'une connivence de la nature à notre égard. Chaque être vivant organisé nous apparaît alors comme une fin naturelle, et la nature en général comme un système de fins.

L'esthétique de Kant

Il semblerait ainsi que la nature soit dotée d'une finalité : finalité de la nature en elle-même, puisque nous ne pouvons comprendre les êtres vivants organisés que sous cette supposition ; mais également finalité par rapport à nos facultés. C'est de cette façon que Kant comprend l'expérience esthétique*, la faveur par laquelle nous jugeons beaux certains objets, lorsque leur forme invite nos facultés à un libre jeu, qui ne peut être ni provoqué, ni recherché.
Dans la *Critique de la faculté de juger*, Kant analyse le statut paradoxal du jugement esthétique : il s'exprime par un

plaisir, mais ce plaisir n'est conditionné par aucun intérêt ; il exige d'être universellement partagé, mais cet accord ne peut être fondé sur des concepts ; il se prononce sur la finalité des objets, mais celle-ci n'est belle que si aucune fin ne lui est assignée ; enfin, il se donne comme nécessaire, mais en refusant toute preuve.

La philosophie de l'Histoire

Dans ses écrits sur la philosophie de l'Histoire*, en particulier dans l'*Idée d'une histoire universelle au point de vue cosmopolitique* (1784), Kant montre qu'on peut se représenter l'histoire universelle comme la réalisation progressive d'un plan de la nature. Selon ce plan, les hommes sont conduits, par le jeu de leurs intérêts contradictoires, à mettre en place une Constitution républicaine* : or, cette Constitution est celle qui permet à la moralité de s'incarner.

C'est donc la notion de finalité qui nous indique la possibilité d'une conciliation entre la légalité de la nature et celle de la liberté, l'ordre du vrai et celui du bien. Toutefois, cette conciliation reste, pour Kant, espérée et non effectuée : c'est un horizon de sens qui doit diriger nos actions, un simple « comme si », et non une loi de l'Histoire elle-même.

Kantisme et néokantisme

Alors que les premiers successeurs de Kant reprochaient à sa philosophie d'être insuffisamment systématique, ce sont précisément les failles et les lacunes apparentes du kantisme qui le rendent précieux aujourd'hui, et justifient le fait que tant de penseurs contemporains puissent se dire, de façon pertinente, « kantiens ». Le hiatus entre la *Critique de la raison pure* et la *Critique de la raison pratique*, entre la connaissance et la morale, entre la nature et la liberté, permet de sauvegarder l'autonomie des valeurs*, et d'assurer leur transcendance par rapport à la réalité. Que la finalité naturelle et historique, synthèse de nature et de liberté, ne se donne, dans le kantisme, que sur le mode hypothétique du « comme si », cela autorise la saisie d'une « raison dans l'Histoire », mais sans constituer cette raison, comme le fait Hegel* (1770-1831), en tribunal suprême, sans lui soumettre, par conséquent, la personne* humaine et sa valeur absolue.

Parmi les nombreuses distinctions conceptuelles élaborées par Kant, certaines demeurent opératoires dans la philosophie contemporaine. L'éclatement de la raison pratique en une rationalité technicienne, asservie et calculatrice, et une rationalité morale, normative et catégorique, est au cœur de l'entreprise critique des penseurs de l'École de Francfort*. Sur un autre plan, L. Ferry et A. Renaut reprennent l'opposition de ce qui est « constitutif » et ce qui est « régulateur » pour justifier l'idée des droits de l'homme* : les « droits *de...* » (expression, association) sont constitutifs, tandis que les « droits *à...* » (santé, logement, travail) sont régulateurs. La distinction kantienne rend ainsi concevable l'unité de la notion de « droits de l'homme », parfois taxée d'incohérence (*Des droits de l'homme à l'idée républicaine*, 1985).

ENJEUX CONTEMPORAINS

Philosophie

Être kantien, ce n'est pas seulement soutenir certaines positions philosophiques, c'est se faire une certaine idée de la philosophie elle-même, comme recherche « transcendantale », interrogation sur ses conditions de possibilité. Après Kant, cette ambition d'une philosophie transcendantale a trouvé une nouvelle vie dans la phénoménologie* de Husserl (1859-1938) et de ses successeurs. Elle inspire aujourd'hui, dans un tout autre domaine, la « pragmatique transcendantale » de Apel (né en 1921). Elle implique la reconnaissance de l'homme comme sujet, ce qui offre une ligne de résistance efficace contre les spéculations contemporaines sur la « fin du sujet » et la « mort de l'homme ».

● **À CONSULTER :** J. Lacroix, *Kant et le kantisme*, PUF, « Que sais-je ? ». A. Renaut, *Kant aujourd'hui*, Aubier (1997).

● **CORRÉLATS :** critique philosophique ; dialectique ; droits de l'homme ; esthétique ; Francfort (École de) ; Hegel ; Histoire (philosophies de l') ; mathématiques ; métaphysique ; morale ; personne ; phénoménologie ; physique ; république ; Rousseau ; sciences exactes ; sujet ; valeurs.

Libéralisme et néolibéralisme

● **Étym. :** Dérivé de *libéral*, issu du latin *liberalis* (« qui concerne un homme libre »). ● **Déf. :** Dans son usage actuel, le mot *libéralisme* désigne la conjonction d'un système économique* et d'une doctrine politique. Est libéral celui qui soutient que lorsque les acteurs de la vie économique, qu'ils soient producteurs ou consommateurs, sont laissés libres de poursuivre sans entraves leurs intérêts particuliers, la concurrence qui en résulte est bénéfique à l'ensemble. En conséquence, le libéral s'oppose aux interventions – même bien intentionnées – de l'État*, plaide en faveur de la déréglementation, et voit dans la démocratie* le régime idéal, non parce qu'elle est le pouvoir du peuple, mais parce qu'elle est le système qui limite le pouvoir politique en instituant des contre-pouvoirs.

De la politique à l'économie

Lorsque le terme *libéralisme* est apparu, au début du XIXe siècle, en France, en Angleterre et en Espagne, l'aspect politique de sa signification était prépondérant, marqué avant tout par l'opposition à l'autorité de la royauté ou de l'Église*. En France, par exemple, le parti libéral s'est constitué après la Restauration pour assurer le respect des libertés essentielles conquises par la Révolution française* de 1789. Ce n'est qu'après sa victoire, en 1830, que le libéralisme français est devenu conservateur, voyant dans la montée du socialisme* une nouvelle menace contre les libertés. Ce faisant, les libéraux pensaient rester fidèles à eux-mêmes, estimant qu'aux droits de l'homme* proclamés par la *Déclaration* de 1789 (égalité de tous devant la loi, liberté d'expression et de communication des pensées, droit de propriété...) on ne saurait ajouter, par exemple, l'égalité matérielle revendiquée par les socialistes, ou le droit au travail*, car ces nouveaux droits compromettraient irrémédiablement les anciens. Pour les garantir, en effet, il faut un État très fort, et une réglementation très contraignante, ce que la *Déclaration* de 1789 a précisément pour vocation de combattre.

Mais qu'on puisse joindre au libéralisme politique, sans lui être infidèle, un souci de justice sociale, qu'on puisse à cet effet élargir les attributions de l'État sans tomber dans le dirigisme, voire le totalitarisme*, c'est ce qu'ont prétendu au contraire le radicalisme français et la social-démocratie allemande. C'est la volonté qui anime la *Déclaration universelle des droits de l'homme* de 1948, réalisant la synthèse entre les droits de l'individu* contre l'État, issus de la Révolution française, et les droits de l'individu à réclamer de l'État certaines prestations, autrement dit les droits sociaux : droit au travail, à la santé, à l'éducation...

Il est piquant de constater qu'aux États-Unis, pays phare du libéralisme au sens moderne, c'est ce sens qu'a pris le mot *liberalism* : un *liberal*, dans le vocabulaire politique américain, c'est un homme de gauche, l'équivalent d'un « social-démocrate ».

Il n'en va pas de même dans le vocabulaire politique français, surtout depuis que le mot *libéralisme*, après une longue éclipse, y est revenu en force, jusqu'à devenir un terme à la mode. Ce retour est consécutif à la crise* économique des années 1970, dont les effets ont mis en évidence les limites de l'État-providence ; il est consécutif également à l'effondrement du communisme soviétique*, faisant disparaître la seule alternative au système capitaliste, et accréditant l'idée que les lois de ce système, les « lois du marché », seraient des lois naturelles, qu'il ne faut perturber sous aucun prétexte. Dans ce contexte, l'aspect économique devient prédominant pour la signification du mot, tandis que l'hostilité aux interventions de l'État se fait extrême. Pour désigner cette idéologie* sans concession, faut-il dire *néolibéralisme* ou *ultralibéralisme* ? La première formulation dénote simplement le retour du terme après une éclipse, tandis que la seconde marque son infléchissement par rapport au sens originel. On ne peut trancher cette question sans revenir, en deçà de l'apparition historique du mot, aux origines philosophiques du libéralisme.

Les origines philosophiques du libéralisme

On peut distinguer deux vagues dans la formation du libéralisme : la première, apparue dès la fin du XVIIe siècle, déferle au XVIIIe siècle, tandis que la seconde marque le XIXe siècle.

■ Locke, Montesquieu, Smith

Le philosophe anglais John Locke (1632-1704) affirme, dans son second *Traité du gouvernement civil* (1690), l'existence de droits propres à l'individu, antérieurs à l'État, dont la mission est de les faire respecter. Ces droits constituent la « propriété » au sens large, incluant la « propriété » au sens étroit : car le droit absolu de chacun sur sa propre personne s'étend aux choses auxquelles il imprime sa marque : la terre qu'il laboure, le matériau qu'il transforme en objet utile. On a pu parler, à ce propos, d'« individualisme* possessif » : Locke fonde un droit illimité à la propriété, en affranchissant ce droit des limites que la pensée traditionnelle, depuis Thomas d'Aquin (1228-1274), lui assignait (juste prix, juste salaire, devoirs de charité). Présentes dans la *Déclaration des droits* de 1689 en Angleterre, les idées de Locke inspireront les « Pères Fondateurs » de la Constitution américaine.

Dans *L'Esprit des lois* (1748), Montesquieu (1689-1755) expose la théorie dite de la « séparation des pouvoirs » : pouvoir législatif, pouvoir exécutif et pouvoir judiciaire. La liberté politique du citoyen est impossible, soutient-il, si ces trois pouvoirs, ou même deux d'entre eux, sont détenus par le même homme ou la même assemblée. La division institutionnelle des pouvoirs est donc nécessaire à leur contrôle mutuel : « Pour qu'on ne puisse abuser du pouvoir, il faut que, par la force des choses, le pouvoir arrête le pouvoir. »

Enfin, le philosophe et économiste écossais Adam Smith (1723-1790) présente, dans ses *Recherches sur la nature et les causes de la richesse des nations* (1776), la première théorie du marché concurrentiel considéré comme un ordre autonome, permettant la combinaison optimale d'intérêts divergents, sans qu'il soit besoin de recourir à des impératifs moraux, ni à des contraintes étatiques : le « système de la liberté naturelle » conduit à l'harmonie des intérêts particuliers et de l'intérêt général, comme par l'effet d'une « main invisible ».

Chacun de ces trois philosophes représente un aspect partiel de cette synthèse qu'est le libéralisme. Réaliser la synthèse elle-même sera l'œuvre de deux penseurs français du XIXe siècle, constituant la « deuxième vague ».

■ Constant, Tocqueville

Benjamin Constant (1767-1830) établit, dans son discours *De la liberté des Anciens comparée à celle des Modernes* (1819), la différence essentielle entre la liberté politique chère aux peuples de l'Antiquité*, et la liberté civile à laquelle aspirent les nations modernes. La première est une participation active du citoyen à la souveraineté, la seconde une jouissance passive de l'individu dans sa sphère privée : les Anciens voulaient être libres dans la politique, les Modernes désirent être libérés de la politique. Vouloir imposer, comme Rousseau* (1712-1778) et les révolutionnaires de 1793, la liberté antique aux Modernes, par le sacrifice des intérêts privés, c'est produire un nouveau despotisme. Mais le risque inverse n'est pas moins grave : le désintérêt des individus, repliés sur eux-mêmes, pour les affaires de la cité encourage les abus de pouvoir.

La distinction entre les deux formes de liberté se retrouve dans l'œuvre de Tocqueville (1805-1859), principalement dans son premier ouvrage *De la démocratie en Amérique* (1835-1840). La fin de cet ouvrage (IVe partie, chap. 6-7) évoque ainsi le despotisme qui pourrait éventuellement naître dans les nations démocratiques, marquées par l'égalisation inexorable des conditions : une servitude douce et paisible, à l'ombre d'un pouvoir tutélaire bienveillant, anéantirait à la fois notre liberté au sens moderne, en nous évitant la peine de choisir et les risques du choix, et notre liberté au sens antique, en rendant chacun de nous étranger à la destinée de tous les autres.

Reconnaître la dualité de la liberté n'engage donc pas le libéral à sacrifier l'une des deux formes à l'autre, mais plutôt à trouver entre elles la combinaison permettant de les affirmer au mieux. Cela signifie, certes, la limitation de l'État : afin de se consacrer librement à leur bonheur privé, les hommes des nations modernes chargent l'État d'accomplir uniquement ce qu'ils ne peuvent ou ne veulent pas faire. Mais cette répartition des tâches doit être à son tour librement contrôlée pour éviter l'arbitraire. Cela suppose des citoyens actifs, et par conséquent un État qui assure (au moyen de l'instruction publique par exemple) la possibilité de cette citoyenneté active. Paradoxalement, la non-intervention de l'État implique toujours un certain interventionnisme. Le néolibéralisme contemporain refuse cette conséquence. Réduisant la notion de liberté à son sens moderne, visant non seulement à limiter l'État, mais à le rendre « minimal », il infléchit, en les radicalisant, les thèses du libéralisme classique, et apparaît plutôt comme un ultralibéralisme.

L'ultralibéralisme

Dans le foisonnement des auteurs contemporains de mouvance ultralibérale, on peut retenir le nom de l'Autrichien F.A. Hayek (1899-1992), pour son œuvre monumentale, ainsi que pour l'influence qu'il a exercée sur la vie économique et politique, en Grande-Bretagne et aux États-Unis.

Dans le deuxième tome de son ouvrage *Droit, législation et liberté* (1976), Hayek soutient que l'expression « justice sociale » est vide de sens dans une société d'hommes libres. En effet, argumente-t-il, la véritable justice sociale, ou « distributive », que cherchent tous les socialismes, c'est-à-dire la répartition équitable des avantages matériels entre les membres d'une société, ne pourrait être opérée que par une puissance omnisciente, capable de prévoir le comportement de tous afin d'éviter que son calcul soit perturbé, ce qui relèverait d'un rêve totalitaire.

Mais à cet argument du libéralisme classique, Hayek en ajoute un second, à savoir que cette expression est par elle-même un non-sens : il n'y a aucun sens à dire qu'une société est « juste » ou « injuste », car une société n'est pas une personne, et seule une personne peut être dite « juste », si sa conduite est conforme aux règles qui assurent la coexistence des hommes libres. Le rôle minimal de l'État est, selon Hayek, d'assurer le respect de ces règles de « juste conduite » entre des hommes qui conduisent librement leurs propres affaires, et non d'administrer les affaires des hommes.

Enjeux contemporains

Courants idéologiques

Dans la théorie ultralibérale, les règles de juste conduite sont les règles d'un simple jeu, qui n'a plus d'autre finalité que de continuer à se jouer, les perdants n'étant pas autorisés à se plaindre du résultat dès lors que le jeu s'est joué dans les règles. Cette thèse n'est pas dans la continuité du libéralisme classique. Lorsque Smith voyait dans les lois du marché le moyen par lequel les intérêts particuliers se transforment en intérêt général, il assignait par là même à la libre concurrence une finalité positive, dans une sorte de bien commun. Pour un ultralibéral comme Hayek, le seul bien commun est l'ordre du marché lui-même, dont la conservation permet la plus grande diversité d'intentions individuelles, quels qu'en soient les résultats. L'ultralibéralisme est ainsi un individualisme absolu.

● **À consulter :** P. Manent, *Les Libéraux*, Hachette (1986). ● **À lire :** B. Mandeville, *La Fable des abeilles.* ● **À voir :** L. Comencini, *L'Argent de la vieille* (1972).
● **Corrélats :** communisme soviétique ; crise ; démocratie ; droits de l'homme ; État ; individu et individualisme ; Révolution française ; Rousseau ; socialisme ; systèmes économiques ; totalitarisme ; travail.

LIBERTINS

● **ÉTYM. :** Du latin *libertinus* (« affranchi, libre »). ● **DÉF. :** Le mot *libertinage*, apparu en 1600, désigne une attitude philosophique caractérisée par une liberté d'esprit face à la foi et à la morale* religieuses. Les *libertins* sont des libres penseurs qui s'affranchissent de toute tutelle.

Le courant libertin

XVIIe siècle

Après les bouleversements apportés par le XVIe siècle (*cf.* Découvertes, Réforme, guerres de Religion), certains esprits mettent en cause le dogme et l'Église* catholiques : par la moquerie ou la critique* philosophique, ils se détournent de la religion traditionnelle et reviennent aux sources antiques (*cf.* Scepticisme, Épicurisme). Le philosophe Gassendi (1592-1655), le poète Théophile de Viau (1590-1626) fréquentent les salons* où se développe cette contestation hardie des références officielles.

Au XVIIe siècle, le courant libertin, complexe et varié, affiche sa référence à la raison et s'interroge sur la place de l'homme dans l'univers et dans la société. Héritier des penseurs de la Renaissance*, il annonce les écrivains-philosophes des Lumières*. Le libertinage est libertinage des mœurs, libertinage social et libertinage religieux ; pour le libertinage érudit, on retiendra les noms du sceptique La Mothe Le Vayer (1588-1672) et de Cyrano de Bergerac (1619-1655). Molière a donné avec son *Dom Juan** (1665) une figure révélatrice du libertin, défiant Dieu et les valeurs* traditionnelles. Pascal, dans ses *Pensées* (1670), attaque vivement, lui qui fut libertin avant sa conversion, ces « esprits forts » pour les convaincre de revenir à Dieu.

Du libertin au débauché

XVIIIe siècle

Le courant libertin continue au XVIIIe siècle, mais se place davantage sur le terrain des mœurs. Hostiles aux conventions, les libertins sont perçus par les tenants de l'ordre établi comme des êtres sans morale, débauchés et pervertis ; le mot *épicurien* prend le sens de « jouisseur ». Il se développe une littérature, plus ou moins clandestine, qui mêle érotisme et philosophie, comme en témoignent les titres des romans *Thérèse philosophe* (1748) de Boyer d'Argens et *La Philosophie dans le boudoir* (1795) de Sade. Une force de révolte s'exprime dans l'érotisme de ces ouvrages : les contraintes religieuses sont combattues au nom du plaisir, de l'épanouissement de l'individu* et de la liberté. Montesquieu (*Lettres persanes*, 1721), Voltaire (*Correspondance*, 1711-1778), Diderot (*Les Bijoux indiscrets*, 1748 ; *La Religieuse*, 1796) donnent une place non négligeable à l'érotisme dans leurs ouvrages. Le roman le plus achevé de cet ensemble est assurément *Les Liaisons dangereuses* (1782) de Laclos.

Le succès des œuvres et des idées libertines reflète, pour l'historien des mentalités, l'évolution des mœurs et des comportements. Siècle de la raison, le XVIIIe siècle est aussi celui de l'*Éros*, comme en témoignent les peintres Watteau, Fragonard et Boucher. Face à une noblesse oisive et en décomposition, dans une France qui s'urbanise, des revendications de liberté et d'indépendance se manifestent, venues de la bourgeoisie* et des intellectuels*.

La lutte contre les oppressions passe par la levée de l'interdit qui pèse sur le corps. Le texte érotique incarne le désir de jouir et de faire jouir : il y a une « volupté du dire » qui met radicalement en cause les tabous de l'Ancien Régime.

ENJEUX CONTEMPORAINS

Valeurs et société

Aujourd'hui, le mot *libertin* se réduit souvent au sens de « polisson » ou de « dévergondé », et les bien-pensants tiennent à enfermer ce mot dans une connotation pornographique. C'est pourquoi des intellectuels comme R. Vailland ou P. Sollers le revendiquent, afin de marquer leur hostilité au puritanisme.

● **À CONSULTER :** M. Onfray, *L'Art de jouir*, Grasset (1991). R. Pintard, *Le Libertinage érudit dans la première moitié du XVIIe siècle*, Slatkine (1943).

● **À LIRE :** Crébillon fils, *Les Égarements du cœur et de l'esprit* (1736). *Les romans libertins au XVIIIe siècle*, Laffont (1993).

● **CORRÉLATS :** don Juan ; épicurisme ; Lumières ; matérialisme ; salons ; Temps modernes ; valeurs.

LUMIÈRES

● **ÉTYM. :** Du latin *luminaria* (« sources de lumière », « cierge, flambeau, astres »). ● **DÉF. :** Le terme *lumière* est synonyme, au XVIIe siècle, de « connaissance » ; le pluriel s'impose en France au XVIIIe siècle pour désigner un idéal philosophique, fondé sur la valeur de la raison et la croyance dans le progrès*. Il trouve son homologue dans toutes les langues européennes : *Aufklärung* en allemand, *Enlightenment* en anglais, *Illuminazione* en italien, *Ilustración* en espagnol. Toutes ces expressions connotent un processus dynamique : c'est l'arrivée de la lumière qui dissipe les ombres de l'ignorance. Par extension, on caractérise le XVIIIe siècle européen comme le « siècle des Lumières ».

Les origines du mouvement des Lumières

Le siècle des Lumières s'inscrit dans le prolongement des grandes mutations qui déterminent la naissance du monde moderne : la Renaissance*, la Réforme*, la révolution scientifique* du XVIIe siècle, les Révolutions anglaises*. Il s'annonce avec ce que l'historien P. Hazard a nommé la « crise de la conscience européenne » et qui caractérise la période qui s'étend de 1680 à 1715.

Le geste cartésien de doute méthodique et la volonté de s'en remettre à la lumière naturelle, et non plus surnaturelle et religieuse, s'étendent progressivement à tous les domaines de l'activité humaine : religion, Histoire*, politique... Le représentant le plus marquant de cet état d'esprit est Bayle (1647-1706) : cet historien protestant est l'auteur d'un *Dictionnaire historique et critique* (1696) qui fait preuve, à l'égard des traditions religieuses, d'un esprit critique* qui paraît alors scandaleux.

On fait commencer le siècle des Lumières, en France, par la publication des *Lettres persanes* (1721) de Montesquieu. On peut distinguer un premier moment qui se caractérise par un rationalisme strict dont les deux grands modèles sont Descartes* (1596-1650) et Newton (1642-1727) ; il trouve son expression dans l'affirmation d'un déterminisme rigoureux qui règne tant sur le monde physique que sur l'Histoire.

La deuxième moitié du XVIIIe siècle sera marquée par le préromantisme avec, en Allemagne, le mouvement du *Sturm und Drang* (*cf.* Romantisme). En France, on constate un certain retour à la nature, l'affirmation de la sensibilité en morale*, la rupture avec l'esthétique classique*. Enfin, une inquiétude sur le progrès s'exprime dans l'œuvre de Rousseau* (1712-1778) et, plus tard, dans celle de Laclos (1741-1803) : *Les Liaisons dangereuses* (1782) montrent comment la raison peut se mettre au service du Mal (*cf.* Libertins).

Les Lumières et l'Europe

Les Lumières ont été à la fois un phénomène européen et la première affirmation de l'idée d'Europe*. Les philosophes et les savants proclament et vivent l'universalité de la raison. Le mouvement des Lumières a été cosmopolite dans les faits : Voltaire (1694-1778) se rend auprès de Frédéric II de Prusse, Diderot (1713-1784) en Russie. Mais il a aussi défendu un cosmopolitisme théorique : le triomphe de la raison, c'est la disparition des querelles séculaires entre nations, et celle de la guerre. Ainsi, pour Kant* (1724-1804), le point de vue cosmopolitique est celui qui nous permet de penser l'Histoire comme progrès.

Deux manifestations culturelles ont particulièrement contribué à former et à diffuser l'esprit des Lumières : la franc-maçonnerie* et les salons*. La franc-maçonnerie recrute ses membres par cooptation et pratique un égalitarisme qui lui permet de mêler artistes, savants, philosophes, bourgeois* et aristocrates. Elle se donne comme but l'amélioration matérielle, morale et intellectuelle de l'humanité. Les salons, souvent animés par des femmes exceptionnelles, représentent une figure de la sociabilité raffinée, mais se donnent plus profondément pour projet de former une opinion publique éclairée qui pourra conduire à la réforme de la société ; d'où la revendication fondamentale de la liberté de penser. Bien penser, dira Kant, c'est « penser ensemble », et donc pouvoir communiquer. Une des figures du despotisme sera désormais la censure.

L'engagement philosophique

Au XVIIIe siècle, le terme *philosophe* change de sens, comme le montrent un anonyme attribué à Dumarsais (1676-1756) et l'article « Philosophe » de

LUMIÈRES			
	Histoire	***Philosophie, sciences***	***Littérature, arts***
1721		Montesquieu, *Lettres persanes*	Apogée de la musique baroque* Bach, *Concertos brandebourgeois*
1723	Majorité de Louis XV (fin de la Régence)	Constitution de la franc-maçonnerie* en Angleterre	Marivaux, *La Double Inconstance* (comédie*)
1734		Voltaire, *Lettres philosophiques*	• Apogée des salons* • Chardin (peinture)
1740	Avènement de Frédéric II de Prusse	Saint-Simon, *Mémoires*	
1741	Guerre de la succession d'Autriche	Euler (mathématiques*)	Haendel, *Le Messie*
1748	Paix d'Aix-la-Chapelle	• Montesquieu, *De l'esprit des lois* La Mettrie, *L'Homme-machine* Hume, *Enquête sur l'entendement humain* • Buffon, *Histoire naturelle* (biologie*)	Bach, *L'Art de la fugue*
1745-1772		• Publication de l'*Encyclopédie** • Invention du paratonnerre par Franklin	
1755	Tremblement de terre à Lisbonne	Rousseau*, *Discours sur l'origine de l'inégalité*	
1756	Début de la guerre de Sept Ans	Voltaire, *Essai sur les mœurs*	Diderot, *Le Fils naturel* (drame*)
1758		Quesnay, *Tableau économique* (libéralisme*)	Voltaire, *Candide* (conte*)
1762	• Avènement de Catherine II de Russie • Apogée du commerce triangulaire (esclavage*)	Rousseau*, *Émile ; Du contrat social**	• Gluck (opéra*) • *Petit Trianon* à Versailles
1763	Fin de la guerre de Sept Ans (traité de Paris)		
1764		• Voltaire, *Dictionnaire philosophique* • Cavendish (physique*)	Début du néoclassicisme* en art
1765	Joseph II, empereur germanique	• Premiers métiers à tisser mécaniques en Angleterre • Machine à vapeur de Watt	Essor de la musique classique*
1771	Avènement de Gustave III de Suède		Début du *Sturm und Drang* en Allemagne (romantisme*)

1774	• Mort de Louis XV : avènement de Louis XVI • Soulèvement des colonies anglaises d'Amérique	Lavoisier, Herschel (physique*)	Goethe, *Les Souffrances du jeune Werther*
1776	*Déclaration d'indépendance des États-Unis*	Smith, *La Richesse des nations* (libéralisme*)	
1778	Intervention de la France dans la guerre d'Indépendance américaine	• Buffon, *Les Époques de la nature* • Premiers quotidiens à Paris	Mozart, *Messe du couronnement*
1781		Kant*, *Critique de la raison pure*	Houdon (sculpture)
1783	Traité de Versailles : **indépendance des États-Unis**	• Kant*, *Qu'est-ce que les lumières ?* • Première ascension en montgolfière	Laclos, *Les Liaisons dangereuses* (libertins*) Beaumarchais, *Le Mariage de Figaro*
1787	Convention de Philadelphie : *Constitution* des États-Unis		• David (peinture) • Mozart, *Don Giovanni*
1789	**Révolution française***	*Déclaration des droits* de l'homme et du citoyen*	
1790	Constitution civile du clergé	Burke (Contre-Révolution*)	Mozart, *La Flûte enchantée ; Requiem*
1792	Ire République en France		Rouget de Lisle, *La Marseillaise*
1793	Exécution de Louis XVI. Coalition contre la France. Début de la Terreur.	Condorcet (philosophie de l'Histoire*)	

l'*Encyclopédie**. Le philosophe n'est plus le sage retiré du monde et qui s'adonne à la spéculation solitaire ; c'est l'« intellectuel* » qui met sa raison au service du bien public et qui œuvre pour le progrès de l'humanité. Ce souci s'exprime dans les interventions spectaculaires de Voltaire (affaires Calas, Sirven ou du chevalier de La Barre) ou dans l'imposante entreprise que représente l'*Encyclopédie* (1745-1772) de Diderot et d'Alembert.

L'évolution de la science

Au XVIIe siècle, les progrès de la science s'étaient accompagnés d'une très intense réflexion métaphysique* : des savants comme Descartes ou Leibniz (1646-1716) étaient aussi philosophes ; ils recherchaient le fondement ultime de la connaissance rationnelle dans la métaphysique, c'est-à-dire dans la spéculation sur un Dieu garantissant à la fois l'ordre du monde et l'accord de l'esprit humain avec les choses.

Ces préoccupations vont être battues en brèche par l'influence de l'empirisme* et par une certaine interprétation de la pensée de Newton. Si celui-ci associe encore cosmologie et théologie – l'état du système planétaire supposerait une impulsion première venue de Dieu lui-même –, sa « philosophie naturelle » se présente néanmoins comme une critique de la métaphysique de Descartes. Pour ce dernier, une fois démontrée l'existence d'un Dieu non trompeur, nous pouvons accorder une valeur objective à nos « idées claires et distinctes ». Il est donc possible de déduire toute notre représentation de la nature, de l'idée de substance étendue, c'est-à-dire d'espace géométrique, ce qui rend inutile le recours à l'expérience. Avec Newton et l'empirisme, le mouvement de la pensée rationnelle s'inverse : on ne part plus de l'idée pour en déduire les faits ; c'est l'observation des faits qui permet la découverte des lois qui unifient la diversité des phénomènes. Ce type d'approche va jeter un discrédit sur les préoccupations théologiques qui sembleront désormais des hypothèses hasardeuses et, surtout, inutiles.

La science va poursuivre dès lors la route ouverte par la révolution opérée au XVIIe siècle. De nouveaux domaines s'ouvrent à l'investigation expérimentale (la chimie, la biologie*, l'électricité...). Toutes ces recherches vont se développer de façon autonome, sans préoccupations métaphysiques, inaugurant l'ère de la spécialisation et de la neutralité scientifique. Le deuxième trait qui s'affirme est la vocation utilitaire de la science : annoncée à la fois par Bacon (1561-1626) et par Descartes, elle va se concrétiser de façon spectaculaire avec l'entrée dans l'ère industrielle. Dès les années 1760, l'Angleterre s'engage dans la première Révolution industrielle*.

La naissance de l'économie politique

C'est au XVIIIe siècle que l'économie acquiert son autonomie, à la fois comme domaine de la pensée scientifique et comme mode de considération des phénomènes humains. Jusque-là, cette activité avait été très étroitement subordonnée à des valeurs* supérieures, politiques ou religieuses. Pendant des siècles, il y avait eu rencontre entre, d'une part, l'ascétisme et le mépris du travail* propres à la philosophie grecque et, d'autre part, l'esprit de pauvreté et de charité de la morale chrétienne*. Locke, à la fin du XVIIe siècle, justifie pour la première fois la notion de profit. Au XVIIIe siècle, les « physiocrates » (Quesnay, Mirabeau, Condorcet...) défendent l'idée que l'économie est un système et, surtout, revendiquent la liberté du commerce et des échanges ; ce sont les inventeurs de la célèbre formule : « Laisser faire, laisser passer. » Adam Smith (1723-1790), considéré comme le fondateur d'une science économique distincte de la morale et de la politique, initie l'étude du travail industriel et se fait le théoricien du libéralisme*.

Politique et raison

L'érosion des valeurs religieuses s'est traduite par le retour de la question politique. L'organisation traditionnelle est critiquée de toutes parts : s'éveille un désir de réformes qui iraient dans le sens de la liberté et du progrès. Si les doctrines diffèrent dans les solutions proposées, toutes se fondent sur une confiance dans la raison.

On peut distinguer trois grands courants : le premier, avec Montesquieu, est un approfondissement du modèle libéral anglais ; le second se propose, avec le despotisme éclairé, de mettre l'absolutisme* au service des réformes ; enfin, Rousseau radicalise l'idée de contrat social* dans le sens de la démocratie*.

Déisme et religion naturelle

« Écrasons l'infâme » : cette devise secrète de Voltaire symbolise la lutte engagée par les hommes des Lumières non contre toute religion, mais contre le cléricalisme et la superstition. Ils poursuivent un mouvement commencé par Spinoza (1632-1677) dans le *Traité théologico-politique* (1670). Ce texte, fondé sur une relecture critique de la Bible* qui inspirera Bayle, est le premier plaidoyer en faveur de la tolérance* religieuse et de la laïcité de l'État.

Ce que contestent les hommes des Lumières, c'est l'autorité de l'Église* en matière de dogme, et son alliance avec le trône : le discrédit de la métaphysique s'étend aux preuves de l'existence de Dieu, la conscience morale devant être seul juge de la croyance ; les doctrines du péché originel et de la grâce semblent insupportables, la valeur d'un acte résidant plutôt dans l'intention intérieure du sujet*. Mais à quelques exceptions près (celles des matérialistes* comme Helvétius ou le baron d'Holbach, ou des sceptiques* comme Hume), les hommes des Lumières n'ont pas prôné l'athéisme, mais une religion dite « naturelle », c'est-à-dire un déisme débarrassé des dogmes traditionnels et fondé sur l'idée d'un « Dieu horloger, législateur et juge ».

L'idée de progrès

C'est au XVIIIe siècle que le terme *progrès* commence à être employé dans un sens absolu et non plus relatif (« progrès de quelque chose »). Là encore, l'idée est née au XVIIe siècle, chez Bacon, Pascal ou Descartes. Elle dépasse désormais le cadre du développement des sciences et des techniques* pour s'étendre aux domaines politique et social. Les vecteurs du progrès sont la civilisation, la foi en l'homme et en l'humanité, le développement économique, le luxe, les arts et le raffinement des mœurs. Certes, ces phénomènes sont inégalitaires, mais beaucoup pensent, avec Hume, Voltaire ou même Kant, qu'ils s'étendront progressivement à toutes les couches de la société. On compte également sur l'éducation de l'individu* et du citoyen (*cf.* École) qui permettra leur émancipation. L'Histoire* elle-même sera pensée, par Kant ou Condorcet, en termes d'éducation de l'humanité.

ENJEUX CONTEMPORAINS

Héritage des Lumières

Le mouvement des Lumières a été décisif dans la formation de l'homme moderne. Il exalte les pouvoirs de la raison, de l'esprit critique et de la communication. En politique, il est étroitement lié à la Révolution française* de 1789 et constitue aujourd'hui encore notre « héritage républicain » : l'idée d'un pouvoir limité et partagé, recherchant l'intérêt général et se fondant sur la laïcité et l'éducation de l'homme et du citoyen.

Mais cet héritage a pu être contesté : on a pu lui reprocher d'être à l'origine des dérives révolutionnaires et de la Terreur, d'un scientisme réducteur, d'un utilitarisme étroit, voire du colonialisme* ou de l'ethnocentrisme. Plus généralement, avec le romantisme* s'engagera un procès de la raison, qui se poursuit au XXᵉ siècle dans la mouvance de Nietzsche*, avec Heidegger*, ou l'École de Francfort*.

● **À CONSULTER :** E. Cassirer, *La Philosophie des Lumières*, Fayard, (1966). P. Hazard, *La Crise de la conscience européenne*, NRF (1961) ; *La Pensée européenne au XVIIIᵉ siècle*, Fayard (1990).

● **À LIRE :** Montesquieu, *Lettres persanes* (1721). Voltaire, *Zadig* (1747) ; *Candide* (1759). Diderot, *Jacques le Fataliste* (1796) ; *Le Neveu de Rameau* (1890). Kant, *Idée d'une histoire universelle d'un point de vue cosmopolitique* (1784). Condorcet, *Esquisse d'un tableau historique des progrès de l'esprit humain* (1795).

● **CORRÉLATS :** Descartes ; droits de l'homme ; école ; empirisme ; encyclopédie ; Europe (idée d') ; franc-maçonnerie ; Histoire (philosophies de l') ; humanisme ; individu ; intellectuels ; Kant ; libéralisme ; libertins ; métaphysique ; progrès ; Révolution française ; Révolution industrielle ; révolution scientifique ; Rousseau ; salons ; technique ; tolérance ; travail ; valeurs.

MACHIAVEL

La vie de Machiavel semble donner raison à Hegel* (1770-1831), pour qui le but du penseur florentin fut d'élever l'Italie au rang d'État*.

Né en 1469 à Florence, Machiavel est nommé en 1498 chancelier du Conseil des seigneurs, puis secrétaire d'État, haute fonction qu'il conserve quatorze ans. C'est en tant que secrétaire d'État qu'il entreprend de créer des milices nationales, afin de délivrer sa patrie des *condottieri* (« aventuriers mercenaires ») et d'assurer ainsi son indépendance. Revenus au pouvoir à Florence en 1512, les Médicis proscrivent Machiavel. C'est pendant son exil qu'il rédige, à partir de 1513, *Le Prince* (dont le titre originel signifie « opuscule sur les gouvernements »), puis, entre 1515 et 1520, les *Discours sur la première décade de Tite-Live*, des pièces de théâtre (dont *La Mandragore*, 1520), et en 1521 un *Art de la guerre*.

Amnistié lors de l'avènement de Léon X, Machiavel revient peu à peu en grâce après la mort de Laurent II de Médicis en 1519. Historiographe officiel, il rédige, entre 1520 et 1525, des *Histoires florentines*. Après la défaite française de Pavie (1525), il est chargé de la reconstruction des fortifications de Florence, puis de l'organisation de l'armée de la Ligue organisée contre Charles Quint. Le sac de Rome et le rétablissement de la république à Florence l'écartent ensuite de toute fonction officielle. Il meurt peu après, en 1527.

Morale et politique : les qualités du prince

C'est *Le Prince* qui assure au nom de Machiavel sa célébrité universelle : le livre a été admiré par Napoléon*, Lénine, de Gaulle, mais aussi Mussolini. Dans certains chapitres, l'auteur se plaît à opposer radicalement ce que la morale* impose à titre de vertu, et ce que la politique exige d'un homme d'État digne de ce nom : celui-ci doit savoir, en effet, être méchant, cruel et menteur pour le bien de l'État. L'argumentation de Machiavel est construite selon les moments suivants :

– *Moment de l'ostentation* : Alors que les vertus morales doivent être pratiquées sans ostentation, le prince (l'homme d'État) ne peut se dérober devant la responsabilité de son image publique : s'il veut, par exemple, être généreux comme il le faut moralement, sans que cela se sache, il aura, qu'il le veuille ou non, une réputation de pingre et de lésineur, et c'est ce qu'il sera en tant que prince. La discussion ne peut donc porter que sur des vertus ostentatoires.

– *Moment de la perversion* : Supposons donc que le prince veuille être généreux, c'est-à-dire avoir une réputation de générosité. Il ne pourra maintenir cette réputation qu'en dépensant toujours davantage, et finira par s'attirer la haine de ses sujets qu'il accable d'impôts. Selon un schéma connu maintenant sous le nom d'« effet pervers », c'est l'effort pour maintenir à tout prix la bonne image qui produit la pire.

– *Moment de la vérité* : Supposons au contraire un prince parcimonieux, n'ayant aucun souci de passer pour peu généreux. Comme il n'impose pas au peuple de charges excessives, on finira par lui reconnaître une générosité véritable. Il y a donc une morale de la politique, qui réalise dans le temps cette générosité véritable, sans ostentation, que la morale exige d'une façon intemporelle.

Machiavel recommande ainsi au prince de savoir trahir ses engagements lorsque la situation change : du point de vue du bien de l'État, ce qui compte n'est pas la loi intemporelle du respect de la parole donnée, mais la fidélité temporelle à l'intention première de cette parole. Tout l'art de l'homme politique serait ainsi de savoir construire un édifice stable avec des matériaux inconstants : l'art d'instituer.

Le prince entre les grands et le peuple

Si l'effort du prince pour donner de lui la meilleure image risque de produire la pire, c'est parce que les hommes sont méchants, d'une méchanceté que l'homme d'État, selon Machiavel, doit prendre comme un postulat de son action, choisissant toujours de se faire craindre plutôt que de se faire aimer.

Mais aussi juste que soit ce postulat de la méchanceté humaine comme précaution contre les effets pervers de l'action politique, il ne nous livre pas la raison dernière de la perversion. Celle-ci est à chercher dans la « contrariété » que Machiavel expose dans *Le Prince* (IX) : « En toute cité, on trouve ces deux humeurs contraires : le peuple n'aime point à être commandé ni opprimé par les grands, les grands désirent commander au peuple et l'opprimer. »

Deux désirs opposés partagent donc la société politique, fixent la place du prince et déterminent sa stratégie : le prince, qui est l'un des « grands » par son désir positif de pouvoir, doit s'appuyer sur le désir négatif du « peuple », en se présentant au peuple comme celui qui le délivre des grands. Le leurre s'inscrit ainsi dans la fondation même de l'État, pouvoir institué pour libérer l'homme du pouvoir de l'homme.

À cette règle d'or se rattachent tous les choix stratégiques recommandés par Machiavel. Si le prince doit agir sans se soucier du mauvais renom de pingre et de lésineur, c'est parce que ce renom n'est mauvais qu'auprès des grands, qui auraient pu bénéficier de ses largesses, tandis que le peuple profite de sa vraie générosité : celui qui veut au contraire passer pour généreux ne flatte que les grands, inutilement, et se met le peuple à dos. De même, il ne faut pas avoir de scrupule à trahir sa parole, car cette trahison n'offusque que les grands, capables de la repérer, et n'affecte même pas le peuple. Enfin, comble de « machiavélisme », lorsque les factions entretenues par les grands imposent au prince de se faire cruel et de répandre la terreur, il doit veiller à ce que cette cruauté ne suscite pas contre lui la haine du peuple, et savoir sacrifier à temps celui à qui il a confié l'exécution de la politique de terreur, comme l'a fait César Borgia (1476-1507) en Romagne : savoir délivrer le peuple des effets de sa propre puissance, et ainsi la renforcer, c'est la prouesse suprême de l'art politique.

Tout le problème du prince tient en ce paradoxe : chercher à prendre appui sur le désir qu'ont les hommes de n'être point commandés. Appui fragile, fuyant, auquel on ne peut se confier, mais qu'il faut sans cesse renouveler : le prince ne prétend pas à l'amour de ses sujets, mais manœuvre pour éviter leur mépris et leur haine. C'est la seule véritable forteresse.

La vertu et la fortune

Tout l'esprit de la Renaissance* éclate dans ce que Machiavel appelle la « vertu » du prince, mot qu'il ne faut évidemment pas prendre en un sens chrétien. La vertu est ce mélange de ruse, de résolution et de sagacité qu'illustre le personnage de César Borgia. Par opposition à la fausse sagesse qui prétend laisser le temps travailler pour nous, la vertu de l'homme d'État témoigne de la vraie sagesse : savoir maîtriser le temps, savoir intégrer le flux des événements dans une construction durable.

Pourtant, César Borgia lui-même finit par échouer. Au moment où toute l'Italie centrale est prête à se soumettre à lui, la mort subite d'Alexandre VI (1503), et sa propre maladie, lui portent un coup dont il ne pourra jamais se relever, malgré toute sa vertu. Car la vertu rencontre justement, dans un tel cas, son adversaire intime, la « fortune ». Machiavel ne saurait adhérer à la croyance selon laquelle la fortune gouverne les affaires de ce monde. Certes, elle ressemble à un torrent qui emporte tout sur son passage, et contre lequel on ne peut rien lorsqu'il déferle ; mais on pouvait se prémunir quand tout était calme, construire les digues et les remparts qui permettent aux crues de s'évacuer. En réfléchissant davantage sur le cas de César Borgia, Machiavel finit par trouver la faute, le manque de précaution qui a tout précipité : il n'a pas su empêcher l'élection du pape Jules II, qui finira par le vaincre. Ainsi, sa chute ne vient pas de ce que sa fortune l'abandonne, mais d'un manque de vertu : pour lui, comme pour les autres, la puissance de la fortune ne mesure que l'insuffisance des précautions.

De cette analyse, on ne saurait toutefois déduire que la fortune n'a aucune force autonome. Dans son entreprise de rationalisation des succès et des échecs en politique, Machiavel reste un homme de la Renaissance : il compose avec l'irrationnel. Plus précisément, il retrouve l'intuition de ce que les Grecs nommaient le *kairos*, l'occasion qu'il faut saisir aux cheveux. L'art politique requiert la prudence et la prévision, mais aussi la fougue et l'impétuosité ; celles-ci peuvent être, d'ailleurs, la prudence suprême.

ENJEUX CONTEMPORAINS

Politique

Traditionnellement, le mot *machiavélisme* désigne, au sens étroit, une politique dépourvue de conscience, de bonne foi et de justice ; au sens large, une conduite perfide et sans scrupule. Certaines lectures de Machiavel rompent avec ce jugement moralisateur. Lorsque le prince machiavélien, confronté à une Histoire* qui lui échappe toujours, accepte courageusement d'assumer les conséquences même les plus imprévisibles de ses actions, il révèle la véritable grandeur de l'homme. Merleau-Ponty (1908-1961), dans une *Note sur Machiavel* (1949), élabore à ce propos la notion d'un humanisme* vrai ; cette analyse est développée par Lefort, dans *Le Travail de l'œuvre, Machiavel* (1972).

● **À CONSULTER :** M. Senellart, *Machiavélisme et raison d'État*, PUF (1989). G. Faraklas, *Machiavel. Le Pouvoir du prince*, PUF (1997).

● **À LIRE :** Musset, *Lorenzaccio* (1834).

● **CORRÉLATS :** État ; Hegel ; Histoire (philosophies de l') ; humanisme ; morale ; Napoléon ; Renaissance.

MAI 68

● **DÉF. :** L'expression *mai 68* désigne les événements (insurrection étudiante, grève générale) qui, en France, ébranlèrent la Vᵉ République, au printemps de 1968.

Les origines immédiates

La conjonction d'une agitation universitaire, commencée en mars 1968, et d'un mécontentement social provoqué par les mesures anti-inflationnistes du gouvernement Pompidou bloquant les salaires, débouche, en mai, sur un véritable mouvement de révolte. Il prend tout le monde au dépourvu, dans cette France calme et prospère que préside alors le général de Gaulle.

Les événements

Au lendemain du traditionnel défilé intersyndical du 1er mai, les étudiants en grève ont occupé les universités parisiennes, Nanterre et la Sorbonne. Des leaders sont apparus, marqués à l'extrême gauche, dont le plus célèbre est D. Cohn-Bendit. Le 6 mai, le gouvernement ferme les universités, jetant les étudiants dans la rue. Tandis que le mouvement gagne la province, l'agitation tourne à l'émeute à Paris. Les 9 et 10 mai, le Quartier latin se couvre de barricades et de violents affrontements opposent les insurgés aux forces de police.

Saisissant l'opportunité, les syndicats appellent alors à la grève générale pour exiger des augmentations de salaire et la réduction du temps de travail. Le 13 mai, 800 000 personnes défilent à Paris et, en quelques jours, toutes les branches d'activité cessent le travail. Le 22 mai, il y a entre 8 et 10 millions de grévistes. Le pays est paralysé. On commence à parler de révolution*. Mais malgré les efforts des leaders étudiants, aucune liaison sérieuse ne s'établit entre l'insurrection universitaire et un mouvement ouvrier qui reste perplexe devant l'utopie* d'extrême gauche développée par le discours étudiant : « Non à l'aventure », répond la puissante CGT, proche du parti communiste français, aux appels venus de la Sorbonne.

Pompidou propose alors aux syndicats une négociation globale sur leurs revendications : elle accorde aux travailleurs en grève de substantiels avantages, et la reprise du travail s'amorce. Dès lors, l'extrémisme étudiant est isolé. Après un moment de désarroi (il est allé secrètement prendre contact avec l'armée stationnée en Allemagne), le général de Gaulle annonce le 30 mai qu'il dissout l'Assemblée nationale et que de nouvelles élections auront lieu aussitôt. Près d'un million de ses partisans défilent aux Champs-Élysées avant le long week-end de Pentecôte. Le mouvement étudiant s'essouffle ; le 16 juin, la Sorbonne est évacuée. Les élections législatives, le 30 juin, sont un triomphe pour les gaullistes.

Le sens et la portée de mai 68

Les événements français de mai 68 s'insèrent dans un vaste mouvement affectant au même moment la jeunesse universitaire dans presque tout le monde occidental. Parti des États-Unis dès 1965-66 sous la forme d'une protestation contre la guerre menée au Viet-Nam depuis 1957, il s'élargit en contestation d'un mode de vie dépourvu d'idéal et dont la seule finalité semble être l'accroissement du bien-être matériel. Il est remarquable que ce soient les pays à plus haut niveau de vie (les États-Unis, l'Allemagne de l'Ouest) qui aient été les premiers touchés.

À la fin des années 1960, arrive à l'âge adulte l'importante génération née de la poussée démographique d'après-guerre (le *baby-boom*). Elle a grandi dans l'euphorie et la facilité des années de forte croissance et n'a pas connu les dures conditions qui furent le lot de ses parents (la grande dépression, la Seconde Guerre mondiale*, les guerres coloniales*). La jeunesse ne trouve pas là de quoi satisfaire son besoin d'idéal.

C'est donc en prenant le contre-pied des valeurs* reconnues que se définit le mouvement étudiant des années 1960. Il s'agit d'un phénomène culturel habituel en Histoire* et on peut le comparer avec ce que fut, dans le premier tiers du XIXe siècle, l'irruption du romantisme*. Cette fois, pour contester la société de consommation, les jeunes intellectuels* vont puiser dans le répertoire révolutionnaire des années 1850, d'où l'étrange tonalité anarchisante ou marxiste d'un discours complètement décalé par rapport aux réalités économiques et sociales du monde du milieu du XXe siècle. C'est ce décalage qui explique sans doute la faible audience (pour ne pas parler de rejet) qu'il obtient en milieu ouvrier : le bien-être matériel était vécu là comme une conquête et les travailleurs demandaient des augmentations, et non la collectivisation des usines. Si mai 68 prend en France une telle ampleur, c'est qu'il y a simultanéité entre la révolte étudiante et une grande vague revendicatrice, la seconde profitant du désarroi créé par la première, mais à aucun moment, il n'y a rencontre.

ENJEUX CONTEMPORAINS

Valeurs et société

Si mai 68 n'est pas la révolution, il marque cependant un tournant culturel. En dehors des immédiates retombées politiques (de Gaulle quittera le pouvoir un an plus tard et, avec l'élection de Pompidou, le mouvement gaulliste s'ancrera solidement et définitivement à droite*), l'effet le plus important est ailleurs. L'évolution des mœurs, des goûts, des modes de vie manifestera avec éclat le vrai sens des événements de mai 68 : la relève d'une génération, qui prend conscience de l'écologie*, qui revendique le droit à la contraception ou à l'avortement. Le philosophe G. Lipovetsky, témoin à chaud des événements, y voyait une affirmation de l'individualisme* narcissique.

● **À CONSULTER :** H. Hamon, P. Rotman, *Génération*, Seuil (1987). L. Ferry, A. Renaut, *La Pensée 68*, Gallimard (1985). G. Lipovetsky, *L'Ère du vide*, Gallimard (rééd., 1989). J.-P. Le Goff, *Mai 68*, La Découverte (1998). ● **À VOIR :** J.-L. Godard, *La Chinoise*. L. Malle, *Milou en mai*.

● **CORRÉLATS :** anarchisme ; droite/gauche ; individualisme ; révolution ; socialisme ; syndicalisme ; utopie ; valeurs.

MARX ET LE MARXISME

Né à Trèves en 1818, Marx étudie le droit et la philosophie aux universités de Bonn et de Berlin. Après son doctorat, il collabore à diverses revues d'opposition au gouvernement prussien. C'est à Paris qu'il rencontre Engels (1820-1895), nouant une amitié intellectuelle que rien ne viendra démentir. Ensemble ils écrivent, pour rompre avec Hegel*, *L'Idéologie allemande* (1845), et pour mettre en œuvre leur projet de transformer le monde, selon les principes du matérialisme* dialectique*, le *Manifeste du parti communiste* (1848).

1848 est une année de révolutions* en Europe. Marx analyse la révolution française de Février, qui voit la chute de Louis-Philippe et la naissance de la IIe République, dans *Les Luttes de classes en France* (1850), puis l'effondrement de cette république et l'avènement du Second Empire dans *Le 18 Brumaire de Louis Bonaparte* (1852).

Inlassablement, Marx va travailler à son grand projet d'une critique* de l'économie politique, sans parvenir à l'achever réellement. Cet effort débouche sur la grande œuvre de Marx, *Le Capital* (dont le sous-titre, dans l'édition originale, est *Critique de l'économie politique*). Mais si le *Livre I* (1867) du *Capital* est un tout achevé, publié et traduit en plusieurs langues du vivant de Marx, le *Livre II* et le *Livre III* ne sont élaborés qu'en certaines de leurs parties et ne seront publiés, par Engels, qu'après la mort de Marx.

Cet intense travail théorique n'a pas complètement détourné Marx de l'action politique. Il joue un rôle actif dans la création de l'Association internationale des travailleurs (dite « Ire Internationale »), née en 1864 à Londres, et il en inspire les statuts, adoptés au congrès de Genève en 1866. C'est en tant que secrétaire du conseil général de l'association qu'il rédige *La Guerre civile en France* (1871), analyse de la Commune de Paris. Mais sa rivalité de plus en plus forte avec Bakounine et l'anarchisme* va affaiblir l'action personnelle de Marx dans l'association, dissoute en 1876.

Marx meurt en 1883, l'année même où, à Genève, quelques émigrés fondent le groupe « Libération du travail », la première organisation marxiste russe.

Le projet et la crise du marxisme

« Les philosophes n'ont fait qu'interpréter le monde de différentes façons ; ce qui importe, c'est de le transformer » : dans l'esprit de Marx, « transformer » le monde au lieu de l'« interpréter » signifie que la philosophie, afin de réaliser ses aspirations les plus hautes à l'émancipation des hommes, doit s'abolir en tant que philosophie, en tant que pure théorie, et devenir une pratique révolutionnaire effective. Paradoxalement, nous serions plutôt tentés, un siècle plus tard, de considérer que ce qui reste avant tout de Marx, c'est l'interprétation, le déchiffrement perspicace de la vie sociale des hommes, et de regretter que les sollicitations de l'action l'aient empêché de parfaire son œuvre théorique.

Mais en marquant l'ambition radicalement nouvelle du marxisme par rapport à toute philosophie, cette phrase lui impose également d'assumer une responsabilité qu'aucune philosophie n'a jamais connue : la responsabilité de toutes les formes historiques particulières que peut prendre le combat mené en son nom, dans leurs succès comme dans leurs échecs. Le marxisme ne saurait demeurer comme un dogme en rejetant hors de lui ceux qui s'écartent du dogme : puisqu'il s'est voulu transformation du monde, il doit se retrouver même chez ses hérétiques. En ce sens, la « crise* du marxisme » lui est inhérente.

Un des enjeux essentiels de cette crise permanente est la question dite de la « transition », du passage à la société communiste*. Sur cette question, depuis le début du XXe siècle, les déchirements internes du marxisme ont déterminé l'Histoire* de l'humanité. Il est donc conforme au projet de Marx d'étudier le marxisme à travers ces déchirements.

Le léninisme et le communisme soviétique

L'absence d'une théorie explicite de la révolution chez Marx semble interdire la constitution d'une orthodoxie marxiste stable en matière de stratégie : le marxiste qui se veut orthodoxe, et qui considère de ce fait le « révisionnisme » comme la pire des infamies, doit en même temps pallier ce manque de théorie en tenant compte de la réalité, courant ainsi le risque de tomber dans l'« opportunisme » qu'il ne cesse de dénoncer.

On peut sortir de cette difficulté en théorisant ce qui ne l'a été qu'insuffisamment par Marx lui-même, et qui se réduit dans ses œuvres à quelques lignes ou quelques mots. Par exemple, s'il parle du « parti communiste », il ne l'analyse jamais en tant que parti politique, mais l'identifie à « l'association des travailleurs », et même, dans le *Manifeste*, à la classe ouvrière elle-même. En ce qui concerne le futur pouvoir prolétarien, Marx soutient à trois ou quatre reprises qu'il devra être une « dictature » : le prolétariat ne peut se borner à conquérir l'État bourgeois* pour s'en servir ; sa tâche historique est de le détruire et de détruire toute forme d'État* ; or cette destruction suppose une puissance coercitive. Si l'on s'en tient aux textes, cette idée d'un « État anti-État » semble assez floue : on ne sait pas trop si la dictature du prolétariat est l'outil du dépérissement, un premier pas vers ce dépérissement, ou encore l'État dépérissant lui-même.

L'adjonction au marxisme d'une théorie explicite du parti communiste et de l'État prolétarien est l'œuvre de Lénine (1870-1924), et bénéficie du prestige dû au premier dirigeant d'une révolution marxiste effective. Dans *Que faire ?* (1902), Lénine montre la nécessité d'un parti centralisé, et surtout d'un parti extérieur à l'expression spontanée des intérêts de la classe ouvrière : car le parti communiste ne doit pas être l'émanation du prolétariat, mais son guide. Cette analyse semble pouvoir établir une orthodoxie, en rejetant à la fois, sur la droite*, l'« économisme » qui se borne à défendre les intérêts matériels immédiats des ouvriers, mettant le parti à la remorque des syndicats, et sur la gauche, le « spontanéisme » qui glorifie la révolte désordonnée des masses, désarmant le prolétariat en affaiblissant le parti. Dans *L'État et la Révolution* (1917), Lénine propose une solution au paradoxe de la dictature du prolétariat, en faisant de la démocratie* directe des *soviets* (en russe, « conseil de délégués ») le moyen de briser toute institution autonome par rapport à la société. Sur ce point également, une orthodoxie paraît se dégager contre les opportunistes de droite et de gauche : contre la tentation de réformer de l'intérieur l'État bourgeois, en reportant à plus tard le dépérissement, mais aussi contre le rejet anarchiste de toute organisation, quelle qu'elle soit.

Toutefois, cette greffe du léninisme sur le marxisme n'était-elle pas la pire des trahisons ? Ne portait-elle pas en germe, conformément aux pressentiments de Rosa Luxemburg (1871-1919), d'inquiétantes dérives ? Est-ce la difficile construction du socialisme* dans une Russie arriérée et encerclée qui a infléchi l'œuvre de Lénine ? Concrètement, la dictature du prolétariat s'est identifiée à la dictature du parti unique ; l'effort pour socialiser la politique, pour supprimer son autonomie, s'est retourné en une politisation de la vie sociale dans tous ses aspects, c'est-à-dire en un totalitarisme* ; l'internationalisme s'est vidé de sa substance, devenant l'obligation faite à tous les « partis frères » de servir exclusivement les intérêts de l'URSS, « patrie du socialisme ». Pressentie par Lénine à la fin de sa vie, cette évolution trouvera son aboutissement dans le despotisme de Staline (1879-1953).

Enjeux contemporains

Courants idéologiques

Dans ses *Carnets de prison*, rédigés entre 1929 et 1935, Gramsci, dirigeant du parti communiste italien pendant la période fasciste*, s'interroge sur l'échec de la révolution en Occident et sur le risque d'idolâtrie de l'État en URSS. À cette double interrogation, qui implique déjà le problème actuel de la crise du marxisme, répond le concept central d'« hégémonie ». Dans les États occidentaux, soutient Gramsci, la bourgeoisie n'est pas seulement dominante politiquement ; elle est également hégémonique parce qu'elle sait diriger la société civile en transformant en sens commun consenti ce qui convient à ses intérêts. La tâche des communistes doit être de traduire la domination virtuelle des producteurs en direction morale et intellectuelle, afin de cimenter une nouvelle idéologie* : c'est ce qui explique l'importance accordée par Gramsci à l'engagement de l'intellectuel*, à travers la notion d'« intellectuel organique ».

Il est à craindre, pensait Gramsci à l'époque, que l'État soviétique n'offre au prolétariat qu'une domination sans hégémonie, contrainte de montrer sa force parce qu'elle est fragile. Si cette crainte a été plus que confirmée, on peut se demander également, aujourd'hui, dans quelle mesure le capitalisme désormais sans adversaire, mondialisé, assure toujours une hégémonie véritable : la classe dominante, tout en dominant plus que jamais, est-elle encore en mesure de diriger ?

● **À consulter :** É. Balibar, *La Philosophie de Marx*, La Découverte (1993).

● **Corrélats :** anarchisme ; bourgeoisie ; communisme soviétique ; crise ; critique philosophique ; démocratie ; dialectique ; droite/gauche ; État ; Hegel ; Histoire (philosophies de l') ; idéologie ; intellectuels ; matérialisme ; révolution ; socialisme ; totalitarisme.

MATÉRIALISME

● **ÉTYM. :** Dérivé de *matière*, issu du latin *materia* (de même sens).
● **DÉF. :** Traditionnellement, on désigne par *matérialisme* le système qui réduit tout ce qui existe, y compris l'âme humaine, à l'unité de la matière. C'est avec ce sens que le mot apparaît à la fin du XVIIe siècle, et que Leibniz l'utilise au début du siècle suivant.

Une philosophie réductrice ?

Le verbe *réduire* pose problème dans cette définition : faut-il dire que le matérialiste réduit la pensée (ou la vie) à la matière, ou plutôt qu'il élargit, enrichit le concept de « matière », en montrant que celle-ci est pensante (ou vivante) ? Dans le premier cas, la réduction de la pensée est une perte de celle-ci, puisque son sens et sa valeur se dissolvent dans le mécanisme des neurones et des influx nerveux ; mais le matérialiste peut prétendre, au contraire, qu'il n'a rien sacrifié du sens et de la valeur de la pensée, et qu'il a seulement réhabilité la matière.
Si le matérialisme est une philosophie réductrice, il n'est pas étonnant que le mot apparaisse à la fin du XVIIe siècle, dans un contexte philosophique, issu de Descartes* (1596-1650), qui oppose la matière à l'esprit, la substance étendue à la substance pensante.
La philosophie antique, dans sa tendance dominante, n'oppose pas la matière à l'esprit, mais à la « forme », comme on le voit chez Aristote* (384-322 av. J.-C.) : en toute chose, il faut distinguer ce qui est « en puissance », indéterminé, à savoir sa matière, et ce qui détermine « en acte » la chose et lui donne son nom, c'est-à-dire sa forme. Lorsqu'on se représente la matière comme le corrélatif de l'esprit, on attribue déjà à ce concept une fonction réductrice : c'est ainsi que selon Descartes toute la variété sensible des choses matérielles se réduit aux propriétés de l'« étendue », qui est l'essence de la matière ; c'est ainsi, surtout, que les caractéristiques des êtres vivants se réduisent pour lui aux lois du mécanisme matériel.

Les matérialistes de l'Antiquité

Il existe cependant un matérialisme antique, celui qui apparaît au Ve siècle av. J.-C. chez Démocrite et Leucippe, s'épanouit dans l'enseignement d'Épicure* (341-271 av. J.-C.) et trouve son chef-d'œuvre dans le grand poème *De la nature* de Lucrèce (Ier siècle av. J.-C.). Ce matérialisme est réducteur en un sens original : il établit une véritable clôture, affirmant qu'il n'existe dans l'univers que des corps, composés d'atomes, et l'espace vide qui permet à ces atomes de se mouvoir, s'agréger et se désagréger sans fin. Est ainsi exclu, radicalement, tout principe transcendant, qu'il prenne la forme religieuse d'une fatalité, ou celle d'un déterminisme physique inexorable. La signification de ce principe de clôture est avant tout éthique* : il libère les hommes de leurs vaines espérances et de leurs terreurs superstitieuses, les délivre du souci de donner un sens à leur vie, et leur assure, dans cette vie mortelle, l'indépendance qui est la véritable condition du bonheur.

Matérialisme et immatérialisme

La philosophie du XVIIIe siècle voit se développer, simultanément, une tendance au matérialisme (réduction de la vie et de la pensée aux propriétés de la matière) et une tendance à l'immatérialisme (rejet de l'idée de matière, considérée comme superflue). Toutes deux proviennent, curieusement, de la philosophie de Descartes.
La première tendance s'exprime particulièrement dans la pensée française de l'époque. On peut la faire remonter, dès le XVIIe siècle, au médecin Regius (1598-1679), disciple infidèle de Descartes, et la voir se prolonger jusqu'au médecin Cabanis (1757-1808), en passant par le médecin La Mettrie (1709-1751) et son traité *L'Homme-machine* (1747). Le titre de ce dernier ouvrage est révélateur : Descartes explique la vie du corps par les seules propriétés de la matière (d'où la théorie de l'animal-machine) ; ses successeurs tentent d'expliquer de la même façon l'esprit humain.
Il convient de distinguer la philosophie de Diderot (1713-1784) de ce matérialisme mécaniste, à la fois rattaché et opposé à Descartes. Le matérialisme de Diderot consiste dans l'intuition de l'unité du tout : il n'y a pas à opposer la matière à la vie, ni la matière à l'esprit. Vie et pensée appartiennent à la matière, qui ne se réduit pas à l'étendue homogène et uniforme, mais est dotée d'une sensibilité universelle, sorte de toucher obtus, tantôt inerte, tantôt actif. C'est le cas typique d'un matérialisme qui n'est pas réducteur, et qu'on qualifierait plus justement d'« hylozoïsme ».

Si la matière est le corrélatif de l'esprit, ce qui lui fait face, un doute légitime peut naître sur son existence effective, qui doit nous être toujours extérieure. La philosophie de Berkeley (1685-1753) oriente ce doute, présent chez Descartes, vers un rejet de l'idée de matière. Ce qui est, c'est ce que je perçois, et ces perceptions, soutient Berkeley, suffisent à assurer l'objectivité du monde, sans qu'il soit besoin de supposer que la réalité de ce monde se situe au-delà des perceptions, hors de l'esprit, dans une substance matérielle indépendante.

Cet immatérialisme sera nommé « idéalisme » par Kant* (1724-1804) : appellation fausse relativement à Berkeley, pour qui les idées ne sont pas de pures modifications de notre esprit, mais attestent une réalité extérieure, dont il soutient seulement qu'elle n'est pas matérielle. C'est au siècle suivant, dans la philosophie de Marx*, que l'opposition entre matérialisme et idéalisme deviendra pertinente.

Matérialisme et idéalisme selon Marx

Pour se faire une idée exacte du matérialisme de Marx (1818-1883) et Engels (1820-1895), on peut lire *L'Idéologie allemande*, livre écrit en commun en 1845-1846, mais publié en 1932. Marx et Engels appellent « idéologie* » l'ensemble des représentations (principes moraux et religieux, idées politiques et philosophiques) qui s'imposent à la conscience des hommes au cours de leur Histoire*. Ces représentations idéologiques n'ont jamais le sens qu'elles prétendent avoir, ce qui ne signifie pas qu'elles n'en ont aucun. Le matérialisme de Marx ne consiste donc pas à dissoudre le sens prétendu des idées dans une matière composée d'atomes, mais à chercher leur origine sensée dans ce que Marx nomme la « vie », et qu'il définit comme production de soi-même. L'homme n'est pas d'abord un être conscient, mais un être qui se produit en produisant, dans une réciprocité inflexible : il est aussi vain de penser qu'il pourrait se transformer lui-même sans transformer, hors de lui, ses conditions d'existence, que de croire qu'il pourrait changer ces conditions d'existence en maintenant identique son essence.

C'est dans cette transformation d'eux-mêmes et de la nature, c'est-à-dire dans l'Histoire, que les hommes en viennent à devoir produire des idées sur eux-mêmes et sur la nature. Il n'y a pas d'histoire des idées, mais une production des idées dans l'Histoire des hommes. S'il est conséquent, ce matérialisme conduit à l'idée de révolution*. Car les idées ne s'affrontent pas entre elles, au nom de leur vérité ou de leur fausseté, en un développement autonome ; une représentation n'est éliminée de la conscience des hommes que si les circonstances qui l'ont engendrée sont transformées : « Ce n'est pas la critique*, mais la révolution, qui est la force motrice de l'Histoire, de la religion, de la philosophie et de toute autre théorie. »

Deux expressions toutes faites désignent traditionnellement le marxisme : « matérialisme historique » et « matérialisme dialectique* ». La première fournit un raccourci correct de la conception que l'on vient d'exposer. La seconde ne se trouve ni chez Marx ni chez Engels, même si les deux mots qu'elle unit se rencontrent souvent dans leurs œuvres. Élaborée par Lénine, elle sera identifiée autoritairement au marxisme-léninisme dans un décret pris en 1931 par Staline.

Enjeux contemporains

Science

La signification particulière donnée par Marx au mot *matérialisme* semble n'être qu'une parenthèse dans l'histoire de ce mot ; aujourd'hui, on en revient à un usage plus conforme à celui du XVIIIe siècle. La question de savoir si le matérialisme est une réduction « à » la matière, ou bien une promotion « de » la matière, demeure une question cruciale dans certains secteurs de la science* moderne, comme en témoigne l'ouvrage de Bachelard, *Le Matérialisme rationnel* (1963). Dans le domaine de la biologie* du cerveau, toute activité mentale – y compris la conscience – n'est rien d'autre qu'un ensemble défini d'influx nerveux, circulant dans des ensembles de cellules nerveuses. Évoquée par le biologiste J. Monod (1910-1976), cette thèse est vigoureusement développée par J.-P. Changeux, dans *L'Homme neuronal* (1983).

● **À consulter :** O. Bloch, *Le Matérialisme*, « Que sais-je ? », PUF.

● **Corrélats :** Aristote ; biologie ; critique philosophique ; Descartes ; dialectique ; épicurisme ; éthique ; Histoire (philosophies de l') ; idéologie ; Kant ; Marx ; révolution.

MATHÉMATIQUES

● **ÉTYM. :** Du grec *mathêma* (« ce qui est enseigné », au sens des connaissances que l'on doit apprendre et comprendre).

● **DÉF. :** Le terme *mathématiques* apparaît en français dans la scolastique médiévale pour désigner l'ensemble des sciences ayant pour objet les propriétés des grandeurs calculables.

Depuis les premières tentatives d'écriture et de traitement des nombres, les procédés d'arpentage pour évaluer des grandeurs géométriques, jusqu'aux travaux contemporains sur le chaos, les mathématiques regroupent des travaux qui portent, d'une part, sur la résolution de problèmes particuliers, et d'autre part sur l'élaboration de théories générales, qui posent à terme la question de l'unité et du fondement des mathématiques. Ces deux aspects sont souvent inséparables dans le travail du mathématicien ; aussi, la description en grandes sections (arithmétique, géométrie, algèbre, analyse), ne doit pas faire oublier que l'importance de la mathématique vient de sa capacité à appliquer une branche à une autre en vue de résoudre un problème donné.

Nombres et opérations

Les premiers travaux connus des civilisations les plus anciennes portent sur les problèmes d'écriture des nombres entiers, la numération, et la réalisation d'opérations simples : addition, soustraction, multiplication, division. Les propriétés des nombres, en tant que tels, commenceront à être étudiées dans l'école de Pythagore (560-480 av. J.-C.). Ces travaux sont en relation étroite avec la géométrie.

La géométrie grecque

La civilisation de la Grèce antique* a joué un rôle prééminent dans la constitution et le développement des mathématiques occidentales. À partir des connaissances empiriques accumulées par les Babyloniens et les Égyptiens, les Grecs ont construit un ensemble cohérent et synthétique qui marquera profondément le paysage mathématique jusqu'à nos jours. Depuis les travaux de Thalès (640-546 av. J.-C.) jusqu'à la synthèse des *Éléments* d'Euclide (≈ 300 av. J.-C.), les mathématiciens grecs cherchent à élaborer un ensemble logique et indiscutable de résultats élémentaires de géométrie.

En n'admettant que deux mouvements de base, le rectiligne et le circulaire, donc deux outils privilégiés, la règle et le compas, ils déduisent – à partir d'un nombre réduit de définitions et de règles (les axiomes et postulats) – des théorèmes, qui affirment la véracité de propositions démontrées à partir des axiomes et des propositions précédentes, et des résolutions de problèmes. Les *Éléments* d'Euclide représentent la forme la plus achevée de cette ambition. Ils comportent les résultats classiques de la géométrie plane liés à la droite et au cercle ; on y trouve aussi des éléments de géométrie dans l'espace, notamment une étude des polyèdres réguliers. Il faut aussi citer les travaux concernant les « coniques » avec, en particulier, le grand traité d'Apollonius (262-180 av. J.-C.), et l'ensemble des travaux sur les calculs d'aires, puis les volumes avec Archimède (287-212 av. J.-C.), qui donne de plus une très bonne approximation de ce que l'on appellera plus tard π.

L'algèbre

Les objets de la mathématique grecque sont essentiellement les nombres entiers et les grandeurs géométriques. Mais les problèmes de calculs d'aires et de volumes conduisent, en termes modernes, à la résolution d'équations dont la traduction géométrique apporte une contrainte fastidieuse. L'étude de ces équations en tant que telles, et leur résolution indépendamment de la géométrie vont être l'objet d'une lente évolution conduisant à une remise en cause du statut des nombres et de leurs relations avec les grandeurs géométriques.

C'est la civilisation arabe du VIIe au XVe siècle qui, à partir des connaissances indiennes et grecques, constitue l'algèbre comme discipline autonome (*cf.* Islam). Ainsi, Al-Khwarizmi (780-850) expose le système de numération décimale de position avec usage du zéro que nous utilisons toujours. Il donne aussi des classifications et des résolutions des équations générales du premier et du second degré. À travers les traductions latines ultérieures, le nom d'Al-Khwarizmi a produit nos « algorithmes » et le premier mot de son traité *Al-jabr* a donné notre « algèbre ».

Les algébristes italiens de la Renaissance*, puis les mathématiciens occidentaux

des XVIe et XVIIe siècles, prolongent le travail des savants arabes. D'une part, ils poursuivent la résolution des équations jusqu'aux troisième et quatrième degrés (Cardan, 1501-1576) ; d'autre part, ils introduisent un symbolisme qui automatise les calculs sur des expressions littérales (Viète, 1540-1603).
La dépendance de l'algèbre vis-à-vis de la géométrie est donc mise à mal par l'émancipation progressive d'une nouvelle branche autonome des mathématiques. Elle est même renversée avec Descartes* (1596-1650) qui utilise l'algèbre pour classer et résoudre les problèmes géométriques. C'est la naissance de la géométrie des coordonnées, dite aussi « analytique » ou « cartésienne ». Cette quantification du réel est à mettre en relation avec le mouvement de mathématisation général qui caractérise la révolution scientifique* du XVIIe siècle.

Le calcul infinitésimal

Newton (1642-1727) et Leibniz (1646-1716) créent à la fin du XVIIe siècle un nouveau champ de travail pour les mathématiques qui intègre le symbolisme algébrique et l'utilisation de processus infinis ou infinitésimaux. Le calcul infinitésimal permet ainsi d'avoir des algorithmes de traitement simple et performant pour traiter les problèmes classiques sur les courbes. Il s'agit d'une nouvelle « analyse » des problèmes, dont le succès ne va pas se démentir par la suite (notamment avec Euler, 1707-1783 ; ou Gauss, 1777-1855), même si ses fondements théoriques ne sont pas solides. En effet, cette nouvelle analyse ne peut être justifiée entièrement comme la géométrie grecque ; mais les succès obtenus, en particulier par Lagrange (1736-1813) ou Laplace (1749-1827), confortent l'analyse par ses applications en mécanique. L'effort de rigueur et d'élucidation des concepts de base du calcul infinitésimal intervient au XIXe siècle, avec la définition précise et rigoureuse de l'ensemble des nombres réels, et donc des outils principaux de l'analyse (limite, dérivée, intégrale).

L'unité des mathématiques

Au cours du XIXe siècle, le paysage mathématique a été profondément modifié. L'essor de nouvelles théories vient du développement de problèmes posés en physique*, mais aussi de motivations internes. Si l'analyse continue ses progrès, la géométrie a été aussi renouvelée. L'algèbre connaît un développement considérable à la fin du XIXe siècle, avec la théorie des groupes et l'algèbre linéaire. De nouvelles branches apparaissent, comme le calcul des probabilités.
Une étape importante est franchie avec la théorie des ensembles à l'aube du XXe siècle. Elle donne un langage commun à tous ces domaines, qui peuvent ainsi s'appliquer les uns aux autres. On voit apparaître l'idée que les objets classiques des mathématiciens sont moins importants que les relations qu'ils entretiennent entre eux. Le formalisme permet de faire abstraction des objets auxquels s'appliquent les théories ; ce sont les structures, et les relations entre structures, qui deviennent le travail du mathématicien.
Parallèlement à cet effort de rigueur et d'unification, les problèmes en mathématiques sont les moteurs des recherches entreprises, et les solutions apportées le sont souvent dans un cadre opérationnel, dont la formalisation et la légitimité n'apparaissent qu'*a posteriori*. C'est dans ce cadre que se déploient l'inventivité et l'intuition des mathématiciens. Le développement foisonnant, disparate et très spécialisé des mathématiques contemporaines pourrait précéder un moment de synthèse à venir.

ENJEUX CONTEMPORAINS

Éducation

La place accordée aux mathématiques dans l'éducation tient, d'une part, à leurs applications dans les autres sciences et techniques*, et, d'autre part, à leur rôle formateur en tant que discipline de pensée. En France, la réforme des « mathématiques modernes » a montré les limites d'un formalisme qui peut conduire au dogmatisme. L'enseignement des mathématiques s'est orienté vers la résolution de problèmes, les applications aux autres sciences et les sources historiques de ce domaine fondamental de la pensée humaine.

● **À CONSULTER :** N. Bourbaki, *Éléments d'histoire des mathématiques*, Masson (1984). A. Dahan-Dalmedico, J. Peiffer, *Une histoire des mathématiques, routes et dédales*, Seuil (1986). J. Dieudonné, *Pour l'honneur de l'esprit humain*, Hachette (1987).

● **CORRÉLATS :** Descartes ; épistémologie ; Grèce antique ; physique ; révolution scientifique ; sciences exactes (constitution des).

MÉDIAS

● **ÉTYM. :** Du latin *medium* (« intermédiaire »). ● **DÉF. :** Le terme *médias,* apparu dans les années 1960, désigne l'ensemble des moyens de communication et d'information de masse (*mass medias*).

L'ère de la communication

Le sociologue canadien McLuhan a popularisé le néologisme *media* avec son ouvrage *Pour comprendre les médias* (1968). Les grandes mutations technologiques de l'après-guerre (radio, télévision, informatique...) ont transformé les relations entre les individus : la multiplication des messages, la diversité des moyens de diffusion (satellites, câbles, « autoroutes de l'information »...) ont conduit à l'émergence de l'*homo mediaticus,* en tant qu'émetteur, récepteur et utilisateur de tous les messages nouveaux auxquels il est confronté.

En particulier, on s'interroge, depuis les années 1960, sur la relation entre le livre et l'image* : l'écrit va-t-il être dominé par l'écran ? Une prédominance de l'audiovisuel sur l'imprimé représenterait-elle pour l'humanité une promesse d'émancipation ou une menace ?

La révolution médiatique

Selon McLuhan, au XXe siècle, la « galaxie Marconi » a succédé à la « galaxie Gutenberg ». Sans s'y substituer complètement, l'écrit conserve aujourd'hui une place et un rôle déterminants dans notre culture. Toutefois, cette évolution est porteuse de changements profonds.

Tout d'abord, les procédés modernes de diffusion ont révolutionné l'accès à l'information : un événement est instantanément connu dans l'ensemble du monde, d'où l'expression *village planétaire,* chaque individu du globe étant potentiellement en contact avec ses milliards de « voisins », grâce aux moyens de communication.

Ensuite, le développement de l'information est tel que, parfois, ce n'est plus l'événement qui donne lieu à l'information, mais l'information programmée qui engendre l'occurrence d'un événement : ainsi, tel acteur de la vie politique saura créer et mettre en scène un geste symbolique en sollicitant l'indispensable « couverture médiatique ».

Enfin, l'attitude active du lecteur face au livre semble s'opposer à celle, passive, du spectateur face à l'audiovisuel. L'écran serait le lieu de toutes les manipulations, influences, voire aliénations (matraquage publicitaire, conditionnement et uniformisation culturels) : d'où une initiation, dans les programmes scolaires, à la lecture et au décodage des images.

Médias et société

La révolution médiatique a modifié, voire induit, un certain nombre de comportements nouveaux.

Aujourd'hui, la télévision fait partie de la vie de chacun, et plus seulement dans le monde occidental. On a vu apparaître une culture télévisuelle, mondialisée, largement dominée par les produits américains. La télévision développe le sensationnel et le spectaculaire, préférant le choc des images au souci de l'analyse et du commentaire ; certaines chaînes s'efforcent cependant de défendre une programmation à vocation culturelle. Par ailleurs, la publicité, omniprésente dans tous les médias, est une source essentielle de leur financement, ce qui n'est pas sans poser le problème de leur indépendance.

La vie politique doit désormais compter avec les médias, comme en témoigne l'expression *marketing politique*: les hommes publics soignent leur image avec l'appui stratégique des « conseillers en communication ». En France, de Gaulle fut le premier à comprendre le rôle déterminant des médias, de la radio tout d'abord (avec le célèbre « appel du 18 juin »), puis du petit écran.

Enfin, consommateur de messages, l'homme du XXIe siècle en sera aussi producteur et diffuseur : l'apparition du réseau *Internet* permet à chacun de fabriquer son message (ses « courriers électroniques » ou son « site »), et de participer à un système de communication généralisé et interactif.

La médiologie

R. Debray, essayiste et écrivain contemporain, est l'un des fondateurs de la « médiologie », ou science qui étudie les médias : « J'appelle *médiologie* la discipline qui traite des fonctions sociales supérieures dans leur rapport avec les structures techniques de transmission. » Dans son ouvrage *Manifestes médiologiques* (1994), Debray distingue trois grandes périodes dans l'Histoire* et établit des tableaux comparatifs, en indiquant pour chacune l'émetteur, le mode

de communication, l'objet valorisé et le destinataire :
– *Logosphère* (âge de la transmission principalement orale des textes) : l'Église*, la prédication, le saint, le sujet à commander ;
– *Graphosphère* (âge de l'écriture imprimée, à partir de la Renaissance*) : l'intelligentsia, la publication, le héros, le citoyen à convaincre ;
– *Vidéosphère* (âge de l'audiovisuel, depuis la révolution médiatique) : les médias, l'apparition, la star, le consommateur à séduire.

ENJEUX CONTEMPORAINS

Société

Le débat sur les médias est loin d'être clos : maints essais mettent en garde contre les effets pervers de cette révolution médiatique (abêtissement, asservissement, perte de l'esprit critique, dépérissement de la réflexion abstraite), notamment sur les jeunes générations ; à quoi répondent des plaidoyers inconditionnels pour les médias (droit à l'information, démocratisation de la culture, expression de toutes les cultures, zapping généralisé favorisant le choix et l'autonomie).

● **À CONSULTER :** M. McLuhan, *Pour comprendre les médias,* Seuil (1968). R. Debray, *Manifestes médiologiques,* NRF (1994). G. Debord, *La Société du spectacle.* R. Barthes, *Mythologies,* Seuil (1957). P. Bourdieu, *Sur la télévision,* Liber (1996). M. Fumaroli, *L'État culturel,* de Fallois (1991).
● **CORRÉLATS :** image ; intellectuels.

MÉTAPHYSIQUE

● **ÉTYM. :** De la locution grecque *meta ta phusika* (« après les choses de la nature »). ● **DÉF. :** L'origine du mot *métaphysique* peut sembler assez arbitraire puisqu'elle tient à un simple problème de classement des œuvres d'Aristote* (384-322 av. J.-C.), lors de la première édition de ces œuvres, longtemps après la mort du philosophe (60 av. J.-C.). Ayant regroupé un certain nombre de traités (sur les causes, le lieu, le temps, le mouvement...) sous le titre de *Physique* (en grec, *ta phusika,* « étude de la nature et des êtres naturels », par opposition aux choses fabriquées), l'éditeur décida d'intituler *Métaphysique* (*ta meta ta phusika,* « après les livres de physique ») un autre ensemble de quatorze traités, pour indiquer qu'ils doivent être lus après la *Physique.*

L'ambiguïté de la métaphysique d'Aristote

Si la reconnaissance d'un lien entre physique* et métaphysique s'impose, il reste à comprendre en quel sens la métaphysique vient « après » la physique. Nous transporte-t-elle au-delà de la physique, au-delà de ce que nous pouvons voir et toucher, en cherchant, hors de l'expérience, la raison d'être de ce qui nous est donné par l'expérience ? Nous reconduit-elle au contraire, en deçà de la physique et des autres sciences particulières, vers ce qui n'appartient proprement à aucune science, parce qu'il est présent en toutes ?

Cette ambiguïté traverse de façon remarquable la *Métaphysique* d'Aristote. N'utilisant jamais (et pour cause) le mot *métaphysique,* ce dernier parle de « philosophie première », mais la définition qu'il en propose est curieusement double ; elle tient en ces deux propositions, qu'il semble impossible de ramener à une seule :
– « Il y a une science qui étudie l'être en tant qu'être, et les attributs qui lui appartiennent essentiellement. »
– « Mais s'il existe une substance immobile, la science de cette substance doit être antérieure et doit être la philosophie première. »

La première proposition définit ce qu'on appelle traditionnellement l'« ontologie », la science de l'être en général, antérieurement à toute différenciation en formes d'être particulières (êtres naturels, êtres vivants, être divin, être humain...). Selon la seconde proposition, la métaphysique doit être une « théologie », science de l'être divin et de ses propriétés. Il est clair que l'ontologie commande la théologie, puisque l'être divin est une des formes d'être dont le statut doit être éclairé par une science de l'être en général. Mais il est clair également que la théologie commande l'ontologie, puisque tout ce qui est procède de l'être divin. Aucune des deux définitions de la métaphysique ne peut intégralement englober l'autre.

La structure et le destin de la métaphysique selon Heidegger

La pensée de Heidegger* (1889-1976) permet de donner à cette ambiguïté un sens qui dépasse de loin la simple compréhension de la doctrine d'Aristote : ce qu'il faut lire en elle, c'est l'essence même de la métaphysique.
La méditation continuelle de Heidegger porte sur la différence entre l'« étant » et l'« être » : entre ce qui est, considéré en tant qu'il est, et ce dont provient tout ce qui est, mais qui lui-même n'« est » pas. Cette différence est si énigmatique que la philosophie occidentale n'a cessé, selon le penseur allemand, de rabattre la question de l'être sur celle des étants, et que la métaphysique occidentale, dans sa recherche de l'être, a toujours cru le trouver, soit sous la forme de l'« étant en général », soit sous la forme de l'« étant suprême ». La dualité de l'ontologie et de la théologie, appelée « structure onto-théologique », est donc constitutive de la métaphysique. En revanche, la pensée qui s'attache à la différence entre l'être et l'étant dissipe cette structure : c'est la déconstruction* de la métaphysique.

Le rejet de la métaphysique

Si la métaphysique a sa tradition, le rejet de la métaphysique a la sienne également : celle de l'empirisme* et du positivisme*, dans leurs formes multiples. On trouve une expression radicale de ce rejet à la fin de l'*Enquête sur l'entendement humain* de Hume (1711-1776) : « Si nous prenons en main un volume quelconque, de théologie ou de métaphysique scolastique, par exemple, demandons-nous : Contient-il des raisonnements abstraits sur la quantité ou le nombre ? Non. Contient-il des raisonnements expérimentaux sur des questions de fait et d'existence ? Non. Alors, mettez-le au feu, car il ne contient que sophismes et illusions. »
La thèse selon laquelle nous ne pouvons connaître que ce que nous expérimentons exclut en effet, non certes la croyance en Dieu, mais bien la théologie : la prétention de tenir un discours rationnel sur l'existence de Dieu et ses propriétés. Quant à la thèse selon laquelle les seules propositions sensées sont celles qui énoncent un fait, particulier ou général, elle signifie clairement que l'ontologie ne peut être qu'un discours vide, sur des entités abstraites et chimériques : ce point est vigoureusement souligné par Comte (1798-1857) dans sa critique de l'« état métaphysique » de l'esprit.
N'y a-t-il pas, toutefois, autant de métaphysique dans le refus de la théologie que dans le projet de parler rationnellement de Dieu ? On transgresse les limites de l'expérience humaine possible lorsqu'on se prononce sur de prétendues réalités absolues, mais on les transgresse encore, paradoxalement, lorsqu'on prétend que ces limites elles-mêmes sont absolues. Il est clair, d'autre part, que la condamnation de l'ontologie repose sur une ontologie implicite, permettant de séparer les entités abstraites de ce qui est effectivement réel.

ENJEUX CONTEMPORAINS

Philosophie

Que la métaphysique soit incontournable, alors même qu'elle n'est pas légitime, c'est le résultat auquel parvient Kant* (1724-1804) dans la *Critique de la raison pure*. Une disposition naturelle de la raison humaine nous conduit en effet à chercher le fondement ultime et inconditionné de tout ce qui est. Conformément à cette disposition, la raison pose les trois « Idées » métaphysiques : l'Idée du Moi, de la substance pensante comme sujet absolu ; l'Idée du Monde, de l'objet absolu intégralement connu ; et enfin, synthèse des deux précédentes, l'Idée de Dieu, du principe de l'intelligibilité totale et systématique.
Ces trois Idées sont nécessaires : c'est par leur moyen que la raison, se représentant comme achevé notre travail de connaissance, peut guider et normer ce travail. Mais elles engendrent en même temps une illusion inévitable, chacune d'entre elles posant à titre d'objet ce qui ne peut jamais nous être donné comme objet, mais devrait demeurer un simple idéal régulateur, un horizon de sens pour toute recherche. Lorsqu'elle passe ainsi, sans légitimité, de l'exigence à l'existence, la raison humaine tombe dans une dialectique* stérile, confrontée à elle-même sous les figures du dogmatisme et du scepticisme*. À cette dialectique il n'est d'autre solution, estime Kant, que la critique philosophique*, délimitant correctement les pouvoirs et les droits de la raison.

● **À consulter** : L. Millet, *La Métaphysique*, PUF, « Que sais-je ? » (1996).
● **Corrélats** : Aristote ; critique philosophique ; déconstruction ; dialectique ; empirisme ; Heidegger ; Kant ; physique ; positivisme ; scepticisme.

MILLÉNARISME

● **Déf.** : Le terme *millénarisme* désigne la doctrine religieuse annonçant le retour sur terre de Jésus-Christ pour un règne qui durera mille ans (en latin : *millenium*) ; la forme grecque est *chiliasme* (de *khilias*, « millier »).

Une interprétation des Écritures

L'annonce d'un Second Avènement du Christ dans sa gloire, la Parousie (du grec *parousia*, « présence »), qui interviendrait avant le Jugement dernier, est conforme à la doctrine chrétienne* et elle a été proclamée par Jésus lui-même. Dès la fin de l'Antiquité*, elle a fait l'objet d'une attente anxieuse qui a conduit nombre d'esprits, persuadés que les derniers jours étaient proches, à interroger la Bible* pour tenter d'y découvrir les échéances. C'est du commentaire de textes souvent obscurs, traitant de la fin des temps (l'Apocalypse de Jean, le Livre de Daniel, quelques-uns des écrits apocryphes dont faisait grand cas l'Église* ancienne), que se dégage la croyance au *millenium*. D'une manière générale, elle postule qu'après un âge de ténèbres et d'iniquité où l'Antéchrist dominera le monde, le retour du Sauveur et sa victoire feront régner mille ans de justice et de félicité, prélude au Jugement final.

Bien que l'Église ait pris ses distances par rapport à ces croyances (dès 431, un concile rappelle qu'il faut comprendre la Révélation en termes spirituels, et non matériels), elles restèrent très vivaces dans la religion populaire du Moyen Âge*, confirmées par les propos d'illuminés, comme les prophéties de l'abbé italien Joachim de Flore, au XIIe siècle.

Les promesses d'égalité et de justice attachées au *millenium* allaient en faire un ferment révolutionnaire.

Une forme archaïque de la révolution sociale

Du XIIIe au XVIe siècle, l'histoire de l'Occident est jalonnée de soulèvements millénaristes. Le scénario est toujours le même : un illuminé paraît, se déclarant l'Élu de Dieu quand il ne prétend pas être la réincarnation du Christ. Il dénonce, dans des prêches enflammés, la corruption du monde, désigne les ennemis de Dieu : le clergé infidèle à sa mission, les puissants et les riches, les juifs meurtriers du Christ ; il annonce l'imminence de la Parousie, en fixe souvent la date et proclame l'instauration du royaume des Saints.

Il entraîne alors derrière lui la masse des pauvres, des déshérités, qui croient arrivé le temps d'une société* égalitaire et fraternelle qu'ils imaginent volontiers comme un monde inversé, où les puissants seraient humiliés et où les malheureux vivraient dans l'opulence. L'exaltation tourne bientôt à la révolte sanglante ; les foules fanatisées se livrent à de terribles excès jusqu'à ce que les forces des princes, avec la bénédiction de l'Église, écrasent impitoyablement le mouvement et mettent à mort le prophète.

La crise* de la fin du Moyen Âge, le XVIe siècle, avec le traumatisme de la Réforme*, sont les époques où les explosions millénaristes sont les plus graves, affectant particulièrement la Rhénanie et les Pays-Bas, où les tensions sociales sont vives. On retrouve encore l'espérance millénariste dans les sectes les plus radicales de la Révolution puritaine anglaise* (1642-1660). Passé cette date, la sensibilité religieuse évolue et la foi millénariste cesse d'être un recours, du moins en Europe occidentale, car des soulèvements de type millénariste éclateront encore, en plein XIXe siècle, en Amérique latine.

Le millénarisme laïcisé

Pour certains auteurs, l'exaltation millénariste ne disparaît pas vraiment avec le recul des motivations religieuses ; elle change simplement d'objet et se déplace en direction d'idéologies* séculières qui prennent le relais.

À partir de la Renaissance*, en effet, l'utopie* décrivant une société idéale devient un genre littéraire, inauguré par l'humaniste anglais More (1478-1535), inventeur du mot en 1516. Tant qu'il ne s'agit que d'une fiction, tenue pour telle et conçue pour conduire une critique* politique ou sociale de son temps,

l'utopie est sans risque ; mais quand elle se pose comme l'exposé d'un modèle réalisable – ce qui est déjà le cas en 1623 dans *La Cité du Soleil* de l'Italien Campanella (1568-1639) –, l'utopie peut jouer le rôle mobilisateur qui était celui des prophéties apocalyptiques dans les périodes antérieures.
L'élaboration, aux XIXe et XXe siècles, de grandes idéologies globales fondées sur une interprétation de l'Histoire* a été tenue par certains comme la résurgence d'une démarche millénariste, cette fois laïcisée. Ainsi, le rôle émancipateur dévolu au prolétariat, l'inéluctabilité de la révolution*, la promesse de l'âge d'or que serait la société communiste*, feraient du lénino-stalinisme un « néo-millénarisme » aussi illusoire et aussi mortifère que les exaltations religieuses du passé. Plus caractéristique encore, la mythologie hitlérienne (qui promettait d'ailleurs un « Reich millénaire ») aurait ressuscité les fantasmes apocalyptiques des pires millénarismes dans sa dénonciation du « péril juif » et dans son vertige final d'anéantissement (*cf.* National-socialisme).

ENJEUX CONTEMPORAINS

Idéologie

Il est certain que la possibilité de mobiliser et de fanatiser des foules demeure, même dans notre monde rationalisé. Le cas des totalitarismes* du XXe siècle n'en est pas l'unique exemple : le succès de certaines sectes, la crédulité qu'elles révèlent et qui peut conduire jusqu'au suicide collectif, montrent que, laïcisé ou non, le processus psychologique qui a conduit jadis aux délires millénaristes existe toujours. Le désarroi engendré par les périodes de crise, l'angoisse existentielle, le désespoir de ceux qui se sentent exclus peuvent toujours le réveiller.

● **À CONSULTER :** N. Cohn, *Les Fanatiques de l'Apocalypse*, Payot (rééd., 1983). J. Delumeau, *Mille Ans de bonheur*, Fayard (1995). A. Ropert, *L'Échec des révolutions*, Plon (1996). J. Le Goff, *Hérésies et Sociétés dans l'Europe pré-industrielle*, Mouton (1968). M. Walzer, *La Révolution des saints*, Belin (1987). ● **À LIRE :** U. Eco, *Le Nom de la rose*. M. Vargas Llosa, *La Guerre de la fin du monde*. M. Yourcenar, *L'Œuvre au noir*.

● **CORRÉLATS :** antisémitisme ; Bible ; communisme soviétique ; idéologie ; national-socialisme ; utopie.

MOI (FIGURES DU)

● **ÉTYM. :** Du latin *me* (« moi ») et de *figura* (« forme, aspect »), du verbe *fingere* (« modeler dans l'argile »). ● **DÉF. :** On désigne par *figures du Moi* les manières dont le Moi est représenté, notamment en philosophie et en littérature.

La question du Moi

Dans le sens ordinaire, le Moi est la personne* en tant qu'elle peut se désigner elle-même et se caractérise comme réalité singulière et permanente. En philosophie, la question du Moi se rattache à celle du sujet*. Elle devient centrale avec Descartes* (1596-1650) : le *cogito* signifie que toute pensée doit être comprise comme l'acte d'un Moi pensant. En psychologie*, chez Freud (1856-1939), le Moi est une des instances du psychisme, opposée à la fois au Ça et au Surmoi.
La question du Moi et de ses figures, comme celle du sujet, est une question moderne puisque c'est à partir de la Renaissance*, et en particulier avec l'humanisme*, que l'homme se pense moins comme partie d'un tout que comme agent libre, capable de penser et de juger par lui-même, maître de sa destinée et, en tant que tel, digne de respect.
Si toutes les civilisations ont reconnu l'individu* comme sujet empirique de la parole et de la volonté, le propre de la pensée occidentale, depuis la Renaissance, est de considérer l'homme d'un point de vue universel : il ne se définit plus par sa place dans la société – ce qui est le cas dans les communautés traditionnelles – il représente l'humanité tout entière. Ainsi, en explorant sa singularité, il éclaire l'humaine condition. Les figures du Moi sont les types exemplaires au moyen desquels on a pu peindre l'existence humaine.

L'écriture de soi

Les *Essais* de Montaigne (1533-1592) ouvrent le champ de l'écriture de soi*, sous la forme de l'autoportrait : « Je suis moi-même la matière de mon livre. » Mais au fil des pages, le projet de se peindre s'élargit, car « chaque homme porte en soi la forme entière de l'humaine condition ».

À partir du XVIIIe siècle apparaît le roman d'apprentissage (en allemand *Bildungsroman*), comme *Werther* ou *Wilhelm Meister* de Goethe (1749-1832) qui retrace les étapes de la formation de la personne. Le romantisme* donne libre cours à la description des tourments intérieurs, des intermittences du cœur et des révoltes du héros contre un monde qui ne le comprend pas : *René* de Chateaubriand (1768-1848) marquera toute une génération. Plus généralement, le roman* devient au XIXe siècle une des formes privilégiées d'investigation de la vie sentimentale et de la destinée sociale, Julien Sorel de Stendhal ou Rastignac de Balzac devenant des emblèmes de l'aventure individuelle. Des héros comme Faust* ou don Juan*, issus de la tradition populaire et repris par la littérature, sont également des archétypes de la condition humaine.

Les figures du Moi en philosophie

La philosophie moderne, dans son exploration de la subjectivité, recourt aussi à des figures. Ainsi, la *Phénoménologie de l'Esprit* de Hegel* (1770-1831) raconte une « odyssée » de la conscience qui, comme Ulysse, cherche à retrouver sa terre natale, c'est-à-dire à se penser comme spiritualité libre. Ce parcours comporte des moments essentiels ou « étapes de la conscience » qui dessinent autant de figures du Moi : le stoïcien*, le maître et l'esclave*, Faust ou encore ce que ce philosophe appelle la « belle âme », c'est-à-dire le moraliste* incapable d'avoir une prise effective sur le monde.
Précurseur de l'existentialisme* pour qui l'homme n'a pas de nature, mais se crée lui-même, Kierkegaard (1813-1855) donne alors à la méditation sur le Moi des formes aussi diverses que le mythe* (don Juan) ou le journal intime (*Journal d'un séducteur*). Approfondissant les dimensions de l'existence, Kierkegaard reprend l'idée pascalienne d'ordres et de discontinuité : il y a saut de la matière à l'esprit, et de l'esprit au cœur ou à la foi. De même, des « stades de l'existence » définissent, dans ce cheminement vers la foi, des modes de vie absolument distincts, symbolisés par des figures : le stade esthétique*, où l'homme ne vit que dans l'instant, trouve ses modèles dans des personnages comme Faust, toujours en quête de savoir, ou don Juan, allant de conquête en conquête ; le stade de l'éthique* est celui de la responsabilité et du mariage ; le stade religieux est représenté par la figure d'Abraham qui sait suspendre l'éthique pour se plier à la demande absurde* de Dieu.
Avec Sartre (1905-1980), l'expérience existentielle s'exprime dans le roman (*La Nausée*) ou le théâtre* (*Huis clos*) ; Camus (1913-1960) reprend le mythe de Sisyphe pour symboliser l'absurdité de la condition humaine : au théâtre (*Caligula*) et dans le roman (*L'Étranger*), il montre le Moi à la recherche de lui-même.

● **Corrélats :** absurde ; don Juan ; écriture de soi ; existentialisme ; Faust ; Hegel ; individu ; mythe ; personne ; phénoménologie ; roman ; sujet.

MONOTHÉISME

● **Étym. :** Du grec *monos* (« un seul ») et *theos* (« dieu »). ● **Déf. :** Le terme *monothéisme* désigne une religion affirmant que Dieu est unique. Les trois grands monothéismes sont le judaïsme*, le christianisme* et l'islam*.

L'invention du monothéisme

Le monothéisme a été l'innovation fondamentale du judaïsme. Le philosophe contemporain G. Steiner y voit la racine métaphysique de l'antisémitisme* : le monothéisme, c'est le refus des dieux multiples et de leur monde enchanté. Les dieux païens sont proches de l'homme : on peut en vénérer les images*, les fléchir par des sacrifices et des offrandes. Le Dieu unique concentre en lui la toute-puissance du divin : il est transcendant, infini, absolument autre. Il n'est pas présent dans ce monde qu'il crée à partir de rien. C'est un Dieu personnel, législateur et juge qui « sonde les reins et les cœurs » ; il inspire la crainte et le tremblement. Dieu terrible, c'est aussi un Dieu jaloux : le péché suprême est l'idolâtrie, le polythéisme, le culte des images ou la magie. Juifs, puis chrétiens refusent la religion civique et le culte des empereurs romains* : ils sont donc perçus comme intolérants et rebelles.
Le judaïsme est par ailleurs la première religion qui définisse la croyance par la droiture de la conduite : les dix commandements dictés par Dieu à Moïse peuvent être considérés comme

un des fondements de la morale* occidentale. La Bible* est ainsi porteuse de deux idées fondamentales : celle du péché, la servitude et les malheurs des hommes et des peuples devant être pensés comme le châtiment de fautes morales ; celle de l'Histoire*, la flèche du temps s'orientant depuis la faute originelle jusqu'à la venue du Messie.
Par son message, le judaïsme était porteur d'universalité, car si Dieu est unique, il doit être le même pour tous les hommes. Cependant, il a maintenu le particularisme de l'Alliance : le Dieu unique est le Dieu du peuple élu, le Dieu d'Israël. Il appartiendra au christianisme et à l'islam de se vouloir des religions universelles.

Religion du dogme et religions de la Loi

Le propre des trois grands monothéismes occidentaux est d'être des religions du Livre, puisqu'ils se fondent sur une révélation prophétique transcrite dans des textes considérés comme rapportant la parole même de Dieu (Torah, Évangiles, Coran*).
Pourtant, si l'on cherche à comprendre ce qui les distingue, on doit opposer « religion du dogme » (christianisme) et « religions de la Loi » (judaïsme, islam). Pour ces deux dernières, la foi est essentiellement « orthopraxie », c'est-à-dire obéissance aux lois divines codifiées dans les livres saints. C'est d'ailleurs ce qui peut poser le problème de l'intégration des croyants dans un État laïc : par exemple, à propos de l'interdiction du voile, il y a affrontement entre deux légalités ; ce conflit est d'autant plus délicat qu'une de ces légalités est pensée comme sacrée. Dans le christianisme, au contraire, la parole de Dieu n'est plus un message littéral mais un mystère, celui de l'incarnation, dont le sens est à méditer, à intérioriser, à interpréter, d'où la nécessité d'un clergé déterminant l'« orthodoxie » – ce qu'il convient de croire – et poursuivant l'hérésie, c'est-à-dire l'interprétation fallacieuse des Écritures.

L'idée de création et la domination de la nature

L'idée de création du monde à partir de rien a des incidences décisives sur l'idée que l'homme peut se faire de ce qu'il est, de sa destinée et en particulier de ses rapports avec la nature extérieure. D'une part, un Dieu créateur est, par définition, absent du monde qui se trouve frappé d'une radicale contingence. D'autre part, l'homme, créé à l'image de Dieu, se voit attribuer une place privilégiée : selon la *Genèse*, il lui revient de nommer les animaux et, plus généralement, il semble voué à dominer la nature. Le dogme de l'incarnation du Christ approfondira la ressemblance entre l'homme et Dieu, et donc la transcendance humaine sur le monde. On peut ainsi trouver des racines religieuses à la dynamique économique et à l'essor* technologique qui conduira l'Occident à ses Révolutions industrielles*. C'est pourquoi également certains tenants de la *deep ecology** dénoncent dans le christianisme « la religion la plus anthropocentrique que le monde ait connue ».

ENJEUX CONTEMPORAINS

Religion et politique

M. Gauchet montre, dans *Le Désenchantement du monde*, que la singularité de la religion chrétienne a été de permettre la sortie du théologico-politique, c'est-à-dire la séparation de l'Église* et de l'État*. Tout d'abord, le dogme du « Dieu fait homme » ruine à la base toute tentative de royauté sacrale, si ce n'est absolutiste* : seul le Christ peut se prétendre homme et Dieu.
De plus, le christianisme est une doctrine du Salut dans l'au-delà : le royaume du Christ n'est pas de ce monde et ce qui se passe ici-bas est de faible importance. Le Christ dit dans les Évangiles qu'il faut « rendre à César ce qui est à César et à Dieu ce qui est à Dieu... » Ainsi, le pape Gélase, au Ve siècle, distinguera le pouvoir temporel des princes et le pouvoir spirituel du pape. Cette idée est porteuse, à long terme, de l'idée essentielle de « laïcité » qui s'imposera progressivement dans le monde chrétien.

● **À CONSULTER :** M. Gauchet, *Le Désenchantement du monde*, Gallimard (1985). G. Steiner, *Dans le château de Barbe-Bleue*, Gallimard (1986).

● **CORRÉLATS :** antisémitisme ; Bible ; chrétienne (pensée) ; christianisme (débuts du) ; Contre-Réforme ; Coran ; Église catholique ; Hébreux ; islam ; judaïsme ; millénarisme ; Réforme protestante ; tolérance ; sionisme.

MORALE

● **ÉTYM. :** Du latin *moralis* (« relatif aux mœurs »). ● **DÉF. :** Le terme *morale* désigne, au sens ordinaire, les règles de conduite en usage dans une société*. En philosophie, une morale est une doctrine raisonnée dégageant les valeurs* et les fins qui doivent régler l'action humaine.

Éthique et morale

Les termes *éthique* et *morale* sont dérivés de synonymes latin et grec : *êthos* en grec signifie « manière d'être », « mœurs », comme *mores* en latin. En principe donc, ces deux termes devraient avoir le même usage et répondre, en philosophie, à la question : « Que dois-je faire ? » Ainsi, on parle indifféremment de la morale des stoïciens* ou de leur éthique.

Or, un usage récent tend à distinguer les deux mots. Le philosophe français contemporain Ricœur propose de « réserver le terme d'*éthique* pour tout le questionnement qui précède l'introduction de l'idée de loi morale et de désigner par *morale* ce qui se rapporte à des lois, des normes, des impératifs ». On parlerait donc de la « morale » de Kant* (1724-1804) puisque celle-ci se fonde sur l'idée de devoir, et de l'« éthique » de Spinoza (1632-1677), ce philosophe récusant la soumission à une loi morale extérieure et transcendante. On peut aussi recourir au terme *philosophie pratique*, qui concerne l'action, par opposition à la *philosophie théorique*, qui concerne le savoir.

Morale et société, la « moralité concrète »

La morale apparaît d'abord comme une coutume ou comme une institution sociale. C'est cette morale, réglant la vie en société, qui est décrite par les sociologues. Ainsi, pour Durkheim (1858-1917), un des fondateurs de l'école française de sociologie*, alors que la régulation du comportement animal est assurée de l'intérieur par l'instinct, celle des conduites humaines est obtenue de l'extérieur par une contrainte sociale s'exprimant par des sanctions qui vont du simple ridicule à la réprobation et, enfin, à la répression juridique.

Pour certains philosophes comme Aristote* (384-322), puis Hegel* (1770-1831) qui s'en inspire, la morale ne saurait être isolée des mœurs, des coutumes et des lois. Aristote affirme que pour bien élever un enfant, il faut le faire vivre dans une cité qui a de bonnes lois. C'est cette « moralité concrète » (*sittlichkeit*) que Hegel oppose au romantisme* et à la « morale » (*moralität*) de Kant. La moralité ne doit pas poser à l'individu de problèmes déchirants, elle doit pouvoir être vécue sur le mode de l'évidence. Ce type de morale est conformiste : ses valeurs sont l'honnêteté, le respect des contrats, la mesure, le maintien des structures familiales. C'est la morale des « peuples heureux qui n'ont pas d'histoire », dit Hegel. Mais – et ce philosophe le sait parfaitement – ces certitudes peuvent être remises en cause par des crises* qui ébranlent les normes de la vie du groupe. Les procès d'Antigone* ou de Socrate sont des moments tragiques* qui renvoient l'homme à sa conscience : ce sont des moments décisifs de l'Histoire universelle.

De la cité à l'homme privé

Le propre de l'expérience morale est qu'elle peut être assumée par la conscience individuelle, indépendamment de la vie sociale. Ce n'est pas un hasard si les grandes éthiques de l'Antiquité* grecque (épicurisme*, stoïcisme*) sont contemporaines de l'effondrement de la cité au IVe siècle avant J.-C. De plus, on peut soutenir, avec Kant, que le droit* ne concerne que la conformité extérieure des actions à la loi et qu'il se distingue en cela de la morale qui est volonté de bien agir. On peut donc penser que les normes morales ne doivent pas être imposées de l'extérieur et de façon coercitive, mais que l'homme doit répondre de ses actes en son âme et conscience. La tradition occidentale est l'héritière, dans le domaine de la moralité, de deux grandes traditions : la tradition judéo-chrétienne (*cf.* Monothéisme) et la tradition gréco-latine. Elles culminent dans deux modèles de perfection morale : le sage et le saint.

La morale chrétienne

Le christianisme* est une religion de Salut qui ajoute au monothéisme juif le dogme de l'incarnation du Christ, de sa mort et de sa résurrection. La pensée chrétienne*, à ses débuts, a opposé de façon radicale religion et philosophie. Ainsi, pour saint Augustin (354-430), l'homme est incapable d'atteindre le Salut sans la grâce divine. La volonté humaine est perverse ; le péché originel est péché d'orgueil, prétention de connaître Dieu, de s'égaler à lui et d'arriver par ses seules forces au Salut. La nature humaine est déchue par le péché originel, écrasée par l'avidité du pouvoir et par toutes les formes de concupiscence : c'est pourquoi les éthiques philosophiques sont jugées irrecevables. Les problèmes fondamentaux qu'affrontera la pensée chrétienne seront donc ceux de la grâce, de la nature humaine et de sa valeur, du libre arbitre et de la prédestination. Enfin, dans la doctrine chrétienne, le but de l'action humaine n'est pas l'épanouissement de l'homme lui-même, mais sa soumission à Dieu. Ainsi, la recherche du bonheur ne saurait être une revendication ou une fin légitime : la morale chrétienne est service de Dieu.

Bonheur ou mérite ?

On peut opposer, depuis Kant, deux types de philosophie morale.

Pour l'une, héritée des sagesses grecques (Platon*, Aristote, stoïciens, sceptiques*, épicuriens), l'éthique est un art de vivre dont la fin est le bonheur : il faut et il suffit d'être sage pour être heureux. De même, pour Spinoza, « la vertu n'est pas la récompense de la vertu, mais la vertu elle-même » (*Éthique*). L'éthique, se libérant de l'obéissance à la loi divine et de l'espérance d'un bonheur dans l'au-delà, se situe par delà le bien et le mal tels qu'ils étaient définis, mais non par delà l'utile et le nuisible. Celui qui est mauvais – et malheureux – c'est l'insensé, l'homme des passions tristes ; le sage, lui, vit heureux dans la plénitude de la raison. De même, Nietzsche* (1844-1900), tout en proclamant la mort de Dieu et la fin des valeurs transcendantes, peut opposer la m diocrité de l'« esclave* » ou de l'homme du ressentiment, et la puissance du « surhomme » qui sait affirmer la vie.

Pour l'autre courant, qui trouve son fondement dans la *Critique de la raison pratique* de Kant, la morale est une doctrine du mérite qui ne nous promet pas que nous serons heureux, mais qui nous montre comment nous pouvons nous rendre dignes de l'être. Elle impose l'obéissance à la loi morale que nous dicte notre raison. Ce qui fait la valeur d'un acte est qu'il est désintéressé, c'est-à-dire qu'il ne nous est pas dicté par la recherche de notre bonheur.

ENJEUX CONTEMPORAINS

Valeurs

Faut-il caractériser, avec Lipovetsky, le moment postmoderne* comme le « crépuscule du devoir », c'est-à-dire comme le triomphe d'une « morale *light* », « allégée » des contraintes religieuses et de l'austérité du devoir, déterminée par la recherche du bien-être individuel, ce que le sociologue nomme l'« hédonisme narcissique » ? Les descriptions qu'il nous propose, dans *L'Ère du vide* ou *Le Crépuscule du devoir*, montrent les effets sociaux et moraux de l'individualisme* actuel.
Pourtant, elles ne rendent pas compte – ce n'est d'ailleurs pas leur objet – de la vitalité de la réflexion éthique contemporaine. Celle-ci se nourrit d'un héritage multiple. Elle peut prolonger la pensée de Kant (Weil, Ferry, Renaut), retrouver les grandes leçons de sagesse de l'Antiquité ou de Spinoza (Misrahi, Comte-Sponville, Conche), se réclamer de Nietzsche (Deleuze), fonder l'accueil et le respect de l'Autre dans la tradition biblique (Lévinas, Finkielkraut) ou approfondir le sens moral de l'herméneutique* (Ricœur).

● **À CONSULTER :** *Dictionnaire d'éthique et de morale*, PUF (1997).
● **CORRÉLATS :** Aristote ; bioéthique ; chrétienne (pensée) ; épicurisme ; existentialisme ; Grèce antique ; Hegel ; herméneutique ; Kant ; monothéisme ; Nietzsche ; positivisme ; scepticisme ; stoïcisme ; valeurs.

MORALISTES

● **ÉTYM. :** Dérivé de *morale*, du latin *moralis* (« relatif aux mœurs »).
● **DÉF. :** Le terme *moraliste* désigne un écrivain qui analyse les mœurs des hommes ; peintre des caractères, des comportements et des passions humaines, il se fait très souvent le censeur des vices et des ridicules de ses semblables.

Les moralistes de l'Antiquité et du Moyen Âge

La réflexion morale* se développe en Grèce avec Platon* (427-347 av. J.-C.) et Aristote* (384-322 av. J.-C.) dans la philosophie et l'enseignement. Il s'agit de penser la morale et de définir un idéal de sagesse. À Rome*, les moralistes sont tantôt des satiriques, qui dénoncent les vices de leurs concitoyens ou de la condition humaine (Juvénal, Horace), tantôt des sages, qui cherchent à proposer des règles de vie (Sénèque, Marc Aurèle). Les principes chrétiens* sont amplement développés jusqu'au Moyen Âge. Ces écrits, moralisateurs et édifiants, ne sont pas l'œuvre de « moralistes », au sens littéraire du terme.

Les moralistes du XVIIe siècle

Le XVIIe siècle est le grand siècle des moralistes, qui a hérité, de l'humanisme* de la Renaissance*, le goût pour les traités de morale et les réflexions sur le comportement de l'homme en société. Le chevalier de Méré définit l'idéal de l'« honnête homme », proposant les principales vertus de la vie sociale (politesse du cœur et des manières). Le plus célèbre moraliste du siècle est le duc de La Rochefoucauld (1613-1680), avec ses *Maximes* (1665). Son œuvre est liée à l'univers des salons*, notamment celui de Mme de Sablé. Aristocrate désabusé et pessimiste, La Rochefoucauld tend à ses lecteurs un miroir où se lisent l'amour-propre, la vanité et l'orgueil : il n'assène pas une leçon, mais il met à nu le cœur humain et laisse chacun méditer ses formules éclatantes.

La Bruyère (1645-1696) fait le lien entre le siècle de Louis XIV et celui des Lumières* : ses *Caractères* (1688) – comme l'anglais *character*, « personnage » – dénoncent la bassesse et l'hypocrisie, en une succession de petits paragraphes piquants et efficaces. Le mérite de l'ouvrage est de constituer un tableau saisissant des mœurs du siècle, peignant à la fois l'Homme et les hommes, c'est-à-dire les différents personnages emblématiques de la société de son temps.

Les moralistes du XVIIIe siècle

À côté des écrivains-philosophes du siècle des Lumières, quelques moralistes cultivent la forme brève, manient le paradoxe et l'aphorisme : Vauvenargues en appelle à l'union féconde du sentiment et de la raison ; Chamfort, amer et cynique, stigmatise, dans ses *Maximes, pensées, caractères et anecdotes*, l'hypocrisie et l'artifice des bien-pensants ; Rivarol, polémiste brillant et farouchement contre-révolutionnaire*, multiplie les piques acerbes contre les idées nouvelles ; Joubert, enfin, a laissé des *Carnets* où s'exprime, de façon légère et subtile, une quête de sagesse.

ENJEUX CONTEMPORAINS

Littérature

Valéry (1871-1945) considère que « nos grands auteurs sont tous plus ou moins des moralistes ». Molière et La Fontaine, Voltaire et Diderot, Stendhal et Constant, Gide et Valéry lui-même participent de l'art et de l'ambition du moraliste : tout observateur des mœurs, qu'il soit poète, romancier ou dramaturge, formule une vision du monde.

Les aphorismes de Cioran, les « mauvaises pensées » de Valéry, les notes de J. Renard, de Gide et de Perros perpétuent l'écriture moraliste : on y lit un regard lucide et volontiers désenchanté sur la condition et la comédie humaines. Le moraliste démystifie et démythifie, il arrache le voile des apparences et des faux-semblants ; mais s'il se refuse à tout système, c'est que toute certitude demeure, pour lui, fondamentalement inconnaissable.

● **À CONSULTER :** *Anthologie des moralistes du XVIIe siècle*, R. Laffont (1992). ● **CORRÉLATS :** salons.

MOYEN ÂGE

● **ÉTYM. :** L'adjectif *moyen* vient du latin *medianus* (« ce qui est au milieu ») ; le Moyen Âge est littéralement « l'âge du milieu ». ● **DÉF. :** La Renaissance*, qui se vit comme le réveil de la civilisation, pose l'existence d'un âge intermédiaire entre l'Antiquité* et le moment présent, mais l'expression *Moyen Âge* n'est apparue qu'au XVIIIe siècle.

Seconde grande séquence de la périodisation historique, le Moyen Âge, plus encore que l'Antiquité, relève d'une vision européo-méditerranéenne de l'Histoire*. Définissant le millier d'années qui va du Ve au XVe siècle de l'ère chrétienne, il ne correspond à rien de spécifique en Chine ou en Inde alors qu'il représente, pour les civilisations occidentale et musulmane, le temps de l'émergence et de l'essor.

Le haut Moyen Âge
V^e^-Xe siècles

L'Occident barbare
Après la chute de l'empire d'Occident (476), la civilisation basse-antique poursuit son évolution dans l'empire d'Orient, demeuré intact. En Occident, en revanche, le partage du territoire romain par les envahisseurs germaniques mène rapidement à une régression générale. Les Grandes Invasions* du Ve siècle ont ruiné l'activité économique ; les villes* sont pratiquement abandonnées et l'usage de la monnaie est devenu exceptionnel. Les échanges étant presque nuls, chaque grand domaine agricole vit en autarcie, consommant ce qu'il produit. Dans une Europe de l'Ouest dépeuplée, la forêt a reconquis d'immenses surfaces.
Au plan culturel, plus personne n'apprend à lire et écrire, sinon quelques membres du clergé chrétien. Le latin s'est considérablement dégradé et de vastes régions ne parlent plus que des langues germaniques. Plus grave encore, les savoir-faire techniques se perdent. Mis à part l'Espagne, aux mains de rois wisigoths, et l'Italie, un moment reconquise par l'empereur d'Orient avant qu'une ultime invasion, au VIe siècle, ne la livre aux Lombards, l'Occident retourne à des conditions voisines de celles qu'il connaissait cinq cents ans plus tôt, avant la conquête romaine.
Le désordre politique permanent ajoute à la confusion. La Gaule a été presque réunifiée, vers 500, par le Franc Clovis ; mais la règle germanique étant le partage du royaume entre les fils du roi, ses successeurs (les Mérovingiens) ne cessent de se combattre avant d'abandonner ce qui reste du pouvoir au « maire du palais », sorte de chef des domestiques royaux.
Telle est la situation des VIe et VIIe siècles. Pendant cette période, le clergé chrétien – et tout particulièrement les communautés organisées selon la règle établie en Italie, en 520, par saint Benoît, fondateur du monachisme occidental – tente de sauver ce qui reste de la culture antique.

Le rôle de l'Église chrétienne
C'est précisément l'Église* qui, au VIIIe siècle, va être à l'origine d'un redressement. Consciente des menaces nouvelles (la conquête musulmane vient d'arracher l'Espagne à la chrétienté), elle rêve de restaurer l'Empire dont elle n'a pas accepté la disparition.
En échange d'une aide militaire apportée au pape menacé par les Lombards, elle légitime le coup de force du maire du palais Pépin le Bref, qui, en 751, vient de détrôner à son profit, en Gaule, le dernier roi mérovingien. Elle soutient plus encore l'action de son fils Charlemagne qui, de 768 à 795, réunifie par les armes l'Occident et entreprend de refouler les musulmans d'Espagne. Le jour de Noël 800, le pape couronne, à Rome, Charlemagne empereur d'Occident.

L'Occident carolingien
Les successeurs de Charlemagne, les Carolingiens, ne réussiront pas à maintenir l'unité d'un empire trop grand pour les moyens dont dispose le IXe siècle. Au traité de Verdun, en 843, les petits-fils de Charlemagne partagent le territoire en trois royaumes qui préfigurent les futurs États européens : à l'ouest, la France ; à l'est l'Allemagne ; entre les deux, un royaume éphémère, la Lotharingie, dont sont issus les actuels Pays-Bas, Belgique, Luxembourg, Suisse et Italie.
De nouvelles invasions (cavaliers hongrois venus de la plaine du Danube, pirates vikings arrivant par la mer de Scandinavie) achèvent de détruire l'entreprise de reconstruction que Charlemagne avait engagée avec l'appui de l'Église. Au Xe siècle, face aux carences du pouvoir royal, la défense s'organise localement, autour de chefs de guerre, préparant la mise en place de la féodalité*, dont l'organisation marque la fin du haut Moyen Âge.

La « renaissance » carolingienne
La restauration carolingienne n'aura cependant pas été vaine au plan culturel. L'impulsion donnée par l'Église au temps de Charlemagne débouche sur une modeste, mais réelle renaissance de l'activité intellectuelle. Le retour à un latin correct, la rédaction de manuscrits soignés, le réveil artistique qui se manifeste, tant dans l'architecture que dans l'ornementation, sont les premiers signes d'un retour de la civilisation. Certes, le milieu très étroit du clergé lettré est seul concerné ; certes, les artistes carolingiens restent tributaires de l'héritage romain ou du grand foyer créatif contemporain qu'est Constantinople. Mais les acquis de cette époque ne seront pas perdus et, passé les difficultés et les retards du Xe siècle, nous les retrouverons lors du grand essor roman* du XIe siècle.

Haut Moyen Âge

	Histoire	*Philosophie, sciences*	*Littérature, arts*
476	Chute de l'Empire romain* d'Occident, sous la pression des **Grandes Invasions*** : l'empire d'Orient résiste.		
≈ 500	Partage de l'Europe occidentale et de l'Afrique du Nord en **royaumes barbares**		
511	Mort de Clovis, roi des Francs (dynastie mérovingienne)	Boèce	
527-565	Règne de Justinien, à Constantinople	Saint Benoît, fondateur du monachisme occidental	**Formation de l'art byzantin.** *Basiliques Sainte-Sophie* (Constantinople), *San Vitale* (Ravenne)
610-641	Règne de Héraclius (**Empire byzantin***)		
632	Mort de Mahomet : début de l'expansion musulmane (**islam***).	Isidore de Séville, *Étymologies* (encyclopédie*)	Madjnun (poésie*)
726	Début de la « querelle des Images » dans l'Empire byzantin		
732	Charles Martel, maire du palais, repousse un raid musulman à Poitiers		
751	Pépin le Bref fonde la dynastie carolingienne	Fabrication du papier (transmise aux Arabes par les Chinois)	
778	Défaite de Charlemagne et Roland* à Roncevaux	Traduction arabe des *Éléments* d'Euclide (emploi des chiffres arabes)	
800	Charlemagne couronné empereur d'Occident	Développement de l'école* par le moine Alcuin d'York.	Apogée de la Renaissance carolingienne
≈ 830		• Traduction des philosophes grecs à Bagdad. • Al-Khwarizmi (mathématiques*).	
843	• Partage de l'Empire carolingien à Verdun • Premières incursions normandes (Vikings scandinaves)	Scot Érigène (théologie)	
≈ 900	Invasions vikings, hongroises, sarrasines en Occident : décomposition de l'autorité carolingienne (début de la **féodalité***)	Al-Razi (médecine), al-Battani (physique*)	
912-961	Émirat de Abd al-Rahman III à Cordoue	Al-Farabi (philosophie)	• Cordoue, centre culturel de la civilisation arabo-andalouse • *Mille et Une Nuits* (conte*)
962	Création en Allemagne du Saint-Empire romain germanique.		*Abbaye du Mont-Saint-Michel*
987	Hugues Capet, roi de France.		

Bas Moyen Âge

1010-1020	L'Empire byzantin fait face aux premières invasions turques en Asie Mineure	Avicenne (médecine, aristotélisme*)	Premiers édifices **romans***
1054	Rupture religieuse (« schisme d'Orient ») entre Rome* et Constantinople		
1066	Conquête de l'Angleterre par Guillaume le Conquérant		*Basilique Saint-Marc* à Venise
1076-1122	Conflit entre la papauté et les empereurs germaniques (« querelle des Investitures »)	Abélard	*Cathédrale de Saint-Jacques de Compostelle*
1095	**Première croisade***	Saint Anselme (pensée chrétienne*)	• *Chanson de Roland** (épopée*) • *Tapisserie de Bayeux*
≈ 1150-1190	Essor en Europe (poussée démographique, défrichement massif, reprise économique)	Averroès, Maïmonide (aristotélisme*)	• Béroul, *Tristan* et Iseut*; Chrétien de Troyes (courtoisie*). *Le Roman de Renart* • Émergence de l'**art gothique***
1184	Création de l'Inquisition	Joachim de Flore (millénarisme*)	
1204	• Pillage de Constantinople par les croisés • Création de l'université de Paris	• Fibonacci (mathématiques*) • Villehardouin (Histoire*)	
≈ 1230-1250	Affermissement de la monarchie féodale en France	Albert le Grand (pensée chrétienne*)	• Guillaume de Lorris, *Roman de la rose* • **Construction des cathédrales**
1270	• Fin des croisades • Départ de Marco Polo pour la Chine	• Thomas d'Aquin (pensée chrétienne*) • Bacon (science*)	Cimabue (peinture italienne)
≈ 1310		Maître Eckhart (mysticisme allemand)	• Dante, *Divine Comédie* • *Duccio, Giotto, Simone Martini (peinture italienne)*
1337	Début de la **guerre de Cent Ans**	Guillaume d'Ockham	• Pétrarque (poésie*) • *Palais des papes* à Avignon
1346	Début de la peste noire en Europe	• Nicolas Oresme (mathématiques*) • *Premiers canons*	Boccace, *Décaméron* (conte*)
1378	Début du « grand schisme d'Occident » (Église*)	Ibn Khaldoun (Histoire*)	Tapisserie de *l'Apocalypse* à Angers
1415-1420			Essor du *quattrocento* en Italie (**Renaissance***)
1431	Procès et supplice de Jeanne d'Arc.		Van Eyck (peinture flamande)
1434	Les Portugais doublent le cap Bojador (début des voyages de **Grandes Découvertes***)	*Premières caravelles*	
≈ 1440		• Nicolas de Cues (philosophie) • Invention de l'*imprimerie*	
1453	Prise de Constantinople par les Turcs	• Exode des lettrés grecs en Italie (**humanisme***)	Villon (poésie*)

■ La naissance de l'Europe

Une lente et difficile synthèse culturelle s'est établie durant les siècles obscurs du haut Moyen Âge. Le vieux fonds indigène, ravivé par l'apport barbare après les invasions, s'est mêlé aux souvenirs antiques laissés par cinq siècles de présence romaine. La religion chrétienne a unifié et structuré l'ensemble. La renaissance carolingienne l'a mis en forme, fondant le substrat sur lequel se bâtit, après l'an mille, une civilisation européenne originale.

Politiquement et culturellement, la spécificité de l'Europe* se forge à partir du haut Moyen Âge. Quand celui-ci s'achève au xe siècle, la future géographie politique du continent commence à s'esquisser : la restauration de l'empire par Otton Ier, en 962, fédère l'espace allemand (Saint-Empire romain germanique). Le couronnement de Hugues Capet, en 987, jette les bases du royaume de France.

Le bas Moyen Âge

xie-xve siècles

Accédant à l'autonomie vers l'an mille, la civilisation occidentale s'affirme durant le bas Moyen Âge. En témoignent l'originalité et l'étonnante maîtrise qu'attestent l'art roman, puis l'art gothique*. En témoigne aussi la renaissance d'une littérature (*cf.* Courtoisie, Épopée) et d'une réflexion qui vont se focaliser, à partir du xiiie siècle, dans les « Universités ». Au même moment, en Angleterre, en France, la renaissance du pouvoir royal met un frein à l'émiettement et au désordre féodal. Ce dynamisme de l'Occident se concrétise dans l'aventure des croisades*, entreprise de refoulement et de reconquête face aux pays de l'Islam qui, si elle échoue en Orient, réussit à récupérer l'Espagne.

Cet essor de l'Occident contraste avec le lent déclin de l'Empire byzantin*, que les Occidentaux contribuent à affaiblir un peu plus en saccageant Constantinople en 1204. La prise de cette ville par les Turcs musulmans, en 1453, et la disparition du vieil empire seront considérées plus tard comme marquant la fin du Moyen Âge.

En fait, le bouillonnement intellectuel de l'Italie du xve siècle, les Grandes Découvertes* maritimes des Portugais et des Espagnols, l'invention de l'imprimerie sont des facteurs plus déterminants pour annoncer le changement et l'émergence de la modernité.

● **À CONSULTER :** J. Delorme, *Les Grandes Dates du Moyen Âge*, PUF (10e éd., 1995). M. Banniard, *Le Haut Moyen Âge occidental*, PUF (3e éd., 1991). G. Fournier, *Les Mérovingiens*, PUF (2e éd., 1994). R. Mussot-Goulard, *La France carolingienne*, PUF (2e éd., 1994) ; *Charlemagne*, PUF (2e éd., 1992). J. Beckwith, *L'Art du haut Moyen Âge*, Thames & Hudson (1993).

● **CORRÉLATS :** Antiquité (basse) ; byzantin (Empire) ; christianisme (débuts du) ; courtoisie ; croisades ; Église catholique ; empire ; esclavage ; Europe (idée d') ; féodalité ; gothique (art) ; Invasions (Grandes) ; islam ; romain (Empire) ; roman (art) ; systèmes économiques.

MUSIQUE MODERNE ET CONTEMPORAINE

● **ÉTYM. :** Du latin *musica*, issu du grec *mousikê* (« art des muses »).

● **DÉF. :** La *musique moderne*, comme l'art moderne*, est née au xixe siècle, en réaction contre les goûts et les valeurs* traditionnels. La recherche de voies nouvelles, et dans les règles d'écriture, de composition, et dans les thèmes d'inspiration, aboutit à la constitution d'avant-gardes contemporaines.

Formes traditionnelles et public bourgeois

Au xixe siècle, des conservatoires de musique sont créés en Europe. S'ils fixent et théorisent les bases de la musique (solfège, harmonie, techniques instrumentale et vocale), ils ont aussi un rôle conservateur, au sens péjoratif du terme : les progrès techniques s'accompagnent d'une stagnation de la création. De plus, comme la peinture, la musique subit la pression des changements sociaux : effacement des aristocraties et de leur mécénat, triomphe de la bourgeoisie*. La création artistique dépend désormais d'un public nouveau, bourgeois, attaché aux formes anciennes, classiques*. En matière d'harmonie, toute dissonance est vite assimilée à une cacophonie, comme le montre, par exemple, le scandale que suscite, au milieu du xixe siècle, la musique de Wagner (1813-1883).

Le public bourgeois recherche le spectaculaire, l'effet, d'où son goût pour les virtuoses comme Paganini (1782-1840) au violon ou Liszt (1811-1886) au piano. Il se plaît à un certain exotisme en relation avec la redécouverte romantique* des folklores, mais qui s'affadit aisément en recherche de pittoresque ou de couleur locale : c'est l'espagnolisme de la *Carmen* (1874) de Bizet ou de la *Symphonie espagnole* (1873) de Lalo. De même, les genres « faciles », tels que l'opérette, triomphent. La création musicale fait alors grand usage du préfixe *néo-* : en France on parle du « néoclassicisme » de Saint-Saëns (1835-1921) ; en Allemagne c'est le « néoromantisme » de Brahms (1833-1897), de Bruckner (1824-1896) ou de Mahler (1860-1911), qui donne à la symphonie des formes monumentales, voire démesurées.

Les avant-gardes musicales

C'est contre la recherche exagérée de l'expressivité que s'ouvre la musique moderne, avec trois courants principaux dominés par le Français Debussy, le Russe Stravinski et l'Autrichien Schoenberg.

■ Debussy et l'impressionnisme

En 1887, s'introduit, dans la critique musicale française, le terme *impressionnisme** : les musiciens, menés par Debussy (1862-1918), se rapprochent des peintres en leur empruntant leurs thèmes (brouillard, mer, nocturne, effets d'eau...). On préfère les pièces courtes et raffinées aux œuvres grandiloquentes. L'instrumentation recherche la légèreté, avec la flûte, la harpe ou le piano. Enfin, Debussy invente une nouvelle conception de l'harmonie en enrichissant l'harmonie classique d'intervalles inédits qui permettent de créer de nouvelles « couleurs musicales ». Ravel (1875-1937) et Fauré (1845-1924) participent activement à cette école française.

■ Stravinski et l'expressionnisme

L'expressionnisme* musical, illustré entre autres par Stravinski (1882-1971) à ses débuts, se caractérise par ses thèmes : la révolte, la violence, une certaine barbarie, la folie et la déviance. D'un point de vue formel, on explore la richesse des timbres, qui fait ressortir les vents et les percussions, au détriment des cordes. *Le Sacre du printemps* (1913) présente des innovations spectaculaires en matière de rythmes.

■ Schoenberg et l'abstraction

Schoenberg (1874-1951) opère en musique une rupture comparable à celle de l'abstraction en peinture : il en révolutionne non seulement les thèmes, mais aussi les formes et les structures. D'abord proche du néoromantisme et de l'expressionnisme, il va rechercher un art austère, simple, débarrassé de toute ornementation. Comme l'art abstrait*, la musique vise la forme pure.

Au début du XXe siècle, avec ses disciples Berg et Webern, il accomplit la révolution de l'atonalité, puis précise son inspiration en devenant le théoricien de ce qu'on appelle « dodécaphonisme » ou « musique sérielle » : il postule l'égalité des douze sons de l'échelle musicale, supprimant toute hiérarchie et attraction entre les notes. La composition qui en résulte bouleverse complètement les habitudes auditives du public.

La musique contemporaine

Les courants de la musique contemporaine peuvent sembler d'apparence éclatée, mais on peut néanmoins distinguer de réelles filiations.

Messiaen (1908-1992) succède à Debussy dans beaucoup de domaines, en particulier dans son style harmonique et dans l'écriture pour piano. Il crée de nouveaux modes dits « non rétrogradables », car symétriques. Il poursuit la tradition d'une musique française ornementée et colorée. Homme de foi, sa musique est surtout religieuse. Il s'est aussi intéressé aux chants d'oiseaux, les transcrivant pour les intégrer dans nombre de ses pièces.

Varèse (1883-1965) est l'héritier de Stravinski dans son travail sur les rythmes et les vents, le pupitre des cordes devenant, avec lui, secondaire.

Boulez (né en 1925) reprend à Schoenberg son parti pris pour la musique sérielle, et prolonge le mouvement d'émancipation de la musique de l'héritage romantique.

ENJEUX CONTEMPORAINS

Art et société

La musique moderne, et surtout contemporaine, se caractérise par son extrême élitisme. À aucun moment de l'histoire culturelle de l'Occident, un tel hiatus n'est apparu entre la sensibilité du public et l'esthétique* développée par la composition musicale savante.

À l'heure de la culture de masse, l'expression musicale du XXe siècle doit sans doute puiser dans d'autres formes, comme le jazz*, matière à son propre renouvellement.

● **CORRÉLATS :** art abstrait ; art moderne ; bourgeoisie ; classique (musique) ; expressionnisme (musique) ; impressionnisme ; jazz ; romantisme (musique).

MYTHE

● **ÉTYM. :** Du grec *muthos* (« récit, fable »). ● **DÉF. :** Un *mythe* est une histoire exemplaire, qui se raconte depuis la nuit des temps, qui n'a pas d'auteur précis, et qui explique, pour un peuple donné, les grandes énigmes du monde et les comportements humains. Le mythe est au carrefour de la civilisation, de la religion, de la mémoire et de la culture.

Mythe et origine

Selon M. Éliade, « le mythe raconte une histoire sacrée ; il relate un événement qui a eu lieu dans le temps primordial, le temps fabuleux des "commencements" ; il raconte comment, grâce aux exploits des êtres surnaturels, une réalité est venue à l'existence, que ce soient la réalité totale, le cosmos, ou seulement un fragment (île, plante, institution) ».

Le mythe est toujours le récit d'une création, et il est considéré comme une « histoire vraie » : « le mythe cosmogonique est vrai parce que l'existence du monde est là pour le prouver », poursuit Éliade. Ainsi, le mythe met en scène les grandes questions que se posent les hommes : d'où vient le monde ? Qu'est-ce que la vie ? la mort ? Toutes les civilisations ont créé des croyances et des mythes pour donner sens à leur venue au monde : le jardin d'Éden permet de dire la naissance de l'humanité ; l'aventure de Remus et Romulus, celle de Rome*. Car les hommes ont besoin de nommer le « commencement », l'origine, pour comprendre qui ils sont, en tant qu'espèce et en tant que culture.

Muthos et *logos*

Le *muthos* pense le monde en le racontant avec des récits foisonnant d'images, à la différence du *logos*, discours logique et philosophique, qui le pense au moyen de concepts.

Lévi-Strauss caractérise ainsi la pensée mythique : « Nous raisonnons un peu de cette façon quand, sollicités de donner une explication, nous répondons par "c'est quand" ou "c'est comme". Pourquoi les serpents n'ont-ils pas de pattes ? C'est quand Dieu les a condamnés à ramper dans la poussière. Pourquoi l'amour-propre ? C'est comme Narcisse fasciné par son image. »

Si la philosophie grecque s'est posée en cherchant à supplanter la pensée mythique jusqu'alors prédominante, l'une et l'autre prétendent au sens et à la vérité : Platon* (427-347 av. J.-C.), dans le livre II de *La République*, tient le mythe pour une allégorie qui exhibe – en les voilant sous un récit – des vérités. Il faut donc saisir ces vérités, et se défaire alors de l'inutile vêtement qu'est le récit mythique. Cependant, Platon a recours au mythe dans ses dialogues mêmes, à l'intérieur du *logos*, pour évoquer ce qui ne s'exprime pas par la pensée dialectique : dans le mythe d'Er le Pamphylien, ce chevalier mort au combat revient parler de l'au-delà, aborde la nature et la destinée des âmes. Le mythe ne saurait se réduire à un état préscientifique de la pensée, comme s'il renvoyait à une enfance de la pensée et la philosophie à un état adulte. Le mythe raconte, explique et révèle le monde d'une manière autre, et non pas inférieure. Car le mythe est « parole », et ce qu'il dit ne saurait être dit autrement.

Mythe et société

L'ethnologie* analyse les mythes afin de dégager les fondements et les fonctionnements d'une société* : sens de ses institutions, relations homme/femme, ancien/jeune, hommes/dieux... Chaque mythe propose ainsi une grille qui « permet de déchiffrer un sens, non du mythe lui-même, mais de tout le reste : images* du monde, de la société, de l'Histoire, tapies au seuil de la conscience, avec les interrogations que les hommes se posent à leur sujet » (Lévi-Strauss, *De près et de loin*).

Mythe, récit et personnage

Les personnages mythiques renvoient toujours aux grandes interrogations concernant la condition humaine : ainsi Ulysse, dans son odyssée à travers la Méditerranée, illustre-t-il la rencontre du Grec avec les non-Grecs (*cf.* Épopée). L'aventure du personnage avec le Cyclope a une signification anthropologique, et la victoire du Grec habile traduit le triomphe de l'homme,

« mangeur de pain », sur le monstre, mangeur de chair humaine. La référence d'Ulysse permet aux Grecs de se penser culturellement et d'identifier leurs valeurs*. Mais Ulysse n'a pas été inventé *pour* refléter la culture grecque : comme le souligne Lévi-Strauss, les hommes ne pensent pas dans les mythes, mais « les mythes se pensent dans les hommes, et à leur insu ».

Mythe et psychanalyse

La psychanalyse*, dans ses différents courants, considère les récits mythiques comme la formulation de structures inconscientes : ainsi Freud (1856-1939) utilise-t-il le personnage d'Œdipe* pour mettre en lumière les relations complexes unissant l'enfant à sa mère. Jung (1875-1961) installe pour sa part l'idée d'« inconscient collectif » qui apparaît dans des symboles culturels tels les mythes, les contes*, le folklore.

Les figures mythiques

Les mythologies grecques et latines, la Bible* dans une certaine mesure, les cultures occidentales (Celtes), orientales (Chine, Japon), africaines (Égypte) ont légué, à travers les siècles, de multiples personnages exemplaires et emblématiques. Certains personnages sont devenus des noms communs (« un hercule », « un phénix ») ; d'autres ont donné naissance à des adjectifs (« prométhéen », « protéiforme », « hermétique »).

La création de personnages mythiques n'est pas limitée aux temps anciens : chaque époque produit ses figures mythiques, individuelles ou génériques. Ainsi Faust*, qui naît dans l'Allemagne médiévale, est repris et transformé, par Marlowe (1564-1593), puis par Goethe (1749-1832), et par bien d'autres ensuite ; de même pour don Juan*, créé dans l'Espagne catholique du XVIIe siècle. Des personnages historiques accèdent aussi au statut de figures mythiques : Jeanne d'Arc, Robin des Bois, Guillaume Tell, Napoléon*...

L'époque moderne, notamment avec le cinéma*, engendre des figures mythiques. Les États-Unis ont notamment fabriqué le mythe du *cow-boy*, ou de l'extra-terrestre : Batman, apparu pendant la crise de 1929, rassemble les hantises et les fantasmes d'une société confrontée au marasme économique. Le sens du terme *mythe* s'est ici appauvri : il ne s'agit plus d'un récit problématique dont le sens ne saurait être épuisé, mais d'une figure à valeur symbolique, historiquement limitée. Barthes a étudié, dans ses *Mythologies*, la spécificité de ces images contemporaines.

Enfin, des idées ou des notions peuvent être qualifiées de « mythes » : on parle du mythe du « progrès* » ou du « bon sauvage » au XVIIIe siècle. L'historien R. Girardet a distingué quatre grands mythes (la conspiration, le sauveur, l'âge d'or, l'unité) pour décrire l'imaginaire politique français depuis le XIXe siècle.

Mythe et littérature

Les œuvres littéraires, et plus généralement artistiques, se nourrissent des mythes. Racine (1639-1699) avec ses tragédies* (*Phèdre, Iphigénie*...) part des mythes grecs déjà repris par les tragiques du Ve siècle, et les interprète. Quinze siècles séparent Sophocle (Ve siècle av. J.-C.) et Anouilh (1910-1987), dans leur représentation d'*Antigone* : les dimensions politiques, idéologiques, psychologiques des deux pièces sont radicalement différentes. Anouilh, en 1944, fait tenir à son personnage d'Antigone*, face à Créon, un discours qui se voulait en écho avec l'époque troublée de la Seconde Guerre mondiale*.

Les romanciers sont largement tributaires de situations ou de composants issus des mythes : ainsi le labyrinthe est-il une clef pour l'*Ulysse* (1922) de Joyce, pour *Le Château* (1926) de Kafka, pour *L'Emploi du temps* (1956) de Butor, pour certains contes de Borges.

Enfin, les œuvres littéraires donnent à leur tour naissance à des figures mythiques : le Cid, don Quichotte, Gavroche, Robinson Crusoé, Gulliver concrétisent nos aspirations, nos doutes, nos angoisses ou nos désirs. Ces héros de la fiction rejoignent la dimension existentielle des héros de la mythologie.

● **À CONSULTER :** M. Éliade, *Aspects du mythe*, Gallimard (1963). C. Lévi-Strauss, *De près et de loin*, Odile Jacob (1990). R. Barthes, *Mythologies*, Seuil (1970). R. Caillois, *Le Mythe et l'Homme*, Gallimard (1938). J.-P. Vernant, P. Vidal-Naquet, *Mythe et tragédie en Grèce ancienne*, Découverte (1986). R. Girardet, *Mythes et mythologies politiques*, Seuil (1986). Y. Bonnefoy, *Dictionnaires des mythologies*, Flammarion (1981). P. Brunel, *Dictionnaires des mythes littéraires*, Le Rocher (1988).

● **CORRÉLATS :** Antigone ; don Juan ; ethnologie ; Faust ; Frankenstein ; Histoire et historiens ; Moi (figures du) ; Napoléon ; Œdipe ; Platon ; Prométhée ; Roland ; tragédie ; Tristan.

NAPOLÉON

Napoléon Bonaparte, né en 1769 à Ajaccio, a été général de la Révolution française* (1794-1799), Premier consul (1799-1804) et Empereur des Français (1804-1814). Il meurt en 1821, à l'île de Sainte-Hélène, où il avait été déporté par les Anglais en 1815.

Un destin d'exception

1769-1821

Sans la Révolution française, Napoléon Bonaparte, issu de très petite noblesse corse, aurait sans doute accompli une obscure carrière d'officier subalterne d'artillerie, dans une armée royale qui réservait ses grades supérieurs à la haute aristocratie. Lieutenant en 1789, il se fait remarquer en 1793, lors de la reprise de Toulon aux Anglais. Proche alors des républicains radicaux de la Montagne, protégé du frère de Robespierre, il est nommé général.

Écarté après le 9 thermidor, il se rapproche ensuite de Barras, le nouvel homme fort. Il sauve le régime par son action, lors du soulèvement royaliste du 13 vendémiaire (5 octobre 1795) ; il devient alors commandant en chef des troupes de l'intérieur, puis commandant de l'armée d'Italie (mars 1796). Il révèle là un réel talent militaire : rapidité d'action, décision, sens de l'improvisation qui déconcerte l'adversaire... Vainqueur des Autrichiens, il leur impose ses conditions sans trop tenir compte des instructions de Paris, et les contraint à la paix (traité de Campoformio, 1797). Il devient extrêmement populaire, dans l'armée comme dans l'opinion, et se lance alors dans la campagne d'Égypte (1798).

Sollicité en 1799 par les hommes politiques (Talleyrand, Sieyès...) qui complotent pour réformer les incertaines institutions de la Ire République (le Directoire), il conduit le coup d'État du 18 brumaire (9 novembre 1799), mais écarte aussitôt ses associés pour imposer un régime consulaire qui dissimule en fait sa dictature.

Premier consul d'abord pour dix ans, puis à vie, il franchit le pas en 1804 en rétablissant à son profit une monarchie. Devenu Napoléon Ier, Empereur des Français, il s'assure en six ans, par une suite de victoires fulgurantes (Ulm, Austerlitz, Friedland...), la maîtrise de presque toute l'Europe continentale.

Un personnage controversé

Napoléon demeure aujourd'hui le personnage le plus controversé de l'histoire française. Autoritaire, égocentrique, cynique, méprisant les hommes, il n'attire guère la sympathie, mais il est difficile de ne pas lui reconnaître du génie. Au plan militaire, c'est le plus grand capitaine de son temps, mais par son pragmatisme, son souci de l'efficacité, les choix qu'il sait faire, il se révèle aussi un remarquable politique.

Quand il prend le pouvoir, en 1799, le régime mis en place par la Ire République sombrait dans le désordre, le discrédit et la faillite. La restauration de la royauté paraissait presque inévitable : elle aurait signifié, à ce moment, la destruction quasi totale de l'œuvre de la Révolution. C'est paradoxalement la dictature de Bonaparte qui va la sauver.

En quatre ans, le régime consulaire garantit l'ordre intérieur, réorganise le pays, restaure les finances, crée une nouvelle monnaie (le franc), rétablit la paix religieuse en signant un Concordat avec le pape (1801), publie le *Code civil* (1804). Sachant emprunter à l'administration d'Ancien Régime ce qu'elle avait de valable, Bonaparte y introduit l'esprit des principes posés par la Révolution : il réussit ainsi une remarquable synthèse, à base de rationalité et d'efficacité, qui fonde une France rénovée dont le système va devenir un modèle d'État*. Certes, le retour à un centralisme strict, la transformation des institutions représentatives en trompe-l'œil éloignent considérablement du projet de 1789, mais l'essentiel des acquis est sauvé. Quand les Bourbons succéderont à Napoléon vaincu, en 1814, ils ne pourront plus revenir à l'Ancien Régime, rendu à jamais caduc par les réformes napoléoniennes.

Pourtant, les moyens employés ont peu à voir avec l'esprit de 1789 et c'est toute l'ambiguïté de l'empire napoléonien. Autoritaire, monocratique, Napoléon impose ses vues. Il applique en fait à la France, avec cinquante ans de retard, l'expérience de despotisme éclairé que les Bourbons n'avaient pas su mettre en œuvre. Si l'Empire avait duré, il se serait sans doute de plus en plus rapproché du modèle absolutiste* auquel la Révolution avait porté un coup mortel. En ce sens, il faut nuancer le jugement porté sur le régime napoléonien : sa chance est peut-être d'avoir été déchu à temps, avant qu'il ne remette en cause les acquis de la Révolution, dont il avait assumé originellement la sauvegarde, mais que sa pratique récusait de fait.

L'engrenage fatal de la politique extérieure

Mis à part le court et illusoire répit de la paix d'Amiens (1802-1803), la France est constamment en guerre pendant la période napoléonienne. Il s'agit essentiellement d'une épreuve de force avec l'Angleterre, dont la puissance financière suscite, sur le continent, des coalitions toujours renaissantes contre la France. Les raisons profondes de cet acharnement britannique donnent au conflit une dimension très moderne.

Pendant la Révolution, la République a mené en Europe une politique de conquête à finalité idéologique, la création de républiques-satellites concrétisant l'exportation des modèles révolutionnaires contre les rois. Napoléon hérite de cet expansionnisme, que Londres ne peut tolérer, moins pour des raisons politiques que par nécessité économique. En effet, déjà engagé dans la Révolution industrielle*, le Royaume-Uni a besoin du marché européen : il ne peut accepter que l'Europe continentale, et spécialement sa façade atlantique, devienne une zone d'hégémonie française. N'ayant pas les moyens terrestres de combattre l'impérialisme français, il dresse contre lui les souverains d'Europe. Pendant dix ans, cette politique anglaise est un échec, le génie militaire de l'Empereur venant à bout de tous ces adversaires, mais c'est précisément parce que l'arme économique est au cœur du conflit que Napoléon est entraîné toujours plus loin. Au blocus maritime anglais, il répond, dès 1806, par le blocus continental, interdisant aux États européens de commercer avec la Grande-Bretagne, dans le but de l'asphyxier économiquement. Pour contraindre des gouvernements rétifs à appliquer ces mesures, Napoléon s'engage dans une logique d'intervention militaire, porté par l'accumulation de ses victoires qui le pousse à écarter les solutions diplomatiques. C'est ainsi qu'il s'enlise dans un interminable conflit en Espagne (1808-1813). De même, maître de l'Europe et près de contraindre l'Angleterre à négocier, il rompt en 1812 avec son allié russe et lui déclare la guerre.

Ayant perdu son armée dans l'immensité russe, il voit alors se rebeller les peuples naguère vaincus. Affrontant l'Europe entière avec des moyens diminués, il est défait, contraint à l'abdication (avril 1814) et exilé à l'île d'Elbe. La tentative de reconquête de son trône, en mars 1815, ne durera que cent jours : la coalition reformée l'écrasera à Waterloo le 18 juin 1815, le contraignant à se rendre aux Anglais.

ENJEUX CONTEMPORAINS

Histoire

La portée de l'aventure napoléonienne dépasse largement la personnalité et les ambitions de l'Empereur. D'une part, il y a les faits : Napoléon a permis l'enracinement en France des principes de la Révolution et, par ses conquêtes, il les a largement exportés ; mais *a contrario*, la domination française a contribué, en Europe, à l'éveil des nationalismes* qu'exaltait au même moment le romantisme* allemand. Sa défaite finale installe pour près d'un siècle l'Angleterre en position de puissance dominante et confirme définitivement son hégémonie maritime. Une grande partie de l'Histoire du XIXe siècle européen sort du séisme napoléonien.

D'autre part, il y a le mythe*, auquel lui-même a contribué par ses mémoires d'exil, rédigés à Sainte-Hélène. Fascinant les romantiques par son destin d'exception, l'homme en qui Hegel* (1770-1831) voyait « l'esprit du monde à cheval » est singulièrement devenu le héros de la Révolution, le porte-parole des nations, la victime de la vengeance des rois, le précurseur génial d'un monde à venir. On a oublié la guerre, le despotisme et, en 1848, cette légende portera son neveu et héritier, le prince Louis-Napoléon (1808-1873) à la présidence de la IIe République française, qu'il renversera par un coup d'État, le 2 décembre 1851, pour rétablir l'Empire.

● **À CONSULTER :** J. Tulard, *Le Directoire et le Consulat*, PUF (1991) ; *Le Premier Empire*, PUF (1992) ; *Napoléon ou le Mythe du sauveur*, Fayard (2e éd., 1986). R. Dufraisse, *Napoléon*, PUF (3e éd., 1996). J.-P. Bertaud, *Le Consulat et l'Empire (1799-1815)*, Armand Colin (1989) ; *La France de Napoléon*, Messidor (2e éd., 1987).
● **À LIRE :** *Napoléon à Sainte-Hélène*, Laffont (1981) [journal tenu par Las Cases et ses compagnons]. Stendhal, *Vie de Napoléon* (1817-1818, 1836-1837) ; *La Chartreuse de Parme* (1839). Hugo, *Les Misérables* (1862). Tolstoï, *Guerre et paix* (1869). Aragon, *La Semaine sainte* (1958). L. Bloy, *L'Âme de Napoléon* (1912). ● **À VOIR :** Gance, *Napoléon* [une épopée du cinéma muet]. Koster, *Désirée*. Bondartchouk, *Waterloo* [reconstitution soviétique historiquement exacte].
● **CORRÉLATS :** contemporaine (Époque) ; empire ; Europe (idée d') ; Hegel ; mythe ; nationalisme ; néoclassicisme ; Révolution française ; romantisme.

NATIONALISME

● **ÉTYM. :** Dérivé de *nation* (du latin *natio*, issu de *natus* : « né »), employé dès le XIIe siècle au sens de « race », « ethnie ». ● **DÉF. :** Le terme *nationalisme* est de formation tardive (début du XIXe siècle). Il désigne une doctrine exaltant le fait national et considérant la nation comme l'élément de cohésion fondamental de la société.

L'idée de nation

Le concept de nation est une idée moderne. Au Moyen Âge*, le sentiment d'appartenir à une communauté était perçu, soit à l'échelle très réduite du village, de la vallée où l'on vivait, soit de manière plus abstraite et très large, au plan du religieux (la Chrétienté). Le fait d'être sujet de tel seigneur, de tel roi ne suffisait pas à fonder des solidarités particulières et, moins encore, la reconnaissance d'une origine commune.

Après la Renaissance*, les États* dynastiques se constituent et, l'imprimerie aidant, des modes de pensée et des usages linguistiques communs commencent à se développer : se forme alors, très lentement, une « conscience nationale ». Cependant, jusqu'au XVIIIe siècle, elle reste plus l'allégeance à un roi, donc l'appartenance à un État que le sentiment de faire partie d'un peuple. La diversité des coutumes et des parlers populaires, la difficulté des communications favorisent le maintien des particularismes locaux.

C'est dans le courant du XVIIIe siècle et au sein de l'élite lettrée que se diffuse le discours sur la nation. D'emblée, deux définitions antithétiques se dégagent et les événements de la Révolution française*, joints à l'affirmation du romantisme*, accentuent la différence.

En France – l'un des plus anciens États constitués d'Europe –, la « nation » devient le maître mot de la Révolution naissante. Il signifie l'ensemble des citoyens, ce peuple dans sa totalité dont la souveraineté se substitue à celle du monarque de droit divin. « La nation existe avant tout, elle est l'origine de tout, sa volonté est toujours légale ; elle est la loi même », écrit l'abbé Sieyès, l'un des théoriciens politiques de 1789. Cette définition ne fait référence à aucune racine, à nul caractère ancestral commun. La nation est contractuelle, formée de ceux qui veulent vivre sous

les mêmes lois, quels que soient leurs origines, leur religion, leur lieu de naissance. Le concept rejoint ainsi la vieille tradition monarchique du « droit du sol », qui rendait sujet du roi tout étranger né dans les limites du royaume.
Au même moment, une acception différente se dégage en Allemagne, à partir de l'œuvre de Herder (1744-1803), philologue doublé d'un philosophe. Elle fait de la nation une « communauté naturelle », où l'on entre par la naissance, un groupe ethnique dont l'enracinement s'inscrit dans un territoire ancestral et dont l'identité se reconnaît dans une langue, des traditions, une culture, ce que Herder décrit comme une sorte d'âme collective, un « génie du peuple » (*Volksgeist*).
Quand la Révolution française va prétendre légiférer pour l'humanité entière, comme en témoigne la *Déclaration des droits de l'homme**, l'opposition de ce particularisme national à cet universalisme qualifié d'abstrait devient, sous la plume de l'Anglais Burke (1729-1797), un argument de la Contre-Révolution*.

Le nationalisme

C'est de la version allemande de l'idée de nation que sort le nationalisme, conséquence du projet de Napoléon* Ier de construire une Europe* centrée sur la France : l'entreprise napoléonienne est perçue par les pays conquis comme la domination d'une puissance étrangère.
Le sentiment national prend forme dans la résistance acharnée des Espagnols dès 1808, dans le soulèvement général des Allemands en 1813, préparé par les *Discours à la nation allemande* de Fichte (1762-1814). Après 1815 et la tentative des vainqueurs de Napoléon de reconstruire l'Europe des monarchies sans prendre en compte les aspirations des peuples, il devient formulation politique et participe de l'action révolutionnaire.
Là se situe une ambiguïté majeure : l'idée française de nation identifiée au peuple souverain des révolutionnaires, inséparable de la contestation de l'absolutisme*, se mêle à l'acception ethnique et culturelle portée par le romantisme allemand, au point de fondre dans un même projet, en Europe centrale, la volonté d'émancipation politique et sociale, et la revendication d'indépendance de l'État-nation. Les mouvements de 1848 en témoignent, mettant en péril la monarchie autrichienne multiethnique, jetant les bases d'une unité de l'Allemagne et de l'Italie fondée sur les critères linguistiques et historiques herdériens. Pendant les deux premiers tiers du XIXe siècle, l'affirmation des nationalités participe de la liquidation révolutionnaire des « anciens régimes » européens.

La dérive nationaliste

Rares sont à l'époque les esprits qui discernent les risques pervers des idéologies* nationalistes et qui, vainement, mettent en garde : lord Acton (1834-1902), qui voit dans le nationalisme un retour en arrière, le socialiste Proudhon (1809-1865), l'historien E. Renan (1823-1892) pour qui l'avenir est une « confédération européenne ». D'une part, la revendication du nationalisme ethnique ne peut se définir que *contre* d'autres nations ; d'autre part, une fois l'indépendance acquise, le nationalisme se veut unificateur et ne tolère pas les minorités qui doivent s'intégrer de gré ou de force ; enfin, de révolutionnaire, il devient toujours conservateur, hanté qu'il est par la crainte de la décadence et de l'invasion étrangère (agression ou immigration). Il est porteur d'inimitié, de xénophobie qui débouchent sur l'exclusion et sur la guerre.
La Première Guerre mondiale* en est, dans une large mesure, le produit : sans les haines nationalistes, il est probable que l'imbroglio diplomatique de l'été 1914 n'aurait pas abouti à l'effroyable tuerie qui dura jusqu'en 1918. En s'inscrivant ensuite sans réserve dans la logique « une nation, un État », le traité de Versailles de 1919 ne fait qu'émietter l'Europe et multiplier les problèmes de minorités. Il en sort une nouvelle explosion des nationalismes agressifs qui tourne, en Allemagne avec le nazisme*, au racisme, provoquant la Seconde Guerre mondiale* en 1939 et des crimes aussi monstrueux que l'extermination des juifs ou des tziganes.

ENJEUX CONTEMPORAINS

Idéologie
Si l'existence du sentiment national est indéniable, il faut le relativiser et comprendre qu'il est toujours le produit d'une Histoire* qu'il faut se garder de mythifier. Le romantisme a inventé des origines, il a vu des racines ethniques là où il n'y avait que diffusion tardive de modèles culturels. Cette approche irrationnelle a nourri les dérives racistes qui ne reposent sur aucune base historique ou scientifique (*cf.* Génétique).

Après la Seconde Guerre mondiale, le nationalisme a connu une longue éclipse en Europe, recouvert à l'Est par l'emprise uniformisatrice du communisme soviétique*, concurrencé à l'Ouest par l'émergence de l'idée européenne. La longue crise* économique de la fin du XXe siècle, l'effondrement du communisme et la disqualification des idéologies révolutionnaires l'ont soudainement réveillé, disloquant l'ex-URSS, brisant l'unité tchécoslovaque. L'éclatement de la Yougoslavie a brutalement rappelé à quels excès d'horreur et d'absurde il pouvait conduire. Il a généré dans les vieux États de l'Ouest européen des revendications régionalistes promptes à recourir au terrorisme et fait réapparaître des courants d'extrême droite* xénophobes, sinon racistes.
L'expérience du début du XXe siècle doit rendre vigilant. L'internationalisation des échanges économiques et culturels, l'extension des pratiques démocratiques sont les meilleurs antidotes au repli sur soi nationaliste. L'avenir n'est pas au retour au « tribalisme », mais à la constitution de grands ensembles politiques, respectueux des particularismes qui fondent la conscience nationale, conformément à la première et véritable définition de la nation, celle de 1789. En ce sens, la concrétisation politique de l'Union européenne* peut devenir un modèle.

● **À consulter :** E. Hobsbawm, *Nations et nationalisme depuis 1780*, Gallimard (1992). E. Gellner, *Nations et nationalisme*, Payot (1989). J.-L. Chabot, *Le Nationalisme*, PUF (3e éd., 1995). P. Sabourin, *Les Nationalismes européens*, PUF (1996). ● **À lire :** C. Hagège, *Le Souffle de la langue*, Odile Jacob (1994).
● **Corrélats :** aire culturelle antisémitisme ; contemporaine (Époque) ; contrat social ; Contre-Révolution ; droite/gauche ; droits de l'homme ; Europe (idée d') ; fascisme ; guerres mondiales ; institutions internationales ; Napoléon ; national-socialisme (nazisme) ; populisme ; Révolution française ; romantisme ; sionisme ; Union européenne.

NATIONAL-SOCIALISME (NAZISME)

● **Étym. :** De l'allemand *National-Sozialismus* (de même sens), en abrégé *nazi*.
● **Déf. :** Le national-socialisme est une doctrine développée en Allemagne par Hitler, dans le cadre d'un parti fondé en février 1920 (*National-Socialistische Deutsche Arbeiter Partei*), qui prétendait, à ses origines, concilier le nationalisme* et une politique sociale. Hitler et le parti national-socialiste ont dirigé l'Allemagne de 1933 à 1945.

La conquête du pouvoir

L'histoire du nazisme, la plus funeste des idéologies* conçues au XXe siècle, se confond totalement avec celle de son créateur, Adolf Hitler (1889-1945).
Apparu dans les remous qui suivent la défaite allemande de 1918, le parti national-socialiste des travailleurs allemands (NSDAP) n'est d'abord qu'un groupuscule d'extrême droite implanté à Munich (Bavière), repris en main et réorganisé par Hitler, qui s'y découvre un remarquable talent de tribun populaire.
Après une maladroite tentative de putsch (Munich, 8-9 novembre 1923) qui lui vaut une interdiction temporaire et la brève incarcération de son chef, le mouvement renaît, porté par l'angoisse provoquée en Allemagne par la soudaineté et la violence de la crise* de 1929. Ayant fait le choix de la légalité et du suffrage universel, c'est constitutionnellement que Hitler est appelé à la Chancellerie, en janvier 1933, par le président de la République allemande, le vieux maréchal von Hindenburg. À ce moment, le parti nazi est loin d'être majoritaire, mais une série de manœuvres et de provocations lui fournit les prétextes pour démanteler et dissoudre les autres formations politiques et instaurer, en moins d'un an et demi, un régime de dictature.

Un nationalisme raciste

Par son organisation – le pouvoir absolu de son chef et le caractère irrationnel de sa relation au peuple – et son rejet du libéralisme*, du socialisme* marxiste et de la démocratie* parlementaire, le nazisme s'apparente au fascisme* italien, qui lui a effectivement servi de modèle.

Il s'en différencie pourtant par le caractère fondamentalement raciste qu'il donne à son nationalisme.

Exposée dans un livre nébuleux et confus *Mein Kampf* (« Mon combat ») écrit en prison par Hitler en 1925, l'idéologie nazie pose comme loi de la nature l'existence de races humaines inégales entre elles. Les « Blancs aryens » constitueraient la race supérieure, créatrice de la civilisation et destinée à dominer le monde : les peuples germaniques seraient, de tous les peuples d'Europe, ceux où le sang aryen serait demeuré le plus « pur ».

Dans cette perspective, rien n'est pire que le mélange racial, le métissage : il est synonyme d'abâtardissement, de décadence. Le peuple allemand doit donc œuvrer d'urgence à restaurer sa pureté raciale, gage de sa future grandeur, en éliminant les éléments qui le corrompent et, en premier lieu, les juifs, « éternels dissolvants de l'humanité », écrit Hitler. Il doit aussi se donner l'« espace vital » nécessaire à son épanouissement par la conquête de terres, à l'Est, au détriment des Slaves, peuples métissés à peine bons à fournir une main-d'œuvre servile à la « race des seigneurs ».

Le fondement de ces théories remonte au XIXe siècle : l'inégalité des races, la prétendue supériorité aryenne sont apparues dans le sillage du darwinisme (le grand naturaliste anglais ne les ayant d'ailleurs jamais cautionnées). Par contre, avant Hitler, personne n'en avait fait un programme politique : il s'agit d'élucubrations sans aucun fondement scientifique (*cf.* Génétique) et assénées sans la moindre démonstration. Elles vont pourtant fasciner le peuple allemand et même – ce qui est plus grave – des intellectuels* respectés.

Une dérive criminelle

C'est que le succès de Hitler est moins lié aux théories délirantes qu'il professe qu'aux circonstances et à ses talents de démagogue. Dans un pays humilié par le traité de Versailles de 1919, dévasté par la crise financière de 1923, traumatisé par la dépression économique et dépourvu de vraie tradition démocratique, le discours hitlérien est surtout reçu comme un appel au redressement, à la reconquête de la dignité et de la grandeur nationales. Hitler sait très habilement déguiser en arguments politiques les préjugés populaires : la xénophobie, l'antisémitisme*, l'antiparlementarisme. Sa rhétorique pseudo-révolutionnaire travestit son conservatisme en apparente modernité. Comme tous les populismes*, le nazisme est un fournisseur de certitudes simples aux allures d'évidences, une mystification politique.

Nombreux sont d'ailleurs ceux qui, en Allemagne, ne prennent pas au sérieux les propos fumeux de *Mein Kampf*. La droite* conservatrice voit surtout dans le nazisme un moyen de barrer la route à une subversion communiste* qu'elle redoute : ce sont ses manœuvres qui amènent Hitler au pouvoir.

Fort d'un mouvement remarquablement organisé dont les groupes paramilitaires, les « Sections d'assaut » (SA), pratiquent l'intimidation et font régner une terreur de rue, Hitler s'empare de l'Allemagne, l'écrase sous sa propagande et fait plébisciter l'abolition de la République, à la mort du président Hindenburg (août 1934). Hitler, chef du gouvernement, chef de l'État, *Führer* (« guide ») du IIIe Reich national-socialiste, détient un pouvoir absolu.

Il entreprend alors de mettre méthodiquement en œuvre le projet d'État racial exposé dans *Mein Kampf*. Dans un pays étroitement contrôlé par les organisations du parti unique, où la jeunesse est encadrée et endoctrinée dès l'enfance, des critères raciaux réglementent les mariages ; handicapés et malades mentaux sont officiellement supprimés (*cf.* Bioéthique). En septembre 1935, les lois de Nuremberg font des juifs allemands des « non-citoyens » ; opposants et suspects sont enfermés dans des camps de concentration.

L'opinion internationale ne s'émeut guère. Un mélange d'indifférence, de lâcheté et, chez certains, de calcul cynique (le régime hitlérien pourrait être l'instrument d'une destruction du communisme soviétique) sert les desseins du Führer, qu'on persiste à croire plus politique qu'idéologue.

C'est sa politique étrangère qui inquiète. La peur de la Seconde Guerre mondiale* fait tolérer son entreprise systématique de destruction du traité de Versailles (réarmement allemand, occupation de la zone démilitarisée de Rhénanie). Elle conduit, jusqu'aux accords de Munich de septembre 1938, à accepter ses annexions (Autriche en mars 1938, démembrement de la Tchécoslovaquie en septembre 1938). La France et l'Angleterre ne se résolvent à la guerre que lors de l'agression contre la Pologne en septembre 1939, et c'est moins contre l'idéologie nazie que contre un nouvel impérialisme allemand qu'elles prennent alors les armes.

Les conquêtes fulgurantes de l'armée allemande, de 1940 à 1942, l'entreprise de nazification de l'Europe, la cruauté de l'occupation allemande en Pologne, en Ukraine, l'extermination systématique des juifs (plus de 5 millions de morts), dont les Alliés ne prendront d'ailleurs la pleine mesure qu'après leur victoire, révèlent la vraie nature du régime hitlérien et transforment la guerre en croisade antinazie et antifasciste.

L'aventure hitlérienne s'achève pour l'Allemagne en apocalypse. Écrasée par la coalition des démocraties – conduites par les États-Unis – et de l'URSS stalinienne que Hitler, fidèle à son programme, avait attaquée en 1941, l'Allemagne est envahie, démembrée. Le Führer, qui s'est suicidé dans les ruines de Berlin investi par les Russes le 30 avril 1945, laisse un pays non seulement anéanti, mais déshonoré aux yeux de la communauté internationale.

ENJEUX CONTEMPORAINS

Histoire

En jugeant les dirigeants survivants du IIIe Reich, en 1946, à Nuremberg, les puissances victorieuses du nazisme en ont clairement condamné l'idéologie, responsable non seulement de la guerre, mais du génocide et de la dégradation de l'être humain qu'impliquaient ses théories racistes. Pourtant, cette condamnation sans équivoque pour « crime contre l'humanité » n'empêche pas la résurgence actuelle des mouvements néonazis et des dérives extrémistes.

● **À CONSULTER :** C. David, *Hitler et le nazisme,* PUF (13e éd., 1993). J. Toland, *Hitler,* Pygmalion (1986). I. Kershaw, *Qu'est-ce que le nazisme ?,* Gallimard (1992). F. de Fontette, *Le Racisme,* PUF (7e éd., 1992). G. Bensoussan, *Histoire de la Shoah,* PUF (1996). A. Pichot, *L'Eugénisme,* Hatier « Optiques » (1995). E. Conte, C. Essner, *La Quête de la race* Hachette (1995). ● **À LIRE :** G. Grass, *Le Tambour.* P. Levi, *Si c'est un homme.* R. Merle, *La mort est mon métier.* E. Jünger, *Le Travailleur.* B. Brecht, *La Résistible Ascension d'Arturo Ui* ; *Grande peur et misère du IIIe Reich.*

● **À VOIR :** Riefenstahl, *Le Triomphe de la volonté* [le congrès nazi de Nuremberg vu en 1935 par une cinéaste acquise et fascinée]. Visconti, *Les Damnés.* Chaplin, *Le Dictateur.* Spielberg, *La Liste de Schindler.* Rossif, *De Nuremberg à Nuremberg* [téléfilm sur l'itinéraire du nazisme, de 1933 à 1945].

● **CORRÉLATS :** antisémitisme ; bioéthique ; démocratie ; fascisme ; génétique ; guerres mondiales ; idéologie ; institutions internationales ; libéralisme ; nationalisme ; populisme ; socialisme ; totalitarisme.

NÉOCLASSICISME

● **ÉTYM. :** Terme formé du préfixe *néo-,* du grec *neos* (« nouveau, jeune ») et de *classique**, du latin *classicus* (« qui appartient à la première classe des citoyens » ; par extension, artiste ou écrivain de premier ordre). ● **DÉF. :** Apparu à la fin du XIXe siècle, le terme *néoclassicisme* désigne une école artistique et littéraire de la seconde moitié du XVIIIe siècle. Ce courant se caractérise par un retour aux modèles de l'Antiquité* classique.

Une réaction contre le baroque

≈ 1750-1830

Alors que l'élégance et l'exubérance décorative du *rococo,* ultime avatar de l'esthétique baroque*, caractérisent la première moitié du XVIIIe siècle, la seconde voit s'affirmer un style radicalement différent, qui va s'imposer dans le monde occidental au début du XIXe siècle : le néoclassicisme.

Plusieurs facteurs participent à son élaboration. D'une part, le progressif épuisement des formules baroques à l'œuvre depuis un siècle et demi ; d'autre part, un climat culturel nouveau, marqué à la fois par le triomphe du rationalisme des Lumières* et l'éloge de la nature et de la simplicité des mœurs, porté par l'œuvre de Rousseau* (1712-1778). À cela s'ajoute l'engouement pour une Antiquité perçue à travers la morale des héros de Plutarque (≈ 46-125), dont on se plaît à louer les mâles vertus et le courage civique.

Or, cette Antiquité est précisément revisitée à la suite des fouilles ordonnées à partir de 1748 par le roi Charles VII de

Naples sur les sites d'Herculanum et de Pompéi, les deux villes romaines enfouies lors de l'éruption du Vésuve en 79 de notre ère. La publication des découvertes ressuscite un monde ancien non plus imaginé, mais réel qui fascine les artistes. En 1764, l'Allemand Winckelmann (1717-1768), dans son *Histoire de l'art de l'Antiquité*, théorise les principes d'une nouvelle esthétique du retour à l'antique, toute en dépouillement et en grandeur, véritable antithèse du baroque. Elle va se concrétiser dans les années 1770-1780, quand Diderot (1713-1784) écrit qu'il faut « peindre comme on parlait à Sparte* ».

Un style international

Le style néoclassique affecte toutes les formes d'expression artistique.

En France, dans le domaine de l'architecture comme dans celui de l'ébénisterie, il oppose très nettement les époques Louis XV et Louis XVI. Au goût des courbes et de la luxuriance décorative succèdent le retour de la ligne droite et une simplicité des formes qui peut aller jusqu'à la sévérité chez l'architecte Ledoux (1736-1806), admirateur de l'ordre dorique grec et des formes géométriques pures. C'est lui qui construit, à la veille de la Révolution française*, les salines d'Arc-et-Senans (Doubs).

En peinture, le grand initiateur du néoclassicisme est David (1748-1825), dont le *Serment des Horaces*, exposé au Salon de 1785, résonne comme un manifeste. La Révolution, dans son aspiration à la régénération et à la vertu, adopte la nouvelle esthétique, jugée républicaine, mais c'est Napoléon* Ier qui, la répandant dans toute l'Europe, lui donne une dimension internationale. Les architectes Percier (1764-1838) et Fontaine (1762-1853), le sculpteur italien Canova (1757-1822), les peintres David, Prud'hon (1758-1823), Ingres (1780-1867) sont les grands noms du néoclassicisme napoléonien, qui produit en ébénisterie le style Empire.

Dépassant les limites de l'Europe, le néoclassicisme triomphe aux États-Unis (la Maison-Blanche) et en Russie, où architectes italiens et russes font de la capitale impériale, Saint-Pétersbourg, le grandiose décor néoclassique que nous admirons aujourd'hui.

Cependant, ce style marqué par le goût du sublime, du colossal, de l'héroïque, est vite menacé par un académisme sans âme, raide et froid. Dès les années 1820, une réaction s'amorce, portée par les progrès de la sensibilité romantique*. Au néoclassicisme impersonnel et figé dans la référence à ses modèles antiques, on oppose un éclectisme qui cherche l'inspiration dans l'Histoire ou l'art des autres civilisations : l'Angleterre donne l'exemple en redécouvrant le gothique* médiéval. À partir des années 1830, une esthétique « historique », composite, mêle Moyen Âge*, Renaissance*, baroque, néoclassicisme dans ce qui finit par être une absence de style, culminant en France sous le règne de Napoléon III (1852-1870). C'est contre cette dérive de l'art « pompier » que se détermineront, après 1860, l'entreprise picturale des impressionnistes* et les premières tentatives d'une architecture fonctionnelle fondée sur la technique et l'emploi de matériaux nouveaux, prélude à l'émergence de l'art moderne*.

● **À consulter :** F.-G. Pariset, *L'Art néoclassique*, PUF (1974). A. Braham, *L'Architecture des Lumières*, Berger-Levrault (1982). J. Chouillet, *L'Esthétique des Lumières*, PUF (1974). A. Jacques, J.-P. Mouilleseaux, *Les Architectes de la liberté*, Gallimard (1988).

● **Corrélats :** Antiquité ; art moderne ; baroque (art) ; Lumières ; Napoléon ; Renaissance ; romantisme ; Rousseau ; Sparte.

NIETZSCHE

Frédéric-Guillaume Nietzsche naît le 15 octobre 1844, au presbytère de Roecken, en Thuringe, d'une famille de pasteurs luthériens. Enfant et adolescent surdoué, il se passionne d'abord pour la musique*, puis pour la philologie classique : ces deux passions confondues expliquent la fascination qu'il éprouve, à partir de 1868, pour l'œuvre de Wagner (1813-1883), dans laquelle il croit voir la renaissance de la tragédie* antique.

Une esthétique pessimiste

À travers la musique wagnérienne, c'est également la philosophie de Schopenhauer (1788-1860) qui trouve, aux yeux du jeune Nietzsche, une éclatante confirmation : la vérité terrible et cruelle de la vie n'est supportable que par la rédemption de l'art. Dans son premier livre *La Naissance de la tragédie* (1872),

Nietzsche exprime cette conception à l'aide du rapport qu'entretiennent, dans l'esprit grec, Dionysos, le dieu de l'ivresse extatique, et Apollon, le dieu du rêve, de la transfiguration apaisée et sereine.
Plus tard, Nietzsche regrettera, à propos de cette œuvre, de n'avoir pas osé assez tôt être lui-même. Sa véritable philosophie, en effet, va se former contre le pessimisme et le romantisme* de Wagner et de Schopenhauer : si la vérité de la vie est terrible et cruelle, notre tâche ne doit pas être seulement de la supporter, encore moins de nous en consoler, mais de l'aimer, en une joyeuse approbation.

Comment on devient soi-même

Pour mener à bien cette philosophie de l'affirmation dionysiaque, Nietzsche va trouver son style propre : celui des aphorismes, tranchants et provocateurs, qui permettent de multiplier les interprétations en évitant les synthèses trop rassurantes. Allégresse de la démystification et audace de l'expérimentation se conjuguent dans les œuvres de cette deuxième période : *Humain, trop humain* (1878-1879), *Aurore* (1881) et *Le Gai Savoir* (1882-1887). C'est dans *Le Gai Savoir* que Nietzsche énonce pour la première fois la doctrine de l'« éternel retour du même », formule suprême de l'affirmation, autour de laquelle il va bâtir son chef-d'œuvre, *Ainsi parlait Zarathoustra* (1883-1885).
Devenu lui-même, Nietzsche peut donner un nom à sa tâche propre. Il la nomme « transvaluation de toutes les valeurs* » : destruction des valeurs qui ont eu cours parmi les hommes, et création de nouvelles valeurs, par une inversion du principe de l'évaluation : transmutation de valeurs négatives, hostiles à la vie, en valeurs affirmatives, exaltant la vie. Cette tâche impose, dans la dernière période de l'œuvre de Nietzsche, une philosophie « à coups de marteau », afin d'éprouver, et de détruire si besoin est. C'est l'Europe* moderne qui est ainsi violemment ébranlée, dans sa morale* dominante (*Par-delà le bien et le mal*, 1886 ; *La Généalogie de la morale*, 1887), dans sa religion dominante (*L'Antéchrist*, 1888), dans ses multiples « idoles » (*Le Crépuscule des idoles*, 1888).
Le 3 janvier 1889, sortant de la maison qu'il habite à Turin, Nietzsche voit un cocher frapper son cheval avec brutalité ; envahi par la pitié, il se jette au cou de l'animal. Le 17 du même mois, il est interné à la clinique psychiatrique de l'université d'Iéna. Le reste de sa vie, jusqu'à sa mort le 25 août 1900, n'est qu'une longue apathie. Pourtant, cette période appartient encore à l'histoire de la philosophie, à cause du rôle qu'y joue Élisabeth, la sœur de Nietzsche. C'est elle qui organise la diffusion de la pensée de son frère, et en particulier la compilation connue sous le nom de *La Volonté de puissance* (1901), selon des principes aujourd'hui contestés. Plus tard, elle contribuera à associer le nom de Nietzsche au nationalisme* allemand le plus agressif, allant jusqu'à mettre frauduleusement la pensée de Nietzsche au service du national-socialisme*.

La doctrine de la volonté de puissance

Lorsque nous évaluons, lorsque nous posons des valeurs, c'est toujours la vie qui évalue par notre entremise. La certitude inébranlable que Nietzsche accorde à ce principe est la source de son étonnement philosophique. Car parmi toutes ces valeurs qui doivent être rapportées à la vie, certaines, parce qu'elles expriment une vie malade, sont hostiles à la vie, nient la vie : et comment est-il possible qu'il y ait des valeurs hostiles à la vie, alors que rien ne peut être hostile à la vie, qui est tout ?
Pour distinguer correctement les valeurs favorables à la vie de celles qui lui sont hostiles, il faut considérer la façon dont une valeur apparaît comme valeur : par exemple, le fait de venir en aide à autrui peut être considéré comme un acte de valeur positive par le vivant « sain », qui glorifie dans ce comportement sa capacité de se dépasser, mais également par le vivant « dégénéré », qui voit dans cette conduite un acte à encourager s'il veut pouvoir en bénéficier. Dans le premier cas, la valeur vaut parce qu'elle est donnée ; elle exprime alors un type de vie que Nietzsche appelle « force », et qu'il caractérise par la surabondance de vie, le fait d'avoir plus que soi en soi, et de pouvoir jouir sereinement de cette capacité de s'excéder soi-même. C'est dans ce cas seulement que la valeur est favorable à la vie. Sont hostiles à la vie les valeurs de la deuxième espèce, celles qui valent parce qu'elles sont demandées, relativement à un type de vie que Nietzsche nomme « faiblesse », et qu'il définit par la pauvreté de vie, le fait de manquer par rapport à soi-même, et d'avoir à demander pour être.

Valeurs données et valeurs demandées sont issues, les unes comme les autres, de la vie. Que doit être la vie, dans son essence, pour que leur unité y soit contenue ? « Volonté de puissance », répond Nietzsche, soucieux de définir l'essence de la vie par une formule qui contienne à la fois la dimension du don (la puissance qui veut se dépasser) et celle de la demande (la volonté d'acquérir une puissance qu'on n'a pas). La volonté de puissance du fort le rend avide de dominer l'autre en l'assimilant, en lui donnant généreusement sa propre forme, tandis que la volonté de puissance du faible prend l'aspect d'une « lutte pour la vie », soumise à « l'instinct de conservation ».
La volonté de vérité est à la fois le principe des valeurs hostiles à la vie, et le principe de leur autodestruction, puisqu'elle retourne contre elles l'exigence de « vérité à tout prix » à laquelle aucune valeur ne saurait, par principe, résister. Ce processus d'autodestruction est ce que Nietzsche appelle le « nihilisme ».

Le nihilisme

La façon dont la morale européenne dominante s'accomplit, tout en se détruisant, est la manifestation la plus éclatante du nihilisme. Cette morale européenne dominante est selon Nietzsche une « morale d'esclaves* », issue du ressentiment des faibles. Les forts ont également leur morale, dite « morale des maîtres », fondée sur la glorification de soi, et consistant à dire : nous sommes « bons » (valeureux), ceux qui ne sont pas comme nous sont « mauvais » (méprisables). La morale des esclaves renverse cette façon originelle d'évaluer, lorsqu'elle énonce : ceux qui nous mettent en danger (les forts) sont des « méchants », tandis que nous sommes « bons » (inoffensifs). Ce renversement est l'œuvre du ressentiment : l'esprit de vengeance des faibles parvient à justifier le dénigrement des valeurs spontanées par la fabrication de valeurs revanchardes. C'est grâce à la morale du ressentiment que les faibles finissent par vaincre les forts : en les rendant honteux de leur force. Les esclaves l'emportent lorsqu'il n'y a plus de méchants, mais lorsqu'il n'y a plus de méchants leur morale perd sa raison d'être. L'esclave délivré de sa peur avoue que son « bien » n'était qu'un masque, et qu'en ayant l'air de vouloir le bien, il ne visait en fait qu'une destruction pure et simple, si bien qu'il ne lui reste rien à vouloir lorsque cette destruction est accomplie. La morale des esclaves laisse derrière elle un désert.
Toute création de valeurs hostiles à la vie est ainsi une imposture, l'imposture même du ressentiment, qui feint toujours d'affirmer, alors que seule la destruction l'intéresse. C'est selon ce principe que nous devons comprendre la fameuse parole de Nietzsche : « Dieu est mort. » Dans le christianisme*, le rejet de la réalité du monde où nous vivons, s'est fait croyance obstinée en un « au-delà », donnant une force incomparable à la révolte morale des faibles.

L'éternel retour du même

Les quelque dix-neuf siècles pendant lesquels le christianisme s'est maintenu ont permis de façonner ce « sublime avorton » qu'est l'Européen moderne. Le projet d'une transvaluation de toutes les valeurs exige une nouvelle éducation de l'humanité, visant le surhumain. L'instrument de cette éducation doit être la doctrine de l'éternel retour du même, que Nietzsche qualifie de « grande pensée sélective ». Considérée scientifiquement, cette doctrine affirme que le principe de conservation de l'énergie implique le retour cyclique de toutes choses, puisque la force de l'univers est finie et doit donc reproduire perpétuellement ses effets dans un temps infini. Considérée d'un point de vue métaphysique*, elle affirme l'éternité de chaque instant. Considérée moralement, enfin, elle soutient que cette éternité nous fait obligation d'aborder chaque instant, aussi fugitif qu'il semble être, comme le lieu d'une décision absolue : « Veux-tu cela encore une fois et une quantité innombrable de fois ? »

ENJEUX CONTEMPORAINS

Philosophie

Comment peut-on être nietzschéen ? À en juger par les rapports qu'entretiennent Zarathoustra et ses compagnons, dans *Ainsi parlait Zarathoustra*, cette doctrine décourage les disciples : sa thèse suprême, l'éternel retour du même, ne semble pouvoir être formulée authentiquement que dans l'intimité et l'obscurité. À cela s'ajoute le fait que l'influence de Nietzsche, en France surtout, a pu être brouillée et pervertie par la récupération nazie de certains thèmes : la volonté de puissance, les forts et les faibles, le surhomme...

Pourtant, la conjonction est forte entre la critique nietzschéenne de la « modernité » et certains courants* idéologiques contemporains appartenant à la pensée dite postmoderne* : la déconstruction* du discours philosophique et l'éclatement de la notion de sujet* témoignent, chez certains, d'une profonde influence de Nietzsche, à laquelle s'oppose, chez d'autres, une référence privilégiée à la pensée de Kant* (1724-1804). En France, cette actualité de Nietzsche marque l'œuvre de Foucault (1926-1984) et surtout celle de Deleuze (1925-1996).

● **À consulter :** J. Granier, *Nietzsche*, PUF, « Que sais-je ? ». D. Pimbé, *Nietzsche*, Hatier « Profil » (1997).
● **À lire :** *Pourquoi nous ne sommes pas nietzschéens* [collectif], Grasset (1991).
● **Corrélats :** christianisme ; courants idéologiques contemporains ; déconstruction ; Europe ; Kant ; métaphysique ; morale ; nationalisme ; national-socialisme (nazisme) ; postmoderne ; romantisme ; sujet ; tragédie ; valeurs.

Nucléaire

● **Étym. :** Du latin *nucleus* (« noyau »).
● **Déf. :** Le nom *nucléaire* désigne toutes les formes d'utilisation de l'énergie nucléaire, militaires ou civiles, et l'ensemble des problèmes techniques, politiques, écologiques* qui en découlent.

De la découverte aux applications

Mise en évidence par les travaux qui suivirent la découverte de la radioactivité par Becquerel (1896), l'énergie dite « nucléaire » ou « atomique » est libérée par la fission du noyau atomique de l'uranium ou d'éléments transuraniens, comme le plutonium. Une de ses premières applications fut les deux bombes atomiques lancées en août 1945 par l'aviation américaine sur le Japon, événement qui fut le dernier épisode de la Seconde Guerre mondiale*.
Dès les années 1950, des recherches dans le sens d'une utilisation pacifique furent entreprises en vue d'applications civiles, la plus importante étant la production d'électricité. Cependant, que ce soit par la menace sans précédent représentée par l'arme atomique ou par les risques spécifiques qu'implique l'utilisation des substances radioactives, « l'ère nucléaire » pose des problèmes considérables qui engagent à très long terme l'avenir de l'humanité.

Le nucléaire militaire

Seuls, en 1945, à posséder l'arme atomique, les États-Unis s'étaient assuré une suprématie mondiale. Il était donc prévisible que, la guerre froide* s'engageant, l'URSS chercherait à se doter le plus vite possible de l'arme nouvelle : en août 1949, elle faisait exploser sa première bombe atomique.
C'était le début d'une folle course aux armements nucléaires, chacune des puissances cherchant à surclasser l'autre. En 1952, les États-Unis testaient une bombe à hydrogène (thermonucléaire), des milliers de fois plus puissante que la bombe de Hiroshima ; l'année suivante, l'URSS expérimentait la sienne.
D'autres États accédaient bientôt au statut de puissance nucléaire : le Royaume-Uni dès 1952 (avec l'aide des États-Unis), la France en 1960, la Chine en 1964, l'Inde en 1974. Parallèlement, avec le soutien français, Israël s'équipait secrètement ; l'Afrique du Sud, le Brésil, l'Argentine lançaient des programmes.
D'autre part, les vecteurs de la bombe étaient améliorés : du bombardier stratégique classique, on passait en 1957 aux missiles intercontinentaux puis, dans les années 1960, aux sous-marins lanceurs d'engins, eux-mêmes à propulsion nucléaire et quasi indétectables.
L'énorme accumulation de charges nucléaires (ogives) par les deux Grands (plus de 50 000 en 1989) eut au moins le mérite de rendre de plus en plus improbable le glissement de la guerre froide au conflit armé, qui aurait été suicidaire pour les deux protagonistes : c'est ce qu'on a appelé l'« équilibre de la terreur ». Mais elle avait aussi un caractère absurde dans la mesure où il y avait là de quoi détruire plusieurs fois la planète ! Cela conduisit les deux superpuissances à négocier, dès les années 1970, les accords SALT (*Strategic Arms Limitation Talks*) : sans amorcer un

désarmement nucléaire, ils interrompaient une progression insensée et ruineuse.

Cependant, la progressive diffusion de l'armement atomique inquiétait les puissances nucléarisées. Dès 1968, celles-ci avaient signé un traité de non-prolifération visant à interdire l'exportation des technologies nécessaires. Mais si elles réussirent à dissuader le Brésil, l'Argentiine, puis l'Afrique du Sud, elles ne purent empêcher le Pakistan, la Corée du Nord de poursuivre leur programme, ni la Libye, l'Algérie, l'Irak de poser des jalons.

L'éclatement de l'URSS, en 1991, s'il modifiait profondément la problématique, rendit plus aléatoire encore la limitation du nombre des arsenaux nucléaires. En mettant en circulation non seulement un personnel qualifié prêt à vendre ses services, mais aussi des ogives soustraites aux dépôts ex-soviétiques et illégalement négociées, il risquait d'instaurer un système d'équipement atomique au rabais. Cette situation préoccupante explique sans doute l'actuel raidissement des puissances nucléarisées qui tentent, par l'interdiction totale et définitive de tout essai à compter de 1996, de rendre impossible la mise au point d'un armement opérationnel : mais, déjà, le refus de l'Inde et du Pakistan de s'y plier laisse mal augurer de l'efficacité de cette mesure.

Certes, le risque d'un affrontement Est-Ouest s'est dissipé, mais celui d'un antagonisme Nord-Sud, pays pauvres contre pays riches, n'est pas à exclure. L'arme atomique aux mains seulement de quelques grandes puissances, dont les riches pays industrialisés, ressemble fort à une stratégie d'hégémonie visant à contenir la pression des pays pauvres. En revanche, l'arme atomique banalisée, à la portée de tous, y compris d'irresponsables et de fanatiques, conduit à coup sûr à l'irréparable.

Reste évidemment la possibilité d'un désarmement nucléaire général : mais quelle assurance a-t-on qu'il sera respecté ? D'autre part, le retour à la prépondérance des armes classiques est-il vraiment un moyen efficace de faire reculer la guerre ? Ne ramène-t-il pas aux conditions qui prévalurent avant 1945, c'est-à-dire au temps des guerres mondiales ?

Sans doute allons-nous devoir vivre longtemps encore sous la menace du nucléaire militaire, et dans des conditions infiniment plus difficiles qu'au temps de « l'équilibre de la terreur ».

Le nucléaire civil : d'un projet prométhéen aux désillusions actuelles

Au lendemain de la Seconde Guerre mondiale, la révélation de l'énorme puissance représentée par l'énergie nucléaire a alimenté bien des fantasmes, nul ne semblant percevoir les risques de la radioactivité. Dans tous les pays industrialisés, des recherches furent entreprises pour « domestiquer l'énergie atomique ». En 1956, alors que les premières « piles atomiques » étaient mises en service, une Agence internationale de l'énergie atomique était constituée, siégeant à Vienne. On envisageait sérieusement la propulsion nucléaire des navires et simultanément, les États-Unis, l'URSS et l'Allemagne de l'Ouest mettaient en chantier des prototypes de bâtiments de commerce. À la fin des années 1960, des modèles expérimentaux de centrales électriques à chaudières nucléaires fonctionnaient aux États-Unis, en URSS, en France.

Pourtant, les premières critiques apparaissaient. Les « navires atomiques » s'avéraient peu rentables et, surtout, beaucoup de ports ne voulaient pas les accueillir, redoutant les conséquences d'un accident. Finalement, la propulsion navale nucléaire s'est limitée aux bâtiments de guerre, sous-marins ou porte-avions.

Ce sont les deux « chocs » pétroliers des années 1970 qui allaient être la chance du nucléaire civil, producteur d'électricité. Devant l'augmentation brutale du prix des hydrocarbures et la crainte de ruptures d'approvisionnement, de nombreux États s'engageaient dans la voie de l'électronucléaire. En France, le plan Messmer (1973) lançait un programme très ambitieux prévoyant, pour les vingt ans à venir, la production de 80 % des besoins d'électricité par des centrales nucléaires. De grands espoirs reposaient sur les surrégénérateurs, type de centrales susceptibles de produire à la fois de l'énergie et de la matière fissile réemployable : la France entreprenait la construction de l'un d'eux (Super-Phénix) près de Lyon.

Vingt-cinq ans plus tard, les réticences, dans le monde entier, ne viennent plus des seuls militants écologistes. On a découvert le risque nucléaire : en mars 1979, à Harrisburg (Pennsylvanie), on a frôlé la catastrophe dans une centrale qui n'était

plus normalement refroidie, et elle n'a pas été évitée, en avril 1986, à Tchernobyl (Ukraine).
En outre, l'industrie nucléaire s'est révélée productrice d'encombrants et redoutables déchets, émettant pour des siècles, sinon des millénaires, des rayonnements mortels. Les surrégénérateurs ont dû être abandonnés tant ils fonctionnaient mal, et on ne sait que faire du plutonium (le plus dangereux des éléments radioactifs) qu'ils auraient « brûlé ». L'enfouissement sous terre des déchets, seule solution acceptable, se heurte à la résistance des populations. Leur gestion dans le temps donne le vertige : à La Hague, il faudra surveiller en permanence, pendant trois siècles, les 520 000 m^3 de matériaux radioctifs mis en dépôt. Loin d'être l'énergie non polluante qu'il se vantait d'être, le nucléaire génère la plus inquiétante et la plus durable menace pour l'environnement. Enfin, les comptes du nucléaire ont été revus, suite à la baisse des prix des combustibles fossiles, pétrole et gaz naturel. Compte tenu du coût considérable des installations, de celui, plus important encore, de leur démantèlement après usage et de la gestion des déchets, la rentabilité du nucléaire actuel est, à terme, mise en cause.

ENJEUX CONTEMPORAINS

Écologie

Aujourd'hui, l'électro-nucléaire est partout en recul. Seuls la France et le Japon continuent de lui faire pleinement confiance, mais on peut craindre qu'en cas de nouvelle catastrophe (et l'éventualité est loin malheureusement d'en être écartée dans l'ex-URSS, vu la vétusté des installations), il se produirait un brusque et complet retournement de l'opinion, prélude à une réaction de rejet.

● **À CONSULTER :** J. Leclercq, *L'Ère nucléaire*, Le Chêne (1986). C. Lewiner, *Les Centrales nucléaires*, PUF (2e éd., 1991). C. Zorgbibe, *Textes de stratégie nucléaire*, PUF (1993). A. Glucksmann, *Le Discours de la guerre*, LGF (rééd., 1985). A. Touraine, *La Prophétie antinucléaire*, Seuil (1980). P. Lagadec, *La Civilisation du risque*, Seuil (1981). F. Géré, *La Prolifération nucléaire*, PUF (1995). H. Jonas, *Le Principe responsabilité*, Cerf (1990).

● **À VOIR :** Kubrick, *Docteur Folamour*. Resnais, *Hiroshima mon amour* [d'après M. Duras]. Imamura, *La Pluie noire*. Bridges, *Le Syndrome chinois*.

● **CORRÉLATS :** écologie ; guerre froide ; guerres mondiales.

ŒDIPE

Le mythe antique

Fils de Laïos, roi de Thèbes, et de Jocaste, Œdipe est abandonné par ses parents, car il avait été prédit qu'il tuerait son père et épouserait sa mère.
Recueilli par des bergers et élevé par Polybos, roi de Corinthe, il va à Delphes consulter l'oracle sur le mystère de sa naissance. Fuyant ceux qu'il croit être ses parents, il rencontre un homme qu'il tue au cours d'une altercation : c'est Laïos, son père. Arrivé à Thèbes, il croise le Sphinx, qui le soumet à une énigme : « Qui a quatre pattes le matin, deux à midi et trois le soir ? » Il donne la bonne réponse, « l'homme », et le Sphinx se jette dans le précipice : les Thébains reconnaissants font d'Œdipe leur roi et de Jocaste son épouse. La prophétie s'est réalisée.
De ce mariage naquirent Étéocle, Polynice, Antigone* et Ismène. Plus tard, la peste se déclara dans la ville, et le devin Tirésias affirma que le fléau était dû à ce que le meurtrier de Laïos n'avait pas été puni : Œdipe fit mener des recherches, et la vérité éclata. Œdipe se creva les yeux, Jocaste se pendit. Œdipe quitta Thèbes, guidé par sa fille Antigone, et mourut à Colone.
Œdipe est le boiteux (son nom signifie « pieds enflés »), symboliquement celui qui fait claudiquer les repères et les valeurs* de la cité (parricide et inceste) ; il est aussi l'errant, dont le sacrifice rétablira la stabilité dans la cité.

Destin et responsabilité

Les dramaturges grecs Eschyle, Sophocle et Euripide nous ont transmis, dans leurs tragédies*, l'histoire de ce héros soumis à la loi du destin. Au carrefour de la littérature, de l'art, de l'anthropologie et de la psychanalyse*, le mythe d'Œdipe n'a cessé d'être revisité et interprété. L'*Œdipe roi* (≈ 430 av. J.-C.) de Sophocle raconte la découverte, par le personnage devenu roi, de son identité de meurtrier incestueux. Le renversement du destin de ce héros sauveur de Thèbes révèle, au-delà du danger que court la cité lorsque son destin est entre les mains d'un seul, le tragique de la condition humaine.
La grandeur d'Œdipe est dans la revendication de la faute qui, pourtant, à l'origine, est celle de son père, coupable de pédérastie. La rencontre avec le Sphinx place aussi le personnage sous le signe de l'énigme : Œdipe est « celui qui sait », celui qui résout l'énigme tout en se constituant énigme (de la quête de l'origine à la cécité) pour lui-même et pour l'humanité.
Après Corneille et Voltaire, Cocteau avec *La Machine infernale* (1934) et Gide avec *L'Œdipe* (1931) ont mis en scène le destin du héros tragique. Le roman s'est emparé de la figure d'Œdipe avec *L'Emploi du temps* (1956) de Butor et *Les Gommes* (1953) de Robbe-Grillet.

ENJEUX CONTEMPORAINS

Psychanalyse

Freud (1856-1939) a utilisé le mythe pour créer le concept du « complexe d'Œdipe ». La phase œdipienne, caractérisée notamment par la castration symbolique (qui interdit à l'enfant de rivaliser avec le père, de désirer posséder la mère), est essentielle au développement de l'enfant.

● **À CONSULTER :** J.-P. Vernant, P. Vidal-Naquet, *Mythe et tragédie en Grèce ancienne*, Maspero (1972 et 1986). ● **À LIRE :** G. Deleuze, F. Guattari, *L'Anti-Œdipe*, Minuit (1972). ● **À VOIR :** Pasolini, *Œdipe roi*. ● **À ÉCOUTER :** Stravinski, *Œdipus Rex*. ● **CORRÉLATS :** Antigone ; Moi (figures du) ; mythe ; psychanalyse ; tragédie.

OPÉRA

● **ÉTYM. :** De l'italien *opera* (« œuvre »), du latin *opus* (de même sens). ● **DÉF. :** L'opéra est une œuvre qui met en musique un livret théâtral. On distingue deux genres : l'*opera seria* qui se rattache à la tragédie*, et l'*opera buffa* à la comédie*.

Les origines de l'opéra

fin XVIe siècle

L'opéra naît en Italie, à Florence, à la fin du XVIe siècle dans le cadre de l'humanisme* renaissant. Il s'agit de réformer la musique pour retrouver l'inspiration de la tragédie grecque et, en particulier, être fidèle aux sentiments exprimés par le texte. C'est ce que l'on appelle *stile rappresentativo* (« style représentatif »).

L'*Orfeo* (1607) de Monteverdi peut être considéré comme le premier opéra. C'est une œuvre d'art total, unissant musique orchestrale, drame*, danse et chant : y alternent les « récitatifs », où les paroles du drame sont accompagnées par une basse, et les « airs », qui expriment les émotions du personnage. L'opéra va immédiatement devenir l'objet d'une véritable passion en Italie (Rome, Naples et Venise), puis se répandre partout en Europe, comme en témoigne la prolifération des théâtres.

En France, l'opéra s'impose à la cour de Versailles avec Lully (1632-1687), sous la forme de tragédie lyrique. Très généralement, l'opéra des XVIe et XVIIe siècles s'inscrit dans le cadre de l'esthétique baroque*, avec son goût pour l'artifice, les grandes machineries et l'exaltation des sentiments.

Opera seria et *opera buffa*

XVIIIe siècle

C'est au XVIIIe siècle que se distinguent clairement les deux veines, tragique et comique, de l'opéra. Des librettistes comme Zeno et Métastase débarrassent l'opéra des éléments comiques et lui imposent une progression dramatique. Avec Scarlatti (1660-1725) et Haendel (1685-1759), l'orchestration devient plus importante, avec l'apparition d'une ouverture et l'enrichissement symphonique de l'accompagnement des chanteurs. Dans le cadre de l'*opera seria*, se manifeste l'amour du *bel canto*, la passion de la voix qui caractérise le mélomane ; il s'exprime à Naples par l'engouement que suscitent les castrats.

Parallèlement, se développe l'*opera buffa*, dont Pergolèse (1710-1736) est le plus célèbre représentant. C'est dans sa mouvance qu'apparaît en France l'opéra-comique, inspiré de la *commedia dell'arte* italienne et alternant parties parlées et chantées. En Allemagne, se développe le *Singspiel*, genre populaire en langue allemande, que Mozart (1756-1791) illustrera dans des œuvres comme *L'Enlèvement au sérail* (1781) ou *La Flûte enchantée* (1791).

L'évolution de l'opéra

XVIIIe-XXe siècles

À partir du XVIIIe siècle, se font jour de nouvelles exigences musicales qu'on peut repérer dans les œuvres de Gluck (1714-1787), et surtout de Mozart. Une attention plus grande est accordée au livret qui doit comporter une unité dramatique. On recherche surtout une cohérence musicale et orchestrale qui limite la part excessive des solistes. Avec Mozart, qui touche à tous les genres, l'opéra classique* atteint un point de perfection. Après la Révolution française*, la France devient la terre d'élection des compositeurs d'opéra : ce qu'on appelle désormais le « grand opéra », hérité de l'*opera seria*, est illustré par Rossini (*Guillaume Tell*, 1829) ou l'Allemand Meyerbeer (*Les Huguenots*, 1836).

L'esthétique du romantisme* va exercer une forte influence sur l'opéra. Apparaissent de nouveaux thèmes qui reflètent le tumulte des passions : par exemple, la soif de liberté dans *Fidelio* (1805) de Beethoven, ou l'appel du fantastique* et la recherche du génie du peuple allemand dans le *Freischütz* (1821) de Weber. Avec Verdi (1813-1901), l'opéra s'allie directement à la littérature, utilisant dans ses livrets les drames de Hugo (*Ernani*, 1844 ; *Rigoletto*, 1851), de Byron, Schiller ou Shakespeare (*Macbeth*, 1847 ; *Otello*, 1887).

D'autre part, l'opéra romantique accentue la tendance initiée par Gluck ou Mozart : il recherche son unité musicale dans la puissance symphonique. L'influence romantique se traduit également par l'émergence d'écoles nationales trouvant leur inspiration dans la littérature, l'histoire et le folklore de leur pays. Wagner (1813-1883) s'empare ainsi des mythologies germaniques et nordiques, du *Vaisseau fantôme* (1843) à *Parsifal* (1882), en passant par la *Tétralogie* (1869-1876) : Wagner impose l'idée d'opéra comme œuvre d'art total, et relie ce genre à un projet philosophique et national. L'essor de l'école russe participe de cet effort, avec Glinka (1804-1857), Borodine (*Le Prince Igor*, 1890), Moussorgski (*Boris Godounov*, 1874), Rimski-Korsakov (*La Fiancée du tsar*, 1899) ou Tchaïkovski (*Eugène Onéguine*, 1879).

Si *Pelléas et Mélisande* (1902) de Debussy se rattache à l'esthétique onirique et allégorique du symbolisme, l'opéra se détache progressivement du romantisme pour se rattacher au réalisme*. *Carmen* (1875) de Bizet est considéré comme le premier opéra naturaliste. Cette évolution s'observe aussi en Italie avec Mascagni (*Paillasse*, 1892) et surtout Puccini (*La Bohème*, 1896) : on parle pour eux de « vérisme » dans la mesure où leurs livrets abandonnent l'Histoire, les sujets nobles ou la mythologie pour évoquer des drames de la vie quotidienne.

L'opéra contemporain

L'opéra contemporain reflète les grands courants de la musique moderne* : il trouve une large place dans l'expressionnisme* musical avec *Wozzeck* (1925) ou *Lulu* (1935) de Berg, ou encore *Salomé* (1905) de Strauss.
Il s'inscrit dans la tradition française avec Ravel (*L'Enfant et les sortilèges*, 1925), Honegger (*Antigone**, 1928) ou Poulenc (*Le Dialogue des carmélites*, 1957) ; en Angleterre, Britten écrit *Peter Grimes* (1945) et *The Turn of the Screw* (1954). Enfin, avec la collaboration de K. Weill et de Brecht entre 1927 et 1932 (*L'Opéra de quat'sous ; Mahagonny*), l'opéra s'oriente vers une forme de théâtre* musical.

ENJEUX CONTEMPORAINS

Art et société

Si l'opéra n'est plus un genre aussi fécond que par le passé, l'amour du chant et des voix issues de l'opéra est très vivace, comme en témoigne le succès de Maria Callas ou, plus proches de nous, Pavarotti, Domingo, Caballe, Freni... Le prestige des festivals de Bayreuth, Salzbourg, Orange, Aix-en-Provence et Glyndebourne, montre aussi l'attachement du public aux œuvres du passé.

● **À CONSULTER :** F.R. Tranchefort, *L'Opéra, d'Orféo à Tristan*, Seuil (1978).
● **À LIRE :** Balzac, *Massimilla Doni*. Nietzsche, *La Naissance de la tragédie*. Fernandez, *Porporino ou les mystères de Naples*, Grasset (1974).
● **À VOIR :** Bergman, *La Flûte enchantée*. Losey, *Don Giovanni*. Corbiau, *Farinelli* (1994).
● **CORRÉLATS :** baroque (musique) ; classique (musique) ; comédie ; drame ; expressionnisme (musique) ; musique moderne et contemporaine ; romantique (musique) ; théâtre ; tragédie.

PERSONNALISME

● **ÉTYM. :** Du latin *personna* (« la personne juridique »). ● **DÉF. :** Le terme *personnalisme* a été créé au XIXe siècle, par le philosophe français Renouvier (1815-1903) pour caractériser une éthique* fondée sur la justice et le respect de la personne* humaine.

Sans être véritablement une école philosophique, le personnalisme a été un courant de pensée réunissant sous un idéal commun des philosophes allemands comme Scheler (1874-1928) et Buber (1878-1965), et français comme G. Marcel (1889-1973), Mounier (1905-1950) ou Nédoncelle (1905-1976). Il a connu un grand rayonnement dans la France de l'après-guerre avec le mouvement et la revue *Esprit*. Marquée d'une incontestable inspiration chrétienne*, cette doctrine accorde une valeur* absolue à la personne, conçue comme catégorie fondamentale de l'éthique. Elle exalte la communauté, le partage et la communication des consciences. En politique, le personnalisme s'oppose tout autant à l'oppression jacobine ou totalitaire* qu'à un libéralisme* uniquement fondé sur les lois du marché.
La leçon toujours actuelle du personnalisme est que chaque individu* est absolument singulier et qu'il ne saurait jamais être réduit à une race, une classe sociale, une religion ou une nationalité.

● **CORRÉLATS :** chrétienne (pensée) ; éthique ; individu ; libéralisme ; personne ; totalitarisme ; valeurs.

PERSONNE

● **ÉTYM. :** Une tradition qui remonte à Boèce (480-524) rattache le mot *personne* au latin *persona* (« le masque de théâtre »), de *personare* (« retentir »), alors qu'il viendrait de *personna* (« le sujet de droit »). ● **DÉF. :** Le terme *personne* renvoie à deux dimensions : la dimension juridique (puisque, dans le droit* romain, la *personna* qui peut engager une procédure judiciaire est opposée à l'esclave*), et la dimension éthique* (car la référence au théâtre* suggère l'importance de la manière dont chacun joue son rôle, assume son personnage, c'est-à-dire remplit ses devoirs civiques et moraux). Aux notions d'individu* et de sujet*, la notion de personne ajoute une forte coloration morale* : elle doit être reconnue juridiquement dans son intégrité, et respectée de façon inconditionnelle.

Le concept philosophique de personne a une double origine :
– d'une part, le stoïcisme* pour qui chaque homme, qu'il soit esclave ou empereur, doit jouer – du mieux qu'il peut – le rôle que lui a confié un destin providentiel ;
– d'autre part, le christianisme*, qui fait de chaque homme le fils de Dieu et place le Salut dans les dispositions intérieures de l'âme. Ainsi, les *Confessions* de saint Augustin (354-430) racontent l'itinéraire spirituel d'un être qui, après s'être perdu dans le monde, se retrouve

au plus profond de son âme sous le regard de Dieu. C'est la morale de Kant* (1724-1804) qui donne son statut moderne à la notion de personne, sujet moral, digne d'un respect inconditionnel. Plus généralement, de nombreux philosophes contemporains, et en particulier ceux du courant personnaliste*, ont souligné la valeur irréductible de l'autre homme. La personne est le *toi* du dialogue, altérité irréductible qui ne se laisse jamais totalement penser, et qui ne saurait être dominée.
La notion de personne est ainsi au cœur des débats contemporains sur l'intégrité humaine en bioéthique* (euthanasie, manipulation génétique*, statut de l'embryon, reproduction médicalement assistée...).

● **Corrélats :** bioéthique ; christianisme ; génétique ; individu ; Kant ; Moi (figures du) ; morale ; personnalisme ; sujet.

PHÉNOMÉNOLOGIE

● **Étym. :** Dérivé de *phénomène*, du grec *phainomena* (« les constellations visibles du ciel »). ● **Déf. :** Introduit par Lambert (1728-1777), utilisé par Kant* (1724-1804), le terme *phénoménologie* désigne un moment essentiel du système de Hegel* (1770-1831), avant de s'identifier, chez Husserl (1859-1938) et ceux qui se réclament de son œuvre, à la philosophie elle-même. Les usages différents et même contraires de ce mot renvoient à l'idée commune d'une description des phénomènes, c'est-à-dire de ce qui apparaît.

La « phénoménologie de l'Esprit » selon Hegel

Le réel est Esprit : telle est la thèse centrale de la philosophie de Hegel. Par opposition à la matière, l'Esprit se révèle à soi-même et se reconnaît soi-même. Si le réel est Esprit, c'est donc que son essence consiste à se manifester : lorsqu'une chose est perçue, conçue et connue, ce ne sont pas là des accidents extérieurs à sa nature, c'est sa nature même. Cela revient à dire que l'être est phénomène. Certes, l'identité de la chose et de la connaissance qu'on en prend n'est pas donnée : elle est à faire, à mesure que l'Esprit progresse vers une meilleure reconnaissance de soi. Mais cet apprentissage lui-même ne peut pas être extérieur au savoir final : les « figures » successives qu'il impose à la conscience humaine sont en même temps des manifestations de l'Esprit dans sa vérité. C'est la raison pour laquelle, publiant en 1807 son premier grand ouvrage, Hegel lui donne comme titre *La Phénoménologie de l'Esprit*, et comme sous-titre *Science de l'expérience de la conscience*.
Un moment important dans l'apprentissage de la conscience est, par exemple, celui où elle prend la figure de la certitude de soi-même. Elle y fait l'expérience d'une contradiction entre le sentiment intime et absolu de sa liberté, et la nécessité de se soumettre aux nécessités de la vie biologique pour faire reconnaître la valeur de ce sentiment. Cette contradiction doit être surmontée – comme les autres – de façon dialectique*, par l'antagonisme du « maître » et de l'« esclave* », et la révélation que la vraie liberté passe par la transformation laborieuse du monde.

Les principes de la phénoménologie de Husserl

« Retour aux choses elles-mêmes ! » C'est sous ce mot d'ordre que Husserl entreprend, au début du XXe siècle, de rendre à la philosophie son ambition de science radicale : il s'agit de retrouver les vérités fondatrices sur lesquelles repose l'édifice des sciences exactes*, mais que le développement hypertrophié de ces dernières a fini par recouvrir et brouiller. Ce projet est à l'œuvre dans les *Recherches logiques* (1900-1901), les *Idées directrices pour une phénoménologie pure et une philosophie phénoménologique* (1912-1918), les *Méditations cartésiennes* (1931) et *La crise des sciences européennes et la phénoménologie transcendantale* (1936).
Revenir aux choses elles-mêmes, c'est se débarrasser des théories toutes faites qui encombrent notre rapport au réel, et laisser se déployer les phénomènes dans leur façon propre d'apparaître : par exemple, un objet perçu ne peut se donner qu'en perspective ; un objet matériel ne peut se donner que dans l'espace...
La phénoménologie permet donc, grâce à la réduction qu'elle opère, la vision des lois qui régissent tel ou tel type de réalité, et déterminent son essence. Cet acte philosophique est ce que Husserl appelle « réduction éidétique » (en grec *eidos*, « aspect, forme, silhouette »).

Une forme privilégiée de réduction éidétique est celle qui se tourne vers la conscience elle-même, et la fait apparaître dans la pureté de son essence : « Toute conscience est conscience de quelque chose. » La conscience ne contient donc rien en elle-même, n'est rien d'autre que la visée de son objet, ce que Husserl nomme « intentionnalité ». Nous risquons toujours de méconnaître cette intentionnalité, du fait même qu'elle nous livre spontanément au monde des choses extérieures. Pour la ressaisir, et maintenir sous son regard la nécessaire position de l'objet par la conscience, le philosophe doit rompre avec l'attitude naturelle, suspendre l'affirmation naïve du monde : cette « suspension » (en grec *epochê*) constitue la « réduction phénoménologique », en laquelle Husserl voit une sorte de reprise du doute de Descartes*.
La réduction phénoménologique permet de dégager le « vécu », non pas comme une réalité intérieure, mais comme un ensemble structuré de visées d'objet (perception, imagination, désir...), appelées « noèses » (du grec *noêsis*, « faculté de penser »), auxquelles correspondent *a priori* des corrélats (perceptible, imaginable, désirable...), appelés « noèmes » (du grec *noêma*, « pensée »).

Les héritiers de Husserl

En Allemagne, l'influence de Husserl marque principalement l'œuvre de Scheler (1874-1928) et celle de Heidegger* (1889-1976). Dans *Le Formalisme en éthique* (1916), et surtout dans *Nature et formes de la sympathie* (1923), Scheler élargit la notion d'intentionnalité à la sphère de l'affectivité*.
Partant du principe que l'homme est *Dasein*, c'est-à-dire l'être qui comprend ce que veut dire « être », Heidegger propose, dans *Être et temps* (1927), une phénoménologie de l'existence humaine, destinée à expliciter cette compréhension familière et à élucider le sens de l'Être : la phénoménologie est donc pour lui à la fois une herméneutique* et une ontologie. Dès cet ouvrage, le projet de Heidegger s'écarte de celui de Husserl, d'une façon significative : le pivot de la phénoménologie n'est plus la conscience, et l'intentionnalité par laquelle elle vise ses objets, mais l'Être lui-même, qui convoque l'homme pour sa compréhension. Cette divergence ne fait que croître par la suite. La notion d'intentionnalité de la conscience fournit au contraire à Sartre (1905-1980) l'impulsion première de sa philosophie. Elle est au cœur de ses premiers travaux, *L'Imaginaire* (1940) et surtout *L'Être et le Néant* (1943), dont le sous-titre est *Essai d'ontologie phénoménologique*. Puisqu'il n'y a rien dans la conscience, « l'homme est l'être par qui le néant vient au monde ». C'est par mauvaise foi qu'il cherche à se masquer son propre néant et l'absolue liberté à laquelle il est condamné : les principes de la phénoménologie conduisent ainsi à l'existentialisme*.

ENJEUX CONTEMPORAINS
Philosophie
Alors que Sartre prend surtout appui sur les premières œuvres de Husserl, Merleau-Ponty (1908-1961), l'autre grand représentant de la phénoménologie en France, tente de prolonger les derniers écrits du maître allemand. La vertu de la phénoménologie est, selon lui, de nous rappeler cet entrelacement originaire de l'homme et du monde, si manifeste lorsqu'on interroge sans préjugé la perception, et de dissoudre l'illusion par laquelle la conscience s'imagine occuper la position d'un sujet* détaché du monde. Présente dès la *Phénoménologie de la perception* (1945), cette thèse s'épanouit dans *Le Visible et l'Invisible* (1964).

● **À CONSULTER :** J.-F. Lyotard, *La Phénoménologie*, PUF, « Que sais-je ? » (1992).
● **CORRÉLATS :** affectivité ; Descartes ; dialectique ; esclavage ; existentialisme ; Hegel ; Heidegger ; herméneutique ; Kant ; sciences exactes (constitution des) ; sujet.

PHYSIQUE

● **ÉTYM. :** Du grec *phusika* (« les choses de la nature »). ● **DÉF. :** La physique est la science exacte* qui se donne pour objet les phénomènes naturels.

La préhistoire de la physique

La spéculation sur la nature est aussi ancienne que la philosophie et remonte à la période présocratique (VIe siècle av. J.-C.) : les philosophes ioniens sont dits « physiologues », ceux qui étudient la nature. Ils recherchent les éléments premiers dont sont faites les choses : ainsi Thalès affirme que « tout est eau ». Plus tard, les atomistes, Leucippe, Démocrite, Épicure* (Ve-IVe siècles av. J.-C.), soutiennent que la matière se compose d'éléments indivisibles, et postulent l'existence du vide. L'école pythagoricienne voit dans les nombres la clé du cosmos et découvre des proportions mathématiques* dans les rapports entre les sons et les longueurs des cordes des instruments de musique. Le problème se pose toutefois de savoir s'il y a là les débuts de ce que nous appelons aujourd'hui « physique » ou bien s'il s'agit de spéculations que l'on peut *a posteriori* confirmer mais qui, à elles seules, n'auraient jamais conduit à la constitution des méthodes définissant pour nous une science exacte : expérimentation, mathématisation...

Les deux legs incontestés de la science classique grecque sont l'astronomie, parachevée par Ptolémée (IIe siècle ap. J.-C.), et la mécanique d'Archimède (IIIe siècle av. J.-C.) : hydrostatique, théorie des machines simples. Plus généralement, les savants et philosophes grecs ont construit une vision globale du monde, pensé comme cosmos : totalité finie et harmonieuse, organisée de façon hiérarchique et où la Terre occupe une place centrale. C'est cette vision du monde qui va être battue en brèche par la révolution scientifique* du XVIIe siècle où se constitue l'idée moderne de physique.

La révolution scientifique du XVIIe siècle

Le terme *révolution* est à prendre dans son sens fort : il s'agit d'une remise en cause radicale de la conception traditionnelle de la nature et, plus encore, de l'idée même de science.

– En cosmologie, avec Copernic (1473-1543), Kepler (1571-1630) et Galilée (1564-1642), il y a dissolution du cosmos et passage d'un monde clos à un univers infini. Est abandonnée toute conception globalisante posée comme cadre *a priori* de notre compréhension de l'univers : les conceptions spéculatives laissent place à l'expérimentation, à l'analyse et à l'abstraction mathématique.

– En mécanique, Galilée, qui formule la première loi mathématique (la chute des corps), initie véritablement la physique moderne ; celle-ci allie désormais l'idée expérimentale (elle instaure un dialogue entre théorie et expérience) et l'idée mathématique (penser, c'est à la fois mesurer et traduire ses résultats sous forme d'équations). Ceci permet une analyse précise des phénomènes et une organisation systématique des résultats sous forme de théories démonstratives comparables aux théories mathématiques, c'est-à-dire déduites de principes fondamentaux, selon des procédures rigoureuses.

Il appartiendra à Newton (1642-1727) d'opérer la synthèse entre ces deux domaines, en montrant que c'est la même loi qui explique les trajectoires des planètes et le phénomène de la chute des corps.

Le développement de la physique classique

XVIIIe-XIXe siècles

■ La chimie moderne

C'est à la fin du XVIIIe siècle que la science des alchimistes en quête de pierre philosophale et d'élixir de longue vie, profondément imprégnée de mysticisme et de magie, cède la place à la chimie moderne sous l'impulsion du génie de Lavoisier (1743-1794). À la somme de résultats expérimentaux obtenus auparavant, Lavoisier apporte ordre et clarté. Il rend systématique l'utilisation du principe de conservation de la masse, initie la physiologie par ses études sur les phénomènes de combustion (dont la respiration), détermine la composition de l'air et de l'eau, et clarifie les notions d'élément, de corps simple et de corps composé. Loin des quatre éléments de la tradition grecque (terre, feu, air et eau), tous les constituants de la matière sont engendrés par la combinaison du petit nombre de « briques fondamentales » que sont les éléments chimiques. La voie est ouverte à la théorie atomiste, créée par Dalton (1766-1844) et développée par Wurtz (1817-1884). La distinction entre atomes et molécules est établie par Avogadro (1776-1856) et Ampère (1775-1836).

Lorsque le nombre d'éléments identifiés devient suffisant (cinquante-sept en 1850, sur les quatre-vingt-douze éléments naturels), les chimistes remarquent des analogies entre certains d'entre eux. Mendeleïev (1834-1907) propose une classification périodique des éléments connus, n'hésitant pas à laisser certaines places vacantes dans son tableau en prévoyant les propriétés physico-chimiques des éléments manquants qui furent effectivement découverts ultérieurement. Cette classification, plus qu'un simple catalogue des éléments connus, apparaît ainsi comme la source de connaissances nouvelles.

À la fin du XIXe siècle, l'existence de l'atome est donc acquise lorsque son indestructibilité est remise en question par la découverte, en 1896, de la radioactivité naturelle par Becquerel (1852-1908). De l'exploration de plus en plus fine du domaine microscopique, vont naître, dès le début du XXe siècle, de nouvelles théories, souvent très éloignées de l'intuition commune.

■ La thermodynamique

La thermodynamique naît avec les débuts de l'ère industrielle, vers 1820. Mayer (1814-1878), Carnot (1796-1832), Clausius (1822-1888) et sir Thomson (1824-1907) développent cette science qui relie les phénomènes thermiques et les phénomènes dynamiques, dans le but d'améliorer l'efficacité des moteurs et des machines à vapeur.

Le domaine de la thermodynamique s'étend ensuite rapidement en raison de l'universalité des principes sur lesquels repose son axiomatique : le deuxième principe fondamental introduit, pour la première fois, une perspective évolutionniste en sciences physiques (un système isolé ne peut évoluer spontanément que par des transformations internes s'accompagnant d'une augmentation de son entropie). Avec l'essor des connaissances sur la structure de la matière se pose la question de l'interprétation des principes de la thermodynamique, à l'échelle microscopique. Les propriétés des systèmes complexes étudiés, comportant un grand nombre de constituants élémentaires, nécessitent la mise au point de méthodes statistiques, développées en particulier par Maxwell (1831-1879), Boltzmann (1844-1906) et Gibbs (1839-1903).

■ L'électromagnétisme

L'électrostatique, science des interactions entre corps électrisés fixes, se développe au XVIIIe siècle. L'électricité est, à cette époque, clairement distinguée du magnétisme, connu dès la fin du Moyen Âge* où se répand l'emploi de la boussole dans toute l'Europe.

En 1820, Oersted (1777-1851) observe, par hasard, l'effet d'un courant électrique sur une aiguille aimantée. Les expériences sur les effets réciproques des aimants sur les courants, puis des courants entre eux, se multiplient. Ampère (1775-1836), en quelques jours, écrit les bases d'une théorie selon laquelle les phénomènes magnétiques et électriques sont deux manifestations d'une réalité plus générale : l'électromagnétisme.

Faraday (1791-1867) découvre le phénomène d'induction. La machine de Gramme, ancêtre des dynamos et des alternateurs, engendrera un prodigieux développement de l'industrie électrique.

À partir de 1855, Maxwell (1831-1879) met en place le formalisme mathématique associé à la théorie de l'électromagnétisme : on peut le considérer comme la première théorie unificatrice de l'histoire des sciences physiques.

Les révolutions du XXe siècle

■ La relativité

En 1905, Einstein (1879-1955) publie cinq articles dans lesquels il élabore la théorie de la relativité restreinte : « les lois physiques ont même formulation dans tous les référentiels galiléens », c'est-à-dire pour deux observateurs en mouvement de translation rectiligne uniforme l'un par rapport à l'autre. L'équivalence entre deux observateurs en mouvement l'un par rapport à l'autre implique qu'il n'y a pas d'espace absolu et que chaque observateur possède sa propre échelle de temps. Espace et temps ne sont plus considérés comme des notions indépendantes : tout changement de repérage se traduit par une modification des coordonnées d'espace et de la variable temporelle.

Il faudra toutefois de nombreuses années au physicien pour formaliser la théorie de la relativité générale, qui repose en particulier sur l'idée complexe que tout objet massique modifie les propriétés géométriques de l'espace-temps. Il en résulte, par exemple, une courbure des rayons lumineux passant au voisinage d'un astre de masse importante. C'est ainsi que, lors de l'éclipse de 1919, est réalisée la première confirmation expérimentale de la théorie : on observa la lumière provenant d'une étoile située derrière le Soleil, qui put atteindre la Terre en suivant un trajet courbe.

■ La structure de la matière

En 1911, Rutherford (1871-1937) met en évidence l'existence du noyau atomique et provoque, en 1919, la première réaction nucléaire* s'accompagnant d'une transmutation d'azote en oxygène. En 1934, la découverte de la radioactivité artificielle par Irène (1897-1956) et Frédéric Joliot-Curie (1900-1958) est la conséquence d'une réaction nucléaire provoquée. La première fission est réalisée en 1938, la possibilité de réactions en chaîne démontrée en 1939, la première pile atomique construite en 1942 par Fermi (1901-1954). La première bombe atomique est lancée, par les États-Unis, sur Hiroshima en 1945.

La physique nucléaire poursuit ses recherches par l'analyse de la structure du noyau constitué de protons et neutrons, et la mise en évidence de nombreuses autres particules élémentaires.

La mécanique quantique

La mécanique quantique est fondée, dans les années 1920, par Bohr, Heisenberg, Dirac, Schrödinger et De Broglie. Dans le monde microscopique, on ne peut observer un événement sans l'influencer : par exemple, le seul moyen d'observer un électron est de faire « rebondir » sur lui un photon ou un autre électron, c'est-à-dire un objet qui lui est pratiquement équivalent et perturbe donc l'électron observé. Il en résulte l'impossibilité de mesurer simultanément, et avec une précision illimitée, certaines grandeurs. C'est le principe d'incertitude de Heisenberg (1932). Tel est en particulier le cas des composantes de la position et de la vitesse d'un objet sur un même axe de coordonnées. Ceci entraîne l'impossibilité de déterminer une trajectoire, au sens de la mécanique classique. La notion de trajectoire est remplacée par la notion de probabilité de présence. À chaque corpuscule est associée une onde, décrite par une fonction d'onde dont l'amplitude en un point est liée à la probabilité de trouver la particule en ce point. Cette science probabiliste reposant sur la notion de dualité onde-corpuscule est donc bien éloignée de l'intuition commune, habituée au déterminisme de la mécanique classique. Les implications théoriques du formalisme quantique sont confirmées par le théorème de Bell (1962) et les expériences levant le paradoxe EPR, Einstein - Podolsky - Rosen (A. Aspect en 1982).

L'une des caractéristiques de la physique contemporaine est, malgré la multiplication des découvertes et des objets traités, une évolution vers un petit nombre de lois grâce aux théories unitaires dont le but est d'englober toutes les interactions et toutes les particules, considérées comme les véhicules des interactions : par exemple, le photon est le véhicule de l'interaction électromagnétique.

Dans les théories modernes, les particules ne sont pas élémentaires en soi, mais par rapport à une interaction. Jusqu'aux années 1970, on distinguait quatre familles de particules déterminées par leur participation aux quatre interactions que l'on peut citer dans l'ordre historique de l'acquisition des connaissances : interaction gravitationnelle (fin XVIIIe siècle), interaction électromagnétique (fin XIXe siècle), interactions forte et faible (XXe siècle). En quelques années, la théorie électrofaible s'est développée, unifiant les interactions électromagnétique et faible. Plus récemment, le modèle standard fait entrer l'interaction forte dans le même cadre descriptif que les deux interactions précédemment citées. L'unification avec la relativité générale, selon laquelle les propriétés géométriques de l'espace-temps sont modifiées par l'interaction gravitationnelle, est l'une des ambitions de la physique théorique contemporaine.

ENJEUX CONTEMPORAINS

Science et société

Le développement de la physique a eu des incidences techniques* incalculables, déterminant les Révolutions industrielles* qui ont façonné le monde moderne. L'extrême complexité des théories physiques modernes pose le problème de la possibilité d'un contrôle, par le citoyen, des choix scientifiques et technologiques accomplis par l'État* (recherche, équipement, armement...). L'exercice effectif de la démocratie* passe sans doute par le partage du savoir, et donc la formation de citoyens capables de comprendre les enjeux et les risques de ces choix.

● **À CONSULTER :** A. Einstein, L. Infeld, *L'Évolution des idées en physique*, Payot (1963). A. Koyré, *Du monde clos à l'univers infini*, Gallimard (1962). I. Prigogine, I. Stengers, *La Nouvelle Alliance*, Folio Essais (1990). J. Rosmorduc, *Une histoire de la physique et de la chimie*, Seuil (1985).

● **CORRÉLATS :** Aristote ; Descartes ; Grèce antique ; Lumières ; mathématiques ; nucléaire ; progrès ; Révolution industrielle ; révolution scientifique ; technique.

PLATON ET LE PLATONISME

Platon naît à Égine, près d'Athènes*, probablement en 427 av. J.-C., c'est-à-dire deux ans après la mort de Périclès, dans une famille aristocratique qui compte parmi ses ancêtres des personnages considérables. Manifestant des dons précoces pour toutes les sciences (principalement les mathématiques*) et tous les arts, hésitant entre la carrière politique et celle de la poésie*, il rencontre Socrate vers sa vingtième année, et décide alors, dans l'enthousiasme, de se consacrer à la philosophie.

Face aux déchirements politiques que connaît Athènes à la fin du ve siècle et face à la condamnation à mort de Socrate, Platon a conscience d'un monde qui s'effondre. Ne pouvant supporter le séjour à Athènes, il se rend à Mégare, auprès d'Euclide, puis entreprend une série de voyages qui le conduisent en Égypte, puis à Tarente, où il se lie d'amitié avec le philosophe pythagoricien et homme d'État, Archytas. C'est peut-être l'exemple d'Archytas, et le modèle d'un gouvernement dont l'autorité se fonde sur la science* et la philosophie, qui incitent Platon à répondre à l'invitation de Denys, le maître absolu de Syracuse, en Sicile. Mais il déplaît rapidement au tyran : arrêté, racheté par un ami alors qu'il était mis en vente comme esclave*, il revient finalement à Athènes en 389.

C'est en 386 que Platon fonde, aux portes d'Athènes, dans les jardins d'Académos, une école de philosophie destinée à rendre les élèves capables d'administrer les cités selon la justice : l'Académie. Sur la porte de l'Académie, on peut lire cet avertissement significatif : *Mêdeis ageometretos eisitô* (« Que nul n'entre ici s'il n'est géomètre »). L'Académie connaît très rapidement le succès. Au-delà du platonisme, elle va rester, durant neuf cents ans, le centre intellectuel de la Grèce. Lorsque Platon meurt vers 347, Philippe de Macédoine a déjà entrepris la longue guerre qui entraînera la fin politique de la cité athénienne.

L'invention de la philosophie

D'abord œuvre de pure parole avec Socrate, la philosophie trouve dans les dialogues de Platon sa première forme écrite Dès son origine, elle entretient avec le langage un rapport qu'il faut élucider.

Le philosophe se reconnaît à ce qu'il parle de tout, semblant bouleverser le quadrillage des compétences qui oblige chacun à ne parler que de sa spécialité. À cet égard, les dialogues de Platon sont révélateurs : il y est question de tout, de la justice *(La République)* et du courage *(Lachès)*, de science *(Théétète)* et de piété *(Euthyphron)*, de rhétorique *(Gorgias)* et de poésie *(Ion)*. Mais s'il parle de tout, le vrai philosophe doit le faire d'une certaine façon : en s'assurant qu'il rend bien compte, dans son discours, de la possibilité de ce discours, qu'il n'énonce aucune thèse incompatible avec le fait de pouvoir parler des choses. Telle est l'exigence que lui impose le *logos* (« langage » et « raison »), et qu'incarne, dans les dialogues, le personnage de Socrate.

C'est au nom de cette exigence que Platon critique les penseurs qui l'ont précédé, et d'abord les deux plus grands : Héraclite d'Éphèse et Parménide d'Élée (vi[e] siècle av. J.-C.). Selon Platon, la thèse héraclitéenne d'un mouvement incessant de tout ce qui est, voue le discours humain à n'être qu'un bavardage contradictoire, tandis que la thèse parménidienne de l'Être immobile nous contraint au silence. La première tâche de la philosophie doit donc être de fixer la nature de « ce qui est », de telle sorte qu'il soit possible d'en parler de façon sensée. C'est ce qui s'appellera plus tard, après Aristote* (384-322 av. J.-C.), « métaphysique* ».

Le sensible et l'intelligible

À propos des objets auxquels nous accédons par nos sens, il semble bien pourtant qu'Héraclite ait eu raison de soutenir que les discours ne peuvent être que contradictoires. Tous les objets sensibles se présentent en effet de façon ambiguë, par rapport aux mots que nous employons : ce qui est « grand » peut également être jugé « petit » d'un autre point de vue, ce qui est « beau » ne manque pas d'être « laid » sous un aspect différent, ou bien peut le devenir *(Phédon)*. Platon voit dans ces ambiguïtés la marque de l'obscurité caractéristique des choses sensibles. Sans être absolument inintelligibles, ces choses ne portent pas en elles le principe de leur compréhension : elles renvoient, pour être saisies correctement, à des réalités d'un autre ordre, dont elles sont en quelque sorte les reflets ou les copies, de même qu'une ombre renvoie, pour être comprise en tant qu'ombre, à l'objet dont elle est l'ombre. Platon illustre cette analogie entre le rapport des ombres aux choses sensibles, et des choses sensibles à leurs modèles intelligibles, dans la célèbre allégorie de la caverne (*La République*, livre VII).

Les formes et le Bien

Dans toutes les belles choses, le philosophe doit apprendre à reconnaître la présence du « Beau en soi », qui confère à chacune son type et son degré de beauté. De même, il apprend à repérer dans les actions justes la « forme » ou l'« Idée » de justice. La forme, l'Idée (en grec : *eidos, idea, morphê, ousia*...), c'est ce qui fait qu'une chose est ce qu'elle est, et ce qui la rend digne du nom qu'on lui attribue *(Cratyle)* : nous avons affaire ici au concept proprement philosophique, celui qui rend compte, selon Platon, de la possibilité du discours et de sa vérité. Puisque c'est à sa forme qu'une chose doit d'être « bien » ce qu'elle est, la « forme (ou Idée) du Bien » doit être privilégiée par rapport à toutes les autres formes : elle représente, pour chaque chose, cette consistance interne qui la rend nommable.

La dialectique et l'amour

Dans la plupart des dialogues de Platon, c'est la présence de Socrate qui donne à l'entretien sa dimension philosophique : ce qui n'aurait été, sans lui, qu'un affrontement de points de vue opposés, devient, grâce à sa décapante ironie*, une recherche du vrai. D'abord empêtré dans les ambiguïtés du monde sensible, éprouvant l'impossibilité d'assumer les conséquences logiques de ses premières opinions, l'interlocuteur se trouve obligé de dépasser ses propres contradictions, et se rapproche ainsi du lieu intelligible.
Platon appelle « dialectique* » cette recherche du vrai par le dialogue. Il distingue d'une part la dialectique ascendante, par laquelle on s'élève des opinions contradictoires jusqu'aux formes intelligibles qui en rendent raison, et d'autre part la dialectique descendante, qui revient vers les ambiguïtés du monde sensible pour les dénouer. Le sommet de la dialectique ascendante, le point culminant du parcours philosophique, est la contemplation du Bien, à la fois raison d'être des choses et principe de leur connaissance : dans l'allégorie de la caverne, le symbole du Bien est le soleil, qui fait vivre les créatures terrestres par sa chaleur, et les rend visibles par sa lumière.
Puisque toute âme tend naturellement vers le Bien, mais ignore parfois ce qu'il est vraiment, la dialectique, qui vise précisément à établir sa vraie nature, correspond en chaque homme à un puissant ressort psychique : celui de l'amour. D'abord sexuel, attiré par la beauté corporelle de l'être aimé, l'amour est voué naturellement à devenir amour de la beauté corporelle en général, puis de la beauté spirituelle, pour parvenir, selon une initiation graduée, à cette contemplation suprême qui lui révèle l'identité du Beau en soi et du Bien en soi. Au long de cette initiation, l'amour conserve sa définition : il est toujours le désir d'engendrer au contact de la beauté *(Le Banquet)*. Le philosophe, qui engendre des discours en contemplant la forme du Bien, mérite ainsi son nom : « amoureux » *(philo)* de la « sagesse » *(sophia)*.

La réminiscence et la maïeutique

Toute connaissance consiste dans une reconnaissance : savoir reconnaître, dans un phénomène du monde sensible, les formes intelligibles qui en rendent raison. Ce qui donne sens, en effet, à la recherche de la vérité, c'est notre pouvoir de la reconnaître quand nous la rencontrons : il faut bien pour cela que nous l'ayons connue depuis toujours, mais oubliée, et que l'acte par lequel nous la retrouvons soit une sorte de remémoration *(Ménon)*. Apprendre ne consiste donc pas, comme on le croit souvent, à déverser du savoir dans une âme vide : les sophistes*, et bien des pédagogues, croient à tort que le problème de l'enseignement consiste à trouver la meilleure technique pour transmettre le savoir du maître à l'élève. Mais le maître n'est qu'une occasion : « Apprendre, c'est se ressouvenir. »
Platon invoque cette idée du ressouvenir, de la réminiscence de la vérité en nous, comme un signe de l'immortalité de l'âme, et comme un encouragement à poursuivre la recherche de la vérité, sans désespérer. Ce qui fait obstacle, sur cette voie, c'est l'opinion *(doxa)*, le fait que nous croyons déjà savoir. Tel Socrate, le maître véritable est celui qui nous délivre de ce pseudo-savoir, et nous rend « amoureux de la sagesse », en nous la faisant désirer par la conscience de notre ignorance. Cette délivrance d'une âme gonflée de prétention est un prélude au surgissement des vérités qui s'y trouvent enfouies de toute éternité. L'ensemble du processus, délivrance et surgissement, est une sorte d'accouchement de l'âme : l'art socratique

d'enseigner est donc comparable à celui de la sage-femme, à l'art « maïeutique » *(Théétète)*.

Le néoplatonisme et l'héritage platonicien

Les idées de Platon vont connaître un nouvel essor à Alexandrie, du IIIe au VIe siècle après J.-C., dans un système éclectique où elles se mêlent à certaines doctrines d'Aristote et de Pythagore, ainsi qu'à des aspirations mystiques d'origine orientale. Baptisé « néoplatonisme », ce système est représenté par Plotin (205-270), Porphyre (234-305), Jamblique (≈ 250-330) et Proclus (412-485). Bien qu'en lutte perpétuelle contre le christianisme*, les philosophes néoplatoniciens préparent sans le vouloir l'évolution qui conduit irrésistiblement, dans le monde antique finissant, à une symbiose du platonisme et du christianisme. Si l'œuvre théologique et philosophique de saint Augustin (354-430) développe dans toute sa richesse la tension issue de leur rencontre, la confusion tend par ailleurs à s'installer entre ces deux univers, confusion dans laquelle la doctrine de Platon perd sa vigueur originelle. De cette époque date la représentation du platonisme comme philosophie d'évasion, opposant le monde intelligible au monde sensible comme on oppose le Ciel et la Terre ; Nietzsche* (1844-1900) s'en fera encore l'écho, dans cette phrase ironique et lapidaire : « Le christianisme est un platonisme pour le peuple » (*Par-delà le bien et le mal*, 1886).

Les penseurs de la Renaissance* florentine effectuent un retour au platonisme, ou plus exactement au néoplatonisme : Ficin (1433-1499) et Pic de La Mirandole (1463-1494) reprennent la tradition du commentaire des *Dialogues* de Platon, particulièrement *Le Banquet*. L'humanisme* de la Renaissance a la conviction que ces dialogues constituent une propédeutique à la religion chrétienne. Cette conviction se maintient, au XVIIe siècle, dans l'école dite des « platoniciens de Cambridge », dont les principaux représentants sont Cudworth (1617-1688) et More (1614-1687).

En outre, la révolution scientifique* du XVIIe siècle, la grande rupture avec la science antique, est surtout une rupture avec Aristote. C'est une thèse essentielle chez Aristote, en effet, qu'on ne doit pas rechercher la précision mathématique dans les démonstrations relatives à la nature. Galilée (1564-1642) prend explicitement le contre-pied de cette thèse lorsqu'il fonde la science moderne, en bon platonicien, sur ce principe : « La nature est un livre écrit en langage mathématique. » L'entendement humain peut trouver en lui-même, par réminiscence, l'alphabet de la nature, les véritables éléments de la connaissance.

Le platonisme n'est pas seulement présent dans l'histoire de la philosophie. Sous sa forme quelque peu affadie par le contact avec le christianisme, il représente une constante de la littérature occidentale, particulièrement de la poésie. On le retrouve, par exemple, dans ce vers de Lamartine (1790-1869) : « L'homme est un Dieu tombé qui se souvient des cieux. » Il est incontestablement présent tout au long des *Fleurs du mal* de Baudelaire (1821-1867), non seulement dans la mystique des « correspondances », mais surtout dans l'évocation de l'Idéal, à la fois souvenir lumineux et promesse d'évasion.

ENJEUX CONTEMPORAINS

Philosophie

On parle encore, au XXe siècle, de « platonisme mathématique », pour désigner la conception selon laquelle les objets mathématiques (nombres, figures...) ne sont pas construits par le mathématicien, mais possèdent une réalité indépendante, et constituent un véritable monde, que le mathématicien explore : en ce sens, Bolzano (1781-1848), Cantor (1845-1918) ou Frege (1848-1925) ont été des mathématiciens « platoniciens ». Il y a davantage d'authenticité dans cette référence tardive à Platon que dans l'usage, devenu courant, de l'adjectif *platonique* pour qualifier un amour chaste et éthéré, et par extension tout ce qui est sans effet concret.

● **À CONSULTER :** J. Brun, *Platon et l'Académie*, PUF, « Que sais-je ? ». V. Descombes, *Le Platonisme*, PUF (1971).

● **CORRÉLATS :** Aristote ; Athènes ; christianisme ; dialectique ; esclavage ; humanisme ; ironie ; mathématiques ; métaphysique ; Nietzsche ; poésie ; Renaissance ; révolution scientifique ; sciences exactes (constitution des) ; sophistes.

POÉSIE

● **ÉTYM. :** Du grec *poiesis* (« fabrication, création »). ● **DÉF. :** Le poète est celui qui invente un monde autre en créant un autre langage. Même s'il utilise les mots de tous les jours, même s'il nomme une réalité qui peut être banale, le poète nous invite à une perpétuelle métamorphose des mots et des choses.

L'évocation poétique

Le critique* R. Caillois raconte qu'un mendiant demandait la charité avec cette pancarte : « Aveugle de naissance. » Un passant avisé lui suggéra de remplacer cette pure et simple information par la phrase : « Le printemps va venir, je ne le verrai pas. » Et les oboles ne tardèrent pas à s'accumuler...

Cette anecdote peut constituer une première définition de la poésie : en effet, la seconde inscription du mendiant ne se contente pas de nommer la cécité, elle la suggère, et ce non-dit, que formulera en clair le passant, prend alors un relief saisissant. De plus, l'évocation du printemps – saison du bonheur et de la beauté dans l'imaginaire de chacun – fait naître la compassion chez celui qui verra les fleurs et les couleurs vives : les mots ont touché et ému le passant, qui fera un geste vers le déshérité. Enfin, il suffit de lire la phrase à voix haute pour constater qu'elle est rythmée, qu'elle est scandée par le rappel de la consonne [v], et qu'elle constitue un alexandrin : le rédacteur a utilisé une forme particulière qui rompt avec l'utilisation habituelle du langage.

Les axes ainsi dégagés – imagination, émotion et composition – orientent toute réflexion sur la création poétique.

Poésie et langage

Dans la pratique courante, les mots sont perçus par l'utilisateur comme des outils servant à établir une communication avec autrui. La phrase « Avez-vous du feu ? » me permettra, le cas échéant, d'allumer ma cigarette : elle n'a pas vocation à fonctionner pour elle-même. En revanche, un énoncé poétique fera réagir un lecteur sur la matière même du langage : les mots d'Éluard (1895-1952), « le dur désir de durer », constituent un objet de langage étonnant, sur lequel je m'arrête, à cause de leur éclat, de leur étrangeté soudaine. Le langage apparaît alors comme autonome, renvoyant à lui-même. On parle de la beauté d'un vers comme de la beauté d'une plante, et jamais nul ne s'est soucié de savoir à quoi servent les narcisses ! Le linguiste Jakobson nomme « fonction poétique » celle qui, « mettant l'accent sur le message pour son propre compte, met en évidence le côté palpable des signes ».

La poésie est un art du langage, qui s'intéresse aux mots en eux-mêmes et pour eux-mêmes. Cependant, il convient de ne pas enfermer toute la poésie dans cette stricte autoréférentialité : un texte poétique ne se limite pas à procurer du plaisir ou à être l'objet d'une contemplation : le charme de la formulation se lie aux effets de sens (politiques, idéologiques, psychologiques...).

Poésie et prose

Valéry (1871-1945), dans ses *Propos sur la poésie*, rappelle que Malherbe (1555-1628) « assimilait la prose à la marche, la poésie à la danse ». Pour aller d'un point à un autre, je marche : le mouvement sert un objectif précis, et il serait absurde d'aller acheter du pain en dansant. Parallèlement, quand j'assiste à un ballet, je ne demande pas où va la danseuse qui traverse la scène sur la pointe des pieds : je la regarde, et j'admire la grâce de son mouvement.

Cette distinction capitale entre prose et poésie mérite d'être nuancée : en effet, on trouve maints textes en prose visant à produire un charme poétique. Le mot *poésie* dans ce cas devient synonyme de « littéraire », ou d'« artistique ». Ainsi Hugo (1802-1885) écrivant en prose des romans*, des drames*, des essais, déploie les mêmes ressources poétiques que dans ses poèmes, et nous éprouvons une émotion esthétique* à lire *Les Misérables* (1862) aussi bien que *Les Contemplations* (1856) : on parlera alors de « prose poétique ».

Le langage instrumental, bien souvent, convoque la fonction poétique : un avocat, pour capter l'attention de son auditoire, pour le toucher ou le séduire, va travailler ses effets en jouant avec les rythmes, les sonorités, les associations de mots. La publicité fait un usage constant de la fonction poétique, et le consommateur, séduit par le slogan, va se tourner plus volontiers vers le produit.

Poésie et versification

L'écriture poétique se distingue formellement, et visuellement, de la prose en ce sens qu'elle « va à la ligne », comme le soulignait Gide (1869-1951). Elle est marquée par cette contrainte qui est le vers, le mot *versus* signalant en latin le retour régulier d'unités syllabiques ou rythmiques. « Faire de la poésie » est ainsi perçu comme l'équivalent de « faire des vers ». En français, le vers est fondé sur le compte des syllabes et le jeu des rimes. Dans d'autres langues, la contrainte est liée à l'accentuation.

Là encore, il convient de nuancer ce propos. Tout énoncé versifié n'est pas poétique : je peux forger un couple d'alexandrins (« Ce midi j'ai mangé du lapin aux pruneaux/Que j'ai accompagné d'un pichet de bordeaux ») sans faire œuvre de poète, c'est-à-dire sans émouvoir ni séduire. Mais il n'en reste pas moins que j'ai composé deux alexandrins, que je me suis plié à une contrainte (la rime) et que j'ai marqué un écart par rapport à un énoncé spontané en langage courant.

Tout poème n'est pas nécessairement versifié : depuis le XIXe siècle, on compose des poèmes en prose (Aloysius Bertrand, Baudelaire), qui sont des textes porteurs de tous les prestiges et les sortilèges du dire poétique, mais écrits sans la contrainte formelle du vers, de la rime et de la strophe. Ponge (1899-1988) a inventé le mot *proème* pour désigner ses poèmes en prose.

Faire des vers, comme le dit Boileau (1636-1711), suppose un métier : le poète est un artisan, qui travaille le matériau de la langue et qui doit obéir, au moins jusqu'au XIXe siècle, à des règles. Celles-ci concernent le vers (longueur, construction), la rime, les sonorités (règle du [e] muet, proscription des hiatus...). Les poèmes sont eux-mêmes définis, notamment ceux qui ont une forme fixe comme le sonnet. La parole poétique se joue dans la tension entre le carcan des règles et l'expression de soi : ainsi Baudelaire (1821-1867) inscrit son mal-être dans des poèmes qu'il qualifie lui-même d'« impeccables », qui conjuguent la forme extérieure et la force intérieure. Si la poésie n'est que forme, elle devient jeu gratuit, et conduit à « l'art pour l'art » chez Gautier (1811-1872) et le Parnasse. Si la poésie est simple épanchement du Moi, elle se résume au point d'exclamation. On comprend ainsi qu'un sonnet de Baudelaire ne puisse pas être traduit en prose, ni réduit à la seule énonciation d'un malaise : la poésie est une « forme-sens ».

L'état poétique

Pour Valéry, le poète a pour fonction de « créer l'état poétique chez les autres ». En intitulant *Charmes* (1922) un de ses recueils, Valéry fait se souvenir que la poésie est musique *(carmen)*, et qu'elle a le pouvoir d'enchanter au moyen des mots. Dans un poème, les mots dialoguent entre eux, tant phoniquement que sémantiquement. Valéry voit dans le poème une « hésitation prolongée entre le son et le sens » : les jeux phoniques, les rythmes, les images (métaphores et comparaisons), les répétitions, les audaces d'écriture (inversions, ruptures de constructions) font du poème un texte qui capte l'attention du lecteur, voire qui l'inspire, comme le dit Éluard.

Lire un poème, c'est assister à une « explosion de mots » (Barthes) : les mots prennent une consistance qu'on ne leur connaît pas dans le langage courant, ils entretiennent entre eux des relations insues. Le poète peut jouer avec l'étymologie, avec les sons : ainsi la « chèvre », que La Fontaine (1621-1695) associe aux « caprices », en raison du mot latin *capra* qui est à l'origine des deux termes ; ou les chèvres de Ponge, qui sont « belles et butées » (jolies et têtues, mais aussi diaboliques avec leur ressemblance à Belzébuth, un démon, dont le nom est dissimulé sous le couple d'adjectifs, « belzébuthées »).

La poésie mérite son nom de création : le poète n'est pas un copiste du réel, c'est un artiste, un inventeur. La parole poétique n'est pas un langage élégant, ou gracieux : c'est une « re-création » du monde dans et par les mots, à laquelle le lecteur est invité à participer, en collaborant avec l'écrivain. La lecture doit être effectivement active car le poème s'offre à nous, dans sa complexité ou même son obscurité : lire, c'est explorer et faire fonctionner tous les sens possibles du texte, au-delà du sens apparent et de ce qu'on peut supposer des éventuelles intentions de l'auteur.

Poésie et inspiration

Dans l'Antiquité*, on attribuait aux Muses, filles de Mémoire, le pouvoir d'inspirer le poète. Celui-ci apparaît donc comme dépositaire d'un pouvoir d'ordre divin. Cette idée du don poétique et de l'enthousiasme se retrouve chez Boileau, et encore chez Baudelaire, qui parle de « décret des puissances suprêmes » à l'ouverture des *Fleurs du mal* (« Bénédiction »).

La figure de la Muse tutélaire a vite été sentie comme une convention : à l'élection divine a succédé, avec les romantiques*, la sensibilité exacerbée, que Diderot (1713-1784) nomme « une chaleur forte et permanente qui l'embrase ». Ce qui inspire le poète, c'est l'expérience vécue, le monde du rêve et des fantasmes (Rimbaud et Nerval emploient le mot *fantaisie*), et toute la part d'ombre et de mystère qui vit en lui. Michaux (1899-1984) utilise à cet égard les termes « épreuves et exorcismes » pour désigner l'aventure poétique.

Il serait faux de croire que le poète reçoive une dictée, et qu'il la transmette sur le papier : Valéry, s'il ne méconnaît pas la part miraculeuse de la création, insiste sur le rôle du travail dans l'élaboration d'un poème. Un texte est le fruit d'une « ardente patience » ; il est corrigé et remanié, comme l'indiquent les manuscrits des auteurs.

Les arts poétiques à travers le temps

Pour aborder l'histoire de la poésie, il est intéressant de lire les ouvrages définissant ou codifiant la poésie à travers le temps.
Aristote* (384-322 av. J.-C.) a produit une *Poétique*, dont ne nous sont parvenues que les parties traitant de l'épopée* et de la tragédie*. Le poète latin Horace (65-8 av. J.-C.), avec sa célèbre *Épître aux Pisons*, va influencer les auteurs classiques*, et Boileau s'est inspiré de ses réflexions pour composer son *Art poétique* (1674). À la fois nourri des Anciens et lecteur de ses contemporains (de Malherbe à Racine), Boileau fait le bilan de ce que doit être l'écriture poétique, et légifère pour l'avenir. Pour lui, le poète est un artisan du vers, qui doit inféoder sa plume à la raison. Les conceptions de Boileau sont écrites en vers, dans un style qui est à l'image des thèses défendues : rigueur, élégance, efficacité. Boileau servira de référence pendant plus d'un siècle.
Hugo, dans *Les Contemplations*, répond directement à Boileau : au célèbre « Enfin Malherbe vint... » du poète classique, fait écho le « Alors, brigand, je vins... » du romantique entré en rébellion. Hugo prône un vers moins bridé par des contraintes et une parole en liberté ; cette aspiration s'écrit, délibérément, dans un style qui bouscule principes et conventions.
C'est avec Baudelaire que s'opère la grande coupure de la poésie moderne : la poésie est à la fois l'objet et le sujet du poème, dans « L'Albatros » ou « Correspondances ». Le recueil *Le Spleen de Paris* marque l'avènement du poème en prose.
Rimbaud (1854-1891) marque, plus nettement encore, la révolution poétique : pour Barthes, il est le premier moderne, en ce sens qu'il libère l'écriture d'une pensée qui lui serait préexistante. Son poème « Le Bateau ivre » est une méditation sur l'aventure poétique, et d'une manière générale, toute son œuvre mêle théorie et pratique de la poésie. Pour lui, le poète doit se faire « voyant », comme il l'explique – avec des formulations frappantes – dans une lettre à Demeny. Avec Verlaine (1844-1896), qui ouvre son *Art poétique* par ce vers « De la musique avant toute chose », la poésie se fait « bonne chanson » ou « romance sans paroles » : Verlaine choisit la « nuance » et préfère le mètre impair.
Mallarmé (1842-1898), poète exigeant et hermétique, consacre sa vie à la poésie, qui est une lutte contre le néant. C'est lui qui fait du mot le cœur de la poésie, celle-ci devant renvoyer à elle-même : ainsi, le mot *fleur* nomme « l'absente de tout bouquet ». Valéry sera son disciple le plus convaincant au début du XXe siècle.
Apollinaire (1880-1918) fait éclore « l'esprit nouveau », comme le révèle son recueil *Alcools* (1913). Les surréalistes*, au début du XXe siècle, ont été très influencés par Rimbaud : Breton (1896-1966) fait paraître son *Manifeste du surréalisme* (1924) qui propose une nouvelle conception de la poésie, où « les mots font l'amour ». La poésie, selon les mots de Char (1907-1988), se fait « fureur et mystère », et permet de conquérir la liberté.

ENJEUX CONTEMPORAINS

Littérature

À quoi sert la poésie ? À rien, faut-il répondre si on se situe dans l'optique de l'utilité matérielle. Cependant, on remarque qu'aucune civilisation n'existe sans poésie, qu'elle soit chant, hymne, prière, épopée ou poème. L'homme est autant un animal poétique que politique, pourrait-on dire en paraphrasant Aristote. La poésie invite à l'émotion esthétique* et à la méditation sur l'existence. L'angoisse de Baudelaire, la fantaisie de Prévert (1900-1977), la révolte de Rimbaud, la nostalgie de Du Bellay (1522-1560), l'optimisme de Hugo, tout cela nous parle, culturellement et affectivement. Plus il me parle de lui, plus le poète me parle de moi. Hugo, s'adressant à son lecteur, écrit dans la préface des *Contemplations* (1856) : « Ah ! insensé, qui crois que je ne suis pas toi ! »

● **À CONSULTER :** J.-L. Joubert, *La Poésie*, Armand Colin-Gallimard (1965). J.-P. Richard, *Poésie et profondeur*, Seuil (1955). P. Guiraud, *La Versification*, PUF (1970).
● **À LIRE :** Valéry, *Introduction à la poétique*, NRF (1938). Claudel, *Réflexions sur la poésie*, NRF (1963).
● **CORRÉLATS :** classique (littérature) ; épopée ; esthétique ; rhétorique ; romantisme ; surréalisme.

POP ART

● **ÉTYM. :** De l'anglais *popular* (« populaire »), en abrégé *pop.*
● **DÉF. :** L'expression *pop art*, créée par un critique d'art en 1954 pour qualifier le travail des artistes londoniens de l'*Independent Group*, désigne ensuite une école picturale des années 1960-1970, particulièrement active aux États-Unis.

Une réaction contre l'art abstrait

1960-1970

Au lendemain de la Seconde Guerre mondiale*, la peinture occidentale est dominée par l'abstraction, qui évacue la représentation de l'objet et qui semble l'aboutissement des recherches formelles entreprises depuis le début du XXe siècle (*cf.* Art abstrait). Certains, cependant, y voient une menace de dessèchement de l'art.

C'est bien en réaction contre la peinture abstraite que se définit, à la fin des années 1950, le *pop art*, réhabilitation de l'objet dans ce qu'il a de plus banal, à travers l'utilisation d'images* de la vie urbaine et de la technologie qui représentent le quotidien des gens (d'où l'adjectif *popular*).

Né en Angleterre à partir de l'*Independent Group* (Richard Hamilton, Eduardo Paolozzi...), soucieux de rétablir un contact entre l'art et la culture de masse populaire, il va prendre sa vraie dimension et acquérir son audience aux États-Unis dans les années 1960.

L'école américaine : Rauschenberg, Johns, Warhol

Deux artistes venus de l'expressionnisme* sont à l'origine du *pop art* américain, Robert Rauschenberg (né en 1925) et Jaspers Johns (né en 1930), mais le plus connu reste Andy Warhol (1930-1987). Voulant rapprocher l'art de la vie, ils s'emparent d'objets courants non dans leur réalité, mais sous la forme des images que diffusent la publicité et les médias*, et les imposent sous la forme de collages ou de représentations répétitives où la participation de l'artiste paraît absente. Ainsi, Warhol couvre une surface en alignant des boîtes de soupe en conserve, telles qu'elles apparaissent dans les publicités de la marque.

Rapidement, d'autres emprunts sont pratiqués : photos de presse traitant de l'actualité, portraits de stars, fragments de bandes dessinées*... Johns reproduit, par sérigraphie, le drapeau américain, Warhol les traits de Marilyn Monroe, Marlon Brando, Elvis Presley. L'image est offerte telle quelle, l'artiste feignant une objectivité glacée qui masque l'ironie*, sinon le sarcasme, car les choix opérés dans les symboles du mode de vie américain sont loin d'être neutres : Warhol expose ainsi une série de photographies de chaises électriques.

ENJEUX CONTEMPORAINS

Art et société

La démarche du *pop art* rencontre vite ses limites et le mouvement s'essouffle durant les années 1970, mais par son radicalisme, il a provoqué un choc. Il a souligné – non sans dérision – la distance apparue entre la création des artistes du XXe siècle et le public, reflet de l'écart entre la culture des élites et une culture de masse modelée par les médias. Sans vraiment chercher à apporter de réponse, il a insisté sur l'urgence qu'il y avait à jeter des ponts entre ces deux univers culturels. L'adjectif *popular* est essentiel : on le retrouve au même moment avec l'irruption de la *pop music*, qui se veut elle aussi authentique expression de la sensibilité du temps face à la musique contemporaine* coupée de toute audience populaire. Au-delà de leur entreprise quelque peu provocatrice, les artistes du *pop art* ont posé une vraie question et ils ont certainement contribué à l'avènement de ce qu'on nomme aujourd'hui, faute de mieux, le « postmodernisme* ».

● **À CONSULTER :** A. Cauquelin, *L'Art contemporain*, PUF (4e éd., 1996). J. Martin, C. Massu, S. Nichols, *L'Art des États-Unis*, Citadelle (1992). L.-R. Lippard, *Le Pop Art*, Thames & Hudson (1997).
● **À VOIR :** Schnabel, *Basquiat*. Warhol, *Sleep, Eat, The Chelsea girls*...
● **CORRÉLATS :** art abstrait ; art moderne ; bande dessinée ; expressionnisme ; image ; ironie ; médias ; postmoderne.

POPULISME

● **ÉTYM. :** Du latin *populus* (« le peuple »). ● **DÉF. :** De création récente, le terme *populisme* désigne, depuis la seconde moitié du XXe siècle, une doctrine politique qui prône l'exercice de la souveraineté populaire sans l'intermédiaire d'instances représentatives. Auparavant, il a désigné des écoles artistiques, en particulier littéraires, des années 1930, privilégiant la peinture de la vie et des sentiments des milieux populaires.
Il est aussi, dans le contexte particulier de l'histoire russe, la traduction de *narodnichestvo*, mot qui désigna tout d'abord en Russie un mouvement politique des années 1870, dont la doctrine, sans rapport avec le populisme au sens actuel, tendait vers le socialisme*.

Une contestation de la démocratie représentative

La mise en place des démocraties* modernes, au XIXe siècle, s'est faite sur la base du principe représentatif et du suffrage universel : le peuple souverain – l'ensemble des citoyens – nomme par élection et pour un temps déterminé des représentants qui légifèrent et gouvernent en son nom. Le retour périodique devant les électeurs, la diversité des programmes proposés par les partis et la liberté du choix font de ce système une démocratie authentique, tout en autorisant une certaine professionnalisation du mandat politique, rendue indispensable par la complexité croissante de la gestion des sociétés* modernes. Ainsi, déléguée par le peuple à travers le suffrage universel et responsable devant lui, ce qu'on nomme aujourd'hui la « classe politique » assume le pouvoir sous contrôle démocratique.
Le populisme conteste cette démocratie représentative. Accusant la classe politique de confisquer à son profit le pouvoir, il prétend le rendre au peuple souverain en instituant une démocratie directe, sans intermédiaire.

Une pseudo-démocratie directe

Le populisme est fondamentalement une imposture. Le débat sur la démocratie remonte au XVIIIe siècle : dès cette époque, Rousseau* (1712-1778) a montré que la démocratie directe n'était pas possible dans les États* modernes, trop étendus et trop peuplés, et qu'elle n'était sans doute pas souhaitable car elle conduisait à ce que Tocqueville (1805-1859) nommera plus tard la « tyrannie de la majorité ». En conséquence, une démocratie directe ne peut être qu'un référendum permanent et aucun système politique ne peut faire l'économie de la délégation.
Là se situe la falsification populiste : au lieu de déléguer le pouvoir à une classe politique qui doit rendre des comptes et dont le personnel est révocable, le populisme l'abandonne à un parti ou à un chef censé exprimer la volonté collective. Ainsi, loin de fonder la démocratie parfaite, le populisme est toujours le vecteur de la dictature. Dans leur phase de conquête du pouvoir, le fascisme* italien, le national-socialisme* allemand ont tenu un discours typiquement populiste.

ENJEUX CONTEMPORAINS

Idéologie et politique

L'émergence des populismes coïncide toujours avec des périodes de crise* ou de désarroi. Les mêmes thèmes sont développés : attaques violentes de la classe politique, décriée moins pour son impuissance que pour sa corruption, vraie ou supposée ; dénonciation des partis politiques, qui divisent la nation, et appel à l'« unanimisme », expression de l'« âme collective » du peuple ; obsession paranoïaque de la décadence et désignation d'« ennemis » toujours étrangers, parfois puissances extérieures, plus fréquemment, présence intérieure dont la nuisance insidieuse est encore plus redoutable (juifs, minorités nationales, étrangers immigrés...). Contre toutes ces forces de dissolution, le discours populiste appelle au ressaisissement, au réveil national, à la défense des valeurs* traditionnelles qui fondent l'identité du peuple. Profondément conservateur, sinon réactionnaire malgré une rhétorique de type révolutionnaire, le populisme est une démagogie qui comporte toujours une forte dimension de nationalisme* : le peuple qu'il invoque constamment est posé comme nation, voire comme race.
La « révolution* » populiste porte au pouvoir le mouvement qui l'a suscitée et le chef qui l'anime. Les structures et le personnel du régime

déchu sont récusés, les partis politiques dissous, les syndicats* intégrés. Les élections sont remplacées par des plébiscites où l'approbation massive fait figure d'investiture démocratique, celle-ci étant également censée émaner de grandes manifestations de masse présentées comme une communion du peuple et de son leader. En fait, il n'existe plus d'instances de contrôle, puisque le gouvernement est posé une fois pour toutes comme l'incarnation de la volonté populaire.

● **À CONSULTER :** J.-L. Talmon, *Les Origines de la démocratie totalitaire*, Calmann-Lévy (1966). G. Hermet, *Le Peuple contre la démocratie*, Fayard (1989). H. Arendt, *La Nature du totalitarisme*, Payot (rééd., 1990). P. Perrineau, D. Van Euwen, *Aux sources du populisme nationaliste*, éd. de l'Aube (1996).
● **À LIRE :** Tocqueville, *De la démocratie en Amérique*. Constant, *De la liberté des Anciens comparée à celle des Modernes*. ● **À VOIR :** A. Parker, *Evita*.
● **CORRÉLATS :** antisémitisme ; démocratie ; droite/gauche ; fascisme ; libéralisme ; nationalisme ; national-socialisme ; Rousseau ; totalitarisme.

POSITIVISME

● **ÉTYM. :** Formé à partir du latin *positum* (« ce qui est donné »). ● **DÉF. :** Au sens large, le positivisme est une doctrine fondée strictement sur la connaissance des faits.

Diversité et unité du positivisme philosophique

Le mot *positivisme* prend en philosophie trois significations fort différentes. C'est d'abord un mot forgé par Comte (1798-1857) pour désigner sa propre philosophie, et qui apparaît dans les titres de ses ouvrages les plus importants : *Cours de philosophie positive* (1830-1842), *Discours sur l'esprit positif* (1844), *Discours sur l'ensemble du positivisme* (1848), *Système de politique positive* (1851-1854), *Catéchisme positiviste* (1852), *Système de logique positive* (1856).

C'est ensuite le « positivisme juridique » : selon cette doctrine, le droit* se réduit strictement au « droit positif », tel qu'il s'est inscrit dans les codes ; le juste et l'injuste sont définis uniquement par les lois instituées, excluant ainsi toute référence à un « droit naturel ». Ces thèses sont exposées dans la *Théorie pure du droit* de Kelsen (1881-1973).

C'est enfin le « positivisme logique », ou « néopositivisme » des membres du Cercle de Vienne : Carnap (1891-1970), Schlick (1882-1936) et Neurath (1882-1945). Cette philosophie est plutôt une antiphilosophie, puisque son ambition est de montrer, grâce à l'analyse logique, que toutes les propositions n'appartenant pas au corps des sciences exactes* sont des pseudo-propositions, dépourvues de signification (*cf.* Épistémologie).

Il est difficile de concilier les trois acceptions, surtout la première et la troisième. Si l'on songe en effet que Comte a toujours rejeté l'empirisme* et la logique formelle, on voit mal comment le relier à une théorie qui n'est qu'une synthèse d'empirisme et de logique formelle. Il n'est pas impossible, toutefois, de déceler un élément commun, certes minimal, permettant d'assurer l'unité du positivisme, dans cette règle que Comte présente comme fondamentale (*Discours sur l'esprit positif*, § 12) : « Toute proposition qui n'est pas strictement réductible à la simple énonciation d'un fait, ou particulier ou général, ne peut offrir aucun sens réel et intelligible. »

Tel est l'esprit du positivisme : considérer le fait comme critère du sens.

La « loi des trois états » (Comte)

La philosophie, selon Comte, doit se faire *positive*, à tous les sens du terme : réelle, utile, certaine, précise, mais aussi organique, au lieu d'être négative et dissolvante. Pour cela, elle doit se délivrer du souci de l'absolu, cesser de se perdre en vaines spéculations sur la nature, la substance ou la cause première. L'état positif est celui de la maturité. Par la nature même de l'esprit humain, en effet, chaque branche de nos connaissances doit passer successivement par trois états différents.

■ L'état théologique

L'esprit, d'abord incapable de mesurer ses forces, cherche immédiatement les causes des choses, et ne peut répondre à ses questions qu'en imaginant des divinités. Ces théories fictives originelles sont historiquement utiles, en produisant une première organisation de l'expérience, ce qui rendra plus tard l'esprit capable d'observer. Elles doivent toutefois être critiquées, ce qui est la tâche du deuxième état spirituel.

■ L'état métaphysique

Cet état voit là dissolution des divinités primitives, remplacées par des forces abstraites, des entités qu'il suffit de nommer à bon escient pour « expliquer » les phénomènes, ce qui fait dégénérer la connaissance dans le verbalisme (« vertu dormitive de l'opium » dont parle Molière, 1622-1673). L'état métaphysique* n'a pas la vertu organisatrice de l'état théologique : certes, la dissolution qu'il effectue est un progrès*, mais ce n'est pas le progrès décisif, qui ne se produit qu'avec le troisième état.

■ L'état positif

Après avoir spéculé vainement sur l'essence de la pesanteur, par exemple, la physique* atteint la positivité dans la loi de Newton (1642-1727) sur la gravitation : cette loi est un fait général, qui rassemble une infinité de faits particuliers selon une relation constante. L'esprit renonce à se demander ce que sont dans l'absolu l'attraction et la pesanteur : acceptant de n'avoir que des connaissances relatives, il trouve enfin le principe de leur véritable organisation.

La philosophie positive est le système organique complet de nos connaissances. Pour comprendre ce point, il faut étudier les rapports qu'entretiennent entre elles les diverses sciences.

La loi encyclopédique de classification des sciences

La loi des trois états se vérifie par l'histoire des sciences ; elle permet de former une « hiérarchie positive » des sciences fondamentales. Cette hiérarchie se constitue selon un ordre de complexité croissante et de généralité décroissante. Une science arrive d'autant plus vite à l'état positif que son objet est plus simple ; elle est la condition de la constitution des sciences dont l'objet est plus compliqué. C'est ainsi que les mathématiques* précèdent l'astronomie, qui précède à son tour la physique, qui rend possible la chimie, antérieure à la biologie*, condition elle-même de la sociologie*.

Pour Comte, toutes les sciences convergent naturellement vers la sociologie, puisque l'esprit positif consiste à rapporter les connaissances aux capacités de l'humanité. Science finale et universelle, la sociologie se divise en « statique sociale », qui étudie l'individu*, la famille*, la société*, et en « dynamique sociale », qui établit la loi nécessaire du progrès des sociétés. Or, cette loi n'est autre que la loi des trois états, dont la véritable signification va se révéler.

La politique positive

Les sociétés se sont d'abord fondées sur des croyances religieuses, et le pouvoir politique y a pris une forme théologique, comme le montre la notion de « droit divin » dans le régime catholique* et féodal*. Avec l'état métaphysique, l'esprit critique* et le libre examen ont détruit toute hiérarchie et exercé une action politique toute négative. Tel est le sens de ce que Comte nomme la « Grande Crise* », c'est-à-dire la Révolution française*.

On y retrouve la dissolution qui caractérise l'état métaphysique, particulièrement dans la substitution des droits de l'homme* au droit divin : alors que cette dernière notion a pu remplir en son temps une fonction organique dans la société, la reconnaissance à tout individu d'un droit absolu ne peut conduire qu'à l'anarchie*. Certes, encore une fois, cette dissolution est un progrès, mais non le progrès décisif : il nous faut sortir de la crise révolutionnaire, la surmonter. Et pour cela, la politique doit devenir positive, en reconnaissant les faits. Puisque nous sommes des hommes, non par nous-mêmes, mais par l'héritage humain, nous n'avons positivement aucun droit à faire valoir, mais seulement des devoirs envers l'humanité passée, présente et future. C'est à cette condition que le progrès peut cesser d'être anarchique, et que l'ordre peut cesser d'être rétrograde. Une politique positive doit avoir pour devise « ordre et progrès », et plus précisément : « L'ordre pour base, le progrès pour but. » Notre devoir suprême, selon Comte, est un devoir de mémoire : nous devons commémorer l'héritage qui fait de nous ce que nous sommes, afin de ne pas oubiier, justement, ce que nous sommes. C'est ainsi que la politique positive conduit à la religion positive.

La religion positive

Dans la religion positive, l'humanité, appelée par Comte le « Grand Être », est l'objet unique du culte. Cette religion n'est à aucun degré théologique : elle ne fait appel à aucun être transcendant, et

consiste uniquement en une « systématisation des sentiments ». « Religion de l'humanité » est en quelque sorte un pléonasme, puisque c'est seulement le ralliement des individus, leur adhésion libre à l'œuvre commune, qui constitue l'unité de l'humanité, sa mémoire.
Le dogme de l'immortalité de l'âme reçoit, dans cette religion, un sens positif. On doit distinguer en effet, d'une part, l'existence objective et corporelle d'un individu entre sa naissance et sa mort, et d'autre part une existence subjective et nécessairement immatérielle : sa vie future dans le cœur et l'esprit des autres. Il n'y a là ni théologie, ni métaphysique, puisque le mot *âme* ne désigne plus une entité absolue, mais un ensemble de fonctions intellectuelles et morales. Dans l'histoire de l'humanité, les vivants sont de plus en plus gouvernés par les morts : l'élément subjectif doit prévaloir toujours davantage, donnant l'impulsion et la règle.

ENJEUX CONTEMPORAINS

Positivisme et scientisme

Dans l'esprit de Comte, l'intérêt scientifique du positivisme est subordonné à son intérêt social : la philosophie des sciences est une sorte d'introduction à la politique, qui culmine dans la religion. Parmi les premiers adeptes du positivisme, certains prétendent au contraire ne conserver que la philosophie des sciences, et rejeter la politique et la religion proposées par Comte : c'est le cas de Littré (1801-1881) en France, et de Stuart Mill (1806-1873) en Angleterre. Ce recentrage de la doctrine en dénature le sens, et contribue, au XXe siècle, à l'assimilation, parfois péjorative, des termes *positivisme* et *scientisme*.
C'est dans ce contexte que l'on a pu baptiser « néopositiviste » une théorie qui est un pur et simple scientisme, ne conservant du positivisme originel que le recours aux faits comme principe de démarcation entre le sens et le non-sens, mais n'exploitant ce principe que pour disqualifier toute spéculation qui n'est pas réductible à un raisonnement formalisable, c'est-à-dire toute philosophie, appelée de façon méprisante « métaphysique ». Pour Comte, la fin de la métaphysique signifiait au contraire la libération des possibilités spéculatives de la philosophie.

● **À CONSULTER :** A. Kremer-Marietti, *Le Positivisme*, PUF, « Que sais-je ? ».
● **CORRÉLATS :** biologie ; crise ; critique philosophique ; droit ; droits de l'homme ; empirisme ; épistémologie ; famille ; individu ; mathématiques ; métaphysique ; physique ; progrès ; Révolution française ; sciences exactes ; société ; sociologie.

POSTMODERNE

● **ÉTYM. :** Formé à partir du préfixe *post-* (« après ») et de l'adjectif *moderne*. ● **DÉF. :** Le terme *postmoderne* est apparu à la fin des années 1970, d'abord dans le domaine des arts plastiques (peinture, architecture et urbanisme), puis en philosophie avec la publication de *La Condition postmoderne* (1979) de Lyotard, pour désigner la volonté de dépasser les valeurs* modernes ou modernistes.

Le postmodernisme prend des significations qui diffèrent selon la manière dont ces valeurs modernes sont définies. Ceci est net dans les arts plastiques : en architecture, la tendance postmoderne se caractérise par un refus du style géométrique et du dépouillement prôné par les fonctionnalistes ou Le Corbusier (1887-1965) ; elle préconise un retour à des styles, des proportions et des ornementations traditionnels. En peinture au contraire, les courants postmodernistes ne se caractérisent pas par une référence aux traditions, mais plutôt par le refus de toute école ; ils s'en prennent en particulier aux théoriciens de l'abstraction (*cf.* Art abstrait) et refusent qu'on définisse une essence de la peinture. Il en résulte une accentuation de l'individualisme* et du primat de l'artiste sur l'œuvre, que traduisent volontiers des gestes de provocation et le style du *happening*.
En philosophie, la notion de postmodernité renvoie aux effets des grandes convulsions politiques du XXe siècle sur notre pensée : l'effondrement des grandes idéologies* totalisantes comme le marxisme* nous interdit désormais toute philosophie globale de l'Histoire*.

On relie aussi plus généralement la situation postmoderne à la crise* des valeurs, à la montée d'un individualisme radical où la notion d'authenticité (le *« be yourself »*) prend la relève des contraintes morales*.

● **À LIRE :** G. Lipovetsky, *L'Ère du vide*, Gallimard (1983) ; *Le Crépuscule du devoir*, Gallimard (1992). L. Ferry, A. Renaut, *La Pensée 68*, Folio (1988). A. Touraine, *Critique de la modernité*, Fayard (1992).
● **CORRÉLATS :** crise ; Histoire (philosophies de l') ; idéologie ; individualisme ; morale ; valeurs.

PRÉHISTOIRE

● **ÉTYM. :** Formé à partir du préfixe *pré-* (« avant ») et du nom *histoire*.
● **DÉF. :** Le terme *préhistoire*, apparu en 1876, désigne l'étude du passé de l'humanité avant l'apparition de sources écrites, condition requise pour entrer dans l'Histoire*.

La préhistoire commence aux origines de l'homme et s'achève de façon variable. En France, la préhistoire prend fin dans le courant du Ier millénaire avant J.-C. : une période de transition, la « protohistoire », correspond au moment où nous sommes déjà informés sur les peuples de l'âge du fer par les auteurs grecs ou romains ; l'Histoire proprement dite commence avec l'Antiquité*. Mais pour certaines tribus, longtemps ignorées, d'Amazonie ou de Nouvelle-Guinée, la préhistoire a duré jusqu'au XXe siècle.

Une science récente et en constant devenir

La préhistoire est une discipline récente, née au XIXe siècle. Elle a eu du mal à se faire accepter tant était forte l'opposition des « créationnistes », qui voulaient s'en tenir à la lettre de la Bible* et à la création d'Adam et Ève. L'accumulation des découvertes, la mise au point de méthodes d'investigation ont finalement eu raison des résistances.

La durée des temps préhistoriques ne cesse d'augmenter, plus recule l'âge de l'apparition des premiers êtres humains. Actuellement, on situe à environ 3 millions d'années l'existence des australopithèques d'Afrique orientale (la célèbre Lucy), qui utilisaient déjà un outillage fait de galets cassés. Signalons que, contrairement à une idée faussement répandue par le cinéma*, ces préhominiens n'ont jamais été en contact avec les dinosaures, alors disparus depuis environ 60 millions d'années.

L'âge de pierre

Avec les archanthropiens (*Homo habilis, Homo erectus*) commence, il y a au moins 1 500 000 ans, le paléolithique (âge de la pierre taillée). L'*Homo sapiens* n'apparaît qu'au cours des 150 000 dernières années de la préhistoire, d'abord sous la forme de l'homme de Néanderthal, puis il y a environ 40 000 ans sous la forme de l'homme moderne (*Homo sapiens sapiens*), espèce à laquelle appartiennent tous les types humains qui peuplent aujourd'hui la Terre.

Pendant les centaines de milliers d'années que couvre le paléolithique, les hommes ont vécu de chasse et de cueillette. Des chasseurs du paléolithique supérieur, il y a 30 ou 40 000 ans, ont représenté avec un étonnant réalisme, sur le mur des cavernes, les gibiers qu'ils poursuivaient. C'est seulement après la fonte des glaciers quaternaires, il y a 10 à 12 000 ans, que l'élevage, puis l'agriculture sont apparus, ouvrant la brève et dernière période de la préhistoire, le néolithique (âge de la pierre polie). La maîtrise des métaux (cuivre, bronze, fer) n'a pas plus de 5 000 ans, l'écriture environ 3 000 ans. Les progrès* de l'humanité ne sont ensuite devenus rapides que très tardivement.

ENJEUX CONTEMPORAINS

Histoire et temps

Si l'on cherche à transposer, à l'échelle plus familière qu'est la longueur d'une année, la vertigineuse durée des temps préhistoriques et si l'on situe les galets éclatés des australopithèques le 1er janvier, à 0 heure, on s'aperçoit qu'il faut attendre le mois d'octobre pour que l'homme maîtrise le feu, que l'agriculture néolithique apparaît le 30 décembre, à 17 heures, et que la mise au point de la machine à vapeur (1780) se situe le 31 décembre, à 23 h 20 !

La brièveté de la période historique et l'ampleur cumulative des progrès réalisés en 5 000 ans par l'homme donnent la mesure de la perturbation des équilibres écologiques* terrestres qu'implique la soudaine percée de l'espèce humaine.

● **À CONSULTER :** A. Leroi-Gourhan, *Dictionnaire de la préhistoire*, PUF (1994). ● **À LIRE :** R. Lewis, *Pourquoi j'ai mangé mon père*. A. Chédid, *La Femme verticale*. J.-H. Rosny, *La Guerre du feu*.
● **CORRÉLATS :** Antiquité ; Bible ; écologie ; Histoire ; progrès.

PROGRÈS

● **ÉTYM. :** Du latin *progressus* (au sens propre, « marche en avant » ; au sens figuré, « accroissement »).
● **DÉF. :** Progresser, c'est marcher en avant. Ce qui distingue d'emblée un « progrès » d'une « évolution » ou d'un « développement », c'est que ces derniers peuvent être subis passivement par l'être qu'ils affectent, tandis qu'il n'y a de progrès que pour un sujet* autonome.

Une idée problématique

Quand nous disons « le progrès », au singulier, nous voulons signifier que l'humanité, prise dans son ensemble, marche en avant. Mais la situation actuelle de cette idée est paradoxale. Sans être franchement rejetée, la notion d'un progrès unique tend de plus en plus à désigner un processus qui s'impose à nous sans que nous puissions le maîtriser (« On n'arrête pas le progrès »), et qui n'a rien de foncièrement favorable (on parle des « inconvénients » ou des « dangers » du progrès). Les deux exigences contenues dans le terme *progrès* sont ainsi rejetées dans l'usage moderne de ce mot, et l'on peut se demander d'où vient ce paradoxe.
Une marche en avant de l'humanité ne serait concevable qu'à trois conditions. Tout d'abord, que l'humanité entière soit assimilée à un même homme qui ne cesse de progresser, grâce à la continuité historique permettant à chaque génération nouvelle d'avoir pour point de départ ce qui a été péniblement acquis par les générations antérieures : idée exprimée avec force par Pascal (1623-1662) dans sa préface sur le *Traité du vide* (1651). Ensuite, que le monde puisse être amélioré indéfiniment, sans jamais atteindre la perfection finale : c'est ce que développe le philosophe allemand Leibniz (1646-1716) dans *De l'origine radicale des choses* (1697). Enfin, que l'homme ne soit pas enfermé dans une « essence » fixe, mais qu'il ait par nature – si l'on peut dire – le pouvoir de se dénaturer : pouvoir paradoxal, pouvoir ambivalent puisqu'il doit lui permettre de progresser, mais également de régresser. Dans le *Discours sur l'origine et les fondements de l'inégalité parmi les hommes* (1755), Rousseau* (1712-1778) nomme « perfectibilité » ce pouvoir étrange.
C'est parce que ces trois thèses philosophiques sont rejetées que l'idée de progrès en vient, de nos jours, à se vider de sa substance. À la première, on oppose la discontinuité historique et ethnographique de l'humanité ; à la seconde, on objecte que l'infinité du progrès de la technique* prend la forme d'une démesure insensée, et non de l'approximation d'une perfection ; et si l'on maintient l'idée d'une perfectibilité humaine, c'est pour mieux mettre en lumière la discordance perpétuelle entre nos progrès (scientifiques, techniques) et nos régressions (intellectuelles et morales). Il devient alors dérisoire de parler d'une marche en avant de l'humanité : d'abord parce qu'il n'y a pas d'humanité (argument de la discontinuité), ensuite parce que le progrès nous échappe (argument de la démesure), enfin parce que nous n'en profitons pas (argument de la discordance).

Histoire de l'idée de progrès

L'idée intégrale d'une marche en avant de l'humanité date du XVIIIe siècle. La formation de cette idée peut être éclairée par les repères suivants.
Dans l'Antiquité*, Platon* (427-347 av. J.-C.) associe déjà l'humanité et le progrès, dans son dialogue *Le Politique*, à l'occasion d'une reprise du mythe* de l'« âge d'or » évoqué par Hésiode : l'âge d'or, selon Platon, est un âge sans politique, puisque les hommes y vivent directement sous le commandement des dieux ; la vie s'y écoule dans le bon sens, c'est-à-dire de la vieillesse vers la jeunesse. Lorsque les dieux abandonnent le monde et le laissent aller à son propre mouvement, la vie prend le cours que nous lui connaissons, de la jeunesse vers la vieillesse et la mort : elle devient une vie corruptible ; les hommes y succombent, comme les animaux, mais en tentant de retarder cette corruption par l'invention de l'art politique et par le progrès technique (reprise du mythe de Prométhée*). On voit quelle place secondaire Platon attribue au progrès : celle d'un pis-aller.

En tant que religion fondée sur la foi en une Histoire, et sur le rapport entre un « Ancien » et un « Nouveau Testament », le christianisme* fait une place essentielle à l'idée de progrès. La pensée chrétienne* a engendré la première philosophie de l'Histoire* intégrant l'affirmation d'un progrès de l'humanité : dans *La Cité de Dieu*, écrite entre 412 et 427, saint Augustin (354-430) oppose l'histoire progressive de la cité céleste à l'histoire régressive de la cité terrestre. C'est dans cette œuvre également qu'apparaît pour la première fois l'analogie entre l'histoire du genre humain tout entier et la vie d'un homme unique.
La révolution scientifique* du XVIIe siècle impose l'idée que le progrès des connaissances n'exprime pas la faiblesse des hommes, voués à ne rendre compte que lentement et laborieusement de la perfection de l'univers, mais constitue positivement le savoir lui-même : « La vérité est fille du temps », énonce Bacon (1561-1626) à l'orée du Grand Siècle. Dans ses deux ouvrages principaux *L'Avancement des sciences* (1603) et *Le Nouvel Instrument* (1620), il relie fortement, comme le feront plus tard Leibniz, Diderot, d'Alembert et Comte, l'affirmation du progrès et l'idéal d'une classification encyclopédique* des sciences.

Le progrès, juge de l'Histoire

XVIIIe siècle

Le XVIIIe siècle, siècle des Lumières*, ne pose pas le progrès comme une réalité historique qu'il suffirait de constater, mais comme une norme permettant de juger l'Histoire : c'est au nom du progrès qu'on fait la part de ce qui, dans le passé, est éclairé ou reste dans les ténèbres (le Moyen Âge*, par exemple). Conformément à ce principe, Condorcet (1743-1794) s'efforce de démontrer, dans son *Esquisse d'un tableau historique des progrès de l'esprit humain* (1793), qu'après les neuf époques déjà traversées par l'humanité, après que les « lumières », apparues en Grèce antique*, eurent été perdues, puis retrouvées, le progrès a atteint le point de non-retour ; désormais indépendant de toute puissance qui voudrait l'arrêter, il doit être maîtrisé et ordonné : telle est la tâche grandiose qui s'offre aux hommes à l'aube de la dixième époque. Pour Condorcet, le progrès des connaissances doit rendre les hommes vertueux ; Kant* (1724-1804) estime au contraire que c'est le devoir moral de progrès qui nous oblige à connaître toujours davantage : autre conception des Lumières. Non seulement nous avons, selon Kant, le devoir de progresser, mais nous avons le devoir de nous croire capables de progresser, à l'infini, vers la perfection morale : tel est le sens que reçoit, dans la *Critique de la raison pratique* (1788), la foi en l'immortalité de l'âme. Pourtant, le progrès historique semble d'abord, reconnaît Kant, n'avoir rien de moral : dans son essai *Idée d'une histoire universelle au point de vue cosmopolitique* (1784), c'est à « l'insociable sociabilité », c'est-à-dire au jeu des passions humaines les plus condamnables, que ce progrès historique est attribué. Si toutefois l'idée de progrès doit être, chez Kant comme chez Condorcet, la norme permettant de juger l'Histoire, il faut bien que ce conflit entre progrès moral et progrès historique soit résolu : c'est la notion de « culture », telle qu'elle est élaborée dans la *Critique de la faculté de juger* (1790), qui permet de comprendre en quel sens et à quelles conditions le progrès historique est également un progrès moral.

L'Histoire, juge du progrès

XIXe siècle

Pour les penseurs du XIXe siècle, le progrès cesse d'être cette référence idéale, à la lumière de laquelle l'Histoire doit être jugée : c'est au contraire de l'Histoire elle-même, considérée dans son intégralité, qu'ils attendent de savoir ce qu'a été effectivement le progrès de l'humanité. Hegel* (1770-1831) rejette la conception kantienne d'un progrès moral à l'infini ; ses *Leçons sur la philosophie de l'Histoire* (1837) définissent ainsi la tâche du philosophe : reconnaître, dans l'Histoire universelle, la nécessité du progrès de la conscience de la liberté. Certes, les hommes savent qu'ils sont libres, mais il leur faut apprendre ce que cela veut dire : cet apprentissage se confond avec l'Histoire universelle, il est le sens de cette Histoire, dont il détermine les grandes époques, du despotisme oriental (dans lequel un seul, le despote, est libre, par la non-liberté de tous les autres, les sujets), à la cité antique (où quelques-uns, les citoyens, sont libres, grâce au travail* des autres, les esclaves*), puis à l'État* moderne, qui réalise laborieusement les conditions d'une reconnaissance, par tous, de la liberté de tous.
Tout est progrès dans l'Histoire. Cette thèse est partagée par Comte (1798-1857), qui reproche à Condorcet, dans

le *Cours de philosophie positive* (1830-1842), d'avoir scindé l'Histoire entre l'obscurantisme du passé et les lumières du présent. Toutefois, le positivisme* de Comte s'oppose à la philosophie de Hegel sur un point essentiel : le rejet de la dialectique*, et en particulier le refus de considérer le « négatif » comme étant par lui-même « positif », de croire que la destruction engendre d'elle-même une construction d'ordre supérieur. Lorsque la Révolution française* pose en principe les droits sacrés de chaque individu*, c'est bien un progrès par rapport à la conception théologique du « droit divin ». Mais ce progrès, estime Comte, est seulement négatif : il ne représente qu'une dissolution métaphysique* du droit divin. La société* ne saurait, sans risque d'anarchie*, prolonger cette situation de crise*, et doit assurer le véritable progrès positif, celui qui conduira l'individu à reconnaître qu'il n'a que des devoirs envers l'humanité, puisque nul n'est homme que par l'héritage humain.

ENJEUX CONTEMPORAINS

Les crises du progrès

Depuis Nietzsche* (1844-1900), pour de nombreux philosophes du XXe siècle, le progrès semble devenu le pire ennemi du progrès. Ainsi Bergson (1859-1941) affirme-t-il, dans *Les Deux Sources de la morale et de la religion* (1932), que le progrès technique a été lancé, « par un accident d'aiguillage », hors de sa voie authentique, celle de la libération de l'homme : la mystique, écrit Bergson, « appelle la mécanique », car l'homme doit peser sur la matière s'il veut se détacher d'elle ; inversement la mécanique, qui agrandit démesurément notre corps en le dotant d'organes artificiels, appelle désormais la mystique, car « le corps agrandi attend un supplément d'âme ». Husserl (1859-1938) estime que le progrès même des sciences occidentales, et la réduction positiviste qu'il entraîne, a recouvert et brouillé la véritable signification historique de l'entreprise scientifique, qu'il faut maintenant redécouvrir : tel est le constat établi dans *La Crise des sciences européennes et la phénoménologie transcendantale* (1936). Bachelard (1884-1962), quant à lui, soutient que c'est en termes d'obstacles qu'il faut poser le problème de la connaissance scientifique, et que le progrès de la science se constitue par rupture : en connaissant « contre » une connaissance antérieure, et non par un accroissement continu.

Dans ces trois façons d'opposer le progrès à lui-même, il faut lire des crises de la notion de progrès, retournée contre son propre contenu.

● **À LIRE :** Condorcet, *Esquisse d'un tableau historique des progrès de l'esprit humain.*

● **CORRÉLATS :** anarchisme ; Antiquité ; chrétienne (pensée) ; christianisme ; crise ; dialectique ; encyclopédie ; esclavage ; État ; Grèce antique ; Hegel ; Histoire (philosophies de l') ; individu ; Kant ; Lumières ; métaphysique ; Moyen Âge ; mythe ; Nietzsche ; Platon ; positivisme ; Prométhée ; Révolution française ; révolution scientifique ; Rousseau ; société ; sujet ; technique ; travail ; valeurs.

PROMÉTHÉE

Le Titan Prométhée (dont le nom signifie « le prévoyant ») est considéré, dans la mythologie grecque, comme un bienfaiteur de l'humanité.

Selon différentes versions du mythe*, il aurait sauvé l'homme du déluge, voire créé l'homme avec de l'eau et de la terre. Il est surtout celui qui a dérobé le feu à Zeus pour le donner aux hommes, espèce par trop démunie pour pouvoir autrement survivre. On raconte également qu'il apprit aux hommes à se réserver la meilleure part des animaux qui devaient être sacrifiés aux Dieux. Zeus l'aurait puni en l'attachant au Caucase, où un aigle venait chaque nuit lui dévorer le foie. Délivré par Héraklès, Prométhée aurait finalement rejoint l'Olympe.

Deux personnages sont associés à Prométhée : son frère Épiméthée, qui incarne le maladroit, et Pandore (douée de toutes les grâces) qui reçut de Zeus une boîte pleine de fléaux et de calamités que, dans son imprévoyance, elle ouvrit. Les malheurs se répandirent sur terre, et Pandore referma la boîte, au fond de laquelle se trouvait l'Espoir.

La révolte et le progrès
Tout mythe a une fonction étiologique : il explique la spécificité de l'espèce humaine et, selon les interprétations, la misère ou la grandeur de notre condition. Si l'homme est le plus démuni de tous les animaux, Prométhée, en lui permettant par la cuisson des aliments d'accéder à la civilisation, en a fait un être hybride, entre animalité et divinité, qui, même si c'est au prix de la souffrance, peut s'affranchir de la tutelle des dieux. Prométhée est donc surtout le symbole de la révolte, au plan métaphysique*, dans la culture occidentale.
Cependant sa révolte, selon Eschyle (525-456 av. J.-C.), ne veut pas dire négation des dieux, mais possibilité pour les hommes de penser leur avenir en termes de progrès* grâce au feu, et non plus dans la nostalgie de l'âge d'or. Le mythe de Prométhée est peu interprété : Prométhée enchaîné et supplicié est assimilé au Christ dans quelques allusions. La Renaissance* fait du Titan la figure du savant, intervenant sur la nature et donnant aux hommes le progrès technique* et scientifique. En poésie, ce motif est ornemental : l'homme dévoré par la passion amoureuse est comparé à Prométhée enchaîné.

ENJEUX CONTEMPORAINS

Mythe et société
Les Lumières* exploitent le mythe et font de Prométhée celui qui s'oppose à l'obscurantisme et donne aux hommes la capacité de créer et d'espérer. Avec les romantiques*, il devient le symbole d'une humanité qui se crée elle-même (Michelet), le poète de génie (Goethe, Balzac, Hugo) et le révolté qui instaure l'amour universel (Shelley) ; Mary Shelley s'inspire d'ailleurs de ce mythe pour son roman *Frankenstein* ou le Prométhée moderne* (1817). Rimbaud se proclame « voleur de feu », dans une allusion explicite à Prométhée. Gide compose une sotie, *Prométhée mal enchaîné* (1899), qui voit Prométhée plumer son aigle et garder son plumage pour écrire. L'adjectif *prométhéen*, caractérisant le goût de l'action et la foi en l'homme, s'attache à la figure de celui qui, par volontarisme, dépasse les limites qui lui ont été fixées, voire transgresse les interdits divins.

● **À CONSULTER :** P. Brunel, *Dictionnaire des mythes littéraires*, Rocher (1988).
● **CORRÉLATS :** Frankenstein ; Lumières ; mythe ; progrès ; romantisme ; technique.

PSYCHANALYSE

● **ÉTYM. :** De l'allemand *Psychoanalyse*, formé à partir du grec *psukhê* (« âme » ou « fantôme ») et *analusis* (« décomposition »).
● **DÉF. :** Freud (1856-1939) introduit en 1896 le néologisme *psychanalyse* pour désigner la discipline qu'il a lui-même inventée, et qui est à la fois un procédé d'investigation des processus inconscients, une méthode de traitement des névroses, et une théorie d'ensemble de la vie psychique, prétendant constituer une science* à part entière.

La révolution psychanalytique
Freud aime à situer la psychanalyse dans la continuité des découvertes scientifiques qui ont révolutionné l'humanité en détruisant ses illusions rassurantes. Notre amour-propre aurait ainsi été blessé une première fois, selon lui, par la théorie de Copernic (1473-1543), qui détruit l'idée d'une place privilégiée de l'homme dans l'univers cosmologique ; une deuxième fois par la théorie de Darwin (1809-1882), qui anéantit la même idée dans l'univers de la biologie*. La psychanalyse lui porte un troisième coup, qui atteint cette fois-ci l'intimité du Moi* humain : « Le Moi n'est même pas le maître dans sa propre maison » (*Introduction à la psychanalyse*, 1916-1917).

L'invention de la psychanalyse
Freud a raconté à plusieurs reprises, en particulier dans son autobiographie *Ma vie et la psychanalyse* (1925), les circonstances qui ont entouré la naissance de la psychanalyse. Médecin de formation, il se consacre à partir de 1890 au problème posé par les symptômes hystériques. Écrites en collaboration avec Breuer (1842-1925), les *Études sur l'hystérie* (1895) mettent en place les principes fondamentaux de ce qui va devenir la psychanalyse. Les symptômes hystériques sont des réminiscences : le sujet y revit, à son insu, un traumatisme ancien, de nature sexuelle, qu'il exprime

de façon symbolique. Le traitement doit susciter une remémoration véritable de ces événements traumatiques, permettant de réintroduire dans la conscience ce qui a été refoulé par le sujet : la cure est ainsi une *catharsis* (en grec, « purification », « purgation »), une libération par la parole.

La méthode élaborée par Freud est donc bien, au sens propre, une « psychanalyse », une analyse du psychisme : le principe qui l'anime est de chercher la source des perturbations du psychisme dans le psychisme lui-même, et non dans un mécanisme corporel qui lui serait extérieur. Elle se heurte logiquement, dès son apparition, à une double hostilité : celle de la tradition médicale, selon laquelle le traitement des symptômes ne peut consister qu'en une action effective sur leurs causes organiques ; et celle de la tradition philosophique issue de Descartes*, selon laquelle le psychisme est intégralement conscient par définition, si bien que ce qui est obscur en lui ne peut lui venir que du dehors. L'enjeu de ce double combat est la notion d'inconscient psychique, véritable clef de voûte de la psychanalyse.

L'interprétation des rêves

En ce qui concerne les rêves, la psychanalyse tourne le dos à la tradition scientifique qui voit en eux les effets de causes physiologiques, et renoue avec une tradition plus ancienne, et plus populaire, selon laquelle ce sont des messages à décrypter. Freud estime en outre que le peuple n'a pas tort d'assimiler couramment les verbes *rêver* et *désirer*. Dans son ouvrage, *L'Interprétation des rêves* (1900), il expose, illustre et développe une thèse fondamentale : « Le rêve est un accomplissement de désir. »

Cette thèse a un triple intérêt. Elle justifie d'abord le caractère hallucinatoire du rêve : ce que le désir du rêveur vise dans l'avenir, son rêve le lui présente comme déjà accompli, si bien qu'on peut dire, paradoxalement, que nos rêves « réalisent » nos désirs. Elle indique ensuite la véritable fonction du rêve, qui est de protéger le sommeil de toutes les perturbations que pourraient engendrer les désirs, s'ils n'étaient pas accomplis de façon onirique. Elle fournit enfin le principe qui guide l'interprétation du rêve lui-même, le déchiffrement de son « contenu manifeste » à la recherche de son « contenu latent ».

Interpréter un rêve, dégager son sens, c'est d'abord comprendre comment il s'intercale dans la suite des actes mentaux intelligibles de la veille. Rien ne semble plus éloigné de l'esprit de la psychanalyse que l'opposition tranchée entre le monde onirique et celui de nos préoccupations quotidiennes : rêver n'est pas pénétrer dans un autre univers. C'est donc au prix d'un certain malentendu que le surréalisme* s'est réclamé de Freud, en cherchant dans le rêve l'indice d'une réalité absolue ou « sur-réalité ».

Si tout rêve est un accomplissement de désir, il s'agit le plus souvent d'un désir réprimé, refoulé. Pour contourner la censure qui leur interdit d'accéder à la conscience, les pensées du rêve doivent se déguiser selon des procédés caractéristiques : condensation de plusieurs pensées sur un seul élément, déplacement de ce qui est essentiel vers ce qui est accessoire, et réciproquement. Freud voit dans ces procédés des formes spontanées de la pensée inconsciente, dont le rêve serait l'expression privilégiée : « Le rêve est la voie royale qui conduit à la connaissance de l'inconscient. »

La notion d'un univers onirique retrouve alors une certaine valeur, particulièrement dans l'analyse du symbolisme des rêves, auquel Freud ne s'est intéressé que tardivement. Il est difficile, en vérité, de concilier le principe selon lequel l'interprétation doit se faire selon les libres associations que les éléments du rêve suggèrent au rêveur lui-même, et l'idée que le rêve est peuplé de symboles dont l'analyste détient le secret : ce n'est pas sans réticence que Freud fait une place à cette dernière idée, qui évoque dangereusement la possibilité d'une interprétation automatique, fondée sur une « clef des songes ». Cette réticence est sans doute un des motifs de la grande rupture entre Freud et celui qu'il considère d'abord comme son dauphin, Jung (1875-1961). À partir de 1912, date de la publication de son ouvrage *Métamorphoses et symboles de la libido*, Jung se consacre en effet à l'exploration de l'« inconscient collectif », distinct de l'inconscient personnel, et constitué d'« archétypes », structures génératrices des images symboliques collectives.

Si elle ne suit pas cette voie, la psychanalyse freudienne n'en affirme pas moins, à sa manière, le caractère archaïque de nos rêves. Le désir humain s'y montre davantage tourné vers le passé que vers l'avenir, essentiellement régressif et nostalgique : Freud aime à citer, à ce propos, le mythe* sur l'amour que Platon* attribue à Aristophane, dans *Le Banquet* (384 av. J.-C.). Cette théorie du lien intime entre le rêve et la mémoire rejoint également une grande intuition de certains écrivains du romantisme* : Hölderlin, Novalis ou Nerval.

Le complexe d'Œdipe

Dans le vocabulaire de Freud, le mot *complexe* n'a pas le sens que lui donne familièrement l'expression « avoir des complexes », sens qui provient de la théorie du complexe d'infériorité chez Adler (1870-1937). Freud désigne par ce mot un conflit affectif profond, lié à une certaine situation. Or il existe selon lui une situation qu'aucun être humain ne peut manquer de vivre, qui détermine sa personnalité future, vers laquelle convergent les régressions oniriques, et en laquelle l'analyste doit chercher le noyau des névroses : la situation qu'immortalise la légende grecque d'Œdipe*, et qu'illustre l'*Œdipe roi* de Sophocle. De ce mythe et de cette tragédie*, Freud ne retient que la double prophétie de l'oracle : inceste et parricide.

Afin de comprendre le rôle essentiel du complexe d'Œdipe pour la formation de la personnalité, il faut le situer dans l'évolution de la sexualité infantile. Ce qui caractérise l'enfance n'est pas l'innocence, mais la recherche multiforme d'un plaisir irréductible à la satisfaction physiologique, à savoir le plaisir sexuel, au sens très large que Freud donne à cette notion. Le moment œdipien se situe lors du passage de la sexualité auto-érotique, où la pulsion se satisfait sur le corps propre, à la sexualité génitale, tournée vers un « objet d'amour ». L'enfant commence alors à désirer sa mère et à haïr son père, voyant en lui le rival qui barre le chemin de son désir. Cela vaut pour la fille comme pour le garçon : à la différence de Jung, Freud ne reconnaît pas de « complexe d'Électre », qui serait le symétrique féminin du complexe d'Œdipe. L'opposition du masculin et du féminin ne peut pas intervenir, selon lui, dans une situation qui a précisément pour fonction de l'établir. Ce qui structure le moment œdipien, et doit permettre de le surmonter, c'est, pour les deux sexes, l'opposition entre la possession du pénis et la castration. Pour le garçon, la castration est une punition : c'est sous la menace qu'il est conduit à renoncer brutalement au désir incestueux de la mère et à s'identifier au père. Pour la fille, la castration est un fait accompli : c'est par un lent glissement symbolique qu'elle substituera le désir d'avoir un enfant au désir de posséder le pénis et se préparera à son futur rôle sexuel. « Tout être humain se voit imposer la tâche de maîtriser le complexe d'Œdipe ; s'il faillit à cette tâche, il sera un névrosé » (*Trois essais sur la théorie de la sexualité*, 1905).

Convaincu de l'universalité du complexe d'Œdipe, Freud n'hésite pas à lui accorder une signification anthropologique qui dépasse le domaine strict de la psychologie* individuelle. Dans *Totem et tabou* (1913), il émet l'hypothèse – plus mythologique qu'historique – selon laquelle l'événement fondateur de l'humanité aurait été le « meurtre du père primitif ». Marquant la fin de la horde primitive et le commencement des véritables sociétés* humaines, fondées sur la prohibition de l'inceste, cet événement traumatisant serait revécu, de façon névrotique, dans les diverses religions : religions totémiques, mais également religions monothéistes* (*L'homme Moïse et le monothéisme*, 1939). Une telle application de la psychanalyse à l'ethnologie* suscite bien des réserves chez les spécialistes de cette dernière science : elles apparaissent dès l'ouvrage de Malinowski, *La sexualité et sa répression dans les sociétés primitives* (1927).

Enjeux contemporains

Famille, nature et société

Deleuze et Guattari s'en prennent violemment, dans *L'Anti-Œdipe* (1972), au « familialisme » de la psychanalyse, qui réduit le flux du désir sexuel au cadre étriqué de la relation entre l'enfant et ses parents. En revanche, le structuralisme* donne une nouvelle vigueur aux idées freudiennes. Reprenant la thèse de Lévi-Strauss selon laquelle l'interdiction de l'inceste n'est pas une règle parmi d'autres, mais la loi universelle de différenciation entre nature et culture (*Les Structures élémentaires de la parenté*, 1949), le psychanalyste français Lacan (1901-1981) met l'accent sur le lien qui se noue, dans la situation œdipienne, entre le désir et la Loi, dont le père est le support symbolique. Mais si l'illusion religieuse reproduit indéfiniment ce lien, Freud nous enseigne, pour finir, la nécessité et la difficulté de le rompre : « L'homme ne peut pas éternellement rester enfant, il doit à la fin passer dehors, dans la vie hostile » (*L'Avenir d'une illusion*, 1927).

● **À consulter :** J. Laplanche, J.-B. Pontalis, *Vocabulaire de la psychanalyse*, PUF (1967). M. Robert, *La Révolution psychanalytique*, Payot (1964-1976). ● **À lire :** Freud, *Cinq psychanalyses*, PUF (1954). ● **À voir :** J. Huston, *Freud, désirs inavoués*.
● **Corrélats :** biologie ; Descartes ; ethnologie ; Moi (figures du) ; monothéisme ; mythe ; Œdipe ; Platon ; psychologie ; romantisme ; sciences de l'homme ; société ; structuralisme ; sujet ; surréalisme ; tragédie.

PSYCHOLOGIE

● **Étym. :** Formé au XVIe siècle à partir du grec *psukhê* (« âme » ou « fantôme ») et *logos* (« discours »).
● **Déf. :** Le terme *psychologie* a d'abord désigné la partie de la philosophie traitant de l'âme, de ses facultés et de ses opérations, avant d'être revendiqué par une science* qui se veut émancipée et autonome, mais dont l'objet propre est difficile à déterminer avec précision. Il est d'usage, d'ailleurs, de désigner cet objet par le mot même qui sert à nommer la science en question : ainsi parle-t-on de la « psychologie » d'une personne, ou d'un personnage de roman*. D'autre part, l'emploi familier de *psychologie* fait souvent référence à une intuition et un tact qui n'ont rien de scientifique : dans ses relations avec les autres, chacun peut ainsi faire preuve ou manquer de psychologie.

Objets, méthodes et théorie en psychologie

Si une science se définit par son objet et sa méthode, on ne peut manquer d'être frappé par l'émiettement des objets de la psychologie dite « scientifique », et surtout par la diversité des méthodes qui prétendent lui assurer son statut de science. Ces méthodes, en effet, relèvent de théories incompatibles, grevées de présupposés philosophiques.
Une importante ligne de partage divise les psychologues sur la notion de comportement. Partant du principe qu'un fait de comportement est toujours une réaction (ou « réponse ») à un événement extérieur (un « stimulus »), certains considèrent que leur science doit se borner à établir les lois selon lesquelles ces réactions ont lieu, en rejetant, sous peine de perdre son objectivité, toute hypothèse sur des « états de conscience » intérieurs. Fortement influencée par les travaux de Pavlov (1849-1936) sur le réflexe conditionné chez les animaux, théorisée au début du siècle par Watson (1878-1958), radicalisée de façon inquiétante dans l'œuvre de Skinner (1904-1990), cette « psychologie sans âme » reçoit le nom de « behaviorisme » (de l'anglais *behaviour*, « comportement »). S'accordant parfaitement à l'empirisme* qui domine la pensée anglo-saxonne, elle postule que la méthode expérimentale doit avoir, en psychologie, le même statut que dans les sciences exactes* : il s'agit de créer une situation et d'en contrôler tous les facteurs en ne variant qu'un facteur à la fois, de manière à étudier les variations relatives des réponses en faisant abstraction de l'ensemble.
Au nom de la spécificité irréductible des sciences de l'homme*, d'autres psychologues soutiennent au contraire que le comportement, loin de n'être qu'un ensemble de réponses à des *stimuli*, est l'expression globale d'un sens, et que la psychologie ne peut négliger ce sens sous peine d'ignorer son objet propre. Cette reconnaissance de l'« âme » donne lieu à des théories diverses, plutôt marquées par la philosophie continentale, en particulier par la phénoménologie*. Sur le plan méthodologique, elle incite à penser que les moyens d'investigation du psychologue (tests, questionnaires...) ne constituent pas une méthode expérimentale identique à celle des sciences de la nature, mais une « méthode clinique » : ils visent moins à établir des lois générales qu'à étudier, de façon prolongée, un comportement individuel dans sa situation signifiante.
Dans l'étude des diverses fonctions psychiques (perception, intelligence, mémoire...), la psychologie scientifique est partagée, depuis l'origine, entre la tendance à décomposer en éléments et la recherche de significations globales. L'école « associationniste », par exemple, considère que la perception résulte d'un apprentissage associant des sensations élémentaires ; l'école « gestaltiste » (de l'allemand *Gestalt*, « forme ») s'oppose à cette thèse en montrant que la perception est d'emblée structurée, saisissant des formes qui ne se réduisent pas à la somme de leurs éléments. La psychologie « cognitive » contemporaine tente de dépasser ce genre d'oppositions, en les intégrant dans une théorie unitaire.

Psychologie de l'enfant et éducation

L'étude de la croissance mentale et des conduites de l'enfant compte parmi les plus belles réussites de la psychologie scientifique. Elle est illustrée par deux auteurs de langue française : Wallon (1879-1962) et Piaget (1896-1980). L'attention de ces deux auteurs se concentre sur les stades ou étapes du développement intellectuel de l'enfant. Alors que Wallon, dans l'esprit du matérialisme dialectique* des marxistes, insiste sur la discontinuité de ces stades, et le caractère conflictuel des crises* qui marquent le passage d'un stade à un autre, Piaget met l'accent sur l'unité fonctionnelle du processus qui socialise progressivement une pensée d'abord réfractaire à l'adaptation. Ce point de vue génétique éclaire certains moments privilégiés de l'évolution enfantine, en particulier l'acquisition, vers sept ans, de la notion d'« objet permanent ». C'est à cet âge seulement, en effet, qu'un enfant sait reconnaître, grâce à une « décentration », qu'un objet reste identique à lui-même lorsqu'on lui fait subir des transformations réversibles (déplacements, changements de forme...). C'est donc à cet âge que la pensée enfantine peut accomplir, sur les objets eux-mêmes, certaines « opérations concrètes » qui préfigurent les futures opérations abstraites de l'arithmétique (addition, soustraction...). Audelà de la psychologie, ces considérations permettent de fonder une épistémologie* génétique. Les théories psychologiques sur le développement de l'enfant présentent évidemment un intérêt pédagogique. Wallon a laissé son nom au plan Langevin-Wallon sur la réforme de l'enseignement (1947) ; à la même époque, Piaget dirigeait la section Éducation de l'Unesco. Les connaissances acquises sur les stades de l'intelligence enfantine semblent devoir inciter l'école* à une grande prudence pédagogique : ne rien enseigner qui soit prématuré par rapport au stade effectivement atteint par l'enfant. Il ne faut pas oublier, toutefois, la question paradoxale que pose le philosophe Alain, proche en cela de Comte : faut-il connaître l'enfant pour l'instruire, ou plutôt l'instruire pour le connaître ?

Psychanalyse et psychologie

En 1895, au moment où se constitue la psychanalyse*, Freud (1856-1939) rédige l'*Esquisse d'une psychologie scientifique.* Situant résolument sa recherche dans le domaine des sciences de la nature, il se réclame de certains travaux contemporains en physiologie du cerveau. Cette référence à la biologie* demeure pourtant comme étrangère au contenu effectif de son œuvre : celle-ci semble viser uniquement l'interprétation d'actes psychiques signifiants (actes manqués, rêves, symptômes), et n'a jamais entraîné la moindre découverte importante concernant les causes physiologiques de ces actes. D'un autre côté, le caractère systématique de la théorie freudienne, sa prétention à éclairer toute l'expérience humaine, y compris des domaines qui se situent hors de la psychologie proprement dite (le totémisme, les religions), nous interdisent d'en faire une théorie psychologique parmi d'autres.

Considérée en tant que méthode psychologique, la psychanalyse évite le danger d'une psychologie à la première personne, ne reposant que sur la base fragile de l'introspection, et le péril opposé d'une psychologie à la troisième personne, réduisant l'homme à l'état d'objet. Elle instaure une psychologie à la deuxième personne : la vérité du sujet*, c'est-à-dire la vérité de son désir, n'apparaît que dans les paroles qu'il adresse à son analyste, alors qu'elle doit être dissimulée à lui-même aussi bien qu'à tout observateur extérieur. De là vient l'importance de ce moment crucial que les psychanalystes appellent le « transfert ».

Selon le psychanalyste Lacan (1901-1981), l'analyste n'est pas pour son patient un « autre », un *alter ego* semblable à ceux que le sujet côtoie depuis toujours, et qui lui renvoient l'image* dans laquelle il se retrouve, l'image de son « Moi* » plein et achevé. La relation avec l'analyste détruit au contraire cette plénitude imaginaire, car l'analyste y occupe le « lieu de l'Autre », révélant au sujet sa division et sa béance irrémédiables. Elle subvertit du même coup toute psychologie.

● **À CONSULTER :** M. Reuchlin, *Histoire de la psychologie*, PUF, « Que sais-je ? » (1991) ; *Les Méthodes en psychologie*, PUF, « Que sais-je ? » (1989). J. Piaget, B. Inhelder, *La Psychologie de l'enfant*, PUF, « Que sais-je ? » (rééd. 1992).

● **CORRÉLATS :** biologie ; crise ; dialectique ; école ; empirisme ; épistémologie ; image ; Moi (figures du) ; phénoménologie ; psychanalyse ; roman ; sciences de l'homme ; sciences exactes ; sujet.

RÉALISME

● **ÉTYM. :** Du latin *realis* (« réel »).
● **DÉF. :** Le *réalisme* désigne en art la volonté d'un écrivain, d'un peintre, d'un sculpteur ou d'un cinéaste de rendre compte du réel et de le restituer avec la plus grande fidélité.

Le réel et sa représentation

Pour faire le portrait d'un individu, le peintre réaliste s'appliquera à reproduire ses traits, avec la plus parfaite exactitude ; il se refusera à modifier, enjoliver ou transformer la personne réelle qui pose devant lui. Il se donne donc pour objectif de restituer, sur la toile, une copie conforme du personnage existant. Le réalisme s'oppose ainsi à toute incursion dans l'imaginaire : il affiche un parti pris d'objectivité, et c'est le talent du peintre, son art – au sens premier de « technique* » –, qui lui permettra de réaliser cette reproduction du réel. Les Grecs anciens la désignaient par le terme *mimesis* (« imitation ») : la légende veut qu'un peintre particulièrement talentueux, Zeuxis, ait su représenter des fruits si criants de vérité que les oiseaux vinrent les picorer.

Or, on le sait, il ne saurait exister, sur une toile ou sur une feuille, de reproduction *stricto sensu* du réel : le portrait de tel personnage n'est pas ce personnage, il en est la représentation. En maniant des couleurs ou des mots, l'artiste, confronté à l'évidence du modèle, va nécessairement être contraint d'opérer des choix, dont celui du point de vue : trois peintres devant le Colisée ne vont pas donner la même reproduction du monument, car chacun orientera son regard d'une manière particulière. Les couleurs, les angles de vue, la perception d'ensemble seront différents sur chaque toile, et pourtant la configuration réelle du monument est une. Toute représentation est donc nécessairement interprétation : ce que je peins, c'est ce que je vois. D'ailleurs, l'expression *point de vue* signifie aussi « opinion » : mon regard sur quelque élément du réel est marqué par ma propre subjectivité ; il n'existe pas de regard neutre. On affirme à tort que la photographie est une image* exacte du réel : le photographe, lui aussi, imprime sa sensibilité au cliché par le choix du cadrage, de la composition, des jeux de lumière.

Le réalisme comme courant artistique

XIXe siècle

Historiquement, c'est dans la seconde moitié du XIXe siècle que le courant réaliste prend son essor : en peinture, avec Courbet et Millet ; en littérature, avec Flaubert, Maupassant et Zola, ce dernier radicalisant la notion pour fonder le « naturalisme ».

Il faut lire la préface capitale que Maupassant donne à son roman *Pierre et Jean* (1888) pour constater qu'il sait pertinemment que l'écrivain ne saurait « donner la photographie banale de la vie » : l'ambition du romancier réaliste est de peindre le réel (social, politique, psychologique), et de le peindre en artiste. Leur volonté de restituer le réel s'accompagne de la conscience claire que « faire vrai consiste à donner l'illusion complète du vrai ».

Ainsi, Zola ne cherche pas à établir un documentaire exhaustif et objectif sur le monde des mineurs : lorsqu'on confronte ses carnets de notes avec le roman *Germinal* (1885), on perçoit que le romancier entend « imposer son illusion particulière » de la mine, selon l'expression de Maupassant. Les personnages de Lantier, Maheu, Souvarine, s'ils sont vraisemblables, n'en sont pas moins fabriqués par l'auteur pour donner de la condition des mineurs une image orientée politiquement : le récit se fait épopée*, le peuple souffrant devient le personnage principal du roman, et, à la dernière page, s'inscrit l'espérance d'un monde meilleur, libéré de l'oppression et de la misère.
On a coutume, souvent de manière schématique, d'opposer « romantisme* » et « réalisme » : il est vrai que Flaubert (1821-1880) combattait l'épanchement lyrique et les outrances sentimentalistes des écrivains, poètes et romanciers, de la première partie de son siècle. Cependant, Balzac (1799-1850), grand romancier romantique, est indéniablement réaliste : il donne à lire, tout au long de sa *Comédie humaine*, le portrait vivant d'une époque. Il est le témoin précis de la monarchie de Juillet, du monde des affaires comme du quotidien des petites gens. Dans l'Avant-propos à son œuvre, il se définit comme le « secrétaire » de son temps, affirmant que son projet est de « faire concurrence à l'état civil ». Tout historien désireux de penser les mentalités ou « les mœurs » des années 1830-1850 doit lire attentivement le tableau que constitue *La Comédie humaine* qualifié, par le critique P. Barbéris, de « mythologie réaliste ».

ENJEUX CONTEMPORAINS

Art et société

Le réalisme est parfois connoté péjorativement : le surréalisme*, l'art abstrait*, les avant-gardes qu'a connues l'art moderne* tendent à renvoyer le réalisme aux platitudes du simple figuratif. Le « réalisme socialiste », art officiel du communisme soviétique*, a contribué à ce discrédit.
En fait, la peinture de la réalité, chez un artiste, se fait par une invention de cette réalité : les descriptions chez Proust ou chez Céline transforment le réel pour en faire apparaître la vérité. C'est ce qu'Aragon nomme, dans une formule volontairement paradoxale, le « mentir-vrai ».

● **À CONSULTER :** C. Becker, *Lire le réalisme et le naturalisme*, Dunod (1992). ● **À LIRE :** Balzac, « Avant-propos » à *La Condition humaine*. Zola, *Le Roman expérimental*. Maupassant, « Préface » de *Pierre et Jean*. ● **CORRÉLATS :** art abstrait ; art moderne ; communisme soviétique ; conte ; épopée ; fantastique ; image ; roman ; romantisme ; surréalisme.

RÉFORME PROTESTANTE

● **ÉTYM. :** Dérivé de *réformer* (« former à nouveau, refaire ») et de *protester* (du latin *pro*, « devant » et *testari*, « témoigner ») ; au sens juridique, déclarer fortement et publiquement ses convictions, sa volonté. Plutôt que *réforme*, les protestants emploient *réformation*, dérivé direct du latin *reformatio* employé au XVIe siècle. ● **DÉF. :** La Réforme protestante désigne le mouvement religieux qui, au XVIe siècle, a conduit une partie de la Chrétienté occidentale à rejeter l'autorité du pape et à contester le rituel et la dogmatique de l'Église* catholique romaine.

La crise de l'Église romaine

fin du Moyen Âge

Pendant tout le Moyen Âge*, l'Occident européen a perçu son unité à travers une commune fidélité à l'Église catholique romaine et à son chef, le pape : c'est ce que recouvre le concept de « Chrétienté ».
Structurée et centralisée au temps de l'émiettement féodal*, forte de l'immense prestige que lui vaut son rôle spirituel à une époque exempte de doute et où la religion fonde toutes les légitimités, l'Église est aussi devenue une énorme puissance « temporelle », autrement dit politique, économique et financière, avec tous les risques que cela implique. À la fin du Moyen Âge, nombreux sont ceux qui l'accusent d'être infidèle au message de l'Évangile : ils dénoncent le luxe de la cour pontificale, le relâchement et l'ignorance du clergé, la multiplication des abus... En ce sens

le travail des humanistes* sur l'Écriture contribue à mettre en relief l'écart entre l'idéal chrétien et les conduites réelles de l'Église. Peu soucieux de voir leur pouvoir contesté, les papes du XVe siècle ne cessent d'ajourner une profonde et nécessaire réforme.

Luther
1483-1546

En 1517, un moine allemand, Martin Luther (1483-1546), indigné de voir l'Église vendre aux fidèles des Indulgences (rémission personnelle des péchés que peut accorder le pape), affiche à Wittenberg (Saxe) 95 propositions dénonçant ce commerce. Excommunié par le pape Léon X, il brûle publiquement la lettre qui le condamne (1520).

Dès lors, il radicalise son propos. Protégé par le duc de Saxe, il refuse de se rétracter devant l'empereur Charles Quint (1519-1556) à Worms (1521). Il entreprend de traduire la Bible* en allemand, afin que tout fidèle puisse avoir personnellement accès à l'Écriture. Il récuse le pouvoir du pape et des évêques. Il soutient que le Salut dépend de la sincérité de la foi, et non de l'exercice des pratiques rituelles. Il condamne le culte de la Vierge et des saints.

Il en ressort une religion épurée, sans messe et sans prêtre (les pasteurs, ou ministres, ne sont que de simples guides, sans pouvoirs surnaturels, et peuvent se marier). Les ordres monastiques sont abolis. Le culte met l'accent sur la lecture et le commentaire de la Bible, la prière et le chant en commun des Psaumes.

La Réforme luthérienne obtient un énorme succès en Allemagne, par conviction, mais aussi par calcul car, en se faisant luthériens, les princes font main basse sur les biens de l'Église catholique déchue. En 1529, l'empereur Charles Quint somme les luthériens de se soumettre : ceux-ci « protestent » (d'où leur nom de protestants) et ripostent par un exposé complet de leur doctrine, la *Confession d'Augsbourg* (1530).

Calvin
1509-1564

La Réforme luthérienne se répand dans l'Europe germanique (Suisse alémanique, Scandinavie) et ses idées gagnent la France. En 1534, François Ier prend des mesures antiprotestantes qui contraignent à l'exil les premiers réformés français. L'un d'eux, Jean Calvin (1509-1564), réfugié à Genève, y publie en 1536 *L'Institution de la religion chrétienne* : allant jusqu'au bout de la logique de Luther, il apparaît encore plus radical. Calvin réclame un culte dépouillé, dans des temples sans images ni décoration. Il développe surtout une doctrine austère insistant sur l'impuissance de l'homme et la toute-puissance de Dieu : celui-ci sait de toute éternité qui sera sauvé ou damné. L'homme est donc « prédestiné », mais le signe de l'élection est la foi. Qui la possède sera sauvé et doit mener une vie pieuse, se gardant constamment de la tentation et du péché.

Les Genevois se ralliant à sa doctrine, la ville devient, après 1541, le centre du protestantisme calviniste d'où partent des missionnaires. Le calvinisme fait de nombreux adeptes en France. Il s'installe solidement aux Pays-Bas et il devient, sous le nom d'« Église presbytérienne », religion d'État en Écosse (1560).

Le cas de l'Angleterre : anglicanisme et puritanisme

Aux XIVe et XVe siècles, l'Angleterre était l'un des pays où l'exigence d'une réforme de l'Église avait été la plus fortement formulée. Le roi Henri VIII Tudor (1509-1547) profite de cette conjoncture. Souhaitant divorcer et se heurtant au refus de Rome, il rompt avec le pape et se proclame en 1534, par l'Acte de suprématie, seul chef de l'Église d'Angleterre.

Henri VIII n'envisage pas vraiment une rupture doctrinale, mais les idées calvinistes pénètrent dans le royaume. Pendant le règne de son fils Édouard VI (1547-1553), l'anglicanisme devient réellement protestant en 1549 (suppression de la messe, mariage des prêtres). Cependant, à la mort du jeune roi, sa sœur, Marie Tudor, restée fidèle à Rome, tente, au prix d'une sanglante persécution, un retour au catholicisme (1553-1558).

La dernière fille de Henri VIII, Élisabeth Ire (1558-1603), choisit définitivement la Réforme, mais sous la forme d'un curieux compromis qui adopte les nouveautés doctrinales protestantes en conservant la hiérarchie des évêques et le cérémonial catholique. Les vrais calvinistes anglais ne s'en satisfont pas : à côté de l'Église anglicane établie, se constitue un ensemble d'Églises dissidentes où se retrouvent les « puritains », protestants rigoureux que la Couronne ne tarde pas à persécuter. Ce sont eux qui déclencheront la Révolution anglaise* au XVIIe siècle.

ENJEUX CONTEMPORAINS

Religion et société

L'antagonisme entre catholiques et protestants qui se concrétise, dans la seconde moitié du XVIe siècle, par la mise en place d'une Contre-Réforme* catholique, débouche sur plus d'un siècle de sanglantes guerres de Religion*.

Cependant, en dehors de son aspect religieux, la Réforme représente un événement historique considérable. En brisant l'unité de la Chrétienté, elle accélère le mouvement qui conduit à la constitution d'États* dynastiques qui vont devenir nationaux. Et cela d'autant plus qu'en pays protestant, la promotion des langues parlées au détriment du latin souligne les particularismes. On fait ainsi de Luther l'initiateur de l'identité allemande.

D'autre part, en insistant sur la responsabilité personnelle de chacun devant Dieu, la Réforme participe de l'émergence de l'individualisme* moderne. En exaltant les vertus de travail* et d'économie, en faisant de la réussite terrestre un signe de bénédiction divine qui laisse présager le Salut, elle a certainement joué un rôle, comme l'a souligné le sociologue Max Weber (1864-1920), dans la genèse du capitalisme.

● **À CONSULTER :** R. Stauffer, *La Réforme*, PUF (5e éd., 1992). P. Chaunu, *Le Temps des Réformes*, Fayard (1975) ; *L'Aventure de la Réforme. Le Monde de Jean Calvin*, Desclée de Brouwer (1986). J. Delumeau, *Naissance et affirmation de la Réforme*, PUF (rééd., 1991). J. Baubérot, *Histoire du protestantisme*, PUF (4e éd., 1996).
● **À LIRE :** M. Weber, *L'Éthique protestante et l'Esprit du capitalisme*.
● **CORRÉLATS :** absolutisme ; Bible ; contrat social ; Contre-Réforme ; démocratie ; Église catholique ; Europe (idée d') ; humanisme ; image ; individualisme ; millénarisme ; Religion (guerres de) ; Renaissance ; république ; Révolution américaine ; Révolutions anglaises ; Temps modernes ; tolérance ; travail.

RELIGION (GUERRES DE)

● **ÉTYM. :** Du latin *religio* (« attention », « respect »). ● **DÉF. :** L'expression *guerres de Religion* désigne, dès leur apparition, les affrontements entre catholiques et protestants qui affectent la France dans la seconde moitié du XVIe siècle. Cette appellation peut être étendue à l'ensemble des conflits européens consécutifs à la Réforme*, entre 1530 et 1648.
En faisant apparaître en Europe deux interprétations inconciliables du christianisme*, la Réforme protestante et la Contre-Réforme* catholique, qui lui répond, conduisent à des affrontements armés. Ils vont généralement prendre la forme de guerres civiles, le clivage religieux traversant les sociétés au sein des États établis.

Les premiers conflits en Allemagne

1530-1555

Dès 1530, les princes protestants allemands se regroupent, au sein de la ligue de Smalkalde, face à l'empereur Charles Quint (1519-1556). Celui-ci, parce qu'il reste catholique et pour affirmer son autorité, tente de les réduire par les armes à partir de 1546. Après des années de guerre indécise, l'empereur finit par négocier, en 1555, la paix d'Augsbourg, qui reconnaît le *statu quo* et établit dans le Saint-Empire un équilibre précaire entre catholiques et protestants.

Les guerres de Religion en France

1562-1598

En France, François Ier (1515-1547) et son fils Henri II (1547-1559) sont restés catholiques. Ils ont entrepris de persécuter les « huguenots » (c'est le sobriquet qui désigne les protestants de France). Or, la Réforme s'étend, s'implantant solidement en Basse-Normandie, en Poitou, dans tout le Sud-Ouest et le Languedoc. Henri II meurt accidentellement en 1559 et la couronne échoit à ses enfants : François II, qui ne règne que quelques mois, puis Charles IX. Dans cette conjoncture d'affaiblissement du pouvoir royal, protestants et catholiques s'organisent en partis armés sans que la reine mère régente, Catherine de Médicis, puisse s'y opposer. En 1562, la guerre civile éclate.

De 1562 à 1598, huit « guerres de Religion » ensanglantent la France, accumulant les horreurs et les ruines, ébranlant l'institution royale, menaçant même l'unité du royaume.

Pensant mettre fin aux troubles en décapitant le parti protestant, la reine mère laisse les catholiques les plus radicaux profiter de la venue à Paris, l'été 1572, des chefs huguenots, pour organiser leur assassinat collectif. Le 24 août 1572, jour de la Saint-Barthélemy, l'affaire tourne à un atroce massacre de milliers de protestants parisiens. Toute paix de compromis devient impossible.

La mort de Charles IX, sans héritier, en 1574, ajoute à la confusion. Son frère, Henri III, troisième fils de Henri II et de Catherine de Médicis, restant lui-même sans descendant, la couronne va revenir à la branche cadette de la maison de France, les Bourbons, dont le chef, Henri de Navarre, est protestant et commande le parti huguenot. Les catholiques ne peuvent l'accepter : sous la direction du duc de Guise, ils organisent une Sainte Ligue qui, avec l'aide de l'Espagne, envisage le renversement de la dynastie.

En 1588, Henri III doit fuir Paris, tenu par la Ligue. Bien que catholique, il s'allie alors aux protestants d'Henri de Navarre. En décembre, il fait assassiner le duc de Guise, mais tombe lui-même, quelques mois plus tard, sous les coups d'un ligueur fanatique.

En 1589, malgré le refus catholique, Henri de Navarre devient Henri IV. Homme de raison, il comprend très vite que la paix ne pourra venir que de concessions réciproques. En 1593, il renonce au protestantisme, ralliant une large part de l'opinion catholique lassée de la guerre. Après avoir vaincu les ligueurs irréductibles, il légalise alors le culte protestant par l'édit de Nantes (1598), obligeant les deux factions religieuses à une mutuelle tolérance*.

La révolte des Pays-Bas

1567-1609

Lors du partage des possessions de Charles Quint, en 1555-1556, les Pays-Bas (les actuels États belge et néerlandais) avaient été attribués au fils de l'empereur, Philippe II, roi d'Espagne. Catholique résolu, ne tolérant aucun protestant dans ses États, il engage aussitôt une violente persécution contre les Réformés des Pays-Bas, alors que ceux-ci étaient déjà largement majoritaires dans plusieurs provinces. En 1566-1567, éclate la « révolte des Gueux », les nobles insurgés se glorifiant de ce nom méprisant dont les Espagnols les qualifient.

Philippe II répond par la terreur : les troupes espagnoles du duc d'Albe ravagent le pays. En cinq ans, huit mille personnes sont exécutées, mais les insurgés résistent. Finalement, l'Espagne négocie un compromis, la « pacification de Gand » (1576).

Seules les dix provinces du Sud, à majorité catholique, l'acceptent. Les sept provinces protestantes du Nord, autour de la Hollande et sous la direction de Guillaume d'Orange, poursuivent la lutte pour l'indépendance. Elles finissent par l'arracher en 1609. Ainsi se constitue un État néerlandais : la république* des Provinces-Unies des Pays-Bas. La guerre religieuse a fait naître une nation.

La guerre de Trente Ans

1618-1648

Dans le Saint-Empire germanique, les rapports entre catholiques et protestants étaient régis par la paix d'Augsbourg signée en 1555 mais, en 1618, le conflit politico-religieux rebondit.

Défiants à l'égard de l'institution impériale, aux mains, depuis Charles Quint, de la puissante et catholique maison d'Autriche, les princes protestants ont créé une Union évangélique (1608). Les princes catholiques ont riposté en fondant une Sainte Ligue (1609). Un incident survenu à Prague et l'élection au trône impérial de l'ultracatholique Ferdinand II mettent le feu aux poudres : contre Ferdinand II, l'Union évangélique élit un autre empereur, protestant.

La guerre qui éclate tourne, dès 1620, au désavantage des protestants. Vainqueur, Ferdinand II tente à la fois d'imposer la suprématie catholique et la transformation du Saint Empire en une monarchie absolue* héréditaire, à l'espagnole ou à la française. La première prétention inquiète les États protestants d'Europe ; la seconde est mal vue de la France qui, bien que catholique, ne souhaite nullement que se constitue à ses frontières une grande puissance allemande aux mains de la maison d'Autriche.

Après 1625, la guerre devient européenne. Les monarchies protestantes du Nord (Danemark, Suède) interviennent. En 1635, la France s'engage à son tour, sous l'impulsion de Richelieu. Devenue un champ

de bataille, dévastée par le va-et-vient des armées qui pillent et massacrent, l'Allemagne est bientôt exsangue : elle perd la moitié de sa population.
Au terme de trente années d'une guerre confuse, les traités de Westphalie (1648) consacrent l'abaissement du pouvoir impérial et reconnaissent aux princes allemands le droit de choisir leur religion et de l'imposer à leurs sujets. Dans cet effroyable conflit, les enjeux politiques avaient éclipsé depuis longtemps les motivations religieuses.
Ainsi, la guerre de Trente Ans, guerre de Religion par ses origines, marque aussi la fin de ce type d'affrontement. Ni la Réforme ni la Contre-Réforme ne l'ont emporté. La division des chrétiens d'Occident est un fait acquis : les traités de Westphalie le reconnaissent. Dernier acte, déjà anachronique, de la Contre-Réforme, la révocation de l'édit de Nantes par Louis XIV, en 1685, ne réveillera pas les guerres religieuses.

ENJEUX CONTEMPORAINS

Religion

Dans la deuxième moitié du XXe siècle, un conflit long et meurtrier a opposé, en Irlande du Nord, catholiques et protestants. Malgré les apparences, et à la différence des affrontements du passé, les causes de cette guerre civile n'étaient absolument pas religieuses : les nationalistes irlandais, républicains et catholiques, combattaient les partisans du maintien de la souveraineté britannique, très majoritairement protestants. Un accord de paix, signé en 1998 et massivement approuvé par la population, vise à mettre un terme à ce conflit.

● **À CONSULTER :** P. Miquel, *Les Guerres de Religion*, Fayard (1980). R. Mandrou, *Histoire des protestants en France*, Privat (1977). G. Livet, *Les Guerres de Religion*, PUF (7e éd., 1993) ; *La Guerre de Trente Ans*, PUF (5e éd., 1991). ● **À LIRE :** A. d'Aubigné, *Les Tragiques* (1616). H. J. Grimmelshausen, *Les Aventures de Simplex Simplicissimus* (1669). Voltaire, *Candide* (1759). Mérimée, *Chronique du règne de Charles IX* (1829). ● **À VOIR :** P. Chéreau, *La Reine Margot*. J. Clavel, *La Vallée perdue*.
● **CORRÉLATS :** absolutisme ; baroque (art) ; Contre-Réforme ; Église catholique ; Réforme protestante ; Renaissance ; tolérance.

RENAISSANCE

● **ÉTYM. :** Dérivé de *renaître*, du latin *nascere* (« naître »). ● **DÉF. :** Le terme *Renaissance* est employé en 1550, sous sa forme italienne *Rinascità*, par le peintre et humaniste Vasari pour désigner les nouvelles formes d'expression artistique apparues depuis deux siècles en Italie. Il est employé dans le même sens, en français, dès la seconde moitié du XVIe siècle.
Les contemporains ont qualifié de « Renaissance » l'évolution du goût et du style, née en Italie au XVe siècle et propagée en Europe au cours du XVIe siècle, marquée essentiellement par une redécouverte et une imitation de l'esthétique* et des modes de pensée antiques. Ils l'ont aussi perçue comme un renouveau culturel, en rupture avec un passé présenté alors comme un « Moyen Âge* » entre l'Antiquité* et le temps présent qui veut renouer avec elle.
C'est en ce sens, dépassant le simple domaine de l'art, que la Renaissance en est venue à désigner, chez les historiens du XIXe siècle, l'époque elle-même, marquée par nombre d'événements bouleversants, en particulier les Grandes Découvertes*. C'est cette acception élargie qu'on retient aujourd'hui. Pour J. Delumeau, par exemple, la Renaissance correspond à « la promotion de l'Occident à l'époque où la civilisation de l'Europe* a de façon décisive distancé les civilisations parallèles ».

La Renaissance en Italie

XIVe - XVIe siècles

Dès le XIVe siècle, en Italie, des lettrés comme Pétrarque (1304-1374) se sont passionnés pour une Antiquité dont de nombreux vestiges subsistaient. Le développement du courant humaniste* au XVe siècle a accéléré l'engouement pour tout ce qui était antique, amenant en particulier à considérer l'art et l'esthétique du monde gréco-romain comme l'expression de la beauté absolue, enfin redécouverte après une longue période d'ignorance.
Les artistes italiens du XVe siècle (le *Quattrocento*) ont ainsi rompu avec l'esthétique gothique* encore dominante en Europe, et se sont résolument tournés vers l'imitation des styles, des

proportions, des formes de l'Antiquité, en particulier à Florence et à Rome. Ils ont bénéficié du soutien et du mécénat de papes et de princes (les Médicis) multipliant programmes et commandes. De nouvelles techniques (la peinture à l'huile, la maîtrise grandissante de la perspective, l'étude de l'anatomie et le retour à la représentation du nu) ont contribué à faire de l'Italie de cette époque un extraordinaire foyer de création artistique : l'architecte Brunelleschi (1377-1446), les sculpteurs Donatello (1386-1466), Ghiberti (1378-1455), Verrocchio (1435-1488), les peintres Masaccio (1401-1428), Botticelli (1445-1510), Piero della Francesca (1416-1492), Fra Angelico (≈ 1400-1455).

Autour de 1500, une pléiade d'artistes au génie souvent polyvalent élabore un langage qui va conditionner pour trois siècles le regard esthétique de l'Occident : Léonard de Vinci (1452-1519), Raphaël (1483-1520), Bramante (1444-1514), Michel-Ange (1475-1564). Venise rejoint Florence et Rome, donnant un essor particulier à la nouvelle peinture avec Titien (1490-1576), Véronèse (1528-1588), le Tintoret (1518-1594).

La Renaissance en Europe

XVIe siècle

Au début du XVIe siècle, la France est la première à s'engager dans la voie ouverte par les créateurs italiens. Les réalisations du nouvel art ayant été découvertes lors des campagnes militaires menées dans la péninsule par Charles VIII, Louis XII et François Ier (guerres d'Italie, 1494-1526), les souverains attirent des artistes italiens au moment où la vie de cour prend un grand éclat et où se multiplient les constructions de résidences royales (châteaux de la Loire).

Une école française se dégage après 1530. Si les sculpteurs (Goujon, Pilon) restent proches de leurs modèles italiens, les architectes (Lescot, Delorme) s'en écartent et conçoivent un style original et élégant.

La réunion, au même moment, d'un vaste ensemble territorial qui regroupe l'Espagne, les Pays-Bas, une partie de l'Italie et l'Empire germanique sous le sceptre de Charles Quint (1519-1556), facilite la diffusion de la Renaissance à l'échelle de l'Europe. Au milieu du XVIe siècle, le nouveau style s'est généralisé, avec ses variantes régionales. Seule l'Angleterre des Tudors reste réfractaire, du moins dans le domaine des arts plastiques et de l'architecture, car elle participe pleinement au mouvement intellectuel.

Une mutation culturelle

La Renaissance n'est pas simplement une révolution* esthétique, elle correspond à une véritable mutation culturelle, le début des Temps modernes*.

Dans une Europe en pleine croissance démographique, dont l'économie est prodigieusement stimulée par les conséquences des Grandes Découvertes et de l'élargissement du monde, où les villes* prennent de plus en plus d'importance, où la Réforme* religieuse brise l'unité de la Chrétienté tandis que s'affermissent les grands États dynastiques, l'effervescence de la Renaissance est multiple.

La pensée humaniste a placé l'homme au centre de la Création ; elle est résolument optimiste et croit au progrès* ; elle refuse l'autorité et prône l'expérience et le libre examen. Il en ressort un esprit nouveau, aux origines de la démarche scientifique, qui va s'avérer dans l'avenir si féconde. On le perçoit déjà dans les recherches et les projets de Léonard de Vinci. Il s'affirme chez le Polonais Copernic (1473-1543) qui conteste, en 1543, la cosmographie traditionnelle et pose que les planètes tournent autour d'un soleil fixe. Il conduit les médecins Vésale (1514-1564), Ambroise Paré (1509-1590) et Servet (1509-1553) à oser la dissection de cadavres pour connaître le fonctionnement de l'organisme et l'origine des maladies.

Ainsi, s'il y a bien rupture avec le passé, il n'existe pas, en revanche, de solution de continuité entre la Renaissance et la période qui suit : la Renaissance apparaît véritablement comme l'entrée dans la modernité.

Dans le domaine artistique, cependant, une évolution se dessine dans le courant du XVIe siècle.

De la Renaissance au baroque

L'internationalisation de l'art de la Renaissance conduit nécessairement à des synthèses et introduit des nouveautés. En outre, dans une Italie qui reste le principal foyer productif, le renouvellement de l'inspiration, s'il ne remet pas en cause les modèles antiques, cherche à créer des formes nouvelles, une « manière » différente des maîtres du début du siècle.

Renaissance			
	Histoire	***Philosophie, sciences***	***Littérature, arts***
1374			Mort de Pétrarque
1400-1430			Essor du **Quattrocento** : Ghiberti, Brunelleschi, Donatello, Masaccio
1434	Avènement des Médicis à Florence		Van Eyck (école flamande)
1453	Prise de Constantinople par les Turcs (**fin du Moyen Âge***)	Mise au point de l'imprimerie (*Bible** de Gutenberg) : **diffusion de l'humanisme***	
≈ 1470		Ficin, *Commentaire sur le Banquet de Platon**	Début du pétrarquisme (poésie*)
1484			Botticelli, *La Naissance de Vénus*
1487	Les Portugais passent le cap de Bonne-Espérance et ouvrent la route des Indes (**Grandes Découvertes***)	Pic de La Mirandole, *De la dignité de l'homme*	
1492	• Découverte de l'Amérique • Persécution des juifs d'Espagne par l'Inquisition	Léonard de Vinci décrit une machine volante	
1494	• Traité de Tordesillas (partage du monde entre Espagnols et Portugais) • Début des guerres d'Italie		
≈1500-1510	Apogée de la **Renaissance italienne**	Érasme, *Éloge de la folie* (1511) Machiavel*, *Le Prince* (1513)	Raphaël, *David, L'École d'Athènes* Léonard de Vinci, *La Joconde* Michel-Ange (chapelle Sixtine) Bramante (basilique Saint-Pierre)
1517	Luther rompt avec l'Église* catholique (publication des 95 thèses) : début de la **Réforme*** protestante	More, *Utopie**	Début de la Renaissance en France, à la cour de François Ier (1515-1547)
1519-1522	Tour du monde de Magellan		Construction du château de Chambord (influence italienne)
1525	Défaite de François Ier à Pavie	Luther, *Du serf arbitre* (en réponse à Erasme, *Du libre arbitre*, 1524)	
1526	Fin des guerres d'Italie (traité de Madrid)		• Construction du château de Fontainebleau (maniérisme) • Dürer, *Les Quatre Apôtres*
1530	• Premiers conflits religieux en Allemagne (*confession d'Augsbourg*) • Création du Collège des lecteurs royaux (futur Collège de France)	Budé, *Commentaires sur la langue grecque*	
1532-1534	Fin de l'Empire inca		Rabelais, *Pantagruel* et *Gargantua*

1536		Calvin, *L'Institution de la religion chrétienne*	
1539	Ordonnance de Villers-Cotterêts (le français remplace le latin dans les actes officiels)		
1540	Fondation de la Compagnie de Jésus par Ignace de Loyola		
1543		• **Copernic**, *De revolutionibus orbium cœlestium* (physique*) • Vésale, Servet, Ambroise Paré (médecine)	
1545-1563	Ouverture du concile de Trente (**Contre-Réforme***)	Cardan (mathématiques*)	• Michel-Ange (Saint-Pierre de Rome) • Construction du Louvre par Lescot et Goujon
≈ 1550	Fin de la colonisation de l'Amérique du Sud		• Début du « Siècle d'Or » en Espagne • Fondation de la « **Pléiade** » en France (Ronsard, Du Bellay...)
1562-1598	**Guerres de Religion*** en France • Massacre de la Saint-Barthélemy (1572) • Édit de Nantes (1598)	• Viète (mathématiques*) Bruno (physique*) • Mercator (géographie)	• Agrippa d'Aubigné, *Les Tragiques* Montaigne, *Essais* • Début de la *commedia dell'arte* en Italie • Titien, le Tintoret, Véronèse, le Greco, Bruegel l'Ancien (peinture)
1605		Galilée (physique*)	Cervantès, *Don Quichotte.* Shakespeare, *Macbeth.*

Les artistes introduisent plus de mouvement, de fantaisie, de pathétique, ainsi qu'une recherche de l'élégance.
Ce courant, nommé « maniérisme », prépare l'avènement d'un style nouveau qui parle plus au cœur qu'à la raison et cherche à susciter l'émotion ou la surprise. Une esthétique nouvelle, qui prolonge la Renaissance sans la copier, se dessine dans les dernières décennies du XVIe siècle. Elle est liée au trouble provoqué par l'éclatement de l'unité chrétienne et à la tentative de reconquête des âmes par le catholicisme romain. C'est l'art que l'on qualifiera, au XIXe siècle, de « baroque* » et qui caractérisera le XVIIe siècle.

● **À CONSULTER :** J. Delumeau, *La Civilisation de la Renaissance*, Arthaud (rééd., 1984). P. Faure, *La Renaissance*, PUF (10e éd., 1994). A. Chastel, *L'Humanisme*, Skira (1995) ; *Le Mythe de la Renaissance (1440-1520)*, Skira (1969) ; *La Crise de la Renaissance (1520-1600)*, Skira (1968). ● **À LIRE :** A. Suarès, *Le Voyage du condottiere*. J. Burckhardt, *La Civilisation en Italie au temps de la Renaissance* (1860). M. Yourcenar, *L'Œuvre au noir*.
● **CORRÉLATS :** baroque (art) ; Contre-Réforme ; Découvertes (Grandes) ; gothique (art) ; humanisme ; Machiavel ; progrès ; Réforme protestante ; révolution scientifique.

RÉPUBLIQUE

● **ÉTYM. :** Du latin *res publica* (littéralement, « chose publique »).
● **DÉF. :** Le terme *république* désigne un système politique fondé sur la souveraineté des citoyens.

Un terme longtemps imprécis

C'est tardivement que *république* en vient à désigner un régime politique spécifique. De l'Antiquité* aux Temps modernes*, il a gardé le sens général venu du latin : « le gouvernement, l'administration de l'État* », qui en fait, à l'instar de son homologue grec *politeia*, le synonyme du moderne *constitution*.

Il faut attendre le XVIIIe siècle pour que *république* s'applique précisément à un gouvernement dont les dirigeants sont élus pour une durée déterminée et responsables devant leurs électeurs. Il se détermine alors dans le cadre de la réflexion sur la nature de la souveraineté, celle-ci émanant des citoyens dans le cas de la république, alors qu'elle relève généralement d'une investiture divine dans le cas de la monarchie.

Cette acception tardive explique que les républiques qui ont existé avant le XVIIIe siècle, quand elles ont usé du mot, l'aient compris comme désignation de l'État, et non du régime (Venise, Florence). Les Provinces-Unies des Pays-Bas l'ont ignoré et la brève République anglaise, qui dura de 1649 à 1660, s'est appelée *Commonwealth* (« communauté »).

Les républiques antiques et médiévales

L'existence d'États dont les dirigeants sont désignés sur la base d'un consensus des citoyens est attestée dès l'Antiquité. La majorité des cités de la Grèce antique*, la Carthage punique et Rome* jusqu'à la fin du Ier siècle av. J.-C., sont des républiques, au sens moderne du terme, mais leurs modes de fonctionnement permettent de saisir la diversité des modèles républicains.

Si toutes postulent en effet la volonté collective comme fondement de la souveraineté, rares sont celles qui accordent au peuple dans sa totalité le titre de citoyen, démarche qui fonde la démocratie*. Dans la plupart des républiques antiques, seule une minorité privilégiée, désignée par la naissance ou la fortune, bénéficie des droits civiques. Dans leur écrasante majorité, ces États sont donc des républiques aristocratiques où un pouvoir élu et responsable est l'émanation d'une élite restreinte. Athènes*, qui est pourtant un cas exceptionnel de fonctionnement démocratique, bien que des catégories entières de la population aient été exclues de la citoyenneté (outre les femmes), représente elle aussi une forme – spécialement généreuse – de république aristocratique.

À Rome, la prédominance du Sénat, représentation héréditaire des grandes familles, limite considérablement le rôle des assemblées populaires (*Comices*). Au-delà des conflits d'ambition, les guerres civiles du Ier siècle avant J.-C., dont l'aboutissement est l'institution de l'Empire*, ont une coloration de lutte de classes où le « parti populaire » combat l'idée républicaine comme porteuse d'un régime oligarchique assurant la prééminence des lignées sénatoriales.

On retrouve ce cas de figure au Moyen Âge*, dans les républiques qui se constituent à partir du XIe siècle en Italie (Venise, Gênes, Pise, Florence). Toutes correspondent à la domination de classes dirigeantes qui écartent le petit peuple ou confinent son champ d'intervention à des domaines apparents ou subalternes, ce que facilite la division de la société en ordres ou en communautés professionnelles rigides. Il en va de même, au début des Temps modernes, au sein des Cantons suisses ou de la république des Provinces-Unies.

Il convient donc de bien différencier « république » et « démocratie ». Si la seconde n'est guère concevable sans la première, l'inverse n'est pas vrai et un régime authentiquement républicain peut très bien s'accommoder d'une inégalité institutionnelle des droits.

Le dénominateur commun de tous les régimes républicains reste cependant la définition et la séparation des pouvoirs, constamment placés sous le contrôle de ceux qui possèdent le titre de citoyens : la loi émane d'eux, et son application est confiée à un gouvernement dont les attributions sont encadrées et qui leur rend compte de son action.

Les modalités de fonctionnement sont très variables. Ainsi, le travail législatif peut émaner de l'assemblée générale des citoyens (cas de l'Athènes antique ou des Cantons suisses) ou être produit par la réunion de représentants élus (cas des États territorialement plus conséquents). Le pouvoir exécutif peut être confié à un homme seul (président élu à terme ou parfois désigné à vie, comme le doge de Venise) ou attribué à un collège ou à un conseil. Quel que soit le modèle retenu, un système de contrôle et de limitation est institué pour éviter toute dérive vers la dictature.

Les républiques démocratiques modernes

Les républiques démocratiques modernes naissent de la réflexion engagée par la philosophie des Lumières* sur la base de la pensée politique anglaise du XVIIe siècle, avec Hobbes (1588-1679) et Locke (1632-1704). La première application en est la création, en 1787, de la république des États-Unis d'Amérique du Nord.

Dans un pays sans hiérarchie sociale traditionnelle, marqué de l'empreinte égalitaire véhiculée par le protestantisme calviniste, sans contrainte dynastique puisqu'il vient de se libérer de la couronne britannique, la *Constitution* des États-Unis pose le principe d'un État démocratique fondé sur la souveraineté d'un peuple de citoyens égaux. Associant la règle représentative (le Congrès) et l'existence d'un président aux pouvoirs étendus, mais élu pour quatre ans par un collège de grands électeurs, elle institue le modèle dont s'inspire, cinq ans plus tard, la France en révolution après le renversement de la monarchie constitutionnelle.

Cependant, ni la *Constitution* des États-Unis, ni celle de la Ire République française (1792-1799) dans sa version définitive de l'an III (le Directoire) ne postulent le suffrage universel. En Amérique, le mode de scrutin est laissé à la discrétion des États fédérés ; en France, il est clairement établi un système censitaire.

Les républiques de la fin du XVIIIe siècle sont en ce sens ambiguës : leur principe est indubitablement démocratique (en témoigne la *Déclaration des droits de l'homme* et du citoyen*), mais leur pratique ne l'est pas. On peut incriminer là des attitudes de classe, le droit de vote étant lié à la propriété ; sans doute faut-il y voir aussi la conscience d'une immaturité politique du peuple faisant craindre le risque de dérives démagogiques qui ruineraient le système républicain. Cette crainte n'est pas sans fondement : quand les républicains français de 1848 introduisent le suffrage universel dans la *Constitution* de la IIe République, ils font aussitôt le lit d'un aventurier politique, le prince Louis-Napoléon Bonaparte qui, fort de son illustre nom, se fait élire président par les masses paysannes et renverse la République trois ans plus tard.

C'est pourtant cette introduction du suffrage universel qui scelle l'union définitive du modèle républicain et du principe démocratique. À la fin du XIXe siècle, la IIIe République française (1870-1940), en développant un programme massif d'instruction populaire (*cf.* École), entreprend de créer les conditions de fonctionnement d'une démocratie parlementaire reposant sur la participation du peuple souverain dans son intégralité, les ultimes formes de discrimination disparaissant en 1945 avec l'institution du droit de vote pour les femmes.

ENJEUX CONTEMPORAINS

Systèmes politiques

Le modèle de la république démocratique et pluraliste n'a cessé de se répandre au XXe siècle. Si, en Europe, des monarchies constitutionnelles ont survécu (Grande-Bretagne, Espagne, Belgique...), c'est qu'elles sont devenues de fait des crypto-républiques où, sur la base de la tradition et de l'Histoire*, la royauté assume une fonction purement représentative, alors que le véritable détenteur du pouvoir exécutif reste le chef du gouvernement, responsable avec ses ministres devant les représentants du peuple.

Cette identification de la république à la démocratie est si forte que, mis à part les dictatures communistes qui dissimulaient la tyrannie sous les apparences d'une « démocratie populaire », revendiquant en conséquence l'étiquette de république, les totalitarismes* du XXe siècle ont dénoncé le régime républicain. En France, le maréchal Pétain à qui l'Assemblée a voté, en juillet 1940, les pleins pouvoirs pour rédiger une nouvelle *Constitution* s'empresse de remplacer le nom même de « République française » et la célèbre devise de 1792 « Liberté, Égalité, Fraternité », par « État français » et « Travail, Famille, Patrie ». La défense des valeurs* républicaines, même bien ancrées dans la société française et incontestées aujourd'hui, reste un enjeu essentiel pour l'exercice de la citoyenneté.

● **À consulter :** N. Tenzer, *La République*, PUF (1993). G. Burdeau, *La Démocratie*, Seuil (1990). F. Châtelet, E. Pisier-Kouchner, *Les Conceptions politiques du XXe siècle*, PUF (1981). C. Bec, *Histoire de Venise*, PUF (1993). W. Everdell, *La Fin des rois : histoire des républiques et des républicains*, Publisud (1987). S. Berstein, O. Rudelle, *Le Modèle républicain*, PUF (1992). C. Nicolet, *Le Métier de citoyen dans la Rome républicaine*, Gallimard (1976).
● **Corrélats :** Athènes ; démocratie ; droite/gauche ; droits de l'homme ; école ; Grèce antique ; populisme ; Réforme protestante ; Rome antique ; totalitarisme.

RÉVOLUTION

● **Étym. :** Du bas latin *revolutio* (« retour d'un astre »), du verbe *revolvere* (« tourner, ramener en arrière »). ● **Déf. :** Au sens politique, une révolution est un changement brutal dans le gouvernement ou l'organisation sociale d'un État* qui survient quand un soulèvement, souvent populaire, renverse les autorités en place, prend le pouvoir et le garde.

La version anglaise de la révolution politique

Si les renversements de pouvoir et les luttes sociales sont de tous les temps, le concept de « révolution », au sens politique, apparaît dans l'Occident des Temps modernes*, au XVIIe siècle. Il participe en cela de l'affirmation de la rationalité et de la désacralisation du monde : jusqu'alors, l'Histoire* humaine était perçue comme l'accomplissement du dessein divin ; la vision moderne en fait plutôt l'œuvre de l'homme vivant en société et désormais maître de son destin.

Le terme *révolution* lui-même est révélateur. La révolution, c'est le retournement, la boucle ; en physique*, on désigne ainsi le mouvement cyclique des astres. Dans sa première acception, dans la seconde moitié du XVIIe siècle, en Angleterre, la révolution politique va s'identifier au retour aux lois traditionnelles, trahies ou perverties par les pratiques illégitimes des souverains, les Stuarts. Par deux fois, en 1640, puis en 1688, le Parlement s'est opposé aux dérives absolutistes* de la Couronne, contraires aux traditions (ou du moins à ce qu'on présente comme telles). La rébellion a donc été justifiée : la révolution est un retour au droit, dont on s'était provisoirement écarté, et qui doit s'imposer même aux monarques. C'est en cela que les Révolutions anglaises*, et spécialement celle de 1688, posent le principe moderne de l'État de droit que Locke (1632-1704) théorise dans ses *Traités du gouvernement civil* (1690).

La version française de la révolution politique

Dans le courant du XVIIIe siècle, la pensée des Lumières* reprend le concept, en particulier en France où la sclérose de la monarchie absolue de droit divin conduit peu à peu à la crise du régime. La révolution change alors de sens : elle avait été en Angleterre le retour à un passé idéalisé ; elle devient en France une projection dans un avenir à construire, une refonte complète sur la base de principes nouveaux, une réédification où certains voient déjà la possibilité d'une véritable régénération de l'homme. Le projet passe alors par la destruction préalable de l'ordre ancien, totale mise à plat qui récuse globalement le passé.

La Révolution américaine* qui, au terme de la guerre d'Indépendance contre l'Angleterre (1776-1783), conduit à l'élaboration de la *Constitution* démocratique de 1787, semble concrétiser cette démarche, nul ne mesurant vraiment que l'Amérique est un monde neuf, sans passé à renier ni pesanteurs historiques.

C'est sur ce projet que s'engage la Révolution française* de 1789. L'Assemblée constituante pose des principes nouveaux à valeur universelle (*Déclaration des droits de l'homme* et du citoyen*) ; elle met à bas l'ensemble des institutions et entreprend une rénovation complète de la France. Les problèmes insoupçonnés que soulève une œuvre d'une telle ampleur ne sont pas étrangers aux dérives radicales qui surgissent dès 1792. L'aboutissement final sera en définitive moins ambitieux : il s'agira moins de l'avènement d'un monde nouveau que d'une réorganisation générale, réintroduisant de nombreux acquis de ce passé qu'on voulait abolir et qu'on se contente de repenser à la lumière des idées nouvelles. Elle sera l'œuvre de Napoléon* Bonaparte, dont les méthodes autoritaires ont peu à voir avec l'esprit de 1789.

L'immense portée historique de la Révolution française est plus dans les principes qu'elle établit que dans son résultat immédiat. En donnant une valeur universelle aux modèles politiques déjà présents dans la Révolution anglaise de 1688, elle accomplit la mutation politique de l'Occident moderne, elle construit le cadre juridique et institutionnel des démocraties* futures.

De la révolution politique à la révolution sociale

Cet achèvement explique sans doute que le concept de révolution glisse, au XIXe siècle, du politique au social.
Les problèmes engendrés par ce que l'on nomme la « Révolution industrielle* » exacerbent les tensions sociales et conduisent à une critique* fondamentale de l'ordre économique institué par le capitalisme libéral* : la pensée socialiste* sort de cette conjoncture.

Reprenant la définition que les Lumières avaient donnée de la révolution (destruction de l'ordre ancien, fondation d'un monde nouveau), les socialistes en déplacent le champ d'application, du politique vers le corps social dont la transformation radicale doit viser à abolir l'inégalité des conditions et à redistribuer la richesse produite en supprimant la propriété privée. L'avènement de la démocratie devient le corollaire de la disparition des classes sociales et de l'instauration de la propriété collective.

Mis en forme de façon magistrale par Marx* (1818-1883) dans la seconde moitié du XIXe siècle, ce projet de révolution galvanise le mouvement ouvrier et fonde l'idéologie* des partis sociodémocrates qui s'organisent dans toute l'Europe à partir des années 1880. Cependant, dès les années 1900, de nombreux socialistes, en Allemagne, en France et en Grande-Bretagne, en arrivent à douter de la nécessité d'une rupture brutale et imaginent plutôt l'avènement du socialisme comme le produit naturel du suffrage universel. C'est pourtant quand l'idée de révolution commence à se déprécier en Occident qu'une minorité socialiste, les bolcheviks, prend le pouvoir en Russie par un coup de force (octobre 1917).

Enjeux contemporains

Idéologie et politique

L'expérience du communisme soviétique*, au XXe siècle, remet à l'ordre du jour la révolution sociale. Mais le caractère totalitaire du régime mis en place à Moscou, les sanglantes dérives du stalinisme et, surtout, l'échec économique de plus en plus patent qui finit par provoquer l'effondrement du système à la fin du siècle, portent un coup fatal au modèle révolutionnaire.
En cette fin de XXe siècle, la révolution paraît avoir épuisé ses potentialités dans les pays qui appliquent les règles de la démocratie occidentale. La hausse du niveau de vie, la perte des illusions quant à la venue d'un « âge d'or », la crainte de ruptures où il y a plus à perdre qu'à gagner ont dévalorisé la révolution sociale. Quant à la révolution politique, l'exercice de la démocratie lui a fait perdre son objet.
En revanche, hors de l'aire culturelle* occidentale, la révolution, idée importée d'Occident, reste porteuse d'espérance. C'est bien au retour à un passé idéalisé (définition initiale de la révolution) que s'est référée, par exemple, la Révolution iranienne de 1979 qui a tant contribué à réveiller, au sein des masses de tout l'espace musulman, le fondamentalisme religieux. Le problème est de savoir si, là comme ailleurs, la révolution peut tenir ses promesses, car même baignée d'exaltation religieuse, c'est ici-bas et concrètement qu'elle doit rendre compte de résultats.

● **À consulter :** A. Rey, *Révolution. Histoire d'un mot*, Gallimard (1989). A.C. Decouflé, *Sociologie des révolutions*, PUF (3e éd., 1983). E.J. Hobsbawm, *L'Ère des révolutions*, Complexe (rééd. 1988). A. Ropert, *L'Échec des révolutions*, Plon (1996). F. Furet, *Penser la Révolution française*, Gallimard (1978).

● **Corrélats :** anarchisme ; bourgeoisie ; contemporaine (Époque) ; Contre-Révolution ; démocratie ; droite/gauche ; droits de l'homme ; Hegel ; Histoire (philosophies de l') ; intellectuel ; Lumières ; Marx ; millénarisme ; postmoderne ; république ; Révolution américaine ; Révolution française ; Révolution russe ; Révolutions anglaises ; Rousseau ; socialisme ; utopie.

RÉVOLUTION AMÉRICAINE

● **DÉF. :** On désigne par *Révolution américaine* les événements qui, de 1774 à 1787, conduisent à l'indépendance des colonies anglaises d'Amérique du Nord, puis à la création de la république* des États-Unis d'Amérique.

La rébellion des colonies anglaises d'Amérique

Entre 1620 et 1732, treize colonies ont été créées par les Anglais sur la côte atlantique de l'Amérique du Nord, du Massachusetts à la Géorgie. Le Nord (appelé « Nouvelle-Angleterre »), peuplé de dissidents protestants puritains, a développé une économie de type européen tournée vers la mer et le commerce. Le Sud, plus typiquement colonial, est un monde de grands propriétaires terriens faisant cultiver leurs domaines par des esclaves noirs. Tous sont sujets de la couronne britannique.

Dans la seconde moitié du XVIIIe siècle, les relations entre les colonies et la métropole s'enveniment. Les colons sont exaspérés de devoir (conformément aux théories économiques du temps) commercer par l'intermédiaire exclusif de compagnies anglaises qui imposent leurs tarifs. Ils supportent de moins en moins d'être gouvernés de Londres et soumis à des taxes dont ils ne perçoivent pas la nécessité. Ainsi doivent-ils, après 1763, supporter des impôts supplémentaires destinés à éponger la dette du Royaume-Uni, au terme d'un coûteux conflit européen (la guerre de Sept Ans). Des incidents ayant éclaté dans le port de Boston fin 1773, le gouvernement britannique prend des mesures répressives à l'égard de la colonie du Massachusetts. Les autres colonies se déclarent alors solidaires et envoient des délégués à un Congrès continental qui se réunit à Philadelphie, en septembre 1774.

Londres riposte en envoyant des troupes. Le 19 avril 1775, un accrochage sanglant entre miliciens américains et soldats britanniques à Lexington (Massachusetts) conduit à la rupture. Tandis que le roi d'Angleterre George III déclare les colonies en état de rébellion et ordonne leur blocus naval, le Congrès continental répond en levant une armée dont le commandement est confié à un planteur de Virginie, Washington (1732-1799).

◆ Une démarche révolutionnaire

Alors qu'il ne s'agit initialement que d'un conflit entre colonies et métropole, le soulèvement devient révolution* en 1776. La rébellion est alors menée par une remarquable élite, majoritairement virginienne. Nourris de la pensée des philosophes du siècle, anglais et français, souvent liés par une appartenance commune à la franc-maçonnerie*, ces dirigeants (Jefferson, Madison, Franklin, Adams, Hamilton et, bien entendu, Washington) veulent non seulement se séparer de l'Angleterre, mais construire un État* d'un type nouveau, conforme aux idéaux politiques et éthiques des Lumières*.

Rien ne le montre mieux que la *Déclaration d'indépendance* du 4 juillet 1776, rédigée par Jefferson (1743-1826), qui prétend fonder la future république américaine sur les droits* inaliénables de l'être humain à la vie, à la liberté et à la poursuite du bonheur. Pour la première fois, la pensée des philosophes passe du projet à la réalité, ce qui explique le retentissement de la proclamation de Philadelphie au sein de l'élite intellectuelle européenne, y compris en Angleterre. Treize ans avant la *Déclaration des droits de l'homme* et du citoyen* en France, la *Déclaration d'indépendance* américaine énonce les principes sur lesquels se fondera la démocratie* occidentale.

La guerre d'Indépendance

1776-1783

L'envoi massif de la marine et des troupes anglaises en Amérique convainc rapidement les insurgés qu'ils ne peuvent gagner seuls. Or, ils bénéficient en Europe d'un vif courant de sympathie, spécialement en France, seule puissance navale en état de pouvoir contrer la puissante flotte anglaise : dès la fin de 1776, le Congrès envoie Franklin (1706-1790) négocier en France tandis que, spontanément, le jeune marquis de La Fayette (1757-1834) vient se mettre au service de Washington.

À Versailles, malgré les difficultés financières, Louis XVI se laisse convaincre qu'une intervention en faveur des Américains permettrait à la France de reprendre sur mer l'avantage perdu face à l'Angleterre durant la guerre de Sept Ans (1756-1763) et qui s'était soldée par la perte des positions françaises en Inde et au Canada. Une victoire des Américains (Saratoga, octobre 1777) décide le roi : la France s'allie, en 1778,

aux jeunes États-Unis d'Amérique et entre en guerre contre l'Angleterre.
L'aide française est décisive. La marine française brise le blocus anglais et permet l'envoi en Amérique d'un appui militaire, puis du corps expéditionnaire du général de Rochambeau. La coalition franco-américaine encercle les forces britanniques à Yorktown, en Virginie, où elles capitulent en octobre 1781. La paix est signée à Versailles en janvier 1783 : l'Angleterre reconnaît l'indépendance des États-Unis.

La première démocratie moderne

Reste à construire la république rêvée en 1776. Pendant la guerre, les treize États se sont confédérés, mais l'union est fragile : il n'existe pas de vrai pouvoir central, les intérêts locaux divergent et les risques de dislocation sont réels. De plus, la situation financière est désastreuse et l'inflation incontrôlable : entre 1784 et 1786, des troubles éclatent et des troupes non payées marchent sur Philadelphie.
Pour éviter la guerre civile, il est alors proposé de réunir une Convention de cinquante-cinq délégués chargés de donner à l'Union une *Constitution*. De mai à septembre 1787, cette assemblée des « Pères fondateurs » (où se retrouve l'élite qui avait dirigé le pays durant la guerre d'Indépendance) rédige la *Constitution* des États-Unis, remarquable synthèse entre les principes des Lumières et le pragmatisme politique, qui est restée jusqu'à nos jours la loi fondamentale de l'Union. Elle institue le premier État démocratique de l'histoire moderne, fondé sur l'élection et la souveraineté de libres citoyens, dirigé non par un souverain héréditaire, mais par un président élu. L'un après l'autre, les États la ratifient. Le premier président, en 1789, sera Washington.
Bien plus précise que la *Déclaration des droits* anglaise de 1688, la *Constitution* des États-Unis devient le modèle de ce texte solennel, garant des institutions, dans lequel les philosophes du XVIIIe siècle avaient vu l'acte fondateur de l'État de droit.
Certes, l'enthousiasme des partisans des idées nouvelles, en Europe, aura tendance à idéaliser la république américaine. On ne verra pas qu'elle n'institue pas le suffrage universel, qu'elle tolère l'esclavage* des Noirs. On oubliera que ce pays était sans passé et particulièrement apte, dans ces conditions, à bâtir du neuf. L'exemple américain n'en sera pas moins essentiel pour comprendre, deux ans plus tard, la démarche des députés français de l'Assemblée nationale, se déclarant décidés à donner une *Constitution* à la France.

● **À CONSULTER :** A. Kaspi, *L'Indépendance américaine*, Gallimard (1976). J.-M. Lacroix, *Histoire des États-Unis*, PUF (1996). D. Boorstin, *Histoire des Américains*, Armand Colin (1981). J.-M. Bonnet, V. Bernard, *La Révolution américaine*, (*Histoire documentaire des États-Unis*, II), P.U. de Nancy (1985). E. Marienstras, *Naissance de la République* (*Histoire documentaire des États-Unis*, III), P.U. de Nancy (1987). ● **À LIRE :** T. Paine, *Le Sens commun*. J. Delteil, *La Fayette*. ● **À VOIR :** H. Hudson, *Révolution*.
● **CORRÉLATS :** colonisation ; démocratie ; esclavage ; franc-maçonnerie ; libéralisme ; Lumières ; progrès ; révolution ; Révolution française ; systèmes économiques.

RÉVOLUTION FRANÇAISE

● **DÉF. :** La Révolution française s'est déroulée en France de 1789 à 1799. Citer « la Révolution » (sans préciser la date) suffit à indiquer qu'il s'agit de la révolution de 1789, et non d'un autre épisode révolutionnaire de l'histoire française.

Un événement historique majeur

Si la Révolution française est un événement dont la portée dépasse largement l'histoire de la France et même de l'Europe, c'est que les acteurs de 1789, à la différence de leurs prédécesseurs anglais de 1688, se sont inscrits d'emblée dans une perspective universaliste. En posant, dans la *Déclaration des droits de l'homme* et du citoyen,* des principes qu'ils considéraient comme valables pour toute l'humanité, ils ont voulu réaliser le rêve d'émancipation qui, tout au long du XVIIIe siècle, s'était trouvé au centre de la philosophie des Lumières*.
Malheureusement, les circonstances et l'inexpérience d'une classe politique, moins préparée que ne l'était son homologue anglaise un siècle plus tôt, ont

conduit à de sanglantes dérives et ont fait le lit de la dictature. Paradoxalement, c'est le régime autoritaire de Napoléon* Bonaparte, proche – à bien des titres – des despotismes éclairés du XVIIIe siècle, qui a permis de sauver dans l'immédiat les acquis de la Révolution. Il faudra attendre la fin du XIXe siècle et l'avènement de la démocratie* représentative avec la IIIe République pour que se concrétise le projet des hommes de 1789.

La crise de l'Ancien Régime

La Révolution française semble être la sanction de l'impuissance à se réformer de la monarchie de l'Ancien Régime. Ayant mis en place au XVIIe siècle un modèle particulièrement performant d'État* moderne, mais sans toucher à des structures idéologiques et sociales héritées du passé médiéval, l'absolutisme* louis-quatorzien s'est trouvé dépassé, au XVIIIe siècle, par l'évolution politique, économique et culturelle de la société française. Au lieu d'engager les indispensables réformes que proposaient d'ailleurs ses meilleurs ministres (Turgot, Necker), la monarchie s'est crispée dans l'immobilisme, incapable de mettre en question l'inégalité des conditions qu'impliquaient la division de la société en ordres et l'existence d'une noblesse privilégiée : la monarchie n'acceptait aucun partage du pouvoir, refusant de voir que les fondements religieux de sa légitimité ne résistaient pas à la critique* des dogmes par la philosophie des Lumières. Quand la crise* financière qui l'accablait l'oblige, en 1789, à consulter les représentants de ses sujets réunis en Assemblée des états généraux, elle ne comprend pas qu'elle ruine elle-même les principes de l'absolutisme et qu'elle accorde aux gouvernés un droit de regard sur le gouvernement.

L'Assemblée constituante

1789

Bénéficiant d'un immense capital de popularité, le roi Louis XVI (1774-1792) aurait pu conduire le changement, mais il n'en avait ni le projet, ni l'envergure. Les états généraux se réunissent à Versailles le 5 mai 1789 : dès le 17 juin, les députés du tiers état (l'ordre des non-privilégiés), conscients qu'ils représentent plus de quatre-vingt-dix pour cent des Français, s'instituent en Assemblée nationale que le roi, après une résistance maladroite, doit accepter « constituante ». En décidant de rédiger une *Constitution* (serment du Jeu de paume, 20 juin), les élus fondent un État de droit et substituent, à la légitimité de nature divine, la souveraineté de la nation.

Dans les semaines qui suivent, une série de votes abolit ce qui restait de l'absolutisme et la nuit du 4 août 1789, l'Assemblée, en supprimant tous les privilèges, institue l'égalité en droits de tous les Français : il n'y a plus de sujets, il n'existe que des citoyens libres et égaux.

À la fin du mois d'août, avec la *Déclaration des droits de l'homme et du citoyen*, les Constituants affirment le caractère universel et imprescriptible des principes qui fondent leur action : la Révolution française légifère pour l'humanité.

La dérive révolutionnaire

Les difficultés apparaissent vite. Elles tiennent à la résistance du roi, qui refuse la Révolution et ne cède que contraint ; à l'excès d'optimisme des révolutionnaires, décidés à faire table rase du passé et à engager une refonte complète dont l'objectif annoncé est une régénération de la France. Elles viennent aussi du décalage culturel entre une classe politique issue des élites et les espérances du peuple, attentif à des changements concrets que le nouveau pouvoir peut plus facilement promettre qu'accorder.

L'irruption sur la scène du mouvement populaire est immédiate : à Paris, il sauve l'Assemblée menacée par le roi le 14 juillet 1789 (prise de la Bastille) mais, dans les campagnes, les jacqueries précipitent la décomposition de l'administration. Surtout, les revendications populaires, indiscutablement justifiées, vont servir de bases aux surenchères des politiques les plus radicaux qui vont entraîner la Révolution dans une fuite en avant.

En juin 1791, la tentative manquée de fuite du roi rend évident le divorce entre Louis XVI et la Révolution, et compromet le régime de monarchie constitutionnelle prévu par la *Constitution*. La guerre, imprudemment engagée contre la maison d'Autriche en avril 1792, précipite les événements. Alors que la France est envahie, une émeute renverse la royauté à Paris le 10 août 1792 et tandis qu'une armée, en partie formée de volontaires, arrête l'ennemi à Valmy, la République* est proclamée (21 septembre 1792). Une ère nouvelle commence, symbolisée par l'adoption d'un « calendrier républicain ».

En fait, la nouvelle assemblée (la « Convention nationale ») doit faire face à une situation très difficile : guerre étrangère d'abord (toute l'Europe monarchique se coalisant contre la France), guerre civile ensuite (les départements de l'Ouest se soulevant pour la cause royale). L'état économique de la France est désastreux. S'y ajoute une formidable inflation liée à la dépréciation des assignats, le papier-monnaie mis en circulation pour pallier la crise financière. Les plus démunis sont lourdement pénalisés.

Pour répondre à tous ces défis, la Convention juge et condamne à mort Louis XVI (janvier 1793). Puis, les élus radicaux appuyés par le peuple parisien (les Montagnards : Danton, Marat, Robespierre..., soutenus par la Commune et les sans-culottes) ayant éliminé les députés modérés (les Girondins : Brissot, Vergniaud, Louvet...), elle institue en octobre 1793 un régime d'exception, le Gouvernement révolutionnaire.

Jusqu'en juillet 1794, c'est la Terreur menée par le Comité de salut public (Robespierre, Carnot, Saint-Just...) : adversaires, suspects, trafiquants sont jugés de façon expéditive et exécutés. À la Convention, les luttes de factions sont impitoyables et les vaincus prennent la direction de l'échafaud. Finalement, par un nouveau coup de force, la majorité de l'Assemblée se débarrasse le 26 juillet 1794 (9 thermidor an II) de la dictature exercée par le parti montagnard et son principal leader, Robespierre (1758-1794), envoyé à la guillotine avec ses amis.

La fin de la Révolution

Alors que la guerre continue, les conventionnels « thermidoriens » tentent de construire un État républicain. Hantés par la crainte de surenchères radicales et la peur d'un retour de la royauté (*cf.* Contre-Révolution), soucieux de défendre les intérêts de classe des propriétaires, ils instituent, avec la *Constitution* de l'an III, un régime, le Directoire (1795-1799), où les pouvoirs sont considérablement dilués et le droit de vote réservé aux riches.

Trop faible et instable (les coups d'État se succèdent), le Directoire apparaît incapable de rétablir la paix civile, de restaurer l'économie et de ramener l'équilibre financier. Il vit en partie de la guerre victorieuse que des armées très nombreuses, commandées par de jeunes généraux sortis du rang, mènent contre les souverains européens. Un véritable pillage des pays conquis assure au régime l'essentiel de ses ressources.

Une telle conjoncture rend le Directoire tributaire de ses généraux. L'un d'eux, Napoléon Bonaparte, fort de ses victoires en Italie et de son prestige dans l'opinion, renverse le régime le 9 novembre 1799 (18 brumaire an VIII). Tout en maintenant les apparences de la République, il impose sous le nom de « Consulat » sa propre dictature et il déclare la Révolution terminée.

C'est ce régime qui réorganise la France, faisant la synthèse entre les apports positifs de la Révolution et l'héritage de l'Ancien Régime.

● **À CONSULTER :** F. Furet, *La Révolution française*, Hachette (1990) ; *Penser la Révolution française*, Gallimard (rééd. 1987). F. Furet, M. Ozouf, *Dictionnaire critique de la Révolution française*, Flammarion (1992). M. Vovelle, *La Découverte de la politique*, La Découverte (1992). F. Bluche, S. Rials, J. Tulard, *La Révolution française*, PUF (4e éd., 1996). ● **À LIRE :** *Orateurs de la Révolution française*, Gallimard, « Pléiade ». Hugo, *Quatre-vingt-treize*. Balzac, *Les Chouans*. A. France, *Les dieux ont soif*.
● **À VOIR :** Renoir, *La Marseillaise*. Wajda, *Danton*. Scola, *La Nuit de Varennes*.
● **CORRÉLATS :** absolutisme ; contemporaine (Époque) ; Contre-Révolution ; droits de l'homme ; Hegel ; Kant ; Lumières ; Napoléon ; néoclassicisme ; progrès ; Rousseau ; utopie.

RÉVOLUTION INDUSTRIELLE

● **DÉF. :** La Révolution industrielle est une mutation née en Angleterre qui affecte le monde occidental au XIXe siècle. Elle est caractérisée par l'émergence d'une économie capitaliste de croissance, d'une production industrielle de masse et d'un progrès technique* continu. L'expression apparaît en anglais en 1818, en référence aux révolutions politiques ; elle est reprise par les économistes du XIXe siècle (Engels, 1845).

On différencie volontiers aujourd'hui première, deuxième et troisième Révolution industrielle, en fonction des modifications intervenues au cours des deux derniers siècles, au plan technique comme au plan financier.

Les origines de la Révolution industrielle

Les transformations économiques et techniques qui s'amorcent, en Angleterre, dès le XVIIIe siècle s'inscrivent dans la grande mutation culturelle propre à l'Occident des Temps modernes*. À la revalorisation de la vie terrestre qu'expriment l'idéologie* du progrès*, l'individualisme* et l'idée de bonheur, s'ajoutent la rationalisation, liée à la révolution scientifique*, et, venue de la Réforme*, l'exaltation du travail* utile.

Le fait que les changements interviennent d'abord en Grande-Bretagne s'explique par les conditions propres à ce pays. Après la Révolution anglaise* de 1688, la bourgeoisie* marchande de Londres et des grands ports, nourrie d'éthique puritaine, est devenue la classe dominante. L'aristocratie s'est retirée sur ses terres qu'elle entreprend de valoriser. Enrichie par le grand commerce maritime, l'oligarchie marchande investit ses profits dans la fabrication de produits manufacturés qui peuvent alimenter les exportations : ainsi, dès les années 1730, se met en place une activité textile à partir du coton, importé brut de l'Inde, manufacturé en Angleterre et revendu, avec une considérable valeur ajoutée, dans toute l'Europe.

Les conditions géographiques de l'Angleterre favorisent cette évolution : l'ouverture sur la mer, la facilité des transports par voie d'eau (cabotage côtier, rivières navigables), puis la découverte d'une extraordinaire richesse en charbon. Il faut ajouter une forte progression démographique, liée aux progrès de l'agriculture.

L'Angleterre du XVIIIe siècle a les capitaux, la main-d'œuvre, les débouchés, l'esprit d'entreprise : tous les ingrédients indispensables à un « décollage » économique.

L'essor technologique

La production manufacturée se fait au début sur la base d'une multiplication d'artisans travaillant à domicile mais, la demande stimulant l'innovation, des perfectionnements techniques apparaissent. L'enchaînement se poursuit, une invention en appelant une autre, tandis que les conditions de travail se modifient.

Ainsi, dès 1733, le tisserand Kay, en inventant la « navette volante », crée un métier qui tisse plus large et plus vite. Dès lors, la production de fil au rouet devient insuffisante et, en 1767, Hargreaves conçoit la première machine à filer, la *spinning jenny*, que Crompton perfectionne sous le nom de *mule jenny* en 1779. Cette fois, la production de fil excède les capacités des métiers à tisser existants : en 1785, Cartwright invente le premier métier à tisser mécanique.

L'action physique de l'ouvrier, suffisante à mouvoir les premières machines, doit vite être relayée par une force motrice, celle des roues hydrauliques, déjà employées pour les moulins. Son usage oblige à réunir tous les travailleurs dans un même atelier, à proximité d'une rivière : la fabrique est née.

Bientôt, la force de l'eau ne suffit plus ; on pense alors à celle de la vapeur, utilisée depuis le début du XVIIIe siècle dans les « pompes à feu » qui épuisent l'eau des mines. Après une quinzaine d'années de tâtonnements, Watt (1736-1819) construit en 1784 la machine à piston qui devient, pour un siècle, le moteur universel. L'industrie moderne se bâtit sur le couple que forment la machine-outil et le moteur producteur de travail : l'innovation technique s'enrichit des acquis de la révolution scientifique.

L'enchaînement de besoins et de progrès technique se poursuit. La fabrication de machines nécessitant du fer, la machine à vapeur ayant besoin de charbon, les techniques minières et métallurgiques se transforment. Le paysage lui-même change : le centre de l'Angleterre, riche en charbon, proche du grand port de Liverpool, se couvre d'usines ; des villes* naissent et grandissent en quelques dizaines d'années, créant ces « pays noirs » caractéristiques de la première industrialisation.

À la fin du XVIIIe siècle, l'Angleterre a pris une considérable avance sur les autres pays européens. C'est sa puissance industrielle qui explique, dans une large mesure, sa capacité à résister à Napoléon* et, à terme, à le vaincre.

Après 1815, la Révolution industrielle gagne le continent. La France, la Belgique, l'Allemagne rhénane s'industrialisent. À partir de 1830, l'application de la machine à vapeur aux transports (le chemin de fer, le bateau à vapeur) multiplie les possibilités, ouvre des marchés nouveaux et stimule la production métallurgique. Un accroissement sans précédent de la production de richesses, l'accumulation des innovations engendrent un optimisme conquérant qui attribue volontiers au capitalisme libéral la gloire d'un progrès qui paraît illimité.

Les conséquences sociales

L'essor industriel a son revers : les nouvelles formes de production durcissent de façon dramatique les rapports sociaux, d'autant plus que les postulats du libéralisme* économique triomphant font du travail humain une marchandise comme une autre, régie par la loi de l'offre et de la demande. Dans les mines, les manufactures, les fabriques, s'entasse une main-d'œuvre famélique, payée le minimum pour des journées de travail de quinze heures. Ces « prolétaires » (ancien terme qui désignait à Rome* ceux qui n'avaient pour vivre que leur force de travail) se recrutent parmi les artisans, ruinés par la concurrence des machines, ou les paysans pauvres déracinés qui ont quitté la campagne surpeuplée. Ils n'ont ni droit de grève ni protection sociale (*cf.* Syndicalisme), et leurs conditions de vie et de logement sont atroces. La faiblesse des salaires est telle que les enfants travaillent dès l'âge de six ans. L'ignorance, la démoralisation, la prostitution font des ravages : plus la création de richesses s'accroît, plus la misère de ceux qui les produisent augmente.

C'est le scandale de la condition prolétarienne qui provoque, après 1820, l'élaboration des premières théories socialistes* qui, sans mettre en cause la Révolution industrielle, récusent, au nom même du progrès, l'inhumanité de la conception libérale du travail.

La relance de l'essor technologique

Nous ne sommes pas sortis du modèle productif engendré par la Révolution industrielle des XVIIIe et XIXe siècles, mais des percées technologiques ou des modifications structurelles ont permis de définir une série d'étapes qui sont autant de relances.

Dans le dernier quart du XIXe siècle, l'adjonction du moteur à combustion interne, puis celle du moteur électrique à la machine à vapeur ont non seulement ouvert la voie à une nouvelle source d'énergie, le pétrole, mais elles ont engendré une nouvelle vague d'inventions et une nouvelle révolution du transport. En même temps, l'extrême concentration du capital faisait disparaître les entreprises familiales du XIXe siècle au profit d'énormes conglomérats dominés par des consortiums bancaires. Dès le début du XXe siècle, des sociétés multinationales se constituaient. Ainsi se dégageait, à partir de la première (celle du charbon et de la vapeur), une seconde Révolution industrielle.

ENJEUX CONTEMPORAINS

La révolution informatique

Depuis une trentaine d'années, avec le développement de l'informatique, nous entrons dans une troisième Révolution : ce que nous appelons la « crise* » de la fin du XXe siècle est sans doute sa difficile gestation. Comme les précédentes, elle est porteuse de grands progrès futurs mais, dans l'immédiat, elle commence par détruire du travail, désorganiser les réseaux existants, accumuler les problèmes sociaux.

Instruits par les précédents historiques, nous devons faire en sorte de ne pas laisser aux mécanismes aveugles de la concurrence et du marché le soin de gérer un pareil bouleversement. Mais s'il est facile, avec le recul de l'Histoire*, de discerner ce qu'il fallait faire à un moment donné, il est toujours difficile, dans l'action, de faire les choix les plus judicieux. Sans doute faut-il se souvenir que la finalité de toute activité économique doit rester l'amélioration de la condition humaine.

● **À CONSULTER :** L. Meignen, *Histoire de la Révolution industrielle*, PUF (1996). P. Verley, *La Révolution industrielle (1760-1870)*, M.A. (1985). J.-M. Gaillard, A. Lespagnol, *Les Mutations économiques et sociales au XIXe siècle*, Nathan (1984). J. Vial, *L'Avènement de la civilisation industrielle*, PUF (1973).

● **À LIRE :** Dickens, *Les Temps difficiles.* Zola, *L'Assommoir, Germinal.* Marx, *Le Capital* (livre X).

● **CORRÉLATS :** contemporaine (Époque) ; écologie ; libéralisme ; Marx ; nucléaire ; progrès ; Révolution scientifique ; socialisme ; syndicalisme ; systèmes économiques ; travail ; utopie ; ville.

RÉVOLUTION RUSSE

● **DÉF. :** La Révolution russe désigne les événements intervenus en Russie de 1917 à 1921. Il convient de différencier la « révolution de Février », en mars 1917 (les Russes usaient alors du calendrier julien, en retard de douze jours sur le nôtre), de la « révolution d'Octobre » (novembre). La première vise à instituer une démocratie* pluraliste de type occidental, la seconde à réaliser le socialisme*, puis le communisme*.

Le tsarisme : un régime bloqué

La Révolution russe a été l'un des événements majeurs de l'Histoire* du XXe siècle, tant par son retentissement que par l'échec final du projet dont elle était porteuse.
Quand elle éclate, en 1917, elle apparaît à beaucoup d'observateurs et de politologues comme un aboutissement prévisible. Ultime monarchie absolue d'Europe, le régime impérial russe (tsarisme) était en crise* depuis plus d'un demi-siècle. Il avait déjà manqué sombrer lors des troubles de 1905 et seule l'énergie de grands ministres (Witte, Stolypine) avait pu compenser la médiocrité du tsar Nicolas II (1894-1917), incapable de comprendre la nécessité des réformes.
La crise de 1905 avait conduit à mettre fin formellement à l'autocratie (absolutisme* russe) mais, de 1906 à 1912, l'application par Nicolas II du nouveau système constitutionnel avait tourné à la caricature.
Or, l'extraordinaire essor économique du pays et les bouleversements démographiques, sociaux et culturels qui l'accompagnaient, rendaient indispensable et urgente la modernisation de l'État. Au lieu de l'engager, Nicolas II préférait prendre, en 1914, le risque d'une guerre européenne, convaincu qu'un conflit lui permettrait de ressaisir sa pleine autorité.

La révolution de Février

L'Empire* russe n'avait pas les moyens de supporter une guerre longue : l'accumulation des défaites et la lourdeur des pertes humaines provoquent, en février 1917, une agitation populaire dans la capitale de l'époque, Petrograd (aujourd'hui Saint-Pétersbourg). La conjonction de mutineries militaires emporte alors en quelques jours le régime : Nicolas II abdique (le 15 mars) et un groupe de députés de la *douma* (le parlement russe) forme un gouvernement provisoire qui ne tarde pas à proclamer la république*.
Les nouveaux dirigeants souhaitent instituer une démocratie à l'occidentale. Mais est-ce possible dans ce pays gigantesque et pluriethnique (empire colonial continental) où les disparités culturelles sont énormes ? Ils sont d'autre part en présence d'une situation inextricable : les alliés français et anglais de la Russie la pressent de continuer coûte que coûte la guerre contre les Empires allemand et autrichien, alors que les soldats désertent en masse et que l'armée se décompose ; à l'intérieur, des conseils d'ouvriers et de soldats, les *soviets* (déjà présents en 1905), se multiplient et constituent un pouvoir parallèle indépendant du gouvernement ; dans les campagnes, les paysans partagent spontanément les grands domaines et s'approprient la terre. Le désordre se généralise.
Dans la capitale, les partis d'extrême gauche utilisent les soviets pour contester l'action du gouvernement et exiger la révolution sociale. En avril, Lénine (1870-1924), leader du parti bolchevik, la tendance maximaliste de la social-démocratie marxiste, est rentré de son exil suisse, les Allemands ayant facilité son passage dans l'espoir d'ajouter à la confusion. Il est rejoint par un autre marxiste radical, Trotski (1879-1940). Le parti bolchevik fait siennes les revendications populaires (la terre, la paix), sans mettre en avant ses *a priori* doctrinaux, et devient en quelques mois une redoutable force d'opposition.
En juillet 1917, le président du gouvernement provisoire, Kerenski (1881-1970), croit pouvoir s'en débarrasser en trouvant un prétexte pour l'interdire ; mais, menacé en septembre par une tentative de putsch militaire, il doit composer et l'autoriser à nouveau.

La révolution d'Octobre

Lénine et Trotski décident alors d'agir. Ils sont convaincus qu'une révolution* éclatant en Russie et dont l'objectif est la réalisation du socialisme* entraînera le soulèvement des peuples d'Europe, épuisés par trois ans de guerre : l'heure de la révolution prolétarienne générale annoncée par Marx* (1818-1883) est arrivée.
Profitant de la réunion à Petrograd d'un Congrès des soviets dont les votes

pourraient légitimer leur action, sûrs de l'appui des milices ouvrières et des marins de la flotte de la Baltique, les dirigeants bolcheviks renversent, par un coup de force, le gouvernement provisoire (7-8 novembre 1917) et ils annoncent l'institution d'une république des soviets.

En quelques mois, les bolcheviks négocient avec les Allemands et les Autrichiens et concluent une paix séparée ; ils reconnaissent la propriété de la terre aux paysans, attribuent celle des usines aux ouvriers, abolissent les structures sociales de l'ancien régime, nationalisent les banques et le commerce, séparent l'Église de l'État. Mais ils dispersent également les députés régulièrement élus à une Assemblée constituante (janvier 1918) et, prétendant instituer la « dictature du prolétariat », ils interdisent progressivement tous les autres partis politiques. La République socialiste fédérative de Russie est instaurée.

Le pouvoir bolchevik ne contrôle guère que les grandes villes et une partie restreinte du territoire. Le gouvernement provisoire garde des partisans, un courant monarchiste relève la tête et chacune de ces factions a rallié des unités de l'armée. À la fin de la guerre européenne, il trouve d'autre part l'appui des puissances occidentales hostiles au programme bolchevik. De 1918 à 1920, la guerre civile fait rage et l'Armée rouge, organisée par Trotski, profite des divisions de ses adversaires pour les battre séparément.

Le pouvoir bolchevik entreprend de mettre en place immédiatement le communisme : les rapports marchands sont abolis, la monnaie supprimée. La production achève de s'effondrer, les paysans refusent de livrer les récoltes. Les bolcheviks ripostent par une terreur impitoyable, dont une conséquence est l'anéantissement ou la fuite des élites désignées comme « ennemis de classe ».

Cependant, la révolution prolétarienne espérée n'a pas eu lieu en Europe : isolée, la Russie est plongée dans le chaos. En 1921, une famine, suivie d'épidémies, tue des millions de personnes. Excédés par la dictature du parti bolchevik qui prétend agir au nom du prolétariat, les marins de la Baltique, fer de lance des milices révolutionnaires en 1917, se soulèvent, réclamant « les soviets sans les communistes » (mars 1921). Trotski écrase la mutinerie, mais Lénine doit convenir qu'il s'est trompé.

La mise en place du régime soviétique

Un double réajustement s'opère alors. Au plan économique, des mesures de libéralisation mettent fin à la folle entreprise d'instaurer une société communiste, une nouvelle monnaie est créée, la Russie s'ouvre même à des capitaux étrangers : c'est la NEP (nouvelle politique économique). Au plan politique au contraire, les structures centralisées du parti se durcissent : au Xe Congrès de 1921, le fractionnisme (c'est-à-dire l'organisation de tendances au sein du parti) est interdit, une épuration du parti est décidée. Un an plus tard, tandis que le pouvoir communiste reconstitue l'espace impérial russe sous la forme d'une union de républiques socialistes soviétiques (URSS), Lénine obtient que soit créé, pour administrer le parti unique, un poste de Secrétaire général, pour lequel il propose une personnalité jusqu'alors assez effacée : Staline (1879-1953).

La NEP apporte un soulagement et peut être considérée comme la fin de la phase proprement révolutionnaire de l'histoire du communisme soviétique. À partir du printemps 1922, Lénine, victime d'une série d'attaques cérébrales, cesse de jouer le premier rôle ; il meurt en janvier 1924.

Les années qui suivent sont marquées par des luttes acharnées au sein de la direction du parti pour s'en assurer le contrôle. Éliminant habilement ses concurrents, dont Trotski, compagnon de Lénine et organisateur de l'Armée rouge, le Secrétaire général Staline finit, en 1927, par s'assurer une hégémonie totale qui va transformer la dictature du parti unique en véritable pouvoir personnel. Renonçant alors aux objectifs universalistes de la révolution d'Octobre, il annonce son intention de « construire le socialisme dans un seul pays » : l'URSS.

● **À consulter :** R. Pipes, *La Révolution russe*, PUF (1993). D. Colas, *Lénine et le léninisme*, PUF (1987). M. Heller, A. Nekrich, *L'Utopie au pouvoir*, Calmann-Lévy (1982). M. Malia, *Comprendre la Révolution russe*, Seuil (1980) ; *La Tragédie soviétique*, Seuil (1995). ● **À lire :** J. Reed, *Les dix jours qui ébranlèrent le monde*. I. Babel, *Cavalerie rouge*. ● **À voir :** S.M. Eisenstein, *Le Cuirassé Potemkine* ; *Octobre*. J. Reeds, *Red*.

● CORRÉLATS : communisme soviétique ; contemporaine (Époque) ; guerres mondiales ; Marx ; révolution ; socialisme ; systèmes économiques ; totalitarisme ; utopie.

RÉVOLUTIONS ANGLAISES

● DÉF. : On désigne par *Révolutions anglaises* les deux phases de troubles politiques que l'Angleterre connaît au XVIIe siècle : la première révolution* (1642-1660) est plutôt qualifiée de « Guerre civile » ou « Grande Rébellion » ; la seconde (1688-1689) reçoit le nom de « Glorieuse Révolution ».

Les prémices de la Révolution

Au début du XVIIe siècle, l'Angleterre est, en Europe, une monarchie atypique. Le roi n'y concentre pas tous les pouvoirs : depuis le Moyen Âge*, il doit compter avec le Parlement. Celui-ci, composé d'une chambre noble (Chambre des lords) et d'une assemblée élue représentant la bourgeoisie* des villes et les propriétaires ruraux (Chambre des communes), vote l'impôt et contrôle ainsi les finances publiques. Au XVIe siècle, sous la dynastie des Tudors, les conflits entre ces deux pouvoirs ont été rares, mais le consensus prend fin avec l'arrivée au trône des Stuarts (1603).

Jacques Ier Stuart (1603-1625), puis Charles Ier (1625-1649) sont tentés par l'absolutisme* tel qu'il se pratique en Espagne, puis en France. Ils tiennent le Parlement à l'écart et celui-ci riposte en leur refusant les subsides.

À cette première cause de conflit, s'ajoute un problème religieux. Depuis la Réforme*, l'Angleterre a rompu avec Rome sans vraiment adhérer au protestantisme : les dogmes de l'Église anglicane empruntent à Luther et Calvin, mais l'organisation ecclésiastique et le rituel demeurent proches du catholicisme. Un tel compromis mécontente les vrais calvinistes (les puritains), dont le crédit ne cesse d'augmenter auprès des classes moyennes et populaires. Lorsque Charles Ier fait le choix d'une politique religieuse qui fait craindre un retour au catholicisme, cette irritation tourne à la colère. Ainsi se constitue une redoutable convergence entre la contestation politique, propre aux élites, et le rejet populaire du crypto-catholicisme de l'Église* établie qu'entretiennent les imprécations fanatiques des prédicateurs puritains.

La « Grande Rébellion » *1642-1660*

Après avoir gouverné onze ans sans Parlement, Charles Ier est obligé d'en réunir un, par nécessité financière, en 1640. L'arrogance du monarque, ses maladresses déclenchent une crise* qui débouche, en 1642, sur la guerre civile. Confrontés aux forces royales, les parlementaires rebelles lèvent une armée populaire. Par son recrutement et son encadrement, celle-ci devient vite l'instrument des puritains les plus radicaux et son chef, Cromwell (1599-1658), acquiert par ses succès militaires une stature politique. Débordé, le Parlement perd le contrôle des événements.

Victorieuse du roi (qui est capturé), l'armée est maîtresse de la situation. Elle occupe Londres et chasse les parlementaires modérés (1647). La république* (*Commonwealth*) est proclamée en 1649. Jugé pour haute trahison, Charles Ier est condamné à mort et décapité, tandis que les sectes puritaines radicales s'emparent du pouvoir. Face au désordre qui se généralise, Cromwell décide d'imposer sa dictature. En 1653, il devient « lord-protecteur » du *Commonwealth*, assisté d'un Parlement sans pouvoir, réduit à une seule chambre. Peut-être pense-t-il rétablir la royauté à son profit, mais il meurt en 1658. La confusion est alors complète. Sentant l'opinion lasse de l'instabilité et des débordements du fanatisme religieux, les chefs militaires, moyennant quelques garanties, finissent par rappeler le fils de Charles Ier. Promettant l'apaisement, celui-ci restaure la monarchie et devient Charles II en 1660.

La « Glorieuse Révolution » *1688-1689*

Appuyé par un Parlement également restauré selon les modalités traditionnelles, Charles II gouverne d'abord avec prudence avant de retomber dans les mêmes erreurs que son père, au plan religieux et au plan politique. Ses sympathies catholiques lui aliènent une opinion qui reste majoritairement hostile à l'Église romaine et le brouillent avec le Parlement. Celui-ci, pour parer au risque d'autoritarisme royal, vote en 1679 l'*Habeas corpus*, qui interdit entre autres tout emprisonnement arbitraire et affirme clairement et pour la première fois la supériorité de la loi sur le roi. Quand, à la mort de Charles II en 1685, la couronne passe à son frère, Jacques II, récemment converti au catholicisme et admirateur de Louis XIV, une nouvelle crise semble inévitable.

Elle ne va pourtant pas dégénérer, cette fois, en guerre civile : en quarante ans, la classe politique anglaise a beaucoup appris ; elle tient à éviter le débordement et les dérapages des années 1640-1650 en conservant constamment le contrôle des événements.

Au cours de l'année 1688, de hautes personnalités politiques lancent un appel à Marie (1662-1694), une fille de Jacques II, protestante, et à son époux, Guillaume d'Orange (1650-1702), *stathouder* (« chef de l'armée ») des Pays-Bas. Ce dernier débarque à la tête d'une petite armée, obtient le ralliement de l'armée royale anglaise et marche sur Londres (décembre 1688). La fuite de Jacques II permet au Parlement de le déposer, tandis qu'une *Déclaration des droits*, véritable catalogue des libertés anglaises et des prérogatives du Parlement, est rédigée. Ce texte est soumis à Guillaume et Marie, et ce n'est qu'après qu'ils l'ont solennellement accepté (février 1689) que la couronne leur est offerte. Malgré l'appui que lui accorde Louis XIV, Jacques II, complètement discrédité, échoue dans ses tentatives pour reconquérir son trône (1689-1690).

Sans solliciter de mouvement populaire et en conduisant de main de maître l'opération, le Parlement d'Angleterre vient de réaliser sa « Glorieuse Révolution » : il pose du même coup le principe de la monarchie contractuelle et de l'État de droit, dont les fondements reposent sur un acte juridique institutionnel auquel même la couronne est soumise (*cf.* Contrat social). Ainsi se constitue le premier exemple moderne d'un État* dont la légitimité repose sur le consentement des gouvernés.

Il est probable que sans les confuses convulsions de la Grande Rébellion de 1642-1660, la Glorieuse Révolution de 1688 ne se serait pas déroulée si facilement. Par la portée de ce qu'elle établit et que théorisent aussitôt les *Traités du gouvernement civil* (1690) de Locke (1632-1704), elle institue un modèle et représente une alternative à l'absolutisme alors triomphant en Europe. Elle sera en cela une source d'inspiration de la pensée politique des Lumières* et, indirectement, la matrice des révolutions du XVIIIe siècle, en Amérique du Nord et en France.

● **À CONSULTER :** R. Marx, *L'Angleterre des révolutions*, Armand Colin (1971). O. Lutaud, *Les Deux Révolutions d'Angleterre*, Aubier (1978). J.-P. Poussou, *Cromwell, la révolution d'Angleterre et la guerre civile*, PUF (1993). B. Cottret, *La Glorieuse Révolution d'Angleterre, 1688*, Gallimard-Julliard (1988). M. Walzer, *La Révolution des Saints*, Belin (1987).
● **À LIRE :** Hugo, *Cromwell.*
● **À VOIR :** K. Hughes, *Cromwell.* Browndow, Mollo, *Winstanley.*
● **CORRÉLATS :** absolutisme ; contrat social ; Église catholique ; État ; Lumières ; millénarisme ; Réforme protestante ; république ; révolution ; Temps modernes ; utopie.

RÉVOLUTION SCIENTIFIQUE

● **DÉF. :** La *révolution scientifique* est une expression d'historiens pour désigner l'émergence de la rationalité moderne, du XVIe au XVIIIe siècle.

Un changement de perspective culturelle

XVIe siècle

La Renaissance* marque un tournant décisif dans l'histoire culturelle de l'Europe. C'est en effet durant le XVIe siècle que le concept de « progrès* », compris par le Moyen Âge* chrétien comme « perfectionnement moral en vue du Salut », connaît un déplacement de sens pour signifier : « connaissance accrue du fonctionnement de la nature » et, par voie de conséquence, « amélioration de la condition terrestre de l'homme ».

Alors que l'humanisme*, en prônant le libre examen et l'approche rationnelle exempte de préjugés, remet en cause le recours exclusif à l'autorité fondée sur la tradition et l'Écriture, les découvertes maritimes modifient profondément la vision que l'homme occidental avait du monde. Elles révèlent non seulement des horizons insoupçonnés et des réalités inconnues, mais elles démentent aussi, par les faits, des allégations tenues pour d'indiscutables vérités garanties par la caution de l'Église*. À cela s'ajoutent le trouble provoqué par la Réforme* et les controverses religieuses, qui ébranlent les certitudes établies et ouvrent la voie au scepticisme*. La révolution scientifique naît de ce regard nouveau.

L'avènement de l'esprit scientifique

XVIIe siècle

Les bases de la révolution scientifique sont jetées par les astronomes et les mathématiciens. Les Grandes Découvertes* ont fait douter de la cosmographie conçue par Ptolémée (IIe siècle ap. J.-C.), que l'Église considérait conforme aux Écritures : l'univers est un espace fini, une sphère close dont la Terre occupe le centre, le Soleil et les planètes tournant autour. En 1543, le Polonais Copernic (1473-1543) pose le principe d'un soleil central autour duquel gravitent la Terre et les autres corps célestes. Autour de 1600, Kepler (1571-1630) et Galilée (1564-1642) confirment par l'observation cette hypothèse et construisent le modèle d'un univers infini où la Terre n'est qu'un astre parmi les autres, perspective bouleversante qui détruit l'image de l'homme achèvement de la Création, chef-d'œuvre de Dieu placé au centre du monde.

Au même moment, les progrès des mathématiques* et particulièrement de l'algèbre, dus entre autres à l'Italien Cardan (1505-1576) et au Français Viète (1540-1603), conduisent à l'élaboration d'un langage dont Galilée, le premier, comprend qu'il peut rendre compte des phénomènes et traduire, en termes rationnels et lisibles, les événements de la nature.

Enfin, la mise au point technique*, tout au long du XVIIe siècle, d'une instrumentation qui ne cesse de s'améliorer (lunette astronomique, baromètre, thermomètre, microscope...), permet à la fois l'investigation et le dégagement de données quantitatives qu'il est possible de traiter en termes mathématiques.

Dans la première moitié du XVIIe siècle, des conceptualisations philosophiques de la nouvelle science sont formulées. En 1620, l'Anglais Bacon (1561-1626) pose la valeur absolue de l'expérience dans l'approche de la vérité (*Novum Organum*). En 1637, le Français Descartes* (1596-1650) élargit à toute recherche la rigoureuse progression du raisonnement mathématique et énonce la méthode propre à fonder les certitudes rationnelles (*Discours de la méthode*).

Inquiète devant une pensée qui refuse par définition les dogmes, l'Église de la Contre-Réforme* riposte en condamnant pêle-mêle les idées de Copernic, Galilée, Descartes. Ainsi s'engage un conflit durable et, à terme, préjudiciable à Rome, car découvertes et résultats s'accumulent, corroborant le bien-fondé des hypothèses scientifiques. En 1687, l'énoncé de la loi de la gravitation universelle par l'Anglais Newton (1642-1727) rend définitivement caduques les théories traditionnelles, et contribue à émanciper complètement la démarche scientifique des interprétations religieuses.

À cette époque se multiplient les académies, créations des savants eux-mêmes comme la *Royal Society* de Londres (1662), ou initiatives d'État comme l'Académie royale des sciences, fondée à Paris sous Louis XIV par Colbert (1666). Lieux de communication et de débats, les académies soulignent un trait fondamental de la nouvelle science* : son ouverture et son caractère public. Refusant tout mystère et tout secret, la science rationnelle se nourrit de l'addition des découvertes partagées : la communauté des savants est internationale.

La confiance en la science, la conviction que l'homme, par le seul exercice de sa raison, peut maîtriser à son profit la nature et que rien ne peut limiter la poursuite du progrès, sont aux origines de la philosophie des Lumières* du XVIIIe siècle. Cet optimisme débouche, dans la seconde moitié du siècle, sur les premières formes d'application pratique, dont une conséquence sera l'évolution des techniques de production, ce qu'on nomme la « Révolution industrielle* ».

ENJEUX CONTEMPORAINS

Science et société

La révolution scientifique qui caractérise les Temps modernes* est essentielle pour comprendre ce qui fait la singularité spécifique de la civilisation occidentale. En rendant l'homme maître de son destin, en lui attribuant le pouvoir de comprendre et de maîtriser la nature, elle donne à l'Europe* les moyens de distancer les autres systèmes culturels. Confrontés à l'efficacité des méthodes et de l'instrumentation issues de la révolution scientifique et de ses prolongements techniques, ceux-ci doivent intégrer ces acquis, serait-ce au prix d'une remise en cause de leurs propres valeurs*, ou bien se marginaliser. Ce dilemme est loin d'être résolu aujourd'hui, et seuls les pays de tradition occidentale ne connaissent pas le hiatus culturel qu'implique, pour d'autres civilisations (*cf.* Islam), l'entrée dans le mode de pensée inhérent à toute rationalisation scientifique.

L'optimisme et la confiance en une science porteuse de progrès, caractéristiques des XVIIIe et XIXe siècles, ont été ébranlés au XXe siècle. L'utilisation des acquis scientifiques à des fins guerrières et destructrices, les doutes apparus face aux applications des découvertes (nucléaire*, manipulations génétiques*...), la prise de conscience des dégâts irréversibles que peut provoquer une transformation imprudente du milieu naturel, ont conduit à la contestation de postulats jusqu'alors indiscutés (*cf.* Écologie). Sans vraiment remettre en cause le concept de progrès scientifique, ces constats ont tempéré la vision prométhéenne* de la science qui s'était imposée à partir du XVIIe siècle.

● **À CONSULTER :** A. Koyré, *Du monde clos à l'univers infini*, Gallimard (rééd., 1988) ; *Études d'histoire de la pensée scientifique*, Gallimard (1985). P. Hazard, *La Crise de la conscience européenne (1680-1715)*, Livre de poche (rééd., 1994). R. Taton, *Histoire générale des sciences*, PUF (rééd., 1995). G. Barthélémy, *Newton, mécanicien du cosmos*, Vrin (1992). ● **À LIRE :** Koestler, *Les Somnambules*. Brecht, *Galileo Galilei*.
● **CORRÉLATS :** Contre-Réforme ; Découvertes (Grandes) ; Descartes ; génétique ; Histoire (philosophies de l') ; islam ; mathématiques ; nucléaire ; physique ; progrès ; Prométhée ; Réforme protestante ; Renaissance ; Révolution industrielle ; scepticisme ; sciences exactes ; technique ; Temps modernes ; valeurs.

RHÉTORIQUE

● **ÉTYM. :** Du latin *rhetorica*, issu du grec *rhêtorikê* (« l'art oratoire »).
● **DÉF. :** La rhétorique est l'art de parler en public, de l'éloquence, qui met en jeu la capacité à « convaincre » (domaine de l'intellect) et « persuader » (domaine de l'affect) un auditoire ; Pascal (1623-1662), parlant de cet « art d'agréer », distingue ainsi « l'esprit de géométrie » et « l'esprit de finesse ».

La rhétorique dans l'Antiquité

Dans l'Athènes* des Ve et IVe siècles avant J.-C., la démocratie* directe voit triompher ceux qui manient avec efficacité la parole : grâce à leur science des mots, les rhéteurs (« orateurs ») dominent dans l'enseignement et influencent la vie publique. Socrate (470-399 av. J.-C.) a combattu les sophistes*, leur reprochant de préférer l'efficacité à la vérité. La rhétorique est perçue comme l'art de mentir et de tromper : elle conduit, via le mépris d'autrui, à la tyrannie.

Cette déconsidération philosophique de la rhétorique explique la connotation péjorative qui continue d'entacher cette discipline. La rhétorique flatte l'oreille et la sensibilité de l'auditeur, mais elle ne donne pas à penser ; cette vision, partielle et partiale, ne doit pas faire oublier que la rhétorique est un ensemble de principes régissant et raisonnant l'élaboration de tout discours.

Les parties de la rhétorique

Parler, c'est organiser un discours à partir d'un sujet ou *questio* (« question ») ; le travail argumentatif s'opère selon les étapes suivantes :

– l'*inventio* : recherche des arguments, inventaire des matériaux à utiliser ;

– la *dispositio* : organisation cohérente des matériaux, correspondant à ce que les professeurs actuels appellent le développement logique des idées (installation d'une thèse, explicitation, réfutation, récapitulation) ;

– l'*elocutio* : adoption de la forme et du ton, l'orateur ayant le souci de trouver les figures de style les plus frappantes ;

– la *memoria* : mémorisation parfaite (par cœur) du discours, car rien ne sera improvisé ;

– la *pronuntiatio* : art de faire jouer le discours avec éloquence, en utilisant les intonations, les silences, les gestes, la diction.

L'art de parler et d'écrire obéit ainsi à une codification stricte, qu'enseignent les traités de rhétorique, depuis l'Antiquité* jusqu'au XVIIIe siècle. Aristote* (384-322 av. J.-C.), Cicéron (106-43 av. J.-C.), Quintilien (30-100) ont été repris dans tout l'Occident, et ces parties de la rhétorique ont été mises en application par les ecclésiastiques, les orateurs et tribuns politiques, les avocats, les professeurs, les journalistes et les lettrés de toute sorte. Les traités les plus célèbres sont ceux de Du Marsais (1730) et de Fontanier (1830).

Les figures de rhétorique

On désigne par *figures de rhétorique* les moyens codifiés pour produire un effet de style dans un texte. Tout étudiant connaît les principales figures de style : il les identifie dans les œuvres littéraires, mais aussi dans la publicité ou dans le discours politique. Il les manie, quelquefois à son insu, quand il veut toucher son interlocuteur. Les figures de style peuvent jouer sur la grammaire (répétition, inversion, gradation, périphrase...) ou sur les mots (métaphore, métonymie, antiphrase...).

Lorsque je dis, en martelant la phrase : « J'ai travaillé lundi, mardi, mercredi, jeudi, vendredi, samedi », je ne dis pas : « J'ai travaillé toute la semaine. » En effet, je donne à entendre, par la figure de l'« accumulation expressive », l'importance et l'intensité de mon labeur. En m'exprimant *autrement*, je formule *autre chose* qu'un énoncé courant : le non-dit conduit mon interlocuteur à comprendre que je suis un bourreau de travail, ou méritant, ou zélé, ou que je mérite un fort salaire, selon le contexte de communication.

Un politicien habile, un avocat subtil, un prêtre cultivé vont orner leur discours de ces figures pour agir sur leur auditoire, et gagner sa sympathie. Bossuet (1627-1704) était un prédicateur puissant, comme en témoignent ses *Oraisons funèbres*. Mirabeau (1749-1791) savait capter l'attention de l'Assemblée et soulever l'enthousiasme des députés par ses discours ornés. De Gaulle (1890-1970), avec ses formules piquantes ou frappantes, savait plaire et émouvoir.

Rhétorique et littérature

Connaître la rhétorique et être un écrivain sont deux choses bien distinctes : en effet, l'art de bien écrire n'est pas synonyme du génie créateur. Si cela était, on apprendrait à devenir Ronsard, et Racine (1639-1699) se résumerait à l'ensemble des figures de style qui se trouvent dans ses pièces de théâtre* !

Il est patent que les grands auteurs classiques* et romantiques* — et bien des modernes — ont appris la rhétorique. Jusqu'en 1920, la classe de première des lycées se nommait « classe de rhétorique ». Rimbaud (1854-1891) a appris à composer des imitations des poètes grecs et latins. Mais si les grands écrivains ont composé *avec* la rhétorique, c'est *contre* elle qu'ils sont devenus des créateurs originaux. La rhétorique est un arsenal de conventions ; la littérature est une insurrection contre la norme et le convenu. Exploiter la rhétorique, c'est être un littérateur, c'est-à-dire un talentueux technicien de la langue et de l'expression. Or, un créateur est quelqu'un qui dépasse la rhétorique pour imposer son style et sa vision du monde. Il convient donc de distinguer « technique » et « style ».

ENJEUX CONTEMPORAINS

Enseignement

La rhétorique était la base de l'enseignement dans l'Antiquité gréco-latine, consacrant le triomphe d'Isocrate (436-338 av. J.-C.) sur Platon.

Si la classe dite « de rhétorique » a disparu aujourd'hui, et si on parle de « cours de français », il faut remarquer que le système scolaire français reste marqué par la rhétorique traditionnelle. Dissertations, compositions françaises et commentaires composés respectent formellement les parties de la rhétorique que nous avons exposées.

Au nom de la spontanéité du rédacteur et de la liberté d'écrire, des intellectuels* se sont élevés contre cette formation plus rigide que rigoureuse, et qui faisait la part belle à une apparence de logique plus qu'à une authentique réflexion. D'autres font valoir en retour que, sans un cadre cohérent, voire contraignant, il est difficile à des esprits en formation de peser, poser et penser des idées.

À partir de 1960, un groupe de chercheurs a travaillé sur l'ancienne rhétorique, et s'est demandé quel rôle elle continuait de jouer dans l'évolution de la culture occidentale. D'une manière significative, Genette a choisi *Figures* comme titre pour ses analyses critiques*. Barthes et Todorov sont les promoteurs de ce retour à la rhétorique.

● **À CONSULTER :** P. Fontanier, *Les Figures du discours*, Flammarion (1988). B. Dupriez, *Gradus, Les procédés littéraires*, 10-18 (1980). O. Reboul, *La Rhétorique*, PUF, « Que sais-je ? » (1984). H.-I. Marrou, *L'Éducation dans l'Antiquité*. Communications n° 16, Seuil (1970).

● **À LIRE :** Aristote, *Rhétorique*.

● **CORRÉLATS :** Antiquité ; Aristote ; Athènes ; classique (littérature) ; critique littéraire ; image ; intellectuels ; Platon ; sophistes.

ROLAND

Roland est un personnage légendaire, héros de l'épopée* de la fin du XIe siècle *La Chanson de Roland*, attribuée à Turold. À partir d'un épisode historique attesté (la défaite de Charlemagne contre des Basques, chrétiens, dans les Pyrénées, en 778) s'est construit un mythe* mettant en scène Roland, le neveu héroïque de l'empereur, contre les Sarrasins, musulmans.

Dans la chanson* de geste, Roland, à la tête de l'arrière-garde, tombe dans une embuscade, à Roncevaux, à cause de la trahison de Ganelon, allié aux Infidèles. Pressé par son ami Olivier, le « sage », de sonner de l'olifant pour prévenir Charles, Roland, le « preux », préfère livrer combat. Il ne consent à sonner du cor que trop tard : les chevaliers luttent vaillamment, mais y laissent leur vie. Roland meurt en chevalier, après avoir tenté vainement de fracasser son épée Durandal sur un rocher. Il fait face à l'ennemi, et son âme est emportée au paradis. Charles vengera Roland : Ganelon sera démasqué par le « jugement de Dieu » et châtié ; les Sarrasins seront vaincus, et les païens convertis ou passés au fil de l'épée. Le corps du preux chevalier est ramené en « douce France », la belle Aude meurt d'amour, mais le héros demeure dans les mémoires, car on chantera sa « geste », ses hauts faits.

Le héros guerrier et chrétien

Dès le Moyen Âge*, le mythe qui se développe autour de Roland en fait un héros guerrier à la bravoure exemplaire, symbole de la vaillance et du courage, qui ne renonce pas à livrer bataille. C'est un héros chrétien qui montre sa « vertu », c'est-à-dire sa force virile, mais aussi son dévouement à son roi et à son Dieu : il lutte contre les Infidèles, qui « ont le tort », face aux Francs, chrétiens, qui « ont le droit ».

Le couple qu'il forme avec Olivier suscite par ailleurs une réflexion sur la morale de l'action, en confrontant sagesse et prouesse. À la différence d'Olivier, Roland est orgueilleux, et cette démesure – à rapprocher de l'*hubris* des héros grecs – n'est pas sans faire courir un risque à l'armée qu'il commande. C'est le rapport entre gloire individuelle et intérêt général qui se lit dans la geste de Roland.

Le poète italien Arioste (1474-1533) a composé un *Roland furieux* (≈ 1502), poème foisonnant qui mêle l'héroïsme à la magie, où Roland s'humanise et devient, dans l'amour fou, un héros exemplaire. Au XIXe siècle, les romantiques* (Schlegel, Hugo, Vigny...) ont évoqué le personnage, sans le renouveler en profondeur.

ENJEUX CONTEMPORAINS

Mythe et Histoire

Roland a été interprété comme le chevalier de la fidélité, par opposition à la félonie qu'incarne Ganelon. Il a été utilisé dans une perspective patriotique et religieuse : celui qui se sacrifie pour son camp et sa foi prend figure de martyr. Récitée lors des croisades* et des pèlerinages, *La Chanson de Roland* est devenue notre grande épopée nationale, véritable texte de fondation de la « France éternelle, fille aînée de l'Église* », très présent dans l'imagerie populaire et jusque dans les manuels d'Histoire*.

● **À CONSULTER :** P. Brunel, *Dictionnaire des mythes littéraires*, Rocher (1988).

● **CORRÉLATS :** chanson ; croisades ; Église catholique ; épopée ; Histoire ; Moyen Âge ; mythe ; romantisme.

ROMAIN (EMPIRE)

● **ÉTYM. :** Du latin *imperium romanum* (de même sens). Au Ve siècle après J.-C., le terme *Romania* apparaît chez certains auteurs latins pour désigner l'Empire* : on le retrouvera à Constantinople. ● **DÉF. :** L'expression *Empire romain* recouvre deux réalités différentes : un espace territorial *(voir carte p. 324)* et un régime politique antique en place du Ier au Ve siècle de l'ère chrétienne.

L'espace territorial

L'espace géographique constitué par l'Empire romain est le produit des conquêtes (*cf.* Rome antique). Sous la République* romaine, du IIIe au Ier siècle av. J.-C., elles ont essentiellement concerné les vieux pays civilisés du Bassin méditerranéen.

Puis, progressivement, elles se sont étendues dans l'intérieur de l'Europe* du centre et de l'Ouest, en vertu d'une démarche cherchant à neutraliser – par l'intégration – les peuples qui pouvaient être dangereux. Cette stratégie atteint ses limites au milieu du IIe siècle après J.-C. : l'Empire n'a pas les moyens de poursuivre une extension indéfinie et les modèles culturels connus dans le monde méditerranéen sont de moins en moins efficaces quand le milieu naturel et humain devient étranger. Vers 130, l'empereur Hadrien donne comme unique mission à l'armée la défense des frontières (appelées *limes*) d'un espace qui s'étend de l'Euphrate, en Syrie, au Rhin et aux confins de l'Écosse.

L'entité politique

À côté de cette définition géopolitique, l'*Empire romain* désigne également le régime mis en place par Auguste en 27 av. J.-C., et qui durera cinq siècles, jusqu'à la dissolution de l'entité territoriale. Il y a cependant peu de points communs entre le système initial, le Haut-Empire (du Ier au IIIe siècle de notre ère), et le régime connu sous le nom de Bas-Empire (aux IVe et Ve siècles).

L'avènement de l'Empire ne se donne pas l'allure d'une révolution*, mais d'une simple réforme de la République. Auguste, avec l'accord du Sénat, cumule les pouvoirs de la quasi-totalité des anciens magistrats républicains, plus l'*imperium*, le commandement militaire suprême qui lui vaut son titre d'*imperator*. Il a la haute main sur les provinces : le Sénat conserve certes son prestige moral, mais il ne dispose plus de moyens efficaces pour contrecarrer la volonté impériale. Les abus et l'exploitation forcenée des pays conquis cèdent la place à l'administration.

Le Haut-Empire

Ier-IIIe siècles

L'Empire romain n'est pas une monarchie : l'empereur est régulièrement réinvesti de ses pouvoirs et, bien qu'il puisse désigner le successeur qu'il souhaite, le principe d'hérédité n'est pas établi en droit. Auguste se présente lui-même comme le premier personnage de la République, le *princeps*, d'où le nom de *Principat* que l'on donne parfois au Haut-Empire.

Tel qu'il s'organise, sous Auguste et ses successeurs, l'Empire assure deux siècles de prospérité et de paix au vaste espace qu'il administre : c'est la fameuse *Pax romana*. Multipliant les créations de villes*, accordant généreusement le titre de citoyen romain aux élites provinciales, l'Empire constitue progressivement une entité souple et décentralisée, où, sous la tutelle du pouvoir impérial et la suprématie symbolique de Rome*, des centaines de cités autonomes dirigées par leurs notables s'autogouvernent. Unie par une commune culture gréco-romaine qui fond l'apport romain et l'héritage hellénistique*, une classe dirigeante cosmopolite fournit un personnel de qualité : au IIe siècle, l'empereur Trajan (96-117) est un Romain d'Espagne ; au IIIe siècle, les Sévères viennent d'Afrique ou de Syrie.

La période des Antonins (Nerva, Trajan, Hadrien, Antonin, Marc Aurèle, Commode), de 96 à 192, marque l'apogée du Haut-Empire, mais leur brillante réussite masque des faiblesses. Dans un monde sans progrès technique et sans croissance, la prospérité économique repose sur des bases fragiles. L'idéal affirmé de stabilité, la référence inconditionnelle à l'esthétique* du classicisme* grec contiennent les germes d'un essoufflement culturel. Enfin, l'équilibre politique reste le produit d'un compromis ambigu : il n'existe pas de règles claires de succession à l'Empire ; la décision dépend d'un consensus souhaité entre la volonté de l'empereur défunt, l'avis du Sénat et l'accord de l'armée. Cette dernière, réduite à des actions défensives depuis que sa mission se limite à la défense des frontières, risque d'être tentée, comme à la fin de la République, par l'intervention dans le jeu politique.

La crise de l'Empire romain

IIIe siècle

À partir de 193, le pouvoir impérial passe aux mains des généraux et le *Principat*, avec les Sévères, se transforme en une sorte de monarchie militaire. La dérive s'aggrave après 235, la pression croissante des peuples barbares aux *limes* du Rhin et du Danube accentuant le rôle de l'armée. De 235 à 284, les généraux se disputent le pouvoir, plongeant l'Empire dans l'« anarchie militaire ». Usurpations et coups de force se multiplient, les empereurs se succédant, usés en quelques mois et tués au combat quand ils ne sont pas assassinés par leurs soldats. Les Barbares germains forcent le *limes*, dévastent la Gaule, l'Espagne, menacent Rome.

Empire romain

	Histoire	*Philosophie, sciences*	*Littérature, arts*
Haut-Empire			
27 av. J.-C.	**Auguste**, premier empereur romain	Tite-Live (Histoire*)	• Horace, Virgile (poésie*) • *Panthéon, Autel de la paix* à Rome* Vitruve (architecture)
Ère chrétienne			
14	Mort d'Auguste		Ovide (poésie*)
54-68	Règne de **Néron** (incendie de Rome*, persécution des chrétiens)	Sénèque (stoïcisme*)	
70	Prise de Jérusalem par Titus (destruction du Temple)		*Le Colisée*
79	Éruption du Vésuve à Pompéi	Pline l'Ancien, *Histoire naturelle*	
96-192	Dynastie des **Antonins** : apogée de l'Empire (*Pax romana*)		
	• Règne de **Trajan** (98-117)	Plutarque, Tacite (Histoire*)	• Juvénal, Quintilien (rhétorique*) • *Colonne trajane* à Rome
	• Règne d'**Hadrien** (117-138)	Épictète (stoïcisme*) Suétone (Histoire*)	*Villa Hadriana* à Tivoli *Mur d'Hadrien* en Angleterre
	• Règne de **Marc Aurèle** (161-180)	Marc Aurèle, *Pensées* (stoïcisme*)	Apulée (conte*)
193-235	Dynastie des **Sévères** • Édit de Caracalla (212) : citoyenneté romaine accordée à tous les habitants libres	Galien (médecine)	*Temples de Baalbek* en Phénicie *Thermes de Caracalla* à Rome
235-284	**Anarchie militaire** (persécution des chrétiens)	Plotin (néoplatonisme)	
Bas-Empire			
284-305	Règne de **Dioclétien** (restauration du pouvoir impérial)	Porphyre (néoplatonisme)	*Palais de Dioclétien* à Split
312-337	Règne de **Constantin** • Édit de Milan (313) : le christianisme* est toléré • Fondation de Constantinople (330)	Lactance (pensée chrétienne*)	Construction de basiliques romaines
379-395	Règne de **Théodose** • Édit de Théodose (392) : le christianisme devient religion d'État	Saint Jérôme, *Vulgate* (Bible*)	
395	Mort de Théodose : **partage de l'Empire** en deux États		
406	Début des Grandes Invasions* • Pillage de Rome par les Wisigoths d'Alaric (410)	Saint Augustin (pensée chrétienne*)	
476	Fin de l'empire d'Occident		Ravenne, foyer de l'art byzantin*

EMPIRE ROMAIN (IVe siècle)

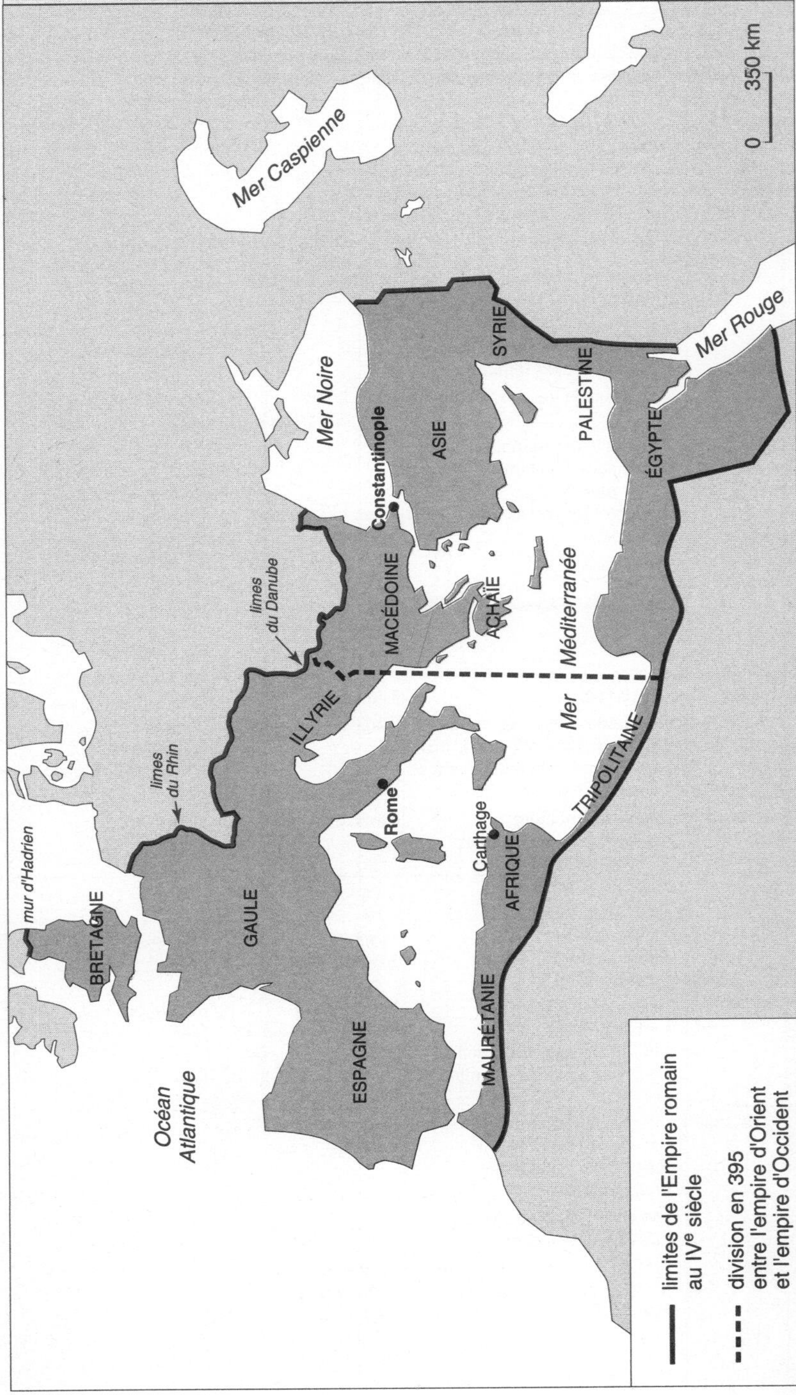
Mer Caspienne
0 350 km
Mer Noire
Constantinople
ASIE
SYRIE
PALESTINE
Mer Rouge
ÉGYPTE
limes du Danube
MACÉDOINE
ACHAÏE
Mer Méditerranée
ILLYRIE
limes du Rhin
Rome
Carthage
TRIPOLITAINE
mur d'Hadrien
BRETAGNE
GAULE
AFRIQUE
MAURÉTANIE
ESPAGNE
Océan Atlantique
limites de l'Empire romain au IVe siècle
division en 395 entre l'empire d'Orient et l'empire d'Occident

Le Bas-Empire

IVe - Ve siècles

L'ordre est rétabli par un soldat énergique, Dioclétien (284-305), mais l'État qu'il réorganise ne ressemble plus à celui des Antonins. Ruiné, dépeuplé, assiégé par les Barbares, l'Empire restauré de la basse Antiquité* (le Bas-Empire) est devenu, avec son souverain divinisé, une monarchie absolue centralisée et bureaucratisée, mobilisée pour sa défense au point d'imposer des contraintes qu'on a comparées à celles des modernes États totalitaires*.

Déjà, Dioclétien a conscience qu'un homme seul ne peut en assurer la conduite et il esquisse un plan de division entre Orient et Occident : Rome perd son statut de « capitale du monde ». Après lui, Constantin (306-337) rétablit l'unité, mais crée en Orient une capitale nouvelle, Constantinople (330), et cherche dans le christianisme* l'idéologie susceptible de reconstruire une cohésion morale. S'il semble réussir, l'éclatement de l'Empire romain apparaît cependant inévitable. En 395, à la mort de Théodose (379-395), l'aggravation de la menace barbare conduit à la division définitive en deux États distincts : l'empire d'Occident et l'empire d'Orient.

Au Ve siècle, l'empire d'Occident est débordé par les Grandes Invasions*. Rome est pillée par les Wisigoths en 410. Les rois barbares se partagent le territoire. En 476, un chef germanique Odoacre renvoie à Constantinople les insignes impériaux d'Occident. Il ne reste de l'immense ensemble jadis créé par Rome que la partie orientale, le futur Empire byzantin*, centré sur Constantinople.

En Occident, où commence le Moyen Âge*, le souvenir qui demeurera de l'Empire romain ne sera pas celui, oublié, du Haut-Empire et de la *Pax romana*, mais l'image du Bas-Empire monarchique, militaire et chrétien : Constantin, et non pas Auguste.

● **À CONSULTER :** P. Petit, *Précis d'histoire ancienne*, PUF (1994) ; *Le Haut-Empire*, Seuil (1978). J.-M. Engel, *L'Empire romain*, PUF (5e éd., 1993). M. Christol, *Rome et son Empire*, Hachette (1990). A. Chastagnol, *Le Bas-Empire*, Armand Colin (1991). ● **À LIRE :** Suétone, *Vies des douze Césars*. Yourcenar, *Mémoires d'Hadrien*. ● **CORRÉLATS :** Antiquité ; byzantin (Empire) ; christianisme ; empire ; Europe ; hellénistique (monde) ; Invasions (Grandes) ; Rome.

ROMAN

● **ÉTYM. :** De l'ancien français *romanz*, issu du bas latin *romanice* (« à la façon des Romains », par opposition à celle des Barbares, des Francs). ● **DÉF. :** Le terme *roman*, apparu en français au XIIe siècle, désigne un récit d'aventures écrit en langue romane. Le roman, initialement, est écrit en vers (*Roman de Renart*, *Roman de la Rose*, *Roman de Tristan**...) et conte des faits relevant de l'imagination. Le premier roman en prose est *Lancelot* (anonyme, XIIIe siècle).

Un genre littéraire

Le roman participe de l'épopée* et du conte* : comme eux, il raconte une histoire. Il se distingue de l'épopée en tant qu'il est écrit en prose, et du conte parce qu'il est une création originale. À partir du XVIe siècle, le roman s'inscrit progressivement dans la réalité : les personnages, le plus souvent fictifs, vivent et agissent dans le monde réel, et non plus dans celui des mythes* ou des légendes. Marthe Robert voit dans *Don Quichotte* (1615) de Cervantès le premier roman moderne : ce roman, écrit selon le modèle parodique et ironique des romans de chevalerie, constitue une réflexion sur les fonctionnements et les pouvoirs du roman.

Roman, fiction et réalité

Des personnages fictifs comme Jean Valjean dans *Les Misérables* (1862), Rastignac dans *Le Père Goriot* (1834-35) ou Bardamu dans *Voyage au bout de la nuit* (1932) ne sont pas des êtres de chair et de sang, mais des individus d'encre et de papier. Cependant, ils nous sont présentés comme réels : le romancier leur fabrique une identité, ils se meuvent dans notre monde, ils sont vraisemblables. L'émotion que l'on ressent à la mort du Gavroche de Hugo signale ce qu'on appelle « l'illusion référentielle » : pour Balzac, le romancier doit « faire concurrence à l'état civil ».

Le roman ne restitue pas la réalité à l'état brut, ce qui, du reste, serait impossible, comme le rappelle Maupassant. Le roman construit la réalité : Balzac, lorsqu'il décrit Paris, présente sa vision de Paris, qui n'est pas celle de Zola ou de Proust (*cf.* Ville). De même, une scène d'émeute ne sera pas rendue de la même manière par Flaubert ou par

Hugo : le regard du romancier sur le réel (historique, politique, idéologique) se traduit par des choix, qu'il appartient au lecteur de décoder (*cf.* Réalisme).

Roman et création

On sait que Stendhal et Flaubert se sont inspirés, pour créer Julien Sorel et Emma Bovary, d'individus dont les agissements avaient été relatés à la rubrique des faits divers. De ces deux situations authentiques, ils ont créé chacun un roman : le romancier organise les éléments apportés par la réalité, les recompose et les transforme à sa guise. L'activité d'écriture consiste à donner du sens et un sens à ces matériaux, c'est-à-dire à les faire signifier et à les orienter dans la dynamique d'une narration.

Le synopsis de *Madame Bovary* (1857) tient en quelques phrases : l'histoire d'une jeune provinciale qui, de déceptions en désillusions, finira par s'empoisonner. Comment raconter cette histoire ? Flaubert aurait pu commencer par la jeunesse d'Emma, puis sa rencontre avec Charles, jusqu'à sa mort. Or, le roman s'ouvre sur l'arrivée de Charles Bovary au collège, et se clôt sur la fin de Charles et le triomphe de monsieur Homais. Ces indications, même sommaires, mettent en lumière le fait que composer un roman, c'est inventer une logique : l'ordre des éléments du texte est le résultat d'un choix, et non pas, comme dans un récit naïf, la suite chronologique d'événements. Et ce choix fait évidemment sens : le roman débute par Charles, car c'est lui qui va transformer Emma en « madame Bovary » (Flaubert a inventé ce patronyme *Bovary* à partir du latin *bovis*, « bœuf »). Le dernier mot du roman est consacré à l'apothicaire : là encore, il faut faire signifier ce point, qui lie l'échec d'Emma à la victoire de Homais. Malraux affirmera que « le génie du romancier est dans la part du roman qui ne peut être ramenée au récit ».

Roman, reflet et réflexion

Stendhal, au milieu du *Rouge et le Noir* (1830), assimile le roman à « un miroir le long d'un chemin », où la réalité vient se refléter. Le roman réfléchit le réel en tant qu'il inscrit des personnages dans un univers spatio-temporel déterminé, cohérent et plausible. Marivaux, Zola et Mauriac, chacun à sa manière, nous donnent à voir et à lire le monde. Un lecteur d'aujourd'hui trouve, dans leurs œuvres, des éléments indispensables pour connaître et comprendre une époque : J. Laurent compare un roman à Pompéi, cette ville romaine qu'une éruption volcanique a figée en quelques minutes, et qui porte donc la trace de tout un univers, éternisé. Le roman est miroir et témoignage, qu'il s'agisse aussi bien du roman historique que du roman policier : Simenon donne un portrait parlant de la France du milieu du XXe siècle ; le roman de science-fiction ou d'anticipation (Jules Verne, Wells) est aussi révélateur des croyances, des hantises ou des espérances d'une époque.

Réfléchir le réel, c'est aussi, et surtout, faire acte de réflexion sur le réel : Kundera parle à cet égard d'une « philosophie du roman ». En effet, un romancier pense le monde qui l'entoure et qu'il met en scène. Balzac affirme écrire à la lumière de ces deux flambeaux que sont la monarchie et la religion ; Hugo médite sur l'idée de progrès* ; Giono propose une réflexion sur les hommes dans leur rapport aux éléments naturels ; Proust met en question notre relation au temps, à l'art et à la mémoire. À la différence du philosophe qui manie des concepts, le romancier orchestre des images* et des situations : le roman donne à penser sans installer une réflexion théorique, et sans que cette réflexion soit posée *a priori* comme une thèse, qu'illustrerait la destinée d'un personnage. Le « roman à thèse », en effet, est souvent décevant parce qu'il expose pesamment des idées, véhiculées sans finesse par une intrigue et des personnages sommaires.

Condition et comédie humaines

Le personnage est au centre de la création romanesque, comme l'indiquent maints titres de romans. Le personnage de roman, s'il n'est pas réel, est « vrai », c'est-à-dire qu'il se donne comme vivant, dans le jeu de l'illusion romanesque. Il peut fonctionner comme un double de l'auteur, ce dernier se projetant dans un personnage de fiction, éventuellement à travers un narrateur s'exprimant à la première personne (le Bardamu de Céline), qui ne se confond pas pour autant avec l'auteur (Proust n'est pas le « je » de *À la recherche du temps perdu*). Il peut être le porte-parole de l'auteur, mais jamais de façon immédiate ou systématique (le médecin de campagne n'est pas Balzac). Le personnage, « *ego* expérimental », selon Kundera, est inventé à partir du réel pour être en même temps un individu* particulier et un type général : Balzac propose l'expression « individu typisé » pour caractériser un personnage comme Rastignac, individu singulier (un jeune provincial monté à Paris), mais aussi type de l'arriviste. Les personnages marquants des grands romans concentrent en eux cette puissance de signification, et on les cite comme figures emblématiques du Moi* (Julien Sorel, le père Goriot, Bel-Ami, Raskolnikov, Swann...). Leur nom peut être utilisé dans le langage courant (« le don quichottisme », « un robinson », « bovaryser », « un rastignac », « on dirait Fabrice à Waterloo »...).

Organisé autour du personnage et/ou du point de vue d'une conscience narrative, le roman porte, selon Kundera, la revendication de la liberté de l'individu. En tant que tel, il est un symbole des Temps modernes : il s'arroge le droit de juger et de rire de tout.

Rien de ce qui est humain n'est étranger au roman : l'amour, la passion, la haine, la jalousie, la soif de réussir, la volonté de pouvoir, l'ennui, le sentiment d'absurde*, la folie, toutes ces composantes de notre condition sont présentes dans les romans, incarnées dans des personnages. C'est au romancier qu'il appartient de mettre en lumière ce qu'est, par exemple, la jalousie, non pas en proposant un traité de psychologie, mais en donnant à voir Swann face à Odette (*Un amour de Swann*).

Comédie* humaine, le roman explore, dans une intrigue (l'action), l'être humain confronté à cinq grands axes : l'individu face à lui-même (intériorité), face à autrui (altérité), face au monde social et politique, face aux forces de la nature et face au divin.

Lectures du roman

Le roman a pour objet de plonger le lecteur dans un autre monde que celui qui l'entoure : dépaysement et divertissement, le roman, dans le même mouvement paradoxal, nous ramène à notre Moi et à notre monde, qu'il éclaire. Proust avait l'ambition de permettre à son lecteur « de lire en lui-même » : le roman, sur un plan historique, sociologique, idéologique ou psychologique, donne une lecture du réel. C'est pourquoi l'attitude de lecture doit être celle de la construction du sens : l'auteur propose, le lecteur dispose (Pingaud). Le rôle de la critique littéraire* est de faire apparaître les significations diverses que prend une œuvre romanesque à travers le temps.

La linguistique et la narratologie étudient le roman comme univers de signes (composition, jeu des points de vue, jeu des temps). Les historiens travaillent sur la place du roman dans l'Histoire* (impact des romans de Rousseau* et de Goethe sur une génération) et sur la place de l'Histoire dans le roman (roman historique). La psychanalyse*, depuis Freud (1856-1939), parcourt le champ du roman en tous sens, en livrant les mobiles et les ressorts de la création, ainsi que l'analyse des grandes figures romanesques.

Les écrivains sont eux-mêmes des critiques, et les auteurs sont d'abord des lecteurs : il convient de lire en priorité leurs commentaires pour saisir les enjeux de la création romanesque, par exemple *Correspondance* de Flaubert, *Contre Sainte-Beuve* de Proust, *Situations* (1947-1976) de Sartre, *Répertoire* (1960-1982) de Butor.

Le roman en question

Le XIXe siècle est le siècle du roman : le « roman balzacien », en quelque sorte, en a constitué le modèle, et les romanciers procédaient à des déclinaisons de sa manière. Flaubert, avec son idée d'un roman qui tiendrait par la seule force du style, ouvre la voie au roman moderne. Le roman s'est mis en question radicalement dans les années 1920-1930 : qu'est-ce que raconter ? Qui parle ? Comment dire le réel ? La cassure de la « Grande Guerre* », les travaux de Freud, de Saussure (1857-1913), l'influence de Nietzsche* (1844-1900) sont à l'origine de la « révolution romanesque » (Zéraffa). D'une part, on conteste le roman en bloc : les surréalistes* se refusent à écrire des romans ; Valéry s'interdit d'écrire : « La marquise sortit à cinq heures. » D'autre part, on métamorphose le roman balzacien : le roman n'est plus seulement conçu comme « l'écriture d'une aventure », mais comme « l'aventure d'une écriture ». Joyce donne un roman total avec son *Ulysse* (1922), qui rompt avec le schéma traditionnel (refus de la linéarité, de la psychologie, des conventions romanesques) : c'est un palimpseste gigantesque, qui interroge le fait romanesque autant que l'expérience existentielle, et Joyce impose le monologue intérieur (*stream of consciousness*). Faulkner, Kafka et Woolf bouleversent le statut du personnage et la conduite de la narration, imposant une manière différente de lire le réel (ordre de la création), et de lire le roman (ordre de la réception). En France,

Proust qui fait du temps le moteur de sa *Recherche*, Céline qui invente une langue littéraire, Gide qui met le roman en abyme avec *Les Faux-Monnayeurs* (1926), contribuent à modifier de manière significative l'art du roman.

ENJEUX CONTEMPORAINS

Littérature et société

Le roman épouse les inquiétudes et les combats du siècle : roman-fleuve dans la tradition humaniste*, roman engagé pour promouvoir des thèses (Sartre). Dans les années 1950 apparaît le « nouveau roman », qui accompagne la « crise du sujet* » en affirmant « l'ère du soupçon » (N. Sarraute). Le roman de la dernière décennie, quoi qu'en disent les pessimistes, se porte bien : des auteurs comme Tournier, Le Clézio, Modiano, Sollers, Echenoz, Rio, S. Germain, P. Constant ont trouvé leur public.

● **À CONSULTER :** M. Zéraffa, *La Révolution romanesque*, Klincksieck (1969). M. Raimond, *Le Roman depuis la Révolution*, Armand Colin (1967). ● **À LIRE :** D. Sallenave, *Le Don des morts*, Gallimard (1991). M. Kundera, *L'Art du roman*, Gallimard (1986). J. Laurent, *Le Roman du roman*, Gallimard (1980). N. Sarraute, *L'Ère du soupçon*, Gallimard (1956). Balzac, « Avant-propos » à *la Comédie humaine*. Maupassant, « Préface » de *Pierre et Jean*.

● **CORRÉLATS :** absurde ; comédie ; conte ; critique littéraire ; épopée ; fantastique ; Histoire ; guerres mondiales ; image ; Moi (figures du) ; poésie ; progrès ; réalisme ; romantisme ; sujet ; surréalisme ; ville.

ROMAN (ART)

● **ÉTYM. :** De l'ancien français *romanz*, issu du bas latin *romanice* (« à la façon des Romains », par opposition à celle des Barbares), qui désigne dès le XIIe siècle une œuvre écrite en langue vulgaire, puis au XVIe siècle, sous forme adjective, l'ensemble des langues européennes dérivées du latin (« langues romanes »).

● **DÉF. :** L'expression *art roman* désigne un premier style propre à l'art occidental du bas Moyen Âge* (postérieur à l'an mille) : elle a été inventée en 1818 par l'archéologue Charles de Gerville qui établissait – à tort – une relation entre son aire de diffusion et celle des langues romanes. Par son originalité et sa puissance créative, l'art roman témoigne de l'autonomie culturelle acquise par l'Occident médiéval.

La naissance de l'art roman

Xe-XIe siècles

Un début de réveil culturel (la « renaissance carolingienne ») s'était manifesté sous Charlemagne (768-814) et ses successeurs, mais il était resté limité et tributaire de l'héritage romain*. Surtout, les troubles et les invasions de la fin du IXe siècle l'avaient brutalement interrompu.

C'est une expression nouvelle qui naît dans le sud de l'Europe* (Italie du Nord, Espagne pyrénéenne), un peu avant l'an mille. Ce premier art roman, représenté essentiellement par une architecture qui crée des formes originales en s'inspirant de modèles romains et byzantins*, se diffuse par la vallée du Rhône vers la Bourgogne et les pays de Loire. En même temps, en Europe du Nord, territoire privilégié des expériences carolingiennes, les empereurs du tout nouvel Empire* romain germanique font bâtir de grandes églises monumentales dans la tradition des basiliques carolingiennes.

L'art roman naît de la rencontre de ces deux courants. Il manifeste très tôt une remarquable vitalité et diversité de formes, des nuances régionales se constituant autour de grands modèles locaux tandis que les ordres religieux, Bénédictins puis, au XIIe siècle, Cisterciens, diffusent leurs styles propres. Coïncidant avec la mise en place du système féodal, l'art roman est essentiellement un art religieux et monastique.

Dès la première moitié du XIe siècle, de grandes églises abbatiales définissent les caractères de base du style roman : Tournus et Cluny en Bourgogne, Saint-Remi à Reims, Jumièges et le Mont-Saint-Michel en Normandie.

La maturité de l'art roman

XIe-XIIe siècles

La seconde moitié du XIe siècle et le XIIe siècle marquent l'apogée du style roman, qui affecte toutes les formes d'expression.

L'église romane se caractérise par la prédominance de l'arc en plein cintre (en demi-cercle), venu de la tradition romaine, par la voûte de pierre et par une décoration sculptée très riche (façades et portails, chapiteaux des colonnes). Les sculpteurs romans marient les souvenirs antiques à l'imitation de formes byzantines (connues par les manuscrits ou les petits objets importés), et font une constante référence aux traditions indigènes, celtiques ou germaniques (goût des entrelacs, des ornements géométriques abstraits). Il en ressort une formulation très originale, d'une grande imagination, plus soucieuse de symbolisme et de stylisation que de réalisme*. On retrouve cette manière dans la peinture (enluminure des manuscrits, fresques monumentales décorant l'intérieur des églises).

Entre 1050 et 1170, tout l'Occident, de l'Angleterre à l'Espagne, de l'Allemagne du Nord à l'Italie, se couvre ainsi d'églises romanes témoignant à la fois d'une étonnante diversité dans le détail et d'une grande unité technique* et esthétique*. Cependant, au cours du XIIe siècle, une sensibilité nouvelle commence à poindre, tandis que des recherches techniques semblent résoudre le problème des voûtes.

Les architectes romans n'avaient en effet jamais bien maîtrisé la couverture des églises. Ils avaient essayé toutes les techniques de voûte en pierres (berceau, arêtes, coupoles), se heurtant constamment à la nécessité de contrebuter efficacement la poussée considérable que ces lourdes structures exerçaient sur leurs supports. C'est ce qui explique, dans les églises romanes, la robustesse des piliers, l'importante épaisseur des murs, leurs ouvertures rares. En Normandie, en Europe du Nord (Angleterre), on avait même renoncé à la voûte, couvrant en charpente pour pouvoir éclairer de larges baies l'intérieur des édifices. C'est dans ces régions que semble avoir été trouvé, vers 1100, le principe des voûtes sur nervures qui annonce la révolution technique de l'art gothique*.

Il n'existe cependant pas de coupure nette entre les deux grands styles du Moyen Âge. À la fin du XIIe siècle, les premiers édifices techniquement gothiques (Saint-Denis, la façade de Chartres) continuent de recevoir une décoration qui, au plan esthétique, relève encore des formules romanes ; la transition est donc très progressive.

● **À CONSULTER :** T. Custieau, *L'Art roman*, Flammarion (1996). R. Crozet, *L'Art roman*, PUF (1991). R. Thibaud, *Dictionnaire de l'art roman*, Dervy (1994). G. Duby, *L'Europe du Moyen Âge*, Flammarion (1985). J. Le Goff, *L'Imaginaire médiéval*, Gallimard (1985). ● **À LIRE :** F. Pouillon, *Les Pierres sauvages*. K. Follett, *Les Piliers de la terre*.

● **CORRÉLATS :** Église catholique ; féodalité ; gothique (art) ; Moyen Âge.

ROMANTIQUE (MUSIQUE)

● **ÉTYM. :** De l'allemand *romantisch* (« chevaleresque, romanesque »). ● **DÉF. :** Le terme *romantisme** est appliqué, pour la première fois, en musique par Hoffmann, en 1810, à Beethoven ; par la suite, il désignera presque toute la musique du XIXe siècle européen, avant les ruptures qui marqueront la naissance de la musique* moderne et contemporaine.

Une expression privilégiée du romantisme

XIXe siècle

Le romantisme trouve, avec la musique, une forme artistique privilégiée : celle-ci permet, par excellence, l'expression du Moi, des passions, de la nostalgie et des aspirations mystiques ; elle révèle, comme la poésie*, les contes* ou les chansons*, le « génie » et l'« âme » des peuples (Herder). C'est avec le romantisme qu'apparaissent des écoles nationales recherchant, dans les traditions populaires, une inspiration nouvelle, en particulier dans l'opéra* avec Verdi (1813-1901) et Wagner (1813-1883).

Beethoven, Brahms, Berlioz, Liszt, Chopin, Wagner...

On peut distinguer deux grandes tendances dans la musique romantique. L'une, avec Beethoven (1770-1827), puis Brahms (1833-1897), s'apparente à de la musique pure : la musique instrumentale, en particulier la symphonie, prend un formidable essor ; les orchestres voient leur nombre d'exécutants augmenter ; un rôle prépondérant est attribué aux vents et aux percussions.

L'autre tendance puise son inspiration dans des thèmes philosophiques ou

poétiques, à l'instar du poème symphonique, illustré par Berlioz (1803-1869) et sa *Symphonie fantastique*, ou par Liszt (1811-1886) et ses *Préludes* ou *Faust** *symphonie*. La vogue du *lied*, mélodie composée sur des textes des grands poètes allemands (Goethe, Schiller...), témoigne aussi de cette alliance avec la poésie : Schumann (1810-1856) écrit plus de deux cents *lieder*, dont le cycle *L'Amour et la Vie d'une femme* ; Schubert (1797-1828) plus de six cents, dont la célèbre *Truite* ou *Le Voyage d'hiver*.
La musique romantique se nourrit aussi de mythes* et de légendes, tel *Tristan** *et Yseult* de Wagner ; elle puise dans le fantastique*, comme le *Freischütz* de Weber (1786-1826), *Le Roi des aulnes* de Schubert. Avec Liszt ou Chopin (1810-1849), le piano devient l'instrument privilégié de l'expression du Moi, tout en s'ouvrant à l'exploration des thèmes nationaux : Chopin signe des *Polonaises*, Liszt des *Rhapsodies hongroises*.
En fait, dès les années 1830, ces musiciens côtoient dans les salons* les écrivains (Sand...) et les peintres (Delacroix...) du romantisme européen, contribuant ainsi à l'ampleur et à l'unité de ce courant. De même, l'opéra wagnérien, œuvre d'art total, véritable emblème du romantisme musical, nourrit les réflexions d'un philosophe comme Nietzsche* (1844-1900).

● **À CONSULTER :** A. Einstein, *La Musique romantique*, Gallimard (1984).
● **CORRÉLATS :** Faust ; mythe ; Nietzsche ; Prométhée ; opéra ; romantisme ; Tristan.

ROMANTISME

● **ÉTYM. :** Dérivé de *romantique*, issu de l'allemand *romantisch* (« chevaleresque, romanesque »).
● **DÉF. :** Le terme *romantisme* apparaît en Allemagne, dès 1798, chez les frères Schlegel, puis en France chez Mme de Staël. Il désigne d'abord la littérature médiévale inspirée par la chevalerie et le christianisme*, par opposition à l'esprit « classique* » des XVIIe et XVIIIe siècles fondé sur l'Antiquité* gréco-latine ; puis il prend son sens propre de courant artistique* du XIXe siècle. Le romantisme allemand, qui précède d'une génération le romantisme français, n'est pas seulement un mouvement esthétique*, bien qu'il accorde à l'art une place privilégiée ; c'est aussi un courant de pensée comportant une dimension spéculative qui sera beaucoup moins marquée dans les autres pays où s'exercera son influence.

Les origines du romantisme
fin XVIIIe - XIXe siècles

Le romantisme s'annonce dès le milieu du XVIIIe siècle, avec la convergence d'un certain nombre de thèmes : la nature, le monde des sentiments et des passions, la nostalgie historique qui accompagne la redécouverte de Pompéi et la mode des ruines.
En Allemagne, dans les années 1770, le mouvement du *Sturm und Drang* (« tempête et élan »), d'après le titre d'une tragédie de Klinger (1752-1831), regroupe des auteurs comme Goethe (1749-1832), Schiller (1759-1805) et le philosophe Herder (1744-1803). Il est influencé par l'irrationalisme de Hamann (1730-1788), un mystique, adversaire des Lumières*. Ceux qui se rallient à ce mouvement se révoltent contre le classicisme et les normes du bon goût imposées par la France ; ils réhabilitent les grands baroques*, notamment Shakespeare (1564-1616) ; ils prônent le retour à la nature et développent une esthétique du génie : le créateur doit se débarrasser de toutes les règles et conventions. On peut aussi évoquer l'illuminisme qui se développe dans certaines branches de la franc-maçonnerie* et la théosophie d'un Swedenborg.
En France, la sensibilité préromantique s'exprime dans la vogue du Rousseau* de *La Nouvelle Héloïse* (1761). En Angleterre, dans les années 1805-1830, les poètes dits les « *Lakists* » (Wordsworth, Keats, Shelley, Coleridge) sont romantiques avant que le mot ne s'impose.

Romantisme et Lumières

Comme le dit G. Gusdorf dans *Fondements du savoir romantique*, « l'âge des Lumières qui commence avec le procès de Galilée s'achève par le procès de Newton ». Par « procès de Newton », il faut d'abord entendre le procès de la science* analytique, quantitative et mécaniste. Au nom de la nature, les romantiques s'opposent à tout ce qui est mécanique, artificiel, construit. Ils se définiront par leur nostalgie d'une harmonie perdue entre l'homme et le Tout.

C'est pourquoi, pendant tout le XIXe siècle, le romantisme pourra cristalliser le rejet de la science, du machinisme et de l'industrialisation (*cf.* Révolution industrielle).
La critique* s'étend ensuite à la politique et à l'anthropologie. En politique, les romantiques s'opposent à la conception atomisée et individualiste* d'une société qui, brisant les liens traditionnels, traite les hommes comme de simples jetons interchangeables. L'État* fonctionnel des modernes est volontiers comparé à une usine. Enfin, les romantiques voudront redonner à l'intériorité psychique la profondeur attachée à la notion d'« âme » : ils refusent l'idée empiriste* d'un esprit qui ne serait qu'une simple collection de sensations.

Romantisme et Histoire

C'est au moment de l'invasion napoléonienne* que se constituent, en Allemagne, les premiers foyers d'inspiration romantique : Iéna, Heidelberg, Vienne et enfin Berlin. Les événements qui suivent la Révolution française* ont d'abord été accueillis de façon lyrique : on a exalté l'élan dont elle était animée, sa générosité fraternelle et sa portée universelle. Mais les élites européennes ont bientôt assisté avec horreur à l'exécution du roi, la Terreur, puis la guerre révolutionnaire, croisade de libération qui prend vite l'aspect d'une conquête impérialiste ; d'où un profond désarroi et la résurgence du sentiment national*, antifrançais, qui s'était déjà exprimé dans l'esthétique du *Sturm und Drang.*
D'un point de vue existentiel, le romantisme traduit une profonde crise* de conscience qui se partage entre révolte, refus et nostalgie : l'ordre ancien est aboli, mais la réalisation des idées des Lumières semble un sanglant échec. Les romantiques vivent de façon tragique l'impossibilité de concilier idéal et réalité. Les convulsions de l'Histoire entraînent le repli sur soi, le retour des aspirations mystiques et religieuses, l'exaltation de l'art comme alternative à la pensée rationnelle. Les romantiques vont donc opposer, en retrouvant l'inspiration de Herder, l'espace vivant et multiple des cultures nationales, leur « génie » et leurs folklores, à l'espace abstrait du cosmopolitisme.
Cette recherche des racines se traduit par une autre vision de l'Histoire : la flèche du temps ne se dirige plus vers un avenir à construire, mais vers un passé à retrouver. C'est ce qui explique qu'après 1815, le romantisme allemand suit le chemin du conservatisme politique, de l'intégrisme religieux et approuve l'ordre de la Sainte-Alliance. Mais en France, dans les années 1848, le romantisme pourra s'unir à l'aspiration révolutionnaire, comme en témoignent l'engagement révolutionnaire de poètes comme Lamartine (1790-1869) ou l'évolution de Hugo (1802-1885), du royalisme à la démocratie libérale, puis socialiste, à l'opposition à Napoléon III.
Le romantisme a donc cristallisé la révolte contre le monde industriel et la domination de la bourgeoisie*, mais il a ouvert deux voies opposées : l'une aspirant au retour des anciennes croyances, l'autre exprimant un désir d'émancipation qui dépasserait les limites du politique et du juridique pour instaurer une fraternité universelle.

Expressions artistiques et programme philosophique du romantisme

Le romantisme européen constitue un faisceau d'expériences artistiques, à la fois variées et très cohérentes :
– en poésie* : Hölderlin, Kleist, Novalis (Allemagne) ; Hugo, Lamartine, Musset, Vigny (France) ; Shelley, Wordsworth, Byron (Angleterre)...
– en théâtre* (drame*) : Hugo, Vigny, Musset...
– en prose (roman*, conte*...) : Hugo, Balzac, Stendhal, frères Grimm...
– en Histoire : Michelet...
– en peinture : Delacroix, Géricault, Turner, Friedrich...
– en musique : Beethoven, Brahms, Schumann, Schubert, Berlioz, Liszt, Chopin, Wagner...

C'est ainsi, dans la mouvance romantique, que s'inscrivent l'étude des langues orientales, la mise en évidence de l'indo-européen, la découverte des folklores et des traditions populaires par Herder. Arnim et Brentano publient *Le Cor enchanté de l'enfant* (1806-1808), recueil inspiré par la poésie populaire qui sera mis en musique par Schubert et Schumann ; l'opéra* avec Verdi ou Wagner se nourrira de l'influence romantique.
Le programme philosophique du romantisme est développé dans le *Systemfragment* (1797) du philosophe allemand Schelling (1775-1854). Ce texte exprime d'abord le rejet de la science mécaniste ; il veut « redonner des ailes » à la physique*. De ce point de vue, deux valeurs* sont exaltées : la vie, comme

principe organique, et l'art, qui devient une clé du savoir. L'acte suprême de la raison est esthétique. L'artiste, soudain promu voyant, mage ou prophète, prend la relève du savant ou du philosophe dans la révélation de l'Être. La philosophie de la nature est un retour à des spéculations de type néoplatonicien. Elle recherche le Tout qui s'épanche dans les choses singulières, et pense les choses singulières comme émanant de l'absolu. La nature est une immense œuvre d'art, la face visible de Dieu. Politiquement, sont critiqués à la fois l'individualisme abstrait et la conception de l'État comme un simple marché : le monde industriel n'est pas une communauté, mais le monde de la « foule solitaire ». Cette critique va traverser tout le XIXe siècle pour nous parvenir. Enfin, le programme religieux de Schelling va jusqu'à envisager de créer une nouvelle religion. Les romantiques abandonneront ce projet pour se rallier généralement au catholicisme. Cependant, la volonté subsiste de réhabiliter la mythologie, synthèse entre la poésie et la philosophie : la mythologie doit devenir philosophique, et la philosophie mythologique. L'opéra wagnérien sera une incarnation de ce projet.

ENJEUX CONTEMPORAINS

Courants artistiques et esthétiques

Le romantisme a apporté une idée nouvelle de la culture. Dans sa mouvance, les références culturelles européennes se sont élargies, d'abord dans le temps, avec la redécouverte du Moyen Âge*, liée à la nostalgie de l'unité religieuse, mais aussi avec la réhabilitation des folklores et des traditions populaires. Ensuite dans l'espace, l'Orient et, en particulier, l'Inde fascinent ; là encore, on recherche une spiritualité perdue. Cette attirance vers l'Orient aura une grande influence en peinture, chez Delacroix notamment, et dans la poésie allemande et française, comme en témoignent *Le Divan oriental* (1819) de Goethe et *Les Orientales* (1829) de Hugo. Le romantisme a relativisé et renouvelé les normes et les genres esthétiques européens qui s'ouvrent au primitif, au baroque et au mélange des genres. L'activité artistique s'enrichit, s'approfondit, devient voyage intérieur ou expérience totale.

Mais le romantisme comporte aussi des aspects contestables : en réhabilitant l'illumination, l'enthousiasme, il ouvre la voie à un certain irrationalisme (occultisme, spiritisme, voire satanisme). Enfin, l'idée romantique de nation, communauté organique dotée de son génie, de sa langue et de sa culture propres, interdit l'universalisme dont les Lumières étaient porteuses, compromettant – comme l'Histoire nous l'a montré et nous le montre encore – l'espoir kantien* d'une paix fondée sur le cosmopolitisme.

● **À CONSULTER :** Bénichou, *Le Temps des prophètes*, NRF (1997). G. Gusdorf, *Fondements du savoir romantique*, Payot (1982). M. Löwy, R. Sayre, *Révolte et nostalgie*, Payot (1992). R. Girard, *Mensonge romantique et vérité romanesque*, Pluriel (1978). Y. Tadié, *L'Enchantement littéraire*, NRF (1990). ● **À LIRE :** Chateaubriand, *René*. Hölderlin, *Hypérion*. Hugo, *Hernani*. Goethe, *Les Souffrances du jeune Werther*. Kleist, *Le Prince de Hombourg*. Novalis, *Les Hymnes à la nuit*. Musset, *Lorenzaccio*. ● **À ÉCOUTER :** Verdi, *Rigoletto* ; *Ernani* ; *Otello* ; *La Force du destin*. Wagner, *Le Vaisseau fantôme*.

● **CORRÉLATS :** baroque ; bourgeoisie ; classique ; conte ; drame ; Histoire ; Lumières ; nationalisme ; poésie ; roman ; romantique (musique) ; Rousseau ; théâtre.

ROME ANTIQUE

● **DÉF. :** L'expression *Rome antique* désigne l'histoire de Rome en tant qu'État-cité, avant que soit constitué, sous sa direction, l'État universel que sera l'Empire romain*. Cette phase correspond, pour l'essentiel, au régime dénommé « République* romaine », du VIe au Ier siècle av. J.-C.

Une émergence tardive

La légende fait remonter la fondation de Rome, par Romulus, en 753 avant J.-C. (*cf.* Mythe). Historiquement, Rome est, à ses origines, une modeste bourgade d'Italie centrale. Au plan culturel, elle est partagée entre l'influence de l'originale civilisation des Étrusques, ses voisins du

Rome antique

	Histoire	Littérature, arts
753 av. J.-C.	Fondation légendaire de Rome	
≈ 700 av. J.-C.	Début de la domination étrusque	
575 av. J.-C.	Apogée des rois étrusques (Tarquins)	*Cloaca maxima, Forum*
509 av. J.-C.	Rome se libère des Étrusques : proclamation de la **république*** aristocratique	*Louve du Capitole*
390-386 av. J.-C.	Incursion gauloise à Rome, pillée et dévastée	
350-272 av. J.-C.	• Conquête de l'Italie par les Romains • Conflits sociaux à Rome	
264-241 av. J.-C.	**Première guerre punique** contre Carthage	
218-201 av. J.-C.	**Deuxième guerre punique**	
200-168 av. J.-C.	Conquête de la Grèce*	Plaute, Térence (comédie*)
149-146 av. J.-C.	**Troisième guerre punique**	
133 av. J.-C.	• Mort du roi de Pergame qui lègue son royaume hellénistique* à Rome • Fin de la conquête de l'Espagne	
≈ 100 av. J.-C.	Début des guerres civiles (rivalités entre Marius et Sylla)	
73-71 av. J.-C.	Révolte des esclaves*, menés par Spartacus	Lucrèce (épicurisme*)
63 av. J.-C.	Conjuration de Catilina	Cicéron (rhétorique*)
58-52 av. J.-C.	Conquête de la Gaule par Jules César	
44 av. J.-C.	Assassinat de Jules César	
30 av. J.-C.	Mort de Cléopâtre : annexion de l'Égypte	Horace, Virgile (poésie*)
27 av. J.-C.	Instauration de l'**Empire romain*** par Auguste	• Tite-Live (Histoire*) • *Panthéon, Autel de la paix* • Vitruve (architecture)

Nord, et le rayonnement des cités grecques de l'Italie du Sud.

Dominée par les rois étrusques au VIIe siècle avant J.-C., longtemps menacée par les peuplades montagnardes qui l'entourent, et même dévastée par une incursion gauloise en 390-386 avant J.-C., la Rome primitive doit ses capacités de résistance aux qualités d'un peuple de paysans qui fournit d'excellents soldats. Dans le cadre d'une stratégie défensive, elle soumet ainsi l'un après l'autre ses turbulents voisins au point de s'assurer, au début du IIIe siècle avant J.-C., une maîtrise de la majeure partie de l'Italie péninsulaire.

La République romaine

509-27 av. J.-C.

En 509 avant J.-C., les Romains chassent le dernier roi étrusque, Tarquin le Superbe, et proclament la République. Rome s'organise alors politiquement. Elle était, à l'origine, dirigée par l'aristocratie des grandes familles, les patriciens, dont les chefs constituaient un conseil : le Sénat. Les Romains qui n'étaient pas patriciens, la plèbe, étaient pratiquement privés de droits politiques. Au cours des Ve et IVe siècles avant J.-C., la longue lutte des plébéiens pour accéder à la pleine citoyenneté aboutit à la mise en place effective de la République.

Au IIIe siècle avant J.-C., la souveraineté appartient en théorie à l'ensemble des citoyens réunis en assemblées : les Comices. En fait, le gouvernement est entre les mains de magistrats élus, dont les plus importants sont les deux consuls, véritables chefs de l'État, renouvelables chaque année. Le Sénat, formé d'anciens magistrats, garde d'importants pouvoirs et dispose d'une grande autorité morale : il représente le maintien des traditions et la continuité de Rome. Bien qu'il n'y ait pas de *Constitution* écrite, le système de la Rome républicaine porte déjà l'empreinte d'un juridisme qui restera, dans l'avenir, l'apport le plus positif des Romains à la civilisation du monde antique.

Une puissance conquérante

Ce régime, qui est typiquement celui d'un État-cité à la grecque, ne va cependant pas résister aux conséquences de la politique étrangère romaine. En effet, en Sicile, l'expansion romaine s'est heurtée aux intérêts de la puissante cité maritime de Carthage (située près de l'actuelle Tunis). L'affrontement qui s'ensuit et qui dure de 264 à 146 avant J.-C. (les « guerres puniques ») consacre non seulement le triomphe de Rome, dotée d'une armée et d'une flotte redoutables, mais il conduit à l'installation de provinces romaines en Espagne, au sud de la Gaule (la *Provincia*, la future Provence), en Afrique du Nord.

Devenue une très grande puissance, la République romaine intervient, en Orient, dans les querelles des rois hellénistiques*. En moins de deux siècles, elle fait la conquête de la totalité du Bassin méditerranéen et impose sa domination, en Occident, jusqu'à la mer du Nord.

Une expansion aussi gigantesque de l'espace romain entraîne un afflux de richesses, des bouleversements sociaux, une transformation des mœurs qu'accélère l'ouverture massive à l'influence culturelle hellénistique. Le système politique républicain, conçu pour un État-cité, s'avère de plus en plus inadapté à l'administration d'un empire territorial aux dimensions du « monde connu ».

Au Iᵉʳ siècle avant J.-C., les crises se succèdent, scandées de coups d'État et de guerres civiles. S'appuyant sur une armée professionnalisée, les chefs politico-militaires se disputent le pouvoir, jouant les revendications populaires contre un Sénat attaché aux institutions républicaines, mais profondément conservateur.

De la République à l'Empire

Au milieu du Iᵉʳ siècle avant J.-C., Jules César (101-44 av. J.-C.), conquérant des Gaules, vainqueur en Orient de son rival Pompée (107-48 av. J.-C.), tente de transformer le régime, après avoir imposé sa dictature. Accusé d'aspirer à la royauté, il est assassiné, victime d'un complot (44 av. J.-C.), mais les conservateurs républicains n'ont pas de programme.

Au terme d'une nouvelle guerre civile, Octave (63 av. J.-C.-14 ap. J.-C.), petit-neveu de César, institue, sans abolir formellement la République, le système politique nouveau et mieux adapté que nous appelons l'« Empire ». Sous le nom d'Auguste, que lui décerne le Sénat, il devient, en 27 avant J.-C., le premier empereur romain.

● **À CONSULTER :** P. Petit, *Précis d'histoire ancienne*, PUF (1994). R. Bloch, *Les Origines de Rome*, PUF (10ᵉ éd., 1994). F. Hainard, *La République romaine*, PUF (2ᵉ éd., 1994). Y. Le Bohec, *César*, PUF (1994). P. Veyne, *La Société romaine*, Seuil (1992). ● **À LIRE :** Corneille, *Horace* ; *Suréna*. Racine, *Mithridate*. ● **À VOIR :** J. Mankiewicz, *Jules César*. C. Gallone, *Scipion l'Africain*. S. Kubrick, *Spartacus*.

● **CORRÉLATS :** Antiquité ; esclavage ; hellénistique (monde) ; mythe ; république ; romain (Empire).

ROUSSEAU

Obéissant à des tendances qui paraissent incompatibles, l'œuvre de Rousseau (1712-1778) semble défier la reconstitution systématique : comment concilier, par exemple, la sensibilité de l'écrivain, qui annonce le romantisme*, et le froid rationalisme du théoricien du contrat social* ? Pour s'en tenir à la philosophie, le vrai Rousseau est-il celui qui enseigne que les progrès* de la société* sont la source de la dépravation humaine, ou celui qui considère le passage de l'état de nature à l'état social comme la condition de notre pleine réalisation ?

Qu'il y ait, cependant, un système de Rousseau, c'est ce que lui-même soutient. À en croire son autobiographie *Les Confessions* (1781-1788), le dessein de toute son œuvre lui apparaît en 1749, sur le chemin de Vincennes, alors qu'il rend visite à Diderot (1713-1784), emprisonné au Donjon. Selon un autre texte autobiographique, les *Dialogues* rédigés sous le titre *Rousseau juge de Jean-Jacques* (1772-1776), l'œuvre entière remonte progressivement, de livre en livre, vers les premiers principes du système.

L'avènement du Moi

L'autobiographie occupe une place essentielle dans l'œuvre de Rousseau. Lorsqu'il fait appel du jugement des autres, et lui oppose, dans un acte qu'il veut absolument sincère, le témoignage intime de sa conscience, c'est sa philosophie elle-même qu'il dévoile :

présenter « sa » vérité, rien que sa vérité, sans les masques qui la défigurent lorsqu'on n'existe qu'en représentation, c'est nécessairement dire « la » vérité, toute la vérité de la nature : « Je forme une entreprise qui n'eut jamais d'exemple, et dont l'exécution n'aura point d'imitateur. Je veux montrer à mes semblables un homme dans toute la vérité de la nature ; et cet homme ce sera moi » (*Les Confessions*, livre I).

Il est vrai que l'entreprise est nouvelle : elle ne s'apparente vraiment, ni aux *Confessions* de saint Augustin (354-430), qui donne à ce titre un sens strictement chrétien, ni aux *Essais* de Montaigne (1533-1592), à qui Rousseau reproche de ne s'être peint que « de profil ». Elle marque en littérature une révolution dont les effets se développent, au XIXe siècle, particulièrement dans l'œuvre de Stendhal (1783-1842) et ses *Souvenirs d'égotisme* (1832) ou la *Vie de Henry Brulard* (1835-1836), plus généralement dans le romantisme français, fondé sur l'émancipation du Moi*. Le projet de tout dire, dans cette écriture de soi*, sans « juger de l'importance des faits », se retrouve, au XXe siècle, dans l'œuvre de Proust (1871-1922), celle de Joyce (1882-1941), et plus près de nous celle de Leiris (1901-1990).

L'adversaire des Lumières

C'est de façon fracassante que Rousseau est entré dans le monde des lettres. Âgé de près de quarante ans, celui qui n'est alors connu que comme musicien (compositeur et théoricien de la musique*) se pose d'emblée en adversaire des Lumières* en rédigeant, sous le coup d'une inspiration subite, le *Discours sur les sciences et les arts* (1750) : le progrès, y soutient-il, n'améliore pas les mœurs des hommes, mais les corrompt. Et dans le *Discours sur l'origine et les fondements de l'inégalité parmi les hommes* (1755), il oppose le tableau d'un état de nature, où l'homme connaît la liberté, l'innocence et la paix, au récit d'une Histoire* qui ne le perfectionne qu'en le dénaturant, contraignant chacun à se soumettre à l'opinion et à l'estime des autres : source des malheurs actuels de l'humanité, du despotisme, de la servitude et de la misère.

La dénaturation de l'homme aurait pu ne pas se produire, mais elle est irréversible une fois qu'elle s'est produite : rien n'est plus faux que de voir en Rousseau un adepte du retour à la nature. L'homme ne retrouvera plus l'indépendance de la vie sauvage, où il n'est soumis qu'aux lois inflexibles des choses, mais il peut trouver un équivalent de cette indépendance dans l'égale soumission de tous aux lois inflexibles de la république*. Tel est le problème politique selon Rousseau : comment accomplir la dénaturation de l'homme, en faire un pur citoyen, de telle sorte que l'innocence de l'amour de soi, à jamais perdue pour l'individu*, soit transférée au peuple tout entier ?

Une théorie politique irréalisable

Il n'y a aucune justification naturelle au pouvoir d'un homme sur un autre. La seule autorité politique légitime résulte du pacte par lequel chacun accepte de se soumettre aux décisions de la volonté générale. *Du contrat social* (1762), montre ainsi que la souveraineté n'appartient qu'au peuple, et qu'il n'y a de lois véritables que celles dont tous sont à la fois les législateurs et les sujets. Kant* (1724-1804) retiendra cette idée, dans laquelle il verra le principe de la loi morale*. Rousseau remarque déjà que le passage de l'état de nature à l'état civil, s'il se faisait selon les termes du contrat social authentique, devrait apporter à l'homme, outre l'équivalent de son indépendance antérieure, la moralité qui lui manque dans la situation naturelle : « Il devrait bénir sans cesse l'instant heureux qui l'en arracha pour jamais et qui, d'un animal stupide et borné, fit un être intelligent et un homme » (*Du contrat social*, livre I, 8).

Faut-il en conclure qu'une réforme radicale de la vie politique peut réconcilier l'homme avec lui-même et avec les autres ? Rousseau présente au contraire sa théorie comme un idéal irréalisable. La dimension territoriale de l'État* moderne rend impossible l'exercice direct de la démocratie* et impose dans les faits la confiscation progressive, par le gouvernement, de la « chose publique », qui cesse d'être l'affaire de tous. Ce processus, aussi irréversible que celui de la dénaturation, se conjugue avec elle dans le comportement de l'homme moderne, qui voudrait être à la fois homme et citoyen, et ne peut plus être ni l'un ni l'autre.

Il faut donc nuancer le jugement selon lequel *Du contrat social* contient en germe la Révolution française*. Pratiquement ignoré au moment de sa parution, l'ouvrage n'a guère d'influence directe,

et n'acquiert une valeur de référence que rétrospectivement, davantage par son style et son vocabulaire (« patriotisme », « vertu »...) que par son contenu effectif : Robespierre (1758-1794) imposera ainsi, avec les mots de Rousseau, une politique que Rousseau aurait désapprouvée.
Depuis Constant (1767-1830), les partisans du libéralisme* politique soumettent les idées de Rousseau à une critique* sévère, dénonçant comme un sophisme monstrueux la prétention de libérer le citoyen de toute servitude particulière en l'écrasant sous le joug de la communauté.

ENJEUX CONTEMPORAINS

Éducation

Si le malheur des hommes modernes provient d'une Histoire qui a mélangé, de façon contradictoire, perversion de la nature et dégradation de l'État, on ne peut y remédier que par l'éducation (*cf.* École), en formant l'individu selon le cours d'une histoire différente : protégeant son développement naturel de toute interférence avec l'ordre humain, retardant autant que possible son entrée dans la vie sociale, réglant cette entrée afin qu'elle corresponde bien à un épanouissement moral. Tels sont les principes de cette éducation négative, appliquée par Rousseau à un élève imaginaire, Émile : « Émile n'est pas un sauvage à reléguer dans les déserts ; c'est un sauvage fait pour habiter les villes » (*Émile*, livre III).
Paru en 1762, *Émile ou De l'éducation* est considéré par Rousseau comme la clef de voûte de son système. Condamné par l'Église* à cause du passage intitulé « La Profession de foi du vicaire savoyard », l'ouvrage connaît un succès considérable. On retrouve son influence dans les réformes proposées par le pédagogue suisse Pestalozzi (1746-1827), et plus indirectement dans les méthodes de pédagogie non directive du psychologue américain Rogers (1902-1987).

● **À CONSULTER :** J. Starobinski, *Jean-Jacques Rousseau. La transparence et l'obstacle*, Plon (1957).
● **CORRÉLATS :** contrat social ; critique philosophique ; démocratie ; école ; écriture de soi ; État ; Histoire ; individu ; Kant ; libéralisme ; Lumières ; Moi (figures du) ; morale ; musique ; progrès ; république ; Révolution française ; romantisme ; société.

S

SALONS

● **ÉTYM. :** De l'italien *salone*, de *sala* (« salle »). ● **DÉF. :** À partir du début du XVIIe siècle, une vie intellectuelle et mondaine très active se développe, parallèlement à la Cour, dans un certain nombre d'hôtels aristocratiques ; ces lieux de réunion, souvent animés par des femmes cultivées et brillantes, sont désignés sous le nom de *salons*.

Une littérature mondaine

XVIIe siècle

Le raffinement des mœurs, marqué par le souci de plaire et de briller, trouve son expression dans les salons, fréquentés par les poètes et les « beaux esprits ». Chez la marquise de Rambouillet (1588-1655), le plus célèbre salon du XVIIe siècle, on cultive l'art de la conversation et les divertissements littéraires : sonnets galants, épigrammes, portraits, énigmes et bouts-rimés, toute une littérature facile et plaisante brode avec élégance sur le thème de l'amour et du badinage. C'est le moment culturel de la « préciosité ».

Molière (1622-1673) a souvent ironisé sur ces « femmes savantes » (1672), ces « précieuses ridicules » (1659), les moquant aussi dans *Le Misanthrope* (1666). Si sa critique est pertinente quand elle raille les outrances de cette vie mondaine, souvent futile et prétentieuse, et les ouvrages médiocres de pédants ou de fats, elle est en revanche souvent injuste : elle passe délibérément sous silence le fait que, sous l'impulsion de femmes et d'hommes à la fois spirituels et profonds, sont apparus une volonté d'émancipation et un désir de penser autrement les rapports humains. Des salons comme ceux de Ninon de Lenclos (1616-1706) ou Mlle de Scudéry (1607-1701) furent des lieux de rencontre qui ont permis à des conceptions et des valeurs* nouvelles d'être discutées ; ils ont influencé les écrivains majeurs du XVIIe siècle classique* (La Rochefoucauld, Mme de La Fayette, La Fontaine, Mme de Sévigné, Racine...).

Outre l'analyse psychologique des sentiments, ouvrant sur une nouvelle sensibilité, les salons ont mis à jour la figure de l'« honnête homme », celui qui s'intéresse aux arts et aux sciences, et dont la morale* réside dans la politesse et la distinction, valeurs fondatrices de l'homme vivant en société. Cet idéal parcourt l'Europe du XVIIe siècle.

Le milieu littéraire et philosophique

XVIIIe siècle

Au XVIIIe siècle, les salons voient s'accroître leur rôle social et, surtout, politique et idéologique : si on y cultive l'art du mot d'esprit, on y développe surtout la circulation d'idées et de livres à caractère contestataire au regard des conventions et des préjugés de l'époque.

Les principaux salons sont ceux de Mme de Tencin, de Mme du Deffand et de Mme d'Épinay. Voltaire (1694-1778) et Diderot (1713-1784) y expriment les opinions qui deviendront la matière de leurs œuvres. On y joue des pièces de théâtre, on y donne des concerts, on y entend des récits de voyages.

Les savants et les penseurs circulent en Europe, se rencontrant dans les salons des différentes capitales : cette unification des esprits, ces rencontres stimulantes, cette effervescence intellectuelle et philosophique contribuent à faire éclore ce que Starobinski appelle « l'invention de la Liberté ». L'Europe des Lumières* se fait, en partie, grâce à cet « espace public* », ces lieux vivants de communication et d'échange que sont les salons, auxquels s'ajoutent les clubs politiques et les cafés.
L'esprit de conversation, hérité du siècle précédent, s'accompagne de l'esprit critique et d'examen. Les travaux des scientifiques, dont Newton (1642-1727), sont à l'unisson des avancées d'une pensée rationaliste : on met en question, sous la forme de « querelles » savantes, les dogmes et les vérités révélées ; on met en cause les institutions. Enfin, les libertins*, qui entendent s'affranchir des carcans de la morale religieuse, propagent des idées subversives.
Rousseau* (1712-1778) a raillé ces salons où domine, selon lui, la superficialité : certes, on n'écrit pas *Du contrat social* en brillante compagnie, mais dans la retraite et l'isolement ! Cependant, des salons comme ceux de Mme du Deffand ou de Mlle de Lespinasse, fréquentés par les encyclopédistes*, ont permis la circulation féconde des idées nouvelles, génératrices des grandes mutations idéologiques et politiques.
La vogue des salons s'atténuera au XIXe siècle : des groupes ou des cénacles se constituent, notamment autour des romantiques*, mais sous une forme différente. Dans le domaine de la peinture, les artistes exposent leurs œuvres dans les « Salons » ; les impressionnistes* créent, en 1863, le premier « Salon des refusés ». À l'instar de Diderot et de ses *Salons* (1759-1781), Baudelaire (1821-1867), puis Huysmans (1848-1907) feront paraître sous ce titre leurs critiques d'art.

● **À CONSULTER :** B. Didier, *Le Siècle des Lumières*, MA Éditions (1987).
● **À LIRE :** Molière, *Les Précieuses ridicules*, *Les Femmes savantes*. Mlle de Lespinasse, *Lettres*.
● **À VOIR :** P. Leconte, *Ridicule* (1996).
● **CORRÉLATS :** classique (littérature) ; encyclopédie ; espace public ; impressionnisme ; intellectuels ; libertins ; Lumières ; morale ; moralistes ; romantisme ; Rousseau.

SCEPTICISME

● **ÉTYM. :** Du verbe grec *skeptesthai* (« observer, considérer »). ● **DÉF. :** Le scepticisme désigne une attitude philosophique consistant à examiner sans porter de jugement.

Le bonheur par la suspension du jugement

Le scepticisme antique, incarné essentiellement par deux philosophes des IVe et IIIe siècles avant notre ère, Pyrrhon d'Élis et Timon de Phlionte, est avant tout une méthode pratique pour atteindre la vie bienheureuse par le moyen d'une critique* de la connaissance. Le bonheur ne peut être trouvé que dans l'absence de trouble (*ataraxia*), qui suppose l'impassibilité (*apatheia*) ; or nos passions sont perpétuellement soutenues et avivées par nos jugements et nos croyances, notre prétention à détenir déjà le vrai : la voie du bonheur passe donc par la suspension du jugement (*epokhê*), ce qui ne signifie pas un simple renoncement à juger, mais l'effort continuel pour opposer les opinions les unes aux autres, pour maintenir l'âme en équilibre sur tout sujet, ce qui neutralise les passions. C'est à tort qu'on reproche au sceptique de se mettre en contradiction avec lui-même du simple fait qu'il vit, alors que la vie n'est faite que de choix. La maxime du sceptique est : « Prendre la vie pour guide non philosophique. »
Il évite donc, comme chacun, les précipices, et se couvre quand il a froid, mais il s'interdit d'affirmer ou de nier quoi que ce soit sur ce que sont en eux-mêmes les objets de ces représentations. Son silence (*aphasia*) n'est pas la rançon d'un paradoxe insurmontable, mais la lutte difficile contre tout discours qui risquerait de rompre l'équilibre de l'âme.

Le doute sceptique

Dans l'Antiquité*, les sceptiques ultérieurs (Agrippa, Enésidème, Sextus Empiricus) tendent à transformer cette méthode pratique en philosophie véritable, par l'invention d'une sorte de logique inventoriant les différents arguments (« tropes » ou « modes ») susceptibles de ramener l'entendement à l'équilibre, lorsqu'il est tenté de dogmatiser : panoplie dans laquelle puiseront tous les penseurs désireux de montrer la fragilité des opinions humaines (nos sens nous trompent, nos démonstrations reposent sur des postulats indémontrables...). Ils s'efforcent de défendre le scepticisme de l'accusation qui pèse contre lui, et qui est toujours la même : d'être un nihilisme impraticable. Mais ils ont beau affirmer avec insistance que le doute sceptique porte sur la réalité en soi des choses, et non sur la façon dont elles nous apparaissent (les phénomènes), le contresens dont ils sont victimes est si fort qu'il finit par s'intégrer, en quelque sorte, au destin du scepticisme lui-même.

Le scepticisme comme moment de la foi

Cette intégration transforme le scepticisme, qui se voulait recherche permanente, en simple moment provisoire d'une recherche : le moment négatif, le désespoir par lequel il faut passer pour atteindre, ensuite, la certitude véritable. C'est ainsi que saint Augustin (354-430) réinterprète le doute universel, dans son dialogue *Contre les académiciens* (386), pour en faire l'auxiliaire de la foi chrétienne, l'arme capable de détruire les prétentions d'une science* profane. La pensée chrétienne* ultérieure retrouvera, sous des formes diverses, cette dialectique* du doute et de la certitude. Chez de Cues (*La Docte Ignorance*, 1440), ou chez Érasme (*Éloge de la folie*, 1509), elle nourrit un humanisme* chrétien pour lequel l'enseignement des sceptiques se confond avec celui de Socrate : « Je ne sais qu'une chose, c'est que je ne sais rien. »

L'alliance du scepticisme et de la foi semble être également le thème central de la paradoxale *Apologie de Raymond Sebond* (*Essais*, II, 12), entreprise en 1576 par Montaigne (1533-1592). Lecteur avisé de Sextus Empiricus, Montaigne renoue toutefois avec un pyrrhonisme plus authentique. Si « nous n'avons aucune communication à l'être », c'est sereinement que chacun doit se limiter à l'exploration de ce qui lui apparaît : « Je suis moi-même la matière de mon livre », précise l'« Avis au lecteur » des *Essais*.

Le scepticisme du désespoir comme instrument apologétique réapparaît chez Pascal (1623-1662). Pour lui, le dogmatisme est réfuté par la raison, lorsqu'il tente d'imposer comme une évidence ce qui devrait être justifié ; mais le scepticisme est réfuté par la nature, lorsqu'il réclame des raisons face aux évidences du cœur. C'est la foi qui surmonte le conflit du dogmatisme et du scepticisme.

Le scepticisme comme moment du savoir

Dans sa recherche d'un fondement absolument certain du savoir, Descartes* (1596-1650) soumet les opinions humaines à un doute préalable. La première des *Méditations métaphysiques* (1641) reprend certains des arguments traditionnels du scepticisme (les erreurs des sens, le rêve, la folie...). Toutefois, l'objectif de Descartes n'est pas de rendre douteux ce à quoi nous croyons, mais d'abolir ce qui est douteux en le présumant faux ; il ne s'agit donc pas de suspendre notre jugement, mais de l'inverser provisoirement, jusqu'à ce qu'une certitude indubitable s'impose à nous : douter « une fois pour toutes », afin de ne plus avoir à douter. Comme chez saint Augustin ou Pascal, le motif sceptique est donc radicalisé à titre de moment provisoire, pour mieux être surmonté ensuite ; ce qui est nouveau, c'est que cette dialectique du doute et de la certitude ne profite plus à la foi, mais à la science. À sa façon, Hegel* (1770-1831) retrouvera cette idée dans la *Phénoménologie de l'Esprit* (1807) : l'« Introduction » de cet ouvrage définit l'itinéraire de la conscience vers le savoir absolu comme « chemin du doute », ou plutôt « chemin du désespoir », « accomplissement du scepticisme ».

Scepticisme ancien et scepticisme moderne

Entretemps, l'histoire du scepticisme a connu un tournant important avec l'œuvre de Hume (1711-1776). Dans le dernier chapitre de son *Enquête sur l'entendement humain* (1748), Hume présente son empirisme* comme un « scepticisme mitigé » qu'il oppose au « scepticisme outré » des pyrrhoniens. On reconnaît là le contresens traditionnel sur une pensée qu'on taxe d'exagération pour mieux l'intégrer. Mais si Hume, comme tant d'autres, fait de ce « scepticisme outré » un préalable nécessaire, ce n'est pas pour surmonter le doute dans la certitude. Lorsqu'il explique que notre idée d'une connexion nécessaire entre la cause et l'effet n'est rien d'autre que l'habitude qui nous pousse à attendre un événement au spectacle d'un autre, Hume propose ce qu'il appelle une « solution sceptique » à ce qui se présentait comme un doute. Loin de rester figé dans un moment purement problématique, le scepticisme peut ainsi apporter des solutions à ses propres problèmes : si nous comprenons que seul « le puissant pouvoir de l'instinct naturel », à l'œuvre dans nos « réflexions de la vie courante », peut nous délivrer des doutes pyrrhoniens, nous pouvons être sceptiques sans sombrer dans une attitude négative et stérile, assignant à la philosophie un but positif, celui de rendre méthodiques ces « réflexions de la vie courante ». C'est de ce scepticisme de méthode que se réclame encore Russell (1872-1970) dans son ouvrage *La Méthode scientifique en philosophie* (1914).

ENJEUX CONTEMPORAINS

Crise des valeurs

Le contresens sur le scepticisme a fini par l'assimiler au relativisme dont il voulait, à l'origine, se distinguer : selon cette assimilation, il revient au même de dire « tout est faux » et « tout est vrai ». Dans la mesure où elle désespère de la raison, et de sa capacité à poser les normes transcendantes du vrai, du beau et du bien, la pensée contemporaine révèle les conséquences de cette identification : partant de l'examen sans complaisance de notre faillibilité, certains penseurs, sous l'influence de Nietzsche* (1844-1900), en arrivent à soutenir le droit absolu qu'a chacun de défendre « sa » vérité, dénonçant comme mensongère toute référence à des principes universels.

C'est dans le domaine des valeurs* que ce passage du « tout est faux » au « tout est vrai » produit ses effets dévastateurs. N'étant ni des faits ni des conséquences de faits, les valeurs ne sauraient être prouvées, ni vérifiées : elles apparaissent facilement comme des déformations de la réalité, selon diverses perspectives (biologiques, ethniques...). En déduire que toutes ces perspectives sont indifférentes, et que toutes les valeurs se valent, c'est détruire la notion même de valeur, qui n'a de sens que dans la différenciation : lorsque tout se vaut, plus rien n'a de valeur. Un tel nihilisme ne peut engendrer que le culte de la violence, seule capable de trancher lorsque les choix rationnels sont dénoncés comme arbitraires. Pour éviter ce péril suprême, la philosophie doit préserver l'authenticité du scepticisme comme quête inassouvie de la vérité.

● **À CONSULTER :** F. Cossutta, *Le Scepticisme*, PUF, « Que sais-je ? » (1994). J.-P. Dumont, *Le Scepticisme et le Phénomène. Essai sur la signification et les origines du pyrrhonisme*, Vrin (1972). ● **À LIRE :** Molière, *Le Mariage forcé* (1664).
● **CORRÉLATS :** Antiquité ; chrétienne (pensée) ; crise ; critique philosophique ; Descartes ; dialectique ; empirisme ; Hegel ; humanisme ; Nietzsche ; sciences ; valeurs.

SCIENCES DE L'HOMME (CONSTITUTION DES)

● **ÉTYM. :** Du latin *scientia*, du verbe *scire* (« savoir »). ● **DÉF. :** L'expression *science de l'homme* apparaît pour la première fois en 1813, sous la plume de Saint-Simon (1760-1825), l'un des précurseurs de Comte (1798-1857). Cette appellation vise, selon le programme du positivisme*, à la constitution d'une connaissance objective et rigoureuse des phénomènes sociaux : la sociologie*, entendue comme « physique sociale ».
Aujourd'hui, l'expression *sciences de l'homme*, au pluriel, semble limpide : elle désigne les sciences qui ont l'homme pour objet. Pourtant, elle cache de redoutables problèmes : celui de la possibilité même d'une connaissance de l'humain qui soit aussi rigoureuse que celle que permettent les sciences exactes*, associant expérimentation et mathématisation ; celle des limites qui séparent sciences exactes et sciences de l'homme. Sont-elles provisoires ou définitives ? Doit-on penser avec Lévi-Strauss, qu'une anthropologie générale (du grec *anthropos*, « homme », et *logie*, « science »), terme créé par Kant* en 1798, viendra faire le pont entre sciences humaines et biologie* ?

Selon Aristote* (384-322 av. J.-C.) dans la *Métaphysique*, Socrate a fait descendre la philosophie (connaissance de la nature) des cieux sur la terre, en lui donnant pour objets l'homme et la cité.

Ainsi, à l'exception de l'Histoire* qui se constitue dès ses origines comme discipline autonome, la réflexion sur la nature humaine dans ses dimensions psychologiques et sociales, s'est développée dans le cadre de la philosophie : la psychologie*, étymologiquement, est la partie de la métaphysique* ayant l'âme pour objet ; l'ethnologie* apparaît, en 1787, dans le cadre de la philosophie des Lumières* ; la sociologie, néologisme créé en 1839, est liée au positivisme de Comte.

C'est au XIXe siècle que les sciences de l'homme se sont progressivement détachées de la philosophie : pour accéder au statut scientifique qu'elles revendiquent, elles ont procédé à la constitution de laboratoires (notamment en psychologie expérimentale) et à la publication d'ouvrages méthodologiques (Durkheim, *Règles de la méthode sociologique*, 1895).

Après la Seconde Guerre mondiale*, le terme *sciences humaines* a remplacé en France celui de *sciences morales* ; un décret de 1958 a d'ailleurs transformé les « facultés de Lettres » en « facultés de Lettres et sciences humaines ». Les sciences de l'homme englobent cependant les sciences humaines (psychologie et sociologie), puisqu'elles incluent en outre l'Histoire, l'anthropologie physique et la psychophysiologie.

● **Corrélats :** ethnologie ; Histoire ; positivisme ; psychanalyse ; psychologie ; sciences exactes ; sociologie.

SCIENCES EXACTES (CONSTITUTION DES)

Voir biologie ; épistémologie ; mathématiques ; physique ; révolution scientifique.

SIONISME

● **Étym. :** De *Sion* ou *Zion*, l'une des collines de Jérusalem, dont le nom peut désigner poétiquement « la ville » ou, par extension, « le peuple juif » lui-même. ● **Déf. :** Le terme *sionisme*, apparu en 1886, désigne une doctrine visant au rassemblement du peuple juif en vue de la création d'un État* national, de préférence en Palestine.

Une conséquence de l'antisémitisme moderne

La relation du peuple hébreu* au territoire de la Palestine est intrinsèque au judaïsme*. La Diaspora (IIe siècle ap. J.-C.) l'a renforcée. Le sionisme en est une résurgence. L'idée sioniste apparaît une réponse à la montée de l'antisémitisme* moderne et à la recrudescence des violences antijuives à la fin du XIXe siècle, dans l'Empire russe. En ce sens, elle s'inscrit dans le mouvement général d'affirmation des nationalismes* en Europe. Bien avant sa formulation, dans les années 1850, alors que des poètes comme Levensohn ou Gordon jetaient les bases de l'hébreu moderne, les rabbins Alkalay, Kalischer et le socialiste* Moses Hess appelaient déjà à l'éveil d'une conscience nationale juive.

Mais le véritable créateur du mouvement sioniste est l'Austro-Hongrois Herzl (1860-1904). Marqué par la condamnation, à Paris, du capitaine Dreyfus, il publie en 1896 *L'État juif* : tentative de solution moderne à la question juive, où il propose de créer un État-nation souverain. Sans exclure l'établissement de cet État en Palestine, patrie antique du peuple hébreu que le judaïsme considère comme la terre promise par l'Éternel à Moïse, Herzl envisageait comme possibles d'autres territoires (dont l'Argentine et l'Ouganda). Des immigrants juifs venus de Russie s'étaient déjà installés en Palestine et le gouvernement ottoman, dont cette région dépendait alors, était favorablement disposé : le choix final du sionisme allait se porter sur la Palestine.

Cette proposition fut mal reçue par les milieux religieux. Non seulement elle émanait de juifs assez détachés de la religion et de sensibilité plutôt social-démocrate, mais le judaïsme orthodoxe enseignait que le retour à Jérusalem ne devait se faire qu'après la venue du Messie. Le projet sioniste apparaissait non seulement utopique (regrouper, sur un territoire lointain, un peuple dispersé, parlant diverses langues et dont l'unique lien était de nature religieuse), mais de surcroît impie dans la perspective de cette même religion.

La création de colonies en Palestine

Le premier congrès sioniste (Bâle, 1897) regroupe essentiellement des juifs d'Europe centrale, laïques et socialisants.

Avec l'appui de milieux financiers, ils créent une agence et une banque, le Fonds national juif (1901), chargés d'acheter des terres pour fonder des colonies. Celles-ci verront naître des établissements agricoles communautaires (*kibboutz*), mais aussi des agglomérations urbaines : Tel-Aviv (« la colline de l'espoir ») est fondée, en 1909, dans la banlieue de Jaffa.

À cette époque, la Palestine est une province de l'Empire ottoman. Sa population autochtone (un peu plus de 600 000 habitants en 1914) comprend une forte majorité musulmane et une minorité chrétienne. Elle a pour origine les peuples sémites, installés dans cette région depuis la plus haute Antiquité*, convertis au cours des siècles au christianisme*, puis à l'islam* ; cette population parle l'arabe. Dans ce pays pauvre et sous-peuplé, les organisations sionistes trouvent sans difficulté des terres à acheter, d'autant que le gouvernement turc voit dans l'arrivée de ces colons européens un facteur favorable au développement de la région.

Le premier recensement précis, en 1921, décompte 700 000 Palestiniens pour 85 000 colons juifs.

La déclaration Balfour

1917

Au début de la Première Guerre mondiale*, l'Empire ottoman se range dans le camp allemand et déclare la guerre aux Alliés. Les stratèges britanniques cherchent à l'affaiblir, en suscitant des révoltes parmi les populations non-turques qui lui sont soumises. À quelques mois d'intervalle, ils promettent d'une part, aux Arabes du Proche-Orient, la création d'un grand royaume indépendant libéré des Turcs ; d'autre part, aux colonies juives de Palestine, la constitution d'un « foyer national juif » (déclaration du ministre Balfour, 2 novembre 1917).

Le double engagement des Britanniques est contradictoire. Comment honorer la promesse faite aux Arabes en dissociant du futur royaume une Palestine majoritairement peuplée d'Arabes ? Comment créer un foyer national juif sans lui accorder le territoire où il s'implante et que les Arabes considèrent comme leur depuis des siècles ?

Tous les drames futurs sont contenus dans cette inconséquence de la diplomatie de Londres.

Le mandat britannique

Après la victoire de 1918, le Royaume-Uni se fait attribuer, par la Société des nations, un mandat temporaire sur la Palestine et les régions voisines, à charge d'y aider les populations à mettre en place les institutions de leur future indépendance.

Londres est aussitôt victime de ses contradictions. Alors qu'affluent les immigrants et que l'organisation sioniste presse l'Angleterre de reconnaître un État juif, les Palestiniens, appuyés par leurs voisins arabes, prennent conscience qu'ils sont en train de se faire déposséder de leur pays. En 1929, de graves émeutes antijuives éclatent, obligeant les mandataires anglais à instaurer l'état de siège.

Soucieuse de protéger les importants intérêts qu'elle a dans le monde arabe, la Grande-Bretagne décide alors de mettre fin à l'immigration juive, déchaînant d'autant plus la colère des sionistes que l'arrivée au pouvoir de Hitler, en Allemagne, rejette vers la Palestine les premières victimes de la persécution nazie*.

À la veille de la Seconde Guerre mondiale*, alors qu'il y a en Palestine 600 000 juifs pour 1 300 000 Palestiniens, c'est l'impasse et les sionistes ne sont pas loin de considérer les Britanniques comme l'ennemi. La guerre déclarée, par l'Angleterre, à Hitler modifie pour un temps les perspectives : une brigade de volontaires juifs de Palestine est même constituée, sous commandement britannique, pour combattre les nazis. Cependant, les problèmes territoriaux demeurent entiers.

La création d'Israël

1948

Les tensions resurgissent en 1945, plus vives que jamais car la révélation de l'holocauste nazi a créé un courant d'opinion universel favorable au peuple juif ; sur place, la création d'une Ligue des États arabes rend possible une attitude arabe commune face aux problèmes régionaux.

Reprenant sa politique d'avant-guerre, la Grande-Bretagne essaie de s'opposer à l'afflux massif des juifs survivants des massacres nazis, ce qui provoque l'indignation générale (affaire de l'*Exodus*). Disposant d'une petite armée (la Haganah), constituée sur la base des troupes engagées pendant la Seconde Guerre mondiale, les organisations sionistes passent alors à l'action contre les

Anglais. À partir de 1946, une véritable guérilla se développe, tandis que des groupes terroristes de la droite sioniste, ultranationalistes, multiplient les attentats meurtriers. Pour tenter de sortir de l'impasse, Londres propose, en 1947, un plan de partage du territoire que rejettent à la fois juifs et Arabes. Finalement, avouant du même coup le fiasco de son action, la Grande-Bretagne annonce qu'elle met fin à son mandat le 14 mai 1948.
Le 15 mai, les dirigeants sionistes, réunis à Tel-Aviv, proclament l'indépendance de l'État d'Israël, aussitôt reconnu par toutes les grandes puissances. Le rêve sioniste est réalisé. Les juifs représentent alors 30 % de la population de la Palestine et possèdent 7 % du territoire.

La question palestinienne

La création unilatérale d'Israël est aussitôt refusée par les États de la Ligue arabe, dont les armées entrent en Palestine. En deux campagnes victorieuses (1948-1949), les Israéliens les repoussent et s'assurent un territoire sans discontinuité, sensiblement plus étendu que celui prévu par le plan de partage de 1947.
Les combats ont provoqué l'exode massif de 700 000 Palestiniens, abandonnant villes et villages. Israël déclare alors leurs terres vacantes et propriété de l'État. Ainsi pourront être accueillis les nouveaux immigrants, tout juif décidant de venir s'installer en Israël bénéficiant *ipso facto* de la nationalité israélienne en vertu de la « loi du retour ». À la fin du XXe siècle, près de 4 millions et demi de juifs seront citoyens israéliens.
Un nouveau problème est né : la question palestinienne. Réfugiés dans les États voisins, les Palestiniens exilés n'ont jamais accepté cette situation. L'occupation par les Israéliens, pendant la guerre de 1967, du reste de la Palestine (la Cisjordanie) ne fait qu'aggraver le problème, d'autant que de nouvelles colonies juives sont implantées dans ces régions encore peuplées d'Arabes.
Depuis la guerre israélo-égyptienne de 1973, un rapprochement entre Israël et ses voisins arabes s'est amorcé, sous l'égide des États-Unis (accords de Camp David, 1977) ; ce n'est pourtant qu'au début des années 1990 qu'une difficile négociation s'est ouverte entre Israël et l'Organisation de libération de la Palestine (OLP) de Yasser Arafat, la plus représentative des instances en exil, pour définir une entité politique palestinienne dans les territoires occupés.

Enjeux contemporains

Relations internationales
Depuis un demi-siècle, l'opinion israélienne a évolué. Tardivement ralliés, les juifs religieux sont devenus une force, intransigeante et ultranationaliste, qui refuse de prendre en compte la question palestinienne et ne conçoit la paix qu'avec la création du « Grand Israël » (une Palestine entièrement et exclusivement juive).
Les tensions sont devenues telles dans la société israélienne, qu'en novembre 1995, le Premier ministre Rabin, signataire des accords de paix israélo-palestiniens d'Oslo et leader d'un parti travailliste qui apparaît aujourd'hui l'héritier spirituel du sionisme historique, a été assassiné par un extrémiste religieux. Après le retour au pouvoir de la droite nationaliste, qu'incarne le nouveau Premier ministre Benyamin Netanyahou, les perspectives d'une paix prochaine se sont éloignées.
Il apparaît pourtant que, sans solution équitable du problème palestinien, la réussite du projet sioniste restera constamment menacée.

● **À consulter :** T. Herzl, *L'État juif*, L'Herne (rééd., 1969). W. Laqueur, *Histoire du sionisme*, Calmann-Lévy (1969). S. Avineri, *Histoire de la pensée sioniste*, Lattès (1982). A. Chouraqui, *L'État d'Israël*, PUF (10e éd., 1992) ; *La Pensée juive*, PUF (6e éd., 1992). ● **À lire :** A. Koestler, *La Tour d'Ezra*. B. Bettelheim, *Les Enfants du kibboutz*. ● **À voir :** O. Preminger, *Exodus*.
● **Corrélats :** antisémitisme ; guerres mondiales ; Hébreux ; judaïsme ; nationalisme.

Socialisme

● **Étym. :** Dérivé de *social*, du latin *socialis* (au sens politique, « les rapports existant entre les groupes qui composent une société »). ● **Déf. :** Le terme *socialisme* englobe l'ensemble des doctrines économico-politiques qui cherchent à réorganiser la société* sur la base d'une

prééminence de l'intérêt collectif sur les intérêts privés, leur finalité étant la disparition des inégalités sociales. D'origine journalistique, le terme apparaît vers 1830.
Le socialisme naît, au début du XIXe siècle, d'un refus d'accepter la condition inhumaine des ouvriers entraînée par la Révolution industrielle*. C'est une démarche d'intellectuels* cherchant à opposer une alternative au capitalisme libéral*. Les premières propositions relèvent de l'utopie* ; il faut attendre, d'une part, la puissante analyse de Marx* (1818-1883), et d'autre part, l'émergence d'un mouvement ouvrier structuré par le syndicalisme* pour que le socialisme s'organise en formations politiques crédibles. Cette conjoncture intervient dans le dernier quart du XIXe siècle.

L'élaboration du socialisme

Entre 1820 et 1850, un foisonnement de doctrines essaient de concevoir un ordre politico-social qui abolirait l'exploitation du travail* par le capital et mettrait fin à l'inégalité sociale. Si Saint-Simon (1760-1825) cherche plus à organiser qu'à remettre en cause les modes de production, Owen (1771-1858), Fourier (1772-1837), Cabet (1788-1856), Leroux (1797-1871) et Blanc (1811-1882) contestent la propriété privée et prônent un collectivisme que certains dénomment « communisme ». Proudhon (1809-1865), quant à lui, propose une coopération de petits propriétaires indépendants (*cf.* Anarchisme). Bien qu'utopiques et peu explicites sur les moyens de passer de la société capitaliste au socialisme, ces systèmes sont très présents au début de la révolution* de 1848, particulièrement en France.
C'est cependant de leur critique* que sort le projet de Marx et Engels (1820-1895) d'élaborer un « socialisme scientifique », démarche annoncée dès le *Manifeste du parti communiste* (1848). Sur la base d'une philosophie de l'Histoire* qui interprète celle-ci comme le produit des « luttes de classes », Marx procède à une analyse du capitalisme (*Le Capital*, 1867-1883) et fait de l'avènement d'une société socialiste une nécessité. Lui-même participe, en 1864, à la création d'une organisation politique concrète, la Ire Internationale, mais celle-ci ne résiste pas à la conjonction de ses rivalités internes et de la guerre franco-allemande de 1870.

La IIe Internationale et la social-démocratie

Il faut attendre la fin du siècle, après la mort de Marx (1883), pour que le mouvement socialiste devienne, dans les pays industrialisés d'Europe, un acteur politique important.
Le point de départ est le développement, dans l'Allemagne récemment unifiée des années 1870, d'une grande formation ouvrière qui prend, en 1890, le nom de « parti social-démocrate d'Allemagne » (SPD). Lié à un puissant mouvement syndical, l'essor de ce parti, dirigé par Bebel (1840-1913), puis Kautsky (1854-1938), consacre le triomphe des thèses marxistes. Celles-ci s'imposent bientôt au sein des autres partis socialistes constitués en Italie, en Belgique, en France et dans l'Empire austro-hongrois. Seul le socialisme britannique, plus tardif (le *Labour Party* est fondé en 1906), ne se réfère pas au marxisme.
En 1889, ces formations se fédèrent dans la IIe Internationale ; à la veille de la guerre de 1914, celle-ci, animée par les fortes personnalités de Kautsky, Rosa Luxemburg (1871-1919), Jaurès (1859-1914), Vandervelde (1866-1938), Bauer (1882-1938), regroupe une série de partis qui représentent, dans leurs parlements respectifs, une opposition de gauche* avec laquelle il faut compter. Telle quelle, cette social-démocratie européenne reste fidèle, de manière orthodoxe, à la problématique révolutionnaire marxiste tout en acceptant le mécanisme du parlementarisme.
Cependant, une évolution s'amorce. Dès les dernières années du XIXe siècle, en Allemagne, un courant animé par Bernstein (1850-1932) met en question la voie révolutionnaire comme mode d'accès au socialisme. Bien que combattant vivement – au plan théorique – ce « révisionnisme », les directions des partis sociaux-démocrates occidentaux en viennent à adopter de fait la ligne réformiste qu'il prône, faisant plus confiance à la conquête pacifique du pouvoir, par le jeu du suffrage universel, qu'à une éventuelle épreuve de forces révolutionnaire.
Mais cette dynamique est brisée par la Première Guerre mondiale*, que la IIe Internationale ne peut empêcher, et la Révolution russe* de 1917.

Le marxisme-léninisme et la IIIe Internationale

Avec Lénine (1870-1924) et les bolcheviks, c'est une minorité activiste de la social-démocratie russe qui prend le pouvoir en octobre 1917. Elle postule non seulement la révolution* comme une nécessité, mais aussi la construction du socialisme sous la direction d'un parti restreint de révolutionnaires professionnels, solidement formés au plan doctrinal et destinés à encadrer et conduire un prolétariat incapable de s'organiser lui-même. Cette interprétation peu orthodoxe de Marx est si spécifique qu'on parlera bientôt de « marxisme-léninisme ». Avant même la prise du pouvoir, elle avait été vivement critiquée par nombre de sociaux-démocrates européens – en particulier Rosa Luxemburg –, qui y voyaient un véritable détournement du marxisme.

Maîtres du pouvoir en Russie et convaincus de l'imminence d'une révolution générale, les bolcheviks créent, en 1919, une IIIe Internationale (*Komintern*) qui provoque des scissions dans tous les partis sociaux-démocrates : dans chaque pays, des sections se constituent en partis communistes, inféodés à la section centrale de Moscou.

Pendant soixante-dix ans, le communisme soviétique* va prétendre construire le socialisme dans la perspective tracée par Marx. Sa victoire sur le nazisme* et l'avancée de ses armées vont lui permettre d'instaurer des régimes analogues dans les pays de l'Est européen et dans la partie de l'Allemagne occupée par les troupes soviétiques. Il va aussi fournir au tiers-monde* un modèle non-occidental de développement, le ralliement le plus important (même s'il aboutit plus tard à une rivalité et à la rupture) étant celui de la Chine (1949).

Cependant, les partis sociaux-démocrates européens résistent, leur opposition au communisme soviétique précipitant l'évolution réformiste amorcée avant 1914. S'ils restent fidèles au projet de collectivisation des moyens de production, ils l'envisagent sous la forme des nationalisations ou de l'encouragement du coopérativisme. Face à la dictature soviétique, ils proclament leur attachement au multipartisme et à la démocratie* représentative. En 1932 et pour la première fois, l'un d'entre eux, le parti social-démocrate suédois, obtient une majorité parlementaire et accède au pouvoir : il va y rester cinquante-neuf ans (sauf une interruption de 1976 à 1982) et mettre en place un véritable modèle politique et social. En mai 1936, en France, les élections portent au pouvoir le Front populaire, coalition conduite par les socialistes de la SFIO qui engage des réformes d'inspiration sociale-démocrate (semaine de 40 heures, congés payés...) et inaugure une politique de nationalisations dans la banque, les industries d'armement et les transports. En revanche, les sociaux-démocrates sont les premières victimes de la montée des dictatures populistes* en Italie ou en Allemagne, où fascistes* et nazis usent d'une phraséologie pseudo-socialiste qui contribue à abuser les masses populaires.

ENJEUX CONTEMPORAINS

Politique

Au terme de la Seconde Guerre mondiale*, la place et le prestige international de l'URSS achèvent d'approfondir la fracture entre communisme et social-démocratie. Quand commence la guerre froide*, les partis sociaux-démocrates se rangent sans hésiter dans le camp occidental et soutiennent la politique d'alliance avec les États-Unis.

D'autre part, le monopole du marxisme que s'arroge le communisme soviétique en détache progressivement les social-démocraties de l'Ouest. Le puissant parti social-démocrate allemand (SPD), reconstitué après 1945, annonce clairement, au congrès de Bad Godesberg (1959), sa rupture avec l'héritage marxiste : il reconnaît la légitimité de l'économie de marché et de la propriété privée, option qui l'amène dix ans plus tard au pouvoir, sous la conduite de Willy Brandt (1913-1992).

En France, le discours du parti socialiste est encore marxisant lors de l'élection présidentielle de 1981 (il est question de « rompre avec le capitalisme ») ; mais, parvenus au pouvoir, les socialistes français ne tardent pas à adopter une ligne plus nuancée et, paradoxalement, le double septennat de François Mitterrand (1916-1996) coïncide avec un âge d'or de la spéculation boursière.

Confrontée à la rapide évolution économique et sociale intervenue depuis 1960, puis à la longue et profonde crise* structurelle qui accompagne la mondialisation des échanges et la mise en place de ce qu'on appelle la « troisième Révolution industrielle », la social-démocratie détachée du marxisme est à la recherche d'un projet nouveau.

L'effondrement, à partir de 1987, du communisme soviétique éclabousse l'idée même de socialisme, vaguement assimilé au collectivisme et à l'étatisme que la social-démocratie a pourtant répudiés. C'est l'année même de la fin de l'URSS (1991) que les sociaux-démocrates suédois ont perdu le pouvoir.
Toutefois, la crise actuelle du socialisme ne doit pas être interprétée comme un déclin définitif. Face au retour en force de thèses ultralibérales qui retrouvent des accents de 1820 et menacent les avancées sociales obtenues en Occident depuis un siècle et demi, l'existence d'un contrepoids faisant prévaloir l'intérêt général sur les intérêts particuliers et refusant la régulation aveugle de l'économie par le seul jeu du marché paraît nécessaire. Une pensée socialiste redéfinie, ouverte aux réalités du monde actuel et dégagée de schémas idéologiques* révolus, peut jouer ce rôle.

● **À CONSULTER :** J. Droz, *Histoire du socialisme*, PUF (1983). E. Halévy, *Histoire du socialisme européen*, Gallimard (1974). J. Bourgin, P. Rimbert, *Le Socialisme*, PUF (14e éd., 1986). H. Lefebvre, *Le Marxisme*, PUF (21e éd., 1990). J.-P. Brunet, *Histoire du socialisme en France, de 1871 à nos jours*, PUF (1993). ● **À VOIR :** M. von Trotta, *Rosa Luxemburg*.
● **CORRÉLATS :** anarchisme ; bourgeoisie ; communisme soviétique ; démocratie ; droite/gauche ; guerre froide ; guerres mondiales ; libéralisme ; Marx et le marxisme ; populisme ; progrès ; Révolution industrielle ; Révolution russe ; syndicalisme ; totalitarisme ; utopie.

SOCIÉTÉ

● **ÉTYM. :** Du latin *societas* (« association, union »), de *socius* (« compagnon, allié »). ● **DÉF. :** Le terme *société* peut désigner le groupe auquel nous appartenons, ainsi qu'une certaine aptitude ou propension à la vie en communauté.

Association ou communauté ?

La double référence, d'une part à une entité collective traitée le plus souvent comme une sorte d'individu* absolu, d'autre part au mode de vie qui exclut que chaque homme soit justement un individu absolu, définit le problème philosophique de la notion de société. Si notre sociabilité est « naturelle » (appartenant à la nature humaine), la société n'est-elle pas effectivement le véritable individu, n'est-elle pas analogue à un être vivant dont chacun de nous ne serait qu'un organe ? Si, en revanche, les formes que prend la sociabilité humaine s'expliquent par une Histoire qui aurait pu être différente, la société ne devient-elle pas alors une pure abstraction, un ensemble de rapports volontaires et modifiables entre les individus, qui sont les seuls êtres concrets ?
La thèse de la sociabilité naturelle est soutenue dans ce célèbre passage de la *Politique* d'Aristote* (384-322 av. J.-C.) : « Il est donc évident que la cité fait partie des choses naturelles, et que l'homme est par nature un être de cité ; celui qui par nature et non par accident est sans cité, c'est ou une créature dégradée, ou plus qu'un homme » (I, 1).
Aristote en déduit que la cité (la société) existe naturellement avant la famille* et avant chacun de nous, comme une totalité organique qui préexiste à ses éléments et leur donne sens.
Rousseau* (1712-1778) écarte sans équivoque cette thèse : il n'y a « point de société naturelle et générale entre les hommes », écrit-il dans la première version du *Contrat social** (1762). Selon lui, ceux qui pensent le contraire commettent l'erreur de confondre l'homme « naturel » (l'homme « à l'état de nature »), avec l'homme qu'ils ont sous les yeux : pour expliquer l'origine de la société, ils invoquent des besoins qui sont nés précisément de la vie sociale.
La société est, pour Aristote, une « communauté » : elle est fondée sur l'accord spontané d'hommes qui partagent le même système de normes. Rousseau la conçoit comme une « association » d'individus autonomes, s'accordant de façon réfléchie par des conventions de type contractuel. Cette opposition n'est pas seulement le conflit de deux thèses sur la société. Elle correspond à un processus historique effectif : la dissolution des communautés organiques, la nécessité de construire un lien social satisfaisant pour les individus, est une crise* majeure de la modernité.

Telle est la thèse soutenue par le philosophe et sociologue allemand Tönnies (1855-1936), et reprise depuis sous de multiples formes.

Le sociologue français contemporain Dumont (né en 1911) accentue cette thèse en développant l'opposition entre « holisme » (du grec *holos*, « en entier ») et « individualisme* ». Selon lui, l'idéologie* de toutes les sociétés autres que la société occidentale moderne est une idéologie holiste, qui valorise la totalité sociale et néglige ou subordonne l'individu humain : cette idéologie correspond à une société hiérarchique, comme le système des castes en Inde, par exemple. L'idéologie des sociétés modernes est au contraire individualiste : elle valorise l'individu, considéré comme essentiellement non social, et néglige ou subordonne la totalité sociale. L'individualisme exclut tout principe de hiérarchie au profit du principe d'égalité. Mettant davantage l'accent sur la relation de l'homme aux choses que sur les relations entre les hommes, il accorde une importance suprême à la propriété privée : c'est en ce sens qu'il est intimement lié au libéralisme*.

L'autonomie du social

La conception individualiste de la société semble être confrontée à une difficulté majeure : comment peut-elle rendre compte de l'autonomie manifeste des phénomènes sociaux, toujours extérieurs à l'individu et s'imposant à lui indépendamment de ses désirs ? Selon Durkheim (1858-1917), l'autonomie du social est au fondement même de la sociologie*, qui doit obéir à la règle suivante : « Considérer les faits sociaux comme des choses » (*Règles de la méthode sociologique*, 1895).

Or, c'est précisément dans le contexte de l'idéologie individualiste que la reconnaissance de cette autonomie du social peut le mieux s'effectuer. Elle représente en effet l'ensemble des conséquences involontaires des actions intentionnelles des individus, dès lors que ces actions sont nombreuses et se perturbent les unes les autres. Les conséquences sont, dans ce cas, souvent étrangères aux intentions initiales, parfois même contraires à ces intentions (on parle alors d'« effets pervers »).

Dans sa philosophie de l'Histoire*, Hegel* (1770-1831) donne une signification métaphysique* à ce mouvement par lequel le sens objectif de nos actions nous devient étranger : il le baptise « ruse de la raison ». Dans sa philosophie politique, il repère un phénomène semblable au sein de ce qu'il appelle la « société civile » : l'affrontement anarchique des intérêts économiques entre les hommes y produit un ordre, certes rationnel, mais dans lequel personne ne se reconnaît vraiment, et qui échappe à la décision volontaire. À cette société civile, Hegel oppose l'État*, c'est-à-dire l'institution permettant aux hommes d'organiser consciemment leur vie en commun, dans une reconnaissance réciproque.

Cette prééminence de l'État sur la société est contestée par les partisans extrêmes de l'idéologie individualiste. Ainsi l'ultralibéral* Hayek (1899-1992) dénonce-t-il toutes les tentatives pour contrôler, si peu que ce soit, l'ordre spontané de la société : ces tentatives reposent, selon lui, sur une confusion entre la sphère individuelle, qui est celle des fins, des moyens et des choix, et la sphère sociale, complètement inintentionnelle. Paradoxalement, c'est au comble de l'individualisme qu'on retrouve l'idée de la société comme réalité organique.

ENJEUX CONTEMPORAINS

Famille et société

À condition d'être convenablement nuancée, l'opposition entre « holisme » et « individualisme » peut éclairer une réflexion sur la famille comme médiation entre l'individu et la société.

Dans son ouvrage *L'Enfant et la Vie familiale sous l'Ancien Régime* (1960), l'historien Ph. Ariès montre que c'est seulement à partir du XVIIe ou du XVIIIe siècle, selon les régions, que l'usage du mot *famille* se répand, et qu'apparaît un sentiment familial spécifique. Auparavant, dans les sociétés traditionnelles, la famille est perméable au milieu environnant : l'espace de la communauté est un espace unique, où se confondent les rôles publics, privés et professionnels. À partir du XVIIIe siècle, l'affectivité* humaine se concentre au sein de la famille, qui devient au XIXe siècle un refuge contre le monde industriel inhumain. Une division s'opère entre l'espace privé de la famille, l'espace professionnel du métier, et l'espace public* de la rue.

On ne peut vraiment parler d'individualisme, selon Ariès, qu'à partir du moment où l'équilibre entre ces trois espaces est rompu : lorsque l'espace public disparaît, et que l'espace privé et l'espace professionnel se partagent à eux seuls l'univers social, conformément à l'idée que l'ultralibéralisme se fait des rapports entre individu et société. La ville* contemporaine, de type américain, témoigne de cette évolution : quartiers d'affaires et misère au centre, zones pavillonnaires en banlieue. Plus la privatisation de l'espace public est avancée, plus disparaît le modèle familial hérité du XIXe siècle. La famille tend alors à devenir un lieu de passage pour manger et dormir. Telle est la véritable origine de la crise de la famille apparue vers 1960.

● **À CONSULTER :** A. Touraine, *Production de la société*, Seuil (1973). P. Clastres, *La Société contre l'État. Recherches d'anthropologie politique*, Minuit (1974). C. Castoriadis, *L'Institution imaginaire de la société*, Seuil (1975). C. Boudet, *La Société concentrationnaire*, PUF (1975). N. Tenzer, *La Société dépolitisée*, PUF (1990). J.-C. Crespy, C. de Voogd, *La Société de confusion*, PUF (1991).

● **CORRÉLATS :** affectivité ; Aristote ; contrat social ; crise ; espace public ; État ; famille ; Hegel ; Histoire ; idéologie ; individu et individualisme ; libéralisme ; métaphysique ; Rousseau ; sociologie ; ville.

SOCIOLOGIE

● **ÉTYM. :** Des éléments *socio-* (du latin *socius*, « compagnon, allié ») et *-logie* (du grec *logos*, « discours, science »). ● **DÉF. :** Le terme *sociologie*, forgé par Comte en 1839, désigne la science qui étudie les faits sociaux. Avec le développement de l'ethnologie* au XIXe siècle, s'est instauré une sorte de partage de territoire : la sociologie s'attache aux sociétés modernes et développées, l'ethnologie aux peuples sans écriture ; l'occidentalisation du monde a cependant remis en cause ce partage.

Les précurseurs de la sociologie

La réflexion sur la société* est aussi ancienne que la philosophie, à laquelle elle se rattache par ses interrogations sur la politique et sur l'éthique* : l'étude des faits sociaux n'a pas été pensée, à l'origine, comme un domaine autonome du savoir.

La naissance de la pensée sociologique est liée à deux grandes mutations culturelles des Temps modernes* : d'une part, le passage de l'Ancien Régime à l'ère industrielle, modifiant de fond en comble l'organisation traditionnelle, entraîne une reconsidération de l'existence sociale ; d'autre part, le triomphe des sciences exactes* impose de nouvelles exigences d'objectivité à la connaissance des réalités humaines.

Ce souci de rigueur apparaît déjà chez Montesquieu (1689-1755) qu'on peut considérer comme un des précurseurs de la sociologie. Dans *L'Esprit des Lois* (1748), il se démarque radicalement de la philosophie politique de ses prédécesseurs, Hobbes (1588-1679) ou Locke (1632-1704) : il renonce à reconstruire *a priori* la société et l'État* sur l'idée de contrat social*, et se fonde plutôt sur l'observation et la comparaison des institutions politiques et juridiques réelles. De plus, lorsqu'il définit les principaux régimes politiques (république*, monarchie, despotisme), Montesquieu préfigure une des méthodes essentielles de la sociologie, la méthode des « types » qui sera théorisée, au XXe siècle, par le sociologue allemand Max Weber (1864-1920) : pour saisir un phénomène social, il faut construire un modèle idéal qui en retienne les traits essentiels.

De la démocratie en Amérique, publiée en 1835 par Tocqueville (1805-1859), met à jour des démarches et des problèmes qui nourriront la pensée sociologique : il s'agit, par l'observation des institutions et des mœurs des États-Unis, première démocratie* moderne, de saisir les caractéristiques fondamentales des sociétés fondées sur l'égalisation des conditions et la disparition des ordres.

La pensée de Comte (1798-1857) a exercé sur la sociologie une influence décisive puisque la création du néologisme, en 1839, est révélatrice d'un projet : il s'agit de constituer un nouveau domaine du savoir qui, fondé sur des faits et non sur des spéculations, puisse prétendre à l'objectivité scientifique. Comte distingue une « statique sociale » qui dégage les institutions fondamentales rendant possible l'ordre social, et

une « dynamique sociale », qui montre les étapes nécessaires de l'évolution de l'esprit humain. C'est la fameuse « loi des trois états » qui décrit l'avancée de l'esprit humain de l'état théologique à l'état positif, en passant par l'état métaphysique (*cf.* Positivisme).
Enfin, avec Marx* (1818-1883), l'étude des phénomènes sociaux se relie à celle des modes de production économique.

La méthode de la sociologie et ses domaines

Le sociologue français Durkheim (1858-1917) publie les *Règles de la méthode sociologique* (1895) : il faut considérer les faits sociaux comme des choses, non qu'ils puissent être réduits à l'état de choses, mais parce qu'il faut faire preuve, face à eux, de la même neutralité axiologique qu'à l'égard des choses. Comme toute démarche théorique, la sociologie doit déterminer son objet et constituer, à partir de l'observation des faits, des modèles interprétatifs. Ce qui remplace, en sociologie, l'expérimentation qui, dans les sciences de la nature, valide ou invalide les hypothèses de départ, est l'examen de données statistiques, l'usage de questionnaires et de sondages, susceptibles d'un traitement mathématique* rigoureux. Cette démarche peut cependant être appliquée soit de façon analytique, c'est-à-dire sur des phénomènes limités (faits d'opinion ou de comportement souvent étudiés par la sociologie américaine), soit de façon synthétique.
Ainsi, à partir des années 1890 se développe, au sein de ce qui deviendra l'École de Chicago, un important courant de sociologie empirique, sous l'impulsion de W. Tomas et R. Park. Sociologues atypiques et engagés, ils vont multiplier les enquêtes sur le terrain et la construction d'autobiographies ou de récits de vie, pour rendre compte du déracinement qui affecte les immigrés attirés aux États-Unis par l'extraordinaire essor que connaît alors le capitalisme. Parmi les nombreux travaux des élèves de l'École de Chicago, il faut signaler le désormais classique ouvrage de H.S. Becker, *Outsiders* (1963), sur la déviance.
En France, les travaux de Dumont (*Homo Hierarchicus*, 1979 ; *Homo Aequalis*, 1985) construisent l'opposition entre « sociétés inégalitaires » ou « holistes », dont l'exemple type est la société indienne de castes, et les « sociétés modernes », individualistes*. De même, les travaux de Aron (1905-1983) sur la société industrielle débouchent sur une vaste reconsidération du marxisme* et de ses avatars. La pensée de Tocqueville, et en particulier les questions qu'il pose sur la société démocratique, trouve un écho dans les œuvres récentes du philosophe Lipovetsky (*L'Ère du vide*, 1983). Les domaines ouverts à l'investigation sociologique sont immenses : stratification sociale, conduites économiques, pratiques culturelles ou religieuses, changements sociaux... Le sociologue peut, comme Morin dans *La Rumeur d'Orléans* (1969), centrer son enquête sur ce qui n'est d'abord qu'un fait divers.

Enjeux contemporains

Politique
L'évolution de la sociologie française contemporaine montre que l'étude des comportements sociaux peut se donner des finalités politiques distinctes. Ainsi, dans la mouvance de Marx et sous l'influence de l'École de Francfort*, la sociologie peut se vouloir « critique* » et se donner pour but de mettre en évidence les conflits et les contradictions des sociétés modernes : c'est ce qui caractérise l'école de Bourdieu. De même, avec Touraine, l'étude des changements sociaux débouche sur une critique de la modernité. On parle, au contraire, de « sociologies de l'intégration » pour des auteurs comme Boudon ou Crozier, qui insistent sur l'idée de stratégie individuelle dans les conduites sociales.

● **À consulter :** R. Aron, *Les Étapes de la pensée sociologique*, Gallimard (1987). R. Boudon, F. Bourricaud, *Dictionnaire critique de la sociologie*, PUF (1986). ● **À lire :** E. Durkheim, *Le Suicide*, PUF (1960). G. Lipovetsky, *L'Ère du vide*, Gallimard (1983). A. Renaut, *L'Individu*, Hatier (1995). A. Touraine, *La Société post-industrielle*, Denoël (1969). Tocqueville, *De la démocratie en Amérique* (1835). M. Weber, *L'Éthique protestante et l'esprit du capitalisme*, Plon (1904-1905, rééd.).
● **Corrélats :** démocratie ; État ; éthique ; ethnologie ; Francfort (École de) ; individualisme ; Marx et le marxisme ; positivisme ; sciences de l'homme (constitution des) ; société ; Temps modernes.

SOPHISTES

● **ÉTYM. :** Du grec *sophistês* (« savant »). ● **DÉF. :** Les sophistes étaient des professeurs itinérants qui connurent un très grand succès dans la Grèce* du Ve siècle avant notre ère. Le terme est devenu péjoratif du fait des critiques que leur adressent des philosophes comme Platon* (427-347 av. J.-C.) ou Aristote* (384-322 av. J.-C.) ; un *sophisme* est un argument spécieux.

Origines de la sophistique

En 427 avant J.-C., le Sicilien Gorgias (485-380) se fait remarquer par son éloquence dans un discours à l'assemblée du peuple d'Athènes* : il deviendra un des plus célèbres sophistes. Nous connaissons les autres en particulier par les *Dialogues* où Platon les met en scène : ce sont Protagoras (486-410), Hippias (443-334), Prodicos (470-399), ou Thrasymaque (459- ?).

C'est dans le contexte historique de la Grèce classique qu'il faut comprendre le succès de la sophistique. D'une part, du fait du prodigieux développement culturel du Ve siècle, l'éducation qui se fondait essentiellement sur les lettres, la musique et la gymnastique, n'est plus en prise sur les nouveaux savoirs. D'autre part, l'ouverture politique que représente la démocratie* ouvre la voie à de nouvelles ambitions, mais révèle aussi les carences de l'instruction traditionnelle dans la formation du citoyen. Les sophistes ont donc joué un rôle culturel qu'on a pu comparer à celui des philosophes des Lumières*, en assurant la divulgation des idées nouvelles.

L'enseignement de la rhétorique

Ce qui fait l'unité de l'école* des sophistes, c'est l'enseignement de la rhétorique* (art de l'éloquence), indispensable à l'exercice du métier de citoyen. Cet enseignement se présentait sous quatre formes : la conférence d'apparat, les séances d'improvisation, la critique des poètes et enfin l'éristique (art de la dispute) qui nécessite la découverte des raisons pour et contre, la pratique de l'interrogation et la maîtrise des techniques de réfutation.

C'est dans le cadre de la sophistique que les différentes sciences du langage commencent à se développer : la grammaire, la sémantique, car l'explication des poètes nécessitait des recueils de vocables rares. Les sophistes ont engagé des recherches sur le sens des mots, leur genre, leur longueur, créant une phonologie (étude des sons propres à une langue) nécessaire à la fois pour la mémorisation et pour les effets d'assonance, de rythme et de balancements ; enfin, ils ont initié des recherches d'étymologie. Ils ont déterminé les principaux genres de la rhétorique, dégagé les règles de la composition des discours et les techniques d'argumentation. Enfin, dans la mesure où l'argumentation devait s'appuyer sur des références et des exemples, leurs leçons comportaient des éléments de culture générale : Histoire*, généalogies, connaissances techniques, juridiques, politiques et morales ouvrant, comme on l'a dit, l'éducation sur les nouveaux acquis de la civilisation grecque. Cette tradition se maintiendra dans toute l'Antiquité* classique.

Sophistique et philosophie

La sophistique a donné lieu à une vive contestation de la part de philosophes comme Platon ou Aristote. La polémique provient d'abord d'une des célèbres prétentions du sophiste : il se targue de prouver n'importe quoi et de faire triompher l'argument le plus faible. On voit aisément qu'une telle technique* de la parole puisse sembler dangereuse dans le cadre d'une démocratie.

Mais la discussion porte également sur les positions proprement philosophiques de certains sophistes. Ainsi, Gorgias se rattache au scepticisme* philosophique ; dans son *Traité du non-Être*, il affirme que l'Être n'est ni connaissable, ni exprimable. De son côté, Protagoras soutient un relativisme généralisé, s'exprimant dans la célèbre formule de l'homme, « mesure de toutes choses ». C'est dire que le langage n'a pas de référent stable et que sa fonction est de créer l'illusion du vrai. On ne parle pas *de* quelque chose, on parle *à* quelqu'un.

Le relativisme des premiers sophistes s'affirme dans l'opposition de la nature (*phusis*), universelle et immuable, et de la loi (*nomos*), relative et variable. Les valeurs* telles que le juste et l'injuste, le bien et le mal, le noble et le honteux, n'auraient ainsi aucun fondement, mais proviendraient de simples conventions humaines.

Enjeux contemporains

Relativisme

On a souvent relevé l'extraordinaire actualité du débat antique sur la sophistique , la forme politique qui s'est imposée en Occident est en effet la démocratie. Nos sociétés* se veulent laïques, ouvertes, sans idéologie* d'État. Nous avons proclamé la liberté de pensée et d'opinion ; c'est dire aussi que nous avons renoué avec le relativisme des premiers sophistes. Les problèmes posés au Ve siècle avant J.-C. nous concernent : y a-t-il des valeurs absolues et universelles, ou tout n'est-il affaire que d'utilité et de convenance ? Faut-il renoncer à fonder le discours sur l'idée de vrai et remplacer le critère de vérité par celui d'efficacité ? Une technique comme la maîtrise de la parole peut-elle être neutre ?
La déconstruction* contemporaine de la métaphysique* peut reconnaître, dans ces adversaires de Platon, ses précurseurs puisqu'ils refusent que l'Être soit objet de connaissance.

● **À consulter :** G. Romeyer-Dherbey, *Les Sophistes*, PUF, « Que sais-je ? » (1985). B. Cassin, *Positions de la sophistique*, Vrin (1986). H.-I. Marrou, *Histoire de l'Éducation dans l'Antiquité*, Seuil (1982).
● **À lire :** Platon, *Euthydème ; Hippias Majeur ; Gorgias ; Protagoras.*
● **Corrélats :** Aristote ; Athènes ; déconstruction ; démocratie ; école ; Grèce ; métaphysique ; Platon ; postmoderne ; rhétorique ; scepticisme ; technique ; valeurs.

SPARTE

● **Déf. :** Également appelée « Lacédémone », Sparte est, avec Athènes*, la plus célèbre cité de la Grèce antique*. Située au sud de la péninsule du Péloponnèse (Laconie), elle s'en est assuré tôt la maîtrise, d'abord par la conquête de territoires, puis par la constitution d'une ligue de cités qu'elle dominait. Ses habitants sont les « Spartiates » ; en français moderne, et par référence aux mœurs de Sparte, l'adjectif *spartiate* signifie « frugal, rigoureux ».

L'originalité spartiate

Sparte est une cité exclusivement guerrière dont les institutions, attribuées au législateur Lycurgue (IXe siècle av. J.-C.), ainsi que les façons de vivre intriguèrent les Anciens.
Les citoyens, appelés « Spartiates » ou « Égaux », se réduisaient à une étroite aristocratie, chaque famille bénéficiant d'un lot de terre inaliénable (*cléros*). Étant les seuls à posséder des droits, ils dominaient les périèques, provinciaux des campagnes soumises à Sparte, et la foule des hilotes, sortes de serfs appartenant à l'État*, méprisés et accablés d'humiliations.
Les citoyens, destinés à être guerriers, recevaient une éducation particulièrement rigoureuse. Encasernés dès l'âge de sept ans, élevés à la dure, ils étaient soumis à d'étranges épreuves, comme les concours de résistance au fouet, subis devant l'autel d'Artémis Orthia, ou la « cryptie », période d'initiation où le jeune Spartiate devait se cacher, volant pour se nourrir et tuant les hilotes qu'il rencontrait la nuit. Soldat de vingt à soixante ans, le citoyen spartiate, même marié, devait loger à la caserne, où il prenait les repas en commun.
Le gouvernement de Sparte était aux mains d'un conseil de vieillards (*gerousia*), et de cinq éphores élus pour un an, gardiens de la tradition et de la morale*, aux pouvoirs très étendus. En revanche, les deux rois (théoriquement chefs de l'État) et l'assemblée des citoyens n'avaient que des pouvoirs restreints.
Périèques et hilotes n'étaient que des sujets, non représentés : à partir du VIe siècle avant J.-C., Sparte vécut dans la hantise d'une révolte des hilotes, très nombreux. Cette crainte explique partiellement l'état de mobilisation permanente qui caractérise la cité.

Grandeur et déclin de Sparte

Relativement ouverte sur l'extérieur jusqu'au milieu du VIe siècle avant J.-C., Sparte se replie sur elle-même, pour des raisons mal établies, à partir de 550 avant J.-C. Elle participe faiblement à la défense de la Grèce menacée par l'invasion perse (guerres médiques), malgré l'épisode fameux de la défense désespérée du défilé des Thermopyles par le roi spartiate Léonidas (480 av. J.-C.). Elle se brouille surtout avec Athènes, alors en plein essor, et de 431 à 404 avant J.-C., la guerre du Péloponnèse oppose les deux cités.

Sparte	
≈ 850 av. J.-C.	Institution légendaire des lois de Sparte par Lycurgue
≈ 800-550 av. J.-C.	**Essor de Sparte** (expansion dans le Péloponnèse) • Premiers jeux Olympiques (776)
≈ 550-500 av. J.-C.	Isolement et repli de la cité
480 av. J.-C.	Défaite héroïque du Spartiate Léonidas contre les Perses, dans le défilé des **Thermopyles** (guerres médiques)
461-446 av. J.-C.	Guerre entre Sparte et Argos
431-404 av. J.-C.	**Guerre du Péloponnèse** contre Athènes* (Victoire finale du Spartiate Lysandre qui impose à Athènes la dictature des Trente Tyrans)
371 av. J.-C.	Défaite humiliante des Spartiates contre les Thébains, menés par Épaminondas, à Leuctres (effondrement démographique)
338 av. J.-C.	Victoire de Philippe II de Macédoine contre Athènes et Thèbes, à Chéronée (occupation macédonienne du Péloponnèse)
244-222 av. J.-C.	Tentatives de réformes des rois Agis et Cléomène
206-192 av. J.-C.	Gouvernement tyrannique de Nabis
146 av. J.-C.	Conquête de Sparte par les Romains*

Victorieuse, mais avec l'aide financière du roi perse (ce qui est jugé honteux en Grèce), Sparte s'assure alors une brève hégémonie que brise la défaite subie devant les Thébains à Leuctres (371 av. J.-C.) : le quart des citoyens de Sparte reste sur le champ de bataille. Cet événement marque le début d'un déclin.

Soumise comme toutes les cités grecques à la domination macédonienne dans le dernier tiers du IVe siècle avant J.-C., Sparte tente vainement de se rebeller. À l'époque hellénistique*, elle est assaillie de problèmes sociaux que le conservatisme obstiné des institutions aggrave (endettement, raréfaction des citoyens, accroissement inquiétant de la misère). Dans le courant du IIIe siècle avant J.-C., deux rois, Agis (245-241 av. J.-C.) et Cléomène (236-222 av. J.-C.), puis un aventurier, le tyran Nabis (206-192 av. J.-C.) tentent d'importantes réformes sociales, mais la conquête romaine brise ces velléités de redressement. Sous l'Empire romain*, Sparte n'est plus qu'une insignifiante bourgade.

Le mirage spartiate

Les Grecs anciens ont été à la fois attirés et rebutés par Sparte.

L'austérité des mœurs, la frugalité, le sens de la discipline et le dévouement à l'État ont été admirés, en particulier de Xénophon (427-355 av. J.-C.) et de Platon* (427-347 av. J.-C.) qui en ont fait un modèle opposé au prétendu laxisme de la démocratie* athénienne. Mais il y avait une part de mirage et d'idéalisation dans cette attitude : la réalité spartiate était faite de beaucoup d'inhumanité, d'égoïsme et de cruauté. Le système spartiate, centré sur la guerre et la force brutale, comportait surtout des traits d'archaïsme qui laissaient la cité à l'écart du prodigieux essor de la civilisation grecque.

Sparte n'a en effet rien donné au plan culturel, si ce n'est la poésie guerrière de Tyrtée (VIIe siècle av. J.-C.), qui n'était peut-être même pas de naissance spartiate. Méprisant l'art et la rhétorique*, les Spartiates n'ont contribué en rien au « miracle grec » : ils n'ont pas élevé de monuments, ils n'ont eu ni orateurs ni philosophes. Aujourd'hui, il ne reste pratiquement aucun vestige de cette singulière cité.

● **À consulter :** P. Petit, *Précis d'histoire ancienne*, PUF (1994). C. Mossé, *Dictionnaire de la civilisation grecque*, Complexe (1992) ; *Les Institutions grecques*, Armand Colin (1996). P. Roussel, *Sparte*, De Boccard (1960).

● **Corrélats :** Antiquité ; Athènes ; État ; Grèce antique ; hellénistique (monde) ; néoclassicisme ; Platon ; romain (Empire) ; sport.

SPORT

● **ÉTYM. :** De l'ancien français *déporter* (« distraire, amuser »), du latin *deportare* (« changer de place »). ● **DÉF. :** Le terme *sport* apparaît en Angleterre, au XIXe siècle, avec le sens de « jeu, amusement ». Le mot conjugue la double idée d'activité corporelle (le mouvement) et d'occupation à caractère ludique (le jeu).

Historique de la pratique sportive

L'origine de l'activité sportive est indéfinissable : tout a commencé le jour où un de nos lointains ancêtres a utilisé son activité physique (courir, sauter, lancer...) non plus au service d'une fin utilitaire (la chasse, par exemple), mais dans le but de réaliser un exploit ou de surpasser en vitesse ou en puissance un de ses congénères. De même que la danse est le mouvement considéré dans sa finalité esthétique*, la pratique sportive est le mouvement placé sous le signe de la performance et/ou de l'émulation.

Le premier signe qui nous soit parvenu d'une pratique sportive est un nom gravé sur une pierre : en 776 avant J.-C., un certain Koroebos a remporté une course à Olympie. Les Celtes et les Grecs pratiquaient des épreuves qualifiantes dans des compétitions, et Ulysse, dans l'*Odyssée*, est le premier champion de javelot de la littérature. Dans la Grèce* ancienne, le sport est étroitement associé à la religion : l'athlète participe à des cérémonies à caractère sacré, tels, en Crète, les voltigeurs, ancêtres de nos *toreros*. Ce sont les jeux Olympiques (776 av. J.-C.), sous l'influence de Sparte*, nation guerrière, qui vont faire entrer la pratique sportive dans la culture occidentale, avec la course et la lutte sous différentes formes. Le stade, enceinte sacrée, est d'abord une unité de mesure. Les Jeux avaient lieu tous les quatre ans et les acteurs représentaient les cités : cette institution fut le ciment de l'unité culturelle du monde grec. Et il faut souligner qu'en Grèce, le sport occupe une place capitale dans l'éducation de l'enfant, à côté des lettres et de la musique.

Les jeux Olympiques déclinèrent lors de l'invasion romaine (IIe siècle av. J.-C.), les Romains préférant les jeux du cirque aux joutes athlétiques, et ils disparurent, jugés impies lors de la christianisation de l'Empire*. La célèbre formule *mens sana in corpore sano* signale que l'épanouissement physique va de pair avec les qualités intellectuelles et culturelles.

Au Moyen Âge, la pratique sportive (le *desport*) se propage à l'occasion des fêtes (tournoi, escrime, lutte, arc, course, lancers). L'ancêtre du rugby-football, la « soule », apparaît au XIIe siècle, de même que la « paume », qui deviendra le « tennis » (de l'impératif *tenez*, lancé au destinataire de la balle). La formation du jeune homme passe par une aptitude à développer et dominer son corps : ainsi, Tristan* est un athlète complet doublé d'un esprit fin et délié. Cette conception d'une harmonie entre le corps et l'esprit se retrouve chez les humanistes* de la Renaissance*, de Rabelais à Montaigne.

Aux XVIIe et XVIIIe siècles, l'écart se creuse entre une Angleterre sportive (les lois des compétitions et des jeux de balle sont progressivement codifiées) et une France négligeant les activités physiques, ou les reléguant au rang de plaisirs vulgaires (lutteurs de foires). C'est Rousseau* (1712-1778) qui redonne sa dignité aux activités de plein air avec son *Émile*, en prônant « un air libre qui viendrait rafraîchir les poumons d'une jeunesse bouillante ».

La « révolution sportive » a lieu au XIXe siècle ; elle vient d'Allemagne et d'Angleterre. En 1823, à Rugby, naît le jeu de ballon ovale et, en 1829, se déroule la première compétition d'avirons entre Oxford et Cambridge. Le sport fait partie intégrante de la formation morale de l'écolier : il apporte sens de l'effort et de la discipline. Dans son célèbre poème « *If* », Kipling (1865-1936) chante les vertus du dépassement de soi. L'Europe, surtout anglo-saxonne, et l'Amérique du Nord pratiquent l'athlétisme ; Taine (1828-1893) et Zola (1840-1902) exhortent la France à suivre cette voie. C'est à un Français, le baron Coubertin, que l'on doit la résurgence de l'olympisme, avec la fameuse devise *altius, citius, fortius* (« plus haut, plus vite, plus fort ») : les premiers Jeux modernes sont organisés, symboliquement, à Athènes en 1896.

Au XXe siècle, le sport fait partie du paysage culturel, scolaire, et maintenant médiatique de l'ensemble de la planète. Les lois sont savamment codifiées, les pratiques réglementées, et des instances internationales organisent les compétitions. Des intellectuels* font l'éloge du sport (Montherlant, Giraudoux, Camus).

Le sport devient, à partir des années 1950, une activité de masse. Les techniques* progressent, favorisant à la fois la pratique du sport-loisir et le sport de haut niveau. Cependant, un fossé s'est creusé entre le sport-jeu et le sport-compétition, entre le cycliste du dimanche et le maillot jaune du Tour de France : l'argent, l'affairisme, les enjeux idéologiques* et patriotiques, le culte des records et le poids de la télévision ont transformé – voire « dénaturé » – les pratiques sportives.

Le sport, le corps et les records

On a longtemps utilisé l'expression « culture physique » pour désigner cette pratique mettant en jeu à la fois le loisir, l'activité physique et le goût de la compétition. Qu'est-ce qu'une course à pied ? C'est un moment de détente (dimension ludique), destiné à faire travailler son corps (dimension hygiénique) et associé au désir de triompher d'un obstacle, qu'il s'agisse de soi-même, de l'autre ou du chronomètre (dimension sportive). Comment penser le passage des deux premières dimensions à la troisième ? Comment, et pourquoi, le jeu devient-il sport ?

Le sport naît de la volonté de se mesurer à l'autre dans une compétition : le baigneur qui fait quelques brasses n'est pas le nageur qui aligne des traversées de bassin, et si les gestes sont semblables, les enjeux sont radicalement différents. Le baigneur a le désir de l'activité physique pour un épanouissement corporel, qui peut aller jusqu'au souci de son équilibre (musculaire, respiratoire) : il veut « être en forme », comme le *jogger* de nos villes* modernes. Le nageur en bassin, lui, est rentré dans un autre univers : la piscine est un lieu prévu pour la compétition (distance réglementée, plots, lignes, numéros), un endroit institutionnalisé où l'on ne cherche pas à se dépenser ou s'amuser, mais à se mesurer, dans tous les sens du terme. Le corps est soumis à des astreintes importantes (musculation, entraînement intensif) visant à l'obtention de résultats. Le premier est la victoire (trophée, détention d'un record), puis s'ajoutent des effets observables dans l'ordre de l'économique, du politique et du symbolique (argent, notoriété...).

L'institution sportive

En visant des résultats par la fabrique de champions, le sport quitte définitivement l'aire du jeu. La pratique sportive entre en contact avec la politique : le champion défend les couleurs de son pays. Par exemple, pour les pays communistes*, notamment l'ex-RDA, les médailles gagnées par les athlètes constituaient un « capital symbolique » indispensable au régime. Le sport sert la propagande tant sur le plan intérieur qu'extérieur. On se souvient comment Hitler a fait des Jeux de 1936 la vitrine de son Reich naissant. De plus en plus, le sport devient *stricto sensu* une affaire d'État*. La politique marque aussi son emprise sur le sport, en lui faisant porter des enjeux politiques, en témoignent le boycott des Jeux de Moscou par les Occidentaux ou l'attentat de Munich en 1972. Les sportifs sont parfois utilisés comme des ambassadeurs : le rapprochement sino-américain (1971) s'est fait dans le sillage d'un tournoi de tennis de table.

Par ailleurs, le sport est pris dans le circuit de l'argent : la professionnalisation a gagné presque toutes les disciplines, et certains sportifs défraient la chronique par leurs gains étonnants (automobile, golf, tennis, basket-ball). Le corps est une machine à fabriquer l'or des médailles et l'argent des réussites individuelles. « Corps » rime avec « records », et surtout « sponsors » : la médiatisation a fait entrer la publicité dans les stades, et des capitaux impressionnants sont en jeu lors des manifestations sportives. Les Jeux d'Atlanta (1996) furent mis au service de Coca-Cola de façon scandaleuse au regard de l'idéal olympique. Les sportifs sont devenus les porte-enseigne de marques diverses. Professionnalisation et politisation ont sans doute contribué au « règne de la tricherie » dans le sport de haut niveau (dopage, fraude), tant les intérêts économiques et idéologiques sont importants.

Enfin, la mondialisation du sport s'explique en partie par le fait qu'il est devenu un spectacle, et dépend donc des médias* : un champion n'est pas seulement un porte-drapeau ou un porte-enseigne, c'est aussi une star. De même que la « réclame » est devenue la « pub », la « vedette » des années 1950 est devenue la « star » : le champion est maintenant une image*, un produit télégénique que l'on vend, qui se vend, et qui fait vendre. Journaux spécialisés, magazines, télévisions brassent ces figures malléables et rentables que sont les champions. On s'identifie à eux, on les vénère comme des objets de culte ou des idoles : le sport a fabriqué ainsi ses mythes* et sa mythologie. Le cérémonial des grandes rencontres, les rites institués, le souci esthétique, la ferveur populaire, l'imaginaire généré par les médias, tout cela fait du sport l'équivalent d'une religion planétaire, qui ressent le besoin de clamer hautement les vertus de l'effort, de la saine émulation, du respect de l'autre et du dépassement de soi.

ENJEUX CONTEMPORAINS

Société

Faut-il considérer que « le sport, c'est la guerre » (*Le Monde*, 1996) ? Faut-il lire le phénomène sportif, à la fin du XXe siècle, comme le miroir du « processus de production économique du capitalisme industriel » (Brohm) ? Aujourd'hui, rares sont ceux qui peuvent tenir, à propos du sport de haut niveau, le discours humaniste hérité de Coubertin. Entre catastrophisme et angélisme, subsiste la perspective d'une redéfinition du sport : diverses voix se font entendre pour dissoudre le lien pervers entre le sport et l'argent, et pour mettre fin aux pratiques délictueuses.

● **À CONSULTER :** A. Philonenko, *L'Archipel de la conscience européenne*, Grasset (1990).
● **CORRÉLATS :** école ; Grèce antique ; médias ; mythe ; Rousseau ; Sparte ; Tristan.

STOÏCISME

● **ÉTYM. :** Du nom propre *Stoa poikilê* (« Portique des peintures »), nom de l'école où le stoïcisme fut enseigné, à Athènes*, à partir du IIIe siècle avant J.-C. ● **DÉF. :** Le stoïcisme est une doctrine philosophique de l'Antiquité* ; dans le langage courant, ce terme désigne la capacité à affronter l'adversité avec volonté, courage et fermeté.

Le stoïcisme antique

L'histoire du stoïcisme antique se divise en trois périodes. L'ancien stoïcisme a son centre d'activité à Athènes au IIIe siècle avant J.-C. Ses principaux représentants sont Zénon de Cittium (332-260), le fondateur du Portique, son disciple Cléanthe d'Assos (331-232) et Chrysippe de Soloi (280-204), qui donne à la doctrine sa forme systématique.

Le moyen stoïcisme se développe, au IIe siècle avant J.-C., grâce à des auteurs qui commencent à l'intégrer à la pensée latine : Antipater de Tarse, Panétius de Rhodes (185-105) et Posidonius d'Apamée (135-50).

Enfin, le stoïcisme de l'époque impériale, si puissant à Rome* aux Ier et IIe siècles après J.-C., dont on retient trois grands noms : Sénèque (4 av. J.-C.-65 ap. J.-C.), précepteur et conseiller malheureux de Néron, et aux deux extrémités de l'échelle sociale, l'esclave affranchi Épictète (50-125) et l'empereur Marc Aurèle (121-180).

L'évolution marquée par ces trois périodes ne compromet pas la constance de la philosophie stoïcienne. Un déplacement d'intérêt s'opère toutefois, les fondateurs se préoccupant surtout des questions de physique* et de logique, tandis que les penseurs de l'époque impériale mettent l'accent presque exclusivement sur la morale*. En outre, sur des points essentiels de la doctrine, l'histoire du stoïcisme correspond à la fois à un approfondissement et à un infléchissement. C'est le cas en particulier pour le problème du rapport entre la liberté humaine et le Destin.

Le libre acquiescement au Destin

Selon la physique stoïcienne, une « sympathie universelle » rassemble et unit les corps individuels qui composent le monde, produisant inexorablement l'enchaînement des événements : telle est la réalité naturelle du Destin. Totalement contraire à l'épicurisme*, la conception stoïcienne du monde ne laisse donc aucune place à la contingence et au hasard, mais réserve cependant à l'homme la possibilité d'un choix : s'opposer au Destin, et le subir comme une force adverse, ou bien l'accepter et même identifier sa volonté à la puissance souveraine. Une formule de Sénèque illustre bien l'alternative : *Agunt volentem fata, nolentem trahunt* (« Le Destin conduit celui qui acquiesce et entraîne celui qui refuse »).

L'homme est libre quand il acquiesce au Destin, parce que rien alors ne s'oppose à lui. Cet acquiescement n'est pas une simple résignation, mais une pleine adhésion : selon Épictète, il s'agit de « vouloir que les choses arrivent comme elles arrivent ». Pour collaborer ainsi au Destin, il semble qu'il faille le connaître, c'est-à-dire le deviner en interprétant les oracles. *Acquiescer* signifie alors « approuver »,

« reconnaître » la providence qui gouverne le monde : c'est ce qu'exprime l'*Hymne à Zeus* de Cléanthe, le seul texte de l'ancien stoïcisme qui nous soit parvenu. Mais l'acquiescement peut également marquer un partage, une distance infranchissable entre le Destin et la volonté humaine : délivré du vain souci de s'immiscer dans l'ordre des événements pour l'infléchir selon ses vœux, le sage met tout son soin à réaliser, quoi qu'il arrive, l'adhésion qui dépend de lui. Cette deuxième signification de l'acquiescement ne contredit pas la première, à laquelle elle se mêle toujours plus ou moins. Elle est privilégiée par les stoïciens de l'époque impériale.

La sagesse stoïcienne

La première phrase du *Manuel* d'Épictète énonce ainsi le juste partage entre l'action humaine et le Destin : « Il y a des choses qui dépendent de nous ; il y en a d'autres qui n'en dépendent pas. »
Toute la sagesse humaine est de savoir faire cette distinction. L'homme doit se souvenir qu'il est comme un acteur, chargé de jouer un personnage choisi par un autre, dans une pièce écrite par un autre. Son devoir est de bien jouer, avec cette distance qui lui permet de répondre positivement à tout événement prévu dans la pièce. C'est pure folie que de se prendre tellement au jeu qu'on en oublie son rôle, et qu'on désire que la pièce soit plus longue, ou plus courte, ou que le personnage soit autre.
Les événements sont par eux-mêmes indifférents, n'étant que des occasions pour l'exercice de notre volonté. La douleur, la maladie et la mort ne sont pas des maux, mais le jugement par lequel nous les déclarons redoutables est un mal, puisqu'il nous rend malheureux. Surmonter la douleur de façon stoïcienne n'implique aucun héroïsme, mais exprime la liberté du jugement : il n'y aurait héroïsme que si le stoïcien considérait, au contraire, que la douleur est un mal.
Le jugement est libre parce qu'il n'est pas enchaîné par les événements. Il n'obéit qu'à une détermination intérieure, celle qui incite l'homme à suivre ce qui lui paraît vrai ou bon, et à fuir ce qui lui paraît faux ou mauvais. Le stoïcisme reprend sur ce point l'enseignement de Socrate (470-399) : ce n'est pas de plein gré, mais par erreur, qu'un homme se dirige vers le mal. Le sage s'efforce de respecter en lui-même la tendance spontanée au vrai et au bien, à « vivre conformément à sa nature ».

La citadelle intérieure et le cosmopolitisme

En acquiesçant au Destin, le sage stoïcien manifeste à la fois son approbation de l'ordre universel et son autonomie inexpugnable. Il n'y a rien de contradictoire à cela : un même principe divin est à l'œuvre hors de nous et en nous. Le début du livre IV des *Pensées pour moi-même* de Marc Aurèle en offre un saisissant exemple : conseillant à l'homme de savoir se retirer en lui-même, la plus sûre des retraites, l'empereur philosophe l'exhorte du même mouvement à savoir habiter le monde en le considérant comme une seule et grande cité, régie par la loi de l'universelle sympathie.
Ce sentiment d'être citoyen du monde, et d'y accomplir pleinement sa fonction, marque l'originalité de l'idéal stoïcien sur le plan éthique* et politique. Alors que Platon* (427-347 av. J.-C.) et Aristote* (384-322 av. J.-C.) posent en principe suprême que l'homme ne se réalise que dans une cité, différente des autres et opposée à elles, alors qu'Épicure* (341-270 av. J.-C.) propose, face aux catastrophes politiques, le modèle d'une communauté de repli, fondée sur l'amitié, alors que la sagesse cynique, incarnée par Diogène (413-327 av. J.-C.), consiste à faire abstraction du monde, et à n'avoir de relation qu'avec soi, les stoïciens inventent le « cosmopolitisme ». Cette invention, si étonnante dans le contexte de l'Antiquité, est une des raisons de leur influence sur l'humanisme* occidental.

L'influence du stoïcisme

Dès les premiers développements de la pensée chrétienne*, certains auteurs tentent d'y intégrer l'idéal stoïcien de sagesse : c'est le cas de Clément d'Alexandrie (150-215). Cette tradition néostoïcienne traverse le Moyen Âge* et la Renaissance*, s'épanouissant dans l'œuvre de Guillaume du Vair (1556-1621). À l'opposé, Pascal (1623-1662) montre, dans l'*Entretien avec M. de Saci* (1655), tout ce qui sépare irréductiblement le stoïcisme du christianisme*. La démonstration passe toutefois par un hommage à Épictète : celui-ci a compris mieux que quiconque ce qui fait la grandeur de l'homme, mais il a méconnu par orgueil ce que cette grandeur doit à Dieu.
L'œuvre de Montaigne (1533-1592) présente une curieuse synthèse entre l'humilité du scepticisme* et l'assurance de soi du stoïcisme : cette dernière inspire

profondément la méditation de Montaigne sur la mort, ainsi que sa réflexion sur la fonction sociale considérée comme un rôle. Des traits essentiels de la morale stoïcienne, particulièrement la distinction de ce qui dépend de nous et de ce qui n'en dépend pas, se retrouvent chez Descartes* (1596-1650), bien qu'il accorde un statut sensiblement différent à cette distinction. Et lorsque Kant* (1724-1804) définit le devoir moral comme un impératif catégorique, qui commande absolument, quoi qu'il arrive, c'est de façon stoïcienne qu'il conçoit le rapport entre le pouvoir de la liberté humaine et le déterminisme universel. Hegel* (1770-1831) adresse d'ailleurs au stoïcisme, dans *La Phénoménologie de l'Esprit* (1806-1807), la critique qu'il oppose toujours à la morale de Kant : c'est, selon lui, une position abstraite de la liberté, un formalisme indifférent au contenu de l'action.

ENJEUX CONTEMPORAINS

Héritage de la pensée grecque
L'héritage stoïcien se maintient, sous de multiples formes, dans la pensée moderne. Nietzsche* (1844-1900) le retrouve à sa manière lorsqu'il voit dans l'*amor fati* (« amour du Destin ») la libération suprême. Sartre (1905-1980) s'y réfère en définissant la liberté comme « la possibilité pour la réalité humaine de sécréter un néant qui l'isole ». Les logiciens modernes reconnaissent l'originalité de la logique stoïcienne, logique de l'enchaînement des événements au sein du Destin, par rapport aux syllogismes d'Aristote. Enfin, la métaphore de l'acteur, chère à Épictète, est encore présente dans la façon dont Brecht (1898-1956), après Diderot (1713-1784), pose la « distanciation » au principe de l'esthétique* du théâtre*.

● **À CONSULTER :** J. Brun, *Le Stoïcisme*, PUF, « Que sais-je ? » (1994).
● **CORRÉLATS :** Antiquité ; Aristote ; Athènes ; chrétienne (pensée) ; christianisme ; Descartes ; Épicure ; esthétique ; éthique ; Hegel ; humanisme ; Kant ; morale ; Moyen Âge ; Nietzsche ; Platon ; physique ; Renaissance ; Rome antique ; scepticisme ; théâtre.

STRUCTURALISME

● **ÉTYM. :** Dérivé de *structure*, du latin *struere* (« construire, bâtir »).
● **DÉF. :** Le structuralisme est une doctrine selon laquelle l'étude des structures est prépondérante dans l'explication des faits.

La notion de structure

Le mot *structure* signifie généralement l'ordre selon lequel les parties d'un tout quelconque sont arrangées entre elles, chacune ne prenant son sens que par ses relations avec les autres. Ainsi, le corps humain, une plante, un poème ont une structure.
Le structuralisme va plus loin que cet usage très large, et assez banal, en soutenant que de tels objets « n'ont » pas une structure, mais « sont » leur structure, ou plutôt « ne sont » que leur structure : celle-ci n'est pas seulement un arrangement des éléments, elle les constitue et les produit. La thèse structuraliste est donc réductrice : ce qui nous paraît étranger à la structure, ou même indépendant de cette structure, n'a aucune véritable autonomie, et doit être expliqué par la structure uniquement.
Cette intention réductrice prend tout son relief lorsqu'on l'applique aux objets des sciences humaines*, et principalement aux phénomènes sociaux que sont les langues et les institutions. Manifestement structurés, ces phénomènes sont en outre dotés d'un sens qui peut nous sembler relever de la conscience humaine, indépendamment de leur structure : le point de vue structuraliste considère au contraire ce sens comme un simple effet de structure, et dénonce comme une illusion l'idée d'un pouvoir constituant de la conscience.

L'analyse structurale des langues selon Saussure

Le *Cours de linguistique générale* (1916) de Saussure (1857-1913) montre que si une étude scientifique des langues est possible, c'est parce que chaque langue forme un système. La propriété essentielle d'un « signe » linguistique n'est pas de désigner ou de représenter une réalité extérieure, mais d'unir indissolublement un « signifiant » (un son) et un « signifié » (un concept). Cette relation étant arbitraire, rien ne détermine un signifiant, sinon la nécessité de se différencier, sur le plan sonore, des autres signifiants de la langue ; de même, rien ne détermine un signifié, sinon la nécessité de se différencier, sur le plan conceptuel, des autres signifiés de la langue. Le principe de l'analyse structurale des langues se formule donc ainsi : « Dans la langue il n'y a que des différences. [...] Un système linguistique est une série de différences de sons combinés avec une série de différences d'idées » (*Cours de linguistique générale*, II, 4)

Ce principe guide les recherches entreprises par les linguistes de l'École de Prague (Troubetskoy, Jakobson) et de l'École de Copenhague (Hjelmslev).

En revanche, le linguiste américain Chomsky (né en 1928) lui reproche de négliger l'aspect essentiel du langage humain, cette compétence qui permet au sujet parlant de former une infinité de phrases inédites à partir d'un nombre limité de règles.

L'anthropologie structurale de Lévi-Strauss

Dès sa thèse de doctorat sur *Les Structures élémentaires de la parenté* (1949), Lévi-Strauss (né en 1908) étend à l'ethnologie* les principes du structuralisme. Il pose dans cet ouvrage le problème de la prohibition de l'inceste, règle par excellence des sociétés* humaines. Normative, comme tout ce qui relève de la culture, cette règle n'en a pas moins le caractère universel d'un phénomène de la nature. C'est qu'elle accomplit précisément, selon l'auteur, le passage de la nature à la culture. Obéissant au principe universel de « l'échange des femmes », chaque type de société humaine se constitue comme un système particulier de communication matrimoniale, laissant une marge variable, mais toujours limitée, aux choix affectifs et conscients des individus. Lévi-Strauss est ainsi conduit à analyser les structures de la parenté selon la méthode proposée par Saussure pour l'étude de cet autre système contraignant de communication qu'est la langue.

L'originalité du structuralisme de Lévi-Strauss tient à son insistance sur le caractère inconscient des structures : les règles effectives de l'alliance matrimoniale sont distinctes des explications conscientes qu'en donnent ceux à qui elles s'imposent. Rien n'illustre mieux ce caractère inconscient que le cycle des *Mythologiques* (*Le Cru et le Cuit*, 1964 ; *Du miel aux cendres*, 1967 ; *L'Origine des manières de table*, 1968 ; *L'Homme nu*, 1971), application de l'analyse structurale aux mythes* des tribus indiennes d'Amérique.

Le structuralisme en psychanalyse : Lacan

C'est afin de ramener la psychanalyse* dans le chemin tracé par Freud (1856-1939), et dont elle s'est écartée pour devenir une méthode d'adaptation à la société, que Lacan (1901-1981) entreprend d'en reformuler la théorie selon les principes du structuralisme. De 1953 à 1981, son séminaire est un haut lieu de formation pour plusieurs générations de psychanalystes français, mais aussi pour bien d'autres auditeurs, attirés par la personnalité fascinante et la parole énigmatique du maître.

Si la cure analytique a une efficacité, elle qui passe uniquement par les mots, c'est bien, estime Lacan, parce que les symptômes qu'elle dénoue sont comme des formations linguistiques. Et si le contenu manifeste d'un rêve transforme les pensées latentes du rêveur selon le double procédé de la « condensation » et du « déplacement », c'est bien parce qu'en toute langue la substitution d'un mot à un autre doit se faire, soit en fonction de leur similitude (procédé de la métaphore en poésie*), soit en fonction de leur contiguïté (procédé de la métonymie). Ces considérations permettent de comprendre la thèse fondamentale de Lacan : « L'inconscient est structuré comme un langage. »

Reprenant la distinction établie par Saussure entre le signifiant et le signifié, Lacan insiste particulièrement sur la « barre » qui les sépare, et qui scinde du même coup le sujet parlant, « sujet barré », divisé par son propre discours. Cette division est irrémédiable : entre l'ordre symbolique du langage, qui décide avant nous de ce que nous sommes (être homme, être femme), et l'ordre du réel, qui se dérobe toujours à nous, s'inscrit la béance avec laquelle nous devons apprendre à vivre.

Foucault et l'archéologie du savoir

Alors que le structuralisme définit une méthode scientifique pour Lévi-Strauss et Lacan, c'est dans un projet philosophique qu'il s'inscrit chez Foucault (1926-1984). Héritier de Nietzsche* et Heidegger*, Foucault se propose d'étudier, dans l'histoire de l'Occident, les ruptures secrètes, les événements inapparents qui marquent « la discontinuité anonyme du savoir ».

Ce que l'homme occidental, au long de son Histoire*, peut estimer « savoir », est toujours déterminé par la façon dont les objets de son expérience lui paraissent d'emblée mis en ordre : certains rapprochements semblent s'imposer à lui naturellement ; certaines oppositions semblent le contraindre à opérer un choix. À chaque époque, des règles strictes assurent le partage entre ce que le sujet peut énoncer de façon pertinente, et ce qui lui est proprement indicible. Foucault nomme *épistémè* (en grec, « savoir ») l'ensemble des relations d'ordre qui régissent, pour une époque donnée, le savoir possible. Une véritable histoire du savoir doit être attentive aux brusques mutations par lesquelles une épistémè succède à une autre, présentant comme allant de soi ce qui était auparavant insoupçonnable. Elle doit être une archéologie du savoir, délivrée des illusions entretenues par les philosophies de l'Histoire* sur le sens du progrès* historique.

Foucault met particulièrement l'accent, dans cette archéologie, sur l'acte par lequel la culture occidentale marque sa limite, excluant son « autre » en même temps qu'elle l'inclut. Il repère cet acte dans les pratiques et les discours qui conduisent à l'enfermement de certains hommes : internement des fous dans les asiles à partir du XVIIe siècle (*Histoire de la folie à l'âge classique*, 1961), emprisonnement des délinquants (*Surveiller et punir. Naissance de la prison*, 1975). Cette recherche se conjugue à une action militante : Foucault est cofondateur, en 1971, du GIP (Groupe d'information sur les prisons).

Il est difficile de comprendre comment ce militantisme, lié à différents mouvements de défense des droits de l'homme*, est compatible avec l'antihumanisme* souvent proclamé par Foucault. Lorsqu'il annonce avec une certaine jubilation, dans *Les Mots et les Choses* (1966), la « mort de l'homme », Foucault parle de l'homme considéré comme objet d'un savoir spécifique (sciences de l'homme*) : cet objet n'apparaît selon lui que dans une certaine épistémè, qui sera remplacée par d'autres. Mais la valeur de l'individu*, et même la notion de sujet*, gardent un sens dans la pensée de Foucault, comme le montrent les derniers volumes de la monumentale *Histoire de la sexualité* (1976-1984) qu'il entreprend à la fin de sa vie.

Une relecture de Marx : Althusser

S'il introduit, comme Foucault, le structuralisme dans une perspective philosophique, Althusser (1918-1990) le fait, comme Lacan, afin de retrouver, contre de multiples déviations ou trahisons, la fidélité à un texte fondateur : celui des œuvres de Marx*. Il s'agit pour lui d'établir le caractère scientifique du marxisme, en repérant dans les textes le moment où Marx rompt avec les influences philosophiques qui ont d'abord nourri sa pensée : par exemple, l'analyse de l'usage que fait Marx de la notion de contradiction montre que la dialectique* marxiste n'est pas un simple renversement de la dialectique de Hegel*, mais acquiert le statut scientifique d'une théorie de l'histoire effective des formations sociales. Sur ce point, Althusser est nettement influencé par l'épistémologie* de Bachelard (1884-1962), d'après laquelle toute science naît d'une rupture épistémologique avec des modes de pensée non scientifiques.

Selon Althusser, Marx est un penseur de la structure. Il s'efforce de montrer, dans *Pour Marx* (1965) et *Lire « Le Capital »* (1965), que le véritable objet de la théorie marxiste est le mode de production capitaliste, analysé comme une « structure à dominante ». Dans *Positions* (1976), il affine cette thèse en tenant compte de la fonction des « appareils idéologiques d'État* », comme l'école*, par exemple.

● **À CONSULTER :** J. Piaget, *Le Structuralisme*, PUF, « Que sais-je ? » (1996).

● **CORRÉLATS :** dialectique ; droits de l'homme ; école ; épistémologie ; État ; ethnologie ; Hegel ; Heidegger ; Histoire ; humanisme et antihumanisme ; individu ; Marx et le marxisme ; mythe ; Nietzsche ; poésie ; progrès ; psychanalyse ; sciences de l'homme ; société ; sujet.

SUJET

● **ÉTYM. :** Du latin *subjectum*, transposition par Cicéron (106-43 av. J.-C.) du terme aristotélicien *hupokeimenon* (« substance, substrat » ; « ce qui est placé dessous »).

DÉF. : Le mot *sujet* a deux usages opposés. En politique, l'idée de soumission ou sujétion prévaut : le « sujet » du roi est celui qui est soumis à son autorité. En philosophie, la notion de *sujet*, construite par Descartes* (1596-1650) et Kant* (1724-1804), radicalisée par Fichte (1762-1814), le pose au contraire comme un être capable de penser, de juger et d'agir par lui-même, donc comme radicalement libre.

La question du sujet

Si la notion d'« individu* » apparaît liée à la philosophie de Leibniz (1646-1716), c'est à Descartes qu'on fait remonter l'idée moderne de « sujet », même si le terme n'apparaît pas dans ses écrits. Le cartésianisme ouvre en effet les deux grands domaines où se pose la question du sujet.

Dans le champ de la connaissance objective, Descartes montre, par le « je pense donc je suis » (*cogito*) qui conclut l'entreprise du doute, qu'il n'y a pensée que parce qu'il y a d'abord un être qui pense : le sujet est donc condition de possibilité de la pensée et s'oppose, par là même, à l'objet. D'autre part, toute relation au réel passe par une représentation humaine. Cette idée est décisive dans la philosophie moderne : alors que dans la pensée grecque et médiévale, la connaissance était conçue comme la saisie des propriétés de l'objet, le *cogito* en fait l'acte d'un sujet.

Tel sera le sens de la « révolution* copernicienne » chez Kant : de même que Copernic (1473-1543) a ruiné le géocentrisme et fait de la Terre une planète tournant autour du soleil, c'est désormais le sujet qui constitue l'objet, plutôt qu'il n'en contemple les propriétés. Il en résulte une question cruciale : qu'est-ce qui, désormais, peut fonder l'objectivité de mes idées, puisque toute pensée est représentation et que je ne peux sortir de ma représentation pour la comparer avec la chose même ? Si Descartes résout le problème par un détour métaphysique* en posant l'idée d'un Dieu vérace, garant de l'objectivité de mes idées claires et distinctes, Kant refusera un tel recours et inaugurera le programme de la philosophie critique*, puis de la phénoménologie* de Husserl (1859-1938).

Le *cogito* a en outre, chez Descartes, une portée ontologique : il saisit une existence ; l'homme se découvre comme « substance pensante », c'est-à-dire comme réalité autosuffisante dont l'activité est de penser. Cependant, dans la *Critique de la raison pure* (1781), Kant conteste la notion métaphysique d'âme ou de substance pensante : la conscience de soi n'est pas connaissance de soi. Ainsi, la philosophie moderne ne posera plus le sujet comme substance, mais comme activité. Ce geste est radicalisé dans l'ordre pratique qui est le deuxième domaine où se pose la question du sujet.

En matière de morale*, le doute cartésien révèle une liberté infinie, qui s'accomplira dans son système par l'idée de « générosité » : c'est la passion par laquelle l'homme prend conscience de sa valeur et de son statut d'agent libre. De même, dans les philosophies pratiques de Kant et de Fichte, le sujet moral est celui qui est capable de se déterminer lui-même de façon autonome. On retrouve cette inspiration volontariste dans l'existentialisme* de Sartre (1905-1980) : le sujet est condamné à être libre. Les deux caractéristiques de la notion philosophique de sujet sont donc l'autodétermination morale et la transparence à soi.

Le sujet en question

La notion philosophique de sujet a suscité de nombreuses contestations : déjà en germe dans l'empirisme* de Hume (1711-1776), elles s'affirment avec Nietzsche* (1844-1900), pour qui le sujet n'est qu'une illusion grammaticale, et le Moi* irréductiblement multiple. Nietzsche annonce, à bien des égards, l'idée d'inconscient qui va débouter le sujet de sa souveraineté. Ainsi, avec des doctrines aussi diverses que le marxisme*, la psychanalyse*, ou, plus proche de nous, le structuralisme*, le sujet est moins pensé comme « constituant » que comme « constitué » par différents conditionnements ; il perd sa transparence à soi et son autonomie.

Pourtant Foucault (1926-1984), après avoir été, avec *Les Mots et les Choses* (1966), un des tenants de l'antihumanisme* et de la dissolution du sujet, s'est interrogé, dans son dernier livre *Le Souci de soi* (1984), sur le processus de subjectivisation : comment l'homme se constitue-t-il comme sujet ? Foucault voit l'origine de ce processus dans l'ascèse morale et physique par laquelle les élites romaines du IIIe siècle, avec les néoplatoniciens (Plotin, Porphyre...), répondent à leur inquiétude existentielle lors de la crise de l'Empire romain*.

C'est dans la pensée de Heidegger* (1889-1976) que la critique moderne du sujet prend sa forme la plus radicale par l'idée de « métaphysique* de la subjectivité » : celle-ci s'annoncerait dans l'opposition cartésienne du sujet et de l'objet, qui réduit l'Être à l'état de simple chose, objet de ma représentation et soumise à ma volonté. Elle trouverait son accomplissement dans l'arraisonnement technique* du monde et pourrait être considérée comme la clé de l'Histoire* moderne.

ENJEUX CONTEMPORAINS

Crise du sujet

Notre XXe siècle serait caractérisé par une profonde crise* d'identité : l'homme ne sait plus ce qu'il est ni ce qu'il doit faire. C'est désormais, selon l'expression consacrée de Sarraute, l'« ère du soupçon ».
Dans *Modernité viennoise et crises de l'identité* (1990), J. Le Rider montre comment s'annonce, dans la culture viennoise de la fin du XIXe siècle, cette triple crise du sujet : crise de l'identité sexuelle, avec l'apport de Freud et de la psychanalyse ; crise de l'identité sociale et politique, avec l'apparition des populismes*, expressions d'un irrationalisme politique annonçant le nazisme* et remettant en cause les certitudes libérales* ; crise enfin de l'identité personnelle, se manifestant en particulier dans la dissolution du héros romanesque, comme en témoigne le titre du roman de l'Autrichien Musil (1880-1942), *L'Homme sans qualités*.

● **À CONSULTER** : G. Deleuze, *Empirisme et subjectivité*, PUF (1953). A. Renaut, *L'Ère de l'individu*, PUF (1989). J. Le Rider, *Modernité viennoise et crises de l'identité*, PUF (1990). D. Pimbé, *Descartes ; Nietzsche*, Hatier « Profil » (1996).
● **À LIRE** : Musil, *L'Homme sans qualités*. Kafka, *La Métamorphose*. Freud, *Malaise dans la civilisation*.
● **À ÉCOUTER** : A. Berg, *Wozzeck*.
● **CORRÉLATS** : absurde ; critique philosophique ; déconstruction ; Descartes ; empirisme ; existentialisme ; Heidegger ; humanisme et antihumanisme ; individu et individualisme ; Kant ; Marx ; Nietzsche ; personnalisme ; personne ; phénoménologie ; psychanalyse ; structuralisme.

SURRÉALISME

● **ÉTYM.** : Néologisme forgé par Apollinaire (1880-1918), précurseur et théoricien de cet « esprit nouveau » que fut le surréalisme.
● **DÉF.** : Le terme *surréalisme* désigne un mouvement artistique et politique, apparu au lendemain de la Première Guerre mondiale*, en France et dans l'ensemble de l'Europe occidentale.

Le contexte de la Première Guerre mondiale

À l'origine du surréalisme se trouve le dadaïsme, qui naît à Zurich, dès 1916, sous l'impulsion du poète anticonformiste Tzara (1896-1963) : en 1919, Tzara vient en France, y rencontre Breton (1896-1966) qui fait paraître, en 1924, le premier *Manifeste du surréalisme*.
Ce mouvement complexe est lié au traumatisme de la « Grande Guerre », particulièrement meurtrière : des millions de jeunes hommes furent brutalement plongés dans l'horreur, la violence et l'absurde. Comment ne pas opposer un autre monde à la réalité brutale de Verdun ; comment ne pas rêver, face au réel épouvantable, un univers où se libéreraient les forces de l'imagination et de la création artistiques ?
Le surréalisme va se poser comme une révolte contre tout ce qui sous-tend les vieilles références : « À la fin tu es las de ce monde ancien », écrivait déjà Apollinaire. Dès ses débuts, ce courant se veut une rupture majeure dans l'histoire intellectuelle de la culture occidentale.

Les influences du surréalisme

À la lecture des textes surréalistes , on peut dégager, en amont, trois grandes influences :
– Rimbaud (1854-1891), qui affirme dans « Le Bateau ivre » : « Et j'ai vu quelquefois ce que l'homme a cru voir. » Ce vers fondateur définit le poète comme un « voyant », capable de saisir l'imperceptible, de « fixer des vertiges » ; Éluard a, d'une manière significative, intitulé un de ses recueils *Les Yeux fertiles*. Les surréalistes ont fait du mot de Rimbaud, « changer la vie », une manière de mot d'ordre : l'activité poétique est une action sur le monde, visant à inventer une autre saisie du réel. Nerval (1808-1855) avec *Les Filles du feu* et Lautréamont (1846-1870) ont été également célébrés par les surréalistes.

– Freud (1856-1939), avec ses travaux sur les rêves, le symbolique et sa toute récente théorie de la psychanalyse*, qui conduisent les surréalistes à explorer les mystères de l'inconscient. L'homme est, pour Breton, un « rêveur définitif » : ouvrir les portes du rêves, c'est accéder à un monde radicalement nouveau, c'est rompre avec les chaînes aliénantes de l'ordre établi.

– Marx* (1818-1883), avec le *Manifeste du parti communiste* (1848) auquel fait directement écho le *Manifeste du surréalisme*. Breton et ses amis associent radicalement poétique et politique. Au « changer la vie » rimbaldien fait écho l'idée de Marx pour qui les philosophes doivent « transformer le monde » : en 1917, une « grande lueur s'est levée à l'Est » ; pour ces esprits libertaires et révolutionnaires, contempteurs de l'Occident capitaliste et puritain, le communisme soviétique* représente la voie vers un avenir radieux, où régnerait la « liberté grande ».

Langage, poésie et révolte

Mouvement littéraire, le surréalisme entend donner au mot *poésie* * son sens plein de création : écrire, c'est créer, inventer, imaginer, et découvrir – dans et par le langage – tout ce qui vit et vibre en l'homme, et que les conventions bourgeoises* répriment. À tout ce qui a pour nom « ordre » et « raison », les surréalistes s'opposent de façon inconditionnelle. Breton, Éluard, Aragon, Char, Soupault, Prévert, Desnos élisent le rêve comme moteur de l'action et de la pensée : « Je parlerai d'amour dans un lit plein de rêves » (Aragon).

Il faut libérer en chacun les forces du désir : les maîtres-mots sont « jeu », « vision », « mystère », « hasard », « amour fou ». Les armes choisies sont la provocation, l'humour noir et dévastateur, la violence verbale. Les images, convoquées par l'inspiration ou nées de l'écriture automatique, seront par définition étranges, dérangeantes, à la fois, comme le voulait Éluard, inspirées et inspirantes : « La terre est bleue comme une orange » ; « La courbe de tes yeux fait le tour de mon cœur » (Éluard).

Enfin, révolutionnaires dans l'écriture, les surréalistes s'affranchissent des contraintes, optent pour un vers délibérément libre et rejettent tout le dogme de la convention poétique, hérité du classicisme* de Boileau.

ENJEUX CONTEMPORAINS

Courants artistiques

C'est sur des divergences politiques qu'a éclaté le groupe surréaliste : Éluard et Aragon ont rejoint le parti communiste (1927), Breton aussi, mais en 1935 il refuse d'inféoder sa plume à une ligne politique.

Malgré ses querelles de chapelles, ses productions parfois déroutantes, le surréalisme constitue une véritable révolution* dans les mentalités, qui s'impose comme une indépassable référence de l'art moderne*. Bien des grands artistes du XXe siècle – écrivains (Gracq, Leiris, Césaire...), peintres (Picasso, Dali, Magritte, Tanguy, Ernst, Kandinsky, Miró...), sculpteurs (Duchamp, Giacometti...), cinéastes (Buñuel) – sont les héritiers des surréalistes.

● **À CONSULTER :** M. Nadeau, *Histoire du surréalisme*, Seuil (1970). P. Audoin, *Les Surréalistes*, Seuil (1973). G.-E. Clancier, *De Rimbaud au surréalisme*, Seghers (1959).
● **À LIRE :** Breton, *L'Amour fou* ; *Nadja*. Éluard, *Capitale de la douleur*. ● **À VOIR :** Buñuel, Dali, *Un chien andalou*.
● **CORRÉLATS :** art moderne ; communisme soviétique ; fantastique ; guerres mondiales ; Marx ; mythe ; poésie ; psychanalyse.

SYNDICALISME

● **ÉTYM. :** Du grec *sundikos* (« personne qui assiste quelqu'un en justice »). ● **DÉF. :** Au Moyen Âge*, le mot *syndicat* désigne la fonction de *syndic* (personnage mandaté pour défendre les intérêts d'un groupe) ; il prend, au XIXe siècle, le sens d'organisation ouvrière assurant la défense des travailleurs. Le terme *syndicalisme* apparaît pour qualifier le modèle d'action ouvrière reposant sur la constitution de syndicats.

Une conséquence de la Révolution industrielle

Le syndicalisme est la forme moderne du mouvement ouvrier. Avant la Révolution industrielle*, l'activité manufacturière était le fait d'un artisanat où un patron (le maître) travaillait avec quelques ouvriers appelés « compagnons ». Au Moyen Âge, cet artisanat s'était organisé en métiers (appelés, en France, « corporations » à partir du XVIe siècle), mais la structure corporative étant oligarchique et l'accès à la maîtrise devenant de plus en plus difficile aux compagnons, ceux-ci allaient constituer des sociétés secrètes dont les membres se reconnaissaient par des signes et un rituel commun. Ces sociétés de compagnons (« compagnonnage »), généralement prohibées et clandestines, étaient à la fois des associations de secours mutuels, des structures de défense des intérêts ouvriers et un lieu d'apprentissage où se transmettait le savoir-faire professionnel. Le compagnonnage apparaît ainsi la forme pré-industrielle du mouvement ouvrier.

Il s'avère inadapté dès les débuts de la Révolution industrielle. Le triomphe des thèses libérales* entraîne partout la disparition du cadre corporatif et, surtout, la concentration dans des usines mécanisées d'une main-d'œuvre hétérogène et déqualifiée transforme profondément la nature du milieu ouvrier. Si les formes compagnonniques survivent (parfois jusqu'à nos jours) dans certains métiers d'art, elles ne peuvent structurer un mouvement de type radicalement nouveau, qui se cherche et que les théoriciens libéraux dénoncent comme une entrave au libre fonctionnement des règles du marché. Le syndicalisme va naître de ces difficiles conditions.

L'interdiction des coalitions

La doctrine du « laisser faire, laisser passer », qui domine la première Révolution industrielle, considère toute organisation de défense ouvrière comme une « coalition », autrement dit une entente occulte visant à entraver la liberté du travail et, par là même, à fausser le libre jeu de l'économie. À la fin du XVIIIe siècle, les États* prennent des mesures assimilant toute coalition à un délit : la loi Le Chapelier (1791), en France, au début de la Révolution* ; les *Combination Acts* (1800), en Angleterre.

Ce parti pris libéral est extrêmement favorable aux employeurs et laisse les travailleurs totalement désarmés. Il explique que ceux-ci ne trouvent de recours que dans la violence : destructions des machines accusées de prendre le travail (le *luddisme*, ainsi nommé parce qu'on attribuait cette action, en Angleterre, à un prétendu meneur, Ludd), grèves qui dégénèrent en sanglantes émeutes. La répression est toujours implacable : elle a pour elle la loi et l'accord des « honnêtes gens », prompts à voir dans les ouvriers des mines et des fabriques une « classe dangereuse ».

Cependant, des voix s'élèvent, dans les années 1820-1830, pour dénoncer la misère et la condition inhumaine faite au prolétariat industriel, ainsi que l'hypocrisie du postulat libéral plaçant sur un pied d'égalité l'employeur et l'employé. L'industriel Owen (1771-1858) en Angleterre, Flora Tristan (1803-1844) et Louis Blanc (1811-1882) en France font valoir qu'il est particulièrement injuste, dans cette société où il n'existe aucune forme d'aide sociale, d'interdire aux ouvriers d'organiser à partir de leurs faibles moyens des structures d'entraide.

Naissance des syndicats modernes

C'est par ce biais qu'en Angleterre, les premières formes d'association vont se faire reconnaître, ouvrant la voie à une modification de la législation. En 1824, les *Combination Acts* sont abolis et, en 1829, la première « union de métier » (*trade union*) est créée, celle des fileurs de coton. Elle est suivie en 1831 par celle des mineurs, qui déclenche une grève et, sous l'impulsion de Owen, théoricien du coopérativisme, les *Unions*, qui se multiplient, se fédèrent dans le *Grand National Consolidated Trade Union*, fort de 500 000 adhérents. En 1835, la fédération tente une grève générale, qui échoue, et l'action syndicale se transforme en lutte politique avec la rédaction de la « Charte du peuple », qui revendique la démocratie*. L'agitation qui suit, l'échec final du chartisme en 1848 discréditent le jeune mouvement syndical.

Quand il se reconstitue, à partir de 1851, c'est sur la base d'*Unions* d'ouvriers qualifiés et instruits (la première est le Syndicat unifié des mécaniciens), légalistes, refusant l'engagement politique et privilégiant la négociation au détriment de la grève. Ce n'est que progressivement, après 1875, que par la baisse des cotisations, ce second *trade-unionisme* s'ouvrira aux ouvriers non qualifiés. À cette époque, il rassemble plus de 1 200 000 adhérents, et l'État comme le patronat le considèrent comme un partenaire sérieux. Son action est à l'origine non seulement d'importantes avancées sociales, mais d'une véritable éducation politique du prolétariat britannique d'où sortira, au début du XXe siècle, la création du parti travailliste (*Labour Party*).

En France, l'interdiction des « coalitions » dure plus longtemps et il faut attendre le Second Empire pour que soit autorisée, par Napoléon III (1852-1870), la création de « chambres ouvrières », sorte d'organisations proto-syndicales. En 1864, l'empereur concède le droit de grève, mais il faudra attendre la IIIe République pour que la loi Waldeck-Rousseau autorise la constitution de véritables syndicats (1884).
En Allemagne, des mesures sont prises en faveur des associations ouvrières en Prusse et en Saxe avant 1870 ; mais, après l'unité allemande de 1871, c'est le chancelier Bismarck (1815-1898) qui légalise les syndicats, moyen à ses yeux d'éviter toute dérive révolutionnaire. Aux États-Unis, l'*American Federation of Labor* se constitue en 1886.
C'est donc progressivement, dans la seconde moitié du XIXe siècle, qu'est reconnu le droit syndical dans la plupart des pays industrialisés. Il donne aux ouvriers le moyen de se faire entendre, d'autant qu'aux fédérations nationales s'ajoutent bientôt des relations nouées par-dessus les frontières et qui font entrevoir la perspective d'une action unitaire à l'échelle de l'ensemble du monde industriel : en 1913, une Fédération syndicale internationale est créée. La Première Guerre mondiale*, l'éclatement du mouvement ouvrier qui suit la Révolution russe* ont raison de cette illusion : le syndicalisme du XXe siècle sera pluraliste. Par là même, se trouve posée avec plus d'acuité la question de ses relations avec les partis et les idéologies* politiques.

Syndicalisme et action politique

Dès qu'il se met en place, le syndicalisme, forme organisée du mouvement ouvrier, est confronté aux idéologies qui prônent l'émancipation du prolétariat. Doit-il rester indépendant ? Doit-il s'associer aux mouvements dont les objectifs sont voisins des siens ? Doit-il même s'inféoder, devenir, comme le souhaite Lénine (1870-1924), une « courroie de transmission » des directives du parti ?
La convergence des finalités idéologiques, l'engagement personnel des militants contribuent à resserrer des liens. Si, dans les pays de l'Europe du Nord et du centre, l'alliance avec les partis sociaux-démocrates est la règle, le syndicalisme de l'Europe latine est souvent influencé par l'anarchisme* libertaire. Il apparaît également, dans la ligne de l'encyclique *Rerum Novarum* du pape Léon XIII (1891), un syndicalisme chrétien.
En France, en 1906, la Charte d'Amiens tente de définir une indépendance des syndicats par rapport aux partis, mais cela ne change rien au fait que, dans la réalité, le mouvement ouvrier se trouve en phase avec les programmes socialistes*. En Angleterre, ce sont les *Trade unions* eux-mêmes qui participent à la création du parti travailliste. L'éclatement de l'Internationale socialiste, à la suite de la Révolution russe, a comme corollaire immédiat celui des confédérations syndicales.
Reste que les modes d'action diffèrent. Mis à part le syndicalisme « de gestion », de nature révolutionnaire, qui poursuit l'objectif de l'abolition du salariat et du patronat par la prise en main des entreprises par les ouvriers eux-mêmes, la finalité de l'action syndicale demeure l'amélioration des conditions de travail et de salaire. C'est une revendication immédiate qui n'implique pas le préalable nécessaire d'une transformation des rapports sociaux et des modes de production.

ENJEUX CONTEMPORAINS

Société

Pour être efficace, le syndicalisme doit apparaître au patronat et à l'État un interlocuteur crédible ; aussi, serait-ce au terme d'âpres luttes, son but doit demeurer la négociation et non la révolution*, la mise en place d'accords contractuels à contenu concret et non l'aboutissement d'*a priori* idéologiques. Ainsi, même s'il soutient l'action de partis réformistes, sinon révolutionnaires, le syndicalisme se trouve toujours obligé de s'en démarquer et de montrer sa différence.
En ce sens, une inféodation trop évidente des syndicats aux partis politiques les dessert. Elle suscite la méfiance de nombreux travailleurs, qui craignent l'embrigadement ou la manipulation. Ainsi, nombre d'observateurs attribuent le faible pourcentage des syndiqués dans la France actuelle (le plus bas de l'Union européenne*), aux liens trop étroits qui, depuis la Seconde Guerre mondiale*, ont constamment associé les centrales syndicales aux appareils de la gauche* politique.

● **À consulter :** B. de Castéran, *Le Compagnonnage*, PUF (2e éd., 1991). R. Mouriaux, *Le Syndicalisme dans le monde*, PUF (1993) ; *Le Syndicalisme en France*, PUF (2e éd., 1994). M. Launay, *Le Syndicalisme en Europe*, Imprimerie nationale (1990). D. Guérin, *Le Mouvement ouvrier aux États-Unis*, La Découverte (1977). ● **À lire :** Zola, *Germinal*. ● **À voir :** E. Kazan, *Sur les quais*. M. Karmitz, *Coup pour coup*. B. Widerberg, *Adalen 31*.

● **Corrélats :** anarchisme ; droite/gauche ; Église ; franc-maçonnerie ; libéralisme ; mai 68 ; Marx ; Révolution industrielle ; Révolution russe ; socialisme , systèmes économiques ; travail.

SYSTÈMES ÉCONOMIQUES

● **Étym. :** Du grec *sustêma* (« ensemble ») et *oikonomos* (« administration de la maison ») ; le terme *économie* (au sens moderne d'« économie politique ») apparaît en français au XVIIIe siècle, chez l'abbé Baudeau, *Première introduction à la philosophie économique* (1767). ● **Déf. :** On désigne par *systèmes économiques* les ensembles structurés et fonctionnels de moyens techniques, d'institutions juridiques et sociales, éventuellement d'interprétations théoriques, qui rendent compte de la maîtrise des forces productives dans une société* organisée.

La prépondérance agricole

Le mode le plus archaïque de système économique, purement prédateur, est l'exploitation directe du milieu naturel (chasse, pêche, cueillette) qui caractérise presque intégralement la préhistoire*. Au néolithique, la domestication d'animaux et les débuts de l'agriculture induisent les premières entreprises authentiquement économiques, c'est-à-dire productrices. À partir de ce moment et pour plus de dix millénaires, la production de denrées agricoles devient l'essentiel et mobilise la plus grande part de l'activité humaine, le rôle de l'élevage se limitant à la fourniture des protéines alimentaires et à la mise en place d'une force de travail indispensable, entre autres, aux travaux des champs.

De multiples systèmes économiques se sont constitués sur ces bases. On distingue, en gros, l'économie domestique pastorale, la plus ancienne, où l'élevage, souvent nomade, est prédominant et où apparaît l'amorce d'une division du travail* puis, une fois que la sédentarisation a créé des structures socio-politiques nouvelles, l'économie domaniale agricole. Celle-ci, produit d'une appropriation de la terre par les catégories sociales dominantes, appelle la formation d'une main-d'œuvre en situation de dépendance, sinon d'asservissement. Dans ce système économique déjà élaboré, la fabrication des objets manufacturés devient une activité autonome, aux mains d'un artisanat qui travaille indifféremment au sein de chaque grand domaine ou dans les premières concentrations urbaines.

Pendant l'Antiquité* grecque ou romaine, l'économie fondée sur l'esclavage* que décrivent les agronomes anciens (Xénophon, Varron, Columelle) relève de ce modèle : elle est déjà susceptible de dégager assez d'excédents pour alimenter de notables courants commerciaux et une accumulation de richesses mobilières dont témoignent l'usage généralisé de la monnaie (dès le VIIe siècle av. J.-C.), puis l'apparition d'un proto-capitalisme dans le monde hellénistique* et le Haut-Empire romain*.

L'économie domaniale agricole reste la règle durant le haut Moyen Âge* européen, mais la régression générale qui suit les Grandes Invasions*, l'effondrement des circuits commerciaux et la réduction de la circulation monétaire l'enferment dans des fonctionnements autarciques qui ramènent presque à la proto-histoire : c'est dans ce contexte que naît la féodalité*. En revanche, hors d'Occident, les structures antiques persistent dans l'Empire byzantin* et le monde arabo-musulman, tandis que la généralisation de la riziculture irriguée conduit à l'apparition, dans l'Asie des moussons, de systèmes économiques très performants et très élaborés.

Après l'an mille, et sans que la prédominance agricole soit remise en cause, le système domanial en Occident tend à la fragmentation. Malgré l'indigence des rendements et la fragilité des équilibres alimentaires, l'agriculture médiévale européenne est capable de soutenir une progression démographique régulière, dont témoignent la reprise des échanges et le développement de villes* où se concentre la production artisanale.

Le capitalisme commercial

Alors que les systèmes économiques élaborés dans l'Antiquité ou au Moyen Âge se pérennisent à l'intérieur de toutes les grandes aires culturelles*, définissant ce que Braudel appelle des « économies-mondes » autonomes, l'Occident européen fait exception et connaît de rapides changements.

À la suite des Grandes Découvertes* géographiques de la fin du XVe siècle, l'espace ouvert aux activités des Européens se dilate brusquement aux dimensions de la Terre. La colonisation* du Nouveau Monde, l'afflux massif de métaux précieux bouleversent les conditions économiques. À la traditionnelle prépondérance des possesseurs de la terre se juxtapose la puissance nouvelle des marchands et des manieurs d'argent. Les pays de la façade atlantique de l'Europe assistent à la rapide promotion d'une bourgeoisie* entreprenante, dont l'ascension coïncide avec l'établissement des dynasties et l'affermissement des États*.

C'est dans ce cadre que se développe la version initiale du capitalisme occidental, essentiellement commercial, et que se dégage, de manière informelle, le système économique qu'on nommera plus tard « mercantilisme » et dont l'apogée se situe au XVIIe siècle.

Le mercantilisme lie étroitement la conduite des affaires à celle de l'État. Visant à l'enrichissement de ce dernier, il se donne pour objectif d'y promouvoir l'accumulation de métaux précieux par le développement de la production agricole et manufacturière, qu'on cherche à exporter alors qu'on essaie de limiter les importations, causes de fuite de numéraire.

Tel quel, ce système est à l'origine du dynamisme de la croissance en Occident, à partir de la Renaissance*, et de la quête de l'innovation. Il contribue à la nouvelle définition du progrès* qui, cessant d'être perçu comme perfectionnement moral, s'identifie à l'amélioration de la condition terrestre de l'homme. Mais trop intégré au développement de l'absolutisme*, le mercantilisme implique une permanente intervention de l'État qui encadre les forces productives et réglemente une économie conduite et orientée par le pouvoir politique : sa forme la plus achevée est le « colbertisme » de la France louis-quatorzienne (du nom du ministre Colbert, 1619-1683).

Le capitalisme libéral

Dès la fin du XVIIe siècle, dans l'Angleterre de Locke (1632-1704) et de la révolution de 1688, économistes et hommes d'affaires contestent le dirigisme mercantiliste et lui opposent une philosophie de la libre entreprise, limitée par la seule concurrence et que justifie l'idée que l'intérêt général est le produit de la somme des intérêts particuliers.

Ainsi naît la pensée libérale, théorisée au cours du XVIIIe siècle et qui se confond avec la revendication de liberté développée par la philosophie des Lumières*.

Esquissée en France par les Physiocrates (Quesnay, 1694-1774), qui croient que la liberté s'identifie au respect de l'ordre naturel, elle prend forme entre 1770 et 1820 en Angleterre dans l'œuvre de Smith (1723-1790), auteur des *Recherches sur la nature et les causes de la richesse des nations* (1776), Malthus (1766-1834), Bentham (1748-1832) et Ricardo (1772-1823). Cette élaboration coïncide avec la naissance et l'affirmation de la Révolution industrielle*, ainsi que l'énorme renversement des valeurs* que représente la Révolution française*.

Avec le libéralisme* triomphe le marché, régulateur suprême qui plie à ses lois la totalité des activités productrices. Tandis que l'Occident connaît une étonnante vague d'innovations techniques* et une croissance économique sans précédent qui le place en position hégémonique au regard de tous les autres systèmes culturels, le capitalisme, de commercial, devient industriel et financier. Rejetant les contraintes étatiques et les barrières douanières, il cherche à construire un réseau à l'échelle mondiale sur la base du libre-échange, selon la célèbre formule « laisser faire, laisser passer ».

Cependant, la régulation généralisée par le marché et la concurrence, la réduction de toutes choses – y compris le travail humain – au rang de marchandise négociable ont de graves conséquences sociales. Alors que l'Occident s'enrichit globalement, la dégradation de la condition ouvrière provoque inquiétude et indignation : le succès du capitalisme libéral se paie de l'insoutenable misère prolétarienne. Le refus de cette fatalité conduit à l'élaboration du socialisme*.

L'alternative socialiste

Alors que tous les systèmes économiques se sont constitués spontanément et ont été théorisés *a posteriori*, l'originalité du socialisme est d'être une construction rationnelle, élaborée

a priori sur la base d'une mise en cause des fonctionnements capitalistes et en vue d'une réalisation volontariste. Les différents projets proposés ont tous en commun deux impératifs : d'une part, le remplacement de la propriété privée des moyens de production par une propriété collective, seule propre, selon les socialistes, à rétablir la justice sociale ; d'autre part, une organisation rationnelle de l'économie venant se substituer à la régulation par la seule loi du marché, celle de l'offre et de la demande.
Dépassant les modèles à caractère utopique* de la première moitié du XIXe siècle, Marx* (1818-1883), s'appuyant sur une critique* du capitalisme libéral, cherche à fonder sur des bases scientifiques un socialisme que sa philosophie de l'Histoire* conçoit comme l'aboutissement logique de la civilisation. Dès les années 1880, des partis sociaux-démocrates d'inspiration marxiste se créent dans les grands pays industrialisés. Souvent liés à un syndicalisme* alors en plein essor, ils obligent le capitalisme libéral, par la pression qu'ils exercent, à transiger sur la question sociale. Mais il est à noter que cette amélioration intervient au moment où l'importance de la richesse accumulée par la croissance capitaliste rend plus facile un début de redistribution.
Forte de ces succès, la social-démocratie européenne, au début du XXe siècle, s'oriente progressivement vers un compromis acceptant l'économie de marché dans la mesure où celle-ci, renonçant au « laisser faire », accepte la mise en œuvre politique d'une progression régulière et globale du niveau de vie de la population. Dans cette perspective, c'est l'État démocratique qui, retrouvant une faculté d'intervention, est investi du pouvoir de régulation. Ainsi, la violente crise* structurelle qui souligne, durant les années 1930, les insuffisances du libéralisme, ajoute à la crédibilité de l'option et trouve un brillant théoricien en la personne de l'Anglais Keynes (1883-1946).
Pourtant, au même moment, une expérience socialiste plus radicale a lieu en Russie, où Lénine (1870-1924) et le parti bolchevik, restés attachés au projet collectiviste, ont pris le pouvoir en 1917 (*cf.* Révolution russe). Malgré des méthodes totalitaires* que beaucoup veulent tenir pour une inévitable phase de transition, le communisme soviétique* entretient jusqu'aux années 1970 l'illusion d'une expérience originale et prometteuse. Son fiasco économique et sa décomposition interne démontrent finalement qu'il n'avait été qu'un capitalisme d'État, et non pas socialisme collectiviste.

ENJEUX CONTEMPORAINS

Crise et société

La chute du communisme, en 1991, intervient alors que la mise en place de la « troisième Révolution industrielle » et la mondialisation des échanges qui l'accompagne ébranlent les structures économiques et accumulent les problèmes sociaux. Si l'effondrement du communisme et le discrédit qui frappe, par contrecoup, l'alternative socialiste font pour le moment la part belle aux partisans d'un retour inconditionnel aux mécanismes du libéralisme pur, il est cependant probable que le système économique mondial qui se mettra en place au XXIe siècle s'établira sur des positions intermédiaires, retenant l'efficacité de l'économie de marché et la libre entreprise, mais prenant en compte les impératifs sociaux. Il ne faudrait pas oublier la règle tacite qui a été sous-jacente à tous les systèmes économiques : le but de toute démarche économique n'est pas une accumulation aveugle de profits, mais l'amélioration de la condition de l'homme.

● À CONSULTER : P. Lajugie, P. Delfaud, *Les Systèmes économiques*, PUF (12e éd., 1988). P. Delfaud, *Les Théories économiques*, PUF (2e éd., 1989). A. Barrère, *Histoire de la pensée et de l'analyse économique* (1), Cujas (1994). A. Joyal, *Les Systèmes économiques. Capitalisme, socialisme, social-démocratie*, Morin (1979). A. Cotta, *Le Capitalisme*, PUF (4e éd., 1989). M. Weber, *L'Éthique protestante et l'esprit du capitalisme*, Pocket (rééd., 1985).

● CORRÉLATS : absolutisme ; colonisation ; communisme soviétique ; crise ; esclavage ; Grandes Découvertes ; libéralisme ; Moyen Âge ; préhistoire ; Réforme protestante ; Révolution industrielle ; société ; socialisme ; syndicalisme ; travail ; utopie.

TECHNIQUE

● **ÉTYM. :** Du grec *tekhnikos*, de *tekhnê* (« habileté à faire »). ● **DÉF. :** Aristote* (384-322 av. J.-C.) définit la technique comme la « disposition à produire accompagnée de règle exacte » (*Éthique à Nicomaque*). La technique s'oppose à la morale*, qui n'envisage pas seulement l'action comme une « production » (en grec, *poiesis*), c'est-à-dire un ensemble de moyens utiles pour une fin quelconque, mais comme une « fin » en elle-même (en grec, *praxis*). Elle s'oppose également à la science*, dont l'ambition n'est pas seulement de connaître le vrai sous la forme d'une « règle exacte », mais de le démontrer à partir de principes certains.

La neutralité de la technique

Lorsque la technique apparaît sous la forme du « possible à volonté », disponible pour un usage qui peut être bon ou mauvais, elle-même ne peut être qualifiée de bonne ni de mauvaise. Cette neutralité de la technique est la thèse traditionnelle de la philosophie à son égard, thèse fondée sur trois présupposés : la distinction du savoir et du savoir-faire, qui permet d'éviter toute confusion entre la technique et la science ; la distinction des moyens et des fins, qui permet d'éviter toute confusion entre la technique et la morale ; l'identité de l'objet technique dans l'Histoire* (que cet objet soit outil, instrument ou machine, et quel que soit son degré de complexité), qui permet d'identifier la technique à l'« utile ».

C'est au nom de l'utilité, précisément, que Descartes* (1596-1650), dans son *Discours de la méthode* (1637), montre que les principes de la science nouvelle peuvent « nous rendre comme maîtres et possesseurs de la nature » (VI). Nous ne sommes, à proprement parler, ni les maîtres ni les possesseurs de la nature, mais nous pouvons agir comme si nous l'étions, en dirigeant ses forces vers des effets qu'elles auraient pu produire : puisque tout est mécanisme dans la nature, puisque nous épuisons son essence en découvrant comment elle fonctionne, aucun scrupule ne doit nous empêcher d'opérer ce détournement qui ne la modifie en rien, dès lors qu'il nous profite.

Le lien entre « technique » et « possible à volonté » est affirmé en termes exprès par Kant* (1724-1804), dans ses *Fondements de la métaphysique des mœurs* (1785). Il y qualifie de « techniques » les impératifs qui règlent notre conduite en nous imposant tel ou tel moyen en vue d'une fin possible. À ces impératifs, qu'il appelle également « impératifs de l'habileté », il oppose ceux qui déterminent l'action en vue de notre fin réelle et effective, le bonheur. Mais si les premiers nous permettent de savoir avec une précision scientifique comment agir en vue d'une fin, sans savoir si cette fin mérite d'être poursuivie, les seconds ont

le défaut inverse : nous savons bien que nous voulons être heureux, mais nous ne savons pas comment l'être. Notre condition serait donc désespérée si nous ne connaissions que ces deux sortes d'impératifs, qui ont en commun d'être « hypothétiques », c'est-à-dire de considérer l'action comme un moyen relativement à une fin. Ce qui nous sauve du désespoir, c'est l'existence d'un impératif d'une troisième sorte, l'impératif moral, qui est « catégorique », et qui commande l'action absolument.
Marx* (1818-1883) retrouve à sa manière la thèse traditionnelle de la neutralité de la technique, lorsqu'il impute au capitalisme les méfaits du machinisme. C'est ce qu'il soutient, dans *Misère de la philosophie* (1847), contre Proudhon (1809-1865) et sa conception d'une « dialectique de la machine ». C'est ce qu'il reprend dans *Le Capital* (1867), en démontrant que l'emploi capitaliste des machines est « une méthode particulière pour fabriquer de la plus-value relative » (XV). Le profit que les capitalistes ne peuvent obtenir de l'allongement de la journée de travail, ils l'obtiennent, grâce aux machines, par l'augmentation de la productivité, qui permet de raccourcir la durée de travail nécessaire, et d'allonger (relativement) le temps de surtravail.

Essor technologique et critiques de la technique

La pensée du XXe siècle rejette l'idée d'une neutralité de la technique, soit pour soutenir qu'elle n'a jamais été neutre, soit pour prétendre qu'elle ne l'est plus. L'Histoire montre en effet qu'après une longue période pendant laquelle les inventions mécaniques se sont développées en dehors de la science, puis une période plus courte consacrée, conformément à ce qu'annonçait Descartes, aux « applications » de la science, notre époque se caractérise par la « technoscience » : la technique gouverne désormais la science, semblant donner raison à l'intuition de Vico (1668-1744) selon laquelle l'homme ne peut vraiment connaître que ce qu'il fait lui-même. C'est en produisant des phénomènes atomiques, en intervenant dans le processus de la vie, que l'on progresse en physique* ou en génétique*.
Cette technoscience est l'un des symptômes de l'esprit nouveau de la technique : loin d'être soumise à une utilité qui lui donne son sens, comme le croyait Descartes, elle est devenue à elle-même sa propre norme, selon le principe formulé par Bacon (1561-1626) dans *La Nouvelle Atlantide* (1627) : « Il faut étendre les limites de l'empire des hommes sur la matière entière, et exécuter tout ce qui est possible. »
Selon Heidegger* (1889-1976), l'essence de la technique régit secrètement, à notre époque, la façon dont toutes les choses nous apparaissent en vérité : c'est la centrale hydraulique mise en place dans le Rhin qui « dévoile » celui-ci, révélant ce qu'il est en tant que fleuve, c'est-à-dire une réserve calculable d'énergie. Cette conception de la technique comme « provocation » à un « arraisonnement » (à une « mise à la raison » de tout ce qui est) est exposée particulièrement dans une conférence de 1953 intitulée *La Question de la technique*.
La fin de cette conférence associe l'essence de la technique à un danger, non pour l'homme, mais pour la technique elle-même : la frénésie spectaculaire de son installation risque d'occulter sa fonction de dévoilement et de vérité. L'action humaine ne peut, à elle seule, écarter ce danger, car la technique n'est pas un instrument à maîtriser. Le salut ne peut venir que d'une méditation réitérée sur la *tekhnê* au sens grec (à la fois, « production » et « dévoilement »), et sur l'autre possibilité indiquée par ce mot : l'« art » (du latin *ars*), non la technique.
C'est au contraire comme un danger majeur pour l'homme que la technique est analysée dans l'œuvre trop méconnue de Ellul (*Le Système technicien*, 1977). En proclamant que tout est possible, et que tout le possible doit être réalisé, la technique moderne abolit les distinctions fondatrices des valeurs* : distinction entre le sens et le non-sens, entre le vrai et le faux, entre le bien et le mal. En traitant le langage comme un système de signes, elle détruit sa fonction de médiation. Nihiliste par essence, elle est foncièrement incompatible avec l'idée démocratique d'un espace public* de discussion sur le juste et l'injuste. Elle ne peut que favoriser les totalitarismes*, ou, pour le moins, le centralisme et l'autoritarisme de l'État*, ainsi que la soumission du droit* aux impératifs de l'administration. Elle atteint son triomphe absolu lorsque tous les esprits « sérieux » déclarent qu'il n'y a plus de problèmes politiques, moraux, philosophiques, mais seulement des problèmes techniques.

ENJEUX CONTEMPORAINS

Éthique

Dans son ouvrage *Le Principe responsabilité* (1979), le philosophe allemand H. Jonas voit dans « l'irréversibilité » de la technique moderne son principal danger : du fait qu'elle commande une action collective et cumulative, elle engendre à long terme, parfois à très long terme, un monde futur différent du monde présent. La thèse de l'ouvrage est que nous sommes dès à présent responsables de ce monde futur. Plus précisément, il dépend de notre responsabilité qu'existe, plus tard, une humanité. La civilisation technologique nous place donc dans une situation éthique* radicalement nouvelle : celle d'un devoir envers ce qui n'existe pas encore, d'un droit de l'avenir sur le présent.

Cette situation n'ajoute pas seulement un contenu nouveau à l'éthique, elle en bouleverse complètement la structure : en faisant de l'existence de l'humanité future une valeur suprême, elle abolit l'opposition traditionnelle entre l'être et le devoir-être ; en introduisant la distinction temporelle entre ce qui existe déjà et ce qui n'existe pas encore, elle détruit l'idée classique d'une réciprocité entre les droits et les devoirs.

C'est parce que la technique est nihiliste qu'elle nous rend responsables de l'existence ; c'est parce qu'elle est frénétiquement cumulative qu'elle nous rend responsables de l'avenir ; c'est enfin parce qu'elle déshumanise l'homme qu'elle nous rend responsables de la possibilité d'une véritable humanité.

● **À CONSULTER :** J.-P. Séris, *La Technique*, PUF (1994). J.-Y. Goffi, *La Philosophie de la technique*, PUF « Que sais-je ? » (1988). D. Bourg, *Nature et technique. Essai sur l'idée de progrès*, Hatier, coll. « Optiques » (1997).

● **À VOIR :** Chaplin, *Les Temps modernes* (1936).

● **CORRÉLATS :** Aristote ; Descartes ; droit ; espace public ; État ; éthique ; génétique ; Heidegger ; Histoire ; Kant ; Marx ; morale ; physique ; sciences exactes ; totalitarisme ; valeurs.

TEMPS MODERNES

● **ÉTYM. :** Du bas latin *modernus*, de *modo* (« récemment ») ; au XVIIe siècle, les « Modernes » défendent la production artistique et littéraire postérieure à la Renaissance*, par opposition aux « Anciens ». ● **DÉF. :** L'expression *Temps modernes* s'applique, à partir du XVIIIe siècle, à la période allant du XVIe au XVIIIe siècle. Plus encore que le concept de Moyen Âge*, celui de Temps modernes se réfère de façon exclusive à l'évolution de la civilisation occidentale, puisqu'il érige en période historique sa phase de maturité et d'expansion.

Le tournant de l'Occident

≈ 1500

C'est à partir de 1500 que l'Occident européen connaît une mutation qui, de décennie en décennie, bouleverse radicalement ses structures et remet en cause ses fondements culturels.

Dès la seconde moitié du XVe siècle, l'arrivée en Italie de savants byzantins* fuyant l'invasion turque et apportant avec eux des originaux d'auteurs de l'Antiquité* permet une redécouverte de la pensée antique. Un type nouveau de lettré apparaît : l'humaniste*, appliquant à l'étude des textes une méthode critique*, refusant tout *a priori* et réfutant toute autorité intellectuelle, serait-elle celle de l'Église*. Les humanistes bénéficient d'autre part d'une invention nouvelle : l'imprimerie, qui donne à l'écrit d'énormes possibilités de diffusion.

Au même moment et à la suite des expéditions maritimes commanditées par les rois de Portugal et d'Espagne, l'Occident prend la mesure des dimensions du monde et découvre l'existence de terres et de peuples inconnus (*cf.* Grandes Découvertes). Dans le courant du XVIe siècle, la colonisation* de l'Amérique et l'afflux de métaux précieux qui en provient bouleversent les données économiques : la richesse bourgeoise*, fondée sur le capital mobilier, peut prendre le pas sur la fortune foncière, apanage traditionnel de la noblesse terrienne.

Enfin, le développement de l'artillerie et des armes à feu achève non seulement de renforcer l'autorité des rois en Europe*, mais elle dote les Occidentaux d'une durable supériorité militaire à l'échelle de toute la planète.

Temps modernes

	Histoire	*Philosophie, sciences*	*Littérature, arts*
1453	Prise de Constantinople par les Turcs (**fin du Moyen Âge***)	Mise au point de l'imprimerie : **diffusion de l'humanisme***	Essor du *Quattrocento* (Ghiberti, Brunelleschi, Donatello, Masaccio)
1492	Découverte* de l'Amérique par Christophe Colomb		
1494-1526	Guerres d'Italie		
≈ 1500-1510	Apogée de la **Renaissance*** en Italie	Érasme, *Éloge de la folie* (1511). Machiavel*, *Le Prince* (1513)	Raphaël, Léonard de Vinci, Michel-Ange, Bramante...
1515	Début de la Renaissance en France, à la cour de François Ier		
1517	Publication des « 95 thèses » de Luther : début de la **Réforme*** protestante	More, *Utopie**	
1519-1522	Tour du monde de Magellan		Construction du château de Chambord
1543		• Copernic (physique*) • Vésale, Servet, Ambroise Paré (médecine)	
1545-1563	Ouverture du concile de Trente (**Contre-Réforme***)	Cardan (mathématiques*)	Construction du Louvre. Saint-Pierre de Rome
1562-1598	**Guerres de Religion*** en France • Massacre de la Saint-Barthélemy (1572) • Édit de Nantes (1598)	Viète (mathématiques*)	• Agrippa d'Aubigné, *Les Tragiques*. Montaigne, *Essais* • Début de la *commedia dell'arte* en Italie • Titien, Le Tintoret, Véronèse, Le Greco, Bruegel l'Ancien (peinture)
≈ 1600-1610		• Campanella, *La Cité du Soleil* (utopie*) • Galilée, Kepler (**révolution scientifique***)	Essor de l'**art baroque*** • Shakespeare, Cervantès • Carrache, Caravage, Rubens • Monteverdi, *Orfeo* (premier opéra*)
1618	Début de la guerre de Trente Ans	Premiers microscopes	
1624-1642	Richelieu, ministre de Louis XIII	• Bacon (méthode expérimentale). Grotius (droit*). Descartes*, *Discours de la méthode* (1637) • Procès de Galilée (1633)	• Essor des salons* en France (préciosité) • Le Bernin, Borromini (architecture baroque*)
1642-1660	Première Révolution anglaise*	Pascal (machine à calculer)	

1648	Traités de Westphalie (fin de la guerre de Trente Ans)		
≈ 1660-1680	Montée de l'absolutisme* en France avec le règne personnel de Louis XIV (1661-1715)	• Spinoza (éthique*) Pascal, *Pensées* (1670) • En biologie*, découverte de la notion de cellule par Hooke (1665). Construction du premier télescope par Newton (1671)	Essor de l'**art classique*** • Boileau, Molière, Racine, Corneille, Bossuet, La Fontaine, La Rochefoucauld, La Bruyère, Mme de La Fayette, Furetière • Construction du château de Versailles • Rembrandt, Vermeer • Lully (naissance de l'opéra* français)
≈ 1688-1689	Seconde Révolution anglaise*	• Locke, *Essai sur l'entendement humain ; Traité du gouvernement civil* • Loi de la gravitation universelle par Newton	Querelle des Anciens et des Modernes
1701-1713	En Europe, guerre de Succession d'Espagne	• En Angleterre, développement de la presse ; première machine à vapeur • Leibniz, Bernoulli (mathématiques*), Halley (astronomie)	Construction par Pierre le Grand de Saint-Pétersbourg, capitale à l'européenne
1720-1760	• Despotisme éclairé en Prusse (Frédéric II, 1740), en Autriche (Marie-Thérèse, 1740), puis en Russie (Catherine II, 1762) • Apogée de la traite des esclaves*	• Essor de la **philosophie des Lumières*** en France (Montesquieu, Voltaire, Rousseau*, Diderot...). Publication de l'*Encyclopédie** (1745-1772). Début de la franc-maçonnerie* • Euler (mathématiques*), Linné (biologie*), Celsius, Franklin (physique*)	• En architecture, style rococo en Allemagne (1746) ; introduction du baroque en Russie (1754) • Apogée de la **musique baroque*** (Bach, Haendel...)
1763	Fin de la guerre de Sept Ans : victoire de la Grande-Bretagne, qui devient la première puissance coloniale*	Premier métier à tisser mécanique (1764), perfectionnement de la machine à vapeur par Watt (1765) : début de la **Révolution industrielle*** en Grande-Bretagne, puis en Europe	Début du **néoclassicisme***
1776-1783	Guerre d'Indépendance entre les États-Unis et l'Angleterre (**Révolution américaine***)	• Smith, *Recherches sur la nature et les causes de la richesse des nations* (libéralisme*) • Kant*, *Critique** *de la raison pure* (1781)	• Essor du *Sturm und Drang* en Allemagne (romantisme*) • Apogée de la musique classique* (Mozart, Haydn...)
1789	**Révolution française***	Buffon, *Histoire naturelle* (biologie*)	David (peinture)

La Renaissance et la Réforme

Des changements de cette ampleur ont nécessairement des retombées culturelles.

C'est, d'une part, l'énorme effervescence intellectuelle et artistique de la Renaissance, partie d'Italie et qui gagne toute l'Europe au XVIe siècle.

C'est, d'autre part, la contestation de l'Église catholique romaine : en 1517, un moine allemand, Luther (1483-1546), récuse l'autorité du pape et entreprend une révision doctrinale en vue d'une réforme de l'Église. Il est relayé à partir de 1532 par le Français Calvin (1509-1564). En moins d'un demi-siècle, la Réforme* protestante détache de Rome la moitié de l'Europe et met fin à l'unité de la Chrétienté occidentale. La Contre-Réforme* catholique engagée au concile de Trente (1545-1563) ne réussit qu'à contenir les progrès du protestantisme et elle ouvre près d'un siècle de guerres de Religion*.

La formation des États

Cet éclatement de l'Europe favorise la montée en puissance d'États* fortement centralisés, les monarchies absolues*, qui liquident les derniers vestiges de la féodalité*. L'Espagne de Philippe II (1556-1598), la France de Louis XIV (1643-1715) en sont les modèles. Le cadre géopolitique défini par les monarchies absolues, l'unification politique et, surtout, culturelle qu'elles impliquent vont constituer la matrice de futurs États nationaux, construits autour d'une langue et d'une administration communes.

La rationalité moderne

Parallèlement, la démarche humaniste et la contestation religieuse ont leurs propres retombées.

La redécouverte de la pensée antique, l'exercice d'une libre critique, l'évidence des découvertes ont déprécié l'autorité de la tradition et valorisé l'innovation, l'approche expérimentale et la volonté d'explication rationnelle ; et cela, d'autant plus que le progrès des mathématiques* offre un remarquable instrument d'analyse.

Dès 1543, Copernic (1473-1543) pose que la Terre n'est pas le centre du monde, hypothèse que vérifient Galilée (1564-1642) et Kepler (1571-1630) au début du XVIIe siècle. Mais si l'homme y perd du même coup le statut d'exception dont il se croyait doté par Dieu, des philosophes, Bacon (1561-1626), Descartes* (1596-1650), montrent qu'il en gagne un autre qu'il ne doit qu'à lui-même : la capacité de comprendre et de maîtriser cette nature dont il n'est qu'un élément. À partir du XVIIe siècle, la pensée occidentale s'engage dans la voie d'une démarche rationnelle, scientifique et technique*, qui prend le contre-pied de l'attitude commandée par la foi et la Révélation.

Il s'ouvre là un conflit durable qui culmine au XVIIIe siècle, quand triomphe la philosophie des Lumières*.

Il est d'usage, dans la périodisation classique, de faire coïncider la fin des Temps modernes et la grande crise* révolutionnaire de la fin du XVIIIe siècle : au-delà, on parle d'« Époque contemporaine* ».

Sans doute faut-il voir là la conséquence du manque de recul des historiens* : la vraie césure ne semble pas se situer à ce moment de l'Histoire*, mais plutôt à l'articulation des XIXe et XXe siècles. Il est néanmoins commode d'accepter cette convention : elle permet de mieux cerner le caractère de transition que revêtent les deux derniers siècles, qualifiés d'« Époque contemporaine ».

● **À CONSULTER :** J. Delorme, *Les Grandes Dates des Temps modernes*, PUF (7e éd., 1993).
● **CORRÉLATS :** absolutisme ; bourgeoisie ; colonisation ; Contre-Réforme ; Découvertes (Grandes) ; Descartes ; Église catholique ; État ; Europe (idée d') ; humanisme et antihumanisme ; Lumières ; mathématiques ; physique ; Réforme protestante ; Religion (guerres de) ; Renaissance ; Révolutions anglaises ; révolution scientifique ; technique.

THÉÂTRE

● **ÉTYM. :** Du latin *theatrum*, du grec *theatron*, de *thein* (« regarder »). ● **DÉF. :** Le théâtre, art du spectacle par excellence, désigne à la fois un genre littéraire et un espace particulier où se donnent des représentations théâtrales ; par extension, le terme renvoie à l'ensemble des productions destinées à la scène d'un auteur (« le théâtre de Hugo »), ou d'une époque (« le théâtre élizabéthain »).

La théâtralité

Une pièce de théâtre est un texte, en prose ou en vers, que disent à haute voix des acteurs sur une scène. Si l'on ne saurait nier que le théâtre puisse se lire « dans un fauteuil », il faut souligner, avec la majorité des dramaturges, qu'une pièce est destinée à être jouée : le théâtre est proprement « re-présentation ». Ce sont des êtres, des objets, des sons qui s'offrent à un public, en un temps et un lieu donnés.

Le théâtre met en présence deux lieux : la scène et la salle. La salle est plongée dans l'obscurité ; la scène est sous les feux des projecteurs. La salle est silencieuse ; la scène, habitée par les mots et les gestes des acteurs. Le public se manifeste par ses rires ou ses larmes, et par ses applaudissements ou ses sifflets à la fin du spectacle. Entre ces deux lieux existe un « mur idéal », car tout se passe comme si les personnages en scène ignoraient que des gens étaient présents pour les voir et les entendre.

L'auteur d'une pièce n'est pas seulement l'écrivain qui a composé le texte : il s'agit d'une création collective, à laquelle participent un metteur en scène, des acteurs, et une équipe de techniciens. Le public, destinataire collectif, est partie prenante de cette création, et Jouvet jugeait, après une représentation, si le public avait été « bon » ou pas.

Au cœur du dispositif théâtral se trouve l'acteur : l'acteur est un corps, une voix, un ensemble de mimiques et de mouvements. Sa présence fait exister le sens du texte : il incarne des êtres auxquels le public doit croire, même s'il sait que se joue devant lui une « illusion comique ».

Le monde du théâtre : imitation ou autonomie ?

Aristote* (384-322 av. J.-C.) formule, dans sa *Poétique*, la clef de voûte du théâtre occidental : la notion de *mimesis* (« imitation »). Le théâtre imite le monde, en ce sens qu'il présente les situations tragiques ou comiques dans lesquelles l'homme est confronté aux grandes questions de sa condition (le sacré, la politique, les passions, le désir, le vice et la vertu...). Le théâtre ne reproduit pas platement les données objectives du monde, il les fait signifier dans une « esthétique* de l'illusion ».

Le théâtre se donne comme un « miroir du monde » et, à partir de la Renaissance*, on se dégage progressivement de l'improvisation pour soumettre le jeu théâtral à un texte, en vers ou en prose. Le théâtre perd alors son caractère populaire (*commedia dell'arte*). Le XVIIe siècle français, âge d'or du théâtre classique*, est dominé par les tragédies* ou les poèmes dramatiques de Corneille (1606-1684) et Racine (1639-1699), et par les comédies* de Molière (1622-1673). Au XVIIIe siècle, l'ambition des auteurs est de mettre en scène le monde bourgeois*, à travers des drames* notamment : le théâtre explore la psychologie des individus* ou des types sociaux ouvrant la voie aux comédies boulevardières, plus banales et plus futiles.

Ce qu'on appelle la « crise du théâtre » date de la fin du XIXe siècle : l'apparition du metteur en scène bouleverse la pratique théâtrale. Les acteurs ne sont plus des récitants ou des cabotins débitant chacun leurs répliques : ils apprennent à jouer ensemble et à construire des personnages et un tissu de relations. Antoine (1858-1943) libère la scène des ficelles de la *mimesis* pour inventer un lieu riche de sens (utilisation des décors, de la musique, des éclairages, des jeux de scène...). Craig (1872-1966) proclame, lui, l'autonomie de la scène, et entend couper le lien avec la réalité extérieure. La scène impose son univers : un plateau nu, un amoncellement de caisses, un ballet de tentures créent un lieu qui n'a pas pour souci de reproduire une réalité référentielle, mais qui est habité par les personnages d'une manière radicalement autre.

Une nouvelle famille d'auteurs va écrire pour ce « nouveau théâtre », de Jarry (1873-1907) et Apollinaire (1880-1918), jusqu'à Beckett (1906-1989) et Koltès (1948-1989). Mais surtout on va aborder le répertoire antérieur dans cette perspective différente : après Coupeau (1879-1949), un quarteron de metteurs en scène audacieux (Jouvet, Dullin, Pitoëff et Baty) contribue, dès 1926, à la rénovation du théâtre. Au lendemain de la Seconde Guerre mondiale*, Vilar crée le festival d'Avignon, sous le signe de la fête populaire.

Luttant contre les résistances des tenants de la tradition, des metteurs en scène qualifiés « d'avant-gardistes » jouent Molière, Marivaux ou Hugo en imposant un nouvel espace et un nouveau langage scéniques : Strehler, Planchon, Vitez ont ainsi donné une vitalité salutaire à des pièces classiques, en bousculant habitudes et préjugés.

Théories et pratiques du théâtre

Qu'est-ce que le théâtre ? Comment écrire pour la scène ? Qu'est-ce qui se joue, et se noue, entre la scène et la salle ? Ces questions, déjà présentes chez Aristote, sont dans l'esprit de tout dramaturge. On n'a cessé de théoriser l'activité théâtrale, et surtout, de la régler.

■ Le théâtre classique

L'époque classique édicte un appareil compliqué de lois, ramassées et formulées avec éclat dans l'*Art poétique* de Boileau (1636-1711). Corneille, dans ses *Examens*, et Racine, dans ses *Préfaces*, analysent et commentent leurs intentions et leurs motivations. Des censeurs zélés, aux XVIIe et XVIIIe siècles, lisent les pièces pour juger de leur conformité aux règles : l'auteur doit respecter les trois unités de temps, de lieu et d'action, et ne doit pas choquer la bienséance.

■ Le théâtre romantique

C'est contre le dogme classique, perçu comme un carcan, que se rebelle la génération romantique*. Le XIXe siècle redécouvre Shakespeare (1564-1616) ; Stendhal (1783-1842) publie son essai *Racine et Shakespeare* en 1823. Quatre ans plus tard, Hugo donne sa préface-manifeste à son drame *Cromwell*, dans laquelle il conteste que les règles aident en quoi que ce soit à l'illusion de vérité et à la vraisemblance. Les dramaturges allemands, que Mme de Staël (1766-1817) a fait découvrir, influencent toutes les scènes d'Europe, et le théâtre connaît une véritable révolution. La représentation du drame de Hugo, *Hernani*, donne lieu, en 1830, à une véritable « bataille », où s'opposent les tenants de la tradition et ceux de la novation. Avec le romantisme, la scène devient le lieu d'un grand spectacle, où s'exhibe le jeu de l'Histoire* et du mythe*, où s'impose « la couleur locale », et où se mêlent, pour Hugo, « le grotesque et le sublime ».

■ Les tentatives naturalistes et symbolistes

À la fin du XIXe siècle, protestant contre le faux-semblant qui caractérise le théâtre de son temps, Zola (1840-1902) veut installer le naturalisme au théâtre. Il appelle de ses vœux un théâtre qui dépeindrait tous les milieux sociaux, mais les créations ne seront pas à la hauteur des ambitions.

Parallèlement, l'idée se développe d'un « théâtre total » (alliant musique, chant, danse), notamment à partir de la fascination exercée par l'opéra* wagnérien. La génération symboliste, avec les perspectives offertes par Mallarmé (1842-1898), rêve d'un théâtre de l'absolu. Claudel (1868-1955) domine la scène et veut « retrouver le théâtre à l'état naissant » : il écrit des pièces démesurées, tant par leur longueur que par leur fougue, où éclatent en majesté « le bruit et la fureur » shakespeariens (*L'Annonce faite à Marie*, 1912 ; *Le Soulier de satin*, 1929).

■ Le renouveau surréaliste

C'est à Breton (1896-1966) qu'on doit de considérer la pièce de Jarry, *Ubu Roi* (1896), comme une œuvre décisive dans l'histoire du théâtre : cette pochade, parodie des drames shakespeariens, a été interprétée comme un véritable « pavé dans la mare des conventions ». Jarry bouscule la scène et le public, et affirme son goût pour les masques et le « comique macabre ». Cette entreprise de transformation du théâtre s'affirme au tournant de la Première Guerre mondiale* : Apollinaire écrit une pièce radicalement nouvelle, *Les Mamelles de Tirésias* (1917), dont l'esprit va considérablement influencer la pratique théâtrale du XXe siècle. Le dadaïsme et le surréalisme* installent le rêve sur la scène, et Vitrac donne avec *Victor ou les Enfants au pouvoir* (1928) une mise en cause radicale du langage.

■ Le « théâtre de la cruauté »

L'« homme-théâtre » du mouvement surréaliste fut assurément Artaud (1896-1948) : cet auteur-acteur-metteur en scène, personnalité déchirée et pathétique, a théorisé le « théâtre de la cruauté ». Il aspire à un théâtre « qui nous réveille, nerfs et cœur », et qui soit « une véritable opération de magie ». Fasciné par les Indiens du Mexique et le théâtre balinais, il veut retrouver « la vieille tradition mythique du théâtre ». Plus que ses créations dramatiques, on retient de son œuvre l'essai *Le Théâtre et son Double* (1938), qui fait du théâtre la « métaphysique* de la parole, du geste, de l'expression ».

■ Le théâtre épique et didactique de Brecht

Les conflits idéologiques* majeurs du XXe siècle ont évidemment eu des répercussions sur l'univers théâtral. La figure dominante est Brecht (1898-1956), qui impose entre 1930 et 1950 son « théâtre épique ». Auteur, théoricien et directeur de troupe (le « *Berliner Ensemble* »), Brecht assigne au théâtre un rôle didactique : ce marxiste* veut que ses pièces fassent naître chez le spectateur une prise de conscience débouchant sur une action politique concrète. Il fonde la notion de « distanciation » (*Verfremdungseffekt*) : selon lui, le spectateur ne doit pas être pris au piège de l'illusion théâtrale, mais conserver une distance par rapport à ce qui se joue sur la scène. Cet appel à la réflexion plus qu'au sentiment ne doit pas faire croire à une œuvre schématique et pesante : Brecht, metteur en scène de l'Histoire et de ses enjeux, sait imposer des pièces fortes et colorées, dont le didactisme ne se réduit pas à l'exposé squelettique d'une thèse (*Maître Puntila et son valet Matti*, 1940, qui renouvelle la dialectique* du maître et du valet ; *La Résistible Ascension d'Arturo Ui*, 1941, qui allégorise la prise du pouvoir par Hitler).

Pirandello et le théâtre dans le théâtre

Le théâtre psychologique est renouvelé de manière profondément originale par l'écrivain italien Pirandello (1867-1936) : les conflits intérieurs, les passions déchirantes, le drame intime du Moi* divisé sont évoqués, chez Pirandello, dans le système dramaturgique du « double ». La scène exhibe ainsi sans cesse une « autre scène », et la représentation de la crise* se conjugue à la crise de la représentation. Pirandello reprend la figure baroque* du « théâtre dans le théâtre », donnant à voir le jeu du miroir et de l'illusion, le vertige de l'être et de l'interprétation (*Six personnages en quête d'auteur*, 1921 ; *Henri IV*, 1922).

Le théâtre engagé

Théâtre et politique se retrouvent associés au lendemain de la Seconde Guerre mondiale : Sartre (1905-1980) plaide pour un théâtre « engagé », où l'intellectuel* utilise la scène pour délivrer un message et toucher les masses. *Les Mains sales* (1948) est une pièce « à thèse », qui pose des questions à la fois idéologiques et philosophiques, révélatrice du « théâtre de situations ». Camus (1913-1960) écrit également pour le théâtre, et son *Caligula* (1945) est marqué par une indéniable puissance tragique.

Le nouveau théâtre

Ionesco (1912-1994), dans les années 1950, s'est opposé avec force au théâtre engagé et intellectuel : il refuse d'instrumentaliser la scène au profit d'un message, et veut promouvoir un authentique retour à l'essence du théâtre. Le langage (*La Cantatrice chauve*), les objets (*Les Chaises*) sont les personnages principaux de ses pièces, qui ne cherchent pas à imposer une thèse, mais à proposer la vision d'un monde absurde* : farces métaphysiques, tragédies de l'homme privé de repères, ses pièces dérangent et fascinent par leur inquiétante étrangeté. Genet (1910-1986), Adamov (1908-1970), Beckett (1906-1989), écrivant à la même époque, sont classés dans ce qu'on a pris l'habitude d'appeler « le nouveau théâtre », où s'expriment, de manière provocatrice, l'aliénation de l'homme moderne, ses angoisses, son mal être. *En attendant Godot* (1953) de Beckett est la plus célèbre de ces pièces désespérées, assenant le vide de l'existence humaine.

ENJEUX CONTEMPORAINS

Culture et société

Il est courant d'entendre que le théâtre, depuis les années 1970, ne connaît plus de grands créateurs : c'est oublier la vitalité des formes nouvelles, qui s'inspirent de l'improvisation, des marionnettes, des drames sacrés, de la danse et de l'opéra. Ariane Mnouchkine redonne ses droits à la fête et fonde le « Théâtre du Soleil », remportant un succès considérable avec ses fresques *1789* et *1793*. Jérôme Savary, héritier de l'esprit de mai 68*, crée le « Grand Magic Circus », joyeusement iconoclaste. L'Anglais Peter Brook veut atteindre « un théâtre immédiat », reposant en priorité sur l'acteur. L'Américain Robert Wilson fait sensation avec *Le Regard du sourd* (1971), pièce qu'il définit comme un « théâtre d'images ». Pourtant, le théâtre apparaît aujourd'hui relativement élitiste, le grand public-consommateur de télévision et de cinéma* ignorant ces créations et restant fidèle au théâtre de boulevard.

● **À CONSULTER :** J. de Jomaron, *Le Théâtre en France*, LGF (1993). G. Dumur, *Histoire des spectacles*, Gallimard, « Pléiade » (1965). A. Ubersfeld, *Lire le théâtre*, Éditions sociales (1981). G. Serreau, *Histoire du nouveau théâtre*, Gallimard (1966). ● **À LIRE :** Hugo, « Préface » de *Cromwell*. Sartre, *Un théâtre de situations*. Artaud, *Le Théâtre et son double*. Ionesco, *Notes et contre-notes*.

● **CORRÉLATS :** absurde ; Aristote ; classique (littérature) ; comédie ; drame ; romantisme ; surréalisme ; tragédie.

TIERS-MONDE

● **ÉTYM. :** Expression créée en 1952 par le démographe français A. Sauvy (1898-1990), à la fois par référence aux deux mondes antagonistes de l'époque (capitaliste et communiste*) et au tiers état français de la société d'ordres de l'Ancien Régime (le troisième ordre, dépourvu de privilèges, alors que la noblesse et le clergé étaient des ordres privilégiés).

● **DÉF. :** L'expression *tiers-monde* (littéralement, « troisième monde ») désigne l'ensemble des pays aussi qualifiés de « sous-développés », « non-industrialisés », ou « en voie de développement ».

Le tiers-monde : de la formule au mythe

L'expression *tiers-monde* est apparue au moment où l'Occident, non sans malaise, a pris conscience de l'inégalité des conditions, à l'échelle planétaire, et du bas niveau de vie de l'écrasante majorité de l'humanité. Elle correspond à la double définition du développement (le modèle occidental) et du sous-développement (les civilisations traditionnelles) ; d'emblée, elle s'est trouvée chargée de connotations idéologiques*.

Le marxisme*, qui jouissait alors d'un grand crédit dans l'élite intellectuelle* européenne, particulièrement en France, y a vu la démonstration des méfaits du capitalisme sous sa forme impérialiste (son aboutissement, selon Lénine).

La nécessité d'aider au développement du tiers-monde est apparue, aux courants chrétiens, un devoir de solidarité et, aux libéraux anticommunistes, à la fois un facteur de croissance pour le monde développé (un peu à la manière du plan Marshall) et le moyen le plus sûr de détourner les populations des pays pauvres de la tentation communiste.

La fortune du concept de tiers-monde est contemporaine, d'autre part, de la décolonisation. Il est alors tentant de voir dans les mouvements d'émancipation, qui provoquent à l'époque la ruine des empires coloniaux*, l'expression d'une révolte générale des pauvres contre les nantis dominateurs. Cette démarche contribue pour beaucoup à l'établissement d'un mythe* du tiers-monde, porteur des valeurs* révolutionnaires, à la manière dont le prolétariat industriel du XIXe siècle en avait été investi. Cette approche imprègne l'œuvre célèbre du médecin antillais F. Fanon (1925-1961), *Les Damnés de la terre* (1961) : elle achève de concrétiser la métaphore originelle qui assimilait le tiers-monde au tiers état français de 1789.

Elle explique sans doute aussi la manière dont les intéressés s'approprient eux-mêmes le concept, à la Conférence afro-asiatique de Bandoung (1955), dominée par les fortes personnalités de l'Indien Nehru (1889-1964), de l'Indonésien Sukarno (1901-1970) et de l'Égyptien Nasser (1918-1970), figures emblématiques de la lutte anticoloniale.

Peu après, l'Organisation des pays non-alignés, qui se posent en dehors de la guerre froide* et ne s'estiment engagés ni du côté américain ni du côté soviétique, semble donner au tiers-monde une réalité politico-diplomatique.

Celui-ci s'élargit, d'autre part, en intégrant les pays d'Amérique latine après la révolution castriste à Cuba. En 1966, la Conférence tricontinentale de La Havane se présente comme le front uni du tiers-monde face à l'impérialisme.

Nous sommes alors à l'apogée du concept idéologique de tiers-monde, qui obtient l'appui de tout un courant intellectuel de gauche* dans le monde développé. Les tiers-mondistes voient dans la lutte des pays pauvres l'acte premier de la révolution* anticapitaliste ; ils font de son soutien un devoir militant, ils exaltent des figures héroïques comme le « Che » Guevara (1928-1967), ancien compagnon de Castro tombé en Bolivie, où il participait à la guérilla.

De 1967 à 1975, cette conviction sous-tend, aux États-Unis et dans le reste de l'Occident, la lutte menée contre la guerre que l'armée américaine poursuit au Vietnam. Ainsi, la prise de Saïgon par les Nord-Vietnamiens, en 1975, apparaît comme la victoire du tiers-monde.

Du mythe aux réalités contrastées

La réalité est moins romantique et elle va se révéler au cours des années 1980. Certes, le tiers-monde existe et l'écart entre pays riches et pays pauvres ne cesse de s'approfondir, mais cet ensemble est très divers et il n'y existe ni convergence d'intérêts ni communauté d'objectifs.

Si l'expression est commode, on s'aperçoit qu'elle ne recouvre rien de précis. Certains pays, naguère classés dans le tiers-monde, ont connu un développement si rapide qu'ils concurrencent maintenant le monde industriel (ce sont les « dragons » de l'Asie du Sud-Est). D'autres amorcent plus lentement, mais de manière significative, une évolution originale et positive (« pays émergents » de l'Amérique latine). Dans le monde musulman, où monte l'exclusivisme religieux, certains États*, bénéficiant de la rente pétrolière, comptent parmi les pays les plus riches du monde, alors que d'autres sont débordés par leurs problèmes sociaux. L'Afrique sub-saharienne, dans sa quasi-totalité, s'enfonce dans la misère et le chaos. L'effondrement du communisme ajoute à la confusion, achevant de vider de sens l'expression *tiers-monde* puisqu'il n'en existe plus de deuxième.

Une nouvelle carte géopolitique se dessine. Elle confronte de manière incertaine le Sud au Nord, sans qu'on sache très bien s'il s'agit d'un Sud famélique, surpeuplé, privé de toute perspective d'avenir ou d'un Sud culturellement non-occidental, récusant les valeurs d'un Nord identifié au groupe hégémonique des sept pays les plus riches du monde (le G7), tous relevant, Japon compris, du modèle culturel conçu par l'Occident.

Cette conjoncture commande la nouvelle problématique. En Occident, l'idéologie tiers-mondiste décline rapidement, déçue et effrayée par l'aggravation du désordre et la montée des fanatismes religieux hostiles aux idées de démocratie*, de droits de l'homme*, d'émancipation de la femme, de liberté de penser... L'idée grandit que les conflits à venir pourraient opposer des systèmes culturels, comme le prédit l'Américain Huntington (*cf.* Aire culturelle).

Certains évoquent l'Empire romain* entouré de Barbares menaçants, tandis que se répandent les fantasmes d'immigration massive et incontrôlable, ou de terrorisme aveugle. La nécessité même d'aider au développement du tiers-monde résiste mal quand des transferts industriels vers les pays sous-développés, les « délocalisations », font baisser le prix de la main-d'œuvre et privent d'emplois les travailleurs du monde développé.

ENJEUX CONTEMPORAINS

Relations internationales

En cette fin du XXe siècle, la confusion autour du tiers-monde occulte peut-être l'interrogation essentielle : le sous-développement existe bien, il s'aggrave même ; il est intolérable et dangereux. Mais, tel qu'il est, le modèle de développement occidental, celui auquel aspirent les pays sous-développés même quand ils récusent les valeurs qui le sous-tendent, ne peut en aucun cas être étendu à la terre entière : il en épuiserait très rapidement les ressources et créerait d'insolubles problèmes écologiques*.

Là est la vraie question. La fin du sous-développement, la disparition de ce qu'on appelle encore par commodité le « tiers-monde », passe par l'élaboration d'un modèle différent de développement, encore à inventer.

● **À CONSULTER :** Y. Lacoste, *Géographie du sous-développement*, La Découverte (1984). E. Jouve, *Le Tiers-monde*, PUF (3e éd., 1996). P. Bairoch, *Le Tiers-monde. L'impasse*, Gallimard (1992). S. Brunel, *Le Sud dans la nouvelle économie mondiale*, PUF (1995). E. Latouche, *La Planète des sacrifiés*, La Découverte (1993). P. Boniface, *Atlas des relations internationales*, Hatier (1997). ● **À LIRE :** F. Fanon, *Les Damnés de la terre*. ● **À VOIR :** L. Malle, *Calcutta*. O. Sembène, *Le Mandat*.

● **CORRÉLATS :** aire culturelle ; colonisation ; Découvertes (Grandes) ; droits de l'homme ; écologie ; guerres mondiales ; institutions internationales ; nationalisme ; systèmes économiques.

TOLÉRANCE

● **ÉTYM. :** Du latin *tolerare* (« porter, supporter »). ● **DÉF. :** Le terme *tolérance* apparaît en français au XVIe siècle, au cours des guerres de Religion* qui déchirent la France. Par l'« édit de tolérance » (1562), Catherine de Médicis accorde aux protestants le libre exercice de leur religion.

C'est au XVIIIe siècle que le mot connaît une importance considérable, avec la lutte menée par les philosophes des Lumières* contre tous les fanatismes.

Tolérer signifie « supporter », et par conséquent « accepter » : l'homme tolérant est celui qui est capable, au nom de la raison et de la morale*, d'accepter que l'autre ait une opinion ou une conviction différente de la sienne et qu'il puisse la manifester. Voltaire (1694-1778), auteur d'un *Traité sur la tolérance* (1763), affirmait ainsi : « Je ne suis pas de votre avis, mais je me battrai pour que vous puissiez l'exprimer. » Dans son *Dictionnaire philosophique* (1764), il consacre un article entier au mot *tolérance*. Le credo voltairien, repris et développé tout au long des XIXe et XXe siècles, notamment par Stuart Mill, fait de la tolérance la condition essentielle du progrès* scientifique et social, ainsi que du développement moral et spirituel de l'individu*. L'idée de tolérance, sur quoi repose l'idéal démocratique*, n'est pas exempte d'ambiguïtés. Le respect de la différence ne saurait être assimilé à un pur et simple scepticisme* qui affirmerait que, la vérité étant inconnaissable, tout doit être par conséquent admis et toléré. Un relativisme caricatural pourrait faire de la tolérance une règle absolue, postulant que toute opinion est recevable, car rien ne saurait exister dans l'absolu. Enfin, on ne saurait se déclarer tolérant en fonction d'un parti pris d'indifférence.

ENJEUX CONTEMPORAINS

Démocratie

Locke (1632-1704), dans sa *Lettre sur la tolérance* (1689), souligne que poser la tolérance, c'est poser les limites. Le XXe siècle, porteur d'horreurs politiques et idéologiques, nous conduit à penser que tout n'est pas, par définition, tolérable : comment tolérer l'intolérable ? Comment pourrait-on, au nom des principes de liberté et de pluralisme, tolérer le nazisme* dont l'idéologie* avouée est de mépriser et même d'anéantir une fraction de l'humanité ? Au procès de Nuremberg (1946), les démocraties ont clairement condamné cette idéologie pour « crime contre l'humanité ». Le danger qui guette l'apôtre inconditionnel de la tolérance est de devenir un « fanatique » de la tolérance.

● **À CONSULTER :** Revue « Esprit », *Suffit-il d'être tolérant ?* (août-sept. 1996). ● **À LIRE :** Locke, *Lettre sur la tolérance*. Voltaire, *Dictionnaire philosophique*.
● **CORRÉLATS :** démocratie ; idéologie ; individu ; islam ; Lumières ; morale ; progrès ; Religion (guerres de) ; scepticisme ; valeurs.

TOTALITARISME

● **ÉTYM. :** De l'italien *totalitario*, créé en 1923 pour dénoncer le fascisme*, repris à son compte par Mussolini (1883-1945) en 1925 (*stato totalitario*, « État* totalitaire »).
● **DÉF. :** Le totalitarisme désigne un système politique non démocratique caractérisé par une idéologie* officielle, un parti unique de masse, la terreur policière et un contrôle centralisé direct ou indirect de l'économie.

Les formes du totalitarisme

Faisant d'une critique la définition même de son projet d'État, Mussolini a introduit dans le vocabulaire politique un mot nouveau. Parallèlement, Gentile (1875-1944), l'idéologue du fascisme*, parle « d'État total » où État et société* se confondent, idée reprise quelques années plus tard en Allemagne par le juriste nazi* K. Schmitt (1888-1966) qui oppose au pluralisme libéral « une identité totale de l'État et de la société ». Le concept de totalitarisme, par ses origines, semble donc caractériser les dictatures populistes* conservatrices de l'entre-deux-guerres, dont le fascisme italien est le prototype.
Mais, dès les années 1930, des critiques du communisme soviétique* l'ont appliqué au régime stalinien : en conséquence, la notion s'élargit à toute forme de système à parti unique où l'hypertrophie du pouvoir de l'État est légitimée par une idéologie officielle, quelle qu'elle soit. Cette thèse, postulant un caractère totalitaire commun au fascisme, au nazisme et au communisme soviétique, a été brillamment développée par l'historienne et politologue allemande H. Arendt (1906-1975), réfugiée aux États-Unis, dans son livre *Les Origines du totalitarisme* (1951).

Le débat sur le totalitarisme

Ce rapprochement entre fascismes et communisme a donné lieu à de vives polémiques qui ont rebondi en France, en 1997, à l'occasion de la publication d'un ouvrage collectif sur les politiques de terreur communistes (*Le Livre noir du communisme*).

Même lorsqu'ont été connues les réalités de la dictature stalinienne et admises les convergences dans les méthodes employées, intellectuels* et politologues proches du marxisme* ont malgré tout fait valoir une différence de nature, posée comme fondamentale, et tenant aux objectifs poursuivis initialement par les deux systèmes. Le communisme aurait eu, à ses origines, des intentions positives et émancipatrices, alors que fascisme et nazisme représenteraient d'emblée des idéologies régressives et inhumaines. Cette approche a été vivement critiquée par les historiens libéraux et qualifiée de complaisante au nom d'une simple évidence : il n'y a pas de camps de concentration positifs ou négatifs !

Plus aiguë a été la critique d'autres chercheurs soulignant le caractère trop général du concept de totalitarisme. Celui-ci, à leurs yeux, ne permet pas de rendre compte des nombreuses différences existant entre les régimes et les idéologies incriminés, ainsi que de leur évolution spécifique. S'arrêtant aux apparences (les formes extérieures de gouvernement), il néglige les conditions historiques qui ont présidé à l'avènement des dictatures.

Cette dernière critique est pertinente, mais il n'en demeure pas moins que le XXe siècle a vu coexister deux formes d'État parfaitement antithétiques : la démocratie* représentative, pluraliste et libérale, et des systèmes autoritaires affirmant l'unité de la société et de l'État, refusant la pluralité des opinions, la réprimant par la violence, et instaurant sur la base du parti unique le pouvoir d'une oligarchie. Quelles qu'aient été les idéologies invoquées, celles-ci ont pour point commun d'avoir prétendu décrypter le sens de l'Histoire* et d'avoir proclamé la supériorité de la collectivité (race, nation ou classe) sur l'individu* ; elles n'ont d'autre part accepté ni contestation ni alternative.

L'adjectif *totalitaire*, par opposition au système « ouvert » qu'est la démocratie, définit un système clos écrasé par un discours univoque, ce que l'historien français A. Besançon a nommé l'« idéocratie ». Pris en ce sens, *totalitaire* échappe à une acception étroite et peut même être appliqué à des situations historiques diverses, dans l'espace et le temps. Ainsi, des historiens ont qualifié de « totalitaire » le gouvernement de l'Empire romain* chrétien de la basse Antiquité* ou, hors d'Europe, celui de l'Empire précolombien des Incas, au Pérou.

● **À CONSULTER :** C. Polin, *Le Totalitarisme*, PUF (3e éd., 1994). H. Arendt, *Les origines du totalitarisme*, Payot (rééd., 1990). R. Aron, *Démocratie et totalitarisme*, Gallimard (1987). C. David, *Hitler et le Nazisme*, PUF (13e éd., 1993). P. Guichonnet, *Mussolini et le Fascisme*, PUF (8e éd., 1993). J.-J. Marie, *Staline*, PUF (1995). N. Werth, J.-L. Panné, A. Paczkovski, K. Bartosek, J.-L. Margolin, *Le Livre noir du communisme*, Robert Laffont (1997).
● **À LIRE :** Orwell, *1984*.
● **CORRÉLATS :** communisme soviétique ; contemporaine (Époque) ; démocratie ; droits de l'homme ; espace public ; fascisme ; guerres mondiales ; Marx et le marxisme ; nationalisme ; national-socialisme (nazisme) ; Révolution russe ; utopie.

TRAGÉDIE

● **ÉTYM. :** Du grec *tragôidia*, composé de *tragos* (« bouc ») et de *ôidê* (« chant »), qui désigne le chant accompagnant le sacrifice du bouc à Dionysos, lors de cérémonies religieuses qui rassemblaient l'ensemble de la cité dans la Grèce antique*. L'époque moderne n'a gardé de cette dimension religieuse originelle que la terreur sacrée que suscite l'action tragique. ● **DÉF. :** La tragédie est un genre théâtral dit « sérieux », dans lequel le héros est confronté à des forces qui, immanquablement, l'écraseront à la fin de la pièce.

La *catharsis*

Chaque année, les cités grecques organisaient des concours tragiques : Platon* (427-347 av. J.-C.) affirme que plus de trente mille personnes pouvaient y assister. L'ensemble de la cité jouait là son unité ; les citoyens pauvres étaient pris en charge par la communauté et même les métèques assistaient aux cérémonies. Alors que Platon propose dans *La République* de chasser les poètes et particulièrement les poètes tragiques de la Cité parfaite, Aristote* (384-322 av. J.-C.) accorde une place au tragique dans sa philosophie. Son ouvrage *La Poétique* propose cette définition du héros tragique : « Un homme qui, sans être incomparablement vertueux et juste, se retrouve dans le malheur, non à cause de ses vices ou de sa méchanceté, mais à cause de quelque erreur » (XIII).

Personnage ambigu et voué au malheur, le héros tragique nous inspire à la fois de la crainte (car il n'est pas assez innocent pour qu'on s'indigne de le voir sombrer) et de la pitié (car il n'est pas assez coupable pour qu'on s'en réjouisse). Suscitant la crainte et la pitié, le spectacle tragique doit provoquer en nous, ajoute Aristote, une « purgation » (en grec, *catharsis*) de ces deux passions.

On s'est souvent demandé comment il convient d'interpréter cette *catharsis*. Faut-il lui donner un sens éthique*, et soutenir, par exemple, que le spectacle des conséquences funestes des passions nous en guérit ? Ou plutôt, comme le pense Lessing (1729-1781), que les passions sont contenues dans leur juste mesure lorsqu'on leur ménage une adéquate satisfaction ? Faut-il, conformément à l'origine du mot *catharsis*, insister sur le caractère médical de la purgation des passions ? Ni purement éthique, ni purement médical, le concept de *catharsis* est avant tout esthétique*. Partant du principe que nous éprouvons du plaisir à l'imitation (*mimesis*) de ce qui nous est pénible dans la réalité, Aristote voit dans le spectacle tragique l'occasion d'une transposition, sur le mode de l'imaginaire, de ces deux passions pénibles que sont la crainte et la pitié, et par conséquent le lieu d'une libération esthétique.

La plupart des arguments de tragédies sont empruntés aux mythes*, particulièrement à l'histoire de familles maudites : les Atrides et les Labdacides (Œdipe*, Antigone*...), experts en meurtres sanglants et actions monstrueuses (tel faire manger à un père ses propres enfants...). Le pire – la démesure, l'*hubris* tragique – est exhibé et sanctionné : les actions qui perturbent l'ordre du monde ou prétendent faire dépasser à l'individu* les limites de l'humain. La tragédie pose donc, à travers la représentation du conflit entre des êtres d'exception et des forces qui les dépassent (le destin, les dieux), une question ontologique : qu'est-ce qu'être un homme ?

La représentation antique

Aristote définit la tragédie comme une « imitation » (*mimesis*). La *mimesis* s'oppose à la *poïêsis* (« action de faire »), comme la représentation donnée par des personnages en action s'oppose au récit, propre à l'épopée*. Les acteurs, tous masculins, au nombre de trois chez Sophocle (le protagoniste jouant le rôle principal, les deux autres se partageant les autres rôles), portaient des masques, qui jouaient le rôle de porte-voix, et dont les couleurs, les formes étaient des indications symboliques. Les robes étaient somptueuses, les *cothurnes* (chaussures surélevées et montantes) contribuaient à la gestuelle hiératique, fortement stylisée, des personnages, propre à mimer l'action « de caractère élevé ». Les acteurs se déplaçaient sur le *proscenium*, estrade étroite appuyée sur un bâtiment rudimentaire. L'espace de jeu dominait ainsi de quelques mètres l'*orchestra*, cercle délimité par les gradins disposés en hémicycle qui dessinent l'amphithéâtre. Là évoluait le chœur, souvent guidé par le *coryphée*.

Les tragédies grecques, en effet, se structurent autour de l'alternance entre les parties jouées par les acteurs, composées en vers réguliers, et les morceaux lyriques, à la métrique complexe, chantés et dansés par le chœur. Ainsi se joue une sorte de dialogue entre le mythe représenté par les acteurs et la cité qui l'interroge. Le critique W. Nestle a montré comment, dans la tragédie, le mythe est regardé, interrogé, commenté par le chœur, figure relais des citoyens. La tragédie pose la question du politique et notamment, plus encore que la question de l'exercice de la justice humaine, celle de la place que la cité peut accorder aux destinées individuelles. Ainsi l'*Œdipe roi* de Sophocle (≈ 496-406 av. J.-C.) pose-t-il la question du danger représenté par le « tyran » (au sens grec du terme, c'est le guide que s'est choisi la cité, un roi légitimé par ses hauts faits, et non par sa dynastie). Car le tyran entraîne avec lui, dans sa chute, la cité : si les Dieux le maudissent, c'est Thèbes qui est frappée de la peste. Sophocle, en représentant le mythe, conduit un éloge de la démocratie*.

À l'univers d'Eschyle (525-456 av. J.-C.), marqué de la compénétration de l'humain et du divin, s'oppose le monde de Sophocle dans lequel l'homme n'accède à la connaissance de soi, à la vérité et à la grandeur que dans la reconnaissance de l'abandon divin, de sa propre déréliction. Euripide (≈ 480-406 av. J.-C.) crée un tragique qui nous est plus familier : celui du conflit, interne ou externe, un tragique de la protestation dont le Romain Sénèque (≈ 4 av. J.-C. - 65 ap. J.-C.), expert en *pathos*, et après lui, Shakespeare (1564-1616) et le drame élisabéthain furent les héritiers.

La tragédie française

Le genre tragique fut redécouvert en France par la génération humaniste*, grâce notamment à la relecture de l'*Art poétique* d'Horace (65-8 av. J.-C.). La tragédie française garde du modèle antique la volonté de représenter la confrontation de l'homme avec ce qui le dépasse. Au XVIe siècle, la tragédie est surtout un genre édifiant, truffé de sentences, de maximes morales* dont l'alexandrin favorise la mémorisation. Il faut retenir particulièrement *Les Juives* de Garnier (1554-1590) où le tragique se sublime dans l'espérance messianique, où la force du destin a pris le nom de « Providence ». Les tragédies humanistes, de Jodelle (1532-1573) à Garnier, avaient préservé l'existence du chœur que les classiques*, Corneille (1606-1684) et Racine (1639-1699), oublieront jusqu'aux dernières tragédies bibliques de Racine, *Esther* (1689) et *Athalie* (1691), composées à la demande de la très pieuse Mme de Maintenon (1635-1719). C'est le XVIIe siècle qui voit en France le triomphe du tragique. Pour *Le Cid* (1637), Corneille hésite certes entre les appellations de « tragi-comédie » ou de « tragédie », à la fois parce qu'il reste proche de l'inspiration baroque* (par la puissance du romanesque, le caractère mouvementé de l'action, voire l'espagnolisme de l'intrigue), et parce que son sens du tragique est nuancé par une foi dans l'homme, un véritable optimisme politique qui lui interdit la fin funeste propre au genre tragique. Dans *Le Cid*, comme dans *Cinna ou la clémence d'Auguste* (1642), la fin heureuse est due à l'intervention du Prince, soucieux de réconcilier les valeurs* individualistes de l'aristocratie et la puissance royale : Corneille écrit dans une période troublée, celle de la Fronde. L'exaltation des valeurs du sang, celles-là mêmes qui permettent à Rodrigue de se dépasser, de se sublimer, d'atteindre à la grandeur que lui promet sa « race » et de devenir le Cid, fait du tragique cornélien une forme d'« héroïsation » : les âmes fortes deviennent ce qu'elles sont, réalisant l'unité de l'être, de l'apparaître et du faire. Ainsi certaines figures se sacrifient-elles à leur idéal religieux, comme le martyr Polyeucte dans la pièce du même nom (1643), ou font-elles la douloureuse mais exaltante expérience du dépassement heureux du dilemme tragique (la confrontation de l'amour au devoir), faux conflit dans la mesure où l'amour chez Corneille est lié à l'estime et à l'admiration : Chimène ne saurait aimer un Rodrigue sans « cœur », c'est-à-dire sans courage.

Le tragique cornélien, pourtant, n'est pas seulement optimiste. Dans *Horace* (1640), le héros découvre ce que l'on peut appeler la malédiction originelle, celle qui fait de tout homme un fils de Caïn, un meurtrier de son frère. Horace, choisi comme champion par Rome en guerre contre Albe, obligé donc par devoir de combattre à mort son ami, son presque frère Curiace, ne croira que provisoirement pouvoir renoncer à la part privée de son être : sa sœur Camille, en le contraignant à la tuer, lui fera éprouver les affres de l'indignité. On approche ici ce qui sera le motif tragique du Grand Siècle : une approche pessimiste, notamment sous l'influence janséniste, du dogme chrétien du péché originel. L'univers racinien est habité par cette obsession du mal inhérent à la condition humaine, par cette force destructrice des passions propres à susciter une « fureur » ou « folie » tragique (telle celle d'Oreste dans *Andromaque*, 1667). Le héros racinien est souvent confronté à sa propre monstruosité, et choisit de s'y livrer (tel Néron dans *Britannicus*, 1669 ; ou Phèdre, 1677).

La tragédie racinienne est, à l'époque, devenue le modèle tragique. Boileau (1636-1711) exalte la rigueur classique de sa composition, de sa conception : respect des bienséances, règle des trois unités (de temps, de lieu et d'action). On aurait tort pourtant de considérer la « simplicité », voire la nudité tragique comme la vérité racinienne. La puissance des passions qui possèdent les « monstres » raciniens ne saurait en effet s'accommoder de trop de bienséances. La force des tragédies raciniennes vient peut-être de ce qu'un souffle baroque sourd sous la rigueur de la composition,

et entre en tension avec lui : la machine infernale est implacable, mais elle est commandée par de l'innommable, un « je-ne-sais-quoi ».
La tragédie, portée sans doute à son plus haut point de perfection comme genre par Racine, ne donne bientôt plus en France que des œuvres de peu de valeur ou dont l'appartenance au genre est bien suspecte. La fin du Grand Siècle voit triompher le théâtre* comme spectacle, les « tragédies en musique » de Quinault (1635-1688) tenant plus du spectacle musical que de la tragédie. Les tragédies de Voltaire (1694-1778) au siècle suivant sont peu convaincantes : le drame* bourgeois ou la comédie* sérieuse deviendront les genres propres à exprimer les interrogations de l'époque, le drame romantique, sous influence shakespearienne, prenant le relais au XIXe siècle.

Le tragique en philosophie

■ Tragique ancien et tragique moderne selon Kierkegaard

Dans *Ou bien... ou bien...* (1843), Kierkegaard (1813-1855) consacre un chapitre au rapport entre le « tragique ancien » et le « tragique moderne ». La différence essentielle, selon lui, concerne la nature de la souffrance tragique. Lorsque Antigone, dans la tragédie de Sophocle (496-406 av. J.-C.), décide de passer outre à l'interdiction d'enterrer son frère, son acte est un écho du funeste destin de son père Œdipe, la dernière conséquence de la fatalité qui poursuit une famille marquée par la fureur des dieux. Cette fatalité est pour Antigone, comme l'air qu'elle respire, une donnée immuable. Jamais elle n'accède à la réflexion qui lui en révélerait le caractère scandaleux : pourquoi cela m'arrive-t-il à moi ? Tout différent est le personnage de Hamlet dans la pièce de Shakespeare (1564-1616). Il soupçonne le crime de sa mère, il connaît le doute et l'angoisse. Antigone vit dans la peine, Hamlet dans la douleur.
Selon la théorie de Kierkegaard sur les « stades de l'existence » (stade esthétique, stade éthique, stade religieux), le tragique ancien est plus proche du stade esthétique : la peine tragique d'Antigone est une donnée immédiate et actuelle. Le tragique moderne se rapproche du stade éthique par sa réflexion sur la faute, son intériorisation de la culpabilité. Mais qu'il soit ancien ou moderne, le tragique reste éloigné de ce que Kierkegaard appelle le « stade religieux ». Dans *Iphigénie en Aulis* d'Euripide (480-406 av. J.-C.), Agamemnon est un héros tragique : sa décision de sacrifier sa fille Iphigénie fait l'objet d'un conflit intime, où s'affrontent des mobiles explicites (amour paternel, salut de la Cité, soumission aux dieux). Mais lorsque, dans la Bible* (*Genèse*, XXII), le Seigneur ordonne à Abraham de sacrifier son fils Isaac, à l'encontre de tout mobile explicite, l'obéissance silencieuse d'Abraham fait de lui un « chevalier de la foi », non un héros tragique (*Crainte et tremblement*, 1843).
Ainsi, le tragique selon Kierkegaard est encore lié à la parole et à l'argumentation : ce n'est donc pas dans l'œuvre du philosophe danois que se noue le conflit entre le tragique et la raison.

■ Naissance et renaissance de la tragédie selon Nietzsche

Ce conflit va prendre tout son sens chez Nietzsche* (1844-1900), comme une forme exacerbée de ce qu'il nomme « la véritable antithèse » : l'opposition entre les valeurs* qui affirment, glorifient et exaltent la vie, et celles qui nient la vie, la calomnient et la mettent en accusation. Nietzsche repère un dénigrement systématique de la vie, une « volonté de vérité » proprement suicidaire, dans tout le rationalisme issu de Socrate, c'est-à-dire dans la majeure partie de la philosophie, de la métaphysique* et de la science d'Occident. La tragédie incarne selon lui l'extrême opposé : elle est « l'art suprême dans l'approbation de la vie ».
Le premier ouvrage publié par Nietzsche s'intitule *La Naissance de la tragédie* (1872). Le tragique y est soumis à un double éclairage. Nietzsche décrit d'abord le héros tragique comme un homme qui plonge un vrai regard dans l'essence des choses, découvre ce que l'existence présente d'horrible et d'absurde*, et en éprouve un dégoût fatal. Alors intervient l'art, comme un magicien sauveur : en transmuant l'horreur et l'absurdité en belles représentations, il nous sauve du dégoût et rend la vie possible. On comprend ainsi pourquoi la tragédie grecque doit être placée sous la double invocation de Dionysos et d'Apollon : d'un côté, le dieu de l'ivresse et de l'extase mortelle ; de l'autre, le dieu du rêve et des belles formes, apaisées et sereines.

Cette théorie fait de la tragédie un art de « consolation métaphysique ». Certes, Nietzsche rejette la conception aristotélicienne d'une purgation des passions, mais il maintient, dans ce premier livre, l'idée d'une « mise à distance » du contenu tragique dans la tragédie. L'évolution de sa pensée va le conduire à renier la notion de consolation. La vie, soutiendra-t-il, n'a pas à être justifiée ou sauvée pour le mal qu'elle comporterait. Loin d'avoir besoin de consolation, le tragique est la découverte que la vie est innocente, que le devenir, avec son cortège de destructions, est innocent, que l'horrible et l'absurde sont innocents, que tout cela est digne d'être affirmé joyeusement et sans arrière-pensée. La seule et unique divinité emblématique est alors Dionysos, dieu de l'affirmation par-delà tout besoin de consolation.
Formulant ainsi la notion du tragique, Nietzsche pense être en droit de se qualifier lui-même de « premier philosophe tragique », initiateur en philosophie d'une « sagesse tragique », et même prophète d'une renaissance de la tragédie : « Je promets la venue d'une époque tragique » (*Ecce Homo*, 1888).

ENJEUX CONTEMPORAINS

Littérature et société

J.-M. Domenach a parlé d'un « retour du tragique » au XXe siècle. Pendant et après la Seconde Guerre mondiale*, certains écrivains se plaisent à écrire des pièces dont les sujets sont empruntés à l'histoire antique et peuvent faire résonner des questions qui, sous l'Occupation, sont brûlantes : on pense à la très controversée *Antigone* (1944) de Anouilh (1910-1987) ou aux *Mouches* (1943) de Sartre (1905-1980). Ce sont cependant plus des pièces qui interrogent le genre tragique que des tragédies à proprement parler.
Le vrai esprit tragique se retrouvera en revanche chez Cocteau (1889-1963) dans *La Machine infernale* (1934), et surtout chez Beckett (1906-1989) qui, avec *En attendant Godot* (1953) ou *Fin de partie* (1956), met en scène des figures d'humanité déchue, confrontées à l'absurdité d'une condition humaine qui n'a pas de sens, pas de but, qui attend la mort, la fin, ou une image dégradée du divin : un « God » devenu Godot. La tragédie trouve alors les accents de la farce métaphysique.

● **À CONSULTER :** C. Biet, *La Tragédie*, Armand Colin (1997). J.-M. Domenach, *Le Retour du tragique*, Seuil (1967). J. Scherer, *La Dramaturgie classique*, Nizet (1983). ● **À LIRE :** P. Bénichou, *Morales du Grand Siècle*, Gallimard (1988). R. Barthes, *Sur Racine*, Seuil (1963). Nietzsche, *La Naissance de la tragédie*.
● **CORRÉLATS :** absurde ; Antigone ; Aristote ; Bible ; classique (littérature) ; comédie ; drame ; esthétique ; éthique ; mythe ; Nietzsche ; Œdipe ; Platon ; Prométhée ; théâtre.

TRAVAIL

● **ÉTYM. :** Du bas latin *tripalium* (« instrument de torture à trois pieux »). ● **DÉF. :** D'abord associé à la fatigue, à la peine, à la douleur (de l'enfantement en particulier), le mot *travail* a pris, à partir du XVe siècle, le sens spécifique d'« activité productive ».

La division du travail

Dans la pensée grecque, et chez Platon* (427-347 av. J.-C.) en particulier, la philosophie du travail est avant tout une philosophie du métier, de la compétence propre. Le livre II de *La République* contient ainsi une justification de la division sociale du travail, présentée comme étant le principe même de la cité. La question n'est pas, pour Platon, de savoir si le travail doit être divisé ou pas : il l'est indéniablement, par nature, puisque même la tâche la plus simple exige que certaines opérations distinctes soient ordonnées dans le temps. La question est de savoir si cette division doit être individuelle (chacun subvenant à tous ses besoins en se faisant tour à tour agriculteur ou forgeron) ou sociale (chacun se consacrant à son métier, au service des autres, et bénéficiant du travail des autres). Ce qui justifie, aux yeux de Platon, la division sociale, c'est d'abord la diversité des aptitudes individuelles, par laquelle chacun est comme « naturellement » voué à un métier particulier, et ensuite la nécessité, pour qui veut mener à bien n'importe quel travail, de ne pas manquer les opportunités d'action que lui impose l'objet travaillé, ce qui exige une soumission totale à cet objet.

Travail et valeur : la naissance de l'économie politique

Pour que la notion abstraite de travail s'impose, il faut d'abord que soit reconnue l'égalité de tous les travaux, considérés comme des formes du travail « humain », et par conséquent l'égalité des hommes. Fondée sur le travail des esclaves, la société antique ne peut être le lieu de cette reconnaissance. Aristote* (384-322 av. J.-C.), qui justifie l'esclavage* au livre I de sa *Politique*, est naturellement incapable de repérer le travail humain comme mesure universelle des valeurs* entre des marchandises différentes, lorsqu'il s'interroge, dans l'*Éthique à Nicomaque*, sur le principe de la justice dans les échanges (V, 8).

Reconnaître le travail humain indistinct, c'est mettre l'accent sur le travail comme réalisation, accomplissement : on ne voit plus en lui une soumission de l'homme à l'objet, mais au contraire une expression de l'homme. Cette idée, répandue notamment par la Réforme* protestante, apparaît dans le *Traité du gouvernement civil* (1690) de Locke (1632-1704) : par le travail, le droit absolu de chacun sur sa propre personne (sa « propriété » au sens large) s'étend aux choses auxquelles il imprime sa marque : la terre qu'il laboure, le matériau qu'il transforme en objet utile. C'est le travail qui arrache la chose à cet état originaire où elle appartient indistinctement à tous, et qui fonde le droit de propriété individuelle.

Cette marque humaine, que le travail imprime sur les choses, est ce qui les transforme en marchandises, susceptibles d'être échangées selon leur valeur, en fonction de la quantité de travail nécessaire pour les produire. Telle est la thèse centrale des fondateurs de l'économie politique : Smith (1723-1790) dans ses *Recherches sur la nature et les causes de la richesse des nations* (1776), et Ricardo (1772-1823) dans les *Principes de l'économie politique et de l'impôt* (1817)

La formation par le travail selon Hegel

Si le travail est une réalisation de l'homme, il permet à l'homme de se reconnaître dans ses œuvres. Alors que la conscience que chacun prend de soi-même est d'abord intime, étrangère à autrui, cette reconnaissance de soi grâce au travail peut être universelle : dans le monde commun qu'ils construisent en travaillant, les hommes se reconnaissent mutuellement. Et puisque la conscience de soi est l'essence de l'homme, on peut dire que le travail élève l'homme à sa véritable humanité, en transformant une simple certitude intime en vérité reconnue. Soutenue par Hegel* (1770-1831) dans le chapitre IV de la *Phénoménologie de l'Esprit* (1807), cette thèse forme le noyau de la dialectique* du maître et de l'esclave. Certes, l'homme qui travaille doit se soumettre patiemment à la loi de l'objet. Comparé au désir de consommation immédiate, le travail apparaît comme un « désir retardé », et c'est bien ce retard qui fait souffrir le travailleur. Mais c'est ce retard également qui le forme. Le travail est universellement formateur : il donne forme humaine à notre désir, en le distinguant de la consommation animale ; il nous inscrit dans la permanence de l'œuvre, et permet ainsi une véritable histoire humaine, par opposition au temps cyclique et absurde du désir et de la consommation.

La critique de l'économie politique chez Marx

Puisque les marchandises s'échangent en fonction du travail nécessaire à leur production, la science de ces échanges, à savoir l'économie politique, doit reconnaître dans le travail humain la condition de possibilité de son objet. Ce mouvement de retour à une condition dissimulée, oubliée, est ce que Marx* (1818-1883) nomme « critique* de l'économie politique ».

Telle qu'elle est prise en compte dans la science économique, l'abstraction du travail humain n'a qu'un sens négatif : l'homme y est considéré seulement en tant que détenteur d'une force de travail, « prolétaire » dépourvu de toute autre qualité liée à l'activité particulière qu'il exerce. Dans sa prétention apparente à l'objectivité, l'économie politique ne peut donc que cautionner le mode de production capitaliste, qui engendre précisément des prolétaires dépourvus de tout. La critique de l'économie politique permet d'envisager une autre signification, positive, de l'abstraction du travail : chaque homme deviendrait un « individu intégral », et non « l'individu morcelé » de la division du travail (*Le Capital*, XV) ; le travail lui-même deviendrait, pour chacun, le premier besoin vital, au lieu d'être le seul moyen de survivre. Dans un de ses derniers textes importants, la *Critique du* *programme de Gotha* (1875), Marx affirme que si le mot d'ordre de la société communiste* doit être, dans une première phase, « chacun selon ses capacités », il sera plus tard, dans la phase supérieure où l'humanité connaîtra enfin l'abondance : « chacun selon ses besoins ! »

Travail, œuvre et action selon Arendt

Dans son ouvrage *Condition de l'homme moderne* (1958), la philosophe H. Arendt (1906-1975) propose de diviser la « vie active » de l'homme selon trois pôles : le travail, intimement lié à la vie, au processus biologique du corps humain et à son métabolisme ; l'œuvre (les œuvres d'art surtout), grâce à laquelle l'homme construit un monde artificiel d'objets, nettement différent de son milieu naturel ; et enfin l'action (l'action politique essentiellement), qui met directement en rapport les hommes entre eux, et n'a de sens que par leur pluralité. Ainsi, les hommes vivent sur terre par leur travail, habitent un monde selon leurs œuvres, et réalisent leur « être-en-commun » à travers leurs actions. Cette tripartition est essentiellement hiérarchique : l'action en est le couronnement ; le travail et l'œuvre sont les conditions de l'action.

Or la modernité, selon Arendt, a détruit cette hiérarchie, en deux vagues successives. La première a réduit l'action à l'œuvre, et plus précisément à la fabrication : c'est le triomphe de l'*Homo faber*, dont témoigne particulièrement la philosophie politique des XVIIe et XVIIIe siècles, et sa conception de l'État* comme une machine, un appareil calculé pour produire de la sécurité à partir du consentement des sujets. La seconde vague réduit à son tour l'œuvre au travail, si bien que toute activité humaine devient un travail. Cette idée extravagante apparaît chez Hegel (qui raisonne comme si les produits du travail étaient des œuvres), et s'épanouit chez Marx : en qualifiant de *praxis* (en grec, « action », par opposition à la fabrication et au travail) le processus par lequel nous sommes nécessairement asservis à la vie, Marx montre, selon Arendt, à quel point il inverse la juste idée que les Anciens se faisaient de la hiérarchie des activités humaines.

Arendt se propose d'« inverser » cette inversion, et par là même le cours d'une Histoire* qui a vu la notion de travail prétendre progressivement au statut d'essence de l'homme. Toutefois, la division si radicale qu'elle propose entre travail, œuvre et action est discutable : pour ne prendre que les deux extrêmes, on conçoit difficilement un travail humain sans la médiation du langage, sans un espace public* de communication, de même qu'on conçoit mal une action politique qui serait dépourvue de calcul stratégique.

ENJEUX CONTEMPORAINS

Vers la fin du travail ?

Indépendamment de sa nostalgie antiquisante, la pensée de Arendt peut éclairer les discussions actuelles sur la fin du travail. Avec un chômage qui tend à s'installer comme une donnée permanente de la vie sociale, une précarité et une flexibilité qui font disparaître toute référence à la notion de métier, le déclin des activités transformatrices de la nature au profit des activités de « services », le déclin du capitalisme industriel au profit du capitalisme financier, nos sociétés* s'orientent dans une direction qui semble peu compatible avec la conception hégélienne ou marxiste du travail formateur de l'homme. Il est aisé d'y déceler les signes d'un « désenchantement » irréversible (D. Méda), ou même la perspective angoissante d'un monde dans lequel le travail humain deviendrait complètement inutile, et avec lui la grande majorité des hommes (V. Forrester, J. Rifkin). Sur les grandes mutations, toutefois, les jugements risquent toujours d'être prématurés (D. Schnapper).

● **À CONSULTER :** J.-M. Vincent, *Critique du travail. Le faire et l'agir*, PUF (1987). ● **À LIRE :** D. Méda, *Le Travail, une valeur en voie de disparition*, Aubier (1995). J. Rifkin, *La Fin du travail*, La Découverte (1997). D. Schnapper, *Contre la fin du travail*, Textuel (1997). V. Forrester, *L'Horreur économique*, Fayard (1996). G. Friedmann, *Le Travail en miettes*, Gallimard (rééd., 1971). ● **À VOIR :** Chaplin, *Les Temps modernes* (1936).

● **CORRÉLATS :** Aristote ; communisme soviétique ; critique philosophique ; dialectique ; esclavage ; espace public ; État ; Hegel ; Histoire et historiens ; Marx et le marxisme ; Platon ; Réforme ; société ; valeurs.

TRISTAN

Personnage légendaire, Tristan est le produit de trois folklores, arabe, celtique et français. Son histoire est contée dans des récits médiévaux (XIIe siècle) de Béroul, Thomas et Marie de France ; au XIIIe siècle, son aventure est intégrée à la quête du Graal.

Tristan de Loonois est un orphelin élevé par son oncle, le roi Marc, en Cornouailles. Il montre vite des dons exceptionnels, et se signale par des exploits héroïques (victoire contre le géant Morholt et contre le Dragon). Marc le charge d'aller en Irlande et de lui ramener Yseut la blonde pour l'épouser : dans le bateau, les deux jeunes gens boivent par mégarde un « vin herbé », philtre magique qui les rend passionnément amoureux l'un de l'autre. Marc épouse Yseut, mais Tristan et Yseut ne cessent de s'aimer : liaison adultère, qui contraint Tristan à quitter le royaume pour la Bretagne, où il épouse sans l'aimer une jeune femme, nommée Yseut aux blanches mains. Ne pouvant oublier la première Yseut, blessé dans un combat, agonisant, Tristan charge son ami de lui ramener Yseut la blonde – aux talents de guérisseuse – sur un bateau à voile blanche. Par jalousie, la seconde Yseut annonce à son mari une nef à voile noire, signe d'échec de la mission : Tristan meurt, et Yseut la blonde débarque pour l'accompagner dans la mort.

Une tradition ajoute que deux arbres enlacés ont poussé sur les tombes des deux amants tragiques : Marie de France, avec son *Lai du chèvrefeuille*, en fera un motif de la poésie courtoise*.

Le héros, l'amoureux et le révolté tragique

Comme Œdipe*, Tristan est tout d'abord le vainqueur de monstres : il commence par délivrer la cité de ses puissances malfaisantes. Le christianisme* l'assimile ainsi à saint Georges ou saint Michel. Tristan est doué de tous les talents : il apporte aux Barbares de Cornouailles son génie, technique et artistique, conjuguant la *métis* (« astuce ») d'Ulysse et les dons d'Orphée.

Mais c'est aussi un héros tragique, prisonnier de son destin et placé sous le signe de la mort. Son nom marque sa vie, sous le sceau d'une « triste » fatalité : orphelin, il ne peut vivre avec celle qu'il aime et meurt à cause d'un sombre mensonge. Le philtre bu par Tristan et Yseut, dans une perspective chrétienne, renvoie symboliquement au péché originel : le couple incarne l'humanité souffrante et déchue, qui retrouvera l'innocence au terme de la « passion » (à la fois amour et souffrance), et dans la mort. Ce « beau conte d'amour et de mort », selon l'expression de Bédier, traducteur et critique de *Tristan et Yseut*, est révélateur de l'alliance étroite, dans la pensée occidentale, des deux principes, Éros et Thanatos.

Tournier enfin, dans son essai *Le Vol du vampire* (1981), signale que Tristan est un révolté qui s'oppose aux conventions du mariage et de la hiérarchie sociale, non par défi comme le fera don Juan*, mais par fidélité à sa passion, par obéissance à la magie du philtre.

ENJEUX CONTEMPORAINS

Mythe et société

Repris par les romantiques* du XIXe siècle anglais Arnold, Tennyson, Swinburne, et surtout allemand avec Schlegel ou Wagner, le mythe* de Tristan et Yseut est devenu emblématique du couple inséparable et de l'amour conçu comme passion hors convention : si Marc est le mari, Tristan est l'amant et l'être aimé. L'amour profond, l'« éros », s'entend fatalement hors mariage : il est adultère et clandestin, entravé par des obstacles qui le renforcent. Comme le montre l'analyse de Rougemont dans *L'Amour et l'Occident* (1939), l'amour dans l'imaginaire occidental est épreuve, errance, quête impossible de l'autre, et ne peut être que cela, sous peine de se figer en idylle conjugale (*cf.* Affectivité).

● **À CONSULTER :** D. de Rougemont, *L'Amour et l'Occident*, Plon (1939). M. Tournier, *Le Vol du vampire*, Mercure de France (1981). P. Brunel, *Dictionnaire des mythes littéraires*, Rocher (1988). ● **À LIRE :** J. Bédier, *Le Roman de Tristan et Iseut* (1900). ● **À VOIR :** J. Cocteau, J. Delannoy, *L'Éternel Retour* (1943). ● **À ÉCOUTER :** R. Wagner, *Tristan et Isolde* (1865).
● **CORRÉLATS :** affectivité ; courtoisie ; don Juan ; épopée ; mythe ; Œdipe ; romantisme.

U

UNION EUROPÉENNE

● **DÉF. :** Dénomination officielle, depuis 1995, de la réunion des quinze États* constituant la Communauté économique européenne.

Une union essentiellement économique

Le projet d'une communauté économique unissant les nations européennes qui venaient de se combattre pendant la Seconde Guerre mondiale*, apparaît formulé clairement dans une déclaration du ministre français Schuman (1886-1963), le 9 mai 1950. Il en ressort, un an plus tard, l'institution de la Communauté économique du charbon et de l'acier (CECA), dont les participants sont la France, l'Allemagne de l'Ouest, l'Italie, la Belgique, les Pays-Bas et le Luxembourg.
Dans un contexte de guerre froide*, alors que le relèvement d'après-guerre est loin d'être acquis, la création de la CECA marque le commencement de la construction européenne.
Les débuts sont cependant difficiles : encouragés par la réussite de la Communauté charbon-acier, ses promoteurs, le Français Schuman, l'Italien De Gasperi (1881-1954), l'Allemand Adenauer (1876-1967), pensent pouvoir passer immédiatement au plan politique. Ils proposent la création d'une armée inter-européenne, la Communauté européenne de défense (CED). La guerre est encore trop proche : la crainte de voir l'Allemagne réarmée fait échouer le projet, après deux années de débats (1952-1954).
Les partisans de l'Europe se replient alors sur le terrain plus sûr de l'économique. Par la signature du traité de Rome (1957), les six fondateurs de la CECA prévoient la constitution entre eux d'un Marché commun, la Communauté économique européenne (CEE), entrant en vigueur en 1958. Le Royaume-Uni, sollicité, met en avant la priorité qu'il accorde aux liens avec le *Commonwealth* (ex-Empire britannique) et les États-Unis : cette attitude retardera de quinze ans son entrée dans la Communauté.
Les résultats très positifs de l'union économique, favorisée par la conjoncture de croissance des années 1960, vont convaincre d'autres nations de s'intégrer à la Communauté. En 1973, le Royaume-Uni, l'Irlande et le Danemark la rejoignent ; en 1981, la France favorise l'entrée de la Grèce et en 1986, l'Espagne et le Portugal, qui ont retrouvé des régimes démocratiques, sont à leur tour admis. L'Europe des six est devenue l'Europe des douze. En 1990, la réunification allemande intègre l'ancienne Allemagne de l'Est et en 1995, l'adhésion de la Suède, de la Finlande et de l'Autriche fonde une Europe à quinze.
Parallèlement, la Communauté s'est dotée progressivement d'institutions*.

UNION EUROPÉENNE

États membres de l'Union européenne
(année d'adhésion)

- 1958 (membres fondateurs de la CEE)
- 1973
- 1981
- 1986
- 1990 : la partie orientale de l'Allemagne (RDA) a été intégrée à l'Union européenne du fait de la réunification allemande
- 1995

États non membres

- États ayant refusé l'adhésion
- États candidats

Mais si le pouvoir de proposer reste l'apanage de la représentation des gouvernements et des peuples participants (Conseil européen, Conseil des ministres de la Communauté, Parlement européen de Strasbourg), la décision et l'exécution se concentrent entre les mains de la Commission des communautés européennes, à Bruxelles, organisme de nature technocratique dont le président (le Français Delors de 1985 à 1995, puis le Luxembourgeois Santer) apparaît volontiers aux yeux de l'opinion comme le premier des dirigeants européens.

De par ses origines trop exclusivement économiques et techniques, le fonctionnement de la Communauté souffre donc d'un « déficit démocratique » peu propre à mobiliser l'opinion en faveur de l'Europe. D'autre part, l'ouverture des frontières, la libéralisation des échanges et des pratiques économiques, intervenant en plus dans un climat déprimé, sont à l'origine de perturbations qui font que les conséquences de la crise sont aisément – et injustement – imputées à la politique communautaire. Ces carences soulignent la nécessité d'une approche plus politique de la construction européenne.

La question de l'union politique

Posée dès le début, la proposition de créer une entité politique commune a aussitôt rencontré de vives résistances. Revenu au pouvoir, en France, un an après la signature du traité de Rome, le général de Gaulle (1890-1970), hostile à une Europe intégrée où il redoutait de voir se dissoudre la souveraineté française, lançait l'idée d'une « Europe des patries ». En fait, le projet européen a constamment oscillé entre deux modèles peu conciliables : une construction fédérale supposant l'existence d'une autorité supranationale significative, une association d'États indépendants conduisant, au mieux à une coopération concertée, au pire à l'établissement d'une simple zone de libre-échange.

Reste à savoir si même cette dernière hypothèse ne tend pas nécessairement, par l'unité de fait qu'elle constitue, vers une intégration politique : au XIXe siècle, l'unité allemande (1871) a commencé par une union douanière, le *Zollverein*. Beaucoup des partisans résolus de la construction européenne le pensent et poussent en ce sens à l'unification économique. En février 1986, l'Acte unique européen a décidé la concrétisation de l'espace économique sans frontières intérieures prévu par le traité de Rome, créant ainsi l'entité de dimension continentale capable de lutter à armes égales avec les économies américaine ou japonaise. Le grand marché impliquant une unité monétaire commune, le traité de Maastricht de décembre 1991 a prévu la mise en place, d'ici la fin du siècle, d'une monnaie unique (l'écu, devenu l'euro) qui entraînera la disparition de monnaies séculaires qui étaient l'un des signes les plus éclatants des souverainetés nationales.

Sur un autre plan, la menace des missiles soviétiques, au début des années 1980, puis dix ans plus tard, l'impuissance de l'Europe devant les déchirements en ex-Yougoslavie ont fait prendre conscience qu'il était capital que la Communauté puisse parler et agir de façon unanime, donc que l'établissement d'une entité politique, quelle qu'elle soit, était une nécessité. En ce sens, la décision de substituer la dénomination « Union européenne » à celle de « Communauté » est d'une grande portée symbolique.

L'unité de l'Europe est cependant encore loin d'être acquise. Aux partisans de l'union s'opposent toujours les défenseurs de l'idée nationale, mais y a-t-il vraiment incompatibilité ? Dans ce vieux continent chargé d'Histoire*, il ne peut être question de gommer les particularismes qu'exprime au premier degré la diversité linguistique. Trop souvent, l'argumentation des adversaires de l'Europe dissimule simplement la résurgence du nationalisme*.

Par ailleurs, au point aujourd'hui atteint par l'intégration économique, existe-t-il une autre solution qu'une politique unitaire ? Seul, aucun des États européens – y compris les plus anciens et les plus prestigieux, la France, le Royaume-Uni, l'Allemagne réunifiée – ne représente dorénavant un poids économique, diplomatique et stratégique qui lui permette de compter sérieusement dans le siècle qui vient ; unis, en revanche, ils demeurent une puissance, l'un des foyers de développement les plus importants du monde et ils se donnent les moyens de défendre leur niveau de vie et leurs acquis sociaux face aux risques inhérents à la mondialisation de l'économie.

ENJEUX CONTEMPORAINS

Relations internationales

Les Européens prennent de plus en plus conscience, au-delà de leurs diversités et des critiques qu'ils formulent à l'égard de la politique communautaire, de leur profonde unité culturelle. Ils retrouvent là ce qui a fondamentalement sous-tendu, depuis des siècles, l'idée d'Europe* et cette découverte d'une identité commune reproduit, à l'échelle du continent, le processus sur lequel s'était fondée, aux siècles précédents, l'aspiration aux unités nationales. Il n'est pas interdit d'imaginer un temps où se percevoir français, italien ou suédois en Europe correspondra à ce qu'est, aujourd'hui, le sentiment d'être bourguignon, breton ou provençal en France.

Au-delà de ses vicissitudes, la marche vers l'union européenne semble engagée dans un mouvement irréversible : s'il en est ainsi, les réticences de l'« euro-scepticisme » peuvent sembler un combat d'arrière-garde.

● **À CONSULTER :** J.-L. Mathieu, *L'Union européenne*, PUF (1996). J.-C. Masclet, *L'Union politique de l'Europe*, PUF (6e éd., 1994). J.-F. Deniau, G. Druesne, *Le Marché commun*, PUF (6e éd., 1996). L. Balmond, J. Bourrinet, *Les Relations extérieures de l'Union européenne*, PUF (1995). L. Burban, *Le Conseil de l'Europe*, PUF (2e éd., 1993).
● **CORRÉLATS :** Europe (idée d') ; guerres mondiales ; institutions internationales ; libéralisme ; nationalisme ; systèmes économiques.

UTOPIE

● **ÉTYM. :** Néologisme forgé par More (1478-1535) pour désigner l'île d'*Utopia*, cité au gouvernement parfait ; le mot vient du grec *topos* (« lieu ») et de la négation *ou* (« non » ou « nulle part ») qui en suggère le caractère imaginaire, ou bien du préfixe *eu* (« bien »), d'où « lieu parfait ». ● **DÉF. :** Le terme *utopie* désigne une philosophie politique qui passe par la construction de cités idéales.

Les sources de l'utopie

La pensée utopique apparaît dès les débuts de la littérature écrite grecque : Homère (VIIIe siècle av. J.-C.), dans l'*Odyssée*, décrit l'île des Phéaciens et sa prospérité fabuleuse. Hésiode (VIIIe siècle av. J.-C.) fixe dans la *Théogonie* le mythe* d'un « âge d'or » caractérisé par la fécondité de la nature, rendant tout travail* inutile, et l'absence de violence.

Certains thèmes utopiques trouvent un écho dans la pensée de Platon* (427-347 av. J.-C.) qui reprend les mythes de l'âge d'or dans le *Politique* ou celui de l'Atlantide dans le *Critias* ; mais surtout, il construit dans *La République* le modèle d'une cité parfaite, gouvernée par des philosophes rois et fondée sur une organisation sociale tripartite (rois, guerriers, producteurs) mettant chaque homme à la place convenant à sa nature. La littérature gréco-romaine développera ensuite toute une tradition utopiste autour des thèmes de l'âge d'or et des îles bienheureuses : îles du Soleil chez Diodore de Sicile (≈ 90-20 av. J.-C.), îles Fortunées chez Plutarque (50-125).

La diffusion du christianisme* se traduit par un recul de l'utopie, l'espérance du Salut se substituant aux rêves de cités parfaites ; mais la pensée religieuse a été porteuse d'une forte inspiration utopique avec, en particulier, le millénarisme*. Inspirée d'une lecture de l'Apocalypse, cette doctrine se fonde sur l'idée d'un règne de Dieu sur terre, durant les mille ans précédant le Jugement dernier. L'espérance millénariste, exprimée entre autres dans les œuvres de Joachim de Flore (1132-1202), exercera un rôle puissant dans la contestation de l'Église* et dans le rêve d'une société de saints.

La création du mot *utopie* par More, au XVIe siècle, signale à cette époque un renouveau de cette forme de littérature. Les causes de cette renaissance sont multiples : Grandes Découvertes*, ébranlement des certitudes traditionnelles lié à l'humanisme* et à la Réforme*, déclin des structures féodales et de l'économie médiévale. À partir du XVIe siècle, la littérature utopique connaîtra des vagues successives traduisant les rêves et les insatisfactions des hommes. La richesse des thèmes utopiques est inépuisable et va de l'abbaye de Thélème de Rabelais (1483-1553), aux *Voyages de Gulliver* de Swift (1667-1745), de l'Icarie de Cabet (1788-1856) aux phalanstères de Fourier (1772-

1837), de *La Cité du Soleil* de Campanella (1568-1639) à l'Eldorado du *Candide* de Voltaire (1694-1778).

De l'imaginaire à la politique

Si la mise en scène de l'utopie est relativement fixe et passe le plus souvent par le voyage imaginaire et la description de communautés harmonieuses, ses thèmes varient en fonction des moments de l'Histoire*. Ils s'organisent autour de grands problèmes : gouvernement, vie religieuse, organisation familiale et relations entre les sexes, économie et division du travail.

Au XIXe siècle, les premières expressions de la contestation du capitalisme ont pris la forme d'utopies : Marx* (1818-1883) opposera, à son socialisme* « scientifique », le socialisme « utopique » de Saint-Simon (1760-1825), Fourier (1772-1837) ou Cabet (1788-1856) ; l'Anglais Owen (1771-1858) passe de la théorie à la pratique en fondant une usine modèle en Écosse (New Lanarck), puis en tentant une expérience communautaire à New Harmony (Indiana).

Pouvoirs de l'imagination ou imagination au pouvoir ?

Le problème crucial posé par l'utopie est celui de sa réalisation. De ce point de vue, l'histoire de l'utopie peut paraître décevante, voire inquiétante, car les tentatives entreprises pour passer du rêve à la réalité, se sont toujours soldées par des échecs, plus ou moins cuisants. On peut évoquer la sanglante répression du mouvement millénariste de Jean de Leyde à Münster au XVIe siècle, les échecs américains d'Owen, ou des disciples de Fourier. Plus gravement, on a pu interpréter les dérives révolutionnaires* de la Terreur ou de l'expérience soviétique comme des effets de l'utopie au pouvoir.

En outre, l'apparition au XXe siècle de contre-utopies, comme celles d'Orwell (1903-1950), *1984*, ou d'Huxley (1894-1963), *Le Meilleur des Mondes*, a mis en évidence les risques totalitaires* ou schizophréniques que comportent les projets d'un monde sans faille, totalement administré. La réalisation d'une société* parfaite à partir d'hommes corrompus se nourrit du fantasme qu'il est possible de faire table rase du passé, ce qui conduit inévitablement à une logique de la violence.

Enjeux contemporains

Politique

L'utopie, considérée de façon critique, est d'une incontestable fécondité. Comme le disait Breton (1896-1966) dans le *Manifeste du surréalisme**, l'imagination ne pardonne pas. La construction idéale d'un ailleurs est un puissant facteur de mise à distance des pesanteurs et des injustices de la réalité présente. C'est pourquoi l'utopie constitue, suivant l'expression du philosophe marxiste dissident Ernst Bloch (1885-1977), un principe d'espérance, ouvrant le présent sur un avenir plus heureux.

● **À consulter :** M. Servier, *Histoire de l'utopie*, Folio (1991). H. Desroches, *Humanismes et utopies*, in *Histoire des mœurs* (tome 3), Gallimard (1991). T. Paquot, *L'Utopie*, Hatier « Optiques » (1996).

● **À lire :** Rabelais, *Gargantua*. Swift, *Les Voyages de Gulliver*. Voltaire, *Candide*. Orwell, *1984*. Huxley, *Le Meilleur des Mondes*, Bradbury, *Fahrenheit 451*.

● **Corrélats :** communisme soviétique ; Marx et le marxisme ; millénarisme ; Platon et le platonisme ; socialisme ; société ; totalitarisme.

V

VALEURS

● **ÉTYM.** : Du verbe latin *valere* (« être fort, puissant »). ● **DÉF.** : Le terme *valeur* a d'abord désigné en français le « courage », la « vaillance » ; puis par extension, l'« importance » de quelqu'un ou de quelque chose, d'où sa signification économique à partir du XIIIe siècle : la valeur est le caractère mesurable d'un bien qui peut être échangé. Au pluriel, les « valeurs » désignent, depuis le XIXe siècle, tout ce qui se donne comme estimable, désirable ou délectable : les multiples objets de nos jugements d'appréciation, mais également les normes de ces jugements (le vrai, le bon, le beau...).

Le paradoxe de la philosophie des valeurs : autonomie et relativité

Il est difficile de définir la notion de valeur sans l'utiliser elle-même dans sa définition : est valeur tout ce qui vaut. Cette difficulté n'est pas seulement un obstacle : elle révèle une dimension essentielle de l'idée de valeur, son autonomie. La valeur se comprend par elle-même, et se donne par principe comme irréductible à tout autre ordre.

Pour éclairer ce point, il suffit de remarquer qu'un « jugement de valeur » est absolument différent d'un « jugement de fait », et ne peut en être déduit : il y a un abîme entre dire « le monde est ainsi », ce qui énonce un fait, et dire « le monde doit être ainsi », ce qui énonce une valeur. En admettant, par exemple, que l'on puisse constater des différences de fait entre les hommes, on ne saurait en déduire, d'aucune façon, qu'« il faut » traiter les hommes de façon différente : le racisme, qui prétend toujours se fonder sur cette déduction fautive, n'est pas seulement condamnable sur un plan éthique*, mais également incohérent sur le plan logique. D'un fait on ne peut déduire qu'un autre fait, et une valeur ne peut être déduite que d'une autre valeur.

À cette autonomie logique de la notion de valeur s'oppose toutefois l'apparente relativité des valeurs. Il ne semble pas y avoir de valeurs « en soi » : ce qui vaut doit valoir *pour* un sujet*, être référé à un point de vue, à une perspective, pour pouvoir être constitué en valeur.

Résoudre ce paradoxe d'une notion à la fois autonome et relative, telle est la tâche de toute philosophie des valeurs, et particulièrement de celle de Nietzsche* (1844-1900).

La théorie nietzschéenne de l'évaluation

« C'est la vie elle-même qui évalue par notre entremise lorsque nous posons des valeurs » (*Le Crépuscule des idoles*, 1888). En rapportant toutes les valeurs, et toutes les oppositions de valeurs, à la vie, Nietzsche semble privilégier la relativité des valeurs, qu'il nomme « perspectivisme ». Selon sa théorie, *vivre* signifie précisément « évaluer » : chaque vivant doit poser des valeurs, qui sont les conditions impérieuses de son maintien dans la lutte universelle des vivants, ce qu'il doit croire pour pouvoir se conserver, et surtout s'accroître.

Toute valeur ne vaut donc que dans une perspective, et il n'existe aucune réalité absolue qui se tiendrait en deçà des différentes perspectives : la réalité, c'est la volonté de puissance universelle, le jeu total des perspectives, jeu qui est lui-même sans but et sans condition, c'est-à-dire sans valeur.
Une partie importante de l'œuvre de Nietzsche est consacrée à la « dévalorisation » des valeurs, phénomène que Nietzsche appelle « nihilisme ». Le nihilisme est le sentiment que « tout se vaut », ce qui revient à dire que rien n'a la moindre valeur, puisqu'il n'y a de valeur que dans la comparaison, l'opposition, la hiérarchie des valeurs. Absolument contraire à la vie, le nihilisme est la conséquence inéluctable du triomphe des valeurs de la faiblesse : en Europe*, par exemple, le triomphe de la morale* chrétienne, qui est une « morale d'esclaves* » (*La Généalogie de la morale*, 1887). La tâche de la philosophie, selon Nietzsche, doit être de surmonter le nihilisme en le retournant contre lui-même. La destruction des valeurs qui ont eu cours jusqu'à maintenant doit permettre la création de nouvelles valeurs, par une inversion du principe de l'évaluation, une transmutation de la négation, de l'hostilité à la vie, en affirmation, en exaltation de la vie. Tel est le processus que Nietzsche nomme « transvaluation de toutes les valeurs ».

ENJEUX CONTEMPORAINS

Pensée postmoderne et crise des valeurs

On entend dire couramment que notre époque connaît une « crise* des valeurs ». Ce qui est digne d'intérêt, dans cette expression un peu galvaudée, c'est que la crise ne concerne plus, comme autrefois, telles ou telles valeurs, mais la notion même de valeur, qui ne va plus de soi. Au fond, c'était encore une évidence, pour Nietzsche, que les valeurs « valent » ; ce n'en est plus une pour les penseurs postmodernes*, pourtant si influencés par Nietzsche.
Dans sa théorie de la relativité des valeurs, Nietzsche maintient le minimum de référence à la réalité lui permettant d'affirmer que les valeurs sont toutes des erreurs. En revanche, la pensée postmoderne est hantée par le relativisme, dont l'esprit consiste à transformer le « tout est faux » en « tout est vrai » : alors il n'y aurait plus que des valeurs, qui se vaudraient toutes, et qui ne vaudraient par conséquent plus rien. La seule issue semble être ce qu'elle était déjà du temps de Protagoras (Ve siècle av. J.-C.) et des sophistes* grecs : dans le pragmatisme. C'est ainsi que le philosophe américain Rorty (né en 1931) propose d'accomplir, dans son ouvrage *Les Conséquences du pragmatisme* (1982), la déconstruction* de la philosophie entreprise par Heidegger* (1889-1976), Foucault (1926-1984) et Derrida (né en 1930). Le pragmatiste selon Rorty est celui qui prend acte de l'incapacité de la philosophie à tenir un discours fondateur sur les normes et les valeurs qu'elle soutient traditionnellement, et qui s'interdit en même temps le relativisme du vrai et du bien. Il propose de renoncer à ces discussions stériles, au profit de celles qui se poursuivent avec fécondité dans la « culture post-philosophique ».

● **À CONSULTER :** J. Baudrillard, *Le Crime parfait*, Galilée (1994). A. Renaut, S. Mesure, *La Guerre des dieux. Essai sur la querelle des valeurs*, Grasset (1996). P. Valadier, *L'Anarchie des valeurs*, Albin Michel (1997).
● **CORRÉLATS :** crise ; déconstruction ; esclavage ; éthique ; Europe (idée d') ; Heidegger ; morale ; Nietzsche ; postmoderne ; sophistes ; sujet.

VILLE

● **ÉTYM. :** Du latin *villa*, qui désigne dans l'Empire romain* « le domaine rural » puis, après les Grandes Invasions*, « le village paysan installé sur ce domaine » ; par extension, après le XIIe siècle, « agglomération ». En latin classique, la ville se dit *urbs*. Cette forme sera réintroduite à la fin du Moyen Âge*, de manière savante, comme radical des mots *urbain, urbanité* et, au XXe siècle, *urbanisme*. ● **DÉF. :** La ville a depuis toujours le même rôle social, celui d'un lieu d'échanges et de relations essentielles au fonctionnement de la société*.

L'émergence des villes à la fin du néolithique

Très postérieure à l'agglomération rurale, née au néolithique avec la pratique d'une agriculture sédentaire, la ville apparaît quand les activités productrices se diversifient et se spécialisent, et que se développent les échanges commerciaux.

L'événement se situe à la fin du néolithique et au début de l'âge des métaux (IVe et IIIe millénaires av. J.-C.) ; il suppose l'existence d'une agriculture capable de dégager assez d'excédents pour nourrir une population appliquée à d'autres tâches que la production de subsistances. Il correspond aussi à l'élaboration des premières formes d'État*, la ville concentrant l'expression suprême des pouvoirs civil et religieux, généralement confondus en la personne d'un souverain divinisé.

La ville antique

Ces conditions expliquent que l'émergence des villes soit l'apanage des civilisations agricoles nées dans les vallées alluviales et les deltas du Nil, de l'Euphrate et du Tigre, de l'Indus ou des grands fleuves chinois. Dans l'ouest de l'Ancien Monde, les cités sumériennes et akkadiennes de la haute Antiquité* (Our, Lagash), la capitale de l'Ancien Empire égyptien (Memphis), celles de la civilisation de l'Indus (Mohenjo-dâro, Harappâ) sont sans doute les plus anciennes agglomérations urbaines de l'Histoire*. Elles annoncent l'épanouissement d'une civilisation de la ville qui caractérise le monde du Proche-Orient et de la Méditerranée, pendant toute l'Antiquité*, et qui contribue, pour les Anciens, à différencier l'espace civilisé de celui des peuples barbares. Les cultures antiques de l'Europe centrale et atlantique, celtes et germaniques, ignorent la ville, importée par la colonisation grecque ou la conquête romaine.

Les villes antiques affichent déjà la multiplicité et la diversité des fonctions qui restent le caractère essentiel du phénomène urbain : elles sont à la fois centres politiques, administratifs, religieux, mais aussi pôles d'activités spécifiques (commerce, artisanat, services) et lieux de création culturelle.

Longtemps – et pour des raisons simplement économiques – les villes de l'Antiquité ne groupent que quelques milliers d'habitants. C'est encore le cas des cités de la Grèce antique* : au Ve siècle av. J.-C., Athènes* (du moins dans sa partie proprement urbaine) ne dépasse guère 40 000 âmes. Cependant, à l'époque hellénistique*, le perfectionnement de l'administration fiscale et l'importance accrue des prélèvements agricoles permettent la croissance des capitales économiques et politiques : Alexandrie, Antioche ont des centaines de milliers d'habitants ; sous l'Empire romain, Rome* approche sans doute le million et mobilise pour son ravitaillement la quasi-totalité de la production céréalière et oléicole de la province d'Afrique, l'actuelle Tunisie.

La ville européenne, du Moyen Âge aux Temps modernes

Les Grandes Invasions provoquent en Occident un brutal déclin de l'urbanisation alors qu'en Orient, de grandes métropoles se maintiennent ou se créent (Constantinople, Bagdad). Il faut attendre le Xe siècle et la lente reprise des échanges commerciaux pour que s'amorce une timide renaissance urbaine. Tout au long du Moyen Âge, la ville européenne reste de dimension exiguë, enserrée de murailles qui assurent sa défense. Elle s'organise de manière assez désordonnée autour d'un château, d'un monastère, d'une cathédrale, parfois d'un champ de foire. Malgré sa modestie, le bourg médiéval se différencie pourtant radicalement du village rural. Doté par ses fonctions de tous les attributs qui caractérisent l'agglomération urbaine, il voit sa population, dès les XIe et XIIe siècles, s'affranchir des contraintes de la féodalité* et constituer une catégorie sociale spécifique formée de marchands et d'artisans : la bourgeoisie*. Mais c'est la Renaissance* qui réhabilite pleinement le modèle de civilisation urbain.

Née en Italie, où la densité urbaine était la plus importante d'Occident, porteuse d'une redécouverte des modes de pensée antiques, la Renaissance pose la ville comme foyer constitutif de civilisation, lieu où s'élabore, par opposition au monde campagnard des rustres, un type raffiné de relations – cela même qu'on nomme l'urbanité. Envisagée en tant qu'œuvre d'art, la ville doit être réalisée comme telle et, avant même que le mot ne soit créé, la Renaissance invente l'urbanisme.

Le sommet de cette esthétisation de la ville est atteint à l'âge baroque*, quand de grands architectes dessinent et remodèlent des espaces urbains qu'ils enrichissent d'un décor monumental : Fischer von Erlach à Vienne, Mansart à Paris, Guarini à Turin, Wren à Londres. Mais dans la lancée des Grandes Découvertes* et de l'émergence croissante de la bourgeoisie comme agent économique prédominant, cette exaltation de la ville témoigne aussi du rôle grandissant qu'elle assume.

La ville de l'âge industriel

Ce rôle devient le premier quand, avec la Révolution industrielle* et l'affirmation du capitalisme libéral, l'Occident bascule d'une économie à prépondérance agricole vers une organisation centrée sur la production manufacturière. Confrontée à la fois à l'afflux des ruraux déracinés en quête de travail et aux opérations spéculatives qui accompagnent l'installation des établissements industriels, la ville occidentale du début du XIXe siècle connaît une croissance aussi rapide que désordonnée. Tandis que le centre historique, désadapté aux conditions nouvelles, se dégrade, l'explosion de la démographie urbaine étend démesurément la surface bâtie vers la périphérie, ces faubourgs où s'entasse un prolétariat misérable et que les nantis perçoivent comme l'espace dangereux où mûrissent le crime et la révolution*. S'il est un lieu où le « laisser-faire » propre au credo libéral* a des conséquences désastreuses, c'est bien la ville en voie de rapide industrialisation.
Les pouvoirs libéraux en prennent conscience dès le tournant du siècle et redécouvrent alors la nécessité d'un urbanisme rationalisé. Le modèle en est le remodèlement de Paris, sous Napoléon III (1852-1870) par le préfet Haussmann, mais des opérations analogues sont entreprises à Berlin ou à Vienne. Cette renaissance urbanistique s'accompagne d'un retour aux préoccupations esthétiques*, qui rendent à l'architecte un rôle essentiel et participent ainsi, d'une manière importante, aux renouvellements constitutifs de l'art moderne*.
Entre 1850 et 1940, l'organisation et le décor urbain se transforment, marqués de l'empreinte de grands créateurs, les architectes-ingénieurs du XIXe siècle, les théoriciens de l'Art nouveau*, les fondateurs de l'architecture fonctionnelle, l'Américain Burnham (1846-1912), l'un des inventeurs du gratte-ciel, l'Allemand Gropius (1883-1969), le Français Perret (1874-1954), le Suisse Le Corbusier (1887-1965).

L'urbanisation d'après-guerre

Après 1950, la reconstruction d'après-guerre, la forte croissance économique et les mutations technologiques accélérées se conjuguent pour modifier profondément l'aspect et les structures des villes européennes. Au même moment, l'explosion démographique entraîne une urbanisation sans précédent dans les pays du tiers-monde*. Dans un cas comme dans l'autre, l'urgence, la spéculation foncière, l'absence d'une politique définie ont raison des préoccupations urbanistiques.
En Europe, l'afflux de nouvelles populations citadines, qu'il convient de loger, reproduit une situation du XIXe siècle, les banlieues hypertrophiées se substituant aux faubourgs ouvriers du passé, d'autant que les efforts de réhabilitation du centre historique des villes anciennes au nom de la défense du patrimoine en chassent les habitants modestes. D'abord constituées de lotissements pavillonnaires, les banlieues prennent la forme, après 1960, de grands ensembles d'immeubles hâtivement construits. Très excentrées, mal pourvues en équipements collectifs et en services, les banlieues demeurent des cités sans âme où la qualité de la vie ne cesse de se dégrader. Vite désertées par les catégories sociales moyennes, elles concentrent les populations défavorisées, en particulier immigrées, ce qui conduit dans certains cas à la constitution de véritables ghettos. Des phénomènes analogues apparaissent dans les grandes métropoles du tiers-monde, encore aggravés par la faiblesse du niveau de vie et la violence des rapports sociaux : les banlieues sont alors remplacées par d'immenses zones d'habitat précaire dépourvues de tout équipement urbain (bidonvilles, favelas) qui sont autant d'espaces de non-droit.
Cette évolution pas – ou mal – contrôlée, le gigantisme croissant des grandes métropoles (une quinzaine d'agglomérations dépassent 10 millions d'habitants dans le monde, en 1997) engendrent quantité d'effets négatifs et de nuisances : problèmes de circulation, pollution atmosphérique croissante, prix excessif du logement qui aggrave la ségrégation sociale, insécurité et délinquance, tensions inter-ethniques.

La ville en littérature

Avec l'apparition du roman* réaliste* au XIXe siècle, la ville fait une entrée remarquée en littérature. Balzac, pour inscrire ses personnages dans la réalité de son temps, décrit avec minutie le cadre urbain dans lequel ils évoluent. En de puissantes descriptions, il peint Paris (*Le Père Goriot*, 1835) : la ville occupe une place privilégiée en tant que lieu où se conjuguent le pouvoir, les affaires, la vie culturelle, et où se côtoient la vieille aristocratie et la bourgeoisie montante. La ville n'est pas seulement le décor de l'action, elle devient un quasi-personnage : Paris est le lieu initiatique où le jeune provincial fera son éducation, qu'il s'agisse de Rastignac (Balzac), Julien Sorel (Stendhal) ou Frédéric Moreau (Flaubert). Hugo personnifie Paris dans *Les Misérables* (1862) ; Zola lui donne une identité dans *Le Ventre de Paris* (1873), *L'Assommoir* (1877), *Au bonheur des dames* (1883) ; Eugène Sue captive le lectorat populaire avec ses *Mystères de Paris* (1842). La France rurale se métamorphose progressivement en une France urbaine : le roman reflète cette mutation, en même temps qu'il forge un mythe* fécond, celui de la grande ville moderne, lieu de toutes les aventures et toutes les tentations, lieu complexe qui allie les venelles du vice et les avenues de l'émancipation.

La poésie* du XXe siècle naissant donne à voir le spectacle fascinant de la ville : Apollinaire, dans *Alcools* (1913), révèle, après Baudelaire et ses *Tableaux parisiens* (1857), le charme de la modernité urbaine ; Verhaeren chante *Les Villes tentaculaires* (1895) ; Cendrars et Larbaud disent la magie des grandes cités du monde entier.

Accompagnant l'explosion de l'urbanisation, le roman du XXe siècle s'écrit sur la ville : Joyce, avec *Ulysse* (1922), réinvente Dublin ; Céline, avec *Voyage au bout de la nuit* (1932), dévoile ces nouveaux territoires que sont New York et la banlieue parisienne ; Aragon expose sa vision du monde réel dans *Les Beaux Quartiers* (1936) ; Butor présente, avec *L'Emploi du temps* (1956), un portrait de l'homme moderne dans sa relation symbolique à la ville.

Enfin, le roman policier (du grec *polis*, « cité ») arpente en tous sens la ville et ses mystères : Malet, Simenon, Izzo, les Américains Chandler, Chester Himes et Chesbro inventent des énigmes dont la ville moderne – fascinante et inquiétante – a le secret. Le cinéma* et la bande dessinée* prolongent cette séduction : la ville y apparaît à la fois humaine (« fourmillante cité » pleine de vie) et inhumaine (la « ville-Moloch » broyeuse d'êtres).

ENJEUX CONTEMPORAINS

Société

Dans un monde de plus en plus urbanisé – quatre-vingt-dix pour cent des ressortissants des pays industrialisés vivront en ville au XXIe siècle – la prise en compte des problèmes spécifiques posés par les villes modernes promet d'être l'une des urgences immédiates des prochaines décennies. Elle impose comme une absolue nécessité la redéfinition d'un urbanisme contemporain et la mise en place d'une « politique de la ville » qui dépasse les vœux pieux et les incantations rhétoriques.

● **À CONSULTER :** Y.-H. Bonello, *La Ville*, PUF (1996). L. Mumford, *La Cité à travers l'Histoire*, Seuil (1964). J.-L. Harouel, *Histoire de l'urbanisme*, PUF (1995). T. Paquot, *Homo urbanus : essai sur l'urbanisation du monde et des mœurs*, L'Harmattan (1992). ● **À LIRE :** Zola, *Le Ventre de Paris*. Dos Passos, *Manhattan transfert*. ● **À VOIR :** F. Lang, *Metropolis*.

● **CORRÉLATS :** art moderne ; Art nouveau ; Athènes ; bande dessinée ; bourgeoisie ; cinéma ; Découvertes (Grandes) ; féodalité ; Moyen Âge ; mythe ; poésie ; réalisme ; Renaissance ; Révolution industrielle ; roman ; Rome ; société ; Sparte.

Index

Les mots et les chiffres en gras renvoient aux entrées du dictionnaire.

A

D

E

H

I

J

K

Q

R

T

U

V

Tableau des cartes et des chronologies

Vous trouverez aux pages indiquées les cartes et les chronologies correspondant aux entrées suivantes.

Tableau synoptique des entrées

Vous trouverez ci-dessous tous les termes qui font l'objet d'une entrée. Certaines notions, historiques ou philosophiques, ainsi que les genres littéraires, peuvent bien sûr se prolonger au-delà de la période indiquée : nous signalons leur apparition à un moment clé dans l'histoire des idées.

	Histoire	*Philosophie, sciences*	*Littérature, arts*
PRÉHISTOIRE			
ANTIQUITÉ IVe mill. av. J.-C.- Ve siècle ap. J.-C.	Hébreux Judaïsme, Bible, Monothéisme Grèce antique, Athènes, Sparte Démocratie, empire, république	• Sophistes, Platon, Aristote, scepticisme, stoïcisme, épicurisme Affectivité, droit, espace public, esthétique, éthique, individu, ironie, morale, métaphysique, société • Histoire, biologie, mathématiques, physique	• Comédie, drame, épopée, mythe, poésie, rhétorique, théâtre, tragédie • Antigone, Œdipe, Prométhée
	Monde hellénistique Rome antique Empire romain Christianisme, Église catholique, Europe (idée d') Grandes Invasions	Pensée chrétienne	Conte
MOYEN ÂGE Ve-XVe siècles	Empire byzantin Islam, Coran Féodalité Croisades	Aristotélisme Millénarisme	• Épopée, Roland, courtoisie, Tristan • Art roman, art gothique
TEMPS MODERNES			
Renaissance XVe-XVIe siècles	Grandes Découvertes Colonisation, esclavage Réforme protestante Contre-Réforme catholique Guerres de Religion	Humanisme Machiavel, État Utopie	Roman
XVIIe siècle	Absolutisme Révolutions anglaises	• Descartes • Révolution scientifique	• Classique (littérature), don Juan, moralistes • Art baroque, classique
Lumières XVIIIe siècle	Révolution américaine Révolution française Droits de l'homme, droite et gauche en politique, franc-maçonnerie, libéralisme, progrès, tolérance Contre-Révolution	Rousseau, Kant, empirisme Contrat social, critique philosophique	• Encyclopédie, écriture de soi, figures du Moi, salons, libertins, néoclassicisme • Musique baroque, musique classique, opéra
ÉPOQUE CONTEMPORAINE XIXe siècle	Napoléon Nationalisme Révolution industrielle Anarchisme, bourgeoisie, école, socialisme, syndicalisme, systèmes économiques	• Hegel, Marx, Nietzsche dialectique, idéologie, phénoménologie, philosophies de l'Histoire, matérialisme, révolution • Positivisme, sociologie, ethnologie, psychanalyse, psychologie	• Romantisme, réalisme, fantastique, Faust, Frankenstein, critique littéraire • Musique romantique, impressionnisme
XXe siècle	Première Guerre mondiale Révolution russe Communisme soviétique, totalitarisme Institutions internationales Seconde Guerre mondiale Fascisme, national-socialisme, populisme, antisémitisme, sionisme Guerre froide Tiers-monde Mai 68 Médias, image Union européenne Aire culturelle	Épistémologie, herméneutique • Heidegger, École de Francfort, existentialisme, personnalisme, structuralisme Intellectuels, technique • Nucléaire, bioéthique, écologie, génétique Crise, déconstruction Absurde, famille, personne, sport, sujet, travail, valeurs, ville	• Art nouveau, art abstrait, expressionnisme, cubisme, futurisme, surréalisme • Chanson, jazz • Bande dessinée, cinéma, musique contemporaine • Pop art Postmoderne

Imprimé en France par CPI-Hérissey à Évreux (Eure)
Dépôt légal : 18765 - Janvier 2009 - N° d'impression : 110177